SAKKA WAFA.

Msc - contrôle de gestion

- HEC Montréal -

LA STRATÉGIE
DES ORGANISATIONS :
une synthèse

Les Éditions Transcontinental
1100, boul. René-Lévesque Ouest
24e étage
Montréal (Québec) H3B 4X9
Tél.: (514) 392-9000
1 800 361-5479
www.livres.transcontinental.ca

Données de catalogage avant publication (Canada)
Hafsi, Taïeb
La stratégie des organisations: une synthèse
2e édition revue et augm.
Comprend des réf. bibliogr. et un index.
ISBN 2-89472-138-2
1. Planification stratégique. 2. Entreprises – Planification. I. Séguin, Francine. II.
Toulouse, Jean-Marie. III. Titre.
HD30.28.H33 2000   658.4'012   C00-941202-6

Révision et correction: Jacinthe Lesage, Lyne Roy
Mise en pages et conception graphique de la page couverture: orangetango

La forme masculine non marquée désigne les femmes et les hommes.

Imprimé au Canada
© Les Éditions Transcontinental, 2000
Dépôt légal — 3e trimestre 2000
Bibliothèque nationale du Québec
Bibliothèque nationale du Canada

ISBN 2-89472-138-2

Nous reconnaissons, pour nos activités d'édition, l'aide financière du gouvernement du Canada, par l'entremise du Programme d'aide au développement
de l'industrie de l'édition (PADIÉ), ainsi que celle du gouvernement du
Québec (SODEC), par l'entremise du Programme d'aide aux entreprises du
livre et de l'édition spécialisée.

Taïeb Hafsi
Francine Séguin
Jean-Marie Toulouse
et leurs collaborateurs

LA STRATÉGIE DES ORGANISATIONS : *une synthèse*

Les Éditions
TRANSCONTINENTAL inc.

À Joëlle et Qaïs.

À Jacques, Claude et Antoine.

À nos collègues de stratégie actuels,
pour des raisons qu'ils comprendront bien.

À nos collègues de stratégie futurs,
pour des raisons qu'ils devineront bien.

Préface à la première édition

C'est en 1984 que l'idée de ce livre a été lancée. À cette époque, le groupe de stratégie de l'École des hautes études commerciales, à Montréal, était dans une phase de reconstruction. Alain Noël, avec son énergie habituelle, voulait faire du groupe le meilleur au Canada et, si on voulait l'écouter, peut-être même l'un des meilleurs au monde.

L'accent, à cette époque, était surtout mis sur la qualité de l'enseignement. Il fallait que les cours de stratégie deviennent les plus courus de l'École, et l'expérience des étudiants, la plus stimulante et la plus excitante parmi les écoles de gestion. En 1985, cet objectif était déjà à portée de la main et Alain insistait auprès de chacun que l'étape suivante était d'écrire le livre de stratégie que le groupe méritait.

Les livres de stratégie qui étaient sur le marché, mis à part le traditionnel livre d'Andrews, *The Concept of Corporate Strategy,* ne répondait que très partiellement à nos besoins. Nous avions fait plusieurs essais, notamment le livre de Fry & Killing, qui nous avait séduits par la qualité des cas qui y avaient été colligés, le livre de R.-A. Thiétart, qui faisait une synthèse de qualité raisonnable mais qui restait pour nous incomplète et, dans une moindre mesure, le livre *Strategos,* des professeurs de l'École des HEC de Jouy-en-Josas, en France, qui souffrait d'un manque évident d'unité. Mais nous demeurions insatisfaits et, à partir de 1987, nous fûmes obligés de proposer à nos étudiants un codex composé de cas et de textes choisis ici et là, pour accompagner le livre d'Andrews. Il était clair que nous avions besoin d'écrire notre propre livre.

C'est alors que se produisit un phénomène qui n'est pas vraiment inhabituel dans des groupes unis comme l'était le groupe de stratégie. Chacun, par respect pour le voisin, voulait laisser l'initiative à l'autre. En fait, pour tous les efforts qu'il avait faits, nous voulions sans vraiment le dire qu'Alain prenne le leadership du livre, mais Alain était déjà emporté par d'autres préoccupations. Il partit pour une année sabbatique en France, et ne revint pas avec le projet souhaité. Il avait lui-même hésité à imposer un livre, donc forcément une perspective, à ses collègues et amis. Le groupe fut ainsi paralysé pendant plusieurs années, la procrastination naturelle aidant.

Comme ce fut souvent le cas, c'est Marcel Côté qui nous a réveillés au début de la décennie 1990 en concevant un livre de cas, une remarquable réalisation qui a réglé une partie de nos problèmes et qui devint rapidement un best-seller. Il reçut même le prix François-Albert Angers pour le meilleur livre pédagogique. Nous fûmes tous heureux de cette initiative et Marcel devint notre leader dans le développement des cas et pour leur regroupement en livres. La voie était à présent ouverte pour la réalisation d'un livre conceptuel pour compléter le livre de cas.

De nombreuses discussions eurent lieu parmi les membres du groupe de stratégie appelé Strategos et à présent plus important, avec l'arrivée de nombreux jeunes collègues, Christiane Demers, Nicole Giroux, Daniel Côté, Yvon Dufour, et de professeurs plus établis, comme Marie-Claire Malo, Francine Séguin et Louis Jacques Filion. Taïeb Hafsi et Jean-Marie Toulouse prirent l'initiative de proposer un projet acceptable pour le groupe.

Le premier projet, accepté par le groupe en 1992, avait pour base un texte qui faisait une petite synthèse des perspectives en matière de gestion stratégique. Il proposait alors l'écriture de cinq petits livres, chacun sous la responsabilité de deux des membres du groupe. Tout le monde était alors associé à l'œuvre. Deux ans plus tard, nous nous sommes rendu compte que le projet n'était pas très réaliste. Par respect et par amitié, nos collègues avaient accepté d'écrire des livres, mais ils étaient mal à l'aise. Plusieurs estimaient que leurs réflexions n'étaient pas encore assez mûres pour faire l'objet d'un livre de base. Tout le monde nous encouragea alors à prendre en charge l'écriture du livre de concepts. En attendant, Marcel, qui rééditait son livre de cas, fit aussi publier des fiches conceptuelles que nous avons utilisées.

Cette fois-là, nous étions sur la sellette. Il fallait donner de la chair au projet et le réaliser concrètement. Nous le fîmes avec anticipation et nos collègues nous ont soutenus tout le long du processus de conception. Finalement, nous sommes arrivés au projet qui est présenté aujourd'hui. Jean-Marie avait insisté sur le fait qu'on devait avoir un livre qui présente à la fois les concepts, les outils et les exemples. Taïeb insistait sur la nécessité de faire un livre-synthèse qui puisse servir de référence à la fois à des gestionnaires, à des consultants et à nos étudiants. Cela voulait dire qu'il fallait éviter les perspectives étroites et s'efforcer de présenter une vue d'ensemble sur les grandes idées et les résultats des recherches qui dominent le champ, tout en ayant un livre lisible.

Le domaine de la stratégie est en train de connaître une explosion de recherches, ce qui l'entraîne dans des directions multiples et qui l'atomise. Nous ne croyons pas que le domaine ait besoin d'une nouvelle théorie de la stratégie. La contribution des anciens, notamment celle d'Andrews et de ses collègues du groupe de Harvard, reste toujours une référence précieuse. Il y a cependant un grand besoin de synthèse. Il y en a peu. Nous souhaitons que celle que nous proposons ici soit à la mesure des attentes. Nous souhaitons que nos collègues travaillent dans le futur à l'améliorer et à maintenir l'École des HEC à l'avant-garde de la réflexion dans ce domaine important de la gestion générale.

Une synthèse est toujours une aventure difficile qui nous mène dans des directions inattendues et parfois stériles. Nous sommes fiers du résultat, mais il est évident que nous n'avons pas la prétention d'offrir la meilleure des synthèses possibles. Le résultat que nous proposons n'est qu'un début. Nous sommes conscients qu'il y a encore beaucoup d'imperfections qui pourraient tenter d'autres, ici et ailleurs, de prendre le relais. Qu'ils sachent que la tâche, bien qu'excitante, est rude.

Devant la multitude d'activités à gérer et à réaliser, nous avons été près d'abandonner. De plus, Jean-Marie Toulouse a été attiré par les responsabilités de direction de l'École et les professeurs l'ont encouragé à s'engager en le plébiscitant. Bien heureusement, au même moment, Taïeb Hafsi bénéficiait d'une année sabbatique qui lui laissait plus de temps pour la réalisation et la coordination des multiples tâches et contributions qui donnent le résultat actuel. Malgré ses charges, Jean-Marie Toulouse a décidé de faire sa part et de continuer à participer activement au projet.

Le livre est divisé en sept parties. La première partie est une introduction, dont l'objet est vraiment de donner une perspective d'ensemble et de replacer le concept de stratégie à la place qu'il mérite dans la gestion difficile des organisations d'aujourd'hui. Cette partie nous rappelle notamment que les relations de cause à effet sont généralement obscures en gestion et qu'on a alors besoin d'un « bâton d'aveugle » pour retrouver son chemin. En même temps, l'introduction donne le ton en insistant sur l'importance de la communauté interne et de son prolongement à l'externe.

La deuxième partie est plutôt technique. Elle est consacrée d'abord à la construction du modèle de base de formulation de la stratégie, puis au développement des concepts principaux qui dominent la formulation, notamment ceux qui permettent l'analyse de l'environnement et ceux qui permettent d'apprécier la qualité et l'importance des ressources disponibles et de dégager les avantages de l'organisation face à ses concurrents.

La troisième partie s'éloigne un peu de l'analyse pour mettre l'accent sur les processus de réalisation, en discutant de la structure, des systèmes et, en général, des mécanismes qui permettent la mise en œuvre de la stratégie.

La quatrième partie étend le champ de la stratégie en examinant les changements que la complexité introduit dans la gestion stratégique. La cinquième partie continue sur la même veine, mais en insistant sur les effets de la mondialisation et sur la gestion stratégique des organisations en situation de mondialisation. La sixième partie dirige le regard vers le changement stratégique, c'est-à-dire les situations où on cherche à changer de stratégie. Les problèmes que posent le changement et la gestion de celui-ci sont alors discutés. Finalement, la septième partie conclut en ouvrant le débat, notamment en attirant l'attention sur la relation difficile entre organisations et individus et en offrant une perspective candide sur les problèmes de l'enseignement et de l'apprentissage en matière de stratégie.

Toutes ces parties sont soutenues par des notes qu'un grand nombre de collègues reconnus dans leurs domaines ont accepté avec enthousiasme d'écrire. Ces notes sont plus focalisées. Elles traitent de sujets nouveaux ou de techniques d'analyse particulières ou de réflexions qui étendent la compréhension de la gestion stratégique. Ces notes sont courtes mais leur contribution à la qualité de ce livre est à souligner. Ce sont probablement ces notes qui permettent de faire la différence avec la plupart des livres de stratégie, en anglais ou en français, qui ont été mis sur le marché au cours de la dernière décennie.

Nous croyons que le résultat devrait attirer l'attention de nos collègues dans d'autres institutions universitaires, de consultants et de gestionnaires à la recherche d'une bonne synthèse à laquelle ils puissent se référer en cas de besoin. La lecture de ce livre devrait être facile. Chaque partie et même chaque chapitre pourrait être lu séparément, au gré du besoin. Nous pensons cependant qu'il est utile de commencer par la première partie qui est une vraie introduction à tout le reste. Pour les professeurs et les étudiants, nous voudrions attirer l'attention sur le dernier chapitre qui est un guide sur l'enseignement et le fonctionnement de la classe.

L'histoire de ce livre a montré que beaucoup de personnes ont contribué à sa réalisation. Nous voudrions les remercier toutes. En particulier, nous voudrions exprimer notre gratitude à tous ceux qui ont accepté nos échéances pour réaliser des notes de qualité. Il s'agit, dans l'ordre où apparaissent les notes, de Jean-Pierre Dupuis, Yvon Dufour, Veronika Kisfalvi, Marcel Côté, Jean Pasquero, Louise Côté, Louis Jacques Filion, Sylvie Saint-Onge, Philippe Chapuis, Alain Gosselin, Alain Noël, Albert Lejeune, Jean-Christophe Vessier, Georges Fernandez, Christiane Demers, Philippe Faucher, Daniel Côté, Alain Pinsonneault, Laurent Lapierre et Danny Miller. Beaucoup de ces personnes ont accepté de faire ces notes par amitié pour nous. Nous voudrions leur dire notre gratitude en même temps que notre admiration pour la maîtrise de leurs sujets. Deux notes ont été reproduites à partir des magazines *The New Yorker* et *The Harvard Business School Bulletin,* que nous remercions pour leur collaboration.

Des remerciements spéciaux doivent aller à Francine Séguin, qui a réalisé le chapitre III, sur les rapports entre la stratégie et la communauté et qui, de plus, malgré ses nombreuses responsabilités, a aussi lu et critiqué plusieurs des chapitres de ce livre. Un grand merci aussi à Marcel Côté, qui a contribué à la réalisation du chapitre VIII, sur les relations entre la stratégie, la structure et la performance, et à Christiane Demers, qui a lu et critiqué les premiers jets des chapitres importants. Nous voudrions finalement dire à nos collègues du groupe Stratégos notre appréciation pour la confiance qu'ils nous ont faite et pour le soutien qu'ils nous ont témoigné tout au long du processus qui a mené à ce livre. Ce livre est au fond aussi le leur, et nous nous attendons à ce que les versions ou éditions futures leur soient confiées.

Susan Fontaine a travaillé à la mise en forme définitive des chapitres et des notes. Quand on sait que ces documents arrivaient souvent dans des formes et des formats de traitement de texte complètement différents, il a fallu tout le savoir-faire, le talent et la patience de Susan pour que finalement la maison d'édition reçoive un document de qualité acceptable. Susan a aussi été une excellente conseillère et ses remarques nous ont souvent permis d'améliorer considérablement certains des textes. On ne saura jamais te remercier assez Susan !

Finalement, le choix d'une maison d'édition est loin d'être facile. Nous l'avons un peu expérimenté à nos dépens. Un livre doit non seulement être produit de manière convenable, mais il doit aussi être vendu de manière efficace. Ni la production ni la vente ne sont triviales. La plupart des maisons d'édition maîtrisent raisonnablement bien la première et négligent beaucoup la deuxième. Beaucoup de maisons ont aussi des opérations commerciales tellement serrées qu'elles n'ont souvent pas les ressources d'entreprendre beaucoup de projets à la fois. Pourtant, toutes se précipitent à vouloir privilégier la quantité à la qualité du produit final et de la relation avec les auteurs. Quelques-unes pourtant ont des comportements admirables. Nous voudrions, bien sûr, mentionner les efforts des Éditions Transcontinental et de Sylvain Bédard, son directeur. Il a accueilli avec enthousiasme ce livre et a répondu avec efficacité à toutes nos demandes. Il a aussi accepté de faire un spécial dans la commercialisation du livre, en s'engageant à le faire connaître largement dans le milieu scolaire, mais aussi auprès des gestionnaires et consultants, au Québec et ailleurs. Merci Sylvain pour votre attention, votre gentillesse et vos encouragements !

Finalement, un livre est une aventure dont pâtissent ceux et celles qui sont proches des auteurs. La patience de Joëlle et de Monique a souvent été mise à rude épreuve, mais elle n'a pas entamé leur affection et leur soutien. Martin, Simon, Mathieu et Qaïs ont toujours été plus libres dans l'expression de leurs réserves mais leurs protestations étaient souvent bienvenues pour nous rappeler à l'ordre et à l'appréciation des sacrifices qu'un tel projet implique. Nous voudrions leur dire à toutes et à chacun notre gratitude et notre affection. Leur présence rend possibles tous ces efforts et toutes ces réalisations. Merci, merci mille fois et... pardon, pardon autant de fois.

Préface à la deuxième édition

La première édition du livre *La stratégie des organisations : une synthèse* a connu du succès tant par le nombre d'exemplaires vendus que par l'intérêt qu'elle a suscité parmi les professeurs et les étudiants qui l'ont utilisée. Cela nous a fait grand plaisir et nous a donné le goût de procéder à une nouvelle édition : une édition revue, modifiée et enrichie.

Un livre, surtout lorsqu'il se veut une synthèse des approches qui ont cours dans un domaine donné, est un produit en constante évolution. Déjà, la préface de la première édition indiquait que le résultat proposé n'était qu'un début. Il s'agissait d'un début, puisque c'était la première production « collective » des professeurs de stratégie de l'École des hautes études commerciales. C'était aussi un début, puisque nous étions persuadés qu'il faudrait, un jour ou l'autre, revoir le livre à la lumière des nouvelles recherches et approches qui suscitent de l'intérêt dans le domaine de la stratégie.

Pour Taïeb Hafsi, il s'agissait de poursuivre le travail qu'il avait si bien amorcé dans la première édition du livre. Il lui apparaissait important de conserver la conception de la stratégie et le filon conducteur qui avaient présidé à l'organisation du livre. Il tenait aussi à ce que le livre campe mieux l'importance de l'économie industrielle en stratégie. Pour Francine Séguin, il s'agissait de contribuer à un livre dont elle partageait les grandes orientations, mais de le faire en y intégrant ses intérêts pour la théorie des organisations et pour les liens que cette dernière entretient avec la stratégie.

L'architecture du livre n'a pas véritablement changé. La première partie porte sur le concept de stratégie. La deuxième partie s'intéresse aux dimensions interne et externe à prendre en considération si l'on veut parvenir à concevoir et à formuler une stratégie. La troisième partie aborde la mise en œuvre de la stratégie et l'importance de la structure, de la culture et du leadership dans ce processus. La quatrième partie s'intéresse particulièrement à la stratégie en situation de complexité, alors que la cinquième partie porte sur le changement stratégique. La dernière partie replace la réflexion en stratégie à l'intérieur du débat plus général portant sur les relations toujours difficiles qui existent entre l'individu et l'organisation. Afin de soutenir le contenu des différents chapitres, nous avons conservé l'idée d'ajouter de courtes notes qui, à nos yeux, contribuent à faire de cet ouvrage un produit original par rapport aux autres livres sur le marché.

Tout en conservant l'architecture du livre, nous avons procédé à des changements importants sur le plan des matériaux utilisés. Cette seconde édition comporte quatre nouveaux chapitres. Les chapitres IV et V portant sur l'analyse de l'environnement et sur l'analyse de l'organisation ont été complètement remaniés. Puis on a ajouté deux chapitres, soit le chapitre VI portant sur les choix stratégiques et le chapitre X portant sur la diversification par acquisitions et fusions. D'une part, il nous semblait important de montrer que l'analyse externe et interne aboutit à des choix stratégiques, c'est-à-dire au choix d'options et de manœuvres stratégiques de toutes sortes. D'autre part, compte tenu de l'importance qu'ont acquise les stratégies de diversification, il nous apparaissait nécessaire d'y consacrer un chapitre et de le relier à la gestion stratégique en situation de complexité.

Cette seconde édition comprend aussi 19 nouvelles notes. Malgré la qualité et l'intérêt qu'elles représentaient, certaines notes de la première édition ont été remplacées par des notes abordant des thématiques nouvelles cadrant mieux avec l'orientation que nous voulions donner à la seconde édition. Nous tenons donc à remercier à nouveau tous ceux et celles qui avaient écrit une note pour la première édition du livre. Nous tenons aussi à exprimer notre gratitude à ceux et celles qui ont accepté avec enthousiasme d'écrire une note « à temps » pour cette deuxième édition. Il s'agit, dans l'ordre où apparaissent ces notes, de Bertin Nadeau, d'Anne Mesny, de Guy Archambault, de Christiane Demers, de Nathalie Riverin, de Fernand Amesse, de Claude Roy, de Martine Vézina, de Linda Rouleau, de Suzanne Rivard, de Nicole Giroux, de Patricia Pitcher, de Jean-Louis Denis, de Louis Hébert, de Jacob Atangana Abé et de Valérie Lehmann.

Enfin, tous les chapitres de la première édition ont été revus et corrigés. En particulier, nous avons supprimé le chapitre III, *L'entreprise, la communauté et la société,* et intégré certains des éléments qu'il contenait au chapitre II; nous avons aussi apporté des modifications aux deux chapitres portant sur la mise en œuvre.

Si cette seconde édition a vu le jour, malgré les nombreuses activités de Taïeb Hafsi et le séjour de Francine Séguin en France pour une demi-année sabbatique, c'est grâce au travail remarquable de Sylvie Chabot et de Martine Lefebvre. Ces dernières ont apporté toutes les modifications qui s'imposaient, à la suite de la révision des chapitres et des notes de la première édition; elles ont aussi travaillé à la mise en forme définitive des 4 nouveaux chapitres et des 19 nouvelles notes. Sans leur professionnalisme, cette nouvelle édition du livre aurait eu de la difficulté à voir le jour, et nous ne saurons jamais assez les remercier. Nous tenons enfin à souligner le plaisir que nous avons eu à travailler avec Jean Paré et Louise Dufour des Éditions Transcontinental dont le travail et les suggestions ont amélioré, de façon importante, la qualité du livre.

Cette seconde édition s'inscrit dans la voie tracée par la première en la prolongeant et, nous l'espérons, en l'améliorant. Nous souhaitons qu'elle donne le goût à nos collègues en stratégie de l'École des HEC, du Québec ou d'ailleurs de prendre le flambeau et de travailler à une troisième édition revue, améliorée et enrichie.

Table des matières

{ Partie I }

LE CONCEPT
DE STRATÉGIE

Ce livre est destiné à servir de guide à tous ceux, étudiants ou gestionnaires, qui souhaitent mener une réflexion de définition ou de redéfinition d'une organisation. Il est construit de façon à ce que les aspects importants de la gestion stratégique soient introduits progressivement, en allant du général au spécifique pour revenir au général, mais aussi du plus simple au plus complexe pour revenir à une « réconciliation » des deux.

La première partie est une partie essentielle du livre. Elle est destinée à présenter le **concept de stratégie** et les **idées** qu'il a inspirées à la littérature. Cette vision du concept et de son utilité est la nôtre. Elle ne diverge pas de manière importante de ce qui est communément admis, mais il y a des nuances sur lesquelles nous insistons qui, vous le verrez, trahissent nos biais.

Le premier chapitre aborde cette perspective directement en mettant l'accent sur la stratégie comme un instrument précieux dans un monde des organisations, somme toute difficile à comprendre.

La stratégie vue comme un bâton d'aveugle suggère que nous vivons dans un monde complexe. La communauté des chercheurs, tout comme celle des praticiens œuvrant dans ce domaine, est alors obligée de travailler avec des instruments imparfaits, des heuristiques dont l'objet est de permettre des compréhensions acceptables, temporaires, en attendant de pouvoir faire mieux. La stratégie est en même temps un outil robuste parce qu'elle ne met pas l'accent sur des relations précises, mais bien sur un processus. La recherche, aujourd'hui, contribue d'ailleurs de manière spectaculaire à la précision des éléments de ce processus. Plus important encore, c'est un puissant instrument d'action. Il aide à mettre de l'ordre dans un univers chaotique.

Pour les chercheurs en stratégie, l'action est un laboratoire précieux. Nous apprenons surtout en observant les praticiens découvrir leur chemin. En d'autres termes, les praticiens sont les manipulateurs dans le laboratoire, un peu comme le sont les médecins dans la salle d'examen. Ce premier chapitre affirme que la connaissance en gestion restera toujours imparfaite et suggère que c'est à cause de cela que l'alliance entre le praticien et le chercheur est une nécessité pour la réalisation de laquelle il faut imaginer les formes d'organisation.

Le deuxième chapitre est une sorte de synthèse de la littérature. Il suggère que la stratégie apparaît sous des formes diverses dans les pratiques de gestion et dans la recherche. Cinq formes, notamment, ont été retenues pour les besoins du livre : la stratégie comme expression de ses dirigeants, la stratégie comme expression d'une communauté de personnes, la stratégie comme filon conducteur, la stratégie comme facteur de relation avec l'environnement, la stratégie comme construction d'un avantage concurrentiel. Ces différentes manifestations de la stratégie définissent aussi, bien sûr, le cadre d'analyse utilisé dans la deuxième partie du livre. Il faut dire que ce cadre enrichit ce qui est communément utilisé dans le domaine, tout en lui restant très proche.

CES CHAPITRES SONT COMPLÉTÉS PAR QUATRE NOTES :

La première note est écrite par Bertin Nadeau. C'est un universitaire qui a « défroqué » pour vivre une longue et riche expérience dans la direction d'entreprises. Aujourd'hui, en plus d'enseigner à l'École des HEC un séminaire sur le rôle du président d'entreprise, il continue à diriger plusieurs entreprises. Il nous livre le fruit de réflexions stimulantes sur les tâches importantes des présidents.

La deuxième note est écrite par Veronika Kisfalvi, professeure à l'École des HEC, qui se spécialise dans les applications des théories psychanalytiques à la gestion stratégique des organisations, notamment à la dynamique du leadership. La note sur « la stratégie des personnes » constitue une réflexion sur la stratégie lorsqu'on se met au niveau d'une personne. Allant au-delà de ce qui est évident et qui est qu'une personne peut avoir une stratégie au sens de Crozier, cette note permet de voir comment les comportements traduisent cette stratégie.

Dans la troisième note, Anne Mesny, professeure de management à l'École des HEC, traite de la stratégie des acteurs en milieu organisé. Cette note puise aux travaux des sociologues constructivistes qui affirment que l'organisation est une construction, le résultat de stratégies émergentes d'individus et de groupes qui, bien que peu ordonnées, ne mettent pas en danger les activités de l'organisation et au contraire ont de fortes chances de les améliorer. Il s'agit là d'une excellente discussion d'un courant très en vogue dans le domaine du management général.

La quatrième note, écrite par Taïeb Hafsi, met l'accent sur l'utilisation du concept de stratégie pour le développement d'une stratégie nationale.

Cette note prend en particulier l'exemple de la Corée du Sud pour montrer que les outils d'analyse stratégique paraissent parfaitement applicables sur le plan national.

Chapitre I

LA STRATÉGIE :
UN BÂTON D'AVEUGLE

I. LA TÂCHE DU DIRIGEANT

Il y a à peine 20 ans, à la Harvard Business School, les enseignements les plus importants en stratégie des entreprises portaient sur la difficulté de l'intégration. Les étudiants peinaient sur le cas Midway Foods, une petite entreprise de 100 employés, sise à Chicago, qui fabriquait des friandises, surtout des tablettes de chocolat. Le cas A paraissait alors si simple que la plupart des participants avaient du mal à se motiver. On y décrivait pêle-mêle l'industrie des friandises, l'histoire de l'entreprise, l'expression des caractéristiques de l'entreprise, en particulier l'énoncé des « finalités corporatives », de la stratégie de marketing et une discussion entre l'auteur du cas et le président de l'entreprise, M. Kramer. Les étudiants se demandaient souvent ce qu'on attendait d'eux dans un cas aussi général. Mais Midway était particulière et, dans ce premier cas, elle paraissait déjà unique dans sa capacité à se définir et surtout à prendre de grandes décisions cohérentes avec cette définition.

Progressivement, le professeur présentait aux étudiants des aspects nouveaux de la gestion de Midway. Le cas B mettait déjà les étudiants à l'épreuve : Midway pouvait saisir l'occasion d'acheter un concurrent. Devait-elle le faire ? Le cas C révélait les perspectives différentes des quatre services fonctionnels. On y découvrait que chaque service avait une mission différente, des méthodes opératoires et des problèmes d'opération différents. Plus important encore, chacun des directeurs avait une philosophie personnelle et une méthode de gestion différentes. Le cas D montrait ces gestionnaires en action, au cours de réunions de décision, et suggérait les difficultés qu'ils pouvaient avoir à agir ensemble. Finalement, les cas E1 et E2 nous montraient le président qui, comme responsable de la coordination de cet ensemble soudain plus complexe et plus délicat, devait prendre des décisions qui pouvaient faire le succès ou l'échec de Midway Foods.

Le sentiment que tous les étudiants finissaient par retirer d'un tel cas était celui de l'extrême diversité et de la complication des problèmes auxquels faisaient face les dirigeants. Des problèmes de marchés (compréhension des besoins des clients, des actions des concurrents), des problèmes opératoires (faire fonctionner les usines), des problèmes de gestion du personnel, des problèmes de direction, de leadership, des problèmes de pouvoir et de motivation qui influent de manière inattendue sur le fonctionnement du groupe de direction ; bien d'autres problèmes encore qui engendraient un sentiment de confusion que la taille de l'entreprise et l'apparente simplicité de ses activités n'annonçaient pas. Comment mettre de l'ordre dans un tel foisonnement ?

En matière de conceptualisation des activités de la direction générale, l'un des travaux les plus marquants de ce siècle est le livre de Barnard (1938) sur les fonctions du dirigeant (*The Functions of the Executive*). Barnard, lui-même président du New Jersey Bell, avait d'abord suggéré que les organisations étaient des « systèmes de coopération ». Une coopération « consciente, délibérée, avec une finalité » pouvait amener des personnes à atteindre desobjectifs qui leur seraient autrement inaccessibles. Tout le talent des dirigeants était alors de créer ou de maintenir la volonté des per-sonnes de coopérer.

Selon Barnard, assurer la coopération des personnes associées à l'organisation suppose que les objectifs soient clairs et que des systèmes adaptés de « stimulation matérielle et de persuasion » soient mis en place. Cela doit être fait de façon à ce qu'il y ait « un équilibre entre les contributions des personnes concernées et les compensations qu'elles reçoivent ». L'équilibre entre les contributions apportées et les compensations reçues est un « jugement » qui est fait par la personne qui accepte de coopérer. En conséquence, l'art de la gestion va ainsi consister à convaincre les personnes associées à l'organisation que l'équilibre actuel est acceptable et justifie la continuation de la coopération.

Herbert Simon (1945) a reçu un prix Nobel pour avoir en un sens opérationnalisé les travaux de Barnard sur la coopération. Simon, qui est le précurseur de « l'École de la prise de décision », a suggéré que l'unité de réflexion et d'action devait être la décision. Le dirigeant est alors celui qui travaille à influencer les décisions qui sont prises par ses collaborateurs, de façon à les faire converger vers un objectif commun. Cette influence, qui est en quelque sorte l'équivalent de l'effort de maintien de la coopération, vise à agir sur les facteurs qui peuvent nuire à la compréhension des objectifs ou à leur réalisation, comme les habitudes, les réflexes, les savoir-faire, les valeurs et attitudes. Pour cela, on utilise des outils comme la « formation », pour accroître les savoir-faire, la « communication », pour bien faire comprendre les objectifs, et « l'autorité », pour imposer aux personnes les effets des décisions prises ailleurs dans l'organisation.

Selznick (1957), un sociologue, a quant à lui, à la demande de la Rand Corporation, étudié les raisons qui permettaient aux partis communistes d'Europe de l'après-guerre de survivre à une adversité particulièrement agressive. Il en est ressorti avec une vision sur le leadership qui a beaucoup marqué la stratégie des organisations. Son livre, *Leadership in Administration*, suggère que les organisations n'ont pas toutes la même nature. Il y a celles qui sont de simples instruments, mettant en pratique une technique ou une procédure, et celles qui ont une « personnalité », un peu comme une personne. Celles-ci sont « infusées de valeurs ». Cela leur donne une capacité particulière à ordonner les conflits internes et à s'adapter aux perturbations de leur environnement. Elles deviennent dans le langage de Selznick des **institutions**.

Les dirigeants jouent un rôle critique dans « l'institutionnalisation » et dans le maintien du « caractère » de l'organisation. Notamment, ils doivent veiller à ce que les valeurs choisies soient infusées dans l'organisation et que les « élites », qui sont porteuses de ces valeurs, soient formées et protégées des influences externes. Ces valeurs, les objectifs et l'idéologie, et les élites constituent le noyau de l'organisation et sont les éléments de sa « compétence distinctive ».

Dans leur livre sur la politique générale d'administration, qui constitue une remarquable synthèse sur le sujet, Christensen, Andrews et Bower (1973) ont proposé que la tâche, apparemment confuse, du président-directeur général ou simplement du directeur général peut être décrite par trois grands rôles : 1. Architecte de la finalité de l'organisation ; 2. Leader organisationnel ; 3. Leader personnel.

De manière plus détaillée, le directeur général est le gardien des objectifs corporatifs. Pour ce faire, il doit présider au processus d'établissement des objectifs et d'attribution des ressources, choisir ou ratifier les choix parmi des solutions stratégiques différentes, défendre les buts de l'organisation contre les attaques externes et contre l'érosion interne, substituer la finalité à l'improvisation et le progrès planifié à la dérive.

Les qualités les plus cruciales qui sont requises sont la capacité intellectuelle de conceptualiser la finalité et la capacité de l'infuser avec un certain degré de magnétisme.

La responsabilité la moins plaisante est celle qui se rapporte aux résultats de l'entreprise aujourd'hui, même s'ils ont été préparés par des plans établis précédemment. Les changements de conditions et de concurrence produisent constamment des urgences auxquelles il faut faire face.

Cela oblige le dirigeant à être un maître d'œuvre attentif qui va au-delà de l'insistance sur la réalisation des résultats programmés. Il doit assurer la maintenance et le développement créatif de la capacité organisée qui permet justement de réaliser les performances espérées. Cela nécessite aussi l'intégration des fonctions spécialisées qui ont tendance à proliférer et à entraîner l'organisation dans toutes les directions. Assurer l'engagement envers les objectifs est une tâche centrale du leader organisationnel.

Pour réaliser cela, le directeur général agit non seulement comme maître d'œuvre, mais aussi comme médiateur et comme motivateur. Éduquer et motiver les gestionnaires, puis évaluer leur performance sont des fonctions difficiles à réconcilier. Les premières nécessitent une bonne compréhension des besoins des personnes, qui vont être là quelle que soit la finalité économique de l'organisation, tandis que la dernière suppose une évaluation objective des nécessités techniques de la tâche assignée. Cela est réalisé par l'intégration des fonctions et la médiation des conflits inévitables entre spécialistes. Ainsi, le directeur général a une perspective dans laquelle les objectifs organisationnels ont la primauté, mais qui affirme la validité des objectifs des personnes.

Finalement, le directeur général agit aussi comme le communicateur principal de la finalité et de la politique, comme exemple, comme point de focalisation du respect et de l'affection de ses subordonnés. Il peut ainsi inspirer à l'organisation le flair et la distinction nécessaires à la démarcation concurrentielle.

Dans les domaines où le jugement ne peut être remplacé par des procédures ou instructions détaillées, les dirigeants généraux clarifient plus par leur comportement que par des politiques ou des procédures ce qui est attendu des membres de l'organisation.

La capacité de persuasion et l'articulation rendues possibles par une bonne conception, la compréhension des sentiments et des points de vue différents, la tolérance et la patience sont des qualités importantes pour jouer les rôles interpersonnels si cruciaux à l'efficacité de l'organisation.

Ces aspects et ces qualités semblent décrire des surhommes, alors que les gestionnaires sont, malgré toute leur bonne volonté, aussi humains que nous tous. Comment arrivent-ils alors à faire face à une tâche aussi imposante ? Pour y répondre, intéressons-nous à présent au concept de stratégie.

II. LA NATURE DU CONCEPT DE STRATÉGIE

The first element of [Hyppocrates] method is hard, persistent, unremitting labor in the sick room, not in the library ; the all-round adaptation of the doctor to his task, an adaptation that is far from being merely intellectual. The second element of that method is accurate observations of things and events, selection, guided by judgment born of familiarity and experience, of the salient and the recurrent phenomena, and their classification and methodical exploitation. The third element of that method is the judicious construction of a theory — not a philosophical theory, nor a grand effort of the imagination, nor a quasi-religious dogma, but a modest pedestrian affair or perhaps I had better say, a useful walking stick to help on the way — and the use thereof [1].

Henderson, 1970 (p. 67)

Quand Hippocrate décrivait sa méthode, il décrivait la situation du médecin qui doit agir malgré l'insuffisance de ses connaissances, malgré beaucoup d'incertitudes sur les relations de cause à effet. Pour que le médecin d'Hippocrate prenne ses décisions, il lui faut « d'abord une familiarité intime, intuitive avec les choses, ensuite une connaissance systématique de ces choses et enfin une approche pour y penser ». Le parallèle avec le gestionnaire est non seulement pertinent mais saisissant.

Le gestionnaire se trouve dans une situation qui n'est pas dissimilaire, souvent même plus confondante que celle du médecin d'Hippocrate. Pour les étudiants examinant Midway, il était évident qu'on avait besoin d'un instrument pour mettre de l'ordre, une sorte de **bâton d'aveugle** pour retrouver son chemin dans le fouillis de la gestion quotidienne. La situation des entreprises d'aujourd'hui est encore plus difficile à envisager que du temps de Midway Foods.

Ce qui caractérise la gestion, surtout de nos jours, avec l'explosion de la technologie de l'information et la chute progressive des frontières douanières entre nations, c'est l'incroyable complexité des contextes et des phénomènes. Ni la petite entreprise ni l'entreprise monoproduit n'échappent à cela. La complexité n'épargne plus aucune organisation. En conséquence, trouver ou donner un sens à sa réalité est une nécessité importante pour le gestionnaire.

---

1. Le premier élément de la méthode (d'Hippocrate) est un travail difficile, persistant, sans relâche, dans la chambre du malade, et non dans la bibliothèque ; une adaptation complète du médecin à sa tâche, une adaptation qui est loin d'être simplement intellectuelle. Le deuxième élément de cette méthode est fait d'observations précises des choses et des événements, de sélection, guidée par un jugement basé sur la familiarité et l'expérience, des phénomènes récurrents et qui ressortent, puis leur classification et exploitation méthodiques. Le troisième élément de la méthode est la construction judicieuse d'une théorie – non pas une théorie philosophique, ni un grand effort de l'imagination, ni un dogme quasi religieux, mais une modeste affaire piétonne ou peut-être, devrais-je dire, un bâton de marche utile pour le chemin – et son utilisation ensuite.

A. LE GÉNIE DE LA GESTION

Dans la pratique, les gestionnaires qui réussissent font à maintes reprises preuve d'une capacité à comprendre, souvent de manière intuitive, et à créer qui est impressionnante. Prenons quelques exemples, rapportés par la presse professionnelle. En 1980, SRC, une petite entreprise de réusinage de moteurs, et filiale de ce qu'était alors International Harvester, est sur le point de fermer ses portes. Elle venait d'être paralysée par une grève qui avait duré 172 jours. Jack Stack, le dirigeant principal, après de nombreuses tentatives infructueuses, réussit à obtenir de la BancAmerica Commercial Corporation le financement du rachat de la filiale.

Par la suite, M. Stack fait le pari que le succès dépend tellement du dévouement des employés qu'il est nécessaire de susciter chez eux un comportement de propriétaires. Il leur cède non seulement une partie de la propriété, aujourd'hui une action plutôt commune, mais il décide aussi d'enseigner à tous, du balayeur au fraiseur, ce que sait le banquier prêteur. Au début, ce fut difficile mais bientôt, comme l'exprime un machiniste de 32 ans :

> We've been over and over and over the different figures enough times that now, if you hand any one of us an income statement and leave out a few numbers, we can fill them in [2].

Au cours de l'année 1994, l'entreprise dépense 300 000 $ en formation en finance, six fois plus que pour l'amélioration des habiletés de production. Chaque semaine, l'entreprise arrête ses machines durant une demi-heure pour permettre à ses employés d'examiner en petits groupes les derniers documents financiers. Cet intérêt a bien sûr des répercussions très concrètes. En 1994, par exemple, 1,4 million de dollars sont distribués en bonis de rendement.

Cette politique du « livre ouvert » a été payante pour SRC, parce qu'elle fait partie d'une industrie dans laquelle les marges sont minimes et toute attention aux détails de coûts de la part des employés peut faire toute la différence. Plus de 1 600 entreprises, dont des entreprises prestigieuses comme Shell Oil ou Allstate Insurance, ont envoyé des personnes pour apprendre de cette remarquable expérience.

---

2. Nous avons examiné une, puis deux, puis tant de fois les différents chiffres que, si vous donnez à l'un d'entre nous un compte d'exploitation, en enlevant quelques chiffres, nous serions en mesure de les ajouter.

Un autre exemple est celui de l'entreprise québécoise Bombardier. Il y a seulement 12 ans, Bombardier semblait dans un cul-de-sac. L'industrie des motoneiges, une des activités traditionnelles de l'entreprise, était en crise ; les transports en commun, surtout par rail, dont elle était un fournisseur important, paraissaient une industrie moribonde ou au mieux stagnante, et rien n'indiquait que l'entreprise allait être capable de se renouveler.

Pourtant, en 1995, Bombardier est devenue l'entreprise la plus impressionnante du Canada. Alors que le marché boursier canadien a connu l'une des périodes les plus difficiles de son histoire, Bombardier est arrivée en moins de trois ans à multiplier par quatre la valeur de ses actions. En 1999 ce succès était confirmé, alors que l'entreprise avait encore multiplié par la valeur de ses actions en cinq ans et s'imposait comme l'entreprise la plus admirée au Canada. Cela s'est fait par une combinaison unique de traditions et de renouvellement.

D'abord, Bombardier a précisé et clarifié son positionnement, celui d'une entreprise d'équipements et de systèmes de transport, avec un accent sur les transports spécialisés ou de loisirs, comme les motoneiges et les motomarines, sur les transports par rail, comme les wagons et trains rapides, sur les transports aériens de petite dimension, avions corporatifs, avions utilitaires et composantes.

La compétitivité de l'entreprise lui est venue d'une incroyable capacité à se démarquer et à occuper des positions de leadership dans des segments mondiaux importants et sous-estimés par ses concurrents. C'est ainsi que Bombardier est le leader mondial de la motoneige et de la motomarine, ayant contribué à une redéfinition complète de ces produits. Elle était aussi le leader mondial des systèmes de transport par rail, ce domaine ayant été abandonné par beaucoup d'entreprises auparavant dominantes. Elle participe à des projets majeurs à travers le monde, comme le projet de l'Eurotunnel entre l'Angleterre et la France. Finalement, Bombardier est devenue le leader mondial de l'avion corporatif et de l'avion utilitaire, grâce à ses filiales canadienne, Canadair, et américaine, Learjet. Tout cela a été réalisé grâce à une compréhension hors du commun de ce qui fait le succès dans ces industries et parce que l'entreprise s'y consacre sans relâche.

Ainsi, Bombardier ne fait pas de recherche et développement coûteux, mais n'hésite pas à aller acquérir la technologie dont elle a besoin, parfois en association avec des concurrents ou des entreprises spécialisées, parfois par acquisition de certaines de ces entreprises. C'est ainsi que Bombardier s'est retrouvée propriétaire d'importants fabricants canadiens, français, belges et autrichiens, dans les transports par rail. Elle a aussi fait l'acquisition de Learjet, de Canadair et de Shorts, en Irlande du Nord, et d'autres, pour donner de l'expansion à son groupe aviation.

Bombardier a un savoir-faire unique en matière de gestion des coûts et de marketing international. Elle démontre aussi un talent rare en matière de surveillance environnementale, de contacts et d'alliances avec les gouvernements et des entreprises de qualité. Elle s'est aussi révélée capable de mettre ces savoir-faire au service de toutes ses divisions, même dans des conditions de sécurité délicate, comme en Irlande du Nord.

Finalement, le plus important semble-t-il (Tremblay, 1994), elle a une capacité de gestion particulière, avec à son centre deux leaders étonnamment complémentaires, Laurent Beaudoin, un entrepreneur qui inspire toute l'organisation, et Robert Brown[3], un gestionnaire rigoureux. On mentionne aussi une culture basée sur l'acceptation du risque, la confiance et les résultats :

Cette relation basée sur la confiance décuple les capacités des leaders et permet à l'organisation d'entreprendre simultanément de nombreux projets. Elle incite également les leaders à s'entourer de gens forts... Chez Bombardier, on accepte la dissidence d'opinion, mais on ne tolère pas la déviance.

De plus, Bombardier est devenue rapidement une organisation mondiale ouverte aux contributions de chacune de ses divisions et désireuse de leur laisser plus d'espace, dans le cadre de valeurs partagées. Bombardier est aujourd'hui une entreprise unique, qui fait les choses de manière différente et qui se démarque de façon positive et stimulante pour tous ses membres.

Les dirigeants de la petite SRC, comme ceux du géant Bombardier, ont, chacun à sa façon, mis en pratique les enseignements d'Hippocrate. Leur familiarité avec leurs activités est vraiment intime. Malgré de grandes incertitudes, une intuition perçante leur a permis de découvrir ce qui fait le succès dans leurs domaines. Ils font aussi un effort systématique important pour mieux comprendre les phénomènes auxquels ils font face. Finalement, ils ont développé une théorie sur le fonctionnement de leur monde qui leur permet de prendre des décisions cohérentes malgré la complexité et l'adversité. Nous conclurons que toutes les entreprises qui réussissent, bien qu'uniques à leur manière, font la même chose.

Prenons à présent une situation inverse, celle de la société alimentaire Culinar. Culinar était, à la fin des années 1980, une entreprise de fabrication et de commercialisation de produits alimentaires. Ses principaux produits

---

3.   Robert Brown a succédé à Pierre Royer, qui avait le profil du gestionnaire intègre et rigoureux.

étaient des petits gâteaux, les célèbres Vachon, des biscuits et des craquelins de toutes sortes ainsi que des produits divers mais marginaux, comme des soupes, des fromages, des bonbons, etc. Culinar était le résultat de la fusion entre les Gâteaux Vachon et la division alimentaire d'Imasco, alors le géant de la cigarette au Canada. Les principaux concurrents de Culinar étaient Nabisco, une multinationale américaine, et Weston, dont les ventes canadiennes étaient environ deux fois supérieures à celles de Culinar.

En 1990, la direction de Culinar décidait de faire réaliser une étude détaillée de son environnement concurrentiel par Monitor, la société de consultants créée par Michael Porter, le gourou de l'analyse stratégique des industries. Le travail de Porter et de ses collègues était très détaillé et précis. Il montrait entre autres ceci :

1. Dans les petits gâteaux, Culinar était dans une position solide. Il y avait peu de gros concurrents et aucun n'avait une dimension vraiment nationale, probablement à cause des difficultés de conservation à long terme des produits. Culinar avait même un savoir-faire important qui pouvait être exploité dans une expansion vers les autres provinces du Canada.

2. Dans les biscuits et les craquelins, la situation était totalement différente. D'abord, il y avait des concurrents forts et énergiques. En particulier, Nabisco dominait avec une part de marché presque quatre fois supérieure à celle de Culinar et un pouvoir de dépenser, pour le marketing et le développement de produits, bien au-delà des capacités de Culinar. La conclusion de l'étude de Monitor était que, dans ce secteur, la réussite était conditionnée par les facteurs classiques d'économies d'échelle et de pouvoir financier. Pour bien faire, Culinar devait soit accroître ses parts de marché, en devenant un acteur national plutôt que régional, ou se différencier, en se concentrant sur un type de produits.

La tradition Culinar était dominée par Vachon, une entreprise dans laquelle la tradition de qualité et d'artisanat était particulièrement forte. L'autre aspect de la culture Culinar lui venait de la tradition des Aliments Imasco, une tradition de réduction des coûts et de recherche d'efficacité opérationnelle. La partie la plus développée de l'étude de Monitor, celle sur les craquelins et les biscuits, suggérait à Culinar de mettre l'accent sur les plus prometteurs des produits de l'industrie et d'essayer de dominer. Cela supposait notamment des acquisitions et des désinvestissements ciblés.

Les dirigeants de Culinar entreprirent alors de réaliser cette partie de la recommandation, qui leur paraissait la plus évidente et apparemment la plus facile à faire. Ils firent une acquisition majeure en Ontario et mirent au point une stratégie de marché dynamique pour enlever des parts de marché à

Nabisco. Le seul élément qui a été négligé, par l'étude de Monitor comme par les dirigeants de Culinar, c'est la capacité de Nabisco à réagir.

La réaction de Nabisco a été dévastatrice. Ses produits étaient mieux connus et mieux appréciés du grand public. En combinant publicité et réductions de prix, Nabisco a placé Culinar dans une situation catastrophique. L'augmentation des coûts, combinée à la chute de revenus, créa une situation particulièrement difficile. De plus, Culinar, après des efforts infructueux pour faire une acquisition importante en Europe de l'Est, en Espagne ou au Mexique, et croyant réaliser une opération intéressante, fit l'acquisition d'une entreprise américaine de New York, qui se révéla « la paille qui brisa le cou du chameau ». L'entreprise new-yorkaise était en situation de faillite et demandait beaucoup trop de ressources managériales pour les capacités de Culinar.

Culinar, au même moment, avait l'occasion de faire une série d'acquisitions d'entreprises de qualité pour le segment des produits de santé. Ce segment était beaucoup plus compatible avec les traditions Culinar et probablement plus à la mesure de l'entreprise, mais les dirigeants en décidèrent autrement. Le résultat, c'est que Culinar fut obligée de battre en retraite, en essayant de vendre toutes les activités autres que les gâteaux Vachon. La plupart des dirigeants ont quitté l'entreprise, qui a été démoralisée pour longtemps.

Les dirigeants de Culinar n'ont jamais vraiment respecté les règles d'Hippocrate. Ils n'avaient pas vraiment une compréhension intime de leur métier. Ils faisaient pourtant des efforts systématiques de compréhension de leur domaine, mais ces efforts étaient peu concentrés et étaient dominés par la croyance en une sorte de pensée magique. Finalement, ils n'avaient pas une théorie convaincante, pour eux et leurs employés, sur ce qui animait leur domaine d'activité. Ils se sont simplement laissé impressionner par l'étude de Monitor et ont tenté de la réaliser sans se préoccuper vraiment si elle correspondait à ce qu'ils étaient capables de faire. Avec le recul, on s'aperçoit bien que Culinar était davantage capable d'une transformation qui aurait mis l'accent sur la qualité des produits et la différenciation. C'était plus compatible avec les ressources et les valeurs des employés et des dirigeants, qu'un accent sur les coûts et les économies d'échelle[4].

---

4. Culinar s'est depuis concentrée sur ce qu'elle faisait le mieux et a amélioré sa position de marché.

B. LE RÔLE DE LA STRATÉGIE

En nous inspirant de Roethlisberger (1977), essayons de rappeler le cadre d'analyse que Henderson, s'inspirant d'Hippocrate, proposait pour comprendre des systèmes sociaux, comme les entreprises et leur fonctionnement, et pour agir sur eux. Voici ce qu'il disait :

1. Il faut disposer d'un schéma conceptuel, nécessaire à l'investigation ou à la compréhension, une sorte de référence pour l'action.

2. Ce schéma n'est pas une question de vrai ou faux, mais une question de convenance. En d'autres termes, le test d'un schéma conceptuel n'est pas de savoir s'il est vrai ou faux mais s'il est utile et convenable.

3. Ce schéma doit être utilisé. Ce n'est pas un objet d'apprentissage théorique, mais un instrument à travailler.

4. Ce schéma conceptuel n'est pas universel. Il ne peut être utilisé que pour comprendre une classe de phénomènes ou agir sur eux. C'est en quelque sorte un instrument un peu primitif, plutôt qu'un instrument hautement sophistiqué.

5. Ce schéma ne doit être utilisé qu'aussi longtemps qu'il apporte une aide (Roethlisberger, 1977) :

Beware... you may think you have a real bear by a real tail. Nothing could be further from the truth. You have just a walking stick to assist you here and now. This walking stick will return someday to that glorious graveyard of abandoned working hypotheses of which Henri Poincaré spoke so eloquently [5].

6. Il faut être préparé pour le jour où une autre façon de penser sera plus utile :

Commit yourself to a point of view... Without such a commitment, nothing useful results. But someday... your commitment (your conceptual scheme) will have done its job. Be prepared for that day. Be thankful for what it has done. But when that day comes, be of stout heart — rejoice and abandon it with hallelujahs [6].

En gestion, ce cadre conceptuel est justement ce qu'on appelle la stratégie d'entreprise. SRC, Bombardier et Culinar, ainsi que toutes les

---

5. Attention... vous pourriez penser que vous tirez un vrai ours par une vraie queue. Rien n'est plus éloigné de la vérité. Vous n'avez qu'un bâton de marche pour vous aider ici ou là. Ce bâton reviendra un jour au cimetière glorieux des hypothèses de travail abandonnées, dont Henri Poincaré a parlé avec tant d'éloquence.

6. Engagez-vous en faveur d'un point de vue... Sans cet engagement, rien d'utile ne résultera. Mais un jour, votre engagement (votre schéma conceptuel) aura fait son travail. Soyez préparé pour ce jour. Exprimez de la gratitude pour ce qu'il a réalisé. Mais lorsque le jour arrivera, de bon cœur, soyez heureux et abandonnez-le avec des alléluias.

organisations, agissent avec un cadre conceptuel sous-jacent, parfois conscient, parfois moins conscient. La différence entre le succès et l'échec d'une organisation vient souvent de la clarté de l'instrument et de sa pertinence. Plusieurs organisations échouent parce qu'elles n'ont pas été capables de renouveler leur stratégie au moment où elles n'étaient plus utiles.

En d'autres termes, la stratégie n'est qu'un bâton d'aveugle. Les dirigeants d'entreprise, comme tous les êtres humains, en ont besoin pour découvrir ou retrouver leur chemin dans l'obscurité d'un monde incertain et turbulent. Mais ce n'est pas un bâton universel. Il faut d'abord qu'il soit adapté à la situation ; ensuite, il n'est jamais adapté *ad vitam æternam.* Il faut constamment se demander quand il est approprié de l'abandonner.

Bien sûr, on pourrait dire qu'il y a toute une « industrie de bâtons d'aveugle ». On peut facilement acheter des bâtons sophistiqués qui se révéleront inutiles ou dangereux pour l'acheteur non avisé. Comme nous le verrons progressivement dans ce livre, la stratégie comme instrument n'est appropriée que lorsque l'organisation a contribué à sa réalisation.

Si l'on regarde l'histoire de la SRC et de Bombardier, on peut voir combien ces entreprises ont travaillé pour concevoir leur bâton-stratégie et comment, le moment venu, elles ont su l'abandonner pour se remettre au métier et concevoir une nouvelle stratégie mieux adaptée à la situation nouvelle qui se pose. On peut aussi les voir constamment la tester et l'ajuster afin de tenir compte des changements qui se produisent. Dans le cas de Culinar, on voit clairement que les dirigeants de cette entreprise n'ont pas été capables d'adapter leur cadre conceptuel, ce qui est un avertissement sur la difficulté de le faire.

Note n° 1

LE PRÉSIDENT
ET LA STRATÉGIE

par Bertin Nadeau

La stratégie a été, au cours des dernières décennies, un des concepts les plus étudiés par les chercheurs en gestion. Elle a fait l'objet de nombreuses publications traitant de sa signification, de son origine, de sa définition, de son évaluation ou, encore, de sa mise en œuvre. L'étude de ces différents volets a donné lieu à l'émergence de plusieurs écoles de pensée, chacune apportant un éclairage spécifique à la compréhension de cet objet d'étude.

Nous n'avons pas l'intention dans cette note d'entrer dans le débat académique entourant l'à-propos de chacune de ces écoles. Notre contribution se limitera à traiter de l'utilisation du concept de stratégie comme outil de gestion. Notre point de vue sera celui du praticien, plus précisément de ceux et celles qui ont la responsabilité de la gestion de l'entreprise dans son ensemble : le président[1] et son équipe. Pour ces derniers, l'objectif est de savoir comment ils peuvent utiliser ce concept puissant afin de mieux gérer leur entreprise. Pour l'étudiant en gestion, l'objectif est de comprendre le processus par lequel passe la prise de décision au plus haut niveau.

Le rôle du président, et sa responsabilité ultime, est d'assurer le succès de l'entreprise qu'il dirige. Nous amorcerons notre propos par une tentative de définition de ce que constitue le succès de l'entreprise. Par la suite, après avoir adopté une définition du concept de stratégie qui convienne à nos fins, nous verrons quel rôle ou quelle place cette dernière occupe dans le processus de gestion au sommet. Nous verrons comment le président peut l'utiliser pour gérer l'évolution de son entreprise vers une position qui permettra à cette dernière d'avoir des résultats compatibles avec les conditions de son succès.

---

1. Dans cette note, le terme président signifie chef de la direction.

LE SUCCÈS DE L'ENTREPRISE

Deux prémisses fondamentales sous-tendent notre propos sur le succès de l'entreprise : 1) le succès est une notion relative et 2) l'entreprise n'existe pas dans l'abstrait ; elle existe et évolue dans un contexte concret, et sa performance et son comportement ne peuvent être évalués que par rapport à ce contexte.

Le succès est une notion relative et non absolue. Le degré de succès est directement proportionnel au niveau de satisfaction des aspirations et des attentes de ceux et celles qui en récoltent les conséquences. Le succès a donc deux composantes : le résultat (réalisation) d'une part et les attentes (aspirations) d'autre part. Le succès est inversement proportionnel à l'écart qui existe entre les deux. Si un résultat permet de satisfaire la totalité des attentes, il engendre un succès maximal. Si, par ailleurs, il ne satisfait aucune attente, il constitue un échec. Enfin, s'il procure une satisfaction intermédiaire des attentes, il sera moyen. De façon générale, le succès ne sera jamais complet, mais, se situera quelque part sur un continuum entre la satisfaction totale des aspirations et l'échec ultime.

Le succès nous apparaît donc non pas comme la conséquence de la dimension absolue du résultat, mais plutôt comme l'adéquation de ce dernier avec les attentes. Cela nous amène à poser la question suivante : en fonction des attentes et des aspirations de quelles personnes ou groupes l'entreprise est-elle gérée ?

De nombreux groupes, externes ou internes, ont du pouvoir sur l'entreprise, et contribuent à son existence. Plusieurs auteurs font référence à ces groupes en parlant de **coalition du pouvoir**. On parle ainsi de la **coalition externe** lorsque ces groupes sont à l'extérieur de l'entreprise et de la **coalition interne** lorsqu'ils sont à l'intérieur. Le tableau 1 contient une liste des principaux membres de ces derniers.

Tableau 1 La coalition du pouvoir

Membres de la coalition externe

- Les propriétaires et leurs représentants (gestionnaires de fonds de pension, de fonds communs de placement, de compagnies d'investissements, etc.) ainsi que ceux qui peuvent les influencer (analystes financiers, journalistes spécialisés, penseurs, consultants…)

- Le conseil d'administration

- Les clients

- Les fournisseurs

- Les partenaires d'affaires

- Les concurrents

- Les associations sectorielles

- Les créanciers

- Les syndicats et autres associations d'employés

- Les gouvernements et leurs institutions

- Les institutions d'enseignement et de recherche

- Les défenseurs de l'intérêt public : les journalistes, le clergé, les politiciens, les professeurs, etc.

- Les groupes de pression

Membres de la coalition interne

- Le président

- Les autres principaux dirigeants

- Les experts

- Les cadres

- Les employés

Les attentes et les aspirations de ces groupes sont variées et leurs demandes sont souvent contradictoires. L'une des principales tâches de la haute direction de l'entreprise est de faire en sorte que le niveau de satisfaction de chacun soit suffisant pour qu'il continue sa collaboration avec l'entreprise. Cette tâche donne lieu à deux défis de gestion fondamentaux : l'atteinte de résultats appropriés et l'adéquation des attentes à la capacité qu'a l'entreprise de les satisfaire. Les deux se gèrent et les deux font partie de la responsabilité ultime du président et de son équipe.

Quels résultats vont permettre une satisfaction suffisante des demandes des membres de la coalition du pouvoir ? Plusieurs observateurs externes à l'entreprise, y compris la plupart des chercheurs en gestion, utilisent le critère de la **rentabilité**, défini par une ou plusieurs de ses manifestations comme le retour sur investissements, le rendement des fonds propres ou encore la valeur économique ajoutée[2], pour évaluer la performance de l'entreprise à but lucratif. Cette pratique, si elle permet de simplifier la tâche du chercheur, constitue probablement la principale cause du manque de pertinence de plusieurs recherches, surtout dans le champ de la stratégie.

En premier lieu, bien qu'il soit vrai que le profit constitue l'un des principaux objectifs poursuivis par les entreprises à but lucratif, la réalité nous enseigne qu'il ne peut constituer leur unique raison d'être. Plusieurs membres de la coalition du pouvoir ont des attentes qui s'expriment par des demandes qui ne sont pas satisfaites par la rentabilité et qui, dans certains cas, vont à l'encontre de la maximisation du profit, du moins à court terme. Pensons par exemple aux employés, aux clients, aux créanciers, aux gouvernements ou aux fournisseurs. Les contributions de tous ces groupes sont essentielles à l'entreprise. La satisfaction de leurs demandes exige souvent des compromis sur le plan de la rentabilité à court terme. D'ailleurs, l'une des principales tâches de la haute direction de l'entreprise est justement de gérer les conflits entre les différents groupes, membres de la coalition, et de procéder à l'arbitrage par des processus de négociation constants, variés et complexes.

En deuxième lieu, avant que le profit puisse être utilisé comme critère d'évaluation des résultats de l'entreprise, il faut avoir défini ce qui constitue un profit «souhaitable» en fonction des caractéristiques et de la nature des attentes de ceux qui exigent la rentabilité comme rémunération. Nous suggérons que l'évaluation concrète de la rentabilité ne peut se faire sans la connaissance de trois principaux paramètres : 1) le degré de risque associé à l'action qui doit engendrer des profits ; 2) le *timing* pour atteindre la rentabilité et les nécessaires compromis entre le court, le moyen et le long terme ; et 3) les critères utilisés pour l'évaluation des résultats.

Avant de poursuivre notre argumentation, il est nécessaire d'introduire le concept de «**décisions du propriétaire**». Ce qu'est une entreprise à un moment donné résulte d'une multitude de décisions qui ont été prises précédemment par ceux et celles qui ont, ou ont eu, la responsabilité de sa gestion. Parmi toutes ces décisions, certaines s'apparentent plus que d'autres aux décisions généralement réservées au propriétaire dans une entreprise à propriétaire unique, comme le choix du ou des domaines d'activité, l'inten-

---

2. Sur ce point, les acronymes anglais sont fréquemment employés, respectivement ROI (*return on investment*), ROE (*return on equity*), EVA (*economic value added*).

dance, le degré de risque acceptable, la définition des résultats désirés, l'établissement des critères utilisés pour évaluer ceux-ci et le choix du *timing* pour les obtenir. Ainsi, en pratique, le choix des principaux dirigeants, l'approbation des grandes orientations, de la structure financière, de l'émission de nouveau capital, de la politique de dividendes, des principaux investissements et désinvestissements ainsi que des budgets sont autant d'exemples de décisions que nous qualifions de «décisions du propriétaire», **qu'elles soient prises ou non par les vrais propriétaires.**

L'importance de distinguer entre ces décisions et les autres décisions réside dans le fait qu'elles influent directement sur les trois paramètres mentionnés précédemment, en qualifiant le contexte dans lequel la recherche d'un bénéfice souhaitable a lieu : le degré de risque acceptable, le *timing* et le compromis entre le court, le moyen et le long terme ainsi que les critères utilisés pour l'évaluation. Regardons maintenant de plus près ces trois facteurs.

C'est un phénomène bien connu que le rendement d'un projet donné est souvent dépendant du degré de risque que ce dernier comporte. Il est rare, en effet, de pouvoir réaliser des rendements élevés sans prendre de risque. Or, le degré de risque acceptable varie d'un individu à l'autre et, pour un individu donné, d'une période à l'autre. Ainsi, certains individus ne peuvent tolérer le risque associé à un endettement élevé, alors que, pour d'autres, l'utilisation maximale du levier financier est acceptable. Certains, très fonceurs dans leur jeunesse, deviennent plus conservateurs et prudents en vieillissant. Les entreprises ont aussi des attitudes variées devant le risque. Certaines sont gérées de façon très conservatrice et prudente, d'autres le sont de façon énergique et sont prêtes à prendre des risques élevés pour obtenir des rendements supérieurs.

Les sources de risque pour l'entreprise sont multiples. Certaines émanent de décisions explicites et rationnelles prises par la direction : d'autres, de facteurs externes ou internes non contrôlables. L'utilisation d'une stratégie financière utilisant l'effet de levier pour augmenter le rendement sur l'équité est un exemple des premières, alors qu'une conjoncture économique défavorable est un exemple des deuxièmes. Le fait que ces dernières existent indépendamment de la volonté de la direction implique que le risque fait partie intégrante de toute situation de gestion. Par ailleurs, les décisions de gestion reliées principalement à la structure financière et aux orientations stratégiques accentuent ou diminuent le degré global de risque couru par l'entreprise.

Pour une entreprise donnée, qu'est-ce qui constitue un degré de risque acceptable ? En fonction des attentes et des aspirations de quelles personnes est-il défini ? Qui le définit ? Nous suggérons que les réponses à ces questions résident dans la compréhension de la coalition du pouvoir, spécifique à l'entreprise. En particulier, nous suggérons que les valeurs, les attentes et les aspirations de ceux et celles qui ont du pouvoir sur la définition des « décisions du propriétaire » s'imposeront au moment de la prise de décision et, à terme, détermineront, consciemment ou non, les frontières délimitant ce qui constitue un degré de risque acceptable. Ce dernier devra nécessairement être pris en compte au moment de l'évaluation des résultats obtenus.

De même, il n'est pas possible de se prononcer sur la qualité des résultats de l'entreprise sans connaître le *timing* désiré pour ces derniers. Ainsi, plusieurs entreprises reliées à Internet se voient attribuer par le marché une évaluation qui n'a aucune commune mesure avec les résultats qu'elles obtiennent à court terme. Leurs actionnaires escomptent les profits futurs. À l'inverse, d'autres entreprises doivent maximiser leur marge d'autofinancement (*cash flow*) à très court terme, sinon elles seront victimes soit de créanciers exigeant d'être remboursés, soit d'actionnaires mécontents bradant leurs actions ou intervenant sur le plan des « décisions du propriétaire », en mettant en place des dirigeants plus réceptifs à leurs demandes.

La question du *timing* des résultats ne se poserait pas ou serait purement théorique s'il était possible de poursuivre à la fois un objectif de maximisation des résultats à court, à moyen et à long terme. Le choix d'un *timing* pour un résultat ne se fait jamais sans compromis. Il faut souvent sacrifier des profits à court terme pour réinvestir dans des projets qui permettront d'augmenter la rentabilité dans l'avenir. Inversement, la rentabilité à long terme est parfois compromise au bénéfice des résultats à court terme. Lequel est le plus important, le court, le moyen ou le long terme ? Quels sont les compromis acceptables entre « maintenant », « demain » et « plus tard » ?

Il n'existe pas de réponses absolues à ces questions. Comme pour toute décision de gestion, la réponse se trouve dans la compréhension de la situation et non dans la connaissance de règles ou de principes théoriques. Pour certains, à un moment donné, le court terme est prioritaire et doit s'imposer même au détriment du long terme. Pour d'autres, la priorité est la réalisation de résultats supérieurs dans l'avenir. Mais, même dans ce cas, nous sommes d'avis qu'il n'est pas possible de se prononcer sur un résultat donné sans connaître et comprendre les besoins, les attentes, les aspirations et les valeurs de ceux qui sont en position d'influencer les « décisions du propriétaire », particulièrement si des choix et des compromis doivent se faire entre le court, le moyen et le long terme.

Les demandes faites à l'entreprise étant variées, le succès de celle-ci peut prendre plusieurs formes ; de plus, la nature du succès peut varier d'une entreprise à l'autre, ainsi qu'au sein de la même entreprise, dans le temps. Les exemples sont nombreux. Ainsi, la croissance des ventes, la maximisation de la marge d'autofinancement (*cash flow*), la majoration des dividendes, la diminution du ratio d'endettement, l'amélioration des marges bénéficiaires, l'accroissement du rendement sur l'équité et l'augmentation du levier financier sont tous des objectifs qui peuvent servir à un moment donné à orienter les activités d'une entreprise et à en évaluer la performance. Certains diront que ce sont tous des sous-objectifs à la maximisation du profit. En théorie, c'est peut-être vrai. Mais en pratique, comme nous l'avons mentionné, le caractère concret, mesurable et opérationnel de ces sous-objectifs fait en sorte que c'est par leur réalisation que les gestionnaires poursuivent la rentabilité souhaitée.

En outre, comme nous l'avons vu précédemment, l'importance relative accordée à un certain moment à chacun de ces critères est influencée par le degré de risque acceptable et le *timing* des résultats désirés. En effet, il est à toutes fins utiles impossible de poursuivre la maximisation de chacun de ces facteurs en même temps. Par ailleurs, une performance minimale est souvent requise pour satisfaire les attentes ou les exigences de certains membres de la coalition du pouvoir. Où doit-on mettre l'accent ? Que doit-on privilégier ? Quels compromis doit-on faire accepter pour s'assurer les collaborations requises ? Quels objectifs doit-on fixer et quels critères doit-on utiliser pour orienter l'action, d'une part, et évaluer la performance, d'autre part ? Voilà autant de questions auxquelles doivent répondre le président et son équipe.

Enfin, certains actionnaires ou investisseurs peuvent avoir, outre la rentabilité, des attentes de nature purement qualitative. Ainsi, certaines institutions comme la Caisse de dépôt et placement du Québec et le Fonds de solidarité des travailleurs du Québec ont d'autres objectifs sociaux, politiques ou, encore, nationalistes. Leurs attentes influent sur le processus de la prise de «décisions du propriétaire» — soit directement par des représentations auprès de la direction des entreprises où ils investissent, soit indirectement par leurs interventions dans le marché des titres de ces dernières —, et contribuent à orienter la définition de ce qui constitue des résultats souhaitables.

Il ressort de cette brève réflexion sur le succès de l'entreprise que les résultats souhaitables ainsi que les critères utilisés pour les évaluer varient beaucoup d'une entreprise à l'autre, et pour une même entreprise, dans le temps. Par conséquent, une des premières exigences pour une bonne gestion de l'entreprise consiste à bien connaître les attentes et les aspirations de ceux et celles qui exercent ou peuvent exercer, directement ou indirectement, de l'influence sur les «décisions du propriétaire».

Le président et son équipe font partie de ce groupe. Ils ne sont pas dénués d'influence. Le poids relatif de leurs aspirations et de leurs attentes par rapport à celles des autres membres de la coalition du pouvoir dépend de leur pouvoir à l'intérieur de la coalition. Celui-ci varie d'une entreprise à l'autre. Ainsi, le président d'une grande entreprise publique, dont l'actionnariat est très morcelé et qui possède un excellent bilan financier, jouit d'une plus grande liberté d'action que celle du président d'une entreprise contrôlée par un actionnaire ou un groupe restreint d'actionnaires, ou qui est dans une situation financière précaire. Dans ces derniers cas, il est fort probable que le pouvoir relatif de la haute direction et sa capacité d'imposer ses vues au moment de la prise de « décisions du propriétaire » sont moindres.

Dans tous les cas, il est primordial pour le président et ses collègues d'avoir une perception adéquate de ce qui est requis comme résultats, incluant le choix du *timing* et du degré de risque acceptable, afin de satisfaire des attentes et des aspirations pertinentes, faute de quoi ils risquent de viser des objectifs faussés et d'essuyer un échec. En outre, ils doivent être en constante négociation avec les différents groupes de la coalition du pouvoir afin de faciliter l'harmonisation des attentes et des aspirations de ces derniers à la capacité qu'a l'entreprise de les satisfaire. Enfin, ils doivent diriger l'évolution de leur entreprise de façon à ce qu'elle obtienne des résultats compatibles avec les demandes que lui font ceux qui ont de l'influence sur elle et de qui elle dépend. Voyons maintenant quelle place occupe le concept de stratégie dans ce processus et quel rôle il joue.

LA STRATÉGIE : UN OUTIL DE GESTION

La stratégie est du domaine des concepts. Aux fins de cette note, nous définissons la stratégie comme suit : la synthèse des principaux objectifs et politiques de l'entreprise qui incarnent sa personnalité, sa compétence distinctive et l'essentiel de ce qu'elle fait (sa position stratégique) ou planifie de faire (son plan stratégique) afin de répondre aux attentes de ceux qui ont du pouvoir sur elle et dont la contribution est essentielle à son existence.

La stratégie de l'entreprise est un tout composé de plusieurs éléments interdépendants regroupés dans un ensemble de sous-stratégies : 1) son **domaine d'activité**, soit sa mission, ses produits et ses marchés ; 2) sa **stratégie financière**, soit les résultats souhaités et la façon de les mesurer, les sources de capitaux, la structure de capital, la politique de dividendes et autres ; 3) sa **stratégie concurrentielle**, soit les clients cibles, les caractéris-tiques de l'offre, les politiques de marketing, ce sur quoi elle mise pour con-currencer ; et 4) ses **politiques d'opération**, soit les politiques de produc-tion, de logistique, de gestion des ressources humaines, de recherche et développement, de gestion de l'information, etc. Il est à noter que la défini-tion des deux premiers éléments, c'est-à-dire le domaine d'activité et la stra-tégie financière, fait partie des décisions que nous avons préalablement défi-nies comme les « décisions du propriétaire ».

Dans toute stratégie, certains éléments transcendent les autres, en ce sens qu'ils constituent la base même de la stratégie, l'essence de son exis-tence. Ils servent à son identification et à sa définition. Sans eux, la stratégie perd son sens. Nous appelons ces éléments les **éléments dominants** de la stratégie. C'est ainsi que le prix constitue l'un des principaux éléments dominants de la stratégie concurrentielle de Costco, alors que la réputation de qualité et le prestige de la marque sont des éléments dominants de celle de Mercedes-Benz.

La notion d'éléments dominants est importante, parce que leur con-naissance permet de déduire logiquement les autres éléments de la stratégie, de façon à ce que cette dernière forme un tout cohérent. En effet, comme nous l'avons dit, la stratégie est composée d'un ensemble d'éléments interdé-pendants, de telle sorte qu'une décision dans un secteur, ou une fonction de l'entreprise, ne peut être prise sans tenir compte de ce qui se passe dans les autres secteurs ou fonctions. Inversement, l'existence d'une politique donnée a des incidences sur la prise de décision ailleurs dans l'entreprise. À titre d'exemple, si la concurrence sur le prix constitue la base de la stratégie con-currentielle, la réduction des coûts doit devenir l'objectif premier des déci-deurs responsables des opérations. Par ailleurs, si le succès commercial dépend de l'habileté à mettre en marché un produit de qualité supérieure à celui des concurrents, la création et le maintien de ce haut niveau de qualité deviennent primordiaux et prennent le dessus sur la réduction des coûts.

Toute entreprise possède une **position stratégique**. Qu'elle ait été pla-nifiée ou non, qu'elle soit explicite ou implicite, elle est toujours la résul-tante de **la somme des décisions opérationnelles**[3] prises antérieurement. En ce sens, elle émerge des décisions. Or, la théorie et la réalité nous ensei-gnent que le succès d'une entreprise à un moment donné peut se comprendre et s'expliquer par la capacité de la position stratégique de susciter un haut

---

3. La réalité est façonnée par l'action. Par décisions opérationnelles, nous entendons les décisions qui engendrent (pré-cèdent immédiatement) l'action. Les décisions stratégiques relèvent davantage du domaine des concepts que de la réa-lité. Elles influent sur la réalité par l'encadrement et l'orientation des décisions opérationnelles qui les concrétisent. Ainsi, l'énoncé d'une politique ne change pas la réalité. Elle le fera par son influence sur les décisions opérationnelles qu'elle encadre.

degré de concordance et d'harmonie entre trois principaux groupes de variables : 1) les valeurs, les aspirations et les attentes des principaux membres de la coalition du pouvoir (les attentes) ; 2) les occasions, les dangers et les risques émanant de l'environnement de la firme (l'environnement) ; et 3) les possibilités, les compétences, le potentiel et les faiblesses découlant des ressources actuelles et potentielles de l'entreprise (les ressources).

La position stratégique évolue par la prise de décision. Par conséquent, c'est par l'intermédiaire de l'orientation des décisions que le président et son équipe gèrent le développement de leur entreprise. Or, les critères utilisés pour évaluer les différentes options qui s'offrent au décideur constituent l'un des plus importants paramètres de tout processus de prise de décision. La théorie nous enseigne que les sources de ces critères sont plurielles. Aux fins de notre analyse, nous suggérons de classifier ces sources en trois groupes : 1) les **caractéristiques du décideur**, entre autres, son âge, son éducation, son expérience, ses perceptions et ses objectifs personnels ; 2) les **forces naturelles** à l'œuvre dans l'organisation, soit le système culturel (les traditions, les normes, les valeurs et les idéologies), le système d'expertise (l'expérience, les connaissances, l'expertise et la formation des décideurs) et le système politique (les objectifs personnels, les luttes de pouvoir et autres jeux politiques et, enfin, 3) le **processus de gestion**, c'est-à-dire les variables qui, étant sous le contrôle du président et de son équipe, exercent une influence sur les deux précédents groupes de variables et qui, par conséquent, influencent la prise de décision. Les principales composantes du processus de gestion sont le choix des principaux dirigeants, l'approbation des principaux investissements et désinvestissements, le choix de la structure de l'organisation (autorité et responsabilité), l'élaboration des systèmes d'information et de contrôle, la définition et la gestion des systèmes de récompenses et de punitions, l'approbation des émissions de capitaux et des budgets d'opération, la formulation d'objectifs et de politiques opérationnels et, enfin, l'exercice du pouvoir et du leadership dans la gestion quotidienne de ces variables, selon un style permettant de nuancer, d'inspirer, de motiver et d'orienter l'action.

Dans la réalité, les variables du processus de gestion constituent les outils avec lesquels le président et son équipe gèrent leur entreprise. Ces variables représentent l'essentiel de la prise de décision au sommet. C'est par elles qu'ils peuvent influer sur l'action qui façonne la position stratégique. Par conséquent, s'ils désirent que les décisions soient prises en fonction de leur perception et de leur vision de la position stratégique requise pour que l'entreprise puisse livrer les résultats permettant de satisfaire les attentes de la coalition du pouvoir, cette vision et cette perception deviennent les sources des critères utilisés lors de la prise des décisions relatives au processus de gestion.

Plus précisément, nous pensons que le président et son équipe dirigent leur entreprise à partir d'un nombre restreint de prémisses, d'hypothèses et d'objectifs. Ces éléments découlent de leur perception de la situation dans laquelle eux et leur entreprise se trouvent ainsi que de leur vision de ce que l'entreprise devrait être dans l'avenir pour pouvoir répondre aux attentes. De cette synthèse découlent les éléments dominants de leur plan d'action. Ces derniers servent de base à la formulation des autres éléments de la stratégie, lesquels sont définis 1) en fonction de leur degré de cohérence avec les éléments dominants 2) à la lumière des conditions existantes à court terme et 3) en fonction des contraintes personnelles de ceux qui les formulent. La stratégie, ou plus précisément la perception qu'en ont le président et son équipe, devient ainsi la source des critères utilisés dans la prise des décisions au sommet ; ainsi, par son influence sur le processus de gestion, elle oriente l'ensemble des décisions opérationnelles.

La perception de ce que sont, et devraient être, les éléments dominants de la stratégie devient donc la pierre angulaire du processus de gestion au sommet. L'origine de cette perception peut être variée. Elle peut découler d'un processus analytique formel et détaillé, être simplement la résultante de la vision intuitive de l'entrepreneur ou émaner d'un mélange des deux. Quelle que soit son origine, une fois qu'elle existe consciemment chez ceux qui président à la destinée de l'entreprise, elle devient la source des critères servant aux autres décisions.

Le concept de stratégie occupe donc une place particulière dans la boîte à outils du président. Connaissant l'importance de la stratégie, ce dernier doit constamment s'interroger sur la justesse des éléments dominants qui servent de fondement logique aux décisions qu'il prend. En effet, l'existence de la stratégie n'est pas en soi un gage de son succès. Comme nous l'avons dit plus tôt, pour qu'une position stratégique engendre le succès, elle doit entraîner un haut degré de concordance et d'harmonie entre « les attentes », « l'environnement » et « les ressources ». Ces réalités étant en changement continuel, le président doit toujours être à l'affût de données, d'information ou de renseignements nouveaux confirmant ou infirmant sa perception du monde complexe qui l'entoure et de la synthèse qu'il en fait.

Chapitre II

LES ASPECTS VARIÉS DE LA STRATÉGIE

L'idée de stratégie est très souple. On l'utilise pour décrire ou comprendre les comportements des personnes, comme le font Crozier et Friedberg (1977), ceux des groupes (Allison, 1971) et de tous les types d'organisations (Andrews, 1987 ; Bower, 1983 ; Chandler, 1962 ; Mintzberg, 1990), y compris les partis politiques, les gouvernements et les organismes à but non lucratif (Garzón & Hafsi, 1992).

L'idée de stratégie recouvre de multiples réalités. Ainsi, Mintzberg (1987) en a suggéré quatre importantes : la stratégie est une position, un plan, un *pattern* et une perspective. Par ailleurs, d'autres ont distingué les aspects « contenu » de la stratégie, qui permettent de dire ce que l'organisation fait, des aspects « processus », qui permettent de révéler comment l'organisation le fait (Schendel & Hofer, 1978). D'autres ont différencié les aspects de définition et de conception des objectifs des aspects de mise en œuvre (Andrews, 1987). Ansoff (1965) y a trouvé quatre dimensions : la définition du produit-marché, le vecteur de croissance, la synergie et l'avantage concurrentiel.

Il n'y a là rien de surprenant. La stratégie est une théorie de l'action. Elle doit donc toucher tous les aspects de la réalité et de ce qui l'influence. L'action commence en fait d'abord dans l'esprit des personnes. C'est pour cela qu'on peut concevoir la stratégie comme **la manifestation de la volonté des dirigeants**, donc de leur personnalité, de leurs valeurs et de leurs aspirations. C'est là le premier aspect important de la stratégie sur lequel nous reviendrons plus loin.

Même si l'action est le prolongement des dirigeants, elle entraîne une communauté de personnes. La réussite de l'action dépend de la capacité de canaliser les énergies et les compétences de chacun. Susciter la coopération requiert sans doute des mécanismes de gestion adéquats, mais aussi la prise en considération, dans la définition de la finalité et des principes de fonctionnement, des valeurs, des croyances et des préoccupations éthiques voire idéologiques de la communauté concernée. C'est en ce sens que la stratégie peut être considérée comme le prolongement, **l'expression d'une communauté de personnes**.

Pour que l'action des personnes soit cohérente et coordonnée, il faut une direction, une vision claire et captivante. Les personnes ont besoin de reconnaître le chemin à suivre dans les actions de leur vie quotidienne. Cela signifie que le cheminement de l'organisation doit être parlant parce que cohérent, toutes les décisions pointant dans la même direction. Dans ce cas, la stratégie peut être conçue comme **un filon conducteur.**

L'opérationnel reste cependant critique. La façon dont les ressources sont obtenues, maintenues, protégées, développées et combinées de façon à démarquer l'entreprise et à la positionner de manière favorable par rapport à la compétition reste une des questions importantes de la gestion stratégique. La stratégie dans ce cas permet de construire **un avantage concurrentiel.**

L'organisation est aussi constamment confrontée à l'environnement. Elle essaie d'en tirer parti lorsqu'il recèle des opportunités ou de s'en protéger lorsqu'il est menaçant. La stratégie est dans ce cas **un mécanisme de relation à l'environnement,** un mécanisme qui permet de gérer cette relation au profit de l'organisation.

Ainsi, sans prétendre être exhaustifs, nous pouvons identifier cinq aspects fondamentaux de la stratégie :

1. La stratégie comme prolongement du ou des dirigeants
2. La stratégie comme expression d'une communauté de personnes
3. La stratégie comme filon conducteur
4. La stratégie comme construction d'un avantage concurrentiel
5. La stratégie comme gestion de la relation entreprise/environnement

Ces cinq aspects sont intimement reliés aux **aspects pratiques de fonctionnement et d'action individuelle et collective.** Pour agir ensemble, lorsqu'on est plusieurs, on a besoin de mécanismes pour ordonner l'action. Cela comprend entre autres choses la **structure,** c'est-à-dire la répartition des tâches et des responsabilités, et la coordination de façon à ce que l'action soit finalement cumulative. Pour compléter la structure, on a aussi besoin de **systèmes,** tels que : **la planification ; la mesure et le contrôle de la performance ; les récompenses et punitions ; la formation et le développement des gestionnaires ; la répartition des ressources ; l'information de gestion ; la communication.**

Structure et systèmes donnent vie à des **processus de décision,** dont les caractéristiques sont uniques à chaque entreprise. Comme le soulignait Barnard (1938), la gestion des processus est une tâche essentielle du dirigeant. **C'est par la combinaison, parfois rustique, parfois savante, des mécanismes de gestion que l'on révèle ou que l'on donne vie à la stratégie.**

Mais ultimement, **l'action est une série de décisions** (Simon, 1945). Comment la décision est-elle prise? Quelles sont les motivations qui nous permettent de la comprendre? Comment concrètement, dans une organisation, les décisions sont-elles intégrées? Comment tous les mécanismes agissent-ils pour encourager et orienter les décisions? Voilà quelques questions qui sont révélées par l'étude des modèles de prise de décision et par la planification comme mécanisme d'intégration de la prise de décision.

Finalement, en prenant en considération ces différents aspects, on peut représenter l'idée de stratégie comme révélatrice de l'action volontaire, systématique, rationnelle, objective, mais aussi émotive, sentimentale, affective et intuitive. Pour représenter la stratégie comme un modèle ou une théorie de l'action, on doit y inclure au moins tous les aspects qui ont été évoqués et les associer de telle sorte qu'on puisse reconnaître comment ils se combinent pour produire l'action. La représentation qui est ici proposée est celle de la figure 1.

Les dimensions intellectuelles de la stratégie sont représentées comme des couches de réalités raccordées à la vie par les mécanismes qui entraînent la prise de décision et l'action, laquelle agit à son tour sur les dimensions intellectuelles. Nous allons à présent effeuiller ces couches pour les spécifier plus en détail et révéler le concept de stratégie qui anime ce manuel.

Figure 1 Les multiples facettes de la stratégie

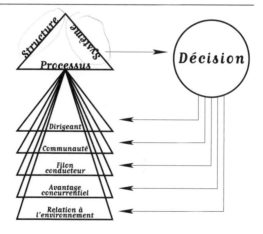

I. LA STRATÉGIE COMME PROLONGEMENT DU OU DES DIRIGEANTS ?

La société Sony est probablement la société japonaise la plus connue. Elle participe à une industrie furieusement concurrentielle, l'électronique grand public. Dans cette industrie foisonnent des génies de l'imitation comme Casio, Samsung, Sanyo, Toshiba ou Matsushita, qui produisent des multitudes de produits à peu près standard ou, en tout cas, difficiles à distinguer les uns des autres. Pourtant, Sony règne sur cette industrie comme l'entreprise la plus innovatrice de la planète. Depuis sa création en 1947, Sony a sans arrêt introduit des innovations de haute technologie les unes à la suite des autres. Son nom est synonyme de produits comme les radios transistors de poche, les téléviseurs portatifs, les magnétoscopes, les lecteurs de disques compacts, etc.

En 1991, Sony a eu un chiffre d'affaires de 26 milliards de dollars. Elle a dépensé 1,5 milliard pour la recherche et le développement, soit 5,7 % de son chiffre d'affaires. Bien que ce ratio ne soit pas inhabituel dans cette industrie, Sony arrive à obtenir de ses 9 000 ingénieurs une créativité que personne n'arrive à surpasser. Chaque année, l'entreprise annonce un millier de nouveaux produits, un véritable barrage contre la concurrence.

Comment Sony est-elle arrivée à des résultats aussi peu ordinaires ? Beaucoup citent les dirigeants de l'entreprise. D'abord, son créateur, Masaru Ibuka, l'inventeur génial, longtemps président honoraire du conseil d'administration. Masaru Ibuka répétait :

> *Let me tell you my philosophy : The key to success for Sony, and to everything in business, science and technology for that matter, is never to follow the others* [1].

Akio Morita, l'associé d'Ibuka et celui qui a fait la Sony moderne, répète sa devise :

> *Our basic concept has always been this — to give new convenience or new methods, or new benefits, to the general public with our technology* [2].

---

1. Laissez-moi vous dire ma philosophie : la clé du succès de Sony, et en fait de tout, en affaires, en science et en technologie, est de ne jamais suivre les autres.
2. Notre concept de base a toujours été de donner de nouvelles facilités ou de nouvelles méthodes ou de nouveaux bénéfices au public en général, grâce à nos technologies.

Cette double préoccupation — être unique et être pratique — a dominé la culture de Sony. Même si en surface Sony ressemble aux autres grandes entreprises japonaises, elle fait les choses de façon particulière, à sa manière, ce qui renforce les valeurs de ses créateurs.

D'abord, les recruteurs de Sony sont toujours à la recherche de généralistes. M. Ibuka explique :

> *I never had much use for specialists... (they) are inclined to argue why you can't do something, while our approach has always been to do something out of nothing* [3].

Sony essaie de trouver des « Neyaka », c'est-à-dire des personnes qui sont optimistes, ouvertes, et ayant des intérêts diversifiés. L'un des dirigeants en charge des produits vidéo explique :

> *A good engineer is not necessarily young, but new in terms of his experience. We believe that having continuous success in the same area makes you believe too much in your own power, and harms creativity* [4].

Par ailleurs, les règles de l'entreprise permettent une sorte « d'autopromotion » par laquelle chaque ingénieur peut s'intéresser à des projets en dehors de ses activités actuelles et, s'il trouve un emploi ailleurs, ses supérieurs sont censés le laisser y aller.

La multitude d'idées et de projets bénéficient aussi du Sony Design Center qui donne aux produits leur image finale. Aussi Sony Corporate Research joue-t-elle un rôle considérable de coordination, de publicisation et d'encouragement. Ainsi, elle organise une fois par an une foire interne dans laquelle les idées ou produits sur la table à dessin sont exposés et expliqués, ce qui sert à créer un climat de fécondation croisée. Comme les hauts dirigeants sont les visiteurs les plus intéressés, chacun trouve aussi là l'occasion de vendre son idée.

C'est ainsi que, comme une ruche de création, Sony continue son petit bonhomme de chemin dans un marché qui se transforme à un rythme phénoménal et qui est en interaction croissante avec celui de l'informatique. Ses chances de succès pour les décennies à venir paraissent plus grandes que celles de la plupart des entreprises de son domaine.

---

3. Je n'ai jamais trouvé les spécialistes très utiles... (ils) ont tendance à vouloir discuter pourquoi on ne peut pas faire les choses, alors que notre approche a toujours été de faire quelque chose à partir de rien.
4. Un bon ingénieur n'est pas nécessairement jeune, mais nouveau quant à son expérience dans le domaine concerné. Nous croyons qu'avoir un succès continuel dans un même domaine peut vous amener à vous croire tout-puissant et à perdre votre créativité.

Mais le plus remarquable, dans cette histoire, est l'incroyable influence que le rêve de Masaru Ibuka et celui d'Akio Morita ont eue sur le comportement et le fonctionnement de cette grande entreprise.

Comme Sony, toutes les entreprises de qualité sont dominées par des dirigeants ayant des valeurs et des croyances fortes. Souvent, les dirigeants considèrent comme une de leurs tâches principales d'infuser ces croyances et ces valeurs dans l'organisation. Cependant, peu d'entre eux réussissent à le faire et ceux qui y parviennent ont du mal à maintenir la ferveur longtemps.

Les croyances et les valeurs sont des points de repère qui aident chacun à se situer dans l'action quotidienne. Elles permettent de savoir ce qui est acceptable dans l'organisation et ce qui ne peut pas marcher. À cause de cela, elles simplifient la décision en éliminant ce qui est hors des chemins que l'organisation veut suivre. Sony se définit comme le plus grand innovateur dans l'électronique grand public. À l'intérieur de cette définition large, chacun peut faire son nid, mais à l'extérieur de cela, il n'y a point de salut.

Aujourd'hui, la tâche du dirigeant est essentiellement de fournir une direction à l'organisation. Il doit être l'**architecte de la raison d'être de l'organisation**. Rien n'est plus important que de veiller à ce que l'organisation ne dérive pas. Même si cela semble trivial, tenir le compas, maintenir le cap est essentiel pour la survie d'une entreprise humaine. La réalité des organisations est que l'action est tellement excitante pour les individus qu'ils peuvent être emportés par leur enthousiasme, ou par l'étroitesse de leur perspective, dans toutes sortes de directions. En poursuivant leurs intérêts, ils peuvent faire perdre son âme à l'organisation. Seules la vigilance, la constance et la détermination des dirigeants peuvent éviter à l'organisation de se perdre sur des terrains qui ne lui sont pas favorables. De ce fait, ils sont amenés à jouer deux grands rôles, complémentaires à celui d'architecte de la finalité (Andrews, 1987) : le rôle de **leader personnel**, qui donne l'exemple et sert de modèle, et le rôle de **leader de l'organisation**, qui veille aux résultats et s'assure que la complaisance ne s'empare pas des membres.

L'exemple des grands distributeurs alimentaires au Québec au cours des années 1970 et 1980 est une bonne illustration de la difficulté qu'il y a à maintenir le cap et de la facilité avec laquelle on peut diverger. Ainsi, Steinberg a vécu près d'un siècle de grand succès dans la distribution alimentaire sous la houlette de la famille légendaire Sam Steinberg. Au début des années 1960, le dirigeant perdant un peu de son ascendant, les successeurs ont essayé de redéfinir l'entreprise comme un distributeur de produits généraux au grand public. Cela pouvait inclure alors les vêtements et les produits ménagers, ce qui, logiquement, a amené la création de la filiale de marchandise générale, Miracle Mart, devenue plus tard Les magasins M. Malheureusement, les nouveaux dirigeants de Steinberg ne se sont jamais rendu compte que la distribution de marchandise générale, comme les vêtements, obéissait à des lois substantiellement différentes de celles des produits alimentaires. Miracle Mart n'a pu survivre que grâce à des injections régulières de fonds du siège social. En 1987, le président de Steinberg, Irving Ludmer, était déterminé à redresser la situation ou, faute de cela, à liquider la filiale, ce qui fut fait.

De manière différente, mais peut-être aussi similaire, Provigo a recruté en 1985 un nouveau dirigeant, Pierre Lortie, reconnu pour sa compétence en matière de fonctionnement du marché boursier, ayant été notamment le président de la Bourse de Montréal. Monsieur Lortie a alors entrepris de redéfinir l'entreprise comme un distributeur de produits généraux plutôt qu'un distributeur alimentaire. Il croyait que le savoir-faire en distribution alimentaire pouvait être étendu à tous les types de produits de consommation courante. C'était vrai en partie, mais pas totalement. Il n'est viable de se lancer dans des activités connexes que lorsqu'on peut faire mieux que les concurrents en place.

Ainsi, Provigo a fait l'acquisition entre autres de Sports Experts, une chaîne de distribution d'équipements de sport, et de Distribution aux consommateurs, une entreprise de distribution et vente par catalogue de produits de consommation générale. Là aussi, incapable de gérer l'entreprise de façon à faire mieux que les concurrents, Provigo a perdu beaucoup de ressources et d'énergie, puis s'est retirée en 1989 en revendant ces entreprises.

Métro, une coopérative de distribution alimentaire très conservatrice, a été dominée à partir de 1986 par un groupe de jeunes gestionnaires désireux de moderniser ses pratiques de gestion. Elle a alors été amenée à faire la même expérience difficile en croyant que la distribution alimentaire, l'alimentation hors foyer, comme la restauration, et la distribution d'équipements de sport pouvaient être compatibles avec ses compétences de distributeur alimentaire. Après une mésaventure similaire à celle de Provigo, avec l'achat d'André Lalonde Sports, un concurrent de Sports Experts, et des restaurants Giorgio, Métro a été obligée de se retirer après avoir subi des pertes substantielles.

Dans une analyse plus formelle et plus précise de la relation entre la stratégie et la personnalité des dirigeants, Noël (1989) décrit comment les « obsessions magnifiques » des dirigeants sont à l'origine du comportement stratégique de leurs organisations.

Cela est vrai pour les entreprises, mais aussi pour les organisations gouvernementales ou à but non lucratif. Ainsi, Edgar Hoover, le vrai créateur du

Federal Bureau of Investigation (FBI), a donné à cette organisation une structure et une efficacité d'intervention qui font jusqu'à aujourd'hui sa réputation. Il lui a aussi légué son caractère paranoïde très marqué. Par le recrutement, la formation, la récompense ou la punition, le contrôle tatillon, il a infusé ses propres sentiments et états d'âme à toute l'organisation, ce qui allait bien avec sa mission : la répression du crime et de la subversion interne (Lapierre, 1993).

De même, Ruckelshaus a été nommé à la tête de la fameuse Environmental Protection Agency (EPA) au moment de sa création. Il arrivait là alors que, d'une part, la résistance, voire l'agressivité, des entreprises à tout organisme de contrôle était très grande et que, d'autre part, les groupes de protection de l'environnement étaient très méfiants à l'égard des organismes gouvernementaux, qu'ils considéraient comme « vendus » aux entreprises. À son arrivée, Ruckelshaus savait qu'il fallait entreprendre des actions suffisamment visibles pour qu'augmente sa crédibilité auprès de la communauté des défenseurs de l'environnement, sans pour autant s'attirer les foudres de tous les lobbies de Washington. Il réussit remarquablement son entrée en agissant avec vivacité dans deux ou trois cas patents de non-respect de la loi, que personne ne pouvait décemment défendre[5]. Cela lui donna alors le temps de s'organiser et de mettre en place la démarche qui est devenue la marque de commerce de l'EPA. En agissant de manière particulièrement habile, Ruckelshaus a réussi à donner à son organisation l'orientation et le caractère qui allaient la marquer jusqu'à nos jours.

Finalement, dans leur analyse de la vie de Mackenzie King, qui a été premier ministre du Canada pendant 22 ans entre 1921 et 1948, St-Jean et Lapierre (1993) montrent combien ses actions à la tête du gouvernement canadien étaient profondément imprégnées de ses penchants et de ses valeurs.

Ces exemples illustrent bien notre propos. La stratégie d'une entreprise est souvent le prolongement des personnes qui la dirigent. La littérature est remplie de données qui permettent de reconnaître cette influence. Les obsessions des dirigeants (Noël, 1989), leurs valeurs et leurs croyances (Selznick, 1957), en général leur vie intérieure (Zaleznik, 1989 ; Lapierre, 1994 ; Ketz de Vries, 1985), leur âge, leur formation, leurs expériences et leurs origines sociales (Hambrick & Mason, 1984 ; Bhambri & Greiner, 1989), leurs démarches intellectuelles et l'importance qu'ils accordent à la démarche rationnelle (Frederikson & Iaquinto, 1989), leurs émotions, leurs niveaux de complexité cognitive et de maturité (Bhambri & Greiner, 1989), leur degré de libéralisme,

---

5. L'émotion considérable suscitée par l'article de Rachel Carlson autour du DDT et de ses effets lui facilita un peu la tâche (Maguire, 2000).

leurs attitudes par rapport au changement, leur degré de stabilité et d'ancienneté (Miller, 1990) et même leur sexe influent de manière décisive et empiriquement vérifiée sur le comportement et donc la stratégie de l'organisation.

II. LA STRATÉGIE COMME EXPRESSION D'UNE COMMUNAUTÉ DE PERSONNES

L'histoire de Honda illustre bien le rôle que peut avoir une communauté d'acteurs dans les choix stratégiques et le succès d'une entreprise (Pascale, 1984). Honda s'est rapidement imposée aux États-Unis, au début des années 1960, comme le leader dans l'industrie des motocyclettes. En 1966, l'entreprise avait 63 % des parts de marché, reléguant loin derrière elle Yamaha, Suzuki et BSA/Triumph avec 11 %, et Harley-Davidson avec 4 %. Ce succès, tout comme celui de plusieurs autres entreprises japonaises, s'explique en partie par le fait que les dirigeants au sommet avaient certaines idées quant à l'expansion de l'entreprise et qu'ils ont été capables de les faire évoluer à partir de l'intervention des vendeurs et des ouvriers de production. Si Honda a réussi, c'est qu'au-delà de la capacité inventive des dirigeants, la formation de la stratégie s'est faite par essai et erreur, en faisant participer tous les niveaux de l'organisation. Le rôle des dirigeants a consisté à orchestrer les actions venant de la base et à créer un contexte favorable à l'apprentissage collectif en mettant en place des structures appropriées, en adoptant un style de gestion favorisant la mise en commun et en tablant sur certaines valeurs partagées par l'ensemble des membres de l'organisation.

Cette conception « pluraliste » de l'organistaion et de la stragégie, qui réintroduit la compétence de tous les acteurs et leur rôle dans la prise de décision statégique, est une cassure par rapport au courant « élitiste » qui a profondément marqué nos conceptions de l'organisation, de la gestion et de la stratégie.

La réintroduction de la communauté d'acteurs dans les modèles de prise de décision stragégique et la vision pluraliste qui la sous-tend nous amènent à accorder de l'importance à la coopération et aux coalitions, au rôle de la culture organisationnelle et des sous-cultures, ainsi qu'à la contribution sociale de l'entreprise.

A. LA COOPÉRATION

Une organisation n'existe que pour prolonger les capacités de réalisation des personnes. C'est parce que les personnes ne peuvent effectuer certaines tâches complexes qu'elles sont amenées à collaborer avec d'autres. Ce sont ces limites, à la fois cognitives et physiques, des personnes qui ont amené Barnard (1938) à définir l'organisation comme un système de coopération. Il affirmait que sans coopération il n'y a pas d'organisation. Il ajoutait, pour que son argument soit clairement compris, que c'est celui ou celle qui coopère qui décide de le faire. Les gestionnaires ne peuvent que l'inciter à le faire.

La coopération est induite lorsque la personne qui coopère perçoit que sa contribution est contrebalancée par une rétribution qu'elle juge équitable. Nous savons tous, et nous y reviendrons plus en détail, que la compensation peut être matérielle, c'est-à-dire correspondre au salaire et autres avantages tangibles que les membres de l'organisation reçoivent. Mais nous savons aujourd'hui que, comme l'affirmait Barnard, la compensation matérielle ne peut, à elle seule, assurer une coopération durable et économiquement viable. Il faut donc que la coopération soit aussi induite par des mécanismes plus intangibles de « persuasion ».

Prenons quelques exemples. L'organisme d'aide humanitaire Crudem est une organisation dont les objectifs sont d'aider les personnes, dans les pays en développement les plus pauvres, à exploiter des moyens de subsistance acceptables. Crudem est animée et gérée par un grand nombre de bénévoles qui consacrent leurs énergies, leurs ressources et leur temps à atteindre l'objectif défini. Ils organisent des campagnes de financement, essaient de recenser des projets ayant une valeur réelle pour les personnes pauvres de pays en développement, achètent les équipements et les acheminent, organisent la formation des personnes concernées et la relation avec elles jusqu'à la réalisation de l'opération qui est susceptible d'améliorer leur sort.

Par ailleurs, souvent les dirigeants et bénévoles de Crudem travaillent pour des organisations de nature plus commerciale, à but lucratif ou non, et sont rémunérés par ces organisations. Pourtant, ces personnes consacrent à Crudem des talents et des énergies qu'elles ne fourniraient pas à l'organisation qui les fait vivre. On pourrait dire la même chose des Petits frères des pauvres et de Centraide. Quand les personnes valorisent les objectifs d'une organisation en soi, elles vont consacrer leur travail et leurs ressources à aider à l'atteinte de ces objectifs. Lorsque les personnes rejettent les objectifs d'une organisation, elles vont au contraire se battre pour les empêcher de se réaliser.

Dans les entreprises, la situation la plus fréquente est une situation de neutralité, parfois plutôt positive, parfois plutôt négative. Cyert et March (1963) décrivaient cela comme des « corridors d'indifférence » qui caractérisent le comportement des membres. Dans ces cas, les membres de l'organisation vont constamment négocier, implicitement ou explicitement, le prix de leur contribution.

La stratégie d'une organisation peut alors s'énoncer ainsi : **Comment obtenir la coopération des membres de l'organisation ?**

La réponse consiste à développer des moyens pour persuader les membres que travailler pour l'organisation a de la valeur pour eux. Ces mécanismes de persuasion peuvent être directs, comme le développement d'une vision, l'énoncé d'une mission, l'expression de principes (éthiques ou de fonctionnement général), la mise au point d'un style de fonctionnement ou l'attention particulière portée aux personnes. Ils peuvent aussi être indirects, comme gérer l'image que les forces externes ont de l'organisation. Ainsi, si l'organisation est valorisée pour elle-même par la société environnante, elle sera souvent aussi valorisée par les membres.

Un exemple typique est celui d'Hydro-Québec, depuis la nationalisation de l'électricité jusqu'à la fin des années 1970. L'entreprise pouvait être décrite comme suit (Couture, 1984) :

> *L'histoire d'Hydro-Québec [...] est, à beaucoup d'égards, à la fois le reflet et l'expression de l'évolution de la société québécoise. Un lien profond unit le Québec et Hydro-Québec, fait d'espoirs, de réalisations, de satisfactions partagées. C'est en partie au travers d'Hydro-Québec, de ses progrès, que les Québécois ont pris conscience de leurs possibilités et de leurs manques, et, par là, de leurs ambitions et de leur volonté d'affirmation... Hydro-Québec est donc plus qu'une entreprise, c'est une composante de la personnalité québécoise...*

Quand une telle symbiose se produit, les membres de l'organisation font alors preuve d'une fidélité, d'un dévouement et d'une abnégation remarquables. C'est cela qui a caractérisé l'entreprise au cours de cette période. En général, on est plus fier de faire partie d'une organisation lorsque celle-ci est admirée et respectée. Cela peut être vrai de toutes les organisations, même celles qui nous paraissent parfois haïssables. Ainsi, les forces armées sont parfois admirées, voire vénérées, comme ce fut le cas des armées alliées après la guerre du Golfe de 1991 ou celle du Kosovo en 1999. Elles sont parfois vomies et rejetées, comme ce fut le cas en Argentine après la guerre des Malouines, ou comme ce fut le cas en Allemagne au lendemain de la Deuxième Guerre mondiale.

La stratégie est alors clairement la gestion de l'intégrité de la communauté de personnes et de la volonté de chacun d'apporter une contribution qui permette à l'organisation de survivre et de se développer.

B. Les coalitions

La communauté d'acteurs n'est pas un tout homogène, orienté vers l'atteinte du but commun. Elle est constituée d'individus et de groupes qui peuvent avoir des **intérêts divergents**. Que l'on pense aux intérêts des dirigeants, qui peuvent être différents de ceux des actionnaires, et aux intérêts de ces deux groupes par rapport à ceux des travailleurs. Que l'on pense aux intérêts divergents des différents groupes professionnels qui œuvrent au sein d'un hôpital et qui apparaissent clairement lorsque l'on discute des orientations à privilégier dans le système hospitalier.

Afin d'augmenter leur capacité à modifier l'action et à imposer leur vision quant au devenir de l'organisation, les individus forment des **coalitions**. Ces coalitions peuvent être très efficaces. Champagne (1982) nous a montré comment une coalition dominante peut avoir suffisamment de pouvoir pour modifier la mission et les buts d'une organisation et faire prévaloir sa propre définition du devenir de l'organisation/ Lorsqu'on a créé la Cité de la santé à Laval, ce centre hospitalier devait adopter comme priorité la prévention et ne pas s'en tenir uniquement aux soins des malades, comme c'est le cas dans la plupart des hôpitaux. Il devait aussi s'appuyer sur les omnipraticiens, et non d'abord sur les médecins spécialistes. Il devait enfin faire une large place aux professionnels de la santé, autres que les médecins et les infirmières (psychologues, physiothérapeutes, etc.). Cette mission tranchait avec la mission traditionnelle d'un hôpital et visait à redistribuer le pouvoir entre les divers intervenants du milieu hospitalier. Ce faisant, elle remettait en cause la place, le rôle et certains privilèges des médecins spécialistes. Par un jeu subtil de coalition avec les infirmières, les médecins spécialistes ont réussi, en moins de cinq ans, à modifier la mission de l'hôpital et à assurer que leurs intérêts soient préservés.

Au sein de la communauté d'acteurs, **le pouvoir et l'influence** sont inégalement répartis et sont fonction des atouts dont disposent les acteurs. Ces atouts peuvent être de toutes sortes : le sexe, l'ethnie, le niveau d'éducation, la compétence professionnelle, le capital, le contrôle d'une zone d'incertitude importante pour l'organisation, la reconnaissance à l'extérieur de l'organisation, la place dans la structure hiérarchique, des liens privilégiés avec l'environnement, etc. Être un homme, être blanc, avoir un diplôme universitaire (en génie plutôt qu'en anthropologie), voilà certaines bases de pouvoir qui confèrent à ceux qui les détiennent une place et un rôle privilégiés au sein des organisations, et donc dans le processus de prise de décision stratégique. Fligstein (1987) nous montre le caractère dynamique des relations de pouvoir dans les 100 plus grandes entreprises américaines. De la domination des entrepreneurs et du personnel de production au début du siècle, on est passé à celle du personnel de vente et de marketing dans les années 1950, et enfin à celle des gens de finance au cours des 25 dernières années.

C. LA CULTURE ET LES SOUS-CULTURES

La communauté d'acteurs a une vie politique, mais elle a aussi une vie culturelle. Certains considèrent que, pour être performante, l'organisation doit avoir une **culture organisationnelle homogène**, dont les valeurs, normes et idéologies sont largement partagées par tous les membres de l'organisation. À leurs yeux, la culture peut être utilisée comme un outil de gestion et elle peut aider à la mise en œuvre des stratégies (Peters & Waterman, 1983 ; Hampden-Turner, 1992). D'autres considèrent que l'organisation n'a pas de culture, mais que la communauté d'acteurs est en elle-même une culture. La culture est alors envisagée comme une structure de connaissance, un système de significations partagées et le reflet de processus largement inconscients (Geertz, 1973). D'autres enfin considèrent qu'il existe non pas une culture organisationnelle, mais des **sous-cultures** dont l'existence s'explique par la situation des différents sous-groupes dans l'organisation. Chacune de ces sous-cultures, au-delà de certaines valeurs et normes communes qu'elles partagent, a développé à travers le temps des façons différentes de concevoir l'organisation et son devenir. C'est ce qui explique que certaines orientations stratégiques privilégiées par les dirigeants, quoique tout à fait rationnelles de leur point de vue, puissent être rejetées formellement ou informellement par certains groupes de l'organisation, au nom d'une rationalité alternative.

Hedberg et Jönsonn (1977) se sont beaucoup intéressés à un aspect de la culture, à savoir les mythes. Pour eux, le développement d'une stratégie s'explique par l'existence de ces mythes ; l'abandon et le remplacement d'une stratégie par une autre surviennent lorsque les acteurs perçoivent un écart important entre le mythe et la réalité extérieure. C'est ainsi que le développement du mouvement coopératif Desjardins a été favorisé par l'existence du mythe entourant le père fondateur (Alphonse Desjardins). Certaines de ses convictions sont aussi des mythes qu'il ne fallait point remettre en question. Il en a été ainsi de l'idée qu'il fallait favoriser l'épargne en décourageant l'utilisation des cartes de crédit. Pendant plusieurs années, personne n'osait remettre en cause cette façon de concevoir les choses. Par la suite, les membres du mouvement sont devenus de plus en plus nombreux à remettre en question ce mythe et à forcer un virage stratégique qui a abouti à la création de la carte de crédit Visa-Desjardins.

Une organisation évolue d'une manière intéressante (Selznick, 1957) : au départ, l'organisation est une sorte de machine, un instrument sans âme qui ne peut que réaliser des tâches relativement techniques sans vraiment être capable d'un comportement autonome intelligent. Ce n'est que lorsque l'organisation est infusée de valeurs, c'est-à-dire lorsque des valeurs sont exprimées (généralement par le leadership) et sont partagées par les membres qu'elle acquiert une personnalité et une capacité de vie réelle. Dans ce cas, l'organisation acquiert une âme. Elle devient une organisation particulière dont les membres sont capables d'action autonome convergente, ce qui lui donne une capacité d'adaptation considérable parce qu'elle est entreprise par chaque membre en fonction de son appréciation des exigences de l'environnement auquel il est confronté.

L'organisation devient ainsi une communauté de personnes qui partagent les mêmes valeurs, la même culture, les mêmes idéaux. La stratégie est l'expression des besoins et des aspirations de cette communauté. Cette organisation-communauté devient, comme le précisait Selznick (1957), une « institution » dans laquelle les membres partagent la même vision et les mêmes valeurs. Cette différenciation entre organisation et institution n'est pas seulement intellectuelle : elle influence les comportements dans la vie de tous les jours.

Ainsi, la société américaine de transport aérien Delta a un comportement très distinctif dans l'industrie du transport aérien. Cette société, créée en 1924, était en 1992 la troisième plus importante en ce qui a trait au volume d'activité, tout juste après American Airlines et Continental Airlines. Avec la déréglementation du transport aérien en Amérique du Nord, la société a vécu des situations de grand questionnement. En effet, cette entreprise avait été construite avec comme principe intégrateur la fourniture du meilleur service de l'industrie. Lorsque la déréglementation amena des pratiques nouvelles, au départ très attirantes et ayant beaucoup de succès au sein d'entreprises comme People Express, la panique dans l'industrie était telle que tous les concurrents se sont demandé s'il ne fallait pas s'adapter en conséquence. Pour Delta, c'était un déchirement, comme l'explique son président :

A few years back, when People Express was getting all that attention we came close to throwing a lot of seats into a DC-8 and running up and down the East coast on a no-frills basis. But we scrapped the idea in the end because we thought people had come to expect a higher level of service from Delta [6].

---

6. Il y a quelques années, lorsque People Express retenait toute l'attention, nous avons failli mettre un tas de sièges dans un DC 8, puis l'envoyer le long de la Côte Est à des prix rase-mottes. Mais finalement, nous avons abandonné cette idée parce que nous pensions que les gens en étaient venus à attendre de Delta un niveau de service plus grand.

Le comportement en général dans cette entreprise est très différent de celui de ses principaux concurrents. Les relations industrielles sont chaleureuses, alors qu'elles sont froides ailleurs ; seuls les pilotes sont syndiqués. Les salaires sont élevés par rapport à ceux de l'industrie, mais la productivité l'est aussi. Finalement, les comportements du personnel sont tout à fait inhabituels. On raconte ainsi l'histoire de cet agent de comptoir qui a conduit un passager dans sa propre voiture sur une distance de 90 km pour lui faire prendre une correspondance importante, ou celle de ce steward qui a prêté un habit à un passager qui avait perdu ses bagages et qui devait participer à une réunion importante. Pourtant, contrairement à Sony, il est difficile de nommer le président de Delta, puisqu'il semble fondu dans l'organisation.

Pour affirmer les caractéristiques de l'organisation et ce en quoi chacun doit croire, la tâche des dirigeants d'entreprise est souvent de travailler à élaborer une vision, une mission ou un credo. Un exemple intéressant est celui de Johnson & Johnson (voir l'annexe 1 à la fin de ce chapitre) qui contient les grandes valeurs et les grandes règles éthiques qui doivent guider la décision dans l'entreprise. Lorsque cette entreprise s'est heurtée, en 1982, à un acte criminel (injection de poison) qui mettait en cause l'intégrité et la sécurité d'utilisation de son produit analgésique Tylenol, ses dirigeants n'ont pas hésité à retirer le produit du marché, même si cela signifiait un coût supplémentaire de l'ordre de 300 millions de dollars. Un autre exemple de credo est celui de la société de communication Cossette (voir l'annexe 2). Par comparaison avec celui de Johnson & Johnson, il est beaucoup plus général. On est même étonné que ce document puisse être aussi influent qu'il l'a été sur le comportement des personnes de l'organisation, ce qui suggère l'interrelation qui existe entre les valeurs exprimées et les dirigeants qui les mettent en pratique. Au cours des années 1960 et 1970, dans une organisation où le leadership aurait été moins inspiré et moins passionné que celui de Cossette, ce même credo aurait été une insignifiante lapalissade. Parfois, la mission prend aussi la forme d'énoncés de comportements fondamentaux, comme le montre le document utilisé par Cray Research Inc. (voir l'annexe 3).

La communauté s'exprime souvent par sa culture. Celle-ci se manifeste sous forme de règles du type : « Voici comment on se comporte ou comment on agit ici. » Les nouveaux arrivants sont d'abord souvent choisis avec un soin minutieux, puis on consacre beaucoup d'énergie à leur formation et à leur socialisation. Dans beaucoup d'entreprises, les jeunes recrues sont confiées à des parrains qui vont les aider progressivement à décoder les règles invisibles qui influent sur le fonctionnement de l'institution. Dans un article sur la gestion à la japonaise, Hafsi (1989) avait décrit les efforts tout à fait étonnants par lesquels les entreprises japonaises inculquent les valeurs dominantes aux nouveaux :

> *Comme une nouvelle recrue est importante pour l'avenir de l'entreprise, son intégration dans l'entreprise est considérée comme une étape essentielle. Les méthodes d'intégration varient d'une entreprise à l'autre, mais en général trois grands éléments sont présents : l'éducation spirituelle ou Seishin kyooiku, l'introduction à l'entreprise et le parrainage... Au cours de cette expérience (d'éducation spirituelle) qui a duré trois mois, les jeunes recrues étaient progressivement amenées à subordonner leurs intérêts personnels au bien-être collectif. L'expérience comprenait :*
> * *une introduction à la pratique de la philosophie zen... ;*
> * *un séjour à une base militaire, généralement pour rappeler le courage et le dévouement dont ont fait preuve les jeunes kamikazes... ;*
> * *le rootoo... une expérience destinée « à secouer leur léthargie spirituelle et leur complaisance »... ;*
> * *un week-end (de vie) à la campagne... ;*
> * *une marche d'endurance (de quarante kilomètres).*

Sans aller jusqu'à ces limites, la plupart des entreprises socialisent leurs nouvelles recrues pour leur apprendre les comportements qui seront fonctionnels pour elles et pour l'organisation. C'est ainsi que se construit la culture organisationnelle.

La firme d'avocats Wachlile, Lipton, Rosen et Katz constitue une remarquable communauté, très unie autour de grandes valeurs. Cette firme est l'une des plus importantes aux États-Unis. Elle est réputée auprès de ses concurrents et de la communauté environnante, et admirée par eux, justement à cause de la transparence et de la force de ses valeurs. Notamment, elle ne travaille que sur les cas qui lui paraissent compatibles avec sa philosophie et qui présentent des défis nouveaux et originaux. Par exemple, sur huit cas qui se présentent, un seul est généralement retenu. Contrairement aux autres bureaux du même type, on encourage le travail d'équipe, la coopération entre avocats et la loyauté à la firme. En conséquence, la coordination est assurée par les normes et valeurs partagées plutôt que par l'autorité hiérarchique. Bien entendu, la plupart des jeunes et brillants diplômés aspirent à faire partie de l'équipe WLRK.

Ainsi, la stratégie d'une organisation peut être conçue comme l'expression des valeurs et des croyances d'une communauté de personnes. Cette expression permet de susciter la coopération de chacun et ainsi de faciliter d'une part, l'adaptation de l'organisation aux changements de son environnement et d'autre part, l'efficacité de ses efforts pour modifier la situation concurrentielle en sa faveur.

D. La contribution sociale de l'entreprise

Les organisations ne vivent pas en vase clos : elles sont en interaction constante avec les environnements économique, politique et socioculturel dans lesquels elles baignent, qu'elles influencent et qui, en retour, encadrent et contraignent leur action.

La contribution des organisations à la société à laquelle elles appartiennent prend différentes formes, les plus importantes étant la production de différents biens et services et leur contribution à l'emploi, ce qui signifie qu'elles contribuent à l'autonomie économique des individus qui travaillent pour ces organisations. Ceci est vrai des grandes entreprises, mais aussi de la multitude de PME qui caractérisent l'économie de nos sociétés. Ceci est également vrai des organisations des secteurs privé, public, para-public, péripublic et communautaire.

Par ailleurs, toutes les organisations n'ont pas la même qualité de contribution. La stratégie adoptée par certaines organisations peut les amener à contribuer très positivement à l'emploi et à la formation d'une main d'œuvre compétente, mais elle peut aussi les amener à supprimer plusieurs emplois, ce qui contribue à gonfler le nombre de personnes en chômage ou vivant de l'aide sociale. Il en est de même de la contribution des organisations au respect et à la protection de l'environnement : certaines ont des stratégies qui se préoccupent du développement durable de nos ressources, alors que d'autres adoptent des stratégies dont l'effet est l'épuisement des ressources et la destruction de l'écosystème.

La contribution des organisations à la société, au moyen des stratégies qu'elles adoptent, a comme effet d'augmenter ou de diminuer la légitimité de ces organisations. La légitimité peut être considérée comme une ressource importante et utile pour l'atteinte des objectifs de l'entreprise. Pour légitimer leurs orientations et leurs activités, les entreprises ont souvent privilégié une approche de relations publiques. Plusieurs savent maintenant qu'un énoncé de mission « ronflant », une campagne de presse, des dons à un organisme de charité ou la commandite d'événements culturels ne suffisent pas. Elles doivent démontrer à leurs employés et aux teneurs d'enjeux (*stakeholders*), à travers l'ensemble de leurs activités ici et ailleurs, que leur présence sociale est bénéfique. Cela peut les obliger à modifier certains de leurs objectifs et certaines pratiques, que ce soit un investissement dans des pays de dictature militaire, un processus de production qui engendre de la pollution ou des pratiques sauvages de licenciement de leurs employés. La légitimation de l'entreprise passe donc souvent par la nécessité de redéfinir l'identité de l'entreprise, le système de valeurs et de significations partagées par l'ensemble de ses membres.

Le problème auquel la compagnie Nestlé a eu à faire face dans les années 1970 est instructif à cet égard. Nestlé est une importante entreprise multinationale suisse présente dans les secteurs de la production alimentaire et de la production pharmaceutique. Fondée en 1867 par Henri Nestlé, elle s'est toujours préoccupée de son image et elle a toujours estimé qu'elle avait une responsabilité sociale envers les pays en voie de développement. C'est ainsi qu'elle avait pris l'habitude, lorsque cela était possible, de produire sur place. Pourtant, la vente de ses préparations lactées pour nourrissons dans les pays du tiers-monde a suscité une importante controverse et conduit à un appel au boycottage de tous les produits Nestlé en 1979. Les avantages et les risques entourant la diffusion et la vente des préparations lactées dans les pays en voie de développement étaient difficiles, à l'époque, à départager. La seule chose certaine, c'est que les arguments des opposants, et leurs attaques contre Nestlé, remettaient en cause la légitimité des actions de Nestlé. Ni la campagne de relations publiques, ni les poursuites judiciaires, ni la création d'un comité de déontologie n'ont réussi à renverser la vapeur.

Les dirigeants de Nestlé ne semblent pas avoir mesuré l'importance stratégique de cette situation. Ils auraient probablement dû tenir compte du fait que les préparations lactées pour nourrissons vendues dans les pays du tiers-monde ne représentaient qu'un infime pourcentage de ses ventes. Ils auraient dû mesurer le coût pour l'entreprise d'une image d'entreprise ternie. Ils auraient dû s'apercevoir que l'action des opposants, qu'elle ait été justifiée ou non, touchait à une ressource importante de l'entreprise, à savoir sa légitimité sociale.

On ne peut donc plus former des gestionnaires à la stratégie en ne s'intéressant qu'au schéma de la concurrence et qu'à la mondialisation des marchés. Il faut aussi les sensibiliser au rôle et à l'importance de la communauté d'acteurs dans la formation des stratégies, et à la nécessité pour l'entreprise d'avoir une légitimité sociale qui contribue à enrichir son image de marque.

III. LA STRATÉGIE COMME FILON CONDUCTEUR

Le concept de filon conducteur facilite beaucoup l'étude de la stratégie dans les grandes entreprises, surtout celles qui ont une longue tradition, celles qui sont devenues des institutions ou bien certaines entreprises publiques. La pratique de reconduire les décisions budgétaires d'une année à l'autre et celle d'examiner les actions passées de l'entreprise pour reconnaître les régularités renforcent cette idée de filon conducteur.

L'étude de W. Taylor (1983) sur les principales décisions de l'Université Bishop de Lennoxville est particulièrement éloquente à cet égard : l'examen des politiques relatives à l'admission et à la création de programmes sur une période de 50 ans permet de constater que les décisions suivent à peu près la même orientation. Les décisions prises aujourd'hui sont très proches, pour ne pas dire des copies conformes, des décisions prises à une autre époque dans la vie de cette organisation.

Définir la stratégie à partir du concept de filon conducteur amène certains à voir la stratégie comme une rationalisation de l'action après que celle-ci eut été exécutée. La stratégie devient alors un regard, une formalisation ou une conceptualisation que l'on construit en observant un ensemble de décisions passées. D'où un débat entre la stratégie dite délibérée et la stratégie dite émergente. La première est celle que l'on élabore avant d'agir et la seconde, celle qui se dégage d'un ensemble de décisions prises dans le passé.

Andrews (1987) a fourni la définition la plus populaire du concept de stratégie :

> *Corporate strategy is the pattern of decisions in a company that determines and reveals its objectives, purposes, or goals, produces the principal policies and plans for achieving those goals, and defines the range of business the company is to pursue, the kind of economic and noneconomic contribution it intends to make to its shareholders, employees, customers, and communities* [7].

L'idée de *pattern* ou de filon conducteur est au cœur de l'idée de stratégie. Quand on parle de stratégie, nous sommes préoccupés surtout par le comportement général de l'organisation. Comme pour une personne, nous cherchons à reconnaître les régularités, dans l'action ou dans les décisions, qui permettent de comprendre son comportement. À la base de cette idée de

---

7. La stratégie d'entreprise se manifeste à travers les régularités qui apparaissent dans les décisions d'une entreprise et qui déterminent ou révèlent ses objectifs, buts ou finalités, qui produisent les politiques et plans principaux pour réaliser ces buts et qui définissent la gamme d'activités que l'entreprise entend poursuivre, le type de contribution économique ou non économique qu'elle entend apporter à ses actionnaires, employés, clients et communautés.

filon conducteur est l'hypothèse que le comportement est inévitablement cohérent à long terme. Il y a des logiques qui peuvent nous échapper si l'on n'observe que des événements isolés, mais si l'on regarde suffisamment de dimensions sur une période suffisamment longue, on va finir par retrouver la trame qui explique le comportement.

Considérons la compagnie General Electric. Si l'on étudie son histoire depuis le début des années 1950, on remarque des choses intéressantes (Aguilar, 1988). D'abord, GE a connu une étonnante stabilité de direction. Depuis 1950 jusqu'en 2000, elle n'a connu que quatre présidents : Ralph Cordiner, Fred Borch, Reginald Jones et Jack Welch.

Au temps de Cordiner, la firme se développait tous azimuts, sans beaucoup d'ordre. C'était une sorte d'expansion évangélique. L'idée centrale était que rien ne pourrait résister à GE si elle décidait de s'en occuper. La diversification qui s'ensuivit fut sans retenue. Mais le laxisme et le manque de proportion ont fait que même GE a atteint ses limites. C'est ainsi qu'après s'être attaqués à trois grands marchés, soit les usines nucléaires, les grandes turbines et l'informatique, les dirigeants durent battre en retraite pour faire face à une situation financière difficile. C'est comme cela que GE a rompu avec l'informatique pour plusieurs décennies.

La période Borch a correspondu à l'introduction de la planification stratégique. Auparavant, la planification était surtout dominée par des économistes et des experts en recherche opérationnelle. Planifier revenait essentiellement à faire des prévisions en utilisant toutes les techniques quantitatives. Suivant les conseils de la société McKinsey, les dirigeants ont alors réorienté leurs pratiques vers les méthodes modernes de planification stratégique, notamment le modèle de portefeuille de produits et l'idée de planification comme un processus de gestion, aujourd'hui des éléments de leur marque de commerce et largement enseignés dans les écoles de gestion. Au cours de la période, ils ont supprimé 13 gammes de produits (aspirateurs, ventilateurs, phonographes, pacemakers, etc.).

L'époque Borch s'est prolongée par la période Jones. La planification a été renforcée et raffinée. Cependant, cette période a aussi eu ses particularités. Les aspects dominants n'étaient plus les questions de positionnement de marché, mais les questions de fonctionnement interne. GE a vécu des situations difficiles de relations entre le personnel central et les unités opérationnelles. L'époque Borch avait laissé comme héritage une certaine tendance à l'atomisation et à la balkanisation des divisions et des groupes. L'époque Jones a été consacrée à tenter de réduire ces problèmes. Les questions de structure, de gestion du système de planification et de coordination générale ont pris le devant de la scène et ont en général été résolues lorsque plus de pouvoir a été donné aux groupes opérationnels et que leur capacité à soutenir la croissance a été stimulée.

En effet, Jones faisait alors face à un autre nouveau problème qui venait de la taille et de la diversité de l'organisation. Pour maintenir le rythme de croissance de GE à un niveau comparable à celui du produit national brut (la seule référence valable compte tenu de la taille et de la diversité de l'entre- prise), il fallait créer chaque année un secteur d'activité nouveau dont la taille serait de l'ordre de sept milliards de dollars. Ces pressions considérables à la croissance ont ramené au-devant de la scène les acquisitions comme solution stratégique inévitable.

L'arrivée de Welch, en 1981, amène rapidement des comportements très différents. D'abord, Welch privilégie le profit plutôt que les ventes. L'efficacité stratégique (le choix des activités poursuivies) et l'efficacité opé- rationnelle (les performances dans les activités poursuivies) deviennent des éléments essentiels. C'est ainsi que Welch se met à conceptualiser les do- maines dans lesquels l'entreprise doit se trouver, notamment l'idée des trois cercles : le cercle des activités traditionnelles, le cercle des activités de haute technologie et le cercle des activités de services. En dehors de ces cercles, point de salut dans GE. De plus (*The Economist*, 1991) :

> ... he committed GE to stick only with businesses that were number one or num- ber two in their markets : a policy since copied by Siemens of Germany and Electrolux of Sweden, among others. Those businesses that did not meet this exacting standard would, vowed Mr Welch, be « fixed, closed or sold[8] ».

Il a ainsi suscité le désinvestissement même des activités traditionnel- les, celles que le public (interne et externe) était venu à identifier avec GE, lorsque celles-ci ne correspondaient pas à la nouvelle conceptualisation. GE a abandonné de nombreuses activités, notamment les petits électroménager, autrefois considérées comme étant la raison d'être même de l'entreprise. Par ailleurs, le fonctionnement interne est conçu comme devant créer une entre- prise sans frontières :

> After moulding GE so decisively, Mr Welch is determined to transform its culture and organisation into what he awkwardly describes as a « boundary-

---

8. Il engagea GE à ne maintenir que les activités qui étaient numéro un ou numéro deux dans leurs marchés : une poli- tique copiée depuis par l'allemande **Siemens**, la suédoise **Electrolux**, entre autres. Les activités qui ne répondaient pas à ces standards exigeants, affirmait M. Welch, seraient « retapées, fermées ou vendues ».

*less » company. Mr Welch wants GE to be an enterprise where : **a.** internal divisions blur, and everybody works as a team ; **b.** suppliers and customers are partners. ; **c.** there is no segregation between foreign and domestic operations, and each GE business is just as much at home in South Korea and Paris, France, as it is in South Carolina and Paris, Texas* [9].

En 2000, Welch a aussi transformé GE en une entreprise où les services, notamment les services financiers, dominent la fabrication, un vrai renversement ! Chacune de ces périodes est reconnaissable si l'on observe les décisions qui sont prises dans l'entreprise. Lorsque la durée de l'observation est assez longue, on s'aperçoit que les décisions ont tendance à converger en ensembles relativement homogènes ou cohérents. L'une des recherches les plus influentes dans le domaine de la stratégie (Chandler, 1962) a justement permis de dégager des régularités qui s'appliquent à toutes sortes d'organisations. Chandler et ceux qui l'ont suivi, tels Scott, Rumelt, Salter et Wrigley, ont mis en évidence une sorte de cycle dans la vie de l'entreprise qui correspondait à des stratégies différentes.

Au premier stade, l'entreprise est centrée sur un produit-marché avec une structure peu formalisée et dont la gestion est généralement basée sur des mesures de performance, des systèmes de contrôle et de récompense, subjectifs et non systématiques. Le deuxième stade est marqué par une spécialisation fonctionnelle plus grande et par une intégration beaucoup plus formalisée. La recherche d'amélioration des produits et des processus ainsi que les systèmes de gestion deviennent plus systématiques, et la formulation de la stratégie guide la délégation des décisions opérationnelles. Le troisième stade correspond à la diversification avec des produits-marchés multiples et une organisation construite sur des relations basées sur les produits-marchés plutôt que sur les fonctions. Cette relation entre le stade de développement et la stratégie est une conséquence directe de la stratégie vue comme un filon conducteur.

Évidemment, l'existence de cohérence peut nous amener à supposer que celle-ci était désirée et construite. Sans entrer dans le grand débat déterminisme/libre arbitre (Hrebeniak & Joyce, 1985), nous pouvons dire que la cohérence est à la fois **imposée** par l'environnement, qui ne laisse vraiment survivre que les organisations dont le comportement présente des caractéristiques qui lui sont compatibles, et **choisie** par les dirigeants, un

---

9. Après avoir moulé GE de manière aussi ferme, M. Welch est déterminé à transformer sa culture et son organisation en ce qu'il appelle maladroitement une compagnie « sans frontières ». M. Welch veut faire de GE une entreprise dans laquelle : les divisions internes sont troubles et où tous travaillent en équipe ; les fournisseurs et les clients sont des partenaires ; il n'y a pas de ségrégation entre les opérations intérieures et internationales et où chaque activité GE est aussi bien une partie de GE en Corée du Sud et à Paris, en France, qu'elle l'est en Caroline du Sud et à Paris, au Texas.

peu comme l'ont fait avec beaucoup de détermination les dirigeants de GE.

Les historiens des affaires, notamment ceux de Harvard qui collaborent dans le cadre du Business History Review et ceux du Business History Unit au London Business School, ont réussi à retracer le filon conducteur de la vie de nombreuses entreprises. Ainsi, les comportements de firmes comme DuPont, General Motors et bien d'autres (Chandler, 1962) nous sont devenus familiers et constituent des points de repère utiles pour la compréhension des autres entreprises.

Les études de Miller (1990; 1992) ont montré que le filon conducteur, dans la vie des entreprises, peut être tellement fort que certaines d'entre elles continuent, de façon obsessionnelle, à reproduire les comportements qui leur ont apporté le succès, ce qui peut les amener à leur perte :

Toutes (les trajectoires) sont animées par une dynamique qui amplifie les atouts initiaux de l'entreprise et en abolit toutes les caractéristiques secondaires, toutes les nuances... (p. 271)

La dynamique qui sous-tend nos trajectoires renvoie à de multiples facteurs : la façon de penser des gestionnaires, la politique et les rituels des entreprises ou encore des programmes, et des systèmes... (p. 273)

Le filon conducteur n'est pas nécessairement une construction systématique. Toutefois, qu'il soit clairement déterminé après une analyse intellectuelle ou qu'il soit le résultat d'un comportement historiquement cohérent, il doit suivre une direction claire.

IV. LA STRATÉGIE COMME CONSTRUCTION D'UN AVANTAGE CONCURRENTIEL

L'action systématique mène à la construction d'un avantage qui permet de survivre à la concurrence souvent rude du monde des organisations. Le développement d'un avantage concurrentiel peut prendre des formes tout à fait inattendues, comme ce fut le cas pour de nombreuses compagnies au cours des dernières décennies. On comprend l'avantage que peut procurer une découverte technologique révolutionnaire comme celle de Polaroïd au cours des années 1950-1960, mais on a souvent du mal à percevoir la multitude de créations moins spectaculaires que celle-là et qui sont à la source des avantages importants des entreprises à succès. Prenons quelques exemples.

Le premier exemple est celui de l'Imprimerie Gagné. Jean-Pierre Gagné avait racheté de son père une imprimerie située à Louiseville, au Québec, loin des grands centres urbains de Montréal et de Québec et loin des centres urbains importants des provinces canadiennes avoisinantes. Les produits de l'entreprise étaient diversifiés et l'entreprise était dans le rouge.

Le marché de l'imprimerie était divisé en quatre grands segments : le livre, la presse, l'imprimerie commerciale et la préparation spécialisée. Le marché était très fragmenté avec une multitude de petites entreprises essayant de survivre cahin-caha. La fragmentation était surtout évidente dans les segments de l'imprimerie commerciale et de la préparation.

Jean-Pierre Gagné pensait qu'il lui fallait concentrer ses activités de sorte qu'il puisse tirer parti de sa localisation dans une région agricole où les coûts de main-d'œuvre sont plus faibles et où la loyauté à l'entreprise peut être plus grande. Il voulait également éviter les segments où la concurrence était trop forte. Il n'avait alors le choix qu'entre le livre et la presse. Comme la presse exigeait des délais de livraison courts, ce que la localisation de son usine rendait problématique, et comme il considérait le livre comme un produit noble, il décida de concentrer son action sur l'impression de livres.

Pour réussir dans le segment de l'impression de livres, il fallait être capable de garantir une qualité d'impression élevée et un coût raisonnable. D'autre part, les clients (généralement les maisons d'édition) appréciaient une programmation rigoureuse de la production afin que les délais de livraison convenus soient scrupuleusement respectés et qu'ils puissent harmoniser en conséquence leurs programmes de mise en marché.

L'imprimerie avait un avantage en raison de sa localisation. Les coûts de la main-d'œuvre étaient faibles et on pouvait obtenir un attachement plus grand des employés à l'entreprise, avec une loyauté et un dévouement plus grands aussi. Cela facilitait la formation et permettait d'accroître la qualité. Pour renforcer cela, il entreprit un renouvellement de ses équipements avec des machines technologiquement supérieures et plus efficaces. Il créa des conditions de travail très séduisantes avec un accent sur la propreté des lieux, une attention plus grande aux opinions des employés, qu'il rencontrait régulièrement, et des horaires flexibles pour satisfaire les habitudes rurales des habitants de la région.

Par ailleurs, chaque employé recruté recevait un livret expliquant ce qu'était l'entreprise et les éléments principaux de l'économie, de son fonctionnement et de son succès, de manière à attirer l'attention sur la nécessité de travailler ensemble pour la prospérité de l'entreprise. Il supprima l'inspection de la qualité des produits et décida que les employés de la production feraient eux-mêmes l'inspection de leurs travaux. Pour les aider, il conçut un « livre bleu » qui expliquait ce qu'il fallait savoir pour que la production de livres permette de concilier des coûts acceptables et une qualité élevée.

Pour satisfaire les clients, il introduisit des pratiques nouvelles dans l'industrie. Il avait recruté des vendeurs, alors que l'industrie fonctionnait surtout avec des représentants. Ces vendeurs devaient conseiller les clients sur les formes d'impression possibles et les conditions qui leur étaient attachées. Comme il avait aussi informatisé l'ensemble de la production et de la vente, les vendeurs pouvaient, à l'aide de leur micro-ordinateur portatif, donner des renseignements précis sur les délais de livraison et les prix. Les commandes qui étaient prises entraient directement dans le système d'exploitation et étaient traitées immédiatement pour la programmation de la production.

Tout cela révolutionna l'industrie de l'impression du livre, et l'Imprimerie Gagné devint une entreprise modèle dont les succès ont été constants jusqu'en 1998. En 1998, l'imprimerie Gagné fut acquise par le Groupe Transcontinental. Après avoir accaparé une part de marché importante au Québec, l'entreprise a réussi à s'implanter en Ontario et à reproduire la même trame de succès. Plusieurs prix de qualité de gestion ont été attribués à Jean-Pierre Gagné au cours des années 1980 et 1990.

Le deuxième exemple est celui de la société Nucor, un fabricant d'acier dont le siège social est à Charlotte, en Caroline du Nord. Comme toute minifonderie, Nucor ne faisait jusqu'à la fin des années 1980 qu'une sorte d'acier : les barres. Mais grâce à une recherche obstinée, son président a trouvé le moyen de fabriquer, de manière encore plus efficace, ce que seules les grosses aciéries intégrées réussissaient : les produits plats. En conséquence, Nucor était devenue, en 1993, le septième producteur aux États-Unis et le quatrième en 1997.

En 1968, Ken Iverson, le président de Nucor, construit sa première fonderie. Il achète les équipements les plus sophistiqués partout en Europe. Il précise :

> We found we could not only supply our own operations, but we could also sell steel in the marketplace at a better price than foreign steel producers [10].

En 1984, le problème de la croissance de l'entreprise se pose. Pour le résoudre, Iverson décide d'entrer sur le marché des feuilles d'acier, bien qu'aucune mini-fonderie n'ait encore jamais essayé de le faire puisque ce type

---

10. On a découvert qu'on pouvait non seulement approvisionner nos propres installations, mais aussi vendre de l'acier sur le marché à un prix meilleur que celui des producteurs étrangers.

de fabrication requiert des hauts fourneaux énormes. Il résout la difficulté en utilisant une nouvelle technologie, mise au point en collaboration avec des fabricants allemands. L'investissement requis était de 220 millions de dollars. La nouvelle mini-fonderie est construite dans l'Indiana et la production commence à l'été de 1989.

Le nouveau procédé de fabrication, contrôlé par ordinateur, permet de fabriquer une tonne de feuilles d'acier en 45 minutes-homme contre 3 heures-homme avec le procédé conventionnel. Nucor fait une économie de coût de 50 $ à 75 $ par tonne, qui coûte alors environ 310 dollars. Nucor a construit une deuxième mini-fonderie afin de quadrupler sa capacité dès 1995.

Le troisième exemple est celui de Landmark Graphics. Grâce à une technologie différente, ce fabricant de logiciels a transformé l'industrie pétrolière et gazière. Il a conçu un système, extrêmement précis, de détection des réserves de pétrole ou de gaz, appelé CAEX ou *computer aided exploration*. Auparavant, il fallait creuser 9 ou 10 puits, coûtant entre 500 000 $ et 5 millions chacun, avant de trouver du pétrole ou du gaz ; aujourd'hui, il suffit de faire 4 ou 5 essais. Pour les entreprises utilisant ce système, les coûts d'exploration par baril sont passés de 6 $ à 2,50 $.

Jusqu'à l'arrivée de Landmark Graphics, les géophysiciens utilisaient un procédé à ondes qui leur donnait une image en deux dimensions, alors qu'ils avaient besoin d'un système semblable à la résonance magnétique, ou image en trois dimensions. En 1982, Roice Nelson Jr rencontrait John Mouton et Andy Hildebrand, deux programmeurs indépendants. Nelson leur proposa son idée de poste de travail interactif en trois dimensions. Mouton pensa que Nelson avait perdu l'esprit parce que les obstacles techniques lui paraissaient insurmontables. Pourtant, Nelson insista et ils finirent par concevoir en 18 mois un produit révolutionnaire qui permettait aux compagnies de faire des choses jusque-là impensables. Comme l'indiquait Jon Bayless, le partenaire principal chez Seven Rosen, qui a financé Landmark :

> There was no way of effectively using 3-D seismic data unless you organized them within a computer system. Here was something that would change the way drilling decisions were made ".

Le succès fut rapide, puisque les compagnies de forage, grosses ou petites, achetèrent 1 500 systèmes. Partie de zéro en 1984, la compagnie a fait

---

11. On ne pouvait utiliser les données sismiques en 3D de manière efficace à moins de les organiser dans un système informatisé. Voilà donc quelque chose qui allait changer la façon de prendre les décisions de creuser des puits.

des bénéfices de 9,8 millions de dollars pour des ventes de 90 millions lors de l'exercice financier qui s'est terminé en juin 1991.

Avec Internet, la mondialisation et le NTIC, les opportunités de création d'avantage concurrentiel sont plus nombreuses encore. Le développement formidable d'entreprises comme Amazon.com, Lucent, Cisco, Netscape et bien entendu Microsoft en sont des illustrations quotidiennes mais même les entreprises traditionnelles arrivent à se renouveler pour un avantage plus grand. Ainsi va l'histoire de cette agence de voyages de Vancouver, Uniglobe. Comme toutes les agences de voyages, Uniglobe a été confrontée à des bouleversements dans la dynamique de l'industrie, soit l'introduction massive de services directs par Internet, qui ont pris aux États-Unis en 1999 une part de marché représentant 11,4 milliards et des sociétés d'aviation plus agressives, ce qui a réduit les commissions des agences de manière sensible.

Alors que tous les concurrents hésitaient, ne sachant que faire, Uniglobe Travel International, l'agence à marque unique la plus importante du monde avec 1 100 succursales dans 20 pays, s'est lancée dans une stratégie *online* très prometteuse. Elle travaille à se construire une niche profitable en combinant un site Internet de haut niveau avec l'une des forces des agences traditionnelles : le contact humain.

La filiale dans Internet, Uniglobe.com, focalise sur l'une des forces de l'entreprise : la réservation de croisières. Ces réservations génèrent de 15 % à 20 % de commissions, à comparer aux 5 % à 6 % des réservations pour le transport aérien, les locations automobiles et les hotels. La sélection d'une croisière implique des considérations multiples qui les fait moins sensibles au prix.

Le site Uniglobe permet également de faire des réservations de billets d'avion, de chambres d'hôtels ou de location de voiture, ce qui est une variété souhaitée par les clients. Un concurrent comme Thomas Cook paraît archaïque par comparaison. Même American Express, l'autre concurrent d'importance, n'a introduit de sophistications comparables que très récemment. C'est pour cela que des spécialistes du commerce électronique comme Gomez.com place le site Uniglobe quatrième sur le plan de la qualité et de la facilité d'utilisation, juste derrière les grands joueurs comme Travelocity, Expedia de Microsoft et Preview Travel.

Mais pour les croisières, le site Uniglobe est incomparable. On peut chercher par région, par destination, par ligne de croisière. On peut aussi examiner 70 bateaux, avec leurs plans détaillés, et savoir s'il y a un restaurant italien ou un balcon pour la cabine désirée. Plus important encore, Uniglobe a introduit une capacité inexistante ailleurs, soit la possibilité d'avoir accès instantanément à un spécialiste pour être conseillé. En quelques secondes on peut avoir une information qui prendrait des heures de recherches à travers « les questions les plus courantes ». On peut aussi envoyer des questions par courriel avec l'assurance d'une réponse dans les 20 minutes.

Uniglobe a aussi travaillé à accroître sa visibilité par des partenariats de marketing. Ainsi Visa fait la promotion d'Uniglobe sur son site et vice-versa. Même le site Expedia lui confie sa section croisière, ce qui amène les clients naturellement vers le site Uniglobe.

Même si les revenus d'Uniglobe sont encore modestes, avec des ventes de 70 millions de dollars en 1999, les ventes de décembre 1999 étaient 10 fois supérieures à celles de 1998 ! Uniglobe n'a que 5 % du marché des croisières réservées par Internet, mais tous les analystes pensent qu'elle peut gagner jusqu'à 30 % de ce marché en restant déterminée et focalisée. Le président d'Uniglobe, Martin Charlwood, admet la nécessité de rester focalisé, mais refuse de se laisser mettre en boîte et considère que son entreprise doit être perçue comme une agence qui offre tous les services.

La construction d'un avantage concurrentiel est un effort dans lequel on essaie de se démarquer de la concurrence soit en améliorant la qualité des produits/services par rapport à ceux des concurrents, à l'origine de la différenciation, soit en produisant ces produits/services à un coût plus faible que ne peut le faire la concurrence. Le développement d'un avantage concurrentiel commence avec le client. La compréhension de ses besoins ou de ses attentes est une étape essentielle de l'analyse qui sert à construire l'avantage concurrentiel.

Drucker (1952) a été l'un des pionniers de la démarche qui mène au développement d'un avantage concurrentiel. Il affirmait :

> *The first step... is to raise the question: «Who is the customer?» — the actual customer and the potential customer? Where is he? How does he buy? How can he be reached? The next question is: «What does the customer buy?»*
>
> *Finally, there is the most difficult question: «What does the customer consider value? What does he look for when he buys the product[12]?»*

Il propose ensuite une démarche de définition des activités, pour assurer un avantage concurrentiel, qui peut être résumée comme suit :

---

12. La première étape est de soulever la question « Qui est le client ? » Le client actuel et le client potentiel ? Où est-il ? Comment achète-t-il ? Comment peut-on l'atteindre ? La question suivante est : « Qu'est-ce que le client achète ? » Finalement, il y a la question la plus difficile : « Qu'est-ce que le client considère comme ayant de la valeur ? Que cherche-t-il lorsqu'il achète un produit ? »

This involves finding out four things. The first is market potential and market trend. How large can we expect the market for our business to be in five or ten years — assuming no basic changes in market structure or technology? And what are the factors that will determine this development?

Second, what changes in market structure are to be expected as the result of economic developments, changes in fashion or taste, or moves by the competition?

Third, what innovations will change the customer's wants, create new ones, extinguish old ones, create new ways of satisfying his wants, change his concepts of value or make it possible to give him greater value satisfaction?

Finally, what wants does the consumer have that are not being adequately satisfied by the products or services offered him today[13]?

Répondre aux besoins des clients peut amener à une configuration particulière des activités de l'entreprise, ayant comme objectifs de renforcer les activités qui sont cruciales pour satisfaire les clients et de réduire l'importance de celles qui ne le sont pas. C'est cet effort-là qui permet soit la réduction du coût, soit l'amélioration de la qualité.

Porter (1985) a proposé le concept de chaîne de valeur comme cadre d'analyse pour justement permettre la recherche de la configuration la plus favorable. Nous reviendrons plus en détail sur la chaîne de valeur.

Les exemples que nous évoquions au début de cette section, ceux de l'Imprimerie Gagné, de Nucor et de Landmark Graphics, sont une illustration de la compréhension fine de la chaîne de valeur de l'entreprise et de celles des clients, voire des concurrents. Les actions qui en ont résulté ont alors permis, dans chaque cas, de construire un avantage concurrentiel solide, difficile à contrer par les concurrents.

Bien entendu, le développement d'un avantage concurrentiel suppose une compréhension claire des caractéristiques des fonctions de l'entreprise et de leurs relations, ce qui permet de reconfigurer la chaîne de valeur de manière à engendrer soit des coûts beaucoup plus bas, soit des produits dont les rendements sont supérieurs à ceux des concurrents. Le développement d'un avantage concurrentiel suppose aussi une compréhension claire des chaînes de valeur des clients, des fournisseurs et aussi des concurrents princi-

---

13. Il faut trouver quatre choses. La première est le potentiel de marché et les tendances. Que sera ce marché dans cinq ou dix ans, en supposant qu'il n'y ait aucun changement majeur de structure ou de technologie ? Quels facteurs vont déterminer ce développement ? Deuxièmement, quels changements dans la structure du marché peut-on attendre du fait des développements de l'économie, des changements de mode ou de goûts, des actions de la concurrence ? Troisièmement, quelles innovations changeraient les désirs des clients ou en créeraient de nouveaux, éteindraient les anciens, créeraient de nouvelles façons de satisfaire ses désirs, changeraient ses conceptions en matière de valeur ou permettraient de lui donner une plus grande satisfaction ? Finalement, quels désirs du client ne sont pas actuellement satisfaits adéquatement par les produits et services offerts ?

paux. Cela peut constituer un investissement important mais, lorsque les enjeux sont importants, l'investissement est souvent pleinement justifié par les résultats.

Un outil important pour faire face à l'avenir est constitué des ressources — financières et matérielles — ou des possibilités d'accès à ces ressources. Parfois, on peut utiliser les ressources disponibles surtout pour avoir accès à d'autres ressources plus cruciales. Les ressources les plus importantes pour faire face à l'avenir sont celles qu'on peut regrouper sous le vocable de « compétences ». Parmi celles-ci, on compte le savoir-faire de gestion, le savoir-faire dans une ou plusieurs des fonctions importantes de l'organisation et le savoir-faire en matière d'appréciation et de modification des règles du jeu du secteur industriel dans lequel on œuvre. Ainsi, une entreprise du domaine de la construction peut réussir à développer une compétence distinctive dans l'évaluation des coûts des travaux, ce qui lui permettra de proposer des prix qui l'avantageront.

Finalement, l'avantage concurrentiel suppose une intégration des activités qui tient compte des logiques différentes du niveau corporatif, du niveau de l'unité d'affaires et du niveau des fonctions. Ainsi, le niveau corporatif se préoccupe des questions de répartition des ressources et de réconciliation entre les profits à court terme et la santé à long terme. Le niveau de l'unité d'affaires est concerné par le positionnement parmi les concurrents et le niveau des fonctions s'intéresse à la productivité de la fonction et à sa contribution à l'objectif général.

C'est pour cela qu'on parle aussi de stratégie des fonctions : stratégie de marketing, stratégie financière, stratégie de production, stratégie de gestion des ressources humaines, etc. Dans le contexte des fonctions, la stratégie prend l'aspect d'un processus d'allocation des ressources en fonction de l'orientation de la corporation (stratégie corporative ou stratégie d'unité d'affaires) et en fonction du marché à desservir. On peut aussi dire que la stratégie de la fonction, c'est d'actualiser à sa façon les valeurs corporatives. Par exemple, la stratégie financière est celle qui permet d'atteindre la création et le maintien d'un haut niveau de flexibilité financière. De même, la stratégie des ressources humaines vise à recruter, à développer et à récompenser les talents dont la corporation ou l'unité a besoin pour atteindre ses objectifs.

V. LA STRATÉGIE COMME GESTION DE LA RELATION ORGANISATION/ENVIRONNEMENT

On peut définir la stratégie en situant l'entreprise dans un secteur industriel, en interaction avec ses principaux partenaires. Suivre ce cheminement, c'est mettre le cap sur la dynamique de la concurrence, sur le rôle et l'importance des clients et des fournisseurs, c'est décrire l'entreprise en regard des autres acteurs dans la réalité socio-économique dans laquelle elle agit.

La place qu'occupe une entreprise dans un secteur industriel n'est pas uniquement influencée par les transactions d'affaires, mais elle est tributaire de relations avec les gouvernements, les citoyens et la société. En fait, la place dans le réseau est le résultat de cet ensemble de relations que l'entreprise a tissé avec des partenaires parfois très actifs mais parfois peu visibles.

L'environnement est un facteur important dans la vie d'une organisation. C'est à la fois la source des ressources et des opportunités et la source des dangers et des menaces. La gestion de la relation est donc essentielle pour la survie de l'organisation.

Dans la littérature, il existe deux grands courants concernant cette relation. Le premier courant peut être considéré comme déterministe et établit que l'environnement force des comportements, faute de quoi l'organisation peut disparaître. Le deuxième courant est volontariste et prône le libre arbitre. Pour ce courant, l'environnement n'existe pas en dehors de la firme. Ce sont les gestionnaires qui le conceptualisent et, au fond, le créent. En d'autres termes, on peut modifier son environnement à loisir si on le veut vraiment.

A. L'ENVIRONNEMENT COMME UNE DONNÉE INÉVITABLE

L'environnement est ce qu'il est. Il faut le comprendre et s'ajuster pour y survivre. C'est un peu cela qui a été fait par la société américaine Schneider National, le leader dans le transport routier depuis la déréglementation de 1980.

Avant 1980, tout se faisait selon des règlements très stricts. Le transporteur ne pouvait pas transporter n'importe quoi, n'importe où. De même, les clients ne pouvaient pas changer de transporteur selon leur gré. À partir de 1980, c'est tout un monde nouveau qui apparaît avec la déréglementation du transport routier.

Les clients en profitent pour exiger une précision plus grande des livraisons et, bien sûr, des coûts faibles. Eux-mêmes font face à des pressions concurrentielles nouvelles forçant notamment une réduction des coûts de stockage et donc l'adoption de la livraison « juste-à-temps ». Ainsi, Peter Baker, directeur des Services logistiques de Sears affirme :

> When the truck is 20 minutes or half an hour late, things start going wrong [14].

En effet, lorsqu'un véhicule articulé de Schneider arrive avec ses appareils ménagers à l'entrepôt de Sears, les camions de Sears l'attendent le long du quai et sont chargés sans tarder, car la marchandise doit être livrée au client le jour même.

Pour Dan Schneider, le président de Schneider National, la survie passait par une adaptation rapide. Pour pouvoir parvenir à une telle précision, il a fallu mettre en place une stratégie d'adaptation en deux parties. Il fallait changer les mentalités, rendues très rigides par les pratiques des Teamsters, en mettant l'accent sur la notion du travail bien fait. Dan Schneider a aussi démocratisé l'entreprise en appelant notamment ses employés des « associés » et en supprimant les privilèges des dirigeants, comme les places de stationnement réservées. Il explique :

> You deemphasize title and emphasize the ability and the importance of the person [15].

Ainsi, il encourage tous les employés à proposer des formules qui peuvent améliorer les opérations de l'entreprise et, chaque mois, il donne à chacun de ses 8 500 employés une cinquième paie, basée uniquement sur la performance. Il ajoute :

> You have to have a culture that allows people to hustle [16].

Enfin, pour que Schneider soit à la fine pointe de l'information technologique, il équipe, en 1988, chaque camion d'un ordinateur et d'une antenne tournante lui permettant de rester en contact étroit avec ses camionneurs. Les résultats de ces actions sont spectaculaires. L'entreprise est en très forte croissance dans un marché saturé et très concurrentiel. Bob Bowler, directeur de

---

14. Dès que le retard du camion atteint 20 minutes ou une demi-heure, les problèmes commencent.
15. On met moins l'accent sur le titre que sur les capacités et l'importance des personnes.
16. Il faut avoir une culture qui permet aux gens de se décarcasser.

la distribution de Procter & Gamble, dont les commandes doivent souvent être livrées le jour même, indique son appréciation :

> ... they're more than leading edge. They're setting the pace for the whole industry[17].

Voilà une illustration de l'importance que l'environnement peut prendre et de l'importance que la stratégie d'adaptation peut jouer dans la survie des organisations.

Cinq courants théoriques ont affirmé l'importance de l'environnement dans le développement de la stratégie de la firme. Le premier courant, appelé généralement le courant de l'écologie des populations d'organisation (Hannan & Freeman, 1984), a puisé à la biologie pour affirmer qu'à long terme seules les organisations qui évoluent régulièrement avec leur environnement sont susceptibles de survivre. Les organisations qui ne procèdent que par ajustements brutaux courent le risque de disparaître.

Le deuxième courant est celui de l'école de la contingence (Thompson, 1967 ; Lawrence & Lorsch, 1967) qui affirme que l'environnement engendre des incertitudes pour l'organisation et, pour pouvoir y faire face, elle doit adapter sa stratégie et son fonctionnement. En particulier, ce courant suggère que, lorsque l'environnement est stable, les stratégies et les fonctionnements les plus adaptés sont ceux qui mettent l'accent sur l'efficience et la réduction des coûts, donc sur la standardisation et la stabilité. Lorsque l'environnement est changeant et incertain, la stratégie la plus appropriée est celle qui met l'accent sur la surveillance et l'adaptation rapide. Donc, la décentralisation et la rapidité de réaction sont privilégiées.

Le troisième courant (Cyert & March, 1963) met l'accent sur l'importance de la structure et sur la difficulté qu'il y a à changer de manière volontariste. Le changement ne peut se faire que lorsqu'on modifie les routines qui caractérisent les structures. En conséquence, on pourrait interpréter les enseignements de cette école comme suit :

1. Essayer de comprendre la structure de l'environnement et les routines qui le caractérisent.
2. Découvrir les acteurs et les mécanismes qui permettent de modifier ces routines.
3. Agir pour que les routines soient modifiées de façon à favoriser l'organisation.

---

17. Non seulement ils sont à la pointe de la technologie, mais ils sont devenus la référence pour toute l'industrie.

Nous pouvons mentionner un quatrième courant, proche du précédent — l'école de la dépendance des ressources (Pfeffer & Salancik, 1978) — qui affirme que la dépendance (ou le degré de dépendance) en matière de ressources face à l'environnement est déterminante pour la survie de l'organisation et que la stratégie doit être entièrement orientée vers la compréhension des sources de dépendance de l'organisation et de leur fonctionnement, puis vers l'action nécessaire pour les influencer.

Le dernier courant, qui est actuellement très connu, est celui de l'économie industrielle, et il a été popularisé par Porter (1980). Ce courant affirme que la structure de l'industrie détermine la stratégie de la firme et ultimement sa performance. Porter a proposé un cadre simple d'analyse de la structure de l'industrie qui est très populaire parmi les gestionnaires et sur lequel nous reviendrons au chapitre IV.

B. Le libre arbitre comme facteur de création de l'environnement

D'après certains théoriciens (Weick, 1979), l'environnement n'existe pas ; il est créé. Utilisant les résultats de recherche de la psychologie, ces auteurs affirment que notre perception est toujours affectée par les limites de notre système personnel, nos préjugés, nos croyances, nos préférences. En d'autres termes, on ne voit que ce qu'on veut voir. L'environnement, qui mérite notre attention, n'est pas un absolu en dehors de nous, c'est celui que nous créons.

En conséquence, tout est libre arbitre. Les gestionnaires doivent se rendre compte que concevoir l'environnement est le cœur même de leur stratégie. Ainsi, si les dirigeants de l'École des HEC décidaient que leur environnement est constitué des gestionnaires d'entreprises québécoises, ils amèneraient l'École à se comporter de manière à les servir convenablement, donc à les satisfaire pour garantir leur soutien et la survie de l'École. Cela inclurait par exemple le recrutement et la récompense de professeurs dont la sensibilité à la problématique des entreprises québécoises est grande et qui vont privilégier le service direct à ces entreprises. Ce service pourrait prendre la forme de consultations ou de recherches simples destinées à traduire les résultats de recherches, sur des systèmes similaires, conduites ailleurs.

Si, par contre, l'environnement était élargi, pour inclure par exemple les gestionnaires des autres provinces et d'autres pays, la stratégie serait alors complètement différente. En particulier, le recrutement, la promotion, etc., s'orienteraient vers des personnes ayant des préoccupations de recherche plus générales et plus fondamentales, avec un intérêt pour la recherche qui ne soit pas circonscrit au Québec.

Les travaux les plus importants dans ce domaine ont été réalisés par l'école de Harvard (Andrews, 1987). Le concept de stratégie, tel qu'il a été conçu par Andrews, Christensen et les autres, est aujourd'hui l'un des instruments d'analyse les plus utilisés par les gestionnaires et les sociétés de consultants. Le concept est détaillé au chapitre III, mais, nous pouvons indiquer ici que sa structure inclut :

• LA FORMULATION DE LA STRATÉGIE, sur la base d'une analyse de l'environnement (dégager les opportunités et les menaces) et d'une analyse interne (dégager les forces et les faiblesses), en prenant en considération les choix de nature éthique ou sociétale, qui caractérisent l'organisation, et les valeurs des dirigeants ;

• LA MISE EN ŒUVRE DE LA STRATÉGIE, grâce à des structures, à des systèmes de fonctionnement, à des styles de leadership et, en général, à un processus de gestion, tous adaptés aux objectifs dégagés lors de la formulation.

C'est dans ce domaine du libre arbitre que la littérature est la plus abondante. En particulier, les écrits sur la planification d'entreprise peuvent être rattachés à ces courants (Mintzberg, 1994). Nous reviendrons sur tout cela au chapitre III, mais nous pouvons dès à présent prendre un exemple pour illustrer l'importance du libre arbitre.

Dan Ferguson, le jeune président de Newell Co. a fait, d'après *Fortune* (1992) une révolution en décidant de mener ses activités de manière nouvelle et différente. En 1965, il succède à son père, un modeste fabricant de tringles à rideaux installé à Freeport, dans l'Illinois. Ferguson a de l'ambition : il veut vendre ses tringles directement à des décorateurs et aussi en Europe. Comme pour les images d'Escher, l'arrière-plan passe à l'avant si l'on regarde suffisamment longtemps. Appliquant ce principe, Ferguson décide de faire dévier l'intérêt que sa clientèle de base porte à sa gamme de produits.

Il constate que le commerce de détail connaît une transformation complète. Les magasins du centre-ville perdent du terrain au profit des grandes surfaces qui s'installent dans de nouveaux centres commerciaux. Il constate aussi que le commerce de détail est entre les mains de quelques entreprises très puissantes. La meilleure stratégie, pense-t-il, consiste peut-être à vendre plusieurs produits différents au petit groupe de marchands de masse qui dominent le marché national.

Faisant déjà des affaires avec Woolworth, Kresge et le dernier-né de Kresge, K-mart, Ferguson se met à racheter toute une série de quincailleries et de fabricants articles ménagers, afin d'élargir sa gamme de produits. Il restructure toutes ses acquisitions pour en faire des entreprises aussi efficaces que la sienne. Pour cela, il resserre les contrôles financiers, établit des objectifs de profit élevés et choisit ses gammes de produits en accord avec ses marchés. La « Newellization » devient bientôt le standard de l'ensemble de la compagnie. Cependant, comme Ferguson l'a appris de ses professeurs de gestion, cette stratégie a aussi des inconvénients :

> *All the weight is on their (clients) side. They can kill you* [18].

En réponse à cela, Ferguson entreprend de se rendre indispensable en comblant tous leurs besoins. Il leur vend non pas un article en particulier mais, selon une variété de modèles et avec une variété de prix, tout un déploiement de produits allant des tringles aux pinceaux en passant par les ustensiles de cuisine. Pour les casseroles, par exemple, il utilise un comptoir de présentation d'une vingtaine de pieds, qu'il installe dans chaque magasin, et pour les tringles à rideaux, il utilise une présentation par ordinateur. Il garde ainsi ses clients parce que ce qu'il leur propose leur est profitable et qu'il leur offre une panoplie de services additionnels. Il explique :

> *We are a service organisation. Anyone can make this stuff. It's not high tech* [19].

En partenariat avec ses clients, Ferguson leur propose du « sur mesure » tout en les aidant à maintenir des stocks très bas, sans rupture, grâce à un système informatisé qui le relie directement aux caisses de chaque magasin. Il applique la formule de Walter Wriston, l'ancien président de Citibank, qui aurait affirmé dans un livre à paraître :

> *If you lock your customer into your system, it's very difficult for the other fellow to get in* [20]. Ferguson ajoute ceci en parlant de ses concurrents :

> *They made the mistake of buying junk. I used to get a competition kick out of following these guys, but they're not around anymore* [21].

Avec la venue sur le marché de chaînes spécialisées dans les produits de bureau, Ferguson a commencé à acheter des fabricants de produits de bureau.

---

18. Toute la puissance est du côté des clients. Ils peuvent vous détruire.
19. Nous sommes une organisation de services. N'importe qui pourrait faire cela. Ce n'est pas de la haute technologie.
20. Si vous enfermez le client dans votre système, les autres auront bien du mal à s'y insérer.
21. Il sont fait l'erreur d'acheter de la camelote. Il fut un temps où je ressentais de l'excitation à les suivre, mais, à présent, ils ne sont plus là.

Il a aussi fait des «alliances stratégiques» avec Black & Decker et EKCO en prenant des participations respectives de 15 % et 5 % dans ces entreprises. Cela lui permet de rajouter des cordes à son arc. Pour Ferguson, «stratégique» signifie avoir de puissants alliés de sorte que les Wal-Mart de ce monde le traitent avec respect.

Internet est un média idéal pour obtenir de l'information d'affaires. C'est pour cela que de grands acteurs comme le *Wall Street Journal*, CNBC et autres font le maximum pour attirer l'attention des lecteurs et des investisseurs. Pourtant, le leader est CBS MarketWatch, un mélange judicieux d'ancien et de nouveau créé par un ancien éditeur de journal, Silicon Valley Techies et une chaîne de télévision. Ce site attire 50 % plus d'utilisation que son plus proche rival, Motley Fool.

Larry Kramer, est un autre exemple qui démontre que la volonté d'une personne peut faire toute une différence. Le président de MarketWatch, qui avait déjà créé Data Broadcasting Company Online, n'a pris son envol que lorsqu'il a offert à CBS 38 % du capital en échange de l'utilisation de son nom et de 30 millions de dollars de publicité à la radio, à la télévision et sur les panneaux. MarketWatch s'est distinguée aussi en focalisant sur les informations d'abord, sans commentaires. Arriver le premier grâce aux informations fut considéré plus important que le reste, et c'est ce qui semble attirer les clients. Aussi, contrairement à ses concurrents, MarketWatch a décidé d'offrir ses informations gratuitement. Plus que cela, la compagnie a même payé pour qu'America Online lui donne accès à sa clientèle.

Internet sied très bien aux informations d'affaires. Les informations sont là tout le temps, avec tous les détails souhaités par le client. Elles peuvent même être fournies sur mesure. Internet peut fournir aux clients un logiciel permettant d'analyser les firmes, de gérer des portefeuilles et de faire des transactions. Même les professionnels sont intéressés, ce qui positionne MarketWatch de manière idéale.

Le seul problème est qu'AOL s'est unie à Time Warner, qui peut étouffer une petite entreprise comme MarketWatch. Mais Larry Kramer navigue avec finesse, utilisant notamment le désir d'AOL-TimeWarner de calmer les inquiétudes des gardiens de la loi anti-trusts et les clients d'AOL. Il continue à dépenser, sans se préoccuper des profits, pour prendre des parts de marché, sachant que ses concurrents, comme Dow Jones et CNBC, doivent livrer des profits aussi. Kramer est convaincu que même la puissance d'AOL-TimeWarner ne l'arrêtera pas.

Annexe 1 Credo de Johnson & Johnson

Notre premier devoir est de bien servir les médecins, les infirmières, les patients, les mères de famille et toute personne qui utilise nos produits et nos services. Nous devons faire preuve d'un souci constant de la qualité dans tout ce que nous faisons pour satisafire nos clients. Nous devons toujours nous efforcer de réduire les coûts de façon à maintenir des prix modérés. Nous devons exécuter les commandes de nos clients avec rapidité et minutie et permettre à nos fournisseurs et distributeurs de toucher leur juste part de profits.

Il est aussi de notre devoir de respecter le principe de la dignité de la personne humaine qui s'applique à tous nos employés, hommes et femmes, partout au le monde. Nous devons nous assurer que nos employés travaillent dans un climat de confiance et dans un milieu propre, ordonné où leur santé et leur sécurité ne sont pas menacées : nous devons rémunérer nos employés de façon juste et équitable. Nous devons permettre à nos employés d'exprimer librement toute plainte ou suggestion et offrir des chances égales d'emploi, de perfectionnement et d'avancement à toute personne qualifiée. Nous devons nous assurer que nos entreprises soient dirigées par des personnes qualifiées, qui fassent preuve de justice et d'éthique professionnelle.

Nous avons aussi un devoir envers notre environnement immédiat et envers l'humanité tout entière. Nous devons être de bons citoyens, accorder notre appui aux œuvres de bienfaisance et acquitter notre quote-part d'impôts. Nous devons favoriser toute amélioration du bien-être de l'ensemble des citoyens, contribuer à la protection de la santé et encourager toute action visant à rendre l'éducation accessible au plus grand nombre possible. Nous devons entretenir notre propriété, car nous avons un rôle à jouer dans la protection de l'environnement et des ressources naturelles.

Nous sommes aussi responsables envers nos actionnaires. L'entreprise doit réaliser un juste profit. Nous devons être à l'avant-garde du progrès, poursuivre les recherches, mettre au point des programmes novateurs et assumer le coût de nos erreurs. Nous devons renouveler nos équipements, construire de nouvelles installations et lancer de nouveaux produits. Nous devons créer des réserves en prévision des temps plus difficiles. Si nous adoptons cette ligne de conduite, nos actionnaires seront satisafaits de leurs produits.

Annexe 2   Énoncé de mission de Cossette

Mission

Avoir la passion et le courage de réinventer jour après jour, avec nos clients, les solutions de communication les plus remarquables et les plus performantes.

Réinventer

- Imaginer de nouvelles façons de faire les choses
- Aimer l'inédit
- Apprécier l'audace
- Être à l'aise dans le changement

Remarquable

- Avoir de l'impact
- Surprendre
- Influencer

Performant

- Atteindre des résultats
- Prouver l'efficacité de nos actions en mesurant leur performance
- Emmagasiner et apprendre de nos expériences

Source : Cossette Design (Québec)

Annexe 3 Le style Cray

À la Cray Research, nous prenons ce que nous faisons au sérieux, mais nous ne nous prenons pas très au sérieux.

Nous sommes extrêmement sensibles à la qualité. À la qualité des produits, bien sûr, mais aussi à la qualité de notre environnement de travail, des gens avec qui nous travaillons, des outils que nous utilisons, des composants que nous choisissons. Nous croyons que ce qui est économique, ce sont les choses qui ont de la valeur, pas celles qui coûtent cher. Nous croyons que l'esthétique est partie intégrante de la qualité. Nos efforts en faveur de la qualité s'étendent aux collectivités au sein desquelles nous travaillons et vivons.

Chez Cray, nous sommes sans façon et non bureaucratiques. Nous aimons les communications verbales, pas les notes de service. Notre mot d'ordre est : « Téléphonez, n'écrivez pas. »

Les gens qui travaillent chez Cray s'amusent bien. On rit dans les couloirs, même quand on y discute sérieusement. Les dirigeants sont cordiaux et accessibles, même s'ils tiennent avant tout à ce que le travail soit fait.

Nous sommes informels, mais nous sommes aussi sûrs de nous. Les membres de la Cray sont conscients d'appartenir à une équipe gagnante. Ils aiment réussir et ils réussissent. C'est cette assurance qui leur permet d'être capable de dire à leurs subordonnés : « Allez-y, essayez, nous veillerons à ce que ça marche. »

Chez Cray, nous sommes fiers de ce que nous sommes et de ce que nous faisons. Le professionnalisme est important. Employés et cadres agissent en professionnels et sont traités comme tels. Ils sont convaincus que leurs collègues feront bien leur travail conformément aux normes éthiques les plus élevées. Ils prennent ce qu'ils font très au sérieux. Mais ils ne sont pas pour autant prétentieux mi guindés. Ils ont une attitude directe, simple même. Ils ne se prennent pas trop au sérieux.

Parce que chez nous, les individus sont rois, on peut exprimer toutes sortes d'opinions sur la nature exacte de Cray Research. En fait, la Cray Reseach ne représente pas la même chose pour tout le monde. La cohérence vient de ce que nous pouvons apporter à ces personnes bien diverses l'occasion de se réaliser elles-mêmes. La créativité dont fait preuve la société vient des nombreuses idées des individus qui la composent. Et c'est cela la véritable force de la Cray Research.

Source : Rapport annuel de 1982.

Note n° 2

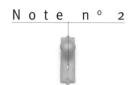

LA STRATÉGIE DE LA PERSONNE

par Veronika Kisfalvi

On peut décrire la formation de stratégie comme étant essentiellement un processus de « résolution de problèmes [...] conçu en réponse au besoin de satisfaire des désirs dans des conditions menaçantes » (Edelson, 1988) ou encore comme un processus visant à découvrir des occasions qui permettront d'atteindre certains objectifs dans un environnement donné. Or, cette citation est tirée non pas d'un texte sur la stratégie mais plutôt d'un ouvrage de psychanalyse. Ces mots décrivent le processus psychique que les individus accomplissent tout au long de leur vie à partir de la petite enfance. Lorsque le processus fonctionne bien, il permet à l'individu de cheminer dans la vie en tant que personne raisonnablement satisfaite, productive, équilibrée sur le plan émotif et parfois exceptionnelle.

Il peut sembler étrange, dans un ouvrage de stratégie, de s'appuyer sur des processus enracinés dans la petite enfance de l'individu. Cependant, les questions que l'on associe souvent au processus de formation de stratégie, telles que « Où en sommes-nous maintenant ? », « Où voulons-nous aller ? », « Comment pouvons-nous y parvenir ? » et « Quels sont les obstacles à surmonter ? », peuvent également s'appliquer à la progression de l'individu à partir des toutes premières étapes de son développement. Dans les pages qui suivent, nous exposerons comment ces deux processus — la stratégie de l'individu dans la vie et la stratégie de l'entreprise — ne sont pas seulement des processus parallèles ni des métaphores réciproques mais qu'ils sont en fait intimement liés : dans un cas comme dans l'autre, nous devons considérer les éléments subjectifs qui sous-tendent la formation de stratégies si nous voulons en arriver à mieux comprendre ce phénomène.

LA SUBJECTIVITÉ ET LE CHOIX

La dimension subjective des processus de décision humains est déjà bien connue. L'application de la psychologie cognitive au domaine de l'administration a été introduite par Herbert Simon au cours des années 1940 pour illustrer jusqu'à quel point il serait absurde de prétendre que les décisions d'affaires sont prises sur une base entièrement rationnelle. Avec le temps, l'approche cognitive est devenue une alternative aux approches selon lesquelles les stratégies seraient élaborées rationnellement (Ansoff, 1965 ; Ackoff, 1970), par des PDG omniscients (Andrews, 1971/1987) ou encore dans le cadre d'un processus strictement analytique (Porter, 1980). En effet, les cognitivistes soutiennent que les dirigeants sont en quelque sorte condamnés à « l'irrationalité » — même s'ils entendent agir rationnellement — car leurs processus cognitifs sont subjectifs et imparfaits, et finissent toujours par subir les effets d'un certain nombre de raccourcis et de préjugés qui produisent des distorsions dans leur perception de la réalité. De ce fait, les entreprises sont dirigées par des gens qui subissent inévitablement l'influence de leur subjectivité. À ce sujet, Dutton et autres (1987) ont spécifiquement étudié les processus subjectifs en cause dans le diagnostic des enjeux stratégiques tels qu'ils sont établis par les équipes de direction et les PDG.

La perspective cognitive qui domine aujourd'hui le domaine du leadership et du choix stratégique a donc reconnu la nature subjective du processus de décision stratégique. Elle s'est cependant concentrée sur la subjectivité cognitive en accordant très peu d'attention à la puissance des émotions qui sous-tendent cette subjectivité et qui jouent donc inévitablement un rôle majeur dans le processus de formation de stratégie.

LES ÉMOTIONS, LE DÉVELOPPEMENT ÉMOTIF ET LE CARACTÈRE

Les émotions trouvent leurs racines dans la toute première enfance. Chaque nourrisson vient au monde avec un ensemble unique de prédispositions innées qui deviendront la base émotive de son caractère. Puisqu'elles suscitent différentes réponses émotives dans son entourage, ces prédispositions contribuent également à former le contexte ou l'environnement émotif dans lequel il grandira (Izard, 1991). La psychanalyse a étudié l'incidence de ces prédispositions aux différentes étapes du développement dans une perspective psychodynamique en les abordant comme des pulsions quasi biologiques à la racine de toutes les émotions et de toutes les motivations

(Erikson, 1985 ; Freud, 1975 ; Klein, 1959/1988 ; Winnicott, 1965). Parce qu'elles sont essentiellement orientées vers la gratification individuelle et qu'elles sont donc « non civilisées », ces pulsions doivent être maîtrisées pour que les gens puissent vivre ensemble dans toute forme d'organisation sociale. Ces pulsions sont nécessairement apprivoisées ou socialisées dans toutes les cultures, mais elles ne peuvent jamais être éliminées et continueront toujours à s'exprimer d'une façon ou d'une autre.

Dès la première enfance, chaque individu adopte un mode de « gestion du désir », soit un ensemble de stratégies personnelles servant à maîtriser ses désirs problématiques ou à s'en protéger afin de permettre à l'individu de devenir un être social (membre d'une famille, d'une institution, d'une organisation et de la société en général). Ces stratégies sont élaborées tout au long du processus de développement en réponse à nos premières émotions et aux réactions qu'elles ont suscitées de notre entourage. Elles nous permettent d'exprimer des émotions inadmissibles en les transformant pour les rendre socialement acceptables. Elles se sont sédimentées au fil des ans en fonction des différentes façons dont nous avons appris à devenir des êtres sociaux, et elles forment un élément essentiel de notre caractère.

Les mécanismes de défense psychologique sont l'une des façons par lesquelles les gens apprennent à vivre avec des pulsions ou des émotions difficiles. Ces mécanismes sont présents non seulement chez les individus névrosés, mais aussi chez tous les individus fonctionnels et psychologiquement stables (chez les gens « normaux », en somme). Ces mécanismes de défense représentent une catégorie de « stratégies » permettant l'expression de désirs interdits ou inadmissibles. Ces émotions problématiques peuvent trouver une échappatoire en étant redirigées vers un objet socialement acceptable. Par exemple, l'enfant qui a du mal à accepter l'arrivée d'un petit frère ou d'une petite sœur peut développer le profond désir d'être le premier de sa classe ou de devenir un athlète exceptionnel (deux façons socialement acceptables de faire face à la compétition et d'obtenir de l'attention).

Dans le même ordre d'idées, les émotions originellement dirigées vers les personnages importants de l'enfance peuvent plus tard être dirigées, souvent de façon inadéquate, vers des personnages importants de la vie adulte. À l'âge adulte, par exemple, cette même personne peut réagir à ses collègues comme s'ils étaient les petits frères ou les petites sœurs indésirables avec qui elle était en compétition pendant son enfance. Les stratégies psychiques de l'individu sont généralement constantes durant toute sa vie. En fait, elles constituent sa stratégie pour fonctionner dans le monde. On peut donc les interpréter comme le « scénario » de la vie de l'individu, puisqu'elles révèlent comment il réagira devant certaines situations ou certaines personnes en fonction de son caractère.

Les réactions émotives de l'individu sont un élément intégral de son caractère, et cela s'applique également au stratège d'entreprise. Quels que soient ses efforts, le stratège ne peut pas faire abstraction de son caractère devant les choix qui s'offrent à lui tous les jours. Dès lors, ses décisions quant aux orientations qu'il veut donner à sa firme ne sont pas et ne pourront jamais être émotivement neutres. Chaque situation, chaque enjeu « objectif » sont traités subjectivement et filtrés par les dimensions subjectives de son caractère. En toute probabilité, les questions sans grande importance émotive ne feront pas l'objet de beaucoup d'attention. À l'inverse, les questions ayant une importance émotive particulière pour l'individu, celles qui ont des liens étroits avec les enjeux psychiques avec lesquels il a dû travailler pendant sa vie, feront l'objet de beaucoup d'attention. Cette attention peut prendre deux formes. En premier lieu, l'individu peut consacrer énormément d'attention consciente à la question (beaucoup plus que la situation « objective » ne le justifie) ; ou encore, l'importance de la question peut être considérablement réduite de façon inconsciente. Dans certains cas, elle peut même être entièrement niée (en de telles circonstances, l'individu lui consacrera beaucoup moins d'attention que la situation « objective » ne le justifie). Dès lors, les lectures (tant littérale que figurative) du caractère et du « scénario de vie » du dirigeant constituent des indices importants du type de questions auxquelles il sera porté à consacrer un peu, beaucoup ou trop d'attention ou encore qu'il aura tendance à négliger complètement.

Le cas d'Henry Ford I offre un excellent exemple de la convergence entre la stratégie d'entreprise et la stratégie individuelle (Jardim, 1969). Pour Ford, le modèle T, la pierre angulaire de sa stratégie et de son succès initial, représentait énormément de choses sur le plan émotif. Par exemple, le modèle T permettait à Ford d'expier les sentiments de culpabilité suscités par ses émotions négatives à l'égard de son père, tout en consolidant son sentiment de toute-puissance et de domination. Malgré tous les signaux négatifs qui lui venaient du marché, il refusa d'y apporter quelque changement que ce soit — ne fût-ce que la couleur — jusqu'à ce qu'il soit presque trop tard. La connaissance du caractère et du développement de leaders comme Ford nous permet de mieux comprendre leurs décisions et, dans une certaine mesure, de prévoir les enjeux qui déclencheront des réactions émotives aussi intenses.

Le stratège réagira inévitablement de façon émotive aussi bien aux enjeux d'affaires auxquels il fait face qu'aux personnes qui portent ces enjeux à son attention — souvent les membres de son équipe de direction. Lorsque l'enjeu est très chargé émotivement ou lorsque le « messager » suscite de fortes réactions émotives, le stratège aura davantage tendance à réagir « émotivement » plutôt que « rationnellement ». La forte charge émotive rend « l'objectivité » impossible. Dans certaines circonstances, les enjeux personnels du dirigeant sont à ce point importants qu'ils deviennent véritablement la base de ses décisions d'affaires, éclipsant complètement toute information en provenance de son environnement. Par ailleurs, ces modes de décision subjectifs et « non rationnels » ne sont pas toujours préjudiciables[1]. Le dirigeant centré sur sa vision intérieure ou son fantasme, qui ne « voit » pas la réalité extérieure telle qu'elle est, peut faire des choix et élaborer des stratégies que d'autres plus « réalistes » considéreraient comme trop risquées. Il s'agit là de stratégies proactives qui peuvent mener à l'innovation et au franc succès, mais qui peuvent tout aussi bien entraîner des échecs retentissants. Le marché (ou le contexte économique) est souvent l'arbitre final qui statuera si un leader sera considéré comme un penseur original, un génie ou un individu voué à un échec lamentable. La carrière d'Henry Ford I constitue un bon exemple de ces deux possibilités.

La formation de stratégie peut donc jouer un double rôle. Sur le plan « rationnel », objectif ou extérieur, les PDG et leurs équipes de direction élaborent des stratégies qui, à leurs yeux, assureront un avantage compétitif à leur firme et lui permettront d'atteindre des performances supérieures. Sur le plan « non rationnel » et subjectif, ces mêmes stratégies peuvent symboliquement représenter la « solution » à des enjeux très personnels et inconscients du stratège, souvent de façon très acceptable socialement. Ainsi, la carrière d'une personne peut lui permettre d'accomplir symboliquement ses désirs inconscients. Le choix d'une carrière ou d'une profession peut même nous donner des indices des stratégies personnelles que l'individu a élaborées afin d'accomplir ses désirs les plus profonds. À cet égard, le stratège est mieux placé que la plupart des gens pour accomplir et réaliser ses désirs et ses fantasmes par l'entremise des choix stratégiques qu'il fait pour sa firme. Puisque ses choix ont une répercussion importante sur la vie de ceux et celles avec qui il travaille, il en est aussi davantage responsable et il a l'obligation de s'assurer que les enjeux personnels qu'il tente de résoudre n'obscurcissent pas son jugement devant les enjeux organisationnels qui pourraient les représenter symboliquement.

---

1. Pour une discussion plus complète du rôle positif des émotions dans la prise de décision rationnelle, voir Damasio (1994).

Note n° 3

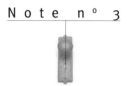

LA STRATÉGIE
DES ACTEURS EN MILIEU
ORGANISÉ

par Anne Mesny

Voir les individus et les groupes dans les organisations comme des « acteurs » et s'intéresser à leurs « stratégies » au sein d'un « milieu organisé » renvoient directement à ce courant de la sociologie des organisations amorcé en France par Michel Crozier et Erhard Friedberg dans les années 1960[1], et qu'on désigne habituellement par « analyse stratégique[2] ». Le cœur de l'analyse stratégique consiste à opérationnaliser le principe de « dualité du structurel[3] » (Giddens, 1987) dans l'analyse des organisations : « L'acteur n'existe pas en dehors du système qui définit la liberté qui est la sienne et la rationalité qu'il peut utiliser dans son action. Mais le système n'existe que par l'acteur qui seul peut le porter et lui donner vie, et qui seul peut le changer » (Crozier & Friedberg, 1977, p. 11). Pour les tenants de l'analyse stratégique, l'organisation n'est pas une « donnée naturelle dont l'existence irait de soi, mais [...] un problème à expliquer » (*ibid.*, p. 21). Il s'agit de voir l'organisation avant tout comme une construction et, plus précisément, comme le produit de jeux d'acteurs et comme l'effet émergent de multiples stratégies individuelles et collectives. Même si ces stratégies ne sont pas nécessairement convergentes, le plus souvent, elles ne mettent pas en danger les résultats de l'organisation et peuvent même les améliorer.

---

1. Au sein principalement du Centre de sociologie des organisations du CNRS.
2. Voir Crozier (1963), Crozier et Friedberg (1977), Friedberg (1993) et Pavé (dir.) (1994). Ces quatre ouvrages fournissent un portrait détaillé de ce qu'est l'analyse stratégique, depuis sa première formulation par Crozier dans *Le phénomène bureaucratique*, jusqu'aux critiques et aux développements réunis dans l'ouvrage dirigé par Pavé, et issu d'un Colloque de Cerisy tenu en 1993. Dans *Le pouvoir et la règle* (1993) Friedberg ne parle plus de l'analyse stratégique, mais plutôt de l'« analyse organisationnelle ». Par ailleurs, dans *L'acteur et le système*, l'analyse stratégique n'est qu'un des deux pans indissociables du modèle théorique que proposent Crozier et Friedberg, le second pan étant l'« analyse systémique » (voir section 1 de la présente note).
3. Affirmer la dualité du structurel, c'est reconnaître à la fois que « les propriétés structurelles des systèmes sociaux n'existent pas en dehors de l'action [et que] toutefois, elles sont engagées de façon chronique dans sa production et dans sa reproduction » (Giddens, 1987, p. 442). Giddens ne s'est jamais intéressé de près aux organisations. Eraly (1988) s'est brillamment chargé de construire sa théorie de la « structuration de l'entreprise » à partir de la théorie de la structuration de Giddens. La démarche d'Eraly s'oppose cependant sur plusieurs points à celle de Crozier et Friedberg (voir Eraly, 1988, p. 85-93).

Dans cette note, nous rappellerons les grandes lignes de l'analyse stratégique, puis nous nous intéresserons à la notion de stratégie et, enfin, nous soulèverons quelques difficultés concernant l'analyse stratégique et l'utilisation qu'elle fait du concept de stratégie.

L'ANALYSE STRATÉGIQUE

Les individus et les groupes dans les organisations doivent être vus comme des «acteurs» qui cherchent à préserver et à étendre leur liberté d'action par des jeux de pouvoir avec les autres, jeux par lesquels chacun cherche à accroître aux yeux des autres sa zone d'incertitude et à diminuer pour lui-même celle des autres, et qui produisent un système concret d'action tout en étant le produit de ce système. C'est ainsi que l'on pourrait succinctement résumer le principe de l'analyse stratégique et le cercle vicieux dans lequel les dysfonctions de l'organisation bureaucratique ne se réduisent que par un renforcement de leurs propres causes. Cette analyse a été élaborée par Crozier et Friedberg à partir d'une critique de la bureaucratie qui mettait en évidence l'importance du pouvoir et de l'incertitude comme éléments structurant les relations de travail.

Voir les individus et les groupes comme des acteurs, c'est faire avant tout le pari qu'ils sont «compétents», non pas dans le sens de la maîtrise de la tâche qui leur est assignée dans l'organisation, mais dans le sens plus général selon lequel une personne «est un agent qui se donne des buts, qui a des raisons de faire ce qu'il fait et qui est capable, si on le lui demande, d'exprimer ces raisons de façon discursive» (Giddens, 1987, p. 51). Cela veut dire ensuite que ces individus ne sont jamais des «objets-agis» passivement soumis aux contraintes de l'organisation, ou d'un quelconque «système». L'«acteur» n'est jamais totalement contraint ou impuissant, parce qu'il subsiste toujours une marge de manœuvre qui implique qu'il doive faire des choix et qu'il a la capacité de créer une différence par son action.

Le pouvoir est une dimension omniprésente de tout milieu organisé, dans la mesure justement où «il n'y a pas de systèmes sociaux entièrement réglés ou contrôlés» (Crozier & Friedberg, 1977, p. 29) et dans la mesure où les individus savent généralement exploiter de manière tout à fait routinière cette irréductible marge de manœuvre. L'omniprésence du pouvoir ne signifie pas que nous sommes dans un monde organisationnel peuplé de «petits Machiavel» parfaitement cyniques, amoraux et sans foi ni loi» (Friedberg, 1993, p. 254). La conception du pouvoir qui est au cœur de l'analyse stratégique n'a rien de machiavélique, et elle implique de rejeter une conception «purement négative et répressive du pouvoir» (Crozier & Friedberg, 1977, p. 31). Les relations de pouvoir sont «consubstantielles à l'action humaine» (*ibid.*, p. 433) et le pouvoir est le «mécanisme central et inéluctable» de régulation de tout milieu organisé (*ibid.*, p. 30).

Le pouvoir, pour les tenants de l'analyse stratégique, se fonde sur la notion d'incertitude. En modifiant la définition de Dahl (1957)[4], Crozier et Friedberg définissent le pouvoir comme la capacité de A à maintenir et à étendre l'imprévisibilité de son comportement aux yeux de B et à diminuer l'incertitude où A se trouve par rapport à B. Le pouvoir d'un acteur est donc «fonction de l'ampleur de la zone d'incertitude que l'imprévisibilité de son propre comportement lui permet de contrôler face à ses partenaires[5]» (*ibid.*, p. 72). Avec une telle conception du pouvoir, aucun acteur, dans quelque milieu organisé que ce soit, n'est complètement sans ressource dans les relations de pouvoir qui le lient aux autres. À partir de l'analyse du comportement des ouvriers d'entretien dans le monopole industriel qu'il a longuement étudié, Crozier montre que «même au bas de l'échelle, le pouvoir de chaque individu dépend de l'imprévisibilité de son comportement et du contrôle qu'il exerce sur une source d'incertitude importante pour la réalisation des objectifs communs» (Crozier, 1963, p. 7). Dans la mesure où il reste toujours une zone d'incertitude dans l'exercice d'une tâche, le plus humble des subordonnés gardera la possibilité d'user d'un certain pouvoir discrétionnaire[6].

Dans l'analyse stratégique, l'organisation est un «système d'action concret», défini comme un «ensemble humain structuré qui coordonne les actions de ses participants par des mécanismes de jeux relativement stables et qui maintient sa structure, c'est-à-dire la stabilité de ses jeux et les rapports entre ceux-ci, par des mécanismes de régulation qui constituent d'autres jeux» (*ibid.*, p. 286). L'organisation est à la fois le médium et le résultat de ces jeux de pouvoir entre acteurs. Pour saisir cette dualité, l'analyse straté-gique doit se doubler d'une analyse systémique qui lui est complémentaire et indispensable: alors que le raisonnement stratégique «part de l'acteur pour découvrir le systè-me qui seul peut expliquer par ses contraintes les apparentes irrationalités du

---

4. Définition que Crozier et Friedberg (1977, p. 65) prennent d'ailleurs comme point de départ de leur analyse du pouvoir (selon Dahl [1957], le pouvoir est la capacité d'une personne A d'obtenir qu'une personne B fasse quelque chose qu'elle n'aurait pas fait autrement).
5. Crozier et Friedberg retiennent quatre grandes sources de pouvoir qui correspondent à quatre types de sources d'incertitude que l'on retrouve dans les organisations: «Celles découlant de la maîtrise d'une compétence particulière et de la spécialisation fonctionnelle, celles qui sont liées aux relations entre une organisation et ses environnements, celles qui naissent de la maîtrise de la communication et des informations, et celles qui découlent de l'existence de règles organisationnelles générales» (ibid., p. 83).
6. Il y a ici un lien manifeste avec l'idée de «dialectique du contrôle» sur laquelle insiste Giddens (1984), bien que sa conception du pouvoir diffère sur plusieurs points de celle de Crozier. Pour Giddens, il y a toujours une réciprocité de la «dimension distributive» du pouvoir, qui signifie que «les moins puissants organisent et utilisent leurs ressources de manière à exercer un contrôle sur les plus puissants» (Giddens, 1987, p 441).

comportement de l'acteur », le raisonnement systémique « part du système pour retrouver avec l'acteur la dimension contingente arbitraire et non naturelle de son ordre construit[7] » (Crozier & Friedberg, 1977, p. 230). Les deux types d'analyse sont nécessaires pour rendre compte d'un même phénomène : « Sans raisonnement systémique, l'analyse stratégique ne dépasse pas l'interprétation phénoménologique. Sans vérification stratégique, l'analyse systémique reste spéculative et, sans la stimulation du raisonnement stratégique, elle devient déterministe » (*ibid.*, p. 237).

LES STRATÉGIES DES ACTEURS

Puisque les individus sont compétents et qu'il existe toujours un « jeu » dans le système qui implique qu'ils ont la possibilité de faire des choix, ils ont un « comportement stratégique », c'est-à-dire que leurs actions peuvent se rapporter à des stratégies individuelles ou collectives, qui reposent elles-mêmes sur des objectifs, et qui visent à renforcer leurs avantages et leurs capacités d'action. Le concept de stratégie signifie qu'un acteur a une « conduite orientée vers ses buts, en fonction de ses propres ressources et des intentions et moyens des autres, avec qui on est engagé, soit comme allié, soit comme ennemi » (Sainsaulieu, 1987, p. 114). Pour mettre en évidence la stratégie d'un acteur par rapport à une situation donnée, il faut comprendre à la fois la nature des contraintes auxquelles il est soumis et la marge de manœuvre que ces contraintes autorisent et qui permet un comportement stratégique pour surmonter ces contraintes.

Le comportement stratégique des acteurs est cependant à cent lieues d'une rationalité absolue qui signifierait que, dans une situation donnée, les acteurs seraient toujours en quête du meilleur choix par rapport à des objectifs clairement établis. Crozier et Friedberg s'appuient largement sur Simon et March pour affirmer que le comportement stratégique des acteurs se fait toujours sur la base d'une « rationalité limitée » dans la mesure où chaque acteur voit l'organisation uniquement en fonction de ses objectifs, sans que ces derniers soient nécessairement clairs et constants, et dans un but de satisfaction et non pas de maximisation (Ansart, 1990, p. 70).

---

7. Ici encore, il y a un parallèle méthodologique évident avec la théorie de la structuration de Giddens concernant la manière de rendre compte, dans une recherche concrète, de la construction du social et de la dualité du structurel. Crozier et Friedberg voient le raisonnement stratégique et le raisonnement systémique comme deux moments indispensables de l'analyse. De la même manière, Giddens parle de deux manières complémentaires d'aborder le social, chacune consistant à tronquer le réel, d'où la nécessité de les combiner : d'un côté, l'analyse des conduites stratégiques consiste à « mettre entre parenthèses les institutions envisagées sous l'angle de leur reproduction sociale pour examiner plutôt comment les acteurs contrôlent de façon réflexive ce qu'ils font, et comment ils utilisent des règles et des ressources dans la constitution de l'interaction » ; de l'autre côté, l'analyse des institutions « met entre parenthèses les habiletés, la conscience et la connaissance des acteurs pour examiner les institutions en tant que règles et ressources sans cesse reproduites » (Giddens, 1987, p. 439).

henénoude

Pour les tenants de l'analyse stratégique, il faut postuler — il s'agit là, pour Crozier et Friedberg (1977, p. 456) d'un « postulat heuristique de base » — que les actions des individus ou des groupes sont toujours « rationnelles », même si les clés de cette rationalité ne sont pas toujours apparentes. C'est justement un des buts de l'analyse de « découvrir les contraintes particulières par rapport auxquelles des conduites et réactions apparemment irrationnelles ne le sont plus » (*ibid.*, p. 456). La rationalité de ces actions ne devient manifeste que lorsqu'on les rapporte à la structure du pouvoir et à l'ensemble des possibles dans lequel s'inscrit la situation. On ne peut admettre cette rationalité que si l'on envisage la situation telle qu'elle est perçue et connue par l'acteur, afin de comprendre les options que lui-même envisage. La rationalité de l'acteur se définit donc plus « par rapport aux opportunités que lui offre l'organisation et aux comportements des autres acteurs que par rapport à des objectifs ou des projets cohérents » (Bernoux, 1995, p. 140).

Un tel postulat de rationalité vient en particulier jeter un éclairage différent sur des notions éculées comme celle de « résistance au changement » : s'il arrive effectivement que des individus ou des groupes dans les organisations résistent aux changements — qui sont le plus souvent imposés « d'en haut » — ce n'est pas par une supposée disposition naturelle de l'humain qui aurait une aversion innée pour le changement, ou par l'incapacité des personnes à reconnaître leurs propres intérêts ou ceux de l'entreprise. C'est, au contraire, parce que les acteurs sont généralement prompts à voir dans quelle mesure un changement remet en question leurs sources de pouvoir et leur liberté d'action, et dans quelle mesure ce changement cherche à « rationaliser » leur comportement (c'est-à-dire à le rendre plus prévisible en supprimant leurs sources d'incertitude), qu'ils s'opposeront, de manière donc tout à fait rationnelle, à ce changement (Crozier & Friedberg, 1977, p. 35).

Ainsi, dans l'exemple du monopole industriel, Crozier (1963) examine tour à tour les stratégies respectives de quatre acteurs, qui correspondent aux catégories professionnelles en présence : les ouvriers de production, les ouvriers d'entretien, les chefs d'atelier et le personnel de direction. Il montre, par exemple, que les ouvriers de production « font un choix tout à fait rationnel en acceptant de se soumettre à la direction des ouvriers d'entretien » (Crozier, 1963, p. 188), tandis que la stratégie des ouvriers d'entretien consiste à prévenir l'ingérence d'un autre groupe dans le domaine qui est sous leur contrôle, à savoir le réglage des machines. Il est également « tout à fait naturel que la stratégie du directeur et de son adjoint soit orientée avant tout vers le changement, au moins vers le développement de nouvelles constructions et de nouvelles installations, [car] c'est seulement dans une perspective de changement qu'ils peuvent s'affirmer eux-mêmes directement comme les maîtres du jeu » (*ibid.*, p. 193).

LA STRATÉGIE DÉLIBÉRÉE ET LA STRATÉGIE NON INTENTIONNELLE

Les travaux de Crozier et Friedberg ont eu un impact considérable dans le champ de l'analyse des organisations, du moins dans le champ francophone (Chanlat, 1994), ainsi qu'en gestion et en stratégie, dans la mesure où ces travaux semblent s'inscrire dans le cadre d'un « paradigme de l'action » (Weinberg, 1995) qui s'accorde bien avec les fondements de la gestion et de la stratégie[8]. Plusieurs problèmes et limites de l'analyse stratégique ont cependant été soulevés depuis la parution des ouvrages de Crozier et Friedberg, *Le phénomène bureaucratique* et *L'acteur et le système.* On a remis en cause la pertinence d'accorder une telle importance à la notion d'incertitude dans la définition du pouvoir[9] (Dion, 1982 ; 1993). On a reproché à l'analyse stratégique de pousser trop loin le principe de liberté (Bernoux, 1995, p. 152) dans la mesure où l'autonomie des acteurs, quoique réelle, s'exerce à l'intérieur d'un cadre somme toute très limité *(ibid.).* L'analyse stratégique, en mettant l'accent sur les relations « face à face », conduit à « centrer l'analyse sur les stratégies locales des acteurs au détriment des processus plus globaux de domination, lesquels conditionnent non plus les jeux mêmes mais *le cadre et la structure de ces jeux* » (Eraly, 1988, p. 85). Autrement dit, elle « privilégie les jeux de pouvoir au détriment de la généalogie même de ces jeux » (*ibid.*, p. 86).

Eraly souligne une autre limite de ce qu'il appelle le « modèle de l'acteur stratège », limite qui nous conduit à nous interroger sur le concept même de stratégie. Dans le modèle de Crozier et Friedberg, l'acteur est toujours stratège « en ce sens que toutes ses conduites révèlent une rationalité (inférée ex-post) au service de sa marge d'influence » (*ibid.*, p. 86). L'analyse stratégique ne laisse pas de place aux « composantes a-stratégiques (irré-féchies) des actions humaines qui sont incorporées sous forme de structures d'action » (*ibid.*). Une autre façon d'aborder cette difficulté consiste à dire que l'analyse stratégique est irréfutable : il est toujours possible de montrer

---

8. L'exposé d'un tel argument dépasse largement le cadre de la présente note ; toutefois, à mon avis, il faut mentionner qu'il ne va pas de soi que l'analyse stratégique, surtout quand on la conçoit, comme le fait Crozier, comme étant insépa-rable de l'analyse systémique, s'inscrive effectivement dans ce « paradigme de l'action » dont parle Weinberg (1995, p. 7), paradigme que ce dernier fait reposer sur l'individualisme méthodologique et la sociologie actionniste de Boudon.
9. Dion affirme que provoquer l'incertitude n'est pas le seul moyen pour avoir du pouvoir. C'est parfois la prévisibilité (qui s'exprime par exemple dans la menace) plutôt que l'imprévisibilité, qui peut être source de pouvoir (Dion, 1982, p. 97).

après coup que le comportement d'un acteur était rationnel par rapport à une stratégie que l'on reconstruit, elle aussi, *a posteriori*. Cela est d'autant plus possible et irréfutable qu'on ne demande pas à l'acteur d'avoir conscience des stratégies qu'il actualise dans son action[10].

Dans l'analyse stratégique, la formulation des « stratégies » qui donnent sens aux actions ou aux choix posés par les acteurs est l'affaire de l'analyste : c'est lui ou elle qui interprète les régularités du comportement des individus et des groupes dans l'organisation étudiée comme des manifestations de stratégies élaborées par des acteurs. Ces derniers peuvent ne pas se rendre compte qu'ils sont en train de se comporter de manière stratégique et peuvent très bien avoir l'impression qu'ils n'ont pas eu le choix d'agir comme ils l'ont fait. L'acteur est stratège, mais le plus souvent malgré lui, puisque ce comportement stratégique échappe souvent à sa conscience discursive[11].

La difficulté tient justement au fait que l'analyse stratégique ne prend pas en compte la capacité variable des acteurs à avoir conscience de la structure des jeux de pouvoir dans leur organisation, et qu'elle traite de la même manière les stratégies tacites, qui échappent à la conscience discursive des acteurs, et celles qui sont délibérées, consciemment choisies et mises en œuvre. Autrement dit, il n'y a pas de place dans l'analyse stratégique pour tenir compte de la finesse, de l'erreur ou de la maladresse stratégique, c'est-à-dire de la plus ou moins grande compétence des acteurs — qui est, bien sûr, en grande partie dépendante de la position de l'acteur dans le système — à saisir la logique des jeux et à élaborer des stratégies gagnantes.

La notion de stratégie à l'œuvre dans le modèle de Crozier et Friedberg n'est donc pas si éloignée qu'on pourrait d'abord le penser de celle de Bourdieu[12]. Pour ce dernier, en effet, il y a une relation dialectique entre structure et stratégie, par l'intermédiaire de l'habitus[13]. Les stratégies des acteurs sont engendrées par leur habitus et sont rarement délibérément choisies.

---

10. Friedberg soutient cependant que « les personnes sur lesquelles a porté la recherche doivent pouvoir s'y reconnaître » (Friedberg, 1993, p101).

11. C'est pourquoi l'analyse stratégique peut déboucher sur une démarche d'intervention auprès des acteurs, en particulier auprès des gestionnaires (Friedberg, 1996) dans laquelle l'analyste explique et cherche à faire partager aux acteurs sa connaissance du jeu dans lequel ils sont engagés, afin de les inciter à coopérer « dans le sens d'une plus grande ouverture et d'une plus grande capacité » (Friedberg, 1993, p. 325-6).

12. Crozier et Friedberg ne seraient sans doute pas d'accord avec cette affirmation. Tout, en effet, semble opposer Crozier et Bourdieu, ne serait-ce que le fait que le premier est un fervent défenseur de l'individualisme méthodologique alors que le second est l'un des ses plus virulents pourfendeurs.

13. « L'habitus est au principe d'enchaînement de "coups" qui sont objectivement organisés comme des stratégies sans être aucunement le produit d'une véritable intention stratégique (ce qui supposerait par exemple qu'ils soient appréhendés comme une stratégie parmi d'autres possibles » (Bourdieu, 1972, p175).

Note n° 4

LA STRATÉGIE ET
LA NATION

par Taïeb Hafsi

La complexité des organisations du secteur privé a crû de manière régulière depuis le début du XXᵉ siècle (Chandler, 1962), et on peut dire aujourd'hui que certaines de ces organisations, comme General Electric, sont plus complexes que beaucoup d'économies nationales. C'est ce qui nous amène à suggérer que les concepts élaborés pour la gestion d'une organisation complexe du secteur privé (Bower, 1970) sont tout à fait applicables à la gestion du secteur public (Bower, 1983 ; Hafsi, 1984, 1989).

Une bonne façon de montrer cela est de décrire une situation où les concepts ont été appliqués avec succès. Pour ce faire, nous puiserons dans une étude récente (Ibghy & Hafsi, 1992). La Corée du Sud a vécu, depuis son indépendance, plusieurs périodes stratégiques. Ces périodes ont été identifiées un peu comme le font les historiens et en conformité avec les pratiques du domaine (Mintzberg & Waters, 1982). Dans ce texte, nous n'abordons que la période des deux premiers plans de 1965 à 1975. Le lecteur intéressé pourra se reporter à la description détaillée du document susmentionné.

LA STRATÉGIE DE DÉVELOPPEMENT DE LA CORÉE DU SUD[1]

LA FORMULATION DE LA STRATÉGIE

Au moment de la conception des deux premiers plans, la situation de l'environnement semblait recéler les opportunités suivantes :

1. La proximité géographique du Japon et les liens historiques qui existaient entre la Corée du Sud et le Japon prédisposaient ce dernier pays à jouer un rôle de premier plan en Corée.

---

1. Cette partie est largement inspirée du travail qui a été fait par Jacob Atangana dans son mémoire de maîtrise à l'École des HEC de Montréal en 1992.

2. La situation géopolitique de la Corée du Sud entre deux puissances communistes, la Chine populaire et la Corée du Nord, a permis de susciter avec succès l'aide des États-Unis. Cette aide a été de 4 milliards de dollars entre 1962 et 1969.

3. Il y avait dans les pays développés un immense marché de produits manufacturés et une tendance à accepter plus d'importations des pays en développement.

4. Il y avait émergence de marchés mondiaux pour certains produits textiles importants, comme les fibres synthétiques.

5. Il y avait un mouvement de transfert de la production des multinationales vers les pays à faibles coûts de main-d'œuvre. Parmi les menaces, on pouvait noter : la menace d'une invasion par la Corée du Nord ; les politiques de restrictions des importations imposées par les pays développés ; la décision des États-Unis de réduire son aide économique à partir du début des années 1960. Face à cela, le gouvernement adopta les premier et deuxième plans quinquennaux dont les objectifs étaient les suivants :

Pour le premier plan, bâtir une structure industrielle capable de réduire la dépendance de la Corée du Sud à l'égard des importations étrangères, notamment :

- atteindre un taux de croissance global de l'économie de 7,1 % ;
- accroître les investissements de 51 % ;
- assurer l'autosuffisance alimentaire ;
- développer l'industrie légère à forte intensité de main-d'œuvre ;
- dégager, à partir des exportations, des excédents pour couvrir les importations.

Pour le deuxième plan, promouvoir la modernisation de la structure industrielle et poser les bases d'une économie auto-entretenue, notamment :

- consolider l'autosuffisance alimentaire ;
- encourager la fabrication des machines ;
- développer l'industrie chimique ;
- soutenir l'expansion des exportations et la substitution des importations ;
- encourager le planning familial et réduire le taux de chômage ;
- accroître de façon substantielle les revenus des populations les plus défavorisées ;
- promouvoir le savoir-faire scientifique, technique et managérial.

Il est clair que ces objectifs étaient conformes à la situation dans l'environnement. Bâtir une industrie légère à forte intensité de main-d'œuvre pouvait permettre de profiter du transfert de la production des multinationales, en particulier, essayer d'attirer le Japon comme partenaire technologique. L'accent sur les exportations visait à trouver des débouchés à l'industrie naissante et à faire face à la diminution de l'aide américaine.

Dans le deuxième plan, les objectifs du premier plan ont été reconduits avec en plus l'engagement pour l'expansion d'une industrie chimique, importante pour le développement de l'industrie textile et compatible avec les tendances vers plus de fibres synthétiques dans les textiles partout au monde.

Sur le **plan interne**, les faiblesses de la Corée du Sud pourraient être résumées comme suit :

1. Pauvreté du sol et étroitesse des surfaces cultivables ;
2. Absence, sur le plan local, d'une structure industrielle capable de subvenir aux besoins des Sud-Coréens ;
3. Taux de chômage élevé ;
4. Exiguïté du marché intérieur ;
5. Insuffisance de la production alimentaire ;
6. Important rejet du coup d'État militaire de 1961.

Par contre, les forces étaient : un niveau de salaire très faible par comparaison aux concurrents possibles (12 fois plus faible qu'à Taïwan et 246 fois plus faible qu'aux États-Unis en 1963) ; une population très active, relativement bien éduquée et disposée à changer ; des relations de travail relativement souples.

Ainsi, on peut facilement comprendre l'accent mis sur le développement d'un tissu industriel basé sur l'industrie légère (plus facile à maîtriser) à forte intensité de main-d'œuvre (pour réduire le chômage). N'ayant que peu de ressources naturelles, la Corée du Sud n'avait d'autres choix que de s'orienter vers les produits manufacturés. Cela expliquait aussi l'idée d'une industrie auto-entretenue, pour réduire la dépendance à l'égard de l'aide extérieure. Finalement, l'industrialisation était une question de survie du pouvoir militaire. La seule façon de légitimer le coup d'État était de réussir là où les régimes civils antérieurs avaient échoué.

Dans le développement de l'industrie chimique, lors du deuxième plan, on pensait surtout aux engrais afin de réduire la dépendance alimentaire. L'accent mis sur l'exportation était directement lié à l'absence de ressources, mais aussi à l'existence d'avantages concurrentiels certains et au calme des relations industrielles. Lorsqu'on confronte les deux plans quinquennaux de développement, on constate qu'il n'y a pas de rupture entre eux. Tous les objectifs secondaires semblent se renforcer mutuellement et collent très bien aux objectifs fondamentaux qui étaient énoncés.

Par ailleurs, les valeurs du groupe de militaires qui prend le pouvoir peuvent être réduites à deux : le nationalisme, renforcé par la guerre de Corée ; la conviction que l'État doit jouer un rôle actif (on parle ainsi de « libéralisme contrôlé »).

Ces valeurs expliquent l'accent important qui est mis sur un État économiquement indépendant ou le moins dépendant possible, sur l'autosuffisance alimentaire et sur l'économie auto-entretenue. C'est aussi cela qui explique le caractère musclé de la gestion coréenne et la réticence au départ à faire appel à des conseillers étrangers.

Finalement, il est utile de mentionner un aspect moins visible pour l'analyste. Le processus de formulation de la stratégie a été très participatif. Des assistants techniques étrangers, des experts nationaux, des universitaires et des représentants des milieux d'affaires ont travaillé ensemble ou en collaboration pour faire du plan final un document autour duquel le pays pouvait se rallier facilement. Cela suggère aussi l'attention qui a été portée à la gestion de l'unité de la coalition dirigeante.

La mise en œuvre de la stratégie

C'est là la partie cruciale de la gestion du développement. Le gouvernement, un peu comme dans une entreprise complexe, doit gérer le contexte de manière à susciter chez les acteurs concernés les comportements souhaités. Les instruments disponibles pour modifier le contexte vont de la structure au style de direction en passant par le processus de planification. Dans cette partie, nous allons discuter de la qualité de la mise en œuvre et notamment de la cohérence des mécanismes utilisés entre eux, puis de la cohérence entre ces mécanismes et les objectifs fixés. Le cas de la Corée du Sud est facile, puisque le degré de cohérence est impressionnant.

D'abord, les éléments importants de la **structure** mise en place sont les suivants :

- La création d'un ministère chargé de la planification et du développement économique, Economic Planning Board (EPB). Ce ministère a remplacé une structure qui existait au sein du ministère de la Reconstruction, The Economic Development Council. L'EPB coordonne toutes les actions de formulation et de mise en œuvre du plan.
- Le responsable de l'EPB est fait vice-premier ministre.
- La création de ministères dits techniques, dont le nombre et l'importance deviennent plus grands que ceux des ministères dits politiques.

- La création d'un comité interministériel qui fonctionne effectivement comme mécanisme de réconciliation des différends.
- Le lancement du Democratic Republican Party pour soutenir l'action du gouvernement.
- Le renforcement du secteur public avec notamment un triplement du nombre d'entreprises publiques entre 1960 et 1972.

Le lien avec les objectifs est aisé à faire. L'EPB a joué un rôle central dans la gestion de l'économie et dans la création de synergies entre les différents secteurs. Trois des services qui le constituaient ont joué un rôle important : le Bureau de la statistique, le Bureau de la planification économique et le Bureau du budget. Leurs attributions couvrent les différentes étapes de la formulation stratégique.

La préséance de l'EPB sur les autres ministères et l'importance relative plus grande des ministères techniques montrent combien l'objectif d'industrialisation était prioritaire. Tous les ministères devaient intervenir de manière coordonnée à ce même objectif. Le ministère du Commerce et de l'Industrie (MTI) fixait les règles du jeu sur le marché, notamment à travers la politique des prix, l'établissement des normes des produits et la gestion des brevets. Il veillait aussi à la l'atteinte des objectifs relatifs au commerce extérieur par la délivrance des licences d'importation et d'exportation.

Les entreprises publiques étaient développées dans les secteurs considérés comme sensibles pour l'atteinte des objectifs (finance, énergie, transport et communication, etc.), soit dans les segments, comme ceux à forte intensité de capital, où le secteur privé était trop faible pour permettre d'atteindre les objectifs prévus. Ce secteur a joué un rôle crucial de soutien du développement national. En 1972, il a produit plus de 10 % de l'épargne nationale et, de 1963 à 1973, il a absorbé 30 % de l'investissement public.

Le comité interministériel (*economic ministers meeting*) regroupait les ministères de nature technique et était devenu une véritable instance de délibération sur les propositions ou les lois de nature économique.

Sur le plan du **leadership**, il faut mentionner combien le président Park, autoritaire par ailleurs, déléguait de pouvoir à ses ministres techniques. Il assistait en outre personnellement à toutes les manifestations de promotion du commerce et de l'industrie. Il y rencontrait les représentants du commerce et de l'industrie, prenait connaissance de leurs problèmes et encourageait ou félicitait ceux qui s'étaient distingués.

Le leadership du président Park était dominé par une vision claire de ce qu'on voulait faire de la Corée du Sud et par une approche pragmatique pour la résolution des problèmes. Ainsi, malgré leur impopularité, les accords avec le Japon ont été signés et publicisés comme étant vitaux pour le pays.

La **culture confucianiste** prône le respect de la hiérarchie, la loyauté, l'harmonie et le consensus et valorise les métiers d'administration et de gouvernement. De plus, le groupe de militaires accédant au pouvoir en 1961 est très homogène et sa cohésion s'est forgée avec la guerre de Corée. Tout cela a permis une administration déterminée dans la gestion de la chose publique et explique la complicité qui s'est installée entre les gens d'affaires et l'administration, ce qu'on a appelé « Korea inc. », et grâce à laquelle on a introduit de considérables simplifications de procédures.

C'est peut-être aussi le désir d'harmonie, de consensus et le respect de la hiérarchie qui ont amené le calme dans les relations industrielles, aussi bien dans le secteur public que dans le secteur privé, et ont permis de mobiliser toutes les énergies vers l'atteinte des objectifs du plan.

Le choix des dirigeants était essentiellement de nature méritocratique. Même si, au début, les militaires ont dominé la scène, progressivement des civils compétents les ont rejoints. Pour les **systèmes d'incitation**, il y avait d'abord l'incitation pour les entreprises, réalisée grâce à plusieurs mécanismes :

- Un système d'allocation de crédits par l'intermédiaire de banques d'État. Les taux d'intérêt pour les secteurs considérés comme prioritaires étaient presque nuls.
- La fiscalité était construite sur une taxation qui liait les importations aux exportations et sur un effort de réduction de la charge liée aux prestations fournies par les services publics. Par ailleurs, les entreprises étaient autorisées à constituer une importante réserve de fonds propres qui pouvait être déduite des profits.
- Le taux de change est passé de 65 wons à 130 wons par dollar en 1961 puis à 256 wons en 1964, ce qui rendait les exportations très attirantes.
- Des zones industrielles, dans lesquelles les entreprises et les individus bénéficiaient d'avantages particuliers, ont aussi été mises en place.

Il y eut aussi des incitations de nature plus psychologique, avec la publicisation des meilleures entreprises, ainsi que des prix et des médailles aux plus performants.

EN CONCLUSION

Dans le cas de la Corée du Sud, le processus de formulation, avec une association très grande des principaux intéressés, les mécanismes de mise en œuvre et le comportement des dirigeants dans la vie quotidienne, tout était orchestré de façon à ce que les comportements souhaités soient constamment renforcés.

Un gouvernement n'est pas le Bon Dieu, même si les moins bons sont tentés de se comporter comme tel. Il y a donc beaucoup d'imperfections dans la vie quotidienne. Cependant, dans ce cas-ci, la démarche était orientée vers la résolution de problèmes. Puisque les objectifs étaient clairs et que les comportements des dirigeants étaient ouverts sur tout ce qui pouvait les aider à les atteindre, chacun pouvait s'atteler à la tâche.

L'exemple de la Corée du Sud montre le rôle très opérationnel du concept de stratégie. Comme pour toute organisation, on peut et on doit penser en termes d'objectifs et de moyens de les atteindre, ce qui est l'essence de la stratégie. Lorsque le cadre intégrateur est là, tout devient possible. On est alors capable de comprendre le rôle que jouent les variables économiques. On comprend aussi le rôle de la clarté et de la fermeté de la direction, on comprend l'importance de la clarification des rôles respectifs des secteurs public et privé. Finalement, on comprend l'importance de la légitimité de l'autorité de l'État.

Partie II

CONCEVOIR LA STRATÉGIE

Cette partie est consacrée à la formulation de la stratégie, c'est-à-dire aux éléments qui permettent l'analyse de la situation stratégique d'une organisation et, par la suite, l'adoption d'une nouvelle stratégie ou des ajustements à celle qui existe. Cette partie repose sur les développements de la première partie, notamment sur les manifestations de la stratégie telles qu'elles sont définies au chapitre II.

Le chapitre III fournit le cadre général de l'analyse stratégique. L'analyse stratégique s'insère habituellement dans une chaîne de finalités qui peut être longue. Elle est souvent guidée par une finalité globale, qui peut être un énoncé de mission ou une déclaration générale et durable qui définit l'organisation et sa raison d'être. Elle commence alors par une analyse qui vise à la compréhension de la dynamique de l'environnement et se poursuit par la recherche et la mise en évidence des capacités de l'organisation qui peuvent être à la source de ses avantages concurrentiels. Ces deux éléments sont les fondements de la définition des objectifs de l'organisation et des finalités plus restreintes, qui s'insèrent dans la finalité plus globale qui lui a donné naissance. Ce sont ces objectifs qu'on a tendance à appeler « stratégie » dans le langage courant.

Les objectifs sont cependant définis par des personnes, les dirigeants, à partir de leurs valeurs et de leurs préférences ainsi que des valeurs auxquelles est attachée la communauté de personnes que regroupe l'organisation. Les objectifs, la finalité plus précise de l'organisation et son nouveau filon conducteur sont ainsi influencés par les quatre forces que sont l'environnement, les capacités et ressources de l'organisation, les valeurs des dirigeants et les valeurs de la communauté organisationnelle.

Le chapitre IV va plus en détail dans l'analyse de l'environnement. Il décrit les ingrédients qui font l'environnement et les techniques qui permettent habituellement de les décortiquer. Le cœur de l'analyse de l'environnement reste l'analyse de la concurrence, et ce chapitre ne fait pas exception en la matière. Les modèles traditionnels, dont celui de l'économie industrielle popularisé par Porter, sont décrits et illustrés dans ce chapitre.

Le chapitre V aborde l'autre aspect important de l'analyse, celui des capacités et des ressources de l'organisation. L'objet de cette analyse est de comprendre ce qui donne ou pourrait donner des avantages ou au contraire être un handicap pour l'organisation dans la rivalité qui l'oppose à ses concurrents. Les modèles, tels que ceux de la chaîne de valeur, ainsi que les idées de compétence centrale (*core competence*) sont décrits et illustrés. La formulation de la stratégie ne s'arrête pas à l'analyse de l'environnement et des ressources de l'organisation. Elle suppose que les choix que suggère l'environnement et que permettent les capacités de l'organisation doivent aussi passer le test des valeurs des dirigeants et des valeurs de société que porte la communauté organisationnelle.

Le chapitre VI met ensemble les enseignements de l'analyse pour examiner les *patterns* sur lesquels les entreprises débouchent. Ce chapitre décrit les grandes stratégies qui sont habituellement choisies par les entreprises et les questions importantes qu'elles suscitent chez le stratège. Ainsi, on y retrouvera les stratégies génériques portériennes, mais aussi les stratégies et manoeuvres stratégiques les plus utilisées, avec des exemples qui donnent de la chair aux conditions qui président à leur utilisation pratique. Les stratégies sont non seulement discutées dans le détail, mais les résultats de recherche sur les relations entre ces stratégies et la performance des entreprises sont aussi présentés.

CES CHAPITRES SONT COMPLÉTÉS PAR TREIZE NOTES :

Les quatre premières notes se rattachent plus spécifiquement au chapitre III portant sur la formulation de la stratégie.

La note 5 est écrite par Marcel Côté, professeur honoraire à l'École des HEC. Cette note discute de la planification stratégique. Bien que décriée, la planification stratégique n'en est pas moins nécessaire. Comment la mener est une question souvent négligée. Dans les limites d'une note forcément brève, Marcel Côté discute des questions relatives à la réalisation concrète d'une planification stratégique.

La note 6 est écrite par Guy Archambault, professeur honoraire à l'École des HEC. La réingénierie est une tendance qu'on ne peut plus ignorer. C'est cependant un territoire vaste pour lequel une introduction est toujours difficile. Fort d'une expérience riche en la matière, il nous parle de manière simple de la réingénierie en insistant sur les effets stratégiques de celle-ci sur le positionnement et le fonctionnement des entreprises.

La note 7 aborde une question souvent débattue par les théoriciens et les praticiens de la stratégie. Quel est le rôle de la spontanéité en gestion stratégique ? Comment peut-on admettre qu'à côté d'une démarche systématique, il y ait des comportements stratégiques émergents ? Christiane Demers, professeure de management stratégique à l'École des HEC, dont les travaux ont souvent porté sur la gestion du changement, nous montre comment les comportements stratégiques émergents permettent à l'organisation d'apprendre et combien ils sont nécessaires à l'adaptation et à la survie de l'organisation.

Nathaly Riverin, professeure à l'école des HEC, s'intéresse aux questions d'entrepreneurship. Elle aborde, dans la note 8, un sujet qui prolonge celui de la note précédente : l'intuition et la stratégie. Comme l'entrepreneur est le siège favori des grands déchirements entre la démarche systématique et la démarche intuitive, c'est un thème idéal pour parler de ces questions.

Les notes 9 à 12 se rattachent au chapitre consacré à l'analyse de l'environnement.

La note 9 aborde les questions de nature sociopolitique qui influent sur l'analyse stratégique. Cette note rappelle les démarches qui sont aujourd'hui utilisées pour faire les analyses de l'environnement sociopolitique de l'organisation, notamment l'analyse des forces et des acteurs qui viennent influencer les choix stratégiques des dirigeants. Cette note est écrite par Jean Pasquero, professeur de gestion stratégique à l'UQAM.

Fernand Amesse, professeur de marketing à l'École des HEC, est spécialisé dans les questions de gestion de la technologie. Il nous offre dans la note 10 une réflexion sur l'importance de la technologie dans les choix et dans la gestion stratégique d'une organisation. Ces questions ont toujours été importantes en stratégie, la technologie étant un élément crucial des compétences distinctives de l'organisation. Aujourd'hui, la technologie touche de manière dynamique les rapports entre l'organisation et son environnement. Elle symbolise la turbulence de l'environnement et les difficultés d'adaptation pour toutes les organisations.

La note 11 traite de l'influence déterminante des institutions sur la stratégie. Cette influence est tellement grande que la plupart des organisations, sauf les plus innovatrices, ont tendance à avoir des comportements qui se ressemblent. Le mimétisme est inévitable. Francine Séguin, de l'École des HEC et Claude Roy, de l'UQAM, qui ont beaucoup travaillé ces questions, sont les auteurs de cette note.

La note 12 traite d'un sujet nouveau en gestion stratégique : la théorie conventionnaliste de la firme. Les économistes ont, au cours des 15 dernières années, fait un effort considérable de formalisation des questions organisationnelles. Ils se sont ainsi rapprochés des démarches organisationnelles des sociologues et théoriciens de la stratégie. Cette note, écrite par Taïeb Hafsi, présente la théorie conventionnaliste et discute des problèmes que pose son utilisation.

Les notes 13 et 14 se rattachent au chapitre V consacré à l'analyse des ressources et des capacités internes de l'organisation.

La note 13 présente les théories économiques les plus influentes actuellement en gestion stratégique : la théorie des droits de propriétés, la théorie des coûts de transaction et la théorie de l'agence. Ces théories difficiles à dissocier forment le corpus de justification et d'explication du fonctionnement de nos économies modernes. Elles forment le cadre qui sert de plus en plus aux formalisations importantes des théories de la stratégie et aux explications du comportement réel des décisions des firmes. Cette note est écrite par Taïeb Hafsi.

La note 14 présente une nouvelle formalisation de l'analyse interne en gestion stratégique. On avait tendance à considérer la firme comme définie par ses produits. Depuis une dizaine d'années, on préfère mettre l'accent sur l'ensemble des ressources qui permet la réalisation des produits ; on touche ainsi à la source de la compétence distinctive de la firme. Cette note est écrite par Martine Vézina, professeure à l'École des HEC.

Les trois dernières notes de cette partie se rattachent au chapitre VI qui porte sur les choix stratégiques.

La note 15 est issue d'un article de Danny Miller, chercheur titulaire à l'École des HEC, portant sur le paradoxe d'Icare en gestion stratégique. Ce qui fait le succès des entreprises peut aussi être à l'origine de leur perte, lorsque les recettes du passé continuent à être appliquées sans discernement et sans référence à ce qui se passe dans l'environnement.

La note 16 décrit un phénomène surprenant, celui des entreprises constamment défaillantes et qui pourtant ne meurent pas. Ces entreprises ont des stratégies orientées non pas vers la compétitivité dans le marché mais plutôt vers une sorte de soutien social ou institutionnel. Linda Rouleau, professeure à l'École des HEC, a beaucoup étudié ces situations et nous offre ici une présentation du sujet et quelques réflexions.

La note 17 propose une brève synthèse sur les relations entre la stratégie et la performance. En particulier, on y aborde les relations entre la planification stratégique et la performance ainsi qu'entre la diversification (y compris par acquisitions et fusions) et la performance. L'auteur, Louise Côté, professeure à l'UQAM, a fait de nombreuses recherches sur le sujet et continue à s'intéresser à ces questions cruciales en management stratégique.

Chapitre III

LA FORMULATION DE LA STRATÉGIE

Ce chapitre est au cœur de la démarche de ce livre. Il présente le cadre d'analyse principal, celui qui permet de définir, de concevoir, de formuler (ces termes seront utilisés indifféremment) la stratégie d'une organisation. Le chapitre est construit autour des idées déjà introduites au chapitre II. Les perspectives que nous avions alors offertes sont des facettes différentes d'une même réalité stratégique. La stratégie est à la fois une finalité ou un filon conducteur, un mécanisme de médiation avec l'environnement, une combinaison de ressources internes qui vise à obtenir un avantage concurrentiel, l'expression des valeurs des dirigeants et de la communauté de personnes qui constitue l'organisation. Dans l'analyse qui permet de concevoir la stratégie, nous allons alors inévitablement retrouver ces différentes facettes et les intégrer.

Avant d'aborder le cadre d'analyse, nous allons illustrer la démarche stratégique en racontant l'histoire stratégique de la société Miracle Mart. Cette société est aujourd'hui disparue, tout comme d'ailleurs son siège social, la société Steinberg. Cependant, les comportements qui ont mené à la situation catastrophique de l'entreprise et les efforts tentés pour la sauver sont tellement typiques et pleins d'enseignements que la description est révélatrice des problèmes que l'absence de stratégie peut générer.

Après le cas Miracle Mart, nous décrivons le cadre d'analyse qui est préconisé dans ce livre. La description commence par une définition opérationnelle, puis les différents éléments de l'analyse sont présentés et discutés. Comme une stratégie est rarement développée *tabula rasa*, l'évolution de la stratégie et l'importance de l'histoire sont abordées par la suite. La dernière partie du chapitre est consacrée à la discussion des tests qui permettent d'évaluer la stratégie choisie ou celle qui est analysée.

I. UNE HISTOIRE TYPIQUE

Dans les années 1960, la société Steinberg, une grande entreprise de distribution alimentaire dont le siège était à Montréal, avait investi des fonds dans le lancement d'une chaîne de magasins de marchandises générales, Miracle Mart. Vingt ans après, Steinberg avait perdu plus de 100 millions de dollars à essayer de faire vivre l'entreprise. L'histoire de Miracle Mart apparaît à l'observateur comme une série ininterrompue d'improvisations qui non seulement n'étaient pas géniales mais avaient entraîné l'entreprise dans un tourbillon tellement incohérent que, dans la deuxième moitié des années 1980, personne ne savait comment donner du sens à une telle aventure.

Steinberg s'est lancé dans les magasins Miracle Mart pour différentes raisons. L'entreprise disposait d'espaces qu'elle souhaitait remplir dans les centres commerciaux que sa filiale Ivanhoe développait furieusement. Steinberg avait aussi la confiance typique d'une entreprise qui n'avait connu que des succès dans ses activités alimentaires. Cela a pu engendrer une sorte de sentiment de toute-puissance : tout semblait réussir à cette belle entreprise, dont les gestionnaires étaient, par tradition, innovateurs et entrepreneuriaux. On raconte aussi que la vraie raison d'une telle décision aurait été le désir « d'occuper » la fille aînée du fondateur, qui aurait absolument tenu à participer à la gestion et qui, de ce fait, aurait dérangé le bon fonctionnement des activités traditionnelles.

Ainsi, les mêmes raisons qui ont fait le succès de Steinberg, notamment l'improvisation innovatrice, ont aussi contribué à des décisions remarquablement incohérentes et dangereuses pour la survie de l'ensemble de l'organisation. Cela suggère que l'improvisation, même géniale, n'est appropriée que lorsque le niveau de complexité de l'organisation est à la mesure des capacités cognitives, hélas très réduites, d'une seule personne. Très vite, dès que l'organisation prend de l'ampleur, l'improvisation doit pouvoir s'accommoder de la présence complémentaire d'une approche plus systématique qui organise la réflexion et la contribution collective de tous ceux qui partagent la compréhension du fonctionnement de l'organisation et des effets de son environnement.

L'absence de direction, pour Miracle Mart, pendant si longtemps, a fait que cette entreprise errait comme un somnambule, ne sachant ni qui elle était ni dans quel environnement elle se trouvait. En 1984, le nouveau président, M. Kershaw, n'en revenait pas. Le président de Steinberg, M. Ludmer, lui avait bien délimité les contours de sa mission : « Il faut ou bien redresser Miracle Mart ou bien arrêter les frais en mettant un terme à l'aventure. »

Pour Kershaw, il fallait faire ce qui aurait dû être fait 20 ans plus tôt : définir l'entreprise et sa raison d'être. Sa démarche n'a malheureusement pas abouti à redresser l'entreprise, mais elle est intéressante pour illustrer la démarche stratégique systématique.

Pour amorcer la réflexion stratégique, M. Kershaw et son groupe de direction avaient besoin d'information. Comme l'entreprise existait, on ne pouvait déterminer sa raison d'être sans référence à ce qui existait. Il fallait d'abord savoir ce qu'était l'entreprise. Le bon sens suggérait de poser la question à ceux que l'entreprise essayait de servir : ses clients. On entreprit alors de demander aux clients ce qu'ils trouvaient dans Miracle Mart et pourquoi ils y faisaient leurs achats. Il fallait aussi déterminer avec qui on devait rivaliser pour attirer et garder ses clients et donc découvrir les principaux concurrents, ceux qui étaient des rivaux directs et ceux qui avaient occupé des territoires plus éloignés.

L'étude du secteur industriel et l'étude de marché produisirent beaucoup de surprises. D'abord, le marché était très segmenté et les concurrents avaient une tendance à vouloir se distinguer les uns des autres. On trouvait ainsi quatre grandes catégories d'acteurs. D'abord, il y avait les magasins généraux, comme La Baie ou Eaton, des grands magasins qui cherchaient à attirer un peu tout le monde, en segmentant les commerces eux-mêmes. Ainsi, les personnes recherchant des produits de qualité pouvaient les trouver dans les différents rayons de produits de marque, tandis que les personnes recherchant des aubaines pouvaient les trouver au sous-sol. Ensuite, il y avait les magasins de rabais, dont la stratégie était basée sur le prix, ou plus exactement sur le rapport prix/qualité, avec accent sur le premier. Par exemple, Zellers au Québec, parmi de nombreux autres magasins, était la chaîne dominante. Il y avait aussi les « clubs d'achat », des sortes de super-magasins de rabais, mais dont l'assortiment pouvait changer au gré des possibilités d'approvisionnement. Le Club Price était, au Québec, l'exemple typique. Finalement, une multitude d'entreprises se démarquaient en se spécialisant. Les magasins spécialisés couvraient aussi bien les segments où la sensibilité à la qualité et l'importance du statut étaient dominantes que ceux où la sensibilité au prix et des considérations utilitaires étaient dominantes. Holt Renfrew était l'exemple type des premiers, tandis que Cohoes faisait plutôt partie des seconds.

Le profil des clients de Miracle Mart surprenait un peu. De jeunes familles, dont les revenus étaient supérieurs à la moyenne, visitaient régulièrement les magasins. Les clients étaient relativement fidèles et, ce qui était le plus important, voyaient en Miracle Mart un magasin qui s'apparentait aux grands magasins quant à l'assortiment, à la mode et à la qualité, mais avec des prix comparables aux magasins de rabais. Cependant, l'aménagement était moins intéressant et le service, moins bon que dans les grands magasins.

Finalement, la comptabilité montrait que les magasins les plus problématiques, ceux qui montraient les déficits les plus grands, étaient ceux qui étaient éloignés de Montréal, notamment ceux de l'Ontario. Elle montrait aussi que les produits les plus problématiques étaient les petits appareils ménagers et que les produits les plus prometteurs étaient les vêtements.

C'est avec ces renseignements en main que Kershaw a réuni son équipe de direction dans un hôtel des Laurentides. Il voulait l'amener à décider ce que l'entreprise Miracle Mart était et ce qu'elle devait devenir. Il donnait cependant l'avertissement suivant : « Si on créait une entreprise nouvelle, on aurait les coudées plus franches, mais avec une entreprise existante, on est obligé de tenir compte de ce qui existe. Miracle Mart ne peut pas décider de devenir une sorte de Holt Renfrew, de même que Holt Renfrew ne peut pas décider de devenir une sorte de Miracle Mart. » Ce que Kershaw évoquait, c'est l'importance de tenir compte de ses propres ressources lorsqu'on définit ce qu'on veut faire. En fait, contrairement à ce que disait Kershaw, cet impératif s'applique même lorsqu'on démarre *de novo*.

Au cours de leur rencontre, les dirigeants ont confronté les informations qu'ils avaient sur la concurrence, les clients, les résultats passés, avec leur compréhension des capacités de l'entreprise pour reconcevoir leur entreprise. Ils ont décidé que Miracle Mart devait s'efforcer de répondre à l'image que se faisaient d'eux les clients les plus fidèles, avec quelques ajustements en matière de service, pour l'améliorer, d'assortiments de produits, pour éliminer quelques équipements que les clients préféraient acheter ailleurs, et de localisation, en concentrant les activités à l'échelle régionale, pour mieux sentir le client et mieux répondre à ses attentes.

Cette nouvelle définition devait être portée à l'attention du client, ce qui supposait à la fois formation du personnel, aménagement des locaux, réorganisation administrative, etc. Mais plus spectaculaire encore, le nom de l'entreprise fut modifié. Désormais, Miracle Mart devenait Les Magasins M. Partout, M remplaçait l'ancien nom.

Cet exercice, au fond très logique et très systématique, n'a pas abouti aux résultats escomptés d'une part, parce que c'était peut-être déjà trop tard et d'autre part, il faut le reconnaître, parce que l'équipe de direction n'a pas eu suffisamment de temps pour le mettre réellement en pratique. La disparition du siège social, à la suite d'un conflit entre les actionnaires principaux, a amené la liquidation prématurée des Magasins M. Le dernier mot n'a donc pas pu être dit là-dessus.

II. LE PROCESSUS DE FORMULATION

L'histoire de Miracle Mart révèle l'importance de la définition de la raison d'être, de la finalité pour la survie d'une organisation. Il n'y a pas de doute que l'absence de définition claire de ce qu'était l'entreprise a contribué à la situation catastrophique dans laquelle l'a trouvée Kershaw. Celui-ci, par les actions posées, suggérait qu'une démarche systématique est utile, voire importante, pour décider de la raison d'être d'une organisation. Dans le domaine de la stratégie, il y un débat constant sur l'utilité ou la nécessité d'une démarche systématique. Mintzberg (1994) a souvent insisté sur les risques de la systématisation, notamment la rigidité et le conformisme qui risquent d'en résulter. Cependant, bien qu'il attire l'attention sur une question importante, Mintzberg sait qu'on ne peut agir en commun, dès que l'organisation a plus d'un produit et est active dans plus d'un marché, sans un effort de réflexion systématique destiné à encourager la convergence. Frederickson et Iaquinto (1989) ont montré que l'effort systématique explique souvent les résultats meilleurs des entreprises qui le pratiquent. Il est cependant probable que, lorsque la finalité ne fait aucun doute dans l'esprit des membres de l'organisation ou lorsque sa complexité est très grande, une démarche systématique puisse ne pas être justifiée ou puisse même être contre-productive.

Les éléments du processus de formulation de la stratégie suggérés par la démarche de Kershaw ressemblent étrangement à ceux qui ont été mentionnés au chapitre II. Tous les modèles d'analyse stratégique suggèrent que la prise de décision stratégique, au fond une des multiples formes de prise de décision rationnelle, vise à accroître la performance de l'organisation et comprend au moins trois étapes : 1) une analyse de l'environnement pour comprendre les opportunités qu'il recèle et les menaces qu'il présente ; 2) une analyse des ressources que l'organisation peut utiliser pour tirer parti des opportunités et faire face aux menaces. Ces deux analyses servent alors à 3) choisir parmi un certain nombre d'options les finalités qui ont le plus de chance de mener à une meilleure performance. Les modèles plus élaborés, surtout depuis le début des années 1980, comme le montre Hambrick (1984), font intervenir un autre facteur, les dirigeants, et suggèrent que leurs caractéristiques et leurs valeurs doivent aussi intervenir dans les choix parmi les options disponibles. Finalement, Andrews et le groupe de stratégie de vent se produire à l'intérieur comme à l'extérieur de l'organisation. Cela suppose alors qu'on maintienne l'énoncé suffisamment longtemps pour que l'action soit possible, mais que les décalages soient compris et compensés par une gestion fine des comportements des personnes et donc de leur capacité à vivre avec les manques de cohérence qui peuvent en résulter.

Nous proposons que la conception de la stratégie est alors dominée par :

- la situation dans l'environnement ;
- les capacités internes ;
- la nature et les préoccupations de la communauté constituée par les membres de l'organisation, y compris la contribution sociale que l'on veut avoir ;
- les caractéristiques des dirigeants principaux et notamment leurs valeurs ;
- la nécessité de produire un avantage concurrentiel ;
- le désir de construire un instrument de référence utile.

La figure 2 (page suivante) schématise les relations qui interviennent dans la formulation.

A. L'environnement : dégager les opportunités et les menaces

L'environnement est critique dans la vie de toute organisation. Il s'agit bien entendu de l'environnement pertinent, celui qui a une importance primordiale pour la conduite des activités de l'organisation. Thompson (1967), le père de la théorie de la contingence, appelait cela l'environnement-tâche. Ainsi, si l'organisation est une entreprise de fabrication de skis, la concurrence ou les modifications de la situation dans le domaine de la fabrication du ciment n'ont qu'une importance marginale. Par contre, des modifications de la situation du domaine des sports et loisirs, ski ou autre, doivent retenir l'attention.

L'environnement-tâche comprend d'abord les acteurs principaux avec lesquels l'organisation est en rivalité. Pour une entreprise, les concurrents constituent l'essentiel de sa préoccupation. Mais même un organisme à but non lucratif se retrouve en compétition avec d'autres organisations. Ainsi, une association dont le but est d'encourager la recherche pour la guérison du cancer doit aller trouver des fonds auprès des gouvernements et des particuliers et, ce faisant, elle se retrouve en compétition avec toutes les organisations qui font la même chose pour d'autres types de maladies, Alzheimer, maladies cardiaques, sclérose en plaques, etc., et aussi avec les organisations

Harvard proposent que l'intérêt bien pensé des entreprises devrait les inciter à tenir compte de la société environnante et de prendre des dispositions pour que les actions amorcées restent socialement responsables (voir la figure 1 pour une interprétation du modèle d'Andrews).

Figure 1 Le schéma d'Andrews simplifié

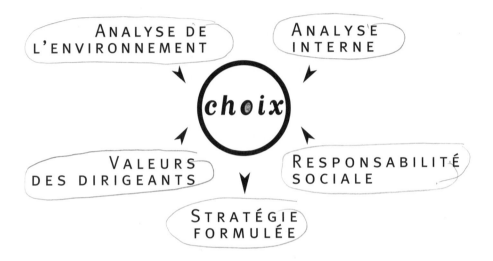

III. CONCEVOIR LA STRATÉGIE : LES ÉLÉMENTS DE L'ANALYSE

Notre perspective sur la stratégie, telle qu'elle est décrite au chapitre II, est très proche de celle qui a été proposée par Andrews (voir notamment Learned, Christensen, Andrews & Guth, 1965), mais elle apporte, nous semble-t-il, des nuances utiles pour la compréhension du concept de stratégie et pour l'amélioration de son utilisation par les praticiens. L'approche que nous proposons permet d'intégrer des considérations souvent négligées et sans lesquelles on pourrait faire de l'analyse stratégique un simple exercice technique.

D'abord, la conception stratégique est un processus à la fois ponctuel et continu. Il est ponctuel parce qu'à certains moments il faut énoncer les objectifs pour guider l'action. Il est continu parce que, dès que la stratégie est énoncée, elle est en fait déjà remise en cause par les changements qui peu-

Figure 2 La formulation de la stratégie

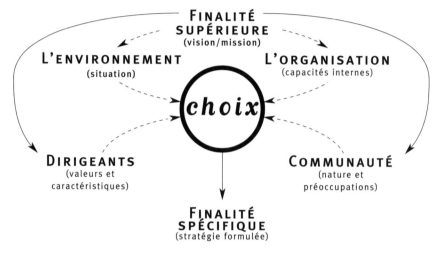

Quelle organisation sommes-nous ?

—

Quelle organisation pouvons-nous
et voulons-nous être ?

—

Quelles contributions
(économiques et non économiques)
voulons-nous apporter ?

qui cherchent à obtenir des ressources pour aider les personnes défavorisées dans la société. Ce que font les « concurrents » a un effet direct sur la santé présente et future de l'organisation.

L'environnement-tâche comprend aussi tous les acteurs qui peuvent influencer le jeu concurrentiel ou dont la mission est d'influencer ce jeu. Ainsi, on peut trouver, proche des concurrents, des acteurs et des facteurs, qui ont un effet direct. L'économie industrielle suggère que ces acteurs sont : les clients eux-mêmes, lorsqu'ils ont un pouvoir organisé ; les fournisseurs, lorsqu'ils ont un pouvoir de marché important ; les nouveaux arrivants, ceux qui du fait de barrières à l'entrée faibles peuvent venir accroître la rivalité. Ces acteurs peuvent aussi être les produits substituts, ceux qui peuvent avoir la même fonction que les produits ou services de l'industrie dans un groupe d'application déterminé et qui, dans certaines circonstances, peuvent se comporter comme des concurrents directs.

L'environnement-tâche comprend aussi les gouvernements et leurs appareils associés, à la fois comme régulateurs, donc comme maîtres du jeu, et comme acteurs directs (fournisseurs ou clients). Ainsi, dans l'industrie pharmaceutique, le gouvernement joue le rôle de gardien de l'entrée. Dans l'industrie de l'aéronautique ou des télécommunications, un peu partout dans le monde, il travaille à réduire les barrières à l'entrée en éliminant les règles qui protègent ou favorisent les acteurs actuels. Par contre, il crée des règles pour la protection des citoyens (responsabilité des organisations et des professionnels pour la qualité des produits ou services par exemple) et de l'environnement et, à ce titre, il contraint tous les acteurs concernés. Dans l'industrie de la défense en Amérique du Nord, c'est un important client. Dans l'industrie de l'assurance-vie au Canada, il est le fournisseur des services de retraite de base.

L'environnement est en mouvement constant. Comme des abeilles, les multiples acteurs de l'environnement-tâche travaillent continuellement à la modification du jeu pour satisfaire leurs multiples objectifs. Ce faisant, ils créent des situations qui peuvent être dangereuses ou menaçantes pour la santé de l'organisation et, en même temps, créent des opportunités qui peuvent être exploitées de manière favorable par l'organisation.

L'environnement produit aussi des changements qui sont attribuables non pas à un acteur spécifique mais à un grand nombre d'acteurs, menant à une évolution de nature historique, comme les grands changements dans le cycle économique, les grands changements démographiques, les grands bouleversements sociopolitiques ou les grands bouleversements technologiques.

Prenons un exemple. La société montréalaise Bombardier fabrique des équipements de transport par rail (wagons), des avions utilitaires, des avions commerciaux à petite portée, des avions corporatifs privés et des équipements de loisirs, soit les motoneiges (Ski-doo) et les motomarines (Sea-doo). Dans chacun de ces secteurs, l'entreprise a été confrontée, au cours des 20 dernières années, à des environnements variés qui illustrent bien notre propos. Ainsi :

1. Pour ce qui est des wagons pour les métros de New York ou de Séoul et pour l'Eurotunnel, les acheteurs étaient souvent les gouvernements locaux ou nationaux.

2. Dans le domaine du transport aérien, elle a vécu et subi le contrecoup des vagues successives de déréglementation, à la fois comme fabricant d'avions et comme sous-traitant des grands manufacturiers que sont Boeing et Airbus. Comme fabricant, elle est soumise aux

réglementations de sécurité qui sont imposées par le ministère canadien du Transport.

3. Elle a dû prendre en considération les bouleversements imposés par la technologie de l'information à la fois dans la conception des produits et dans leur fabrication.

4. En Irlande, les bouleversements sociopolitiques ont été une préoccupation constante du fait de la situation et du rôle particulier que jouait la filiale aéronautique Shorts.

5. Sa position de sous-traitant pour les grands acteurs de l'aéronautique a amené l'entreprise à apprendre à vivre avec des clients puissants. Dans le domaine du transport par rail, ses clients gouvernementaux sont aussi particulièrement influents.

6. Dans les équipements de loisirs, motoneige et motomarine, elle a eu à subir la concurrence vive des nouveaux entrants japonais ou américains et a vu le marché décliner de manière spectaculaire lorsque la crise du pétrole a rendu ces équipements plus onéreux à faire fonctionner.

7. Finalement, elle vit constamment avec toutes sortes de substituts à ses produits, ce qui l'amène à s'intéresser de manière constante aux processus de prise de décision de ses clients importants.

On peut presque dire que Bombardier est tellement dépendante de son environnement qu'elle ne peut pas se permettre de ne pas le gérer. C'est cette gestion fine de l'environnement qui a fait que l'entreprise a été plus en mesure que d'autres de déterminer et de saisir les opportunités qui se présentaient, comme faire l'acquisition de Canadair et plus tard de Lear Jet aux États-Unis, ou de faire face aux menaces importantes qui surviennent constamment, comme la mini-crise provoquée par le mauvais fonctionnement du système de freinage de ses wagons dans le métro de New York ou comme les problèmes de paiement par la compagnie de l'Eurotunnel.

La compréhension de l'environnement permet alors aux stratèges et aux analystes de l'entreprise de déterminer, parfois d'anticiper, les opportunités et les menaces lorsqu'elles se présentent et d'apprécier leur importance et leur évolution, pour mieux les prendre en considération dans les choix stratégiques qui doivent être faits.

B. LES CAPACITÉS INTERNES : LES ARMES DISPONIBLES POUR LA BATAILLE CONCURRENTIELLE

Pour que quelque chose de durable puisse être accompli, il faut tenir compte des ressources, des compétences, des savoir-faire dont on peut disposer pour survivre aux pressions qui sont exercées par l'environnement. La définition de la stratégie ne peut alors se passer de l'analyse et de la compréhension des forces et des faiblesses de l'organisation. Ces forces et faiblesses, une expression des capacités internes de l'organisation, sont de différentes natures :

1. Il y a, en premier lieu, le personnel. Il est dépositaire des savoir-faire les plus importants, ceux qui peuvent démarquer l'organisation de la concurrence. Les savoir-faire peuvent être technique, administratif, interpersonnel ou organisationnel :

   - Le savoir-faire technique peut être apprécié lorsqu'on analyse les forces et les faiblesses de chacune des spécialités et fonctions qui participent de manière directe à la génération de la valeur des biens et services commercialisés.

   - Le savoir-faire administratif permet de maintenir l'organisation en équilibre, à l'interne par l'ajustement des flux de personnel, de matériel et de fonds, et avec l'environnement en balançant efficacité et flexibilité, nécessaires à la survie.

   - Le savoir-faire interpersonnel permet d'aligner les conflits normaux qu'engendre l'action en groupes. Il facilite les ajustements et permet de modérer les exigences de chacun et de chaque groupe. Il facilite aussi la démarche vers la convergence des vues nécessaire à la prise de décision.

   - Le savoir-faire organisationnel permet de maintenir des règles du jeu pertinentes et efficaces pour la gestion des actions et des initiatives qui aident l'organisation à fonctionner et à s'adapter.

2. Il y a aussi les fonds disponibles ou accessibles.

3. On peut aussi mentionner les relations et les alliances avec des organisations ou des groupes influents de l'environnement.

4. L'état de la technologie et des équipements est aussi une capacité importante, même si cette importance varie d'un secteur industriel à l'autre.

5. Finalement, les pratiques actuelles, avec la structure, les systèmes et les processus qui dominent la vie de l'organisation et qui sont difficiles à changer, sont aussi des capacités critiques. Elles peuvent être favorables ou défavorables, selon la situation concurrentielle.

Chacune de ces catégories de capacités peut être une force ou une faiblesse. Ce qui permet de le décider est la comparaison avec la situation des concurrents principaux. On peut ainsi avoir des compétences tout à fait remarquables, mais, si elles sont disponibles pour tous les concurrents, elles n'ont plus beaucoup d'intérêt dans la lutte concurrentielle. Si par contre elles sont moins bonnes que celles des concurrents, on est en danger et il faut soit quitter le domaine, soit travailler à les améliorer. En revanche, si elles sont meilleures que celles des concurrents, l'organisation est en position favorable, et il faut les exploiter par un positionnement concurrentiel approprié et par l'expression d'une finalité stimulante.

L'exemple de Crown Cork and Seal (CCS) est de ce point de vue tout à fait impressionnant (Hamermesh, Gordon et Reed, 1977). Cette entreprise fabriquait des cannettes en métal pour des clients, comme les embouteilleurs de boissons gazeuses ou les brasseries. CCS était la plus petite des quatre grosses entreprises du secteur. Les deux plus grosses entreprises avaient une taille presque quatre fois supérieure à celle de CCS. Disposant de peu de moyens financiers, les dirigeants de l'entreprise ont alors travaillé à démarquer l'entreprise de façon à ce qu'elle ne soit pas vraiment en concurrence directe avec ses rivaux. En particulier, ils ont exploité les forces de l'entreprise dans la fabrication des machines de remplissage, ainsi que son agilité à répondre à la clientèle, en fournissant aux clients un ensemble de services et de produits qui permettaient de régler de manière satisfaisante le problème du remplissage. Ce faisant, CCS ne fournissait plus des cannettes mais satisfaisait, mieux que n'importe lequel de ses concurrents, un besoin critique pour le client. La conséquence est que CCS a eu, de 1952 à 1979, la meilleure performance sur le marché de New York, dépassant largement celle d'entreprises comme IBM ou GE et laissant loin derrière ses concurrents de l'industrie.

c. La communauté de personnes : les valeurs et les relations avec la société

Une entreprise est une communauté de personnes pour laquelle les valeurs peuvent être plus importantes encore que les réalisations matérielles. Dans certaines entreprises, notamment de services bénévoles, c'est habituellement le cas. En conséquence, l'équilibre de la communauté de personnes est critique pour la survie de l'organisation.

Ces valeurs sont mises à l'épreuve, notamment dans la relation entre l'organisation et son environnement. La communauté de l'organisation est souvent préoccupée par la relation qu'elle entretient avec la société en général et par la place qu'elle y occupe. C'est pour cela que la pression est forte de faire des choses concrètes qui consolident les liens et affirment la place de l'organisation dans la société. En conséquence, la prise de décision et le choix du domaine d'activité ne doivent pas mettre de côté les valeurs et la culture des groupes qui constituent l'organisation et se traduisent souvent par une affirmation du rôle social que l'organisation entend jouer. Dans le langage traditionnel de l'analyse stratégique, on parle de niveau de responsabilité sociale.

Ainsi, Alcan, au Saguenay–Lac-Saint-Jean au Québec, entreprend des multitudes d'actions destinées à protéger l'équilibre de la région dans laquelle elle est très active. Financement d'équipements sociaux ou sportifs, d'activités culturelles et de centres de villégiature ouverts à la population, libération de personnel rémunéré pour le bénévolat local sont très courants. L'entreprise Bombardier s'est aussi toujours occupée de l'équilibre socio-économique et culturel de la petite ville de Valcourt, y finançant notamment des installations sportives, musées et manifestations de toutes sortes. L'Imprimerie Gagné finance la publication du journal de Louiseville. Maclean-Hunter, la grande entreprise de publication de revues et journaux au Canada, a régulièrement financé le monde universitaire canadien et notamment plusieurs chaires d'entrepreneurship.

Il arrive aussi que beaucoup d'entreprises soient sensibles à des préoccupations de société majeures et modifient leurs activités en conséquence. Ainsi, aux États-Unis et au Canada, de nombreuses entreprises ont interrompu leurs activités en Afrique du Sud pour soutenir la protestation des populations contre l'apartheid. Ce fut le cas de sociétés comme Polaroid. Parfois, des institutions bien établies entreprennent de débattre de grandes questions de société avec les populations environnantes. L'université Harvard a fait face, dans les années 1980, à une pression très forte de la part des étudiants et de la population de Cambridge, au Massachusetts, pour désinvestir d'entreprises actives en Afrique du Sud. Elle a longtemps résisté, affirmant que la présence d'importants investisseurs dans certaines entreprises pouvait permettre de faire progresser la cause des Noirs en Afrique du Sud. Ultimement, elle finit par accepter de désinvestir.

La conception de la stratégie ne peut alors ignorer la communauté organisationnelle et la relation qu'elle entretient avec la société dans laquelle elle baigne.

D. Les dirigeants et leurs valeurs

Une stratégie en conflit avec les valeurs des dirigeants n'est pas viable. Ceux-ci jouant un rôle clé dans l'atteinte des objectifs, ils ne pourraient alors produire toute l'énergie qui est nécessaire pour cela. L'exemple de Cray Research, l'entreprise qui a lancé les superordinateurs, est à ce titre intéressant. Au début des années 1980, la croissance de cette entreprise nécessitait une attention de plus en plus grande aux questions de marché et de commercialisation. Le fondateur, Seymour Cray, ne pouvait alors s'identifier à ce qu'était devenue son entreprise et a préféré s'en éloigner, laissant la place à John Rollwaggen, dont la sensibilité et les valeurs permettaient de maintenir un équilibre entre les besoins des chercheurs et les besoins du marché. Également, Jean-Pierre Gagné, lorsqu'il explique pourquoi il a décidé de concentrer l'attention de son entreprise sur l'impression de livres, affirme que « le livre est un produit noble ».

Les valeurs des dirigeants peuvent agir dans tous les sens. Elles peuvent être une source d'énergie considérable, notamment pour la mise en œuvre de la stratégie. Mais elles peuvent aussi être à la source de difficultés importantes et d'un déni des réalités qui peut être dommageable pour l'organisation. Dans tous les cas, les valeurs des dirigeants ne peuvent être négligées dans l'appréciation des choix que l'entreprise fait ou doit faire.

À Montréal, le dirigeant très croyant d'une entreprise de distribution alimentaire a fait installer, dans le hall d'entrée, une pancarte affirmant : « Dieu est le président-directeur général de cette entreprise. » Il est évident que ce dirigeant ne peut s'accommoder de décisions qui iraient à l'encontre de sa foi débordante. Parmi les activités que son entreprise soutient, on peut trouver des visites de grands personnages religieux, comme mère Teresa, et l'organisation de « petits déjeuners de la prière » auxquels il invite d'autres présidents d'entreprise afin de réfléchir sur la société. On mentionne aussi souvent l'importance des valeurs du couple Reddick dans le développement de l'entreprise de soins de beauté Le Body Shop. Ces valeurs, notamment de respect et de protection de l'environnement, se manifestent dans la nature des ingrédients utilisés pour la production, dans le marketing qui est fait, dans le recrutement et, bien sûr, dans le comportement des employés et franchisés avec les clients.

Mais les valeurs n'agissent pas toujours de manière aussi visible ou aussi spectaculaire. Elles colorent toutefois les perceptions des responsables et modifient de manière importante leurs analyses, leurs appréciations et leurs visions du monde. Elles peuvent agir comme des œillères ou au contraire comme des avertisseurs. C'est pour cela que l'analyse qui mène à la formulation de la stratégie doit opérer une petite pause à ce niveau pour révéler et apprécier la nature et la force des croyances et des valeurs qui animent les dirigeants et la compatibilité entre celles-ci et les choix stratégiques qui sont faits.

Les caractéristiques démographiques des dirigeants sont en interaction étroite avec leurs valeurs et parfois contribuent à les révéler. Ainsi, l'âge, les types d'expériences et leur durée, l'origine sociale, la nature et la durée de l'éducation, etc., influent de manière très sensible sur les comportements. On a montré par exemple (Hambrick & Mason, 1984) que ces caractéristiques étaient corrélées avec la volonté d'entreprendre des changements dans l'organisation. Ainsi, certaines recherches (Hafsi & Fabi, 1996) ont suggéré qu'un dirigeant qui a déjà eu des expériences de changement aurait tendance à ne pas entreprendre des changements majeurs ou radicaux. De même, les caractéristiques psychologiques ont des effets importants sur le comportement stratégique des dirigeants.

Dans la formulation de la stratégie, comme dans son évaluation, il est alors important de prendre en considération les valeurs et les caractéristiques démographiques et, si elles sont disponibles et fiables, les caractéristiques psychologiques des dirigeants.

IV. CONCEVOIR LA STRATÉGIE : UNE HEURISTIQUE

Lorsque les éléments de l'analyse sont disponibles, leur combinaison permet de concevoir les objectifs stratégiques. Les opportunités et les menaces, les capacités, les caractéristiques et valeurs de la communauté et celles des dirigeants sont les ingrédients avec lesquels il faut formuler une finalité suffisamment puissante pour servir de guide à l'action des membres de l'organisation et, en partie grâce à cela, construire un avantage concurrentiel soutenable.

La combinaison des ingrédients n'est pas un exercice mécanique : c'est le cœur de la réflexion stratégique. La configuration entre environnement, capacités, communauté et dirigeants peut conduire à un grand nombre de choix. Chaque choix peut être ainsi considéré comme unique. Même lorsque l'environnement est le même, les choix vont dépendre des capacités, des valeurs de la communauté organisationnelle et des valeurs des dirigeants. C'est cela qui explique aussi que, lorsque les capacités sont modifiées de manière importante, comme au moment d'une acquisition majeure ou d'une fusion, ou lorsque les dirigeants sont remplacés, la stratégie est inévitablement mise en cause et peut être modifiée.

La combinaison qui mène à la stratégie est un acte de nature artistique. Les ingrédients nécessaires à la réalisation de l'œuvre sont disponibles, mais leur utilisation va produire une œuvre unique, un peu à la manière de la réalisation d'un tableau d'artiste. On ne sait pas vraiment à l'avance si le tableau sera un chef-d'œuvre ou un torchon multicolore. Le seul guide est le désir de formuler des buts qui soient suffisamment convaincants pour orienter et canaliser l'action et produire un avantage concurrentiel réel.

De manière plus générale, la stratégie formulée doit être compatible avec chacune des conclusions de l'analyse. En particulier, elle doit être compatible avec la nature de l'environnement, notamment avec les opportunités et les menaces qu'il recèle. Ainsi, la théorie de la contingence suggère que, lorsque les éléments d'environnement importants, dont on dépend, constituent des incertitudes majeures, on aurait intérêt à les intégrer à l'organisation (Thompson, 1967). C'est ce qui explique certaines acquisitions ou certains efforts d'intégration verticale. Les sociétés de fabrication de métaux (acier, aluminium) ou de produits pétroliers ont longtemps considéré comme inévitable l'intégration en amont pour le contrôle de la matière première. La définition du domaine était là forcée par les circonstances environnementales.

Le choix de domaine (l'élément clé de la stratégie formulée) doit aussi être compatible avec les capacités de l'entreprise, comme le suggérait le président de Miracle Mart lorsqu'il disait que Miracle Mart ne pouvait pas devenir Holt Renfrew et vice-versa. Les ressources n'étaient pas compatibles avec de tels objectifs. Il faut insister sur le fait que les ressources agissent dans tous les sens. Ainsi, il est arrivé souvent que des entreprises haut de gamme, avec une production personnalisée, comme la société Dansk, aient été tentées de se lancer dans la production de masse et aient échoué lamentablement. Mais le plus fréquent est la tentation de monter en gamme pour les entreprises coincées dans des secteurs où les produits sont peu différenciés. Les limites dans ce cas sont plus évidentes. Finalement, les choix doivent aussi être compatibles avec les valeurs des dirigeants ou du groupe, comme cela a été suggéré auparavant.

On aurait tendance à penser que, puisque les choix sont uniques, on ne peut pas vraiment apprendre de l'expérience des autres. Ce n'est pas tout à fait le cas. En effet, l'action stratégique des organisations montre que celles qui obtiennent des résultats favorables font certaines choses de la même manière. C'est vers cela que nous nous tournons à présent.

A. QUELQUES RÈGLES

L'expérience des organisations économiques ou non montre que certaines pratiques relèvent de l'essence même de la stratégie. Ces pratiques peuvent être énoncées sous forme de règles :

1. Il faut être différent, il faut être unique. Cela signifie que, dans les choix stratégiques de domaines et d'objectifs, il est important que l'organisation se définisse de manière suffisamment distinctive pour que ses membres, comme ses clients, soient capables de la reconnaître parmi d'autres. La différence, lorsqu'elle s'empare de la clientèle, permet à l'organisation de se protéger contre la concurrence.

2. Pour mener, il faut utiliser ses forces. C'est ce que Tom Peters a popularisé sous le dicton *Stick to the knitting*. Cela paraît une lapalissade, mais les choses simples sont souvent tenues pour acquises et remplacées par des constructions qui peuvent être excitantes pour les acteurs concernés mais qui exposent l'organisation à l'adversité au lieu de la construire sur ses fondations les plus solides.

3. Il faut concentrer ses ressources sur les domaines où l'on a un avantage par rapport à la concurrence. Cela s'applique surtout lorsqu'on se trouve dans plusieurs domaines. La répartition des ressources est judicieuse lorsqu'elle évite la dispersion et renforce l'avantage concurrentiel. Ainsi, en stratégie, le dicton « ne pas mettre tous ses œufs dans le même panier » n'a de validité que lorsque les ressources sont plus importantes que ce qui est nécessaire pour renforcer les domaines principaux, ceux qui sont cruciaux pour la santé à long terme de l'organisation.

4. Il faut choisir la gamme de produits la plus étroite possible, compatible avec les ressources disponibles et les exigences du marché. Cette règle est une clarification supplémentaire de la précédente. Elle fait remarquer que l'on ne doit être dans plus d'un secteur d'activité que si l'on dispose de ressources excédentaires ou si les considérations stratégiques l'exigent. Ainsi, pour reprendre l'exemple du pétrole, il fut un temps où, pour être dans le raffinage, il fallait être dans la production de pétrole, parce que c'était la seule façon d'assurer les approvisionnements des raffineries.

B. UNE AFFAIRE DE PERSPECTIVE

Les perspectives présentées au chapitre II ont aussi une importance considérable dans la formulation de la stratégie. Elles peuvent chacune dominer la formulation et la colorer considérablement en réduisant les effets des autres perspectives. Voyons comment cela peut se présenter pour chacune des perspectives de base, celles qui font partie du cadre d'analyse présenté précédemment et qui donc participent directement à l'analyse stratégique, c'est-à-dire **l'environnement, les ressources, la communauté et les dirigeants.**

La conception de la stratégie peut être dominée par l'environnement, comme cela est proposé dans la démarche de Porter (1980). Dans ce cas, tous les éléments de l'analyse sont soumis au caractère déterministe de l'analyse de l'économie industrielle. Les ressources ne peuvent être utilisées que pour se positionner dans un monde qui est déjà tout établi et qui contraint tous les choix. Seuls les choix qui sont acceptables dans le cadre offert par l'environnement (surtout économique) peuvent permettre la survie de l'organisation. De la même manière, la perspective qui privilégie l'environnement aurait tendance à nier ou à négliger le volontarisme que permet le leadership, mais ne nierait probablement pas l'effet assez déterministe que jouent l'histoire et les caractéristiques culturelles de la communauté organisationnelle, mais elle aurait tendance à le subordonner aux structures économiques du secteur industriel. Cette perspective mène naturellement à des stratégies génériques, comme celles qui ont été évoquées plus haut, et au fond nie, quoique prudemment, la possibilité de stratégies vraiment uniques. Les travaux de Porter sont des illustrations claires de la démarche de cette perspective. Ce qui fait le succès d'une entreprise, c'est d'abord et avant tout la manipulation à la marge, surtout l'exploitation des forces qui conditionnent l'industrie, notamment les barrières à l'entrée, surtout les économies d'échelle et d'envergure, pour mieux se positionner.

Il peut y avoir une conception de la stratégie qui est dominée par les ressources et les avantages concurrentiels dont dispose ou dont peut disposer l'organisation. Cette perspective est alors plus volontariste, considérant par exemple l'environnement comme une construction de l'organisation. Délibérément orientée vers l'avenir et vers l'imagination, c'est une perspective plutôt entrepreneuriale ; l'avenir doit être imaginé et créé, plutôt que subi. Bien entendu, les dirigeants et leurs valeurs ont, dans cette perspective, une place de choix, tandis que la communauté et ses choix sont un instrument du contrôle de la société et de l'environnement en général. Un exemple frappant de cette démarche est celui de l'entreprise Sony qui, comme nous l'évoquions au chapitre II, fait subir à la concurrence un véritable barrage d'innovation. Pour Sony, l'environnement économique n'existe pas vraiment. Il est toujours dans le futur et on est obligé de l'inventer constamment.

La perspective qui privilégie la communauté d'acteurs est une perspective plus collective et plus idéologique, au sens où la communauté est animée par des idées qui donnent forme à ses actions. Les individus sont alors considérés au service de cette communauté et leurs contributions ne sont appréciées qu'en fonction de cela. Le leadership et ses valeurs sont déterminants dans cette perspective, parce que les leaders fournissent le sens dont a besoin la communauté, s'assurent qu'il est infusé dans la communauté et largement partagé, tout en réglant les problèmes qui peuvent défaire la communauté. L'environnement économique est considéré comme une construction sociale, mais cette construction devient alors normalement contraignante, tout en étant au service de la communauté. Au Québec, l'exemple du Mouvement Desjardins, une entreprise coopérative de crédit, dont les actifs consolidés étaient de l'ordre de 80 milliards de dollars canadiens en 1995, montre que le monde peut être entièrement conçu comme une expression des solidarités et de l'intégration de la communauté organisationnelle à la société environnante, dont elle fait partie. Ainsi, on a toujours considéré, dans la culture Desjardins, que le crédit devait être découragé, puisqu'il incitait à la consommation et donc à la dépendance des personnes à l'égard de leurs prêteurs. Lorsque Desjardins s'est heurtée à la nécessité de l'adoption de la carte de crédit, il a fallu repenser de manière fondamentale, et dans la douleur, la culture de l'ensemble du Mouvement et ses relations avec la société. L'adoption de la carte Visa a pris plus de huit ans.

La perspective de la stratégie dominée par le leadership des dirigeants est une perspective volontariste qui affirme que le monde peut être changé, si la direction est clairement établie et si les actions de la communauté sont ordonnées. Cette perspective reconnaît que le monde est une construction, qu'il n'y a rien de vraiment permanent ou objectif. La vue que les personnes ont du monde est relative et dépendante de leur histoire et de leur cheminement, donc de leurs valeurs. On ne voit alors que l'environnement et les ressources qui correspondent aux valeurs des dirigeants et de leurs proches. La communauté est importante, mais elle peut, comme l'environnement, être construite et se défaire. Cette perspective peut, bien entendu, souffrir des problèmes que peuvent poser les limites des dirigeants, comme cela semble être le cas dans beaucoup de pays en développement. Les exemples sont nombreux. On a mentionné les dirigeants de Sony ; on pourrait aussi parler de ceux de Honda, de Connoly à Crown Cork and Seal, et de très nombreux autres popularisés par la méthode des cas et les enseignements de politique générale.

V. L'ÉVOLUTION DE LA STRATÉGIE : L'IMPORTANCE DE L'HISTOIRE

Une entreprise évolue et notamment grandit en s'étendant géographiquement ou en se diversifiant vers d'autres marchés. Cette évolution semble suivre des chemins reconnaissables. Chandler (1962) l'a montré de manière irréfutable dans son étude sur l'histoire des grandes entreprises américaines. Son étude a été confirmée par de multiples études en Europe, au Japon et ailleurs. Salter & Weinhold (1979), formalisant les travaux de Chandler, a proposé une évolution en étapes des entreprises. Au stade I, l'entreprise est simple avec un seul produit ou une seule gamme de produits, gérée avec peu de formalité directement par le propriétaire qui remplit toutes les fonctions managériales, de manière subjective et sans démarche systématique de mesure ou de contrôle des performances.

Au stade II, l'entreprise a grandi suffisamment pour justifier une spécialisation plus grande et l'émergence de fonctions. La coordination est cruciale et est assurée à la fois par une formalisation et une systématisation plus grande et par une centralisation des tâches de coordination au sommet. En particulier, l'évaluation de la performance des responsables est plus formelle et basée sur l'atteinte des objectifs fonctionnels fixés en accord avec la direction générale. La planification est souvent l'instrument de gestion préféré. Généralement, le bureau du président devient plus important pour l'aider à assurer la coordination nécessaire, en particulier par la gestion des multiples systèmes mis en place.

Si l'entreprise continue à grandir, elle entreprend des activités nouvelles et diversifiées qui requièrent une organisation plus décentralisée basée sur les relations produits-marchés plutôt que fonctionnelles. C'est le stade III. La formalisation est toujours importante mais sur des bases différentes. Les responsables sont évalués sur les profits qu'ils réalisent dans les gammes de produits qui les concernent, avec une marge de manœuvre établie à l'avance. Il arrive souvent que chaque division fonctionne comme une entreprise du stade II. Dans les entreprises au stade III, le bureau du président peut être plus ou moins important, mais la tendance est à une diminution du nombre de personnes qui y travaillent. Les tâches principales qui y sont réalisées portent sur la gestion financière de l'ensemble et sur la clarification constante des règles du jeu et de la finalité de l'ensemble.

Il a été suggéré par Greiner que les entreprises ont une sorte de cycle de vie. Ce cycle de vie, basé sur les défis de gestion qui se posent à l'entreprise à mesure qu'elle grandit et se diversifie, comprend cinq étapes et le passage de l'une à l'autre de ces étapes suppose la résolution d'une véritable crise. Chacune de ces crises aurait le potentiel de détruire l'organisation. Après une croissance dite « par créativité », l'entreprise connaît sa première crise « de leadership ». La deuxième phase de croissance, « par direction », débouche sur une « crise d'autonomie ». Lorsque la crise est résolue, la croissance se poursuit par « délégation », mais celle-ci, avec le temps, mène à une crise de « bureaucratisation ». Elle est résolue pour déboucher à une phase de « collaboration », qui conduirait à une nouvelle crise non énoncée par Greiner, mais qui, à notre avis, viendrait de la multiplication des conflits que le caractère démocratique de la phase engendrerait. La crise devrait déboucher sur une cinquième phase, que les organisations sont peut-être encore en train d'expérimenter et qui consiste à réconcilier démocratie, flexibilité et efficacité.

Ce regard historique nous confirme que le cheminement stratégique d'une organisation présente aussi des régularités qui se manifestent le long de la vie de cette organisation. La compréhension de la dynamique sous-jacente à l'évolution de l'organisation permet de reconnaître les problèmes que les décalages entre la stratégie et les réalités engendrent et permet ainsi de mieux apprécier le moment où les décalages sont devenus suffisamment grands pour justifier un changement de stratégie.

L'appréciation des décalages nous pose aussi le problème de l'évaluation de la qualité d'une stratégie. Cela est notamment important lorsqu'on veut apprécier la stratégie après plusieurs années sans modification ou lorsqu'on veut apprécier la nature et la qualité de la stratégie des concurrents. Nous proposons à présent quelques repères pour faciliter cette évaluation.

VI. COMMENT ÉVALUER LA QUALITÉ DE LA FORMULATION STRATÉGIQUE ?

Être capable d'apprécier la qualité de la formulation de la stratégie est une préoccupation majeure des dirigeants des organisations, surtout lorsque l'organisation devient trop complexe et qu'ils ne peuvent participer directement à l'analyse et à la réflexion stratégique dans tous les domaines. Il faut donc imaginer une série de critères qui permettent de dire si la formulation est bonne ou mauvaise. En fait, on ne peut pas vraiment porter de jugement sur le contenu, sur les choix eux-mêmes, sauf peut-être de manière limitée *a posteriori,* mais on peut *a priori* porter un jugement sur le processus, la façon dont les choix ont été réalisés.

La première qualité de la stratégie d'entreprise est d'harmoniser les décisions qui sont prises de façon à faire converger les efforts. Cette idée de convergence est aussi une idée de cohérence. On peut même affirmer, comme l'ont montré les discussions du chapitre précédent, que la stratégie est synonyme de cohérence. Les critères d'évaluation vont donc utiliser abondamment cette idée de cohérence. Nous allons en particulier apprécier la cohérence des choix qui sont faits avec les résultats de l'analyse. On aurait ainsi quatre grands critères qui peuvent être utilisés *a priori* et trois critères qui peuvent être utilisés lorsque la stratégie est mise en application.

A. Les critères d'évaluation *a priori*

1. La stratégie choisie est-elle conforme aux (ou cohérente avec les) résultats de l'analyse de l'environnement ?

Nous l'avons vu, l'environnement engendre opportunités et menaces. Sont-elles prises en considération dans les choix qui sont faits ? En particulier, la stratégie tire-t-elle parti des opportunités qui s'offrent dans cet environnement ? Permet-elle de faire face aux menaces les plus sérieuses ? On pourrait aussi, pour l'évaluation, être plus spécifique dans la définition des éléments de l'environnement avec lesquels on veut vérifier la cohérence. Ainsi, on pourrait se demander si la stratégie permet d'augmenter les barrières à l'entrée ou si elle permet d'accroître les coûts du changement, etc., éléments qui seront spécifiés plus en détail au chapitre IV.

2. La stratégie choisie est-elle compatible (ou cohérente) avec les résultats de l'analyse des capacités internes ?

L'analyse des capacités internes clarifie ce qui peut être considéré comme une force ou comme une faiblesse, par comparaison à la concurrence. La stratégie doit normalement être construite sur les forces. Dans certains cas, il peut être justifié de travailler à réduire ses faiblesses, surtout lorsqu'elles risquent de mettre en péril l'organisation, mais le plus souvent les choix les plus avisés renforcent ce qu'on fait bien et l'utilisent dans la lutte concurrentielle. Alors, la stratégie est-elle construite sur les forces de l'organisation ? Prend-elle en considération les faiblesses formulées ? On pourrait être encore plus spécifique, avec une connaissance plus fine de la chaîne de valeur, que nous verrons au chapitre V. Ainsi, on pourrait se demander si la stratégie permet d'utiliser les ressources qui sont disponibles et qui ne sont pas à l'œuvre, ou bien si la stratégie permet de renforcer les relations entre les activités créatrices de valeurs. On peut aussi se reporter aux stratégies génériques et se demander si la stratégie permet d'améliorer les coûts ou la différenciation.

3. La stratégie choisie est-elle compatible avec la nature de la communauté organisationnelle et ses préoccupations ?

Les choix de responsabilité sociale sont une condition essentielle de l'équilibre de l'organisation. En conséquence, comment les préoccupations sociétales de la communauté organisationnelle sont-elles prises en considération par la stratégie ? La stratégie aura-t-elle des répercussions sur ce qui est valorisé par les membres de l'organisation ?

4. La stratégie choisie est-elle cohérente avec les valeurs des dirigeants clés ?

Les valeurs des dirigeants clés sont non seulement importantes, mais leur importance est croissante. On ne peut ignorer les valeurs de ceux qui participent à la prise de décision sans risquer de mettre en péril la réalisation de la stratégie. En conséquence, la stratégie prend-elle en considération les valeurs des dirigeants clés de l'organisation ? Laisse-t-elle une place à leurs croyances et à leur vision du monde ?

B. LES CRITÈRES D'ÉVALUATION *A POSTERIORI*

A posteriori, nous sommes déjà dans les effets de la stratégie et ces effets sont soit à court terme, comme le profit pour les entreprises, soit à long terme, comme la clarté de la finalité pour les membres et la force de l'avantage concurrentiel réalisé. D'où les questions :

5. Les résultats à court terme de l'organisation confirment-ils la validité de la stratégie choisie ?

Parmi ces résultats, il y a la performance économique, mais aussi tous les critères de performance concrets auxquels l'organisation veut montrer un score important pour impressionner ses mandataires principaux (actionnaires, gouvernement, associations, etc.). Cette évaluation de la performance a été décrite en détail dans Thompson (1967).

6. La stratégie choisie crée-t-elle un avantage compétitif substantiel et soutenable ?

L'avantage compétitif est aussi mesuré par des indicateurs qui sont associés à la performance à plus long terme. On peut mentionner : l'avantage sur les coûts, la différenciation des produits (comme pour la société Rolls-Royce), la différenciation de marque (comme pour Coca-Cola) et, en général la mise en place de barrières à l'entrée plus fortes, comme cela est décrit au chapitre IV.

7. La stratégie constitue-t-elle un guide d'action efficace et flexible pour l'ensemble du personnel et en particulier pour les responsables clés ?

La finalité de l'organisation est particulièrement importante pour la concentration des efforts. Si elle est trop générale, elle est valable pour toutes les organisations et elle perd alors de son emprise sur les membres de l'organisation. Si elle trop précise, elle ne leur laisse pas suffisamment de place pour apporter leur contribution à son enrichissement.

Note n° 5

LA PLANIFICATION STRATÉGIQUE

par Marcel Côté

Plans mean nothing, planning is everything.
(Eisenhower)

Le bien-fondé de la planification est de plus en plus remis en question en cette époque où les changements sont variés, fréquents, importants et imprévisibles. Il n'est pas rare que des dirigeants d'entreprise justifient, sinon leur mépris, du moins leur désintéressement pour la planification à moyen et à long terme en invoquant qu'il est irréaliste de tenter de prévoir ce qui va arriver dans quelques mois, alors qu'il leur est impossible de prédire correctement ce qui va se produire demain. Le fait également que leur performance personnelle et celle de leur entreprise soient évaluées sur les résultats immédiats les incite peu à s'occuper activement des répercussions futures de leurs décisions présentes.

Nous allons traiter, dans les pages qui suivent, de la place de la planification au sein du processus administratif et de la nécessité d'adopter une attitude proactive pour planifier. Nous décrirons aussi les éléments (ou les composantes) de la planification et leur hiérarchisation en une chaîne moyen/fin. Nous traiterons en particulier de deux des composantes de cette chaîne, soit les objectifs et les stratégies. Nous parlerons de la concrétisation de la planification en trois sortes de plans. Nous détaillerons ensuite la préparation d'un de ces trois types de plans, le plan stratégique, et verrons les étapes de sa formation ainsi que le contenu de chaque étape. Nous énumérerons, en terminant, quelques conditions de réussite d'une bonne planification.

LA PLACE DE LA PLANIFICATION DANS LE PROCESSUS ADMINISTRATIF

Administrer une entreprise consiste à trouver le juste équilibre entre un grand nombre de buts et de besoins, soutenait Drucker (1957, p. 64) il y a déjà une quarantaine d'années. La planification est la fonction motrice de l'administration, car elle consiste à définir les buts et à déterminer les besoins. Elle active toutes les autres fonctions, à savoir l'organisation, la direction, la coordination et le contrôle. La détermination avant l'action de ce que deviendront les décisions et leur transcription en objectifs (ou en résultats escomptés), en stratégies pour les atteindre, en programmes et plans d'action s'appellent la planification à long terme, (Steiner, 1963, p. 312). En ce sens, elle doit être vue comme un processus continu, et non comme une activité qui a un début et une fin. En effet, peu de gens suivent une démarche linéaire et étapiste lorsqu'ils planifient ; ils adoptent plutôt le modèle du jardinier ou de la serre, souligne Mintzberg (1994, p. 333), ce qui permet à des idées et à des projets d'émerger et de prendre racine de manière continue et dans toutes sortes d'endroits.

LA PLANIFICATION, UNE QUESTION D'ATTITUDES PROACTIVES DEVANT L'AVENIR

Les dirigeants d'entreprise qui regardent avec un certain scepticisme la planification ont partiellement raison. En effet, un plan, le meilleur soit-il, ne peut pas déterminer aujourd'hui avec certitude ce qui va arriver dans quatre ou cinq ans. Ils ont par contre tort s'ils croient réussir dans leurs activités sans chercher à comprendre trois choses :
- les répercussions futures de leurs décisions présentes ;
- à l'inverse, les conséquences présentes des événements futurs ;
- les types de mécanismes ainsi que le climat de motivation requis pour aller au-delà du quotidien et pour s'assurer de l'engagement de leurs collaborateurs à examiner plusieurs solutions avant d'en choisir une ; ces derniers doivent donc adopter une attitude proactive plutôt que réactive à l'égard du futur.

Cela ne peut se faire sans tenter d'anticiper les principaux changements susceptibles de se produire autant dans l'environnement que dans les ressources de l'entreprise.

LES ÉLÉMENTS DE LA PLANIFICATION ET LEUR HIÉRARCHISATION

Nous venons de dire que la planification n'est pas un acte isolé ni une fin en soi, mais qu'elle est la composante clé d'une gestion efficace (faire les bonnes choses) et efficiente (bien faire les choses). Elle permet donc de relier

un certain nombre de plans dans une chaîne moyen/fin qui débute avec la définition de la mission de l'entreprise, suivie du choix des objectifs, des stratégies,
des politiques, des programmes et des plans d'action, le tout étant traduit dans
des budgets opérationnels. Chacun de ces plans devra constamment être révisé
pour tenir compte des changements qui surviennent dans l'un ou l'autre des
éléments de la chaîne. La figure 1, à la fin de la note, énumère les divers éléments de la hiérarchie des plans, donne leurs définitions respectives et les présente dans la chaîne moyen/fin. Décrivons plus en détail deux des éléments clés
de cette hiérarchie, à savoir les objectifs et les stratégies.

DEUX ÉLÉMENTS CLÉS DE LA CHAÎNE MOYEN/FIN : LES OBJECTIFS ET LES STRATÉGIES

En planifiant, un dirigeant assume la responsabilité de se fixer à
l'avance et de réaliser un certain nombre de résultats ou d'objectifs de performance (quantitatifs) et d'objectifs de valeur (qualitatifs) dans les huit domaines clés suivants : la position désirée sur le marché ; le degré d'innovation
recherché dans ses produits et dans ses activités ; le taux de productivité et de
valeur ajoutée visé ; la profitabilité escomptée ; le niveau de performance des
dirigeants et de leurs collaborateurs ; le niveau de rendement et l'attitude des
travailleurs ; les responsabilités à assumer auprès de ses actionnaires, de ses
clients, de ses fournisseurs, de ses employés et du public ; les ressources
requises pour atteindre l'ensemble des objectifs précités (Ackoff, 1970,
p. 23-41 ; Drucker, 1957, p. 63-87).

La stratégie répond à trois questions : Où aller (stratégie directrice) ?
Comment compétitionner (stratégie d'affaires) ? Avec quoi compétitionner
(stratégies fonctionnelles) ? La stratégie facilite la poursuite de la mission de
l'entreprise ainsi que l'atteinte de ses objectifs et elle constitue un point
d'ancrage pour les politiques, les plans, les programmes d'action ainsi que les
budgets. Elle est donc un moyen mis à la disposition du dirigeant pour
suivre la mission et atteindre ses objectifs. Elle devient aussi une fin pour
l'établissement des politiques, des programmes, des budgets et autres plans
d'action élaborés dans l'entreprise.

LA PLANIFICATION SE TRADUIT EN TROIS SORTES DE PLANS D'ACTION

La planification doit avoir un lien avec l'action parce qu'elle repose sur la
croyance que le futur peut être amélioré par des interventions faites maintenant.

Un exercice de planification va donc tenter de produire trois sortes de plans : les plans stratégiques, les plans organisationnels et les plans opérationnels. Ces plans devront être reliés en un tout cohérent si l'on veut prévoir quelles décisions sont requises aujourd'hui pour atteindre demain les résultats espérés.

Ainsi, les plans stratégiques clarifient la mission de l'entreprise en déterminant le choix de ses couples produit-marché, précisent ses objectifs quantitatifs et qualitatifs, formulent ses stratégies (directrices, d'affaires et fonctionnelles) et déterminent les politiques générales qui serviront à encadrer l'action. Les plans organisationnels permettent de structurer et d'organiser les ressources de l'entreprise pour atteindre les objectifs fixés en définissant la structure organisationnelle, les systèmes de gestion (d'information, de planification, de contrôle, de récompense et de punition, de motivation), le choix des cadres et des employés clés, le style de gestion souhaité.

Enfin, les plans opérationnels clarifient l'utilisation la plus efficace des ressources de l'entreprise, concrétisent les plans et les programmes d'action, précisent les politiques fonctionnelles, les procédures de travail, les normes et les mesures du rendement. En détaillant les budgets de chaque activité et de chaque fonction, les plans opérationnels précisent donc l'affectation des ressources qui seront utilisées pour mettre en œuvre les plans stratégiques dont nous allons décrire la préparation.

LA PRÉPARATION DES PLANS STRATÉGIQUES : UN PROCESSUS FORMEL CONTINU EN SIX ÉTAPES

Ackoff (1970, p. 6), Boulton (1984, p. 143) et Steiner (1963, p. 30) s'entendent pour dire que la préparation des plans stratégiques se décompose en un certain nombre d'étapes dont l'appellation et le découpage varient légèrement d'un auteur à l'autre, à savoir :
- l'évaluation de la situation interne ;
- l'analyse de l'environnement ;
- la fixation des objectifs et des prévisions concernant le portefeuille d'activités et la gamme de produits, le niveau des ventes, des profits et des investissements prévus dans le futur ;
- la communication des hypothèses de planification aux divisions et unités d'affaires de l'entreprise afin de faciliter le choix de leurs stratégies d'affaires et fonctionnelles ;
- l'élaboration des plans opérationnels et des budgets de chaque unité du groupe ainsi que leurs étapes de mise en œuvre ;

- l'établissement des mesures de contrôle et des standards de performance et de surveillance nécessaires pour observer attentivement la mise en œuvre des plans d'action, pour découvrir et récompenser les bonnes performances.

LA DESCRIPTION DE CHAQUE ÉTAPE DE PRÉPARATION DES PLANS STRATÉGIQUES

Chaque étape de préparation des plans stratégiques permet d'obtenir des réponses à des questions bien précises formulées dans le but d'éclairer le choix des actions futures des dirigeants.

1. L'ÉVALUATION DE LA SITUATION INTERNE

Où en est l'entreprise ? Sa mission est-elle toujours pertinente ? Les objectifs visés à ce jour sont-ils encore adéquats ? La stratégie directrice poursuivie jusqu'ici est-elle bonne ? Les stratégies d'affaires et fonctionnelles adoptées par chacun des centres d'activités stratégiques appuient-elles bien la stratégie directrice ? Quelles sont les principales forces et faiblesses de l'entreprise ? Son portefeuille de compétences contient-il des forces et des compétences distinctives qui vont l'aider à conserver ses avantages distinctifs et à distancer ses principaux concurrents ?

2. L'ANALYSE DE L'ENVIRONNEMENT

Que se passe-t-il dans chaque industrie du domaine de l'entreprise ? Quels changements sont survenus à l'extérieur de l'entreprise, dans son environnement, dans la concurrence ? Quelles sont les tendances prévues dans deux, quatre, huit ans ? Existe-t-il actuellement plus de possibilités que de menaces dans l'environnement ?

3. LE CHOIX DE LA MISSION ET DES OBJECTIFS FUTURS DE L'ENTREPRISE

Quels sont les projets envisagés par l'entreprise ? Où veut-elle aller ? Va-t-elle conserver ou changer sa mission, ses objectifs généraux, sa stratégie directrice ? Quelle sera la composition de son portefeuille d'activités ? Quelle position veut-elle occuper sur chacun de ses marchés ? Comment veut-elle se développer : par le lancement à l'interne ou l'acquisition de nouvelles activités ? par la croissance de ses activités ? par le maintien de la plupart des activités actuelles ? par l'élimination totale ou partielle d'un certain nombre d'activités ? Quelle synergie recherche-t-elle entre ses différents couples produit-marché pour mieux exploiter son portefeuille de compétences ?

4. La communication des principales données et hypothèses de planification formulées par les dirigeants au sommet et transmises aux gestionnaires des divisions et unités opérationnelles de l'entreprise

De quelle liberté ces derniers bénéficieront-ils pour utiliser ces renseignements au moment où ils formulent leurs stratégies d'affaires et fonctionnelles ? Comment ces renseignements vont-ils servir à la préparation des plans et des budgets opérationnels requis par chaque secteur d'activité ainsi qu'à l'allocation des ressources nécessaires à la mise en œuvre de ces plans ?

5. Les plans d'organisation à prévoir pour définir les structures afin de répartir les tâches et le pouvoir de décision entre les niveaux hiérarchiques, entre les unités elles-mêmes, entre les membres d'un même groupe

Quels systèmes et modes de gestion sont à prévoir pour appuyer la planification, le contrôle, la circulation de l'information, la gestion des systèmes de récompense et de punition ? Comment choisir les personnes requises pour réaliser les plans d'action prévus ? Quels échéanciers et calendriers d'action faut-il établir ? Quelles politiques et procédures, quels programmes d'action faut-il définir et utiliser pour encadrer la mise en œuvre des activités ?

6. L'établissement des mesures de contrôle et d'évaluation de la performance de l'entreprise

Quelles sont les logiques et les prémisses d'action qui sont proposées par ces mesures ? Ces mesures permettent-elles de vérifier la pertinence des objectifs et des stratégies visées, d'actualiser les plans d'allocation des ressources, d'évaluer en cours de route les performances réalisées afin de corriger au besoin l'ensemble des plans prévus ? Quels standards de performance individuels veut-on utiliser pour reconnaître et encourager les plus performants et pour aider les sous-performants ?

LES TROIS GRANDES APPROCHES DE PLANIFICATION

Les étapes de préparation des plans décrites précédemment et la séquence logique des questions qu'elles soulèvent peuvent nous laisser croire, du moins conceptuellement, que la planification nécessite une démarche formelle, logique et rationnelle. Dans la pratique, nous rappelle Ackoff (1970, p. 6-22), les dirigeants d'entreprise utilisent au moins trois grandes approches (ou philosophies) de planification très différentes, puisque chacune s'appuie sur un certain nombre d'attitudes, de façons de faire, de concepts très différents : l'approche « satisfaisante » (*satisficing*) ; l'approche « d'optimisation » (*optimizing*) ; l'approche « adaptative » (*adaptivizing*). Décrivons-les brièvement.

L'approche « satisfaisante » vise à définir un certain nombre d'objectifs quantitatifs et qualitatifs suffisamment élevés pour être désirables, motivants et réalisables sans nécessairement être les meilleurs. Cette approche de planification tend à favoriser le *statu quo* et à repousser les changements organisationnels sous le prétexte qu'ils peuvent engendrer la discorde. De plus, elle se contente d'utiliser les renseignements disponibles, ce qui n'encourage ni la recherche d'information additionnelle ni l'intérêt pour mieux comprendre le système de planification. Elle engendre la production de plans d'action qui, sans être optimaux, sont réalisables plus rapidement avec moins de ressources que les autres approches.

À l'opposé, l'approche « d'optimisation » cherche à faire faire le mieux possible en s'inspirant de modèles mathématiques d'optimisation dans le but de découvrir un certain nombre de solutions qui visent soit à minimiser l'utilisation des ressources requises pour atteindre un niveau précis de performance, soit à maximiser le niveau de performance réalisable avec les ressources disponibles, soit à obtenir le meilleur équilibre entre les coûts (les ressources consommées) et les bénéfices (la performance). Cette approche est difficile à utiliser pour la planification stratégique, puisqu'elle néglige la plupart des variables qualitatives à prendre en considération au moment de la finalisation du contenu des plans et de leur mise en œuvre.

L'approche « adaptative » met davantage l'accent sur le processus qui conduit à formaliser un plan que sur le contenu de ce plan. Elle s'appuie sur la croyance que c'est le comportement négatif des individus qui produit la plupart des situations ambiguës que la planification cherche à éliminer. Cette approche rejette l'idée que les événements futurs sont tous semblables. Elle propose de les classer en trois catégories distinctes : les événements certains, incertains et contingents. Chaque catégorie d'événements nécessite alors une démarche de planification distincte :

- Ainsi, la possession d'une information certaine incite les décideurs à s'engager davantage. Par exemple, la connaissance de la pyramide d'âge de la population d'une région donnée permet de mieux évaluer les répercussions de l'âge sur la demande de certains produits, ce qui peut inciter les décideurs à choisir des projets engageants et plus réalistes.
- L'adoption d'une façon de faire et d'une attitude positive devant des changements imprévisibles (tels un incendie, une inondation, le décès subit d'un dirigeant clé, la faillite d'un concurrent) aide à apprécier rapidement l'effet de tels changements sur les activités d'une entreprise et à modifier en conséquence ses plans.
- L'élaboration de plans de contingence définis au préalable afin d'anticiper les solutions alternatives à adopter à la suite de la venue de certains événements plus ou moins prévisibles. Cette démarche adaptative diminue les surprises et les réactions improvisées, puisqu'elle permet aux décideurs d'adopter rapidement des solutions de rechange planifiées.

CERTAINES CONDITIONS DE RÉUSSITE

Quelle que soit l'approche suivie pour élaborer des plans, il faut retenir que ces derniers ne se réaliseront jamais tels qu'ils sont formulés et qu'ils devront continuellement être révisés. C'est donc à la planification comme processus de décision qu'il faut accorder un grand intérêt. En effet, ce processus, en chapeautant les étapes de formulation et de mise en œuvre de la planification, permet de minimiser les risques de rupture entre les plans stratégiques, organisationnels et opérationnels et rend possibles leurs ajustements sur une base continue. Pour ce faire, les décideurs doivent apprendre à mieux mesurer les répercussions d'un certain nombre de variables économiques, humaines et organisationnelles sur le processus de planification.

Les décideurs doivent aussi s'assurer de l'engagement et du désir de tous de fournir les efforts requis pour formuler et mettre en œuvre les plans. Il est important qu'ils créent, au sein de l'entreprise et de ses unités, un climat favorable à la discussion et à des échanges afin de réconcilier les perceptions différentes des gens sur les changements survenus dans l'environnement, dans les ressources de l'entreprise et dans les valeurs des personnes.

Les décideurs doivent en outre s'assurer de bien comprendre les rôles respectifs exercés par les dirigeants du siège social et par les gestionnaires des divisions et unités opérationnelles. Il leur sera utile de compter sur la dispo-

Figure 1 La hiérarchie des plans [1]

Mission ⊖
Énoncé général mais durable des objectifs d'une entreprise décrivant le produit, le marché et la technologie de l'entreprise et reflétant les valeurs et les priorités des dirigeants.

Buts ⊖
Fins, définies en termes de quantité et de qualité, que l'entreprise veut réaliser.

Objectifs ⊖
Résultats escomptés en fonction d'un horizon temporel déterminé dans plusieurs secteurs de préoccupations.

Stratégie ⊖
Où aller? Comment y aller?

Politique ⊖
Lois et guides de pensée qui encadrent et gouvernent la prise de décision.

Plan ⊖
Moyen visant à réaliser la stratégie en s'appuyant sur des directives et des guides de décision (politiques).

Procédure
et règlement ⊖
Guides d'action qui précisent les étapes à suivre, les règles à respecter pour mettre en œuvre la décision.

Budget ⊖
Ensemble de séquences d'actions à exécuter avec cohérence afin de réaliser les plans établis.

Programme ⊖
Transcription chiffrée des objectifs et des programmes.

---

1. Adapté de Koontz, H., O'Donnell, C. et Weirich, H., *Essentials of Management*, 1986, p. 77, et d'Osborn, R.N., Hunt, J.G. et Jauch, L.R., *Organization Theory : An Integrated Approach*, New York, John Wiley & Sons, 1980, Côté, 1995, p. 36.

nibilité d'experts en planification (consultants internes ou externes) qui ont une bonne connaissance du secteur étudié et qui ont la capacité de faire participer tous les dirigeants et cadres engagés dans la formulation et la mise en œuvre des plans stratégiques. Enfin, le choix d'une personne responsable de la coordination des plans, de leur révision et de l'élaboration d'un calendrier de réalisation des diverses étapes du processus de décision facilitera la préparation, l'approbation et l'utilisation de meilleurs plans stratégiques, organisationnels et opérationnels.

L A   R É I N G É N I E R I E   E T   L A   S T R A T É G I E   D ' E N T R E P R I S E

p a r   G u y   A r c h a m b a u l t

La réingénierie est une remise en question fondamentale et une redéfinition radicale des processus opérationnels visant à obtenir des gains spectaculaires dans les performances cruciales que constituent les coûts, la qualité, le service et la rapidité. Voilà, en traduction libre, l'essentiel de la définition de Michael Hammer et James Champy (1983), à qui on attribue la paternité du « phénomène » de la réingénierie.

Certains gestionnaires voient dans la réingénierie une mode tirant à sa fin. D'autres la décrivent comme une nouvelle forme de *taylorisme* qui prescrit et généralise « la » façon de faire. Plusieurs, enfin, considèrent la réingénierie comme un phénomène durable qui s'attaque aux racines mêmes de ce qui a rendu tant d'entreprises vulnérables, notamment l'absence d'une véritable orientation-client.

Le sujet sera abordé en trois volets : en premier lieu, quelques précisions sur le concept de réingénierie ; en deuxième lieu, un relevé de ce que la réingénierie remet en question ; en troisième lieu, quelques réflexions sur les difficultés de bien réussir la réingénierie et sur les facteurs qui semblent contribuer à sa réussite. L'analyse permettra de conclure que la réingénierie, bien conçue et bien appliquée, devient une composante de la stratégie d'entreprise.

POURQUOI LA RÉINGÉNIERIE ?

L'objectif de la réingénierie est de concevoir à nouveau l'entreprise en mettant l'accent sur la clientèle et en se concentrant sur les processus opérationnels. Un processus opérationnel est constitué d'une série d'activités mettant en œuvre des ressources diverses et dispersées afin d'assurer la production d'un résultat qui contribue aux finalités de l'entreprise et qui présente une valeur pour le client.

À titre d'exemples de processus, citons la gestion d'une commande reçue, l'approvisionnement et les relations avec les fournisseurs, le développement d'un nouveau produit, le règlement d'un sinistre s'il s'agit d'une compagnie d'assurances, l'octroi d'un prêt par une banque, le suivi à une plainte reçue d'un client, la réception et la distribution du courrier, etc.

Les activités qui concourent à l'obtention du résultat recherché sont rarement une suite linéaire d'opérations. Le plus souvent, ces activités se situent en parallèle, présentent des itérations et sont dispersées dans la structure. Les tâches complémentaires sont exécutées par des personnes situées dans des secteurs différents de l'entreprise et ces personnes sont dissociées des finalités globales et du lien avec le client.

La réingénierie s'attaque le plus souvent à une vision mécaniste de l'entreprise issue du *taylorisme*. Mais l'organisation qui découle du *taylorisme* répond de moins en moins aux impératifs d'un environnement complexe et changeant. Les enjeux sociaux, technologiques, économiques et concurrentiels se modifient et on ne peut accepter que les intérêts du client soient subordonnés au bon fonctionnement d'une mécanique interne.

Les dirigeants d'entreprise cherchent donc à reconquérir la flexibilité et l'orientation-client. Depuis un bon moment déjà, les entreprises cherchent à s'éloigner de l'approche *taylorienne*; ainsi, la période 1970 à 1995 a été marquée par une prolifération de nouvelles approches. Chacune a suscité beaucoup d'enthousiasme, mais cet enthousiasme a très souvent fait place à la déception et au cynisme. C'est dans ce contexte qu'est apparue la réingénierie en tant qu'approche formelle de restructuration des processus d'affaires et de travail.

Pour approfondir la question, illustrons par quelques schémas les changements que la réingénierie apporte. Il sera facile par la suite de voir la portée de ces changements et de les situer par rapport à certaines techniques de gestion ainsi qu'à la stratégie d'entreprise.

Schéma A L'interface entreprise-client

AVANT : *Intervenants auprès du client*		
Les services sont spécialisés	Les activités sont morcelées	LE CLIENT a plusieurs points de contact avec l'entreprise
Service X	Un employé assume **A** Un employé assume **B**	
Service Y	Un employé assume **C** Un employé assume **D**	
APRÈS : *Intervenants auprès du client*		
Les services sont redéfinis	Les activités sont assumées par une personne devenue polyvalente ou par une équipe intégrée et semi-autonome	Le CLIENT a un seul point de contact avec l'entreprise
Service Z	L'employé ou l'équipe assume l'ensemble des activités: **A, B, C, D**	

Dans cet exemple, choisi fort simple pour en dégager facilement la logique, les activités A, B, C et D sont assumées, avant la réingénierie, par quatre personnes travaillant dans deux services différents. Aucun des intervenants ni aucun des services n'est en position de contrôle et de responsabilité sur l'ensemble des activités. Cette situation est caractérisée par des coûts élevés de coordination et par un faible engagement des employés envers le client. Le changement illustré dans la partie inférieure du schéma A doit s'effectuer pour que l'on puisse vraiment parler de réingénierie.

La structure organisationnelle peut constituer un obstacle majeur à la réingénierie. Si l'entreprise est structurée par fonctions, elle n'a pas de véritable orientation sur les processus ; il est difficile, dans ce cas, de satisfaire le client, car personne, sur le plan opérationnel, n'est en situation de responsabilité par rapport à lui. La véritable responsabilité se retrouve plus haut dans la hiérarchie, ce qui conduit à la centralisation d'un ensemble de décisions concernant le client. Il en est de même de l'entreprise dite divisionnalisée et structurée par produits ou par territoires, où le client se fait imposer un réseau d'interfaces complexe, lourd et peu efficace.

Schéma B Le partage des rôles entre gestionnaire et employé

	AVANT	APRÈS
Le gestionnaire	• Il planifie, organise, dirige et contrôle. • Il assume l'ensemble des décisions importantes.	• Il planifie, organise, dirige et contrôle. • Il partage les décisions importantes.
L'employé	• Il exécute et a peu ou pas d'influence sur les décisions importantes.	• Il planifie, organise, contrôle et exécute; • Il assume ou influence une partie des décisions importantes.

Le changement illustré au schéma B doit s'effectuer pour que l'on puisse vraiment parler de réingénierie.

Schéma C Le lien organisation du travail - structure organisationnelle

Le schéma C illustre une vice-présidence d'une grande entreprise au sein de laquelle on trouve trois activités administratives (1, 2, 3) et trois activités techniques (A, B, C).

AVANT la réingénierie	APRÈS
• VP responsable des activités 1, 2, 3, A, B, C - - -▸	VP responsable des activités 1, 2, 3, A, B, C
• Employés responsables de 1, 2, 3 - - - - - - ▸ • Employés responsables de A, B, C	Niveau éliminé
• Chef de service responsable de 1 - - - - - -▸ • Chef de service responsable de 2 - - - - - -▸ • Chef de service responsable de 3 • Chef de service responsable de A • Chef de service responsable de B • Chef de service responsable de C	Chefs de service responsables de 1, 2, 3 Chef de service responsable de A, B, C
• Chefs de section responsables de 1 - - - - -▸ • Chefs de section responsables de 2 - - - - -▸ • Chefs de section responsables de 3 • Chefs de service responsables de A • Chefs de section responsables de B • Chefs de section responsables de C	Chefs de section responsables de 1, 2, 3 Chefs de section responsables de A, B, C
• Employés responsables de 1 - - - - - -▸ • Employés responsables de 2 - - - - - -▸ • Employés responsables de 3 • Employés responsables de A • Employés responsables de B • Employés responsables de C	Directeur responsable de 1,2,3 Directeur responsable de A, B, C

La situation avant la réingénierie est caractérisée par des tâches, une gestion et une structure centrées sur la spécialisation. Au moyen de la réingénierie, on décloisonne les tâches, qui deviennent moins spécialisées, et on allège la structure en éliminant un niveau hiérarchique. Le schéma C illustre une réingénierie du travail qui conduit à la réingénierie du management et de la structure organisationnelle.

Schéma D Construire la transversalité

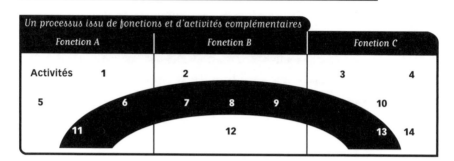

Dans le schéma D, la réingénierie entraîne la constitution d'une équipe de processus qui regroupe six activités (11, 6, 7, 8, 9 et 13) ayant des assises dans trois fonctions. Pour assurer l'efficacité du processus, l'entreprise désigne un gestionnaire de processus qui est en position de responsabilité et, à ce titre, détient une zone d'autorité sur les gestionnaires des fonctions. Deux logiques de fonctionnement se superposent et il faut s'attendre à ce que certains arbitrages soient faits à un niveau supérieur. Pour le client, la situation s'est améliorée, puisque l'interface client-entreprise est simplifiée ; ses besoins, ses problèmes et ses préoccupations sont assumés par une équipe intégrée, responsable et en lien direct avec lui.

CE QUE LA RÉINGÉNIERIE REMET EN QUESTION

À l'aide des schémas qui précèdent, on peut dégager les principaux aspects de la gestion et de l'organisation qui sont remis en question par la réingénierie.

La logique de l'organisation du travail est profondément modifiée ; le contenu du rôle des employés évolue de tâches simples à des tâches multidimensionnelles, de postes contrôlés à des postes plus autonomes, plus responsables et davantage en lien avec le client. En conséquence, les connaissances, les habiletés, les mentalités et les attitudes des employés évoluent en s'adaptant à ces nouvelles exigences.

L'orientation et le contenu des rôles de gestion sont aussi modifiés de façon significative ; ces rôles deviennent moins centrés sur la surveillance et le contrôle et davantage sur la mobilisation, la responsabilisation et le développement des personnes et des équipes. Donc, les philosophies, les mentalités, les styles, les habiletés et les pratiques des gestionnaires évoluent également en s'adaptant aux nouvelles exigences.

Le pouvoir décisionnel est décentralisé chez les employés et les groupes semi-autonomes, et ce pouvoir est appuyé par une large diffusion de l'information, rendue possible par les nouvelles technologies. La structure organisationnelle devient moins hiérarchisée et davantage axée sur les projets et les processus qui traversent les frontières des fonctions et des produits.

Les relations entre les différents secteurs de l'entreprise sont modifiées ; les territoires sont redéfinis, parfois fusionnés et les sous-cultures évoluent de la protection à l'ouverture et à la coopération.

Les relations avec la partie syndicale se modifient. La méfiance et les réflexes de défense et de protection hérités des pratiques passées font place à l'ouverture, à la flexibilité, à l'innovation et à la coopération. Le contenu de la convention collective de travail change, notamment en ce qui a trait aux descriptions de tâches jusque-là rigides et dysfonctionnelles.

Les pratiques, les politiques et les mécanismes concernant la gestion des ressources humaines sont adaptés à la nouvelle philosophie de gestion.

Il est donc difficile de conclure que la réingénierie se réduit à une simple technique de gestion et de réorganisation. Elle consiste plutôt en une nouvelle vision de la gestion et de l'organisation. En ce sens, la réingénierie devient une composante importante de la stratégie d'entreprise, au même titre que l'orientation des produits, les positionnements de territoires, les axes de développement, les alliances et les valeurs privilégiées. La réingénierie transforme non seulement les façons de faire mais également les façons de voir et d'être.

LA DIFFICULTÉ DE RÉUSSIR LA RÉINGÉNIERIE

Étant donné l'ampleur et la profondeur de ce qui est remis en question, on peut penser que la transformation recherchée par la réingénierie sera difficile à réaliser. D'autant plus qu'un grand nombre d'entreprises sont caractérisées par une faible capacité de changement ; pensons à l'ensemble des attitudes, des mentalités, des pratiques, des politiques, des méthodes et des systèmes qui sont susceptibles de se dresser en obstacles.

Les dirigeants d'entreprise et les gestionnaires n'apprécient généralement pas qu'on leur complique l'existence en soulignant la complexité de ce qui doit être changé. Quant aux chercheurs, ils ont tendance à accorder beaucoup d'importance aux risques, aux obstacles et aux difficultés qui accompagnent les changements majeurs. Néanmoins, le chercheur et le praticien cherchent, chacun à sa façon, à cerner ce qui peut contribuer à la réussite de la réingénierie.

Mais réussite en fonction de quoi, selon qui et mesurée comment ? Comment évaluer un projet de réingénierie qui a donné des résultats jugés modestes, lorsque les objectifs étaient au départ trop ambitieux ? Comment évaluer un projet qui semble avoir échoué mais qui a permis aux gestionnaires et aux dirigeants, avec un peu de recul, de mieux comprendre les véritables enjeux du changement et les pièges que recèlent les approches faciles ? Que penser de l'entreprise qui fait de la réingénierie un instrument de relations publiques en publicisant des résultats apparemment impressionnants mais fort modestes lorsqu'on y regarde de près ? Et de l'entreprise qui a réussi des transformations mais qui préfère les taire aux yeux du public et des chercheurs ?

On peut cependant affirmer, compte tenu, d'une part, de l'ampleur et de la profondeur de ce qui est remis en cause et, d'autre part, de l'état des entreprises au moment du démarrage d'un projet, que si le diagnostic des obstacles et la mesure de la capacité de changement de l'entreprise sont superficiels, la démarche de changement sera vouée à l'échec.

En se référant à des recherches et à des écrits à portée plus large traitant de la transformation et de la réingénierie, on peut dégager ce qui « semble » contribuer à la réussite des projets. Mais un tel bilan appelle des réserves, car la spécificité des contextes est un élément déterminant et la réussite du changement sera largement fonction du caractère « sur mesure » de la démarche entreprise.

CE QUI SEMBLE CONTRIBUER À LA RÉUSSITE

La réussite en matière de réingénierie « semble » tenir aux facteurs suivants : un inventaire suffisamment approfondi de ce qui est remis en question par le projet ; un diagnostic approprié de la capacité de changement des personnes et de l'organisation ; des objectifs suffisamment explicites et réalistes ; la reconnaissance du fait que la mise en œuvre est une intervention complexe qui exige un investissement d'énergie énorme dans la gestion du changement ; le partage des insatisfactions par rapport à la situation actuelle et la création d'un sentiment d'urgence.

Elle tient aussi à ces autres facteurs : le choix de processus d'affaires et de travail significatifs pour l'employé et pour le client ; un engagement et un appui réel et actif de la haute direction ; des porteurs de projets influents, crédibles, convaincus et disponibles ; des équipes compétentes, dotées de ressources, possédant une marge de manœuvre et représentatives des secteurs de l'entreprise touchés par la réingénierie ; des ressources humaines, financières et informationnelles suffisantes ; une mise à contribution significative des personnes touchées ; une démarche qui s'articule autant du bas vers le haut que du haut vers le bas ; une formation adéquate et au bon moment des personnes devant s'adapter aux nouvelles exigences du travail.

La réussite tient enfin à ces derniers facteurs : un dialogue avec la partie syndicale et la mise en place de mécanismes de collaboration et/ou d'information selon le cas ; un rythme approprié qui évite la bousculade effrénée ou les lenteurs excessives ; la sagesse de ne pas se laisser piéger par des calendriers de réalisation trop précis ; le souci de préciser des indicateurs quantitatifs et qualitatifs de performance qui serviront à évaluer les résultats ; la patience d'attendre les résultats sans précipiter les choses ; la présence de consultants aidants qui ne viennent pas se substituer au jugement et aux responsabilités des membres de l'organisation et qui ont le souci et l'habileté de leur transférer une partie significative de leur expertise.

Le défi de la réingénierie est d'autant plus grand que tout ne doit pas changer. Il faut créer, au sein de l'entreprise, le délicat équilibre entre la continuité et le renouveau, entre l'ordre et le chaos. Il faut surtout éviter de jeter le bébé avec l'eau du bain sous prétexte de faire moderne.

Une plus grande orientation vers le client n'implique pas nécessairement la disparition de la structure par fonctions ou de la structure par produits. La solution aux dysfonctions actuelles de l'organisation ne réside pas dans une prétendue structure horizontale, décloisonnée et virtuelle. Certes, l'entreprise peut évoluer vers une structure de type matriciel, mais en y accentuant les responsabilités liées aux processus en lien avec les clients. L'évolution de l'organisation et de la gestion suppose la volonté, la capacité et l'énorme disponibilité requises pour gérer les tensions, les conflits et les ambiguïtés qui accompagnent la mise en œuvre de la réingénierie.

Il ne faut pas surévaluer la capacité d'ajustement mutuel des personnes et des groupes. Pas plus qu'il ne faut sous-évaluer le fait qu'en dépit d'une plus grande responsabilisation et d'une plus grande autonomie accordée aux groupes de travail, la direction des personnes et des groupes doit demeurer une activité essentielle au succès de l'entreprise. Dans une entreprise qui se veut contemporaine, les individus ne sont pas des particules qui flottent dans un système virtuel et qui se déplacent au gré des projets à réaliser. Une organisation plus souple et la présence d'individus devenus davantage autonomes n'atténuent pas la nécessité de diriger le personnel et d'assurer une forme d'ancrage aux personnes, même si la structure doit être une architecture souple. Sans cet ancrage, la mobilité des personnes vers d'autres entreprises atteindra un niveau qui desservira l'organisation ; ce phénomène est d'ailleurs déjà observable dans plusieurs entreprises.

Les technologies de l'information facilitent l'implantation des processus et permettent d'en construire de nouveaux. C'est cependant l'évolution des personnes qui doit demeurer au centre des préoccupations de la réingénerie. Il est inévitable qu'au sein d'une entreprise qui a mal vécu une expérience majeure de transformation, le personnel devienne cynique devant toute nouvelle tentative d'amélioration. Contrairement à l'opinion populaire, il y a peu de modes en gestion. Il y a surtout des approches de changement parfois trop ambitieuses, occasionnellement mal comprises et très souvent mal implantées.

La réingénierie est une composante de la stratégie d'entreprise ; elle répond non seulement à des impératifs économiques liés aux coûts et aux délais, mais elle favorise également un plus grand engagement du personnel et accroît la considération de l'entreprise pour le client, ce qui ajoute à la valeur intrinsèque des produits et des services offerts et à la pertinence des clientèles et des territoires visés.

Note n° 7

DE LA PLANIFICATION DE LA STRATÉGIE À LA GESTION DE LA STRATÉGIE ÉMERGENTE

par Christiane Demers

Même dans les organisations où la planification stratégique occupe une place importante, l'action stratégique est parfois émergente. Ainsi, lorsqu'il est devenu clair que Lavalin, la plus grande entreprise de génie-conseil du Canada, était en difficulté et se cherchait un acheteur, les dirigeants de SNC, sa concurrente, ont réagi rapidement pour saisir l'occasion qui se présentait, avec le succès que l'on connaît aujourd'hui. Pourtant, SNC, qui avait déjà une division manufacturière, planifiait de poursuivre sa diversification hors du domaine du génie (Demers & Prud'homme, 1999 ; Lalande, 1991). Après la fusion, les dirigeants de SNC-Lavalin ont dû refaire leur planification stratégique pour tenir compte du fait que l'entreprise était maintenant un joueur important sur la scène internationale dans le domaine du génie.

Les actions opportunistes ou défensives entreprises pour faire face à l'imprévisible ne constituent pas l'essentiel de ce qu'on entend ici par stratégie émergente. De fait, sur un continuum allant de stratégie délibérée à stratégie émergente, ces réactions ponctuelles, même si elles ne découlent pas d'une planification à long terme, restent dans une certaine mesure délibérées, puisqu'elles sont le résultat de choix intentionnels faits par les dirigeants. À l'opposé, on trouve la stratégie véritablement émergente, qui est non intentionnelle, car elle résulte de l'effet cumulatif d'actions spontanées. Par exemple, l'évolution de l'ONF (Office national du film), telle qu'elle est décrite par Mintzberg & McHugh (1985), est un cas typique de stratégie émergente. En raison du succès d'un cinéaste dans la réalisation de films pour la télévision, plusieurs réalisateurs ont continué sur sa lancée et l'ONF, pendant un certain temps, a consacré plus des deux tiers de ses efforts à cette activité. Cette stratégie ne découlait pas d'un plan préétabli, mais plutôt de la convergence non prévue d'actions individuelles.

On peut se demander quel est l'intérêt de parler de stratégie émergente dans un livre portant sur la gestion stratégique si, comme l'illustrent les deux exemples précédents, la stratégie émergente est avant tout une question de hasard. Les questions qui se posent sont donc les suivantes : Peut-on gérer l'émergence ? Si oui, dans quel contexte peut-on intervenir et comment ? Quel est le rôle de la direction générale et celui des unités locales dans le processus stratégique ? Pour répondre à ces questions, il est utile de revenir à la distinction classique entre la formulation et l'implantation de la stratégie ou entre la vision et l'action stratégiques.

UNE TYPOLOGIE DES PROCESSUS STRATÉGIQUES

Le processus de planification stratégique, tel qu'on l'a vu à la note précédente, comprend, après avoir posé un diagnostic interne et externe, l'établissement d'objectifs stratégiques et l'élaboration des moyens pour atteindre ces objectifs. Dans le cas d'une stratégie planifiée, on adopte donc une démarche déductive et séquentielle, à long terme, dans laquelle la formulation des fins et des moyens est suivie de l'implantation (Mintzberg, 1979).

Même dans le cas de ce processus planifié typique de la stratégie délibérée, il y a une certaine part d'émergence au moment de la mise en œuvre (Demers, 1990). En effet, le passage de la stratégie intentionnelle à la stratégie réalisée exige que les décisions des dirigeants soient concrétisées par les employés, ce qui nécessite toujours certains ajustements. De plus, l'apprentissage qui se fait dans l'action peut amener des modifications aux objectifs de départ. Ces ajustements, généralement mineurs, peuvent améliorer la stratégie planifiée ou, au contraire, produire progressivement de l'incohérence dans cette stratégie. Toutefois, un bon suivi permet de gérer ces actions locales émergeant de la mise en œuvre et de s'assurer qu'elles sont compatibles avec la vision globale de départ.

Ce type de processus caractérise, entre autres, les grandes entreprises dont le développement passe par des investissements de longue durée nécessitant des capitaux importants et qui évoluent dans un environnement plutôt prévisible où les règles du jeu sont connues. Certaines entreprises du secteur de l'énergie, par exemple, fonctionnent selon ce modèle. Une crise peut certes amener un passage temporaire à un mode de gestion axé sur une durée à court terme, mais on retourne ensuite à la planification à long terme, comme dans le cas de la fusion de SNC et de Lavalin. Dans ce cas, la pertinence de la stratégie dépend essentiellement du jugement des dirigeants, de la justesse de leur compréhension de l'entreprise et de son environnement, de la façon dont ils gèrent la mise en œuvre, ainsi que de leur capacité à réagir efficacement aux imprévus.

Au contraire, dans le cas d'un processus purement émergent, la stratégie résulte d'une convergence spontanée d'actions individuelles (Mintzberg & Waters, 1985). Les dirigeants peuvent ensuite officialiser, donc rendre intentionnelle, la stratégie déjà réalisée. La direction ne joue ici qu'un rôle stratégique après coup, la vision stratégique (formulation) découlant de l'action (mise en œuvre). Ce type de comportement stratégique se trouve surtout dans des entreprises comme l'ONF, dont le succès dépend pour beaucoup des réalisations individuelles de ses membres et où l'essentiel de l'action de la direction se résume à la gestion de l'identité organisationnelle, c'est-à-dire à la création d'un sens commun ou d'une vision globale, à partir d'actions locales autonomes.

Ce processus émergent comporte certaines faiblesses, parce qu'il laisse au hasard la convergence stratégique globale et entraîne un grand risque de dispersion. Il n'est donc viable que dans certains types d'entreprises et dans des contextes bien particuliers. Par ailleurs, le processus planifié cause également un problème, lorsque l'environnement se complexifie et devient de plus en plus imprévisible. Les transformations rapides et imprévues du contexte dans de nombreux secteurs d'activité font que les objectifs et les moyens planifiés se révèlent souvent désuets avant même leur mise en œuvre. Que font, alors, les entreprises qui vivent en contexte de complexité ? Doivent-elles renoncer à toute planification pour gérer au jour le jour ? Comment peuvent-elles tirer profit des initiatives locales et des connaissances accumulées sur le terrain sans risquer la dispersion stratégique ?

Entre les deux pôles du continuum intentionnalité/émergence, on trouve une variété de processus stratégiques qui combinent, de différentes façons, vision (formulation) et action (mise en œuvre) stratégiques, tant au niveau global (direction générale) que local (unités opérationnelles). Pour simplifier, nous les regrouperons sous deux catégories que nous appelons respectivement processus évolutif et processus itératif. Le premier consiste en une démarche où processus planifié et processus émergent se déroulent en parallèle pour assurer le renouvellement de la stratégie (Burgelman, 1996). Le second est un processus « tâtonnant » qui se caractérise par un va-et-vient constant et une influence réciproque entre vision et action stratégiques aux niveaux global et local (Avenier, 1997).

Le processus évolutif

Le processus évolutif se distingue des modèles planifié et émergent du fait que les deux processus coexistent dans l'organisation et participent, chacun à sa façon, à l'évolution de la stratégie de l'entreprise. En effet, dans le processus de gestion stratégique évolutif, il se produit à différents moments une jonction entre processus planifié et processus émergent qui permet, dans une certaine mesure, de compenser les faiblesses de l'un et de l'autre. Comme les deux processus existent en parallèle, le processus émergent est autonome et favorise le développement d'initiatives locales qui se déroulent hors de la trajectoire stratégique planifiée. Le processus émergent est, en fait, un laboratoire où l'organisation peut expérimenter et apprendre. Ces projets qui débutent à petite échelle sont protégés par des « champions » ou « intrapreneurs » pendant qu'ils font leur preuve. Dans un processus ascendant, certaines des initiatives qui ont du potentiel sont ensuite traduites, par des cadres de niveau intermédiaire, en termes plus généraux qui suggèrent un élargissement ou un changement de la vision globale existante. Si elles sont sélectionnées par la haute direction, ces initiatives sont ensuite intégrées au processus planifié où elles contribuent à renouveler la stratégie de l'entreprise. Un tel processus hybride permet à l'organisation d'innover en profitant de l'expertise locale, mais il assure aussi à la direction une influence importante sur la formulation de la stratégie globale.

Burgelman (1996) raconte comment l'entreprise Intel Corporation, qui a fait sa marque dans l'industrie des semi-conducteurs en fabriquant des mémoires pour ordinateurs, est devenue un producteur de microprocesseurs. Lorsqu'Intel a décidé d'abandonner officiellement le domaine des DRAM (Dynamic Random Access Memory) en 1986 et de devenir une entreprise de microprocesseurs, les ventes de ces derniers constituaient déjà la part la plus importante de ses revenus depuis plusieurs années. Pourtant, jusque-là, Intel se voyait toujours comme un fabricant de mémoires. Le développement de l'activité microprocesseur était, au départ, le projet d'un petit groupe qui a profité de la marge de manœuvre qui existait dans le système (en ce qui concerne les ressources financières et humaines, etc.) pour faire l'apprentissage de ce nouveau domaine d'activité et le développer. Et ce n'est que lorsqu'un changement de contexte a menacé la position d'Intel sur le marché des mémoires que la direction a officiellement changé la stratégie de l'entreprise. Intel a ainsi pu se renouveler sans vivre les affres d'un changement brutal.

Un tel processus repose sur le flair de la haute direction pour repérer parmi les projets émergents qui lui sont présentés ceux qui sont les plus prometteurs. Mais, dans une telle démarche, les compétences stratégiques ne peuvent être l'apanage exclusif de la haute direction. En effet, la qualité des initiatives locales dépend des innovateurs eux-mêmes et du contexte dans lequel ils évoluent. De plus, le niveau intermédiaire joue un rôle particulièrement important en tant que porteur de ces initiatives locales. Les gestionnaires intermédiaires doivent être capables de saisir le potentiel stratégique de ces projets et de les traduire dans un langage significatif pour la haute direction. Ce sont eux qui sont au point d'intersection entre les processus planifié et émergent, et leur crédibilité dépend du succès des projets dont ils font la promotion. En fait, la formulation au niveau global est une traduction et une combinaison d'initiatives stratégiques émergentes déjà mises en action au niveau local. Toutefois, contrairement au processus purement émergent, cette formulation est l'œuvre de dirigeants qui agissent en tenant compte également du processus délibéré, et qui, par conséquent, assurent un équilibre entre les deux.

Une telle démarche est caractéristique des entreprises évoluant dans des secteurs où les cycles sont très courts à cause, par exemple, de la course à l'innovation. Comme la survie de ces entreprises dépend de leur capacité à créer de nouveaux produits, elles mettent au point des façons de faire qui leur permettent de se renouveler constamment. Elles consacrent généralement une part importante de leurs ressources à la R-D et disposent de ressources mobiles.

Toutefois, une telle démarche s'applique difficilement aux organisations qui évoluent dans des environnements très complexes et qui ne dépendent pas essentiellement de l'innovation sur le plan de leurs produits. Un tel contexte exige plutôt des innovations quant à la gestion interne et aux façons de faire de l'entreprise. Forcément, ces dernières ayant des répercussions sur les activités courantes, elles ne peuvent être faites en marge du processus délibéré. Ces dernières remarques nous incitent à parler du processus itératif.

LE PROCESSUS ITÉRATIF

Le processus itératif se distingue du modèle précédent parce qu'il n'y a pas dans cette démarche une séparation aussi nette entre processus planifié et émergent. Il s'agit d'un processus plus fluide que le processus évolutif, à cause du va-et-vient constant entre vision et action stratégiques qui s'influencent et se modifient constamment. Il n'est pas intégralement émergent du fait qu'une certaine vision stratégique guide l'action. Mais, contrairement à ce que l'on trouve dans le modèle planifié, la formulation de la stratégie est plutôt floue ; elle est une cible large et mouvante qui permet d'englober de nombreuses actions stratégiques locales. Comme on ne connaît pas la direction précise où l'on veut aller, même si les dirigeants formulent des objectifs généraux et peuvent entreprendre certaines activités stratégiques à l'échelle globale (par exemple, un changement structurel ou une acquisition qui permet de développer de nouvelles compétences), ils laissent aux unités locales le soin de faire des expérimentations en fonction de leur interprétation particulière de la cible globale. Ces visions locales sont testées dans l'action et les projets qui ont du succès permettent un apprentissage local. Cet apprentissage dans l'action sert ensuite à préciser ou à modifier les visions locales et globales. Dans ce cas, la séparation entre vision (formulation) et action (mise en œuvre) stratégiques devient moins pertinente. La vision se définit dans l'action et l'action prend son sens dans la vision ; cela peut s'exprimer, comme le fait Avenier (1997), en termes d'interaction entre « penser pour agir » et « agir pour penser ».

Alors que, dans le modèle évolutif, le processus émergent est complètement autonome et même parfois clandestin, dans le modèle itératif, il fait partie intégrante de la démarche stratégique et est en interaction constante avec le processus planifié. Même si, dans cette approche, le processus dans son ensemble est plus émergent, parce que la formulation d'origine est très imprécise, l'émergence y est plus étroitement encadrée du fait qu'elle est explicitement intégrée dans la démarche. D'une part, des structures ponctuelles intégrant différentes unités locales peuvent être créées pour favoriser l'innovation, en laissant à ces unités la marge de manœuvre nécessaire pour produire leurs propres projets. D'autre part, des processus peuvent être mis en place pour accélérer la communication transversale, et la communication entre les niveaux global et local, et ce, afin de faciliter l'aller-retour entre vision et action stratégiques des niveaux global et local.

Une illustration intéressante du modèle itératif ou de la stratégie tâtonnante est le cas d'EDF (Électricité de France), le monopole de production et de distribution d'électricité en France. Faisant face à un contexte de plus en plus complexe, l'entreprise a remis en cause ses pratiques managériales. Ayant traditionnellement eu un système de planification très centralisé, adapté au développement de grands programmes industriels à forte teneur technologique, la direction d'EDF a voulu, par un effort de décentralisation, encourager les initiatives stratégiques prenant en compte les spécificités locales. Ce faisant, un processus stratégique de niveau intermédiaire s'est enclenché afin de développer des projets à l'échelle régionale. Un tel dispositif, qui ne transforme pas la structure formelle proprement dite, contribue à créer de nouvelles relations et à faire émerger de nouvelles problématiques qui lient les initiatives locales et les rendent plus facilement intégrables à la vision globale.

Comme on le voit, la vision stratégique d'EDF, même si elle émane de la haute direction, fait une place importante au processus émergent, parce qu'elle est basée sur l'hypothèse que l'initiative stratégique doit venir du niveau local, là où se trouvent les connaissances nécessaires ou, du moins, là où on peut les acquérir.

En fait, du point de vue de la formulation, dans une telle démarche, les objectifs de la direction concernent davantage le processus lui-même que le contenu de la stratégie : on ne sait pas où on veut aller (et on pense que d'autres sont mieux placés que nous pour le savoir), mais on a une certaine idée de la façon dont on veut s'y rendre (ou, plutôt, on a une idée de ce qu'il faut faire pour y être amenés).

Dans le modèle itératif, on tient pour acquis que les compétences stratégiques doivent être partagées dans l'organisation : tous les niveaux doivent donc participer à la formulation et à l'actualisation de la stratégie. Ce modèle comporte de nombreuses variantes, selon la place donnée à chaque niveau dans la formulation et l'actualisation de la stratégie dans le temps. Par exemple, jusqu'où ira l'autonomie des unités locales dans la mise sur pied de nouveaux projets ? Y aura-t-il une définition conjointe de la vision globale, après l'expérimentation, ou le travail de sélection et d'intégration sera-t-il essentiellement mené par la direction ? Étant donné que l'on gère un processus émergent, les risques de récupération par la haute direction et d'un retour au processus planifié centralisé sont plus élevés.

Toutefois, cette approche permet de compenser les faiblesses des modèles planifié et émergent dans un contexte complexe où l'entreprise doit développer des compétences stratégiques liées à l'action collective, c'est-à-dire dans le cadre d'activités qui peuvent nécessiter beaucoup de coordination entre différentes unités locales ou, encore, qui touchent l'ensemble de l'entreprise.

À l'image de l'environnement qui devient de plus en plus complexe, la gestion stratégique se complexifie. Le processus évolutif et, plus encore, le processus itératif, chacun à sa façon, comportent des exigences accrues sur le plan individuel aussi bien que collectif, tant du point de vue de l'innovation (divergence) que de la synergie (convergence). Ils ne sont donc pas des recettes miracles permettant de faire face sans heurts à la complexité, mais plutôt des pistes, tirées de l'expérience d'organisations complexes, permettant d'apprivoiser cette complexité.

L ' I N T U I T I O N   E T   L A D É M A R C H E   S T R A T É G I Q U E D E S   E N T R E P R E N E U R S   À S U C C È S

par Nathaly Riverin

La création de nombreuses entreprises (majoritairement des PME) depuis le début des années 1980 et le succès fort intéressant d'autant de PME dans des secteurs d'activité variés sont deux tendances de fond qui rendent légitime le courant de recherche qui s'intéresse aux PME, aux entrepreneurs et au mode de gestion de ceux-ci (Julien & Marchesnay, 1996).

Des chercheurs de toutes les disciplines sociales et de gestion se sont intéressés au phénomène entrepreneurial et à la stratégie dans les PME. Les premiers écrits dans ce domaine cherchaient à distinguer les PME des grandes entreprises (GE) quant à leurs avantages concurrentiels. Ainsi, dans la foulée des années 1980, période où les restructurations et reconfigurations se multipliaient dans les grandes entreprises, on a constaté que les PME bénéficiaient d'avantages stratégiques majeurs, notamment dans des secteurs d'activité en mutation (Julien & Morel, 1986). Flexibilité, réactivité, acuité sont au nombre des qualificatifs qui furent attribués aux PME.

Une étude sur ce sujet a démontré que les PME fonctionnaient selon des logiques d'action différentes de celles observées dans les grandes entreprises (Bauer, 1993). En effet, on remarque qu'au sein des PME les stratégies sont mises au point essentiellement par et pour l'entrepreneur[1], alors qu'elles mobilisent une communauté d'intervenants dans les grandes entreprises (actionnaires, gestionnaires, employés, milieux, etc.). Cet élément constitue le point d'ancrage de l'argumentation proposée par l'école entrepreneuriale qui s'attarde précisément à l'étude des entrepreneurs et de leur succès. En effet, non seulement cette école recentre l'analyse stratégique sur le dirigeant, mais elle propose aussi une approche centrée sur le processus visionnaire des entrepreneurs, processus qui se veut intuitif et informel et qui cons-

---

1. Ce fait est très peu mis en relief depuis Ansoff, cependant (1978).

titue le point de départ de la démarche stratégique d'une PME (Filion, 1991). Nous présentons cette démarche dans cette note et nous dressons un portrait des éléments qui agissent, tel un levier, sur la démarche particulière aux PME.

LA STRATÉGIE AU SEIN D'UNE PME : CENTRÉE SUR L'ENTREPRENEUR

Selon les tenants de l'école entrepreneuriale, la démarche stratégique des entrepreneurs diffère de celle des gestionnaires. Avant de faire un portrait détaillé de cette démarche, tentons d'illustrer pourquoi il en est ainsi dans les PME par une analogie qui raconte la façon de faire de deux cuisiniers :

Le premier cuisinier est incapable de cuisiner un bon plat sans suivre une recette ni sans avoir en main tous les ingrédients mentionnés dans la recette. Il reconnaît le goût de chaque aliment pris séparément, mais il a beaucoup de difficulté à imaginer le plat final. Il est donc pris au dépourvu s'il lui manque un ingrédient. En suivant le mode d'emploi, il peut réaliser un bon plat, même un très bon plat. S'il n'a pas la recette, l'échec risque d'être cuisant pour lui, d'autant plus que l'erreur commise pourrait être difficile à définir avec précision. Ce type de cuisiner a l'habitude de refaire les mêmes recettes ou celles qui ont déjà été testées ou goûtées. Le choix de la recette sera déterminant dans la réalisation de son plat.

Le second cuisiner suit une démarche beaucoup plus aléatoire. Il fait d'abord un inventaire des ingrédients à sa disposition, puis il imagine un plat en fonction de ses désirs du moment. Il peut suivre une recette, mais il ne s'y attardera que pour y glaner quelques renseignements. Il pourra facilement remplacer un aliment par un autre. D'ailleurs, il cuisinera en ajoutant un peu plus de ce qu'il préfère. L'expérience culinaire constitue pour lui une période de créativité et d'expérimentation. Le résultat peut être majestueux, tout à fait surprenant ou carrément désastreux. Quoi qu'il en soit, c'est son intuition culinaire, son flair, sa capacité d'imaginer (en salivant !) le résultat final à partir d'éléments disjoints qui le guident dans l'action.

La démarche du premier cuisinier ressemble à celle d'un gestionnaire, alors que celle du second cuisinier démontre une logique d'entrepreneur dont les actions et les décisions s'appuient sur une démarche intuitive. D'ailleurs, la définition de ce que sont un entrepreneur et un cuisinier du deuxième type pourrait être la même dans la mesure où l'on intervertirait les

mots profitabilité et satiété. En effet, l'entrepreneur est à la fois un innovateur, un créateur, un artiste et un être qui suscite le changement (Schumpeter
1939; Drucker, 1989). Il crée de nouvelles combinaisons dans le but d'en
tirer un profit. Par la recherche de ses propres intérêts et des occasions que
lui offre le marché, l'entrepreneur *imagine* la combinaison qu'il souhaite
créer, qui pourrait être profitable et qui saurait être valorisée.

L'entrepreneur cherche à faire sa recette, une recette qui répond à ses
goûts et qui peut répondre à une demande du marché. Tout comme le second
cuisinier, il ne connaît pas à l'avance le résultat final, mais il a le sentiment
que son projet est bon, et il suit ses intuitions[2]. Ce qui le motive et le guide,
c'est avant tout l'image — la vision — de ce qu'il cherche à réaliser.

Sur cette base, si la stratégie est une recette à suivre, les entrepreneurs
n'ont pas de stratégie formelle. Ils prennent des décisions dans l'action sans
égard à quelque plan que ce soit. En fait, selon les chercheurs dans le domaine, il faudrait penser la stratégie différemment au sein d'une PME,
puisqu'elle est souvent implicite. On la reconnaît justement à partir des
décisions qui sont prises dans l'action, *intuitivement*, décisions qui rendent
compte d'une logique d'action, d'une direction, d'une intention de l'entrepreneur (D'Amboise, 1997; Julien & Marchesnay, 1996).

Les concepts de processus visionnaire et de vision stratégique développés par Filion (1991) à la suite d'une étude sur les entrepreneurs à succès rendent compte du mode particulier de formation des stratégies dans la PME.
On pourrait même dire que le processus visionnaire et la vision sont à la
PME ce que la planification stratégique et le plan sont à la GE. Comment se
concrétisent ces concepts dans l'action?

LE PROCESSUS VISIONNAIRE : UNE PÉRIODE D'INTROSPECTION ET D'INVENTAIRES

Tout comme le cuisinier plus aventureux, l'entrepreneur est avant tout
un être passionné par ce qu'il accomplit ou va accomplir. C'est le point de
départ de la démarche stratégique des entrepreneurs et le point de départ du
processus visionnaire. Le processus visionnaire se fonde sur les aspirations, les
valeurs, les capacités et les compétences particulières de l'entrepreneur. Ce
faisant, le dirigeant canalise son énergie sur le plan personnel et professionnel, ce qui constitue l'une des grandes forces stratégiques des PME. Cela se
traduit sur le terrain par un engagement sérieux (*commitment*) de la part des

---

2. L'intuition se définit comme un sentiment plus ou moins précis de ce que l'on ne peut vérifier, de ce qui n'existe pas
encore. C'est aussi une forme de connaissance qui ne recourt pas au raisonnement ou à l'analyse (*Le Petit Robert*).

dirigeants, et par une personnalisation de la stratégie, élément de différenciation pour la PME (D'Amboise, 1997[3].

Pourquoi parler d'un processus intuitif ? Pour répondre à cette question, il faut contextualiser le phénomène entrepreneurial. Le succès d'une entreprise repose en grande partie sur l'innovation qu'elle génère et sur la possibilité d'un marché à combler. Or, les opportunités de marché apparaissent lorsque l'environnement est turbulent, instable. Crises économiques et politiques, mondialisation, évolution des consommateurs sont autant de changements environnementaux qui font apparaître des possibilités d'innover et de former de nouvelles combinaisons, des interstices. La turbulence de l'environnement contribue par ailleurs à accroître l'incertitude quant aux résultats (succès ou échec). Cette incertitude, qui pourrait freiner les ardeurs d'un gestionnaire, constitue un défi pour l'entrepreneur. Comme le soulignent Julien & Marchesnay (1996, p. 19), « l'esprit d'entreprise se nourrit de cette incertitude, qui crée des opportunités de profits ».

Alors que les gestionnaires des grandes organisations peuvent se permettre des analyses de marché poussées ou la consultation de personnes-ressources pour réduire cette incertitude, les dirigeants de PME n'ont pas toujours les moyens de leurs ambitions. Ils doivent aller de l'avant avec des ressources très limitées (matérielles, immatérielles, humaines, financières). Cette contrainte les oblige à maximiser l'utilisation des ressources qu'ils possèdent et à innover. Cependant, elle les pousse aussi à se restreindre dans leur quête d'information stratégique, ce qui influe indubitablement sur la nature de leur décision et sur la portée de leurs actions stratégiques. C'est un impératif pour avancer plus vite que les autres.

Dans le même ordre d'idées, rappelons que suivre une recette à la lettre n'est pas recommandé dans un contexte où la disponibilité des ingrédients et les moyens pour cuisiner ne sont pas garantis et où les convives sont appelés à changer. Il a d'ailleurs été démontré que les plans formels étaient vite dépassés dans le contexte décrit précédemment (Mintzberg, 1973).

Enfin, parmi les autres facteurs qui influent sur la nature du processus stratégique au sein des PME, l'imputabilité des décisions apparaît être centrale. En effet, l'entrepreneur crée son entreprise, il est conduit par son projet. À moins de solliciter des investisseurs ou de prendre des associés, il est

---

3. La personnalisation, voire la personnification de la stratégie est un facteur de différenciation déterminant pour les PME (D'Amboise, 1997). En effet, puisque chaque entrepreneur est différent, on peut aussi supposer que chaque PME peut se différencier. Une entrepreneure dont la PME cumule succès après succès dans le secteur de l'habillement m'a éclairée grandement sur cet aspect. À la question : comment avez vous fait pour percer ce marché si concurrentiel, elle m'a d'abord répondu ne s'être jamais préoccupée de ses nombreux concurrents. Pour ajouter : « Connaissant très bien mes forces et mes faiblesses, je me suis demandé ce que je pourrais faire de différent dans cette industrie, ce que je pourrais faire qui me ressemble vraiment. Sa stratégie repose à la base sur une utilisation judicieuse de ses forces personnelles et des forces de ses employés.

son propre patron et ne doit rendre de comptes à personne. Cette constatation explique à elle seule une grande part du caractère intuitif et informel du processus stratégique.

Même si le processus visionnaire s'appuie sur une intuition et des échanges informels, il sollicite toutefois des *connaissances*; au minimum, une bonne connaissance de soi, de ses forces et faiblesses et de ses objectifs de vie. Il requiert aussi une bonne connaissance du secteur d'activité dans lequel la PME évolue ou va évoluer. Les relations personnelles et les relations d'affaires de l'entrepreneur constituent des sources vives d'information sur ce plan. Toutes ces connaissances vont permettre à l'entrepreneur de façonner sa vision et de se projeter dans un environnement concurrentiel.

LA VISION

Le processus visionnaire permet de collecter et de colliger des renseignements pour dessiner la vision stratégique de l'entreprise. Selon Filion (1991), la vision stratégique se définit comme une image de l'entreprise projetée dans l'avenir. Cette image concerne à la fois le positionnement de la firme dans le marché (vision externe) et le type d'organisation nécessaire (vision interne) pour développer un ou des avantages concurrentiels durables. Qu'elle relève du rêve ou d'un sentiment très conservateur, elle sert de cadre directeur à toute l'organisation.

La vision stratégique est flexible et évolutive. Elle s'adapte aux changements dans l'environnement et aux apprentissages de l'entrepreneur, et c'est là l'une des plus grandes différences avec la planification stratégique. Elle se raffine graduellement à travers l'accumulation des connaissances par l'entrepreneur. Ces connaissances orientées vers la réalisation de son projet contribuent aussi à réduire l'incertitude.

La vision devient de plus en plus réaliste si l'entrepreneur est en mesure de reconnaître les opportunités qui le feront mûrir et qui feront grandir son entreprise. Comme le mentionne Mintzberg (1973), dans ce genre d'organisation, la recherche d'occasions est un mode de vie ou un mode de survie. L'entrepreneur à succès sera donc constamment à la recherche d'occasions d'affaires. Cela implique une très bonne ouverture sur l'externe et une utilisation judicieuse des relations d'affaires. L'entrepreneur qui se concentre sur l'interne et qui s'attarde à solutionner tous les problèmes qui se présentent au quotidien sera vite dépassé par ceux qui démontrent une ouverture sur l'externe et qui s'attardent plutôt à nourrir leur vision.

LA MISE EN ŒUVRE DE LA VISION : UNE QUESTION DE PERSONNALITÉ ET DE COMPÉTENCE ENTREPRENEURIALE

Tout le monde peut rêver, mais il n'est pas donné à tous de passer à l'action. En effet, les traits de personnalité et l'attitude des dirigeants vont nécessairement avoir des répercussions sur l'ensemble de la démarche stratégique. Les nombreuses études sur les entrepreneurs ont mis en évidence une liste assez exhaustive des traits de personnalité qui les caractérisent. Confiance et estime de soi, besoin d'accomplissement, internalité du lieu de contrôle et indépendance sont des traits dominants relatés chez les entrepreneurs qui passent à l'action (McClelland, 1961 ; Brockauss, 1982 ; Bird, 1988 ; Boyd & Vozikis, 1994).

Par rapport à la mise en œuvre de la vision, il semble que la capacité du dirigeant à prendre des décisions dans différents horizons temporels et spatiaux soit un atout déterminant (Mintzberg & Waters, 1982 ; Bird & Jelinek, 1988 ; Torrès, 1999). En effet, l'entrepreneur à succès est capable de prendre des décisions à court terme (opérationnelles ou stratégiques) qui vont s'inscrire dans son projet à long terme. Il est capable aussi de se positionner dans son environnement, de se positionner dans un vaste espace de transaction et, parallèlement, de se recentrer dans l'action (Jenkins & Johnson, 1997).

En somme, le processus visionnaire permet l'élaboration de la vision stratégique. Le processus est intuitif, informel et conjoncturel et il implique des connaissances. La vision stratégique est implicite, intégrée, flexible et évolutive. Elle se peaufine à travers les apprentissages et une recherche constante d'occasions. Sa mise en œuvre est tributaire de l'attitude et de la personnalité du dirigeant.

LA DÉMARCHE STRATÉGIQUE : LA GESTION DE LA PROXIMITÉ

Au sein d'une PME, la gestion de la proximité (Torrès, 1999) est centrale et elle permet l'opérationnalisation de la vision du dirigeant dans un cadre flexible et renouvelable. Au-delà de la proximité entre les objectifs de la firme et les objectifs personnels du dirigeant, qui résulte en un fort engagement de la part du dirigeant, comme nous l'avons déjà dit, nous distinguons trois types de proximité dans les PME à succès : la proximité organisationnelle, la proximité relationnelle et la proximité fonctionnelle.

Dans les organisations de petite dimension, la structure organisationnelle est généralement simple et peu formalisée. Les décisions opérationnelles ou stratégiques y sont évidemment centralisées. L'avantage de cette proximité organisationnelle en termes stratégiques est que les décisions majeures se prennent dans le respect de la vision de l'entrepreneur et elles demeurent centrées sur ses valeurs. Selon Torrès, (1999), cela facilite la convergence entre l'opérationnel et le stratégique. Cette proximité organisationnelle facilite nécessairement la transmission des valeurs, la communication des buts et des orientations de l'entreprise, et permet une bonne intégration de la vision par tout le personnel.

Même si la direction d'une PME est généralement très centralisée, le dirigeant est loin d'être seul dans sa tour d'ivoire. Au contraire, il côtoie quotidiennement tous les gens qui ont un rapport avec sa PME. Il les connaît personnellement (ses employés, ses clients, ses fournisseurs, etc.). Cette proximité relationnelle lui permet d'avoir accès à de l'information privilégiée et en temps réel. En ce sens, l'entrepreneur agit un peu comme un catalyseur de renseignements, qu'il s'approprie et redirige en fonction de sa vision stratégique. Selon Mintzberg & Waters (1982), la centralisation des renseignements stratégiques dans les mains d'un seul dirigeant constitue un facteur clé dans une firme entrepreneuriale. Cette proximité relationnelle permet aussi à l'entrepreneur de mobiliser et de répartir ses ressources, d'une part en fonction des compétences de celles-ci et des siennes propres, d'autre part en fonction des demandes et des spécificités des clients.

Enfin, les grandes organisations sont généralement divisées en plusieurs services, ce qui n'est pas le cas de la PME. On constate que l'entrepreneur et les employés sont appelés à faire plusieurs tâches dans l'organisation. Ils maîtrisent plusieurs compétences. On dira alors qu'il y a une forte proximité fonctionnelle en PME. Ainsi, le contrôleur peut être à la fois celui qui gère les ressources humaines, dirige la production ou qui répare une machine... Cela permet aux employés de comprendre les réalités de toute l'entreprise et cela favorise la mobilité de la main-d'œuvre dans l'entreprise. L'entrepreneur peut ainsi mobiliser ses ressources en fonction des impératifs du moment ou modifier le design organisationnel pour optimiser ses actions stratégiques. Pour l'entrepreneur, cette proximité se traduit aussi par la réalisation de tous les rôles du gestionnaire, et plus encore. Il peut être appelé à travailler sur le terrain avec les ouvriers, à rencontrer le banquier, à répondre à une cliente, etc. Cette multiplicité de rôles lui donne le leadership et la crédibilité dont il a besoin pour convaincre les gens qui l'entourent d'adhérer à sa vision.

En somme, nous pouvons affirmer que la proximité constitue un levier pour la réalisation de la vision stratégique de l'entrepreneur.

Chapitre IV

L'ANALYSE
DE L'ENVIRONNEMENT

L'environnement constitue le cadre d'action de l'entreprise. Il s'impose aux dirigeants et contraint leur action. Cependant, il ne détermine jamais complètement les choix stratégiques qu'ils font, puisqu'un même environnement sera perçu et appréhendé différemment par ces dirigeants. Prenons deux exemples.

Le marché de la montre-bracelet était, à l'origine, dominé par les fabricants suisses qui avaient solidifié leur réputation et leur position en s'alliant à l'artisan horloger-bijoutier. La montre était conçue comme un bijou qui nécessitait l'intervention d'un conseiller et intermédiaire spécialisé. Lorsque, au début des années 1960, la compagnie Timex s'est lancée dans le marché des montres, le produit qu'elle offrait n'était pas du tout acceptable pour le marché traditionnel des horlogers-bijoutiers. Ces derniers jugeaient le produit trop bon marché et la marge de distribution insuffisante. Selon eux, Timex n'était pas une montre-bijou. Mais Timex avait en tête un autre marché, celui du nouveau consommateur de l'après-guerre, jeune et dynamique, qui considérait la montre comme un instrument qui devait simplement donner l'heure et être solide, fiable et peu cher. Timex a découvert et construit un nouveau canal de distribution de masse et l'a développé jusqu'à rendre les horlogers-bijoutiers traditionnels inutiles, les forçant à la disparition ou à un positionnement différent. Vingt ans plus tard, les horlogers suisses, qui avaient beaucoup souffert de la transformation du marché par Timex, ont inventé la montre-accessoire de mode. La Swatch est non seulement une montre fiable et peu chère, mais elle est aussi une montre à la mode, qui se transforme pour répondre aux besoins différenciés des nouvelles générations de consommateurs. Timex a donc été à son tour déplacée.

Lorsque Diettmar Hopp et Hasso Plattner ont lancé SAP Financial Accounting System, ils avaient décelé un besoin que personne ne percevait. Les entreprises manufacturières, à l'époque, étaient préoccupées par la difficulté de disposer rapidement de renseignements fiables en matière de coût des produits et des processus. Le besoin était généralisé. Les sociétés de consultants étaient en général capables de répondre au besoin, mais les réponses étaient toujours construites sur mesure, à des coûts considérables. Hopp et Plattner voyaient là une opportunité : proposer une solution de base que chacun pouvait, directement ou avec une aide extérieure, adapter à ses propres besoins. L'automatisation et la simplification des opérations de comptabilité interne furent ainsi standardisées et, en alliance avec de grands intégrateurs comme Andersen Consulting, l'entreprise fut en mesure de faire de son logiciel un choix inévitable. Plus tard, ce logiciel fut complété par une série d'autres modules compatibles avec le premier pour les achats, la gestion des stocks, l'émission et la vérification des factures, la gestion du personnel, etc., ce qui devint l'Enterprise Resource Planning Software le plus populaire dans le marché. On pourrait presque dire que, lorsque Hopp et Plattner ont conçu SAP, ils percevaient un environnement que personne ne voyait auparavant. Cependant, depuis le lancement de leur premier logiciel, l'environnement s'est considérablement transformé. D'abord, certains concurrents ont proposé des produits qui, en revenant aux modules de base, étaient capables d'être « les meilleurs du marché », par exemple des logiciels qui prenaient mieux en compte les besoins d'une fonction particulière, comme l'administration des ressources humaines ou la budgétisation. Ainsi, PeopleSoft, au départ un spécialiste de la gestion des ressources humaines, a été capable d'accroître régulièrement sa part de marché, ayant eu, par exemple, une croissance des ventes de 51 % de 1997 à 1998. De même, en se positionnant sur le marché des PME, J. D. Edwards en a pris le leadership. Plus important encore, les logiciels SAP avaient été développés à une époque où la réingénierie, conçue comme un moyen de réduire les coûts, dominait. Aujourd'hui, la recherche d'opportunités de croissance est plus appropriée et de nouveaux concurrents, comme Calico Systems, Siebel Systems, i2 Technologies et Manugistics, focalisent sur des logiciels qui permettent des décisions non seulement de diminution des coûts mais aussi d'accroissement des profits. Ils prennent ainsi des parts de marché croissantes à SAP. L'environnement s'impose et impose à SAP, si elle veut continuer à dominer le marché, voire à survivre, la nécessité de s'ajuster, en développant de nouveaux savoir-faire et de nouveaux produits.

C'est à l'importance de l'environnement, et aux outils d'analyse que peuvent utiliser les dirigeants pour le comprendre que nous allons consacrer ce chapitre. Ce dernier est constitué de quatre parties. Dans la première partie, nous décrirons l'entreprise comme un système ouvert. Dans la deuxième partie, nous centrerons notre attention sur l'environnement concurrentiel de la firme et sur l'importance de cet environnement pour la stratégie d'entreprise. Dans la troisième partie, nous montrerons comment l'env général de l'entreprise influe sur la façon dont une entreprise se son industrie et les choix stratégiques qu'elle fait. Dans la quatriè nière partie, nous parlerons de l'environnement comme réseau et de l'importance que les réseaux d'entreprises ont acquise dans le contexte actuel.

I. L'ENTREPRISE COMME SYSTÈME OUVERT

Afin de bien saisir ce qu'est l'environnement, il est utile de faire, comme au chapitre II, un petit détour par les écrits en théorie des organisations. L'entreprise a longtemps été considérée comme un système fermé, ayant une logique interne passablement à l'abri des influences externes. Cette idée a été véhiculée par deux des courants qui ont beaucoup influencé notre conception des entreprises, à savoir l'Organisation scientifique et administrative du travail et l'École des relations humaines. Dans les deux cas, on concevait que l'entreprise pouvait être efficace en appliquant correctement certains principes de fonctionnement interne : spécialisation des tâches, unité de commandement et rémunération à la pièce (dans le cas de l'Organisation scientifique et administrative), motivation et satisfaction des travailleurs, prise en compte de la structure informelle et style de leadership approprié (dans le cas de l'École des relations humaines). L'entreprise était ainsi conçue comme une machine ou comme un organisme, dont les éléments internes sont en relation. Il suffisait de se préoccuper de l'état de ces éléments internes pour s'assurer que l'entreprise affiche de bonnes performances.

La théorie des systèmes va contribuer, d'une façon tout à fait particulière, à renouveler nos perspectives sur les relations de l'entreprise avec l'environnement. Sous l'influence de Von Bertalanffy (1968) dans les années 1930, la théorie des systèmes se développe d'abord en biologie : l'organisme est conçu comme un système ouvert en interaction avec son environnement et il évolue sous l'influence de facteurs endogènes et exogènes. Puis, la théorie des systèmes gagne rapidement le domaine de la mathématique avec Wiener qui, à la fin des années 1940, crée un nouveau champ, celui de la cybernétique, basé sur la rétroaction et l'autorégulation des systèmes. À la même époque, Shannon, ingénieur en télécommunication, publie sa théorie mathématique de la communication. Dans les années 1950, Ashby s'intéresse au couplage des systèmes ouverts et, au début des années 1960, Forrester tente d'appliquer la théorie des systèmes à la dynamique industrielle. C'est par ces contributions, dans plusieurs champs scientifiques, que va progressivement s'élaborer ce qu'on appellera « la théorie des systèmes ».

Cette façon de concevoir le monde va progressivement gagner les sciences sociales à partir des années 1960. On assistera alors à toute une série de contributions, à la fois théoriques et empiriques. Deux types d'approches sont présentes. Certains auteurs comme Talcott Parsons (1960) s'intéressent principalement à la société comme système, constitué de sous-systèmes économique, politique, communautaire et culturel. D'autres auteurs s'intéressent plus particulièrement aux organisations et aux relations qu'elles entretiennent avec le système social. L'entreprise est désormais considérée comme un système ouvert qui importe certains éléments de son environnement, les transforme et les exporte de nouveau dans l'environnement. Il s'agit donc d'un système de transformation d'*inputs* en *outputs*. On peut le représenter comme suit.

Figure 1 L'organisation comme système

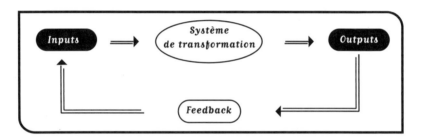

Katz et Kahn (1966) identifient neuf caractéristiques communes à tout système ouvert, donc aux entreprises considérées comme des systèmes ouverts :

1. L'importation d'énergie.
2. La transformation de l'énergie.
3. L'exportation de produits et services dans l'environnement.
4. Le caractère cyclique de l'échange d'énergie, sous forme de rétribution en argent ou de satisfaction.
5. L'acquisition d'une entropie négative, impliquant que l'organisation peut emmagasiner de l'énergie et qu'elle n'est donc pas orientée inévitablement vers la mort.
6. L'existence d'information sous forme de rétroactions négatives qui permettent à l'organisation de corriger ses erreurs et de s'adapter.

7. L'existence d'un état homéostatique dynamique, c'est-à-dire d'un état d'équilibre quasi stationnaire qui permet de préserver le caractère du système à travers la croissance et l'expansion.

8. Un processus de différenciation et d'élaboration par lequel des modèles plus diffus et globaux sont progressivement remplacés par des fonctions spécialisées.

9. Le principe d'équifinalité par lequel un système peut atteindre un même résultat en suivant différents chemins.

Cette conception de l'entreprise comme système ouvert s'impose progressivement dans le domaine de la gestion et incite les gestionnaires à se préoccuper à la fois des dimensions internes de l'entreprise et des relations que celle-ci entretient avec son environnement, ces relations étant déterminantes pour la survie et le développement de l'entreprise. Mais cette ouverture des entreprises sur l'environnement les expose à faire face constamment à de l'incertitude, qui peut être débilitante. C'est pour cela, selon Thompson (1967), que les entreprises comme systèmes ouverts aux prises avec l'incertitude cherchent par tous les moyens possibles à réduire cette incertitude. La stratégie peut être considérée comme l'un des moyens utilisés par les gestionnaires pour réduire l'incertitude interne et externe à laquelle leur entreprise est soumise.

La théorie des systèmes a eu une influence importante sur notre conception de l'entreprise en tant que système ouvert sur son environnement et, par ricochet, sur notre conception de la gestion et de la stratégie, car cette conception de l'entreprise est largement acceptée de nos jours. Elle continue, par ailleurs, à s'avérer un schéma de classification utile pour catégoriser et relier les variables internes et externes qui ont le plus d'importance pour le développement des entreprises.

D'autres approches se développeront en sociologie et en science économique. Elles s'intéresseront d'une façon particulière aux liens entre les entreprises et leur environnement. Certaines de ces approches sont très déterministes. C'est le cas de la théorie dite de l'écologie des populations d'organisations qui s'intéresse aux ensembles d'organisations et aux mécanismes de sélection qui permettent à certaines entreprises de survivre. L'environnement est considéré comme si déterminant qu'il « choisit » quelle entreprise peut survivre et quelle entreprise doit mourir. Une telle approche nie aux dirigeants toute capacité de choix, et présente donc, à nos yeux, peu d'intérêt pratique en stratégie. D'autres approches sont beaucoup moins déterministes. Elles conservent au dirigeant sa capacité de choisir et d'agir, mais cette capacité s'exerce dans un environnement contraignant. C'est le cas, entres autres, de l'approche institutionnelle (abordée dans la note 11 portant sur le rôle des isomorphismes en stratégie) et du modèle de la dépendance des ressources. Ce type d'approche est sous-jacent à l'analyse que nous faisons de l'environnement et de ses liens avec l'organisation.

Les dirigeants, lorsqu'ils formulent une stratégie, doivent tenir compte de deux types d'environnement : l'environnement concurrentiel de la firme et l'environnement général. Même si ces deux types d'environnement sont intimement reliés, nous les aborderons de façon séquentielle.

II. L'ENVIRONNEMENT CONCURRENTIEL DE L'ENTREPRISE

Toute entreprise appartient à une industrie qui constitue, en quelque sorte, le milieu dans lequel elle fonctionne. Il est donc important que les dirigeants définissent bien l'industrie d'appartenance de leur entreprise. Selon Porter (1976) et l'économie industrielle, la définition d'une industrie se fait à partir de l'identification de tous les groupes (fournisseurs, clients, entrants potentiels, substituts) qui interagissent avec les entreprises qui sont en concurrence dans un domaine d'activités. Cette définition est un jugement et a donc un caractère arbitraire. Malgré cela, cette définition est importante puisqu'elle trace les frontières d'une industrie. Ces frontières ne sont pas immuables, car les actions de l'entreprise et de ses concurrents, les innovations technologiques et stratégiques et, notamment, les actions de marketing contribuent à les modifier.

La théorie conventionnaliste, présentée à la note 12, est une autre méthode pour définir l'industrie. Bien que cette méthode soit prometteuse, elle en est à ses débuts et n'est pas encore suffisamment spécifique pour être utilisée aisément par les analystes.

L'analyse de l'environnement concurrentiel de l'entreprise que nous proposons porte sur trois aspects principaux. En premier lieu, nous présenterons un modèle utile pour la définition d'une industrie et de la dynamique concurrentielle. En deuxième lieu, nous aborderons la question du changement dans une industrie et des implications qu'a celui-ci pour la stratégie d'entreprise. Enfin, nous nous intéresserons aux liens qui existent entre l'appartenance à une industrie et la profitabilité de l'entreprise.

A. LA DYNAMIQUE DE L'INDUSTRIE

Le modèle d'analyse de la structure et de la dynamique de l'industrie qui est actuellement le plus utilisé en stratégie est celui de Porter (1980,

1985). À l'inverse du modèle d'Andrews, dont nous avons parlé précédemment, le modèle de Porter, issu de l'économie industrielle, n'aborde que très peu les éléments de l'environnement général qui ne sont pas de nature économique. Il permet, par ailleurs, de repérer les principaux joueurs d'une industrie et d'analyser la dynamique de la concurrence qui a cours dans une industrie.

Dans un texte publié en 1994 dans *The Relevance of a Decade*, Michael Porter résume son parcours intellectuel et les aspects fondamentaux de son approche en stratégie. Influencé à la fois par les travaux de Andrews, Christensen et Learned en politiques générales d'administration et par ceux de Caves en science économique, Porter conçoit sa théorie comme une synthèse de ces deux approches : il veut retenir la richesse et le caractère multidimensionnel des cas abordés en politiques générales d'administration et la rigueur mathématique et statistique des études en économie. Il résume ainsi les principaux éléments de sa théorie :

1. L'entreprise doit avoir un objectif clair, qui consiste en un retour sur l'investissement élevé à long terme.

2. La stratégie est le moyen utilisé par l'entreprise pour parvenir à cette profitabilité supérieure.

3. L'unité d'analyse pour le développement de cette stratégie n'est pas l'entreprise mais l'industrie, définie comme un groupe de compétiteurs cherchant à obtenir du succès avec un produit ou un service particuliers.

4. La formulation d'une stratégie doit considérer simultanément deux éléments : la structure de l'industrie et la position relative de l'entreprise dans l'industrie. Ces deux éléments sont différents même si plusieurs analystes en stratégie et en économique ont eu tendance à les confondre, en assumant que toutes les industries étaient égales ou que toutes les entreprises dans une industrie se comportaient de façon semblable.

5. Le schéma d'analyse de la structure de l'industrie comprend cinq forces, à savoir les nouveaux entrants, les produits substituts, les clients, les fournisseurs et les concurrents directs. Ce schéma peut être considéré comme un système-expert permettant d'identifier les éléments qui conduisent à la profitabilité dans une industrie donnée, et de déterminer comment ces éléments interagissent.

Figure 2 Les cinq forces de la concurrence

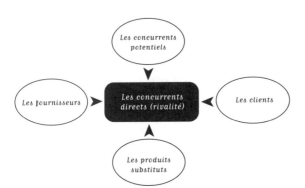

6. Alors que les cinq forces expliquent les différences de profitabilité entre les industries, la théorie du positionnement essaie d'expliquer les différences de profitabilité entre les entreprises d'une même industrie.

7. La théorie du positionnement a ses racines dans le concept d'avantage concurrentiel que l'on peut soutenir à travers le temps ; l'avantage concurrentiel découle de la découverte et de l'implantation de moyens de concurrencer qui sont uniques et différents de ceux des concurrents. Nous reviendrons sur ces moyens au chapitre V portant sur l'analyse interne et au chapitre VI portant sur les options stratégiques, où nous parlerons en détail des stratégies génériques.

Nous pouvons regrouper les cinq éléments du modèle de Porter sous trois thèmes : la demande qui existe pour le produit ou le service, l'action des fournisseurs et l'action des concurrents.

La demande pour le produit ou le service

Un examen attentif de l'évolution de la demande pour le produit ou le service est une étape importante de l'analyse. En fait, le jugement stratégique exige de connaître les grandes tendances dans la demande : peut-on parler de cycles dans la demande ? de demande en déclin, en stabilité ou en croissance ? Une fois que l'on connaît l'évolution de la demande, on doit chercher à comprendre les motifs susceptibles d'expliquer ces grandes tendances. En stratégie d'entreprise, on examine principalement deux aspects : le comportement des clients et la menace de produits substituts.

On ne peut pas comprendre la demande sans s'interroger sur **le comportement des clients**. Ce qui importe au départ, c'est de connaître les caractéristiques de base des clients, par exemple leur nombre et leurs caractéristiques sociodémographiques. Certaines entreprises peuvent connaître une baisse dramatique du nombre de consommateurs de leurs produits. Les entreprises qui fabriquaient des chapelets ou des missels ont connu cette situation en raison de la baisse de la pratique religieuse. D'autres entreprises, comme nous l'avons vu en parlant de l'environnement général, doivent ajuster leurs produits et services en fonction de l'évolution des caractéristiques socio-démographiques de la population.

Au-delà de ces caractéristiques de base, la réflexion stratégique exige que l'entreprise tente de comprendre le comportement du client : ce que celui-ci cherche, la fonction qu'a le produit pour lui et les caractéristiques du produit qui, à ses yeux, représentent de la valeur. Les consommateurs sont de plus en plus instruits ; la majorité des femmes travaillent à l'extérieur du foyer ; les couples voyagent et se familiarisent avec des contextes culturels différents. Tout cela influe sur leurs comportements en tant que consommateurs. Dans l'ensemble, le consommateur est plus sophistiqué qu'il ne l'était. Cette sophistication, et le besoin d'individualité qui l'accompagne, explique, entre autres, la croissance phénoménale de l'industrie du design de mode et celle des produits de beauté (pour hommes, femmes et, même, enfants). Le consommateur est aussi beaucoup plus critique qu'il ne l'était. Sa fidélité à un produit ne peut être tenue pour acquise et il n'hésite pas, individuellement ou collectivement, à exprimer son mécontentement et à faire valoir ses droits.

Il arrive que les clients d'une entreprise soient non pas des personnes mais d'autres entreprises. Dans ce cas, l'acheteur peut avoir une influence considérable sur celui qui produit le bien ou service, surtout lorsque ce qu'il achète représente un pourcentage important du chiffre d'affaires du vendeur. Par ailleurs, il peut arriver que le pouvoir de l'entreprise cliente se retourne contre le fournisseur. En effet, si l'entreprise-cliente devient trop exigeante, le fabricant peut être tenté d'écouler lui-même ses produits. C'est ce qui commence à se produire dans l'industrie automobile et, surtout, dans l'industrie pétrolière.

Les **produits de substitution** aussi influent fortement sur la demande. Si, dans une industrie donnée, on note une diminution de la demande, on peut penser que le produit est en déclin, mais on doit aussi se demander si le produit n'est pas sur le point d'être remplacé par un autre qui joue le même rôle et remplit la même fonction que lui, mais d'une façon jugée plus intéressante par les clients. Récemment, dans l'industrie de la bière, on a observé une baisse de consommation de ce produit au Québec et en Ontario. Au même moment, on a noté une augmentation de la consommation de vin blanc. S'agit-il d'un phénomène de substitution d'un produit par un autre, ou d'un plafonnement de la clientèle des buveurs de bière et de l'émergence d'un nouveau marché pour le vin blanc ? L'analyste doit pouvoir le déterminer.

La substitution n'est possible que lorsque, dans le marché, il y a des entreprises qui offrent des produits différents mais qui remplissent le même rôle ou la même fonction. C'est le cas dans l'industrie des prothèses correctives visuelles : le client a le choix entre les lunettes classiques, les lentilles cornéennes et, dans certains cas, l'intervention chirurgicale au laser. C'est aussi le cas en ce qui concerne l'énergie domestique : le gaz naturel est devenu un substitut à l'électricité. Hydro-Québec doit composer avec le joueur important qu'est Gaz Métropolitain et il y a lutte pour les parts de marché.

Si le client perçoit un produit comme pouvant remplir la même fonction qu'un autre, on ne peut pas compter sur sa fidélité au produit en question. D'où les efforts déployés par les entreprises pour fidéliser leur clientèle, pour se prémunir non seulement contre les concurrents mais aussi contre les substituts menaçants.

L'évolution dans le comportement des consommateurs et l'apparition de nouveaux produits/services substituts ou concurrents font qu'un produit/service a un cycle de vie. Les spécialistes du marketing ont démontré qu'un produit/service évolue en passant à travers différentes phases qu'ils ont appelées les stades du cycle de vie (voir figure 3). Ainsi, un produit/service entre dans une phase de forte croissance, après une phase de gestation et d'introduction au cours de laquelle la demande est stagnante ou en faible croissance. Ce fut le cas des ordinateurs personnels entre 1975 et 1985. Dans le même sens, une demande en déclin peut s'expliquer par un vieillissement du produit/service et son remplacement par des produits/services plus évolués et mieux adaptés. Le téléphone classique avec fil est un bel exemple d'un produit qui est entré dans une phase de maturité très avancée ou de déclin.

Figure 3 Le cycle de vie d'un produit

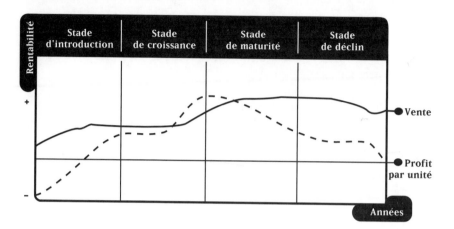

Malgré l'intérêt que représente la notion de cycle de vie du produit, Porter (1976) insiste, avec raison, sur le fait que le cycle de vie doit être considéré comme une conséquence de la dynamique qui existe dans une industrie. Le cycle de vie est le résultat de la pénétration et, ensuite, de la saturation du marché, saturation associée à un manque d'innovation de la part des entreprises en place ou à des changements dans la taille du groupe d'acheteurs. On doit donc porter son attention sur les éléments fondamentaux de la dynamique industrielle, et non d'abord sur le cycle de vie du produit.

L'action des fournisseurs

Les fournisseurs sont des acteurs importants dans une industrie. Par leurs actions, ils peuvent entraîner des réactions en chaîne chez tous les autres acteurs de l'industrie. L'exemple le plus probant est sans doute celui des producteurs de pétrole : si ces derniers se concertent pour contrôler les prix ou pour régulariser la quantité de pétrole sur le marché, les raffineurs et les fabricants de produits dérivés se doivent de réexaminer leur stratégie dans les plus brefs délais. Le rôle des fournisseurs sera d'autant plus important qu'ils sont peu nombreux et qu'ils peuvent agir de façon concertée. L'inverse est cependant vrai : les fournisseurs de minerais, ceux de matières premières peu traitées et ceux de commodités ont très peu d'influence dans beaucoup d'industries. Ils alignent leurs prix sur les prix mondiaux, parce qu'ils offrent un produit standard auquel ils ajoutent peu de valeur.

En règle générale, les fournisseurs ont du pouvoir si :

- ils sont un petit nombre (un oligopole) ;
- leurs produits n'ont pas de substituts ;
- le client n'est pas important (quant au volume ou à d'autres considérations stratégiques) ;
- leurs produits sont des intrants importants pour les acheteurs ;
- leurs produits sont différenciés ;
- les acheteurs doivent subir des coûts de changement, s'ils changent de source d'approvisionnement ;
- ils peuvent s'intégrer en aval et faire ce que leurs clients font actuellement.

Par exemple, une entreprise comme Canam-Manac, spécialisée dans la fabrication de produits métalliques, peut acheter ses feuilles d'acier auprès de plusieurs aciéries : une fois que l'entreprise a déterminé ses exigences, elle peut « magasiner » et choisir le fournisseur qui lui offre le meilleur prix. Ce prix sera plus ou moins intéressant pour Canam-Manac, selon le pouvoir plus ou moins grand qu'ont les différents fournisseurs par rapport à cette entreprise. Mais, même si les feuilles d'acier sont un produit standard, le prix peut ne pas être le seul élément de choix du client. Les aciéries se différencient souvent par la proximité de leurs installations par rapport à celles des clients et par la qualité des services qu'elles fournissent, donc de manière plus générale, par la *valeur* qu'elles offrent à leurs clients.

Il peut arriver que le pouvoir d'un fournisseur se retourne contre lui. Prenons l'exemple d'une entreprise comme IPL. Cette compagnie est fournisseur de quelques fabricants d'automobiles. Dans des circonstances qui lui sont favorables, elle peut affirmer son pouvoir à l'égard de ces fabricants, mais il y a toujours le risque que le fabricant d'automobiles décide de produire lui-même les pièces qu'il achetait auparavant chez IPL. L'analyse des coûts de transaction, dont nous avons parlé précédemment, présente, dans ce cas, de l'intérêt et peut être utilisée de façon pertinente en stratégie.

L'action des concurrents

Dans un secteur industriel, il y a habituellement plusieurs entreprises qui se font concurrence pour la production des biens et services recherchés par les clients. Toute entreprise doit donc connaître ses **concurrents**, c'est-à-dire leurs caractéristiques et les instruments qu'ils utilisent pour livrer bataille.

L'entreprise doit se préoccuper non seulement de ses concurrents actuels mais aussi de ses **concurrents potentiels**, c'est-à-dire des entreprises qui veulent entrer dans l'industrie. Plus le produit ou service est dans la phase de croissance de son cycle de vie, plus l'industrie est attirante pour de nouveaux entrants. Il existe cependant des barrières à l'entrée qui empêchent ou rendent difficile la venue de ces nouveaux arrivants. Selon Porter et l'économie industrielle, les principales barrières à l'entrée sont :

1. *Les économies d'échelle :* dans certaines industries, il faut être capable d'entrer dans le marché avec beaucoup de volume, sinon on doit vendre ses produits à un coût plus élevé que celui des concurrents en place. La réduction du coût unitaire vient du fait que d'une part, des installations plus grandes impliquent un investissement moins grand à l'unité et que d'autre part, plus on produit, plus on peut, du fait de l'expérience, réduire les coûts d'opération. Les économies d'échelle existent dans presque toutes les industries, sauf peut-être celles qui demandent une adaptation très grande et constante du produit/service aux exigences différenciées des clients.

2. *La différenciation et une forte image de marque :* dans certaines industries, les caractéristiques du produit et la marque sont des éléments qui déterminent le comportement d'achat. Comme cela coûte habituellement très cher de créer une image de marque ou de différencier le produit par la qualité ou les caractéristiques d'utilisation, les nouveaux arrivants sont découragés et évitent ces marchés. C'est le cas pour les vêtements, les accessoires ou la joaillerie.

3. *Les investissements en capital :* pour réussir à se faire une place dans certaines industries, il faut investir des sommes colossales, soit pour l'achat d'équipement, soit pour la recherche et le développement. Par exemple, dans l'industrie pharmaceutique, il en coûte au moins 100 millions de dollars en frais de développement avant de vendre le premier produit. Le capital exigé par l'investissement joue le rôle de barrière à l'entrée.

4. *L'accès aux facteurs de production :* il arrive que les nouvelles entreprises aient à faire face à des désavantages qui n'ont rien à voir avec les économies d'échelle. C'est le cas si les entreprises déjà actives dans l'industrie contrôlent des brevets ou l'accès aux matières premières ou aux technologies. Par exemple, l'entreprise pétrochimique saoudienne SABIC a un avantage substantiel dans la production des grands intermédiaires pétrochimiques du fait de son accès privilégié aux ressources gazières du Royaume.

5. *L'accès aux canaux de distribution :* la plupart des produits de consommation courante et beaucoup de produits industriels exigent qu'on les achemine vers les lieux d'accès à la clientèle. Si les canaux de distribution sont contrôlés par des entreprises déjà actives dans l'industrie ou si leur accès exige un investissement de départ coûteux, il sera difficile pour un nouvel arrivant de faire sa place. C'est ainsi que Renault, avant l'acquisition de Nissan, n'a jamais été capable de s'installer de manière durable en Amérique du Nord parce qu'elle a, entre autres, négligé l'importance des canaux de distribution.

6. *La réglementation :* la nécessité d'obtenir des permis et autorisations de l'État peut représenter une importante barrière à l'entrée. En plus de la difficulté d'admissibilité à ces autorisations, les coûts et les délais associés à ces dernières renforcent cette barrière à l'entrée.

En faisant l'examen des nouveaux arrivants, il ne faut jamais oublier qu'ils peuvent venir de l'étranger. Du fait de la fin du protectionnisme dans la plupart des secteurs d'activité, de l'ouverture des marchés et de la mondialisation dans un nombre croissant d'industries, les nouveaux entrants se font de plus en plus nombreux.

Outre l'effet des facteurs mentionnés ci-dessus, l'intensité de la concurrence varie aussi en fonction du nombre de concurrents et de la force relative de ces derniers. L'analyse économique démontre que la présence de nombreux concurrents dans un marché est associée à une concurrence vive et ouverte. On observe la même chose dans des situations d'oligopoles, lorsque l'industrie connaît des périodes de grands changements technologiques ou réglementaires. C'est le cas dans l'industrie mondiale de l'automobile, une industrie à maturité transformée par de grands changements technologiques et par la mondialisation des marchés, où quelques gros joueurs (à la suite de nombreuses fusions) s'affrontent afin de mieux se positionner dans les marchés des pays occidentaux et dans les marchés mondialisés des pays en transition vers l'économie de marché. C'est aussi le cas dans l'industrie de la téléphonie au Canada, où le monopole de Bell Canada dans le domaine de l'interurbain n'existe plus du fait de la déréglementation. La concurrence est maintenant vive et elle a eu comme conséquence, au cours des dernières années, d'entraîner une baisse notable des tarifs pour le consommateur. Il faudra cependant attendre la stabilisation de cette industrie, qui connaît des transformations technologiques extraordinaires, avant de pouvoir porter un jugement définitif.

Dans une industrie où il y a plusieurs concurrents, une entreprise est rarement en concurrence avec toutes les autres. Dans les faits, elle est en concurrence avec les entreprises qui appartiennent au même groupe stratégique qu'elle. On appelle *groupe stratégique* l'ensemble d'entreprises qui, selon certaines dimensions stratégiques importantes dans l'industrie, approchent le marché d'une façon similaire. Les entreprises peuvent se ressembler par le niveau de la gamme des produits et services offerts, par le type de canal de distribution qu'elles utilisent, par l'importance qu'elles accordent au service après-vente, etc. Il est possible de construire une représentation graphique de ces groupes : c'est ce qu'on appelle la « carte des groupes stratégiques » (voir figure 4). Pour construire une telle carte, on utilise en abscisse et en ordonnée les variables stratégiques les plus déterminantes dans une industrie donnée, en évitant de choisir des variables qui ont une forte corrélation. Par exemple, si nous voulions faire la carte des groupes stratégiques dans l'industrie du vêtement au Québec, nous pourrions utiliser deux variables clés dans cette industrie, à savoir le client visé (homme, femme, enfant) et le prix. Nous placerions dans le même groupe stratégique les entreprises qui, en fonction de ces deux variables, ont le même comportement. Ainsi, dans les vêtements pour femmes à prix élevé, nous trouverions non seulement les grandes marques de prêt-à-porter griffé de designers étrangers (Saint-Laurent Rive Gauche, Donna Karan, Max Mara, etc.), mais aussi certains designers québécois (Marie Saint-Pierre, Michel Desjardins, etc.). Tous ces designers se livre une concurrence, mais ils ne sont pas en concurrence avec des entreprises comme Peter Nygard ou Liz Claiborne qui appartiennent au groupe stratégique des vêtements pour femmes à prix moyen.

Figure 4 Exemple de carte de groupes stratégiques

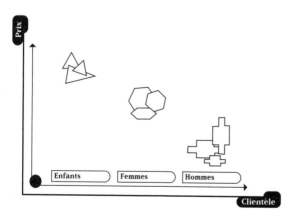

mais parviennent à en créer un nouveau. Ce fut le cas de l'entreprise Harlequin, dans l'industrie du livre. Pour la production de ses romans d'amour, elle a décidé de fonctionner selon des règles complètement différentes de celles en vigueur dans l'industrie : standardisation du produit, banalisation des auteurs, bas coûts de production et diffusion de masse. Ce fut aussi le cas pour l'entreprise Body Shop, fondée en 1976 au Royaume-Uni par Anita Roddick. Privilégiant les produits naturels et s'appuyant sur une philosophie de protection de l'environnement, l'entreprise a développé une gamme de produits de soin et de beauté différents de ceux des autres entreprises de l'industrie. De plus, Body Shop consacre à l'emballage et à la publicité un pourcentage du prix de ces produits beaucoup plus faible que les autres. Comme les stratégies adoptées par Harlequin et Body Shop ont conduit à une rentabilité très élevée pour ces deux entreprises, on a assisté à l'arrivée de nouveaux entrants, créant ainsi un groupe ayant la même stratégie de base.

Lorsqu'une entreprise appartient à un groupe stratégique dont la position stratégique est structurellement affaiblie, ses parts de marché ont tendance à diminuer. Dans ce cas, à moins que cette entreprise ne soit un joueur très important, capable de se repositionner favorablement dans le même groupe stratégique, elle devra étudier la possibilité de changer de groupe. Sinon, elle pourra envisager de se redéployer dans une autre industrie. C'est le raisonnement stratégique qu'ont fait plusieurs propriétaires de pharmacies indépendantes au Québec. Devant l'importance des parts de marché que s'accaparaient les grandes chaînes de pharmacies comme Jean Coutu et Pharmaprix, ils se sont « banniérisés » ou ont vendu leur pharmacie à ces grandes chaînes. De même, sur une autre échelle, la société Bombardier-Canadair s'est progressivement transformée en évoluant vers une définition originale de son industrie et un repositionnement favorable dans les avions de transport commerciaux de petite taille. Par rapport à l'ancienne Canadair, l'entreprise a complètement changé de stratégie et de groupe stratégique.

L'identification des forces en présence dans une industrie permet aux dirigeants de comprendre la dynamique de l'industrie à laquelle leur entreprise appartient. Elle leur permet aussi de repérer les opportunités d'affaires qui s'offrent à leur entreprise.

B. LES CHANGEMENTS DANS L'INDUSTRIE

Plusieurs facteurs provoquent des changements structurels dans une industrie. Porter (1976) répertorie huit facteurs que les dirigeants doivent prendre en considération s'ils veulent prévoir dans quelle direction leur industrie se dirige, et ainsi faire des choix stratégiques pertinents :

1. Les changements à long terme dans le taux de croissance de la demande.

2. L'apprentissage qui a cours dans une industrie, tant de la part des acheteurs que de la part des entreprises au sujet de la technologie, de leurs concurrents ou de leurs façons de faire (c'est ce qui est représenté par la courbe d'expérience).

3. L'accroissement de la taille du marché et de celle de l'entreprise ; par exemple, du fait de la mondialisation et d'une pénétration de marché accrue.

4. Les innovations qui se développent tant dans l'industrie qu'à l'extérieur de l'industrie ; par exemple, des innovations chez les clients qui changent leurs besoins et forcent des innovations de la part de l'industrie.

5. Les changements dans le coût des inputs ; par exemple, l'accroissement important du prix de l'énergie dans les années 1970 et 1980 qui a bouleversé toutes les industries.

6. Les changements dans la structure des industries adjacentes. Si Microsoft était obligée de se scinder en deux entreprises, la concurrence qui en résulterait pourrait provoquer des changements importants dans les produits et, par conséquent, des effets considérables sur les clients et les fournisseurs actuels de Microsoft.

7. Les changements sociaux et l'influence gouvernementale.

8. L'entrée dans l'industrie d'entreprises évoluant dans d'autres industries. Ainsi, l'arrivée de Philip Morris dans l'industrie de la bière a permis un formidable repositionnement pour le bière Miller et un accroissement important de la rivalité dans l'industrie.

Nous aborderons plusieurs de ces changements, dans la section suivante, lorsque nous parlerons de l'environnement général de l'entreprise (dans ses dimensions socioculturelle, politique, technologique et économique) et de son impact sur la stratégie de l'entreprise. Il nous apparaît cependant important, dans cette section, de nous intéresser d'une façon particulière à l'accroissement de la taille du marché et de celle de la firme, et aux effets de cet accroissement sur la stratégie de l'entreprise.

Comme le dit Porter, la croissance de la taille du marché s'accompagne habituellement d'un accroissement de la taille des entreprises qui sont les leaders dans l'industrie. L'augmentation de la taille de l'industrie et de celle de l'entreprise a des effets sur la structure de l'industrie.

Premièrement, l'augmentation de la taille du marché et de l'entreprise tend à élargir l'éventail des stratégies possibles pour l'entreprise et a souvent pour effet d'augmenter l'importance des économies d'échelle ou les besoins en capitaux. L'exemple de Cessna, dans l'industrie des avions légers, est révélateur. L'augmentation de la taille du marché et de celle de Cessna a permis à cette dernière de passer d'une production à l'unité à une production à grande échelle, ce qui a rendu possibles des économies d'échelle et un avantage quant au coût par rapport aux compétiteurs.

Deuxièmement, en raison de l'accroissement du marché, les fournisseurs et les acheteurs augmentent leurs ventes et leurs achats, et ils sont de plus en plus tentés par des stratégies d'intégration verticale. Ces changements dans l'industrie ont inévitablement des effets sur les plus petites firmes qui sont incapables d'avoir les volumes nécessaires pour profiter d'économies d'échelle ou d'une stratégie d'intégration verticale. Elles doivent donc repenser leur stratégie directrice afin de développer des compétences qui vont contrebalancer les coûts très bas des leaders de l'industrie et les avantages que ces derniers retirent de stratégies d'intégration verticale. Elles doivent réfléchir sur des éléments susceptibles d'accroître la différenciation de leur produit par rapport à ceux des leaders de l'industrie, comme le développement de nouveaux produits, la segmentation accrue du marché, l'amélioration du service ou de toute autre activité

Troisièmement, la croissance de la taille de l'industrie attire habituellement de nouveaux entrants, ce qui constitue cette fois une menace particulière pour les leaders de l'industrie, surtout lorsque ces nouveaux entrants sont d'une taille importante et qu'ils ont développé des compétences transférables dans l'industrie dans laquelle ils veulent entrer. Cela s'est produit dans l'industrie des véhicules récréatifs, par l'entrée tardive de compagnies appartenant à l'industrie des gros équipements agricoles. Leur entrée a forcé les entreprises de l'industrie à repenser leur stratégie.

Tous ces exemples nous montrent que la stratégie d'une entreprise est fortement influencée par la structure et la dynamique de l'industrie à laquelle cette entreprise appartient. L'industrie ne détermine pas la stratégie de l'entreprise mais elle encadre et contraint celle-ci de façon importante. Par ailleurs, par les choix stratégiques qu'elle fait, l'entreprise influence aussi la structure et la dynamique de l'industrie. Un exemple intéressant de ce fait est celui de l'entreprise Pierre Cardin. Traditionnellement, l'industrie du luxe s'est développée grâce aux stratégies de différenciation adoptées par toutes les entreprises de cette industrie et grâce au contrôle très grand que les entreprises exerçaient tant sur la conception que sur la production et la distribution de leurs produits. Pierre Cardin a décidé de rompre avec cette tradition. Il a adopté une stratégie de croissance par licences, abdiquant ainsi tout contrôle sur la production et la distribution des produits commercialisés sous la marque Pierre Cardin. Cardin a d'abord été mis au banc des accusés par les représentants de l'industrie. Mais devant le succès financier de sa stratégie, ils ont été forcés de repenser leurs propres façons de faire. Tout en refusant une utilisation généralisée des licences comme le faisait Cardin, puisqu'à leurs yeux cela risquait de tuer la qualité, l'image de marque et, à terme, l'industrie, ils ont envisagé des stratégies d'élargissement de la gamme et ils se sont résignés à faire partie de grands conglomérats du luxe. La structure de l'industrie s'en est donc trouvée profondément modifiée.

C. L'INDUSTRIE ET LA PROFITABILITÉ DE L'ENTREPRISE

L'appartenance à une industrie donnée peut-elle expliquer la très grande profitabilité de certaines entreprises? Quelle est l'importance de l'appartenance à l'industrie par rapport à d'autres facteurs comme le positionnement?

Lorsque McGahan (1993, 1999) examine le ROE, le ROA et le ROS des entreprises manufacturières américaines entre 1971 et 1990, il fait trois constats : la profitabilité des entreprises manufacturières varie d'une année à l'autre ; certaines industries manufacturières (les boissons) sont très profitables alors que d'autres (le fer et l'acier) le sont très peu ; dans une même industrie, les entreprises ont des performances financières très différentes. Son analyse le conduit à tirer les conclusions suivantes. D'une part, comme certaines firmes qui sont pourtant dans des industries très profitables ont de faibles retours sur leur investissement, cela signifie que la profitabilité de l'industrie ne garantit pas que chacune des entreprises appartenant à l'industrie aura une profitabilité élevée. D'autre part, comme certaines entreprises appartenant à des industries très peu profitables réussissent à avoir une profitabilité élevée, cela signifie que les choix stratégiques de positionnement ont une importance réelle. Enfin, les écarts de profits entre les entreprises profitables de certaines industries peuvent être très faibles, ce qui signifie qu'il existe un éventail relativement large de positionnements profitables dans une même industrie.

La recherche en stratégie semble donc suggérer qu'une entreprise atteint un niveau élevé de profitabilité quand elle appartient à une industrie attrayante *et* qu'elle réussit à avoir une position concurrentielle favorable. C'est donc la combinaison de ces deux éléments qui concourt à générer la profitabilité la plus grande. L'impact relatif de l'un ou de l'autre facteur varie cependant selon les industries.

III. L'ENVIRONNEMENT GÉNÉRAL DE L'ENTREPRISE

Le modèle d'Andrews que nous avons présenté au chapitre III, à la différence des modèles issus de l'économie industrielle qui s'intéressent principalement à l'environnement concurrentiel, accorde aussi de l'importance à l'environnement général. Le modèle d'Andrews force les dirigeants à s'interroger sur les grandes tendances de l'environnement et à identifier les opportunités et menaces qu'il recèle afin d'avoir une idée plus claire de ce que l'entreprise « peut faire ». Plus les dirigeants sont capables de faire une lecture fine de l'environnement général de leur entreprise, et de la façon dont cet environnement peut influer sur la dynamique de la concurrence dans leur industrie, plus ils sont en mesure de contourner les menaces, de profiter des opportunités qui existent et de doter l'entreprise d'un avantage concurrentiel durable. Nous abordons ci-dessous cinq types d'environnement : sociodémographique, culturel, politique, technologique et économique. À propos de chacun, le dirigeant doit se poser les questions suivantes : En quoi cet élément peut-il changer la structure et la dynamique de l'industrie ? En quoi peut-il changer mon positionnement dans l'industrie ?

A. L'ENVIRONNEMENT SOCIODÉMOGRAPHIQUE

Il s'agit des caractéristiques sociodémographiques de la population en général, à savoir sa structure d'âge et son évolution, sa répartition selon le sexe, l'ethnie, l'appartenance religieuse ou le niveau d'études. Les spécialistes du marketing qui s'intéressent au comportement des consommateurs accordent beaucoup d'importance à ces caractéristiques. En effet, le vieillissement de la population, la venue massive des femmes dans le marché du travail au sein des sociétés économiquement avancées ou l'augmentation du niveau d'études ont changé de façon importante les caractéristiques des consommateurs et leurs comportements d'achat. Dans des industries comme celles du vêtement, de l'alimentation, du tourisme ou des services financiers, pour ne mentionner que celles-là, les changements sociodémographiques ont incité les entreprises à faire des choix qui tiennent compte de ces nouvelles réalités : vêtements « femme de carrière », vêtements aux lignes nouvelles mais adaptés à une clientèle vieillissante, voyages éducatifs de toutes sortes, etc.

L'évolution des caractéristiques sociodémographiques force la conception de nouvelles orientations stratégiques. Elle peut aussi avoir un impact sur la capacité de l'entreprise à acquérir les ressources humaines et les compétences techniques dont elle a besoin. Pendant longtemps, les entreprises ne se sont pas beaucoup préoccupées de leur capacité à acquérir ces ressources. D'une part, tant que les activités des entreprises ne requéraient que peu ou pas d'ouvriers et d'employés spécialisés, elles avaient accès à une large main-d'œuvre qu'elles formaient souvent sur le tas. D'autre part, la standardisation des tâches et la mécanisation ont fait en sorte que les travailleurs étaient facilement interchangeables.

L'avènement d'une économie du savoir a profondément changé le paysage. Les entreprises des secteurs de pointe de cette économie, comme les télécommunications, le multimédia ou l'industrie pharmaceutique, ont besoin d'employés ayant une solide formation dans ces domaines. Ces ressources sont en quantité limitée dans le marché. Cela explique que le marché du travail des personnes détenant ces compétences soit si effervescent, que les entreprises se livrent une concurrence acharnée pour les acquérir et que les salaires soient élevés. Canadair, la division aéronautique de Bombardier, a connu ce problème de ressources rares en génie aéronautique au Québec. Alors que sa stratégie d'expansion l'incitait à investir massivement dans le secteur de l'aéronautique, la compagnie avait beaucoup de difficulté à trouver au Québec les ingénieurs et les techniciens en aéronautique dont elle avait besoin. À court terme, elle a dû les faire venir de l'extérieur et, à plus long terme, elle a travaillé à la mise sur pied de programmes de formation dans le domaine de l'aéronautique. À l'inverse, on peut penser que le développement de l'industrie du multimédia à Montréal est lié, en partie, à la présence d'une main-d'œuvre abondante et spécialisée dans ce domaine.

B. L'ENVIRONNEMENT CULTUREL

Par environnement culturel, nous entendons l'ensemble des normes, valeurs, croyances et idéologies qui caractérisent la société dans laquelle fonctionne une entreprise. L'intérêt des sciences de la gestic donné naissance aux États-Unis au courant qu'on a à *Management*. Fritz Rieger, dans sa thèse de doctorat intit *National Culture on Organizational Structure, Process an*

Making: A Study of International Airlines, se situe dans ce courant. Il nous montre comment la culture nationale a un effet sur la prise de décision stratégique dans les cinq entreprises d'aviation qu'il étudie.

Les entreprises multinationales qui désirent faire de l'expansion géographique savent qu'elles doivent analyser soigneusement le contexte culturel des pays où elles songent à s'installer, puisque certaines caractéristiques culturelles des populations peuvent constituer des menaces importantes pour la réalisation de leurs stratégies. C'est le cas, par exemple, des entreprises qui essaient de poursuivre une stratégie de « qualité totale » et de « zéro défaut » dans des contextes socioculturels où le concept de qualité est nouveau et incompris par les populations concernées et par les travailleurs de ces entreprises, ou qui recouvre des dimensions qui ne sont pas celles qu'on associe habituellement à ce concept.

Bien que la culture change lentement, elle change inexorablement, ce qui explique que les attentes des individus se modifient. Les questions écologiques sont un très bon exemple de ce fait. Alors que pendant longtemps nos sociétés se sont très peu préoccupées d'écologie et de respect de la nature, elles sont devenues très sensibles à ces questions. Les citoyens acceptent de moins en moins qu'on détruise les forêts de façon anarchique au nom du maintien de l'emploi dans une région, qu'on pollue les cours d'eau au nom du maintien de l'activité agricole ou industrielle et que les pollueurs ne soient pas aussi les payeurs.

Les citoyens des pays industrialisés sont de plus en plus préoccupés par le développement durable, mais cette préoccupation commence aussi à exister dans les pays en développement. Le cas de Placer Dome nous permet d'illustrer ce changement de mentalité (Sloan, 1999). Placer Dome a son siège social au Canada. L'entreprise avait une participation minoritaire de 40% dans Marcopper Mining Corporation, une compagnie des Philippines qui exploite une mine de cuivre. En 1996, un bris a produit une fuite importante de résidus dans la rivière Boac, ce qui a eu des conséquences désastreuses pour les populations locales. Placer Dome est une entreprise qui est active depuis longtemps dans les forums internationaux portant sur la protection de l'environnement et ses dirigeants sont depuis longtemps sensibles à cette question. Dès 1989, Placer Dome a fait connaître clairement ses engagements envers une gestion visant à protéger l'environnement et à assurer le développement durable des collectivités locales où elle est installée. La catastrophe écologique des Philippines constituait donc un test important du sérieux de ses intentions. Quand il devint clair que les actionnaires philippins n'avaient nullement l'intention de débloquer les fonds nécessaires pour remédier à la situation, Placer Dome (bien qu'actionnaire minoritaire) a décidé d'accepter la responsabilité pour tous les coûts liés à l'opération de nettoyage et de compensation des populations. L'entreprise a même débloqué les fonds pour un programme de développement durable échelonné sur 10 ans. Ce comportement responsable reflète le profond changement culturel qui a eu lieu dans nos sociétés par rapport à l'écologie, changement qui n'est pas sans influencer des dirigeants d'entreprise comme ceux de Placer Dome.

C. L'ENVIRONNEMENT POLITIQUE

L'environnement politique comporte plusieurs aspects, dont le régime politique en place, la réglementation et la taxation. Tous ces éléments peuvent modifier, de façon importante, la dynamique de la concurrence qui a cours dans une industrie donnée.

Le régime politique

Les activités des entreprises sont influencées par le type de gouvernement au pouvoir. Certains régimes politiques sont des « alliés naturels » des entreprises, et cela peut se traduire par de généreux programmes de subventions et d'aides à l'entreprise (rattrapage technologique, soutien à l'exportation, formation des travailleurs, etc.). C'est le cas des partis politiques conservateurs et libéraux. D'autres régimes politiques sont souvent considérés comme les « alliés naturels » des organisations syndicales. C'est le cas du parti socialiste en France et du parti travailliste en Angleterre.

Les dirigeants d'entreprise savent que l'idéologie du parti politique au pouvoir a une certaine importance pour les activités de leurs entreprises. À titre d'exemple, on peut mentionner le rôle du gouvernement du Québec, après l'élection du Parti québécois en 1976. Dans le document de politique économique *Bâtir le Québec* paru en 1978, le gouvernement identifie les secteurs où les entreprises québécoises doivent être privilégiées, affirme vouloir favoriser la constitution de multinationales sous contrôle francophone et consolider les institutions financières francophones. Grâce au rôle de la Caisse de dépôt et de placement, on assiste à la constitution de grandes entreprises sous contrôle francophone et à leur percée sur la scène internationale. Malgré certains ratés, au cours de cette période, l'environnement politique a été favorable aux stratégies de croissance d'un certain nombre d'entrepreneurs québécois.

La réglementation

Plusieurs gouvernements des pays industrialisés considèrent la réglementation comme un substitut aux sociétés d'État. Plutôt que de faire lui-même, l'État encadre et oriente les activités économiques. Cette réglementation constitue cependant une limite et une contrainte pour l'entreprise. On n'a qu'à penser à la réglementation sur la coupe de bois qui oblige les entreprises fonctionnant au Québec à reboiser, ou aux lois sur la santé et la sécurité du travail qui ont conduit au bannissement de l'amiante dans plusieurs pays européens. Certaines législations et réglementations s'appliquent à l'ensemble des activités économiques qui ont lieu sur un territoire donné, alors que d'autres ne s'appliquent qu'à certains secteurs d'activité. Cette réglementation peut devenir si lourde et si contraignante qu'elle est perçue par les entreprises comme une entrave sérieuse à leurs activités, ce qui peut les inciter à s'installer dans d'autres pays.

Par ailleurs, la réglementation peut être une source d'opportunités et d'avantages pour l'entreprise. Mentionnons les législations protectionnistes qui, pendant longtemps, ont limité la concurrence étrangère, dans le secteur du vêtement ou dans celui du bois. Malgré l'ouverture des marchés, il y a encore actuellement des lois et règlements qui limitent fortement la venue de nouveaux joueurs dans certains secteurs d'activité : quotas de production dans l'industrie du lait, appartenance à l'Ordre des pharmaciens pour posséder une pharmacie au Québec, nombre maximal de permis de taxi en circulation sur un territoire donné, permis du CRTC pour la création d'une nouvelle chaîne de radio ou de télévision, etc.

La taxation

Le niveau et la nature de la taxation (établis par les différentes autorités gouvernementales) varient grandement d'un pays à l'autre, et cela est toujours un objet de préoccupation pour ceux qui élaborent la stratégie de l'entreprise. D'un côté, il y a les entreprises qui sont peu préoccupées par le développement socio-économique des sociétés dans lesquelles elles ont des activités et qui cherchent surtout à réduire leur fardeau fiscal. Pour y parvenir, elles utilisent divers moyens allant même jusqu'à installer leur siège social dans un paradis fiscal comme Nassau ou le Liechtenstein. Ce n'est cependant pas le cas de la très grande majorité des entreprises, petites ou grandes : celles-ci gardent leur siège social à l'extérieur des paradis fiscaux, se comportent en bons citoyens corporatifs et paient leurs impôts. Toutefois, avant d'augmenter leurs investissements dans un pays donné ou de s'installer dans un nouveau pays, les dirigeants d'entreprise évaluent le niveau et le type de taxation qui ont cours dans le pays ainsi que les incitatifs fiscaux offerts aux entreprises. S'ils décident de poursuivre leurs activités dans un pays donné, ils vont analyser les impacts de la taxation sur leurs activités et ajuster leur comportement en conséquence : ainsi, un pays qui choisit de taxer de façon significative la masse salariale des entreprises peut inciter ces dernières à réduire le nombre d'employés en ayant recours massivement à l'automatisation, à la sous-traitance ou au travail autonome.

Les dirigeants d'entreprise sont conscients de l'importance de cet environnement politique que nous venons de décrire. C'est pour cela qu'ils cherchent à l'influencer par divers moyens : contribution à la caisse électorale des partis politiques, activités soutenues de lobbying, pots-de-vin, etc. Par ailleurs, les entreprises ne sont pas les seules à vouloir influencer les pouvoirs publics : plusieurs autres groupes de pression existent (syndicats, associations de consommateurs, mouvements communautaires, etc.), dont certains sont très puissants et font contrepoids au pouvoir des entreprises. Il existe ce qu'on pourrait appeler un véritable « marché de l'influence » auprès des pouvoirs publics. Déjà en 1959, Dahl présentait une conception pluraliste de la vie des sociétés, en opposition aux conceptions élitistes qui avaient cours : dans toute société, plusieurs groupes ont du pouvoir, et aucun n'a de pouvoir absolu. L'existence de pouvoirs de contrepoids est ce qui, pour Dahl, empêche la domination d'un groupe sur les autres et permet l'exercice de la démocratie.

Devant un tel marché de l'influence, les entreprises accordent une importance particulière à l'image qu'elles projettent dans la société en général et auprès des pouvoirs publics en particulier. Mais il ne s'agit pas d'une image que l'entreprise pourrait facilement forger et manipuler à l'aide des techniques sophistiquées des faiseurs d'image et des communicateurs de toutes sortes. Il s'agit, fondamentalement, de la gestion stratégique de l'identité corporative qui s'intéresse aux relations de l'entreprise avec son environnement, et en particulier avec ses principaux teneurs d'enjeux, aux éléments identitaires qu'elle veut faire connaître et à la diffusion du caractère légitime des actions qu'elle entreprend. La gestion stratégique de l'identité corporative fait maintenant partie des rôles des dirigeants, et les entreprises qui accordent une importance particulière à cet aspect de leur gestion mettent souvent sur pied une entité structurelle qui s'en occupe spécifiquement. Si une entreprise comme Nestlé a eu autant de problèmes avec la commercialisation de ses préparations lactées dans les pays en voie de développement, c'est qu'elle n'a pas abordé la controverse qui a entouré leur diffusion comme une atteinte à son identité ni, par conséquent, comme une menace stratégique importante.

D. L'ENVIRONNEMENT TECHNOLOGIQUE

Les entreprises appartiennent à des industries caractérisées par l'utilisation de différentes technologies. Une entreprise qui possède une technologie de pointe possède souvent un avantage concurrentiel important. Les entreprises japonaises, après la Deuxième Guerre mondiale, l'ont bien compris. Conscientes de leur retard technologique, mais déterminées à devenir rapidement des joueurs importants sur la scène mondiale, elles ont acheté, copié et piraté les technologies développées dans les entreprises occidentales. Cependant, l'avantage concurrentiel qui découle d'une technologie spécialisée tend à s'estomper avec le temps, puisque l'ensemble des entreprises en fait progressivement l'apprentissage.

Afin d'encadrer la concurrence « technologique », les pays ont développé le système des brevets qui permet aux développeurs de nouvelles technologies d'être protégés pendant une période déterminée. C'est le cas dans l'industrie pharmaceutique. Mais tout le débat entre marques d'origine et produits génériques nous montre à quel point le système des brevets n'est pas une protection jugée suffisante par les entreprises innovatrices qui consacrent un pourcentage important de leur chiffre d'affaires à la recherche et au développement de nouveaux produits.

L'environnement technologique évolue très rapidement. La venue de l'informatique a bouleversé non seulement les systèmes de production, mais aussi les méthodes d'approvisionnement, de distribution et de commercialisation des produits et services. Afin de suivre les changements dans l'environnement technologique, les entreprises se dotent souvent d'un système de « veille technologique » dont les données et analyses sont capitales lorsque des choix stratégiques doivent être faits.

E. L'ENVIRONNEMENT ÉCONOMIQUE

Les entreprises sont très sensibles à l'état de l'environnement économique général. Dans l'élaboration de leurs stratégies, elles prennent en considération plusieurs éléments, entre autres les taux d'intérêt, les taux de change, le taux d'inflation et le taux de chômage.

Les banques centrales utilisent les taux d'intérêt afin d'accélérer ou de ralentir l'économie, et cela a des conséquences importantes pour les entreprises. Ainsi, en situation de faibles taux d'intérêt, les entreprises ont accès au capital à de meilleurs taux et la demande pour leurs produits est forte, car l'encouragement à l'épargne est faible. Il s'agit donc, pour les entreprises, d'un contexte favorable à l'expansion et à la croissance.

Les taux de change ont aussi de l'influence sur les entreprises. Par exemple, lorsque le dollar canadien est faible par rapport au dollar américain, cela favorise les compagnies orientées vers l'exportation. À l'inverse, lorsque le dollar canadien est fort par rapport au dollar américain, les produits importés apparaissent moins chers et cela augmente la concurrence.

Les taux d'inflation et de chômage sont aussi pris en considération, puisqu'ils ont une influence directe sur la demande des biens et services et, par ricochet, sur la production des entreprises.

IV. L'ENVIRONNEMENT CONÇU COMME UN RÉSEAU

Dans le contexte actuel, qui en est un de très grande connexité entre les entreprises, il devient de plus en plus pertinent de parler de l'environnement comme étant un réseau d'entreprises. L'intérêt pour les réseaux d'entreprises a débuté dans les années 1960. C'est à ce moment qu'on a commencé à s'intéresser d'une façon particulière aux réseaux et aux relations interorganisationnelles. Pour Evan (1966), toute organisation (*focal organization*) appartient à un réseau d'organisations (*organizational set*). La connaissance de ce réseau permet de comprendre l'autonomie de décision de l'organisation, les forces qui l'incitent à concurrencer les autres organisations du réseau ou à coopérer avec elles, et sa capacité à atteindre les buts qu'elle s'est fixés.

Pour Astley et Fombrun (1983), lorsque les organisations d'un réseau sont fortement reliées les unes aux autres, elles forment un environnement turbulent dont les propriétés sont indépendantes de l'action de chacune des organisations du réseau. C'est à ce moment-là que les organisations envisagent de coopérer afin d'absorber les variations présentes dans l'environnement interorganisationnel. La stratégie collective est le fruit de cette collaboration entre les organisations d'un même réseau.

Dans une contribution récente, Fréry (1998) parle des réseaux d'entreprises en utilisant le terme de structure transactionnelle : « Par opposition à une structure financièrement intégrée, une structure transactionnelle se définit comme une organisation composite, rassemblant au sein d'une même chaîne de valeur des intervenants capitalistiquement autonomes, liés par une succession de transactions récurrentes. » Selon Fréry, la prolifération actuelle des structures transactionnelles s'explique par deux tendances opposées :

d'une part, l'éclatement inévitable des structures trop fortement intégrées et d'autre part, la nécessité de réunir, par des liens souples, des entités jusque-là indépendantes.

On trouve des réseaux d'entreprises dans tous les secteurs industriels. Par ailleurs, certaines industries sont caractérisées par des liens particulièrement étroits entre leurs différents intervenants. L'exemple que l'on avance fréquemment est celui de l'industrie automobile et des liens qui existent entre les fabricants d'automobiles et leurs sous-traitants. On peut aussi mentionner Bombardier, pour l'industrie aéronautique, ou Benetton, pour l'industrie du vêtement.

Dans le cas des réseaux d'entreprises et des structures transactionnelles, il y a une pluralité d'entreprises financièrement indépendantes, reliées par un système d'échanges multiforme et complexe. Chacune de ces entreprises ne peut être considérée comme une entité autonome, aux frontières clairement identifiables, et ayant son propre centre décisionnel. Une première question qui se pose est celle du type de liens qui doit unir les entreprises d'un réseau. Une seconde question, davantage stratégique, est celle du rôle des différentes entreprises du réseau dans la formulation de la stratégie. Dans quelles circonstances y a-t-il élaboration de stratégie individuelle et de stratégie collective ? Peut-il y avoir une véritable planification des orientations d'un réseau ? Comment s'ajuste le réseau à la suite des changements qui surviennent dans l'environnement ? Y a-t-il transposition, dans les réseaux d'entreprises, de l'approche *top/down* qui caractérise la prise de décision stratégique dans beaucoup d'entreprises ? La gestion stratégique d'une entreprise appartenant à un réseau caractérisé par une grande connexité oblige les dirigeants à repenser la façon traditionnelle par laquelle ils parvenaient à formuler la stratégie de leur entreprise. Cette dernière ne peut être formulée qu'en tenant compte de la stratégie des autres entreprises avec lesquelles l'entreprise collabore dans une industrie donnée.

Note n° 9

L'ANALYSE SOCIOPOLITIQUE

par Jean Pasquero

La prise en considération de l'environnement sociopolitique dans les stratégies d'affaires est plus ancienne que celle des marchés. Aussi loin que l'on remonte dans l'histoire, on rencontre des gens d'affaires dont la fortune dépendait étroitement de leurs relations avec les pouvoirs en place, qu'ils aient été princes, prélats ou généraux. L'analyse économique des marchés ne s'est progressivement imposée qu'avec la montée de l'industrialisation et surtout de la consommation de masse. Elle n'a pourtant jamais pu se passer d'une bonne compréhension des liens entre phénomènes économiques et processus sociopolitiques.

De nos jours, au moins quatre facteurs rendent l'analyse sociopolitique plus pertinente que jamais. Premièrement, les marchés liés directement à l'État continuent à former une part importante, prépondérante dans certains secteurs, du volume d'affaires des entreprises. Deuxièmement, le secteur concurrentiel, celui dit du libre marché, est fortement encadré par des systèmes de normes souvent très complexes d'origine sociopolitique. Troisièmement, la démocratisation des sociétés, en donnant aux citoyens et aux groupes qui les représentent le pouvoir de se faire écouter des entreprises, a créé un environnement porteur d'incertitudes nouvelles pour ces dernières. Quatrièmement, la mondialisation des marchés oblige les entreprises à composer avec des cultures différenciées dont les aspects sociopolitiques sont fréquemment les éléments les plus critiques.

Le processus sociopolitique est l'ensemble des mécanismes par lesquels une société fixe ses priorités. Selon une distinction courante, les facteurs politiques sont liés à la puissance de l'État ; les facteurs sociaux relèvent de la société civile, en particulier de l'action des groupes de pression, des médias et des autres partenaires de l'entreprise. Cette distinction est cependant artificielle. Les lois, règlements, politiques industrielles ou autres formes d'interventions de l'État dans la sphère économique ne sont pas que le résultat de la poursuite rationnelle de l'intérêt public ; elles sont tout autant la réponse à des pressions sociales de nature corporatiste menées par des groupes de pression particulièrement efficaces. À l'inverse, l'action des acteurs sociaux dépend largement des possibilités que leur offre le cadre institutionnel que garantit l'État. L'interaction entre facteurs sociaux et facteurs politiques est donc permanente. Leur influence combinée se fait sentir sur une foule de dimensions stratégiques, dont les opportunités d'affaires, entrée ou sortie des marchés, prix, types et niveaux de risques, formes de concurrence, coût et qualité des intrants, de même que sur l'éventail des pratiques de gestion admissibles à l'interne comme à l'externe. Les facteurs sociopolitiques pèsent donc directement sur les profits des entreprises et sur la marge de manœuvre de leurs dirigeants.

L'analyse sociopolitique est une opération délicate. Objet d'analyse, mesure et interprétation sont particulièrement complexes et insuffisamment conceptualisés : termes et définitions ambigus (à commencer par le mot « sociopolitique » lui-même), bases conceptuelles hétéroclites, méthodologies de circonstance. On comprendra mieux ces faiblesses en mesurant l'ampleur du défi.

En premier lieu, l'analyse doit considérer trois niveaux : le niveau sociétal (la société dans son ensemble, ce qui inclut le contexte international), le niveau interorganisationnel (les relations entre l'entreprise et les organisations avec lesquelles elle est le plus directement liée, ce qui inclut l'État et de nombreux autres intéressés) et le niveau organisationnel (la capacité de l'entreprise à se positionner au sein d'un environnement sociopolitique en changement permanent). Chaque niveau éclaire les deux autres, et aucun ne peut être compris isolément.

En deuxième lieu, il est virtuellement impossible de différencier clairement les facteurs économiques des facteurs sociaux, politiques et culturels ; non seulement ces facteurs réagissent-ils les uns sur les autres à court comme à long terme, mais généralement ils changent de nature en évoluant. Tel problème de nature économique se transformera par exemple en problème de nature socioculturelle, pour finalement trouver une réponse avant tout politique qui en transformera totalement le sens original. Qui plus est, tout changement sociopolitique entraîne avec lui l'émergence progressive d'effets secondaires, pour la plupart pervers, qui finissent par le faire dévier de sa trajectoire au point parfois de se retourner contre lui.

En troisième lieu, la réalité sociopolitique est avant tout équivoque. La distinction entre facteurs objectifs et facteurs subjectifs y est souvent intenable. Chaque groupe socioculturel interprète la réalité différemment, et ce qu'un groupe défend comme des faits objectifs est considéré comme des jugements de valeurs par un autre. Un observateur extérieur ne peut que constater la présence non pas d'une seule réalité sociétale, mais de réalités multiples défendues par des groupes différenciés. Une interprétation qui semble l'emporter à un moment donné n'est pas nécessairement plus valide qu'une autre ; elle peut tout simplement témoigner du pouvoir d'influence passager des groupes qui la véhiculent ; elle sera révisée dès que l'équilibre des pouvoirs en place aura changé. En tant qu'acteurs, les entreprises participent à ces jeux sociopolitiques. En tentant d'influencer décideurs et discours publics, elles contribuent paradoxalement à rendre leur propre environnement encore plus insaisissable.

En quatrième lieu, l'analyse sociopolitique dépend subtilement des préjugés théoriques, sinon politiques, des analystes ou de ceux qui les emploient. Deux grandes conceptions de l'environnement sociopolitique coexistent. Certains analystes traitent cet environnement comme un objet unique et, malgré sa complexité, essaient d'en décrire le plus objectivement possible les dimensions les plus pertinentes. Ces analystes auront tendance à privilégier des données objectives, de type économique, et à négliger les dimensions plus subjectives ou symboliques. Ils raisonneront en termes de coûts et de risques. Ils s'intéresseront plus aux grandes tendances des phénomènes socio-économiques qu'aux logiques des acteurs. Ils se donneront pour objectif de prédire l'évolution de l'environnement pour y préparer l'entreprise. Très souvent, l'image de l'environnement sociopolitique qu'ils se créeront sera celle d'un milieu indifférencié, plutôt hostile à l'entreprise, défini comme un ensemble de contraintes à contrôler.

À l'inverse, d'autres analystes se préoccuperont davantage de faire valoir la multiplicité de l'environnement. Ils s'intéresseront plus particulièrement aux raisonnements des acteurs avec lesquels l'entreprise doit traiter, à leurs différences et contradictions, ainsi qu'aux conséquences de cette diversité pour l'entreprise. Ils auront tendance à privilégier des données qualitatives et des analyses de discours localisées, et à mettre en relief l'indétermination de l'évolution de l'environnement. Plus que la prédiction, ils chercheront à explorer la gamme des stratégies disponibles dans leurs relations avec les membres de leur environnement, ce qui inclut les possibilités de dialogue. Leur approche sera plus politique que technique, et leur image de l'environnement sera celle d'un champ de centres de pouvoir différenciés, offrant des degrés divers d'intervention.

Les recherches ont montré que la différence entre les deux conceptions de l'environnement sociopolitique est plus que méthodologique : elle est philosophique. Dans le premier cas, la haute direction se tient au service exclusif des actionnaires ; dans le second cas, elle estime avoir des obligations envers la société dans son ensemble et considère ses responsabilités envers les actionnaires comme prioritaires mais pas uniques. On peut qualifier ces entreprises d'« extraverties ».

Finalement, l'envergure de l'analyse doit être adaptée aux conditions particulières de chaque entreprise. Une entreprise vendant directement aux consommateurs fouillera plus particulièrement les dimensions sociales de son environnement, alors qu'une entreprise de biens industriels s'attachera plus aux éléments politiques, et qu'une entreprise fortement réglementée devra accorder une priorité égale aux deux.

Devant ces difficultés, on ne s'étonnera pas de la variété des méthodologies utilisées. Un exemple est fourni par les banques, quand elles cherchent à déterminer le risque politique de leurs investissements internationaux. Pendant longtemps qualitative et informelle, l'analyse de ce type de risque a été remplacée, il y a 20 ans, par des approches plus quantitatives. Des mesures d'indicateurs sociaux et politiques sont compilées à partir de documents officiels ou par questionnaires auprès d'opérateurs locaux, généralement des consultants, et sont traitées statistiquement. Il existe une industrie très concurrentielle de la consultation dans ce domaine. Les résultats consistent généralement en une évaluation chiffrée du niveau de risque à court et à moyen terme pesant sur divers types d'opérations financières. D'apparence plus objective, ces techniques restent cependant très arbitraires. Elles fournissent des tours d'horizon, relativement superficiels, de la réalité sociale et politique des pays concernés et ne tiennent pas compte des conditions propres à chaque entreprise. Leur pouvoir de prédiction est faible, comme l'ont montré les multiples crises politiques imprévues de ces dernières années. Ces modèles sont parfois complétés par des sondages d'experts. Beaucoup d'entreprises les enrichissent également par des rapports de situation commandés à leurs opérateurs sur le terrain. On assiste donc à un certain retour des contributions plus qualitatives.

Malgré leurs insuffisances, ces méthodes traditionnelles continuent à connaître un certain succès. Elles le doivent essentiellement à l'absence d'alternative commode. Les analyses qualitatives sont plus intégrées mais trop impressionnistes ou trop complexes. Les analyses quantitatives sont plus maniables mais faussement rigoureuses ou excessivement réductionnistes. Une véritable analyse sociopolitique de l'environnement doit pouvoir associer rigueur et pertinence. Dans un contexte turbulent où le succès dépend de la rapidité de réaction des entreprises, il devient ainsi impératif de réhabiliter le jugement des décideurs opérationnels. Pour ce faire, il faut les entraîner à conceptualiser leur environnement sociopolitique en trois éléments interreliés : structure, dynamique, logiques.

L'analyse structurelle consiste à découvrir les réseaux d'action dans lesquels s'insèrent les « intéressés » (*stakeholders*) les plus importants, en mettant en relief leurs relations, leurs intérêts (matériels et non matériels), leurs attentes et leur capacité d'action (pouvoir) individuelle ou collective. L'analyse dynamique consiste à retracer le processus de formation des enjeux sociopolitiques les plus pertinents en étudiant comment les grandes tendances de la société se forment et se transforment à travers le jeu des différents groupes sociaux. L'analyse des logiques consiste à décomposer les raisonnements des partenaires les plus immédiats de l'entreprise, c'est-à-dire à comprendre sur quelles bases ils fondent leur appréciation de la réalité, comment ils définissent leurs intérêts et quel est leur degré d'ouverture aux intérêts de l'entreprise, dans un questionnement pouvant aller jusqu'aux possibilités de dialogue ou d'action conjointe avec elle. Ainsi conçue, l'analyse sociopolitique débouche sur la production de scénarios plausibles d'interface entre l'entreprise et son milieu. Elle n'est pas seulement réactive ou préventive — comment se protéger de l'environnement. Elle permet également de découvrir des possibilités qui seraient autrement passées inaperçues — comment développer l'entreprise en accord avec son environnement.

Le travail de recherche proprement dit peut être délégué à des spécialistes formés à la pratique intégrée de l'analyse économique, politique et sociale. Le décideur opérationnel doit cependant rester le maître de l'interprétation des résultats. Il lui revient de les incorporer dans la prise de décision stratégique. Ces rôles ne peuvent s'improviser. Dans tous les cas, le décideur devra donc lui aussi avoir reçu une préparation théorique adéquate. Il lui faudra apprendre à déchiffrer le processus sociopolitique non seulement dans ses réalités apparentes, mais aussi dans ses dimensions symboliques (politiques et culturelles), et savoir en interpréter les conséquences pour la réalité de son entreprise. Plus que jamais à l'avenir, l'efficacité du gestionnaire résidera en sa capacité de donner personnellement un sens à la complexité de son environnement sociopolitique.

Note n° 10

LA PLACE DE LA TECHNOLOGIE DANS LA DÉMARCHE STRATÉGIQUE DE L'ENTREPRISE

par Fernand Amesse

La place de la technologie dans la démarche stratégique de l'entreprise a beaucoup évolué au cours des 30 dernières années. La grande majorité des manuels qui traitent de gestion proposent de concevoir la technologie comme une force externe faisant partie de l'environnement de l'entreprise. C'est également ce qu'Andrews propose : « The environment of an organization in business like that of any other organic entity, is the pattern of all the external conditions and influences that affect its life and development... They are **technological**, economic, physical, social and political in kind. » (Andrews 1971/1987, p. 48.)

C'est au début des années 1980 qu'émergent la perspective de la stratégie technologique de l'entreprise et, en même temps, un regard critique sur la conception que l'on s'est formée au sujet de la place de la technologie dans le processus de formulation stratégique (Kantrow, 1980 ; Dussauge & Ramanantsoa, 1986 ; Friar & Horwitch, 1986 ; Porter, 1985).

En fait, ces auteurs remettent en cause une vision de la technologie et, surtout, du changement provoqué par la technologie, qui consiste à considérer cette dernière comme une force menaçante pour l'environnement de l'entreprise et susceptible de provoquer la « destruction créatrice », selon l'expression proposée par Schumpeter.

Ces auteurs remettent également en cause la conception générale que l'on a du processus de production de la technologie qui entraîne le fait que ce dernier échappe largement au contrôle de l'entreprise. Ils proposent plutôt une vision beaucoup plus proactive et volontariste de l'action de l'entreprise sur la technologie. Reprenons les termes de Porter au sujet de ces entreprises : « They take every opportunity to use their technological leadership to define their competitive rules in ways that benefit to them. » (Porter 1980, p. 188.)

Une foule de raisons ont été invoquées pour expliquer ce changement de perspective au début des années 1980. Voyons-en quelques-unes.

- **Le modèle des entreprises technologiques**

  Durant les années 1980, on est témoin de l'importance grandissante et des succès retentissants des entreprises dites « technologiques » dont le fondement critique de l'avantage concurrentiel est d'être l'artisan et le promoteur du changement technologique. Ces entreprises très entrepreneuriales sont des modèles bien différents des entreprises traditionnelles et bureaucratiques dont la stratégie est davantage concentrée sur des stratégies de marchés. Il faut se rappeler ici que c'est de cette époque que datent les premières grandes études sur le « Silicon Valley » et la Route 128 (*High Tech America*, Markusen, 1980 ; Hall & Glasmeier, 1986 ; *Silicon Valley Fever*, Rogers & Larsen, 1984 ; *Route 128 : The Development of a Regional High Technology Economy*, Dorfman, 1983.)

- **L'effet nippon**

  L'effet nippon frappa d'abord l'industrie américaine de l'automobile et plusieurs autres secteurs par la suite. Ce phénomène démontra de façon éclatante l'importance des activités de production, de la maîtrise des technologies de procédés et de l'intégration des fonctions de l'entreprise dans les grands processus de gestion (juste-à-temps, amélioration continue, qualité totale). Cette valorisation du processus de production et son intégration à la gestion globale de l'entreprise agit comme un révélateur de diverses déficiences de l'entreprise, américaine en particulier, dans sa conception de la technologie. L'entreprise américaine a souvent une déficience au sommet de l'organisation. Ses dirigeants sont incapables d'appréhender et de comprendre la nature des technologies et des changements technologiques qui sont au cœur de son appareil de production. L'entreprise a aussi privilégié une approche très fonctionnelle en ce qui concerne la recherche et développement. On a volontiers délégué la responsabilité de maîtriser les technologies à la fonction R-D sans favoriser une réelle intégration aux objectifs de l'entreprise.

- **Le mythe de l'innovation radicale**

  Ce mythe s'inscrit dans les suites de l'effet nippon et est magnifiquement illustré dans le livre de Florida et Kenney intitulé *The Breakthrough Illusion*. Selon ces auteurs, l'Occident conçoit volontiers le changement technologique et l'innovation en termes de grandes percées technologiques ou d'innovations radicales, réalisées par un individu ou une entreprise héroïque, susceptibles de bouleverser les marchés et les industries, alors que les entreprises japonaises s'intéressent davantage au changement progressif et cumulatif obtenu par l'exploitation systématique des diverses applications d'une technologie par l'entreprise et ses sous-traitants. Dans le premier cas, la technologie est un phénomène peu prévisible et contrôlable par l'entreprise; dans le second cas, elle l'est davantage.

Ces raisons données pour expliquer l'évolution connue depuis les 30 dernières années, pour convaincantes qu'elles soient, sont cependant incomplètes. La perception qu'ont les gestionnaires du changement techno-logique est fortement influencée par la conception qu'en ont les divers acteurs d'une société. En effet, cette conception s'enracine dans des institu-tions et des politiques qu'on appelle aujourd'hui volontiers «système d'inno-vation national». Le système d'innovation national traduit, en fait, la ma-nière dont la connaissance et la technologie sont produites et leur incorporation dans les produits et procédés des entreprises. Or, ce sont préci-sément les changements profonds qu'ont connus les systèmes nationaux d'innovation qui expliquent le mieux que l'on conçoive maintenant le chan-gement technologique comme un phénomène largement maîtrisé par l'entreprise et non comme une contrainte imposée par l'environnement.

Dans les années 1960 et 1970, on concevait en général l'innovation et la technologie comme la résultante directe de l'activité scientifique. La science était le moteur et la cause de l'innovation. Le modèle était linéaire, allant de la science à la recherche appliquée, puis au développement et, enfin, à la commercialisation de l'innovation. Pour les tenants de cette conception, l'État avait le devoir impérieux de promouvoir et de soutenir la recherche scientifique. Cela se faisait dans les grands laboratoires de l'État et dans les universités. Ce sont ces lieux privilégiés qui ont été au cœur du système d'innovation. L'entreprise était le lieu de la connaissance et de l'identification du marché et non de la production scientifique et technique. Le lien entre les potentialités scientifiques et les besoins du marché se faisait difficilement et occasionnait de multiples problèmes de transfert de technologie soit parce que la poussée scientifique et technique ne trouvait pas d'acteurs ou de mar-chés pour prendre le relais, soit que ceux qui connaissaient bien le marché n'arrivaient pas à appréhender toutes les potentialités du réservoir scientifi-que et technique. Il n'est pas étonnant qu'un système d'innovation ainsi conçu ait incité l'entreprise à percevoir le changement technologique comme un phénomène externe, imprévisible et menaçant.

Durant les années 1980, l'État est devenu de plus en plus préoccupé, d'une part, par la nécessité impérieuse de l'innovation et du changement technologique pour préserver le caractère concurrentiel de l'économie et, d'autre part, par la faible productivité du système d'innovation en place. Trop de potentialités technologiques demeuraient inexploitées et le système d'innovation était lent à favoriser la diffusion des technologies. Au cours de la décennie, l'État modifia considérablement son action et favorisa l'émergence de systèmes d'innovation différents.

Cette fois, c'est l'entreprise qui fut au cœur du système d'innovation, en tant que lieu où se construisaient les projets technologiques. L'État se définit de plus en plus comme l'animateur, le facilitateur et le partenaire. L'université devint aussi un partenaire scientifique de l'entreprise. L'État agissait sur la demande, sur l'offre, sur les interconnexions entre acteurs du système et, enfin, sur les déficiences institutionnelles.

L'État a agi sur la demande technologique en favorisant la pression concurrentielle dans le marché principalement par l'ouverture de l'économie nationale (libre-échange) et la déréglementation des industries. L'État a agi sur l'offre technologique en modifiant les facteurs qui conditionnaient la rentabilité et le risque des projets technologiques pour les entreprises. L'État a renforcé les systèmes de protection de propriété intellectuelle sur une base nationale et internationale, d'une part, et diminué le coût de production de l'innovation et de la technologie par divers mécanismes de subventions et d'avantages fiscaux, d'autre part. On disait volontiers que, au Canada, la part de l'entreprise pour une dépense en recherche et développement de 1 $ ne représentait pas plus de 0,30 $.

L'État favorisa particulièrement, par tous les moyens, les interconnexions entre les divers acteurs du système d'innovation en se basant sur une conception de l'innovation en tant que résultante de l'interaction étroite et continue entre technologies complémentaires, entre technologies et savoir scientifique et entre technologies et besoins du marché. Les associations, alliances et consortiums devinrent des formules privilégiées, et même forcées par les règles d'attribution des ressources. La première cible de cette approche fut le trio «entreprise, université, grand laboratoire d'État». L'université comme lieu de production de la science se vit de plus en plus obligée, en raison de la rareté des ressources ou des règles d'attribution des ressources, de se tourner vers l'entreprise pour définir avec celle-ci des projets technologiques ou pour participer aux projets technologiques que l'entreprise définissait. L'entreprise fut encouragée par divers mécanismes fiscaux et par la pression du marché à coopérer avec les centres universitaires. La deuxième cible fut les autres entreprises qui détenaient des compétences technologiques complémentaires sur une base nationale et internationale ainsi que les clients potentiels de l'innovation. L'État, encore une fois, favorisa l'association et l'alliance par les règles d'attribution des ressources et alla même jusqu'à relâcher la réglementation sur les pratiques de la concurrence. Désormais, l'association entre entreprises pour mener des projets technologiques n'était plus vue comme une atteinte à l'anti-trust. Les projets technologiques préconcurrentiels étaient acceptés et même encouragés. L'État favorisait la naissance et la consolidation de grappes industrielles et technologiques aptes à maîtriser le changement technologique et à en tirer les plus grands avantages concurrentiels.

De par cette orientation, l'État était très sensible aux déficiences institutionnelles, en particulier dans le cas des petites et moyennes entreprises et de l'entrepreneurship technologique. Dans ces deux cas, l'État participa à une intense activité de création institutionnelle telle que le développement du capital de risque, les centres de transfert technologique et de veille technologique à l'intention des PME, ainsi que les centres d'innovation ou incubateurs à l'intention des entrepreneurs technologiques.

Le système national d'innovation des années 1980 et 1990 n'était plus du tout celui qui avait prévalu dans le passé et cela influait considérablement sur le rapport qu'avait l'entreprise avec le changement technologique.

- Les rapports de la science avec la technologie ont continué d'évoluer très rapidement. Les liens devinrent de plus en plus étroits et l'on parlait volontiers de techno-science ou d'industries fondées sur la science.
- La production de la technologie ou de l'innovation était vue comme la résultante d'interconnexions multiples et complexes. Les interconnexions se faisaient entre connaissances, savoir-faire et besoins tacites et explicites complémentaires souvent détenus par des acteurs différents (universités, fournisseurs, firmes concurrentes, clients ou usagers potentiels).
- Le changement technologique et l'innovation devinrent des réalités qui s'inscrivaient dans une continuité où le temps était une variable de plus en plus critique. La vitesse du marché était souvent une variable critique du succès, spécialement dans des marchés qui offraient des rendements croissants de la part de marché et où la création d'une norme ou d'un standard permettait de verrouiller le marché. Les externalités de réseaux (demande, offre, systèmes)

étaient de plus en plus déterminantes dans les choix de processus d'innovation que faisaient les entreprises.

Ces considérations menèrent naturellement à une conceptualisation nouvelle des rapports de l'entreprise avec le changement technologique. Cette conception va au-delà à la fois de la vision de la technologie comme réalité externe à l'entreprise et de celle qui la considère comme une réalité exclusivement interne. Parmi les théories les plus récentes qui représentent cette nouvelle conceptualisation, on trouve la théorie des réseaux et celle du constructivisme.

La théorie des réseaux, empruntée aux sciences sociales, voit l'innovation comme la résultante d'interactions entre agents hétérogènes. Selon cette théorie, le processus d'innovation se déroule en fonction d'un réseau d'acteurs qui déborde nécessairement les limites de l'entreprise (Callon, Law & Rip, 1986). L'entreprise qui innove ne le fait pas seule. Elle mobilise de plus en plus de savoirs complémentaires localisés dans son réseau formé d'une variété d'acteurs avec qui elle a des relations plus ou moins profondes et plus ou moins exclusives. Le réseau constitue un ensemble à géométrie variable et plus ou moins hiérarchisé, susceptible d'être mobilisé pour l'innovation. De nombreux auteurs ont étudié les réseaux localisés géographiquement, que ce soit dans les agglomérations de haute technologie ou dans les districts industriels italiens. Certains auteurs ont étudié les réseaux de donneurs d'ordres et de sous-traitants; d'autres, enfin, se sont intéressés, par exemple, aux réseaux d'alliances dans l'industrie de l'informatique et des télécommunications.

Il est important de dégager les caractéristiques de l'entreprise et de la technologie dans ce type d'analyse. Chaque acteur se définit par sa compétence (scientifique, technologique, commerciale) et par sa position dans un ou plusieurs réseaux d'innovation. Selon la nature du réseau et sa position dans le réseau, cet acteur contribue à des projets d'innovation ou peut être à la source de projets d'innovation pour, ensuite, mobiliser des acteurs complémentaires. Dans ces cas, la technologie et l'innovation ne se définissent plus selon la dichotomie interne/externe, car elle est l'apanage des acteurs-réseaux. Chacun, doté d'une compétence technologique, participe au changement technologique et bénéficie des externalités du réseau.

Dans la foulée de la théorie des réseaux, le constructivisme ouvre la voie à une conceptualisation de la technologie et du changement technologique plus engageante et plus proactive encore. Dans une perspective constructiviste, l'objet technique et le marché sont les résultantes d'une construction sociale où divers acteurs qui ont un intérêt négocient l'objet, le marché et leur participation. Le changement technologique devient l'objet de litiges et de débats entre les acteurs et trouve sa solution lorsque les acteurs s'entendent pour participer à un projet. Dans ce cas, l'entreprise qui innove ne s'inscrit pas seulement dans un réseau, mais elle crée autour d'un projet technologique une coalition d'acteurs qui y trouvent un intérêt. Cette coalition est susceptible d'agir sur l'environnement de manière à ce que le changement technologique désiré se réalise à son avantage. Dans une telle conceptualisation, on pourra considérer que l'entreprise crée et promeut le changement technologique et, même, qu'elle crée le marché pour les nouvelles technologies qu'elle souhaite promouvoir (Bignetti, 1999).

Que conclure de ces diverses perspectives sur la place de la technologie et du changement technologique dans la démarche stratégique de l'entreprise ?

Une première conclusion pourrait être que le changement technologique comme réalité externe à l'entreprise et force menaçante de l'environnement est une conception très cohérente dans un système national d'innovation qui exclut la firme du processus d'innovation ou la cantonne dans le rôle de commercialisation des résultats de la science qui se fait en dehors d'elle. Cependant les systèmes nationaux d'innovation qui ont été mis en place dans nombre de pays au cours des années 1980 ont placé l'entreprise au cœur du système et exigé d'elle une compétence technologique élevée ainsi qu'une capacité de maîtriser à son avantage le changement technologique.

Une seconde conclusion qu'on pourrait tirer de travaux plus récents s'inspirant du constructivisme et de la théorie des réseaux est que la technologie et le changement technologique pourraient être le moteur de l'action stratégique de l'entreprise en tant que foyer d'un réseau d'acteurs ou d'une coalition d'acteurs dédiés à la promotion du changement.

Note n° 11

ISOMORPHISME
ET STRATÉGIE

par Francine Séguin et Claude Roy

Certaines approches en stratégie accordent un rôle prépondérant au dirigeant (Barnard, 1938). La responsabilité d'analyser l'environnement, en particulier l'environnement concurrentiel, lui incombe. À la suite de cette analyse et d'une évaluation des compétences de l'entreprise, il fait les choix stratégiques qui lui apparaissent les plus appropriés à la situation. Cette perspective accorde au dirigeant au sommet un rôle clé dans la formulation de la stratégie.

À l'opposé, d'autres approches très déterministes évacuent tout rôle de la part des individus dans le choix des orientations stratégiques de l'entreprise. Selon les tenants de cette approche, l'environnement détermine tout : il crée les occasions propices, et les entreprises n'ont de chance de réussir que si elles se situent dans ces seuls créneaux. L'écologie des populations (Hannan & Freeman, 1977) constitue la plus extrême de ces approches, puisque, selon cette optique, l'environnement « choisit » les entreprises qui méritent de survivre et celles qui doivent mourir.

Entre ces deux extrêmes, la contribution de l'approche institutionnelle (DiMaggio & Powell, 1983) nous paraît intéressante. D'une part, cette approche reconnaît l'importance de l'environnement et les contraintes qu'il exerce sur les entreprises et leurs dirigeants par rapport à la formulation de stratégies. D'autre part, elle n'exclut pas les acteurs, mais elle stipule que leur action est fortement encadrée. Selon la théorie institutionnelle, les organisations sont ouvertes sur leur environnement et elles subissent des pressions auxquelles elles ne résistent pas. Au contraire, plutôt que de résister à ces pressions institutionnelles, elles les internalisent. C'est donc sur le plan de cette internalisation que les dirigeants jouent un rôle, en faisant les choix qui la favorisent. Mais comment cela se passe-t-il ? Quels sont les mécanismes à l'œuvre qui contribuent au changement institutionnel ?

TROIS MÉCANISMES

DiMaggio et Powell (1983) désignent trois mécanismes par lesquels le changement institutionnel se produit : la coercition, le mimétisme et la normativité. Chacun de ces mécanismes vise à conférer un caractère légitime aux choix stratégiques qui sont faits par l'organisation. Nous allons définir chacun de ces mécanismes et les illustrer par différents exemples.

LA COERCITION

Ce type d'isomorphisme est lié aux aspects légaux et réglementaires des institutions. Il y en a deux types : les mécanismes descendants (*top-down*) et les mécanismes ascendants (*bottom-up*). Les mécanismes descendants opèrent à partir des demandes formelles ou informelles provenant des niveaux hiérarchiques supérieurs. L'obtention de fonds leur est fréquemment assujettie. Cela est le cas dans les secteurs public et parapublic. Ainsi, les ministères, les hôpitaux et les écoles font souvent face à des demandes impératives de la part des organismes centraux, lesquelles restreignent considérablement leur marge de manœuvre. Une organisation qui ferait fi d'une nouvelle politique gouvernementale en matière de réduction des dépenses ou d'augmentation du recours à la sous-traitance pourrait se retrouver dans une fâcheuse posture au moment de la négociation de son budget de l'année suivante. Dans le domaine hospitalier, Lozeau (1997, p. 67) démontre bien le rôle marquant que jouent les agences d'accréditation.

Les mécanismes ascendants découlent d'attentes socioculturelles qui ont cours dans une société donnée. Pensons, par exemple, à la tentative du gouvernement canadien de réformer la prestation des services publics, comme le cite Morin : « Fonction publique 2000 était une réponse proactive de la fonction publique aux pressions externes exercées pour une amélioration des services publics » (Morin, 1998, p. 16). En outre, Welch et Wong (1998, p. 45) affirment que des pressions s'exercent partout dans le monde pour que les bureaucraties publiques diminuent le gaspillage de leurs ressources et augmentent leur productivité. Cela incite tous les pays en question à adopter une panoplie de mesures semblables. À cet égard, on peut penser à la privatisation des services publics, lancée en Grande-Bretagne dans les années 1980 (Morin, 1998, p. 17), qui s'est étendue d'abord en Australie et en Nouvelle-Zélande, puis progressivement à un nombre considérable de pays.

Ces pressions coercitives n'existent pas que dans le secteur public. Le secteur privé est loin d'être à l'abri de la coercition, exercée notamment par les autorités politiques ou par la population. En règle générale, les entreprises doivent se conformer aux demandes des gouvernements et à celles de la population, même si ce n'est pas, au premier abord, l'option privilégiée. Que l'on pense aux règlements anti-pollution et aux pressions de plus en plus fortes exercées par les groupements de consommateurs pour que l'on indique sur les produits alimentaires, le cas échéant, des mentions du type « organisme génétiquement modifié ». De plus, la certification de type ISO 9000 impose des contraintes incontournables aux entreprises en amont d'une chaîne d'approvisionnement (Bates, 1997, p. 850).

LE MIMÉTISME

Selon DiMaggio et Powell (1983, p. 147-150), les changements dans les organisations sont assez rarement influencés par la concurrence ou par un besoin d'efficience. Des préoccupations de cet ordre ne sont le cas que d'une minorité d'entreprises novatrices, qui ont le souci de chercher activement les moyens pour améliorer constamment leur performance. Lorsque les autres organisations constatent le succès des innovations que ces entreprises mettent en place, elles considèrent que les méthodes de ces dernières sont fort attrayantes et désirables. On assiste, alors, à un important phénomène de réplication interentreprises ainsi qu'à la création de mythes et de modes (Meyer & Rowan, 1977). Ces derniers se maintiennent et perdurent, et ce, même si les résultats concrets obtenus par l'ensemble des organisations qui ont adopté l'une ou l'autre des pratiques ne le justifient pas.

L'appropriation de pratiques de gestion en vogue confère à la firme imitatrice un caractère de modernité (Bolman & Deal, 1991, p. 277) ainsi que des apparences de compétence et d'engagement dans la démarche de résolution des problèmes. À cet égard, on peut penser aux cercles de qualité qui symbolisaient, au début des années 1980, le dernier cri en matière de gestion participative (Lawler & Mohrman, 1985, p. 66). Malgré cet engouement, les bénéfices escomptés de la méthode ne se sont jamais concrétisés, si bien qu'on n'y recourt à peu près plus.

Pour les entreprises imitatrices, participer à une mode a donc préséance sur l'amélioration concrète de leur performance : ce qui est désirable, c'est l'adoption de l'innovation comme telle. À long terme, le fait que plusieurs organisations adoptent la même innovation a pour conséquence que l'on assiste à une homogénéisation des structures, de la culture et des modes de fonctionnement des organisations.

Selon Scott (1995), le mimétisme est associé aux aspects cognitifs des institutions. Dans les interactions qui mènent à la connaissance, les symboles sont importants. Les individus ont donc tendance à tenir les choses pour acquises. Quant aux organisations, elles sont fortement enclines à imiter les autres lorsque leur compréhension des facteurs technologiques est faible, que les objectifs organisationnels sont ambigus et que l'environnement est incertain. Dans de telles circonstances, l'appropriation des pratiques mises en œuvre par les organisations florissantes se substitue à l'analyse de la situation et à la prise de décisions, décisions qui pourraient d'ailleurs être fort douloureuses à prendre, notamment lorsqu'il y a plusieurs teneurs d'enjeux (DiMaggio & Powell, 1983, p. 155).

Dans le secteur public, Tolbert et Zucker (1983) ont fait la démonstration que les municipalités qui ont été les premières à adopter certaines réformes de leur fonction publique présentaient une forte homogénéité quant à certaines caractéristiques organisationnelles. Ce n'était cependant pas le cas pour celles qui ont adopté les réformes tardivement. Dans ce dernier cas, le processus d'imitation a été le moteur de l'adoption des réformes. Ce phénomène d'imitation existe aussi dans le secteur privé. Pensons à la période durant laquelle les organisations se sont massivement orientées vers la diversification. Cette stratégie est devenue une véritable mode. Hors de la diversification, point de salut pour les entreprises qui voulaient connaître la croissance ! Sans contredit, cette stratégie a donné des résultats intéressants pour certaines entreprises. Cependant, les entreprises qui n'ont fait qu'imiter les autres, sans poser de diagnostic sérieux à l'interne et à l'externe, ont connu des résultats catastrophiques. On n'a qu'à penser à Métro-Richelieu, Provigo ou Lavalin.

Dans le même ordre d'idées, on peut mentionner la gestion intégrée de la qualité (*Total Quality Management*), qui a connu deux vagues importantes d'imitation. Cette pratique a d'abord pris forme au Japon, dans le secteur privé, puis elle a été fortement imitée par les entreprises américaines dans les années 1980, au point qu'elle est devenue le symbole incontesté d'une gestion moderne et innovatrice. Les résultats de cette méthode aux États-Unis ont été loin d'être convaincants.

Par la suite, la gestion intégrée de la qualité a gagné les organismes des secteurs public et parapublic, parfois à l'instigation des consultants (Saint-Martin, 1999, p. 67). Sa diffusion a souvent pris l'allure d'un effet « boule de neige ». Par exemple, l'adoption de programmes de gestion intégrée de la qualité a connu une croissance foudroyante dans les hôpitaux américains : mise en œuvre dans moins de 100 hôpitaux en 1988, elle était établie dans près de 2000 hôpitaux en 1993 (Westphal, Gulati & Shortell, 1997, p. 380). Comme ce fut le cas dans le secteur privé, les résultats de cette pratique dans le secteur public sont loin d'être probants. Il est intéressant de constater que la gestion intégrée de la qualité s'est propagée par imitation dans le secteur public au moment où on remettait clairement en cause cette pratique dans le secteur privé (*From Quality Circles…*, 1997, p. 60).

LA NORMATIVITÉ

Cette source d'isomorphisme découle d'abord et avant tout de contraintes sociales, en particulier des obligations morales et interpersonnelles qui prennent elles-mêmes racine dans l'appartenance à un groupe ou à une association. Ce mécanisme est fort susceptible de se manifester dans les rangs des professionnels. En effet, ils ont reçu le même type de formation, ils ont développé des habiletés et des connaissances semblables et ils appartiennent aux mêmes regroupements spécialisés.

Les associations professionnelles constituent donc de puissants réseaux, dont l'un des rôles consiste à familiariser leurs adhérents aux façons de faire émergentes. Outre les revues et les bulletins associatifs, les colloques, les conférences ou les ateliers de formation contribuent à l'homogénéisation du *corpus* disciplinaire. Ce faisant, ces associations jouent un rôle non négligeable dans la diffusion des modes et, par conséquent, dans le rayonnement du phénomène d'imitation.

ET LA STRATÉGIE ?

Selon les approches institutionnelles, la marge de manœuvre des dirigeants est considérablement réduite par rapport aux approches en stratégie davantage volontaristes. D'une part, les choix des dirigeants répondent souvent aux pressions coercitives et aux influences normatives qui s'exercent sur eux. D'autre part, ils manifestent une forte tendance à calquer les stratégies adoptées par les organisations les plus novatrices. Certaines stratégies et pratiques de gestion ayant un caractère de mode, leur cycle de vie est souvent très court. Ces stratégies ne sont aucunement enracinées ; cependant, ce qui est bien enraciné, c'est le réflexe des dirigeants de les embrasser au rythme de leur émergence.

Le rôle principal de ces dirigeants n'est certainement pas de posséder une vision qui soit appuyée sur une fine compréhension de l'environnement interne et externe de l'entreprise, d'où découleraient des choix stratégiques éclairés et originaux. Leur rôle consiste plutôt soit à adopter des stratégies dont la légitimité leur est assurée parce que les intervenants en gestion stratégique les considèrent comme légitimes, soit à imiter des stratégies lancées par des entreprises innovatrices, lesquelles confèrent aussi à leur action un degré élevé de légitimité (Dacin, 1997, p. 48). En ce sens, la légitimité des actions et de l'organisation préoccupe davantage ces dirigeants que le degré de performance permis par des choix stratégiques. Si, par les programmes qu'ils mettent en place, l'organisation est plus performante, tant mieux, mais ce n'est pas le premier objectif qu'ils poursuivent. Il faut donc substituer une approche davantage politique et émergente à la conception rationnelle et délibérée de la stratégie.

Cette conception du stratège est sûrement moins glorieuse que si on le présente comme un être doué de capacités analytiques exceptionnelles, du sens de l'histoire de l'organisation et d'habiletés propres à projeter cette dernière dans l'avenir. Ce type de dirigeant-stratège existe — nous en connaissons tous — mais correspond-il à la majorité des dirigeants d'entreprises, petites ou grandes, privées ou publiques ? Peut-être pas.

Il nous faut concevoir les stratèges autrement. Ils sont, d'abord, des individus qui ont les habiletés politiques nécessaires pour s'approprier les demandes provenant des teneurs d'enjeux et y satisfaire. Ensuite, il faut les considérer comme des individus dont les intérêts personnels peuvent les inciter à imiter les autres. Lorsque cela réussit, ils en tirent un profit personnel ; lorsque cela échoue, on ne peut leur reprocher d'avoir fait courir à l'organisation des risques démesurés, puisque toutes les organisations ont suivi « la mode » et fait les mêmes choix stratégiques. C'est peut-être d'ailleurs ce qui explique que certains cadres supérieurs continuent de connaître une mobilité organisationnelle ascendante importante, dans leur propre entreprise ou dans d'autres entreprises, même si les effets des choix stratégiques qu'ils ont faits ont été catastrophiques.

LA THÉORIE CONVENTIONNALISTE DE LA FIRME : LA FIRME COMME CONVENTION D'EFFORTS

par Taïeb Hafsi

Dans la note sur la théorie contractualiste de la firme[1], qui est actuellement la théorie dominante en économie, on trouve une axiomatique et des outils destinés à justifier *rationnellement* l'existence et le fonctionnement de la firme. Cet appareillage, qui est au cœur de la science économique libérale, considère que les relations entre les individus sont repérables par les contrats qu'ils font. Ces contrats peuvent se conclure dans le cadre du marché ou dans le cadre de l'entreprise, l'une ou l'autre des solutions étant déterminée par les coûts qui régissent l'identification, l'articulation et la réalisation des contrats. Pour que les contrats soient possibles, trois grandes théories ont été développées : la théorie des droits de propriété, la théorie des coûts de transaction et la théorie de l'agence. Ces théories, ensemble, constituent un modèle formidablement cohérent qui explique et légitimise à la fois le fonctionnement du marché, l'existence et la gouvernance des entreprises.

Les grandes théories du modèle contractualiste partent du modèle économique libéral classique qui repose sur trois axiomes : les individus sont *autonomes*, *rationnels* et *informés*. Un quatrième axiome affirme que le *marché* permet la meilleure coordination possible de leurs relations économiques. Cependant, ces axiomes ne peuvent être opérationnels que parce qu'il y a des *contraintes* qui sont imposées et qui évitent le désordre ou la lutte à finir entre les individus, du fait de l'explosion de leurs désirs. Ces contraintes sont notamment les *droits de propriété* qui, au fond, imposent qu'on ne puisse désirer que ce dont on a la propriété, limitant ainsi les risques qui pourraient venir de l'autonomie des individus. Ensuite, l'organisation des échanges obéit à une loi d'airain, à savoir la *réduction des coûts*, notamment des coûts

---

1 . Voir note n° 13.

suscités par le fait que les échanges entre les individus ne sont pas instantanés, mais qu'ils prennent du temps ; ce qui signifie que les échanges sont des transactions qui engendrent des coûts. La comparaison entre *les coûts de transaction* et les *coûts d'organisation* permet notamment de choisir entre le marché et la hiérarchie pour obtenir la meilleure coordination des échanges. Enfin, l'information n'est pas aisée à obtenir et sa transparence n'est pas garantie. Il peut en résulter de l'opportunisme de la part des acteurs impliqués dans l'échange. La théorie de l'agence examine comment les risques d'opportunisme nuisent aux échanges ainsi que comment et à quels coûts on peut réduire ces risques.

Le modèle contractualiste est une formidable construction intellectuelle mais, même si elle est fonctionnelle, elle n'est ni vraiment descriptive ni vraiment satisfaisante, du fait de la très grande complexité des relations économiques entre les individus et des facteurs autres qu'économiques qui interviennent dans ces relations. Cela a suscité un rapprochement entre les sciences humaines traditionnelles, notamment la théorie des organisations, et la science économique dans la *théorie des conventions*.

LA THÉORIE DES CONVENTIONS

Les économistes ont toujours été sensibles à la critique selon laquelle leurs modèles, bien que parfois puissants et séduisants dans des situations simples, sont souvent simplistes et n'ont aucun pouvoir explicatif dans les situations complexes de la vie réelle. De nombreux efforts de théorisation ont été faits mais sont restés marginaux. Notamment, Lewis (1969) a été un précurseur en publiant un livre intitulé *Convention : A Philosophical Study*. Dans ce livre, il stipule que les comportements des personnes sont souvent déterminés ou, plus exactement, encadrés par des *conventions*. Une convention est définie comme un ensemble de critères, implicites ou explicites, auxquels un individu se réfère au moment de décider. Cela correspond au *contexte* dont nous parlons en management, c'est-à-dire à l'ensemble de règles et pratiques, formalisées ou non, qui influent sur le comportement. Gomez (1996), qui a beaucoup développé le travail de Lewis, affirme que la convention est un *kriterion*, c'est-à-dire une base pour porter un jugement. Il est cependant important de souligner qu'une convention n'est pas imposée, même si, souvent, elle s'impose aux acteurs. De manière plus systématique, Lewis propose cinq conditions pour qu'on puisse parler de convention :

- Chacun se conforme à la convention. Qu'on l'adopte ou non, on se situe toujours en référence à la convention.

- Chacun anticipe que tout le monde se conforme à la convention. Cette anticipation renforce et autoréalise la convention.
- Chacun préfère une conformité générale à une conformité moins générale. En d'autres termes, on préfère ne pas douter de la réalité de la convention.
- Il existe au moins une autre voie de rechange ; la convention n'est donc pas une nécessité. On peut faire autrement et remettre en cause une convention existante.
- Toutes ces conditions font partie des connaissances partagées par tous.

Ainsi, la convention est un contexte compris et accepté par tous. Elle contraint l'autonomie des acteurs sans pour autant que l'acteur soit obligé de l'accepter. Il peut faire autrement, mais à ses risques et périls. Cela règle la question de l'autonomie des acteurs.

La théorie des conventions modifie aussi sensiblement l'axiome de rationalité en donnant comme argument que ce n'est pas tant la rationalité que *la rationalisation* qui est importante dans les rapports entre les individus. On a besoin d'être conforté dans l'idée que la convention existe. Comme le suggérait déjà Simon (1982), les acteurs peuvent trouver des solutions, non pas en se référant à une capacité fondamentale de raisonner, la *rationalité substantive*, mais en adoptant une raison commune, construite collectivement et contraignant la prise de décision, ce qu'il appelle *la rationalité procédurale*. Donc, rationaliser contribue à créer cette rationalité procédurale, à créer le contexte qui formera la décision. Ainsi, la convention existe parce que les individus sont « convaincus » qu'elle existe. Elle leur offre un cadre de rationalisation de leurs actions et permet de convaincre les autres. La convention est donc un mécanisme de rationalisation des comportements, ce qui peut permettre d'élargir la théorie économique aux relations sociales, comme la solidarité, la confiance, la fidélité, mais aussi l'opportunisme, les méfiances et les divergences. Nous sommes au cœur de la théorie des organisations. Cela fait de l'économie des conventions une théorie subjective où la convention la plus efficace est celle qui est la plus convaincante. Pour apprécier cela, on doit examiner l'histoire de la convention, donc examiner les couches successives de rationalisation qui l'ont établie. Dans ce cas aussi, on peut voir une similitude très grande avec les questions de culture organisationnelle (Schein, 1985). Comme le suggérait Barnard, on peut vivre dans plusieurs organisations, donc dans plusieurs conventions.

Enfin, la convention est aussi un régulateur de l'information. En fait, comme le suggère Gomez (1996), c'est un *écran informationnel*. Comme la culture, elle évite aux personnes d'avoir à traiter, en permanence, d'un grand nombre d'informations et d'avoir à s'interroger constamment sur le comportement des autres. C'est pour cela qu'on se sent en sécurité dans les environnements qu'on connaît bien et qu'on perd ce sentiment de confort lorsque l'on voyage dans des territoires inconnus. Sur le plan de l'information, la convention est un *discours* qui nous indique quoi faire. On y trouve l'énoncé d'un ou de plusieurs *principes supérieurs*, des *distinctions* entre les personnes qui adoptent la convention et des *sanctions* pour le maintien de la convention. Ainsi, comme méthode d'analyse, la convention est « un système concret constitué par ses codes, ses lois, ses discours, ses signaux, ses canaux de transmission, ses mécanismes d'information, toute une infrastructure qui lui est propre permettant sa réalisation et en communiquant son existence aux adopteurs ».

On peut dire que l'individu est libre de choisir comment se repérer, mais la convention est un système de repérage très pratique. Il peut rationaliser, et la convention est un système de rationalisation souvent très puissant. Enfin, il peut manipuler l'information, sachant que la convention est un écran d'information efficace, à la constitution duquel il contribue.

L'ENTREPRISE : UN TERRITOIRE BALISÉ PAR DES CONVENTIONS

Pour agir et décider, les individus ont besoin de réduire l'incertitude quant à ce qui est attendu d'eux. Ils ont besoin d'un référentiel. Le référentiel est fourni par le comportement des autres : il y a beaucoup de mimétisme dans les organisations. Il est aussi fourni par les routines et les savoirs collectifs. Il est fourni par le contexte organisationnel, y compris la culture et la stratégie de la firme. Si l'on considère cela comme un système de conventions, il satisfait les cinq conditions de Lewis. Bien entendu, le problème pratique de la reconnaissance de la convention ou du système de conventions se pose pour l'analyste. Gomez (1996, p. 213) donne le conseil suivant :

> *Analyser une firme dans l'optique conventionnaliste, c'est événementialiser l'entreprise comme objet d'étude. Cela signifie que l'observateur ne doit pas prendre comme évidence l'existence de l'entreprise, mais conserver comme viatique et comme aiguillon cette question : en quoi l'entreprise que j'observe permet de réduire le problème principal des individus la composant qui est l'incertitude sur l'effort personnel à assurer ?*

La convention, ou le système de conventions, peut aussi être conçue comme un objectif commun pour les acteurs, ce qui leur permet de rationaliser leurs actions. L'entreprise suppose une «solidarité de l'objectif», c'est pourquoi elle diffère du marché. Les théories organisationnelles et stratégiques pourraient être appelées à la rescousse pour aider à repérer la convention d'objectif commun et la rendre crédible. Les managers et entrepreneurs peuvent aussi jouer un rôle comme facilitateurs, afin de rendre la convention plus convaincante que tout autre moyen. Bien entendu, convaincre, c'est à la fois utiliser incitatifs et persuasion, au sens que Barnard donne à ces termes (1938), la persuasion n'excluant pas la coercition.

Gouverner l'entreprise suppose une attention particulière aux conflits de convention. En effet, aujourd'hui, la complexité considérable des organisations est telle que la gouvernance apparaît comme un mécanisme de réconciliation, par petites touches et approximations successives, des multiples logiques qui se concurrencent. Les repères de suivi, comme les coûts et les profits, peuvent aussi être considérés comme des conventions. La théorie conventionnaliste renverse donc la perspective de la théorie des coûts de transaction. Ce ne sont pas les coûts qui définissent l'organisation, mais c'est l'organisation qui postule ses coûts.

Ainsi, la théorie des conventions rejoint les théories récentes sur le fonctionnement des organisations ou la stratégie des acteurs en milieu organisé (voir la note 3, d'Anne Mesny). En effet, elle rejette l'idée que l'efficacité est la détermination *a priori* du «bon» comportement des acteurs et admet que cette efficacité se construit en même temps que les acteurs agissent. Seul le caractère convaincant de la convention est important. On peut ainsi faire une cartographie de la firme, selon le niveau d'enracinement de la convention, et on admet que ce niveau évolue sous la pression de conventions concurrentes. De ce fait, la théorie, même si elle est encore en cours de formalisation, semble prometteuse comme substitut crédible au modèle contractualiste libéral.

Pourtant, comme toute théorie, la théorie des conventions s'effrite en situation de complexité. La multitude des conventions qui ont cours dans l'entreprise pose un problème d'analyse considérable au chercheur et au praticien. Déterminer quelles sont les conventions qui agissent sur une organisation complexe et quels sont les effets combinés de ces conventions relève de l'art plutôt que de la science. La théorie des organisations se bat avec ces mêmes considérations depuis plusieurs décennies, avec un succès mitigé. Toutefois, le rapprochement de la science économique et des sciences humaines est suffisamment impressionnant pour stimuler les recherches et les efforts de formalisation dans la direction de la résolution des problèmes pratiques que nous avons signalés.

Il est tout à fait probable que les techniques actuelles de prédiction du comportement, inspirées des théories du chaos et utilisant la simulation, puissent, dans un avenir relativement proche, apporter des contributions réelles au repérage des combinaisons de conventions. Il n'est pas impossible qu'on ait alors des divergences tellement importantes quant à la compréhension des conventions en cours et à leur validité que l'on n'ait plus d'autre choix que de réduire la complexité pour donner plus de chance à la convergence des interprétations et, de là, à la prévisibilité des comportements. En d'autres termes, on aura encore besoin longtemps, pour fonctionner, de conventions relativement larges et simples, comme les conventions qui régissent le marché.

Chapitre V

L'ANALYSE DE L'ORGANISATION

L'environnement constitue le cadre dans lequel s'inscrivent les actions de l'organisation. L'environnement est à la fois une réalité indépendante de l'organisation et une construction de ses dirigeants. Des organisations différentes peuvent voir dans un même environnement des dynamiques différentes, des opportunités différentes, des menaces différentes. Cela signifie qu'il existe, entre l'organisation et l'environnement, une relation biunivoque. Les ressources de l'organisation n'ont alors de sens que lorsqu'elles sont replacées dans l'environnement que celle-ci « s'est choisi ».

L'avantage concurrentiel se définit et se construit donc en référence à ce qui se passe ou à ce qui pourrait se passer dans l'environnement.

Prenons l'industrie des fleurs. Dans le passé, cette industrie comprenait plusieurs intermédiaires, notamment les fleuristes, les pharmacies et les supermarchés, de sorte que le consommateur payait plus de 800 % du prix payé au producteur. L'entreprise Calyx & Corolla créa un réseau afin que les fleurs puissent être acheminées au consommateur, plus fraîches et à un coût moindre. Elle établit des relations étroites avec les producteurs, les aidant à trouver les meilleurs matériaux d'emballage et les informant de l'état des stocks et de la demande. Elle développa aussi une alliance avec Federal Express pour faciliter la livraison et permettre au consommateur de recevoir son produit moins de deux jours après la cueillette. Calyx & Corolla est devenue un joueur central dans cette industrie de 10 milliards de dollars. Beaucoup d'observateurs pensent que l'utilisation du commerce électronique accélérera ce processus d'élimination des intermédiaires.

L'inverse peut aussi se produire, c'est-à-dire que l'avantage concurrentiel peut être l'offre d'un service d'intermédiaire là où le client est mal servi. Dans l'industrie du transport aérien, de nombreuses agences se spécialisent pour offrir des services d'intermédiation, notamment pour faire la recherche des meilleurs circuits et des meilleurs prix. Rosenbluth a construit un système de réservation interne qui offre aux entreprises des services de réservation non seulement de transport, mais aussi d'hôtel, de location de voiture, etc., et des prix que ces entreprises ne peuvent obtenir par elles-mêmes. Rosenbluth leur permet aussi de gagner du temps, ce qui est très important compte tenu de la complication du système de transport international et de la multiplicité des acteurs.

Dans tous les cas, un avantage compétitif durable est souvent une construction déterminée et systématique. C'est sans doute une caractéristique qui est dominée par les qualités de l'organisation, mais aussi une caractéristique qui est modifiée, ajustée, reconstruite pour finalement positionner l'entreprise de manière favorable par rapport à ses concurrents. L'aventure américaine de l'entreprise espagnole Terra Networks est à ce propos révélatrice. Terra, une filiale du géant Telefònica, est l'un des plus importants fournisseurs de contenu et d'accès Internet dans le monde hispanique. L'entreprise s'est récemment installée aux États-Unis par le biais du site www.terra.com. Elle a rapidement compris que la tâche n'était pas aisée, devant des concurrents comme Yahoo et Starmedia, ou des concurrents internationaux comme El Sitio et Loquesea.com. Le problème est lié au fait qu'il faut satisfaire un marché très compliqué, soit les Hispaniques américains. Ces derniers, quoique bilingues, sont néanmoins aussi différents des Américains que le sont les habitants des pays de l'Amérique latine et de l'Amérique centrale. Malgré le petit nombre d'Hispaniques dans le réseau Internet, Terra se défend remarquablement bien.

D'abord, pour encourager l'utilisation d'Internet, Terra s'est alliée à la société de télécommunication IDT du New Jersey, qui a déjà une clientèle d'origine latine. De plus, Terra se vend comme l'entreprise qui comprend le mieux les affinités culturelles et linguistiques de tous les Hispaniques du continent américain. Non seulement Terra le dit, mais elle le pratique. En visitant la page US sport de Terra, on tombe sur un titre à propos de Tiger Woods. Mais si on clique sur le lien péruvien, on aura des informations sur le club de soccer « U ». Par contre, si on se rend dans les pages des concurrents, on aura sans doute le même titre à propos de Tiger Woods, mais rien sur le club de soccer péruvien. Gérer une telle diversité est une réalisation considérable. En effet, certains Hispaniques préfèrent naviguer en anglais et d'autres en espagnol. Cela a forcé Terra à fournir des contenus locaux et du commerce électronique à la fois en anglais et en espagnol. Pour cela, elle a réussi des alliances de qualité avec le *Miami Herald* et MTV Latino et travaillait, au début de 2000, à faire de même en Californie et à New York. De plus, Terra produit des contenus originaux, comme son site Immigration dont un lien à l'INS permet de dialoguer avec des personnes qui ont émigré récemment ou qui connaissent bien les lois de l'immigration. Wall Street ne s'y est pas trompé. Les actions de Terra ont augmenté de 850 % en février 2000, depuis le premier appel public à l'épargne de novembre 1999.

Ces exemples démontrent que le développement d'avantages concurrentiels est à la fois une question de compréhension de ce que l'on est et de ce qu'est l'environnement et la construction patiente, mais systématique et déterminée, de ressources et de compétences qui démarquent l'entreprise de ses concurrents. Dans ce chapitre, nous allons dévoiler ce qui se cache derrière l'incroyable créativité des entreprises et développer des méthodes d'analyse des ressources et des capacités internes. Dans la première section, nous proposerons des démarches traditionnelles, pour nous diriger, dans la deuxième section, vers des méthodes plus récentes d'analyse de valeur, notamment la chaîne de valeur et les idées de conceptualisation de l'organisation en tant qu'assemblage de ressources. Dans la troisième section, nous aborderons des idées nouvelles et prometteuses de reconnaissance de patterns de création et de maintien de la valeur. Nous terminerons par les questions importantes de culture et de leadership comme ressources et sources de compétence distinctive.

I. DÉVELOPPER UN AVANTAGE COMPÉTITIF : LES DÉMARCHES D'ANALYSE TRADITIONNELLES

Les démarches d'analyse traditionnelles partent de l'idée (implicite) que l'environnement est facilement reconnaissable et compréhensible. Il faut donc dégager les **facteurs de succès critiques** c'est-à-dire ce qu'il faut faire pour réussir, puis déterminer l'écart qui existe entre les ressources/capacités et ce qui est exigé et, enfin, tenter de réduire cet écart. La figure 1 résume cette démarche.

Figure 1 Le processus d'analyse interne traditionnel

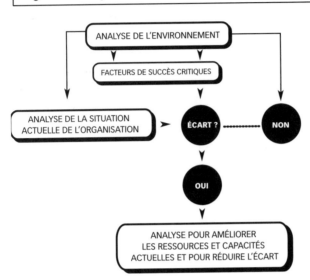

A. LES CONCEPTS DE FORCES ET DE FAIBLESSES

L'une des premières approches utilisées pour examiner l'entreprise consiste à découvrir et à spécifier les forces (ce qu'on fait mieux que ses concurrents) et les faiblesses (ce qu'on fait moins bien que ses concurrents) de l'organisation, en les mettant en rapport avec l'analyse externe, notamment avec les opportunités et les menaces. Cette approche, popularisée sous l'acronyme SWOT (*strengths, weaknesses, opportunities, threats*), est très utilisée par les praticiens de l'analyse stratégique qui la trouvent facile à comprendre et commode à utiliser.

Une force est une ressource ou une activité qu'une organisation fait particulièrement bien, mieux que ses concurrents. C'est une caractéristique qui donne à l'entreprise une capacité spéciale. Il peut s'agir d'une habileté particulière, d'une expertise, d'une ressource dont l'entreprise dispose de manière exclusive, ou d'une réputation que l'entreprise a bâtie au cours des années. Il est bien évident qu'une force peut être tangible, comme la disponibilité de fonds, ou intangible, comme le nom, la réputation, le savoir-faire technologique ou managérial, notamment la capacité à innover et à se présenter rapidement dans le marché avec des produits nouveaux. Ainsi, lorsque l'on parle de la société Alcan, on peut faire référence à ses capacités en matière d'identification des sources de matières premières, de relations avec les gouvernements ainsi que de production et de commercialisation, combinaison de capacités difficile à imiter. Cela constitue d'ailleurs une barrière pour tout nouvel entrant. De même, à propos de Bombardier, on pense à ses capacités de gestion générale et à sa culture, comme étant des forces importantes. La société 3M s'est beaucoup démarquée en institutionnalisant l'innovation et en en faisant la source d'avantages réels sur tous ses concurrents. Sony a fait de sa capacité de création de produits « une barrière infranchissable » pour la plupart de ses concurrents.

Une faiblesse est un manque de ressources ou une performance dans des activités cruciales qui est inférieure à celle de la concurrence, ce qui rend l'entreprise plus vulnérable dans ses marchés. La conscience qu'on a de ses faiblesses est importante surtout pour orienter les choix stratégiques et éviter des chemins stratégiques dans lesquels l'entreprise serait moins forte que ses concurrents.

Le processus par lequel on identifie les forces et faiblesses de l'organisation est classique. On peut faire faire une analyse diagnostique par des personnes externes, dont la mission est d'examiner de manière critique ou comparative les pratiques de l'organisation. On peut aussi procéder à un sondage auprès des gestionnaires clés et discuter des situations sur lesquelles il y a désaccord. Pour guider le processus d'identification des forces et des faiblesses, Stevenson (1976) a proposé un canevas d'examen des grandes fonctions de l'entreprise. Ce canevas est résumé au tableau 1.

Tableau 1   Analyse des forces et des faiblesses

Mode d'organisation

    I. Forme de la structure
    II. Compétences et intérêts des cadres supérieurs
    III. Normes, procédures et règlements
    IV. Système de contrôle
    V. Système de planification

Personnel

    I. Attitudes
    II. Compétences techniques
    III. Expérience
    IV. Nombre d'employés

Marketing

    I. Force de vente
    II. Connaissance du consommateur ou du client
    III. Profondeur des gammes de produits
    IV. Qualité des produits
    V. Réputation
    VI. Clients

Technologie

    I. Installations
    II. Technologies de production
    III. Développement des produits
    IV. Recherche et développement

Finances

    I. Taille financière
    II. Rapport cours / bénéfices
    III. Rythmes de croissance

Ce canevas peut être utilisé comme un filtre ou pour un sondage, afin d'évaluer la position de l'entreprise par rapport à chacun des éléments, du point de vue des gestionnaires ou du point de vue d'experts externes. On peut ensuite examiner la situation de l'entreprise, en la comparant à celle des concurrents, telle qu'elle est perçue par les gestionnaires eux-mêmes ou par les experts externes. Par exemple, on a souvent demandé à des gestionnaires de noter l'entreprise, ou ses concurrents, sur chacun des éléments du canevas, en utilisant une échelle de 7 ou 10 points. Chacun des éléments est ensuite distingué des autres par un système de pondération qui traduit l'importance relative de chacun des éléments pour l'entreprise. Normalement, le total donne une bonne idée des forces et des faiblesses de l'entreprise. Le tableau 2 et la figure 2 résument cette démarche.

Tableau 2   Évaluation des forces et des faiblesses

CRITÈRE	Poids (P de 1 à 10)	Note (N de 1 à 10)	Total P x N
Mode d'organisation			●
• Forme de la structure	7	5	35
• Compétences et intérêts	9	8	72
• Normes, procédures	6	5	30
• Système de contrôle	6	4	24
• Système de planification	9	2	18
Sous-total			● 179
Personnel	X	X	224
Marketing	X	X	288
Technologie	X	X	120
Finances	X	X	75
Total général	X	X	886

L'utilisation de ce tableau doit cependant se faire avec prudence. En effet, dégager les forces et les faiblesses implique à la fois l'examen des scores globaux mais aussi l'examen des scores le long de chaque ligne. Ce tableau est donc surtout destiné à alimenter la réflexion sur ce qu'est une force ou sur ce qu'elle n'est pas. La figure 2, parce qu'elle est une visualisation, est peut-être plus aisée à utiliser, surtout si on projette sur la même figure la situation des principaux concurrents, telle que l'évaluent les gestionnaires ou les experts externes.

Le modèle des forces-faiblesses est à la base des analyses de portefeuille de produits traditionnelles, développées aux chapitres VI et IX. En effet, ces analyses sont toutes basées sur une dimension représentative de l'externe, comme *la croissance du marché*, et une dimension représentative de l'interne, comme *la part de marché relative*. Le succès de l'entreprise passe donc par une combinaison unique des caractéristiques de l'environnement et de celles de l'entreprise ou de l'unité stratégique analysée.

Le modèle des forces-faiblesses est aussi à la base du modèle PIMS (profit impact of marketing strategy), développé au chapitre IX. Le PIMS est né du désir des dirigeants de General Electric de mieux comprendre les avantages ou désavantages compétitifs de leurs centres d'activité stratégique (*Strategic business units*). Ce modèle d'évaluation comparative peut être précieux lorsque l'on tente d'évaluer les forces et faiblesses d'une organisation. L'utilisation du modèle forces-faiblesses peut encore être plus pointue si elle est combinée à des analyses comme celle de la courbe d'expérience, du cycle de vie ou du vecteur de croissance, que nous examinons ci-dessous et au chapitre suivant. Ces analyses sont par ailleurs également utiles dans les situations de complexité, comme nous le verrons au chapitre IX.

Figure 2 Illustration du profil concurrentiel

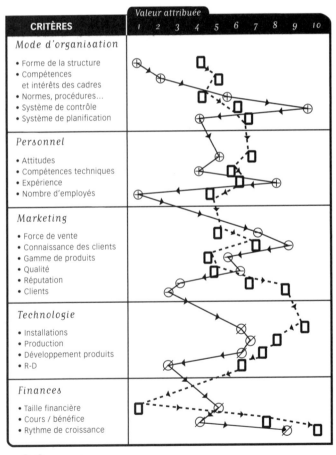

⊕ ⊖ : Entreprise A

B. LA COURBE D'EXPÉRIENCE

Les stratégies génériques les plus connues sont celle de la différenciation et celle du leadership sur les coûts. Ces stratégies seront décrites en détail au chapitre VI. Une stratégie de coûts permet normalement de faire face à la compétition, car elle permet de réduire les prix et d'accaparer des parts de marché plus grandes. Des parts de marché plus grandes, en retour, permettent de produire des quantités plus grandes et, de ce fait, peuvent réduire les coûts en deçà de ce que font les concurrents qui ont des parts de marché plus faibles. La raison principale de cette diminution des coûts en fonction du volume est décrite par le modèle de la courbe d'expérience. C'est l'un des modèles les plus populaires en gestion stratégique des entreprises. Nous le décrivons brièvement dans ce chapitre et nous y revenons au chapitre IX.

Du fait des économies d'échelle, liées directement aux volumes élevés de fabrication qui sont nécessaires pour répondre au marché, et du fait aussi de l'expérience acquise au cours du processus de production, les coûts seront les plus faibles chez les entreprises qui ont les parts de marché les plus élevées. Même si les relations de cause à effet ne sont pas aussi mécaniques qu'on peut le laisser supposer, il existe une relation entre taille et coûts de production.

Les économies d'échelle viennent du fait que, lorsqu'on augmente la taille des installations, les coûts d'investissement et d'exploitation ne croissent pas de manière proportionnelle. Ainsi, une raffinerie de pétrole dont la capacité est le double de celle d'un concurrent, peut n'avoir que 20 % de plus en matière de coûts totaux additionnels fixes d'investissement et d'exploitation. En ramenant cela au coût unitaire, il est clair que plus les installations sont de grande taille, plus le coût unitaire diminue.

Au delà des économies en matière de production, il peut aussi y avoir des économies en matière de dépenses commerciales, de recherche et développement et d'administration. Cela ne se réalise pas automatiquement, mais les gestionnaires de l'entreprise ont parfois la chance de vivre cette situation.

Le phénomène d'expérience a été conceptualisé, notamment par la société Boston Consulting Group, comme une relation prévisible entre volume et coût unitaire :

$$C_t = C_0 (V_t/V_0)-E$$

Avec

C_t = Coût de production (au jour t) pour la V_t ième unité produite

C_0 = Coût de production, au jour 0, pour la V_0ième unité produite

V_t = Expérience actuelle (ie, volume cumulé de production jusqu'au jour t)

V_0 = Expérience antérieure (ie, volume cumulé de production à une date 0)

E = Taux d'expérience (une fonction reliée à la nature de l'industrie et donc de l'expérience)

On peut utiliser l'idée de la courbe d'expérience pour développer une stratégie de contrôle du marché. Cela peut se faire en fixant les prix non pas en se référant aux coûts actuels mais par rapport aux coûts prévus si le volume espéré se réalise.

L'utilisation de la courbe d'expérience comme base pour le choix d'une stratégie met l'accent sur les coûts. Cette stratégie suppose une standardisation des processus de production et une spécialisation de la main d'œuvre et de l'outil de fabrication. Cela accroît l'efficacité mais diminue la flexibilité. Certaines modifications importantes au processus de fabrication peuvent même mettre l'entreprise en danger.

Le concept de la courbe d'expérience doit donc être utilisé avec beaucoup de précaution. Ainsi, tenter d'abord d'augmenter la capacité de production pour obtenir des parts de marché importantes peut exercer des tensions considérables sur le fonctionnement de l'entreprise. Par exemple, passer de 10 % à 30 % de parts de marché, dans un marché qui croît de 15 %, nécessite une croissance de 43 % pendant cinq ans ! Au bout de cinq ans, le volume de production aura été multiplié par 6 ! On doit aussi bien comprendre à quoi s'applique l'expérience considérée. Dans l'industrie automobile ou dans l'industrie aéronautique, le produit final est une combinaison de centaines de composantes, chacune ayant une courbe d'expérience différente. Comprendre comment ces expériences se combinent est très important afin de prendre des décisions judicieuses. Finalement, il est parfois utile de penser en termes d'expérience partagée, lorsqu'une alliance peut permettre de tenir compte des volumes de production de deux ou de plusieurs entreprises à la fois. C'est le cas lorsque des entreprises comme Renault et Volvo s'associent pour construire des moteurs communs.

C. LE CYCLE DE VIE DES PRODUITS ET LE COMPORTEMENT DE L'ENTREPRISE

Comme nous l'avons évoqué au chapitre IV, le cycle de vie des produits reconnaît l'évolution normale des produits de l'entreprise dans leur marché. Un produit est d'abord lancé, et il en résulte une période de gestation avant qu'il ne soit accepté par le marché. Si cela se produit, la demande connaît d'abord une forte croissance, puis la croissance ralentit pour entrer dans une phase de maturité et il peut arriver finalement que la demande diminue. Comme en général tous les produits connaissent ce *pattern* de demande dans le marché, on peut organiser les activités de l'entreprise en conséquence.

On ne gère pas les activités de la même manière selon que le produit de l'entreprise est en croissance ou en maturité. Lorsque le produit est en phase d'introduction, les aspects techniques, notamment de développement du produit, dominent. Lorsque le produit est en croissance, les questions de production prennent le dessus. Lorsque la croissance ralentit, les activités de marketing et de distribution s'imposent pour maintenir ou renforcer les parts de marché et accroître les marges. Enfin, dans la phase de déclin du produit, il faut « moissonner » et engranger les profits. Le tableau 3 résume les fonctions qui sont généralement associées aux phases du cycle de vie.

Tableau 3 Actions stratégiques le long du cycle de vie du produit

Actions Phases	Introduction	Croissance	Maturité	Déclin
PRIORITÉ FONCTIONNELLE	Technique (développement du produit)	Production	Marketing et distribution	Finance
RECHERCHE ET DÉVELOPPEMENT	Amélioration technique	Démarrage du produit suivant	Développement de variantes Réduction des coûts Introduction de nouveaux produits	Arrêt de la recherche et développement pour le produit de départ
PRODUCTION	Sous-traitants Mise au point de procédés Développement de normes	Centralisation et rapatriement de la production Accent sur les longues séries	Réduction des coûts Flexibilité et petites séries Décentralisation Procédures	Sous-traitants Simplification Contrôle des coûts et des stocks
MARKETING	Publicité Vendeurs à commission Incitatifs pour essayer le produit	Renforcer la marque Vendeurs salariés Prix bas	Vendeurs salariés Promotion agressive Suivi du marché	Vendeurs à commission Pas de promotion Prix plus élevés Retrait progressif
DISTRIBUTION PHYSIQUE	Mise au point de la logistique	Intégration du système de livraison	Contrôle des coûts et des stocks Accent sur le service	Réduction des stocks de produits finis Réduction du service
PERSONNEL	Formation des cadres Intérêt des dirigeants	Encadrement de production Heures supplémentaires	Amélioration de la productivité Incitatifs pour l'efficience	Transfert de personnel Incitation à la retraite
FINANCE	Perte Financement des investissements	Marges importantes Financement de la croissance	Marge en baisse Ré-allocation des ressources financières	Liquidation des équipements inutiles
COMPTABILITÉ ET CONTRÔLE	Mise au point de standards pour la production et la vente	Analyse de l'utilisation des ressources rares	Analyse de la valeur Analyse coûts-bénéfices	Analyse des coûts superflus

Source: D'après Thiétart (1990), *La stratégie d'entreprise*, McGraw-Hill, Paris, p. 129.

Nous verrons aux chapitres VI et IX que le cycle de vie induit des stratégies corporatives spécifiques pour l'équilibre du portefeuille de produits. À ce stade-ci, il nous faut cependant insister sur le fait que le cycle de vie est une donnée sur le comportement naturel de tous les produits, mais que le détail du cycle de vie, tout comme la longueur de chacune de ses phases, dépend beaucoup des actions des entreprises de l'industrie. Ainsi, on peut s'attendre à ce que le cycle de vie soit plus long dans une industrie dans laquelle les entreprises préfèrent l'amélioration des produits plutôt que les changements de produits et mettent l'accent sur le contrôle du marché par le leadership de coûts et les barrières à l'entrée, la publicité et la promotion. Inversement, dans une industrie où les entreprises sont stimulées par l'innovation et tentées de changer régulièrement leurs produits, le cycle de vie peut être très court.

II. LES MÉTHODES D'ANALYSE DE VALEUR

A. LE MODÈLE DE LA CHAÎNE DE VALEUR

Dans son modèle d'analyse de la concurrence, Porter suggère d'examiner l'entreprise en utilisant le concept de chaîne de valeur. On peut définir la chaîne de valeur comme l'ensemble des activités distinctes qui contribue à la création de la valeur que le client est prêt à payer. Pour aller plus loin, il s'agit d'examiner la séquence des activités d'une entreprise en vue de comprendre comment elles sont utilisées (ou pourraient être utilisées) pour faire des affaires différemment ou mieux que les autres entreprises du secteur industriel.

Selon ce modèle, il s'agit de déterminer par quelles activités une entreprise crée de la valeur aux yeux des clients. Pour ce faire, on décompose les opérations d'une entreprise en éléments simples afin de mieux comprendre comment chacun de ces éléments contribue à créer de la valeur aux yeux des clients. Le modèle propose de distinguer entre les activités primaires, telles que la production, le marketing, la livraison, le service, et les activités de soutien, telles que les approvisionnements, le développement technologique, la gestion des ressources humaines et la structure.

Pour Porter, les avantages concurrentiels les plus importants sont la différenciation et la capacité à avoir des coûts faibles. L'examen de la chaîne de valeur devrait alors permettre de mieux comprendre comment chacune des activités joue sur la différenciation et les coûts. On parlera alors de détermination des moteurs de la différenciation ou des coûts. Porter suggère que c'est dans l'agencement des activités que l'entreprise arrive à trouver des façons originales, parfois difficiles à copier, de se démarquer de la concurrence et de construire des avantages concurrentiels décisifs. C'est cela qui deviendra la compétence distinctive de l'organisation.

À la figure 3, on présente une vision synthétique de la chaîne de valeur. On parle de chaîne de valeur parce que les activités sont reliées, et qu'elles forment un tout cohérent. De plus, les composantes de cet ensemble doivent être maintenues en relation par des activités de coordination. Notons que la coordination peut en elle-même être source d'avantages compétitifs. C'est pour cela que la gestion du système est un élément essentiel de la chaîne de valeur. Une fois que les éléments de la chaîne de valeur ont été déterminés, il est possible d'attribuer les coûts à chacun des éléments pour mieux apprécier leurs contributions au coût des produits finis. On peut aussi leur attribuer les contributions, à des caractéristiques particulières des produits et services associés, qui permettent la différenciation.

La connaissance de la contribution aux coûts ou à la différenciation, ou aux deux, permet de comparer l'entreprise avec ses compétiteurs et ainsi de saisir la capacité de l'entreprise à soutenir sa stratégie. Prenons l'exemple d'une stratégie de leadership sur le plan des prix : pour réaliser une telle stratégie, l'entreprise doit être capable soit de produire à un coût inférieur à celui de ses concurrents, soit de se procurer sa matière première à meilleur prix, soit d'assurer des livraisons à des prix très avantageux, soit de bénéficier d'autres avantages de coûts, soit des combinaisons de plusieurs de ces activités.

Figure 3 La chaîne de valeur type

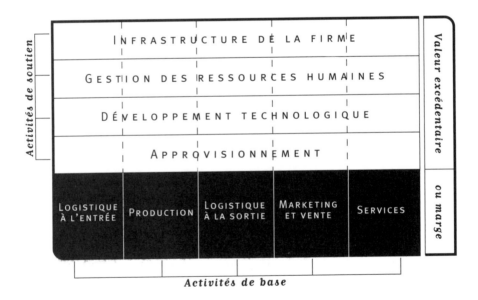

Activités de base

B. La perspective des ressources et le noyau de compétence

La contribution de Prahalad et Hamel

Dans un célèbre article, Prahalad et Hamel (1990) ont suggéré que les entreprises qui réussissent à développer des avantages concurrentiels durables ont tendance à se voir comme un portefeuille de compétences plutôt que comme un portefeuille de centres d'affaires. Ils citaient et contrastaient ainsi les exemples de GTE et de NEC. En 1980, GTE avait des ventes de 10 milliards de dollars et un *cash flow* net de 1,7 milliard de dollars, tandis que NEC était beaucoup plus petite avec un chiffre d'affaires de 3,8 milliards de dollars. Les deux entreprises avaient des bases technologiques et informatiques semblables, mais GTE avait en plus des activités de télécommunication, notamment de téléphone. En 1988, GTE avait un chiffre d'affaires de 16,5 milliards de dollars, tandis que NEC l'avait dépassée avec 21,9 milliards.

GTE était devenue plus étroitement une entreprise de téléphone, conservant quelques activités dans les domaines de l'éclairage et de la défense. Elle avait désinvesti en vendant Sylvania, son activité de télévision, et Telenet. Elle avait aussi engagé en *joint-ventures* ses activités de connexion (*switching*), de transmission et de PBX digital, et avait fermé ses activités de semi-conducteurs. Sa position internationale s'est, par conséquent, détériorée passant de 20 % à 15 % de son chiffre d'affaires.

Par comparaison, NEC était devenue le leader mondial des semi-conducteurs et l'un des joueurs les plus en vue pour les produits de télécommunication et les ordinateurs. En plus des gros ordinateurs portatifs, elle produisait des téléphones mobiles, des machines fac-similé, des *laptops*, faisant ainsi le lien entre les télécommunications et l'automatisation de bureau. Parmi les cinq plus grandes compagnies de télécommunications, NEC était la seule à être aussi dans les semi-conducteurs et les gros ordinateurs.

NEC a défini une stratégie explicite d'exploitation de la convergence des ordinateurs et des télécommunications (appelé C&C). La compagnie pensait que le succès viendrait de l'acquisition de compétences particulières, notamment dans les semi-conducteurs. L'architecture stratégique qui en résulta fut ensuite communiquée largement dans l'entreprise et à l'extérieur. Un comité C&C fut constitué pour superviser le développement des compétences et des produits centraux (*core*). L'entreprise a ainsi consacré des ressources massives à la consolidation de sa position dans les composantes et les processeurs centraux. L'étude effectuée par NEC a conduit celle-ci à penser que les ordinateurs évolueraient des processeurs centraux à un *processing* décentralisé. Elle s'est convaincue que, à cause de cela, progressivement, les activités des composantes, des communications et de l'informatique allaient tellement se recouper qu'il serait difficile de les distinguer. Une compagnie ayant des compétences pour servir ces trois marchés aurait, dès lors, un avantage difficile à imiter.

Cela incita NEC à investir massivement dans les semi-conducteurs, un produit *core,* et à développer une multitude d'alliances pour le reste de ses activités, notamment avec Honeywell et Bull, afin d'«éviter de développer ce qui existe déjà». Pendant ce temps, GTE continuait à considérer ses activités comme des entités autonomes, sans se préoccuper des compétences qui permettraient à l'entreprise de mieux se positionner dans les marchés à venir.

Cette attention aux compétences et aux ressources centrales, ainsi qu'aux produits centraux (ceux qu'il faut absolument contrôler pour réussir dans les marchés considérés), se distingue nettement de la tendance traditionnelle à ne considérer l'entreprise que comme un portefeuille de produits ou d'activités (SBUs ou CAS)[1] relativement autonomes. En fait, beaucoup d'entreprises sont piégées par les dogmes de la gestion autonome des CAS et par la pression de la performance à court terme.

Même si la performance et la compétitivité à court terme sont dépendantes des attributs du rapport prix/performance, la compétition mondiale exige des standards de coût et de qualité de plus en plus exigeants. Les entreprises qui en profitent sont celles qui sont capables de construire les compétences requises, à un coût plus bas et plus rapidement que leurs concurrents. La vraie source d'un avantage concurrentiel est la capacité des gestionnaires de gérer le processus par lequel des technologies et des savoir-faire sont transformés en compétences qui permettent l'adaptation et la saisie d'opportunités inaccessibles aux autres. En somme, si les produits sont les feuilles, les fleurs et les fruits de l'arbre, les compétences en sont les racines.

Plus on observe le processus de consolidation et de développement des compétences, plus on constate l'importance de l'organisation et de la coordination. Sony (Kettani, 1996) met l'accent sur l'importance pour ses technologues, ses ingénieurs et ses commerçants de partager la même compréhension des besoins du client et des possibilités technologiques. Cela permet à tous les éléments clés de l'organisation d'évoluer au même rythme.

---

1. *Strategic Business Units* ou centres d'activité stratégique en français.

La compétence centrale est ainsi la communication, l'implication et un engagement à travailler sans se préoccuper des frontières organisationnelles traditionnelles. C'est cela qui permet à des activités nouvelles qui traversent les fonctions et les CAS de se développer et d'atteindre des performances mondiales.

Ce qui est intéressant, disent Prahalad et Hamel (1990), c'est que les compétences centrales ne diminuent pas avec l'usage. Au contraire, l'usage et le partage les font grandir. Par contre, il faut les protéger, sinon elles peuvent disparaître faute d'être appliquées au bon endroit. Non utilisées, elles peuvent péricliter. On peut aussi laisser partir des compétences cruciales pour l'avenir. Ainsi, on peut penser que GE, même si cela correspondait à une stratégie délibérée, a vendu non seulement des activités d'électronique destinées au grand public (de télévision notamment) à Thomson, mais aussi des compétences essentielles pour un secteur qui pourrait demain devenir le prochain domaine de très forte croissance. La pensée piégée des CAS peut empêcher de voir l'importance des compétences centrales et mener à des décisions trop centrées sur la compétitivité étroite des CAS.

Pour identifier les compétences centrales dans une entreprise, trois questions peuvent être posées :

1. Cette compétence permet-elle l'accès à une variété de marchés ? Ainsi, une compétence dans les systèmes de visualisation permet de participer à des marchés aussi divers que les calculatrices, les téléviseurs miniatures, les moniteurs de d'ordinateurs portatifs, les tableaux de bord des automobiles, etc. Il suffit de voir les comportements stratégiques de Casio pour s'en convaincre.

2. Cette compétence contribue-t-elle de manière significative à la création de valeur pour le client du produit final ? L'expertise de Honda dans les moteurs ou celle de 3M dans les colles spécialisées permettent de répondre positivement à la question.

3. Cette compétence est-elle difficile à imiter par les concurrents ?

Il est permis de penser qu'une entreprise ne peut vraiment développer des compétences de valeur mondiale que dans cinq ou six grands domaines. Même si l'on peut lister un grand nombre de compétences, il faut s'efforcer de les condenser en blocs de base. C'est cela qui permet de découvrir aussi les blocs qui sont manquants et pour lesquels on peut faire des alliances.

La théorie des ressources

L'article de Prahalad et Hamel a stimulé toute une génération de chercheurs qui ont voulu savoir s'il y a un lien systématique entre la nature des ressources et le succès. Cela a donné naissance à ce qu'il est convenu d'appeler « la perspective des ressources ». Ce travail a été lancé par Wernerfelt en 1984 et est présenté plus en détail dans la note 14, de Martine Vézina.

Selon cette perspective, l'idée centrale est que l'avantage concurrentiel vient des ressources internes et qu'il vaut mieux focaliser sur les ressources que sur la dynamique de l'industrie, jugée trop volatile, si l'on veut se démarquer des concurrents et générer des avantages durables. Les ressources sont ainsi une expression plus large des compétences. Bien que ce terme regroupe tout ce qui peut servir à asseoir un avantage concurrentiel, il inclut autant les ressources matérielles et tangibles que les ressources intangibles comme les compétences. Ces dernières ont un caractère plutôt systémique et résultent de « l'interaction entre des technologies, des apprentissages collectifs et des processus organisationnels ». Ainsi, les capacités de Sony de générer de l'innovation ou celles de GE de faciliter l'adaptation au changement sont des compétences et combinent un grands nombre de ressources tangibles et intangibles.

Pour permettre de générer des avantages durables, les ressources doivent posséder un certain nombre de caractéristiques : il faut qu'une ressource soit **rare, durable, non substituable, que l'entreprise se la soit appropriée et qu'elle soit difficile à imiter ou à substituer.** Les compétences ont généralement toutes ces qualités. Comme elles sont reliées à des processus qui prennent beaucoup de temps pour produire des résultats, elles ont une importance considérable. Lorsqu'elles sont à la source de l'avantage concurrentiel, celui-ci est difficile à battre, puisque pour avoir les mêmes compétences les concurrents doivent suivre des processus semblables et donc prendre le temps nécessaire pour cela. L'attachement des employés, les réflexes qu'ils ont dans leurs interactions, les facilités de coordination et d'intégration, la capacité de s'adapter et la capacité d'innover sont autant de compétences qui sont longues à construire mais qui sont des citadelles difficiles à conquérir.

Miller et Shamsie (1996), dans une étude sur les studios de Hollywood, ont développé quelque peu la perspective des ressources en proposant des liens entre la nature des ressources, la nature de l'environnement et la performance des entreprises. Ils ont d'abord proposé de distinguer entre les ressources «basées sur la propriété» et les ressources «basées sur la connaissance». Les premières sont toutes les ressources protégées par des lois ou règlements. Ainsi, un brevet, la propriété d'une mine ou d'un ensemble immobilier peuvent donner un avantage concurrentiel à celui (individu ou organisation) qui en est le propriétaire légal. Les ressources basées sur la connaissance se rapprochent de la définition que nous donnions des compétences. Ce sont des savoir-faire qui ne sont pas accessibles aux autres. Il est donc normal de penser que les ressources-propriétés sont efficaces surtout lorsque l'environnement est stable, tandis que les ressources-connaissances sont efficaces surtout lorsque l'environnement est turbulent. Miller et Shamsie l'ont notamment démontré dans le cas des stratégies des studios de Hollywood.

La théorie des ressources est en plein développement et permet de tester de manière systématique des relations jusque-là peu comprises. Ainsi, pour ne prendre qu'un exemple auquel nous avons participé, on a relié la nature des ressources et la nature de l'environnement à l'existence et à la performance des stratégies de coopération (Hafsi, 1998, p. 50):

Des industries stables et homogènes avec peu d'incertitudes ont tendance à ne pas générer d'arrangements coopératifs sauf lorsque les jeux dominants et les ressources basées sur la propriété sont compatibles ou complémentaires. Dans un tel cas, les arrangements coopératifs génèrent une performance supérieure. Lorsque la coopération est tentée, malgré des ressources identiques ou incompatibles, elle mène à une performance médiocre.

Des industries instables et hétérogènes, avec un haut niveau d'incertitude, génèrent un grand nombre d'arrangements coopératifs, sauf lorsque les jeux périphériques et les ressources basées sur la connaissance sont perçus comme incompatibles ou identiques. Dans le premier cas, les arrangements coopératifs génèrent une performance supérieure. Dans le second cas, les arrangements coopératifs qui sont tentés mènent à une performance médiocre.

La théorie des ressources attire notre attention sur l'importance des ressources internes lorsqu'on veut générer un avantage compétitif. Même si les ressources ne peuvent être considérées sans référence à l'environnement, la théorie suggère que nous n'avons vraiment de levier que sur nos ressources, et que c'est donc sur cela qu'il faut mettre l'accent. Une telle perspective nous incite à revoir de manière importante l'analyse stratégique, en mettant au centre ce que nous possédons et ce que nous savons faire, et en modulant les utilisations des ressources et compétences afin de répondre aux besoins fluctuants des marchés et aux exigences de l'environnement.

Un gestionnaire soucieux d'utiliser cette approche trouvera précieuses les démarches proposées par Prahalad et Hamel (1990) et par Hamel et Prahalad (1989), dont l'essentiel a été évoqué précédemment. Notre suggestion serait de combiner ces approches dans le cadre de l'analyse classique des forces et des faiblesses, en prêtant une attention particulière à la nature des ressources, à leur pertinence ou à leur application à un marché donné, à leur développement et à leur protection.

Ces idées étant évoquées, il est à présent utile de voir si, en étudiant les comportements de firmes à succès, il ressort des exemples autres que ceux mentionnés dans le cadre des travaux de Porter, comme les stratégies génériques de leadership de coûts, de différenciation et de focalisation. Les exemples que nous donnons mettent l'accent sur la combinaison de ressources, mais d'autres, plus liés à la situation dans l'environnement et aux réponses que les entreprises apportent, sont développés au chapitre VI portant sur les options stratégiques.

III. CONSTRUIRE L'AVANTAGE STRATÉGIQUE : L'ART DE L'ARTISAN [2]

Comme nous l'avons dit à plusieurs reprises, la stratégie est un art. La complexité des affaires est si grande que, d'une part, il est difficile de comprendre ce qui se passe et que, d'autre part, il y a de la place pour de multiples stratégies à succès. Beaucoup de chercheurs et de consultants ont cherché, plus ou moins maladroitement, à découvrir les réponses stratégiques à donner devant les différentes situations de l'environnement. Cela va à l'encontre de l'idée de création qu'implique l'art. Il reste que l'examen des pratiques qui aboutissent au succès économique et stratégique est fructueux pour le créateur stratégique, comme il est avantageux pour les aspirants champions en tennis, par exemple, d'étudier la performance de grands joueurs. On se propose donc d'examiner maintenant quelques réussites qui peuvent avoir valeur d'exemples.

Il y a théoriquement un nombre infini de comportements susceptibles de générer le profit[3]. Nous n'en évoquons que quelques-uns, en les rattachant à la chaîne de valeur et à la recherche d'avantages concurrentiels. Cinq ensembles sont présentés, chacun lié à un élément de la chaîne de valeur :

- La recherche d'avantages basés sur une modification de la chaîne de valeur elle-même.

---

2. Cette section utilise des exemples publiés par Slywotzky et coll. (1999).
3. Le lecteur est encouragé à en découvrir ou à en inventer d'autres.

- Les avantages stratégiques basés sur une attention plus grande aux clientèles.
- La modification des canaux de distribution.
- La gestion originale des produits ou services.
- La gestion des connaissances pour générer des avantages concurrentiels.

A. LA MODIFICATION DE LA CHAÎNE DE VALEUR

Il peut arriver deux grands types de situations ou *patterns* :
- La chaîne de valeur peut être dé-intégrée ou ré-intégrée.
- Elle peut être compressée, avec une diminution de l'importance de l'une ou de l'autre des activités traditionnelles de création de valeur, ou étendue, avec le renforcement d'un lien faible.

Nike, Benetton ou la compagnie chinoise Li & Fung ont été les champions de la dé-intégration. Ces entreprises ont rapidement compris que, dans la chaîne de valeur, certaines fonctions étaient cruciales tandis que d'autres étaient des commodités. Li & Fung, au départ une petite entreprise de textile qui est aujourd'hui un fournisseur diversifié, a été capable après de longues années d'efforts d'informatisation, de se concentrer sur la négociation avec le client final, la conception du produit et la gestion de la chaîne d'approvisionnement, laissant aux autres acteurs l'essentiel de la fabrication. Ce faisant, elle a amélioré de manière spectaculaire la durée du cycle d'approvisionnement des vêtements et des équipements électroniques, gagnant ainsi un avantage concurrentiel difficile à imiter.

La dé-intégration peut aussi laisser de la place à des acteurs très focalisés. Ainsi, dans l'industrie des télécommunications aux États-Unis, Qwest Communications a décidé d'être « le transporteur du transporteur ». En construisant un réseau national en fibre optique, elle revend ses services à des fournisseurs locaux comme GTE ou US West, qui les vendent alors au public. Dix ans après sa création, en 1998, Qwest valait huit milliards de dollars.

La dé-intégration peut être provoquée par la déréglementation et par des innovations technologiques ou stratégiques, comme celles que nous avons évoquées pour Nucor au chapitre II.

On peut trouver également de la ré-intégration. L'industrie pharmaceutique est l'exemple souvent cité. L'évolution des rapports de force en faveur des distributeurs a suscité une démarche de consolidation, amorcée par Merck's. Cette entreprise a ainsi fait l'acquisition de Medco, une entreprise de gestion des bénéfices pharmaceutiques, au service des employeurs et de gros acheteurs comme les hôpitaux. Beaucoup d'autres entreprises de l'industrie ont suivi le mouvement. Gap, le grand distributeur de vêtements sport, a évolué d'un magasin de vente de jeans à une chaîne de 2 000 magasins servant 4 grands marchés : Gap (valeur moyenne), Gap Kids/Baby Gap (enfants), Banana Republic (luxe) et Old Navy (vêtements de valeur). Gap fait maintenant le design de ses propres produits et entretient un lien plus fort avec ses clients. De même, LVMH, la société de luxe française, a étendu ses gammes de produits pour inclure beaucoup de marques souvent considérées comme différentes ou concurrentes (Louis Vuitton, Christian Dior, Givenchy, Lacroix, Kenzo, Celine, Loewe, Guerlain, Fred) et vendues dans des magasins propres (Duty Free Shops, Sephora, Franck & Fils). Ces entreprises ont toutes réussi à croître, mieux que leurs concurrents, en ce qui concerne à la fois les ventes et les profits.

La compression survient lorsqu'on est dans une situation où l'on ne peut ni gagner, ni s'en aller. Cela arrive lorsqu'il y a une rareté relative des ressources, notamment des talents, ou lorsque les adversaires s'améliorent ou se renforcent plus vite que nous. Ainsi, les chaînes de télévision traditionnelles comme NBC, CBS, ABC ou CBC se retrouvent coincées entre les affiliés locaux, qui sont puissants et qui gardent une partie importante de la valeur créée par les chaînes, et les producteurs de contenu comme la National Football League ou les ligues du baseball majeur, les studios de Hollywood et les producteurs indépendants. L'industrie automobile et les clubs de sport professionnels connaissent aussi des situations similaires.

Parfois, le succès peut venir de l'extension de la chaîne de valeur par l'amélioration des capacités « des voisins » qui empêchent l'entreprise de créer de la valeur. On cite souvent le fait que McDonald's était dérangée par la fragmentation et l'absence de standards de stockage dans l'industrie des pommes de terre. La compagnie a pris des années pour consolider les fournisseurs, les former, leur fournir de l'aide et standardiser les systèmes. D'ailleurs, ce savoir-faire lui a servi dans beaucoup de pays en émergence ou en transition comme la Russie. Toyota et Wal-Mart ont fait la même chose dans beaucoup de secteurs d'activité. En particulier, Toyota a construit de manière admirable son système de relation avec les fournisseurs et a, dans le processus, créé des avantages concurrentiels importants, comme le furent les flux tendus (*just in time*). Dans une industrie, la valeur peut migrer vers l'amont ou vers l'aval selon les circonstances et les comportements stratégiques des entreprises. Le concept de centre de gravité (Galbraith, 1983) a été proposé pour désigner, justement, la capacité d'une entreprise à s'adapter à ces évolutions. Dans les années 1980, IBM était l'anneau fort dans les PC, l'anneau faible étant Intel. IBM avait d'ailleurs décidé d'investir dans Intel (19 %) pour l'aider à se renforcer. Plus tard, c'est l'inverse qui se produisit, IBM étant l'anneau faible et Intel l'anneau fort. Cet exemple démontre ce qu'est la migration de valeur le long de la chaîne de création de valeur dans une industrie.

B. UNE ATTENTION ACCRUE ENVERS LES CLIENTÈLES

Les clients sont les arbitres ultimes en ce qui concerne la valeur. Leurs comportements peuvent créer ou détruire de la valeur. Il peut ainsi y avoir des *patterns* où la profitabilité peut se déplacer vers les domaines où l'on est absent. Il peut survenir des situations où la micro-segmentation, voire la redéfinition du client, s'impose. Enfin, il faut se rendre compte que les rapports de force avec les clients évoluent constamment et modifient les possibilités de création de valeur.

Dans les banques, il arrive fréquemment que 30 % des entreprises clientes génèrent 130 % des profits, que 30 % restent sur le seuil de rentabilité et que le reste accuse une perte de 30 % des profits totaux. Dans le dernier cas, les entreprises clientes tentent de redéfinir leurs activités afin de contrer cet état de fait. Par exemple, les banques imposent une charge aux clients qui ont des états de compte en dessous d'un certain seuil ou elles les poussent à aller ailleurs. Comme les clients non profitables contribuent à couvrir les coûts fixes, au lieu de vouloir les éliminer, beaucoup de banques tentent de les pousser vers des comportements profitables. En désespoir de cause, une décision radicale consiste à réduire les activités de l'entreprise.

Avant d'en arriver là, les entreprises peuvent aussi faire de la micro-segmentation et tenter de répondre aux besoins spécifiques de chaque client. Cela était une utopie il y a quelques années, mais grâce aux nouvelles technologies de l'information et des communications, on arrive à le faire de plus en plus. Ainsi, la compagnie Levi-Strauss a découvert qu'une bonne partie de sa clientèle féminine était contrariée de devoir essayer 15 à 20 jeans avant de trouver la bonne taille. L'entreprise élabora, en 1994, le programme Personal Pair. Ce programme accaparait, en 1997, 25 % des ventes dans les magasins Levis. En 1998, le programme fut remplacé par Original Spin, lequel incluait les hommes. Ce programme ayant permis d'approfondir et de préciser la connaissance de la clientèle, Levi-Strauss peut maintenant offrir dans les magasins plus de 750 choix d'ajustement. La micro-segmentation est stimulée par l'hétérogénéité et la sophistication de plus en plus grandes de la clientèle, exigeant plus de personnalisation et plus de choix. Une troisième condition est un développement technologique qui permet de servir des segments différents de manière efficace.

Enfin, une autre réponse consiste à redéfinir le client qu'on veut servir. C'est le cas de Bang & Olufsen, la compagnie européenne de produits électroniques, dont la clientèle traditionnelle était formée de connaisseurs audiophiles qui appréciaient les sophistications technologiques et le design des produits mais ne généraient pas de profit. Elle dut redéfinir sa clientèle afin d'inclure les personnes qui recherchent le luxe. Le moteur, en plus de la sophistication technologique, était l'élégance et le statut. La compagnie a commencé à vendre ses produits en mettant l'accent sur le caractère exclusif des produits B&O, réussissant progressivement à redresser une situation financière menaçante. De 1989 à 1997, le ratio de la valeur des actions sur les ventes est passé de 0,2 à 1,5, alors que ce ratio se situait autour de 0,5 pour la plupart des entreprises d'électronique grand public. Il arrive aussi que l'on découvre que le vrai client est finalement le consommateur. C'est une vieille histoire de *push versus pull* en marketing, mais beaucoup la redécouvrent avec bonheur. Ainsi, récemment, la société DuPont, devant la réticence de ses clients immédiats envers son produit Stainmaster, a fait du *pull* en créant la demande chez le consommateur. Intel a fait la même chose pour ses microprocesseurs. Coca Cola a, en quelque sorte, fait l'inverse avec succès en focalisant sur l'embouteilleur comme client plutôt que sur le consommateur, qui était sa préoccupation centrale depuis des générations.

C. La modification des canaux de distribution

Ce *pattern* stratégique s'apparente à celui qui concerne la clientèle. Il entraîne la modification des canaux selon plusieurs possibilités. On peut trouver de la spécialisation, avec un éclatement des canaux ou, à l'inverse, de la concentration favorisant les économies d'échelle. Il peut y avoir aussi la réduction du nombre d'étapes dans la distribution ou l'interposition d'un intermédiaire là où il n'y en avait pas auparavant.

L'évolution du café comme boisson montre la multiplication et en même temps la spécialisation des canaux. Aujourd'hui, le café est vendu dans de nombreux endroits, par des chaînes de plus en plus spécialisées offrant des occasions de boire ou d'acheter du café de manière différente. En ce qui concerne les livres, l'évolution est similaire et on assiste même à une convergence entre les canaux de café et ceux des livres, le commerce électronique venant accroître le nombre de possibilités.

Dans la distribution alimentaire, on a assisté au phénomène opposé. Cela a commencé en France par l'ouverture d'hypermarchés qui ont détruit en grande partie le système très fragmenté des petits commerçants d'antan. Le phénomène s'est étendu partout dans le monde et a pris des formes surprenantes. Ainsi, au Canada, la concentration n'a pas touché les petits dépanneurs, mais ceux qui les approvisionnaient, laissant ainsi les dépanneurs servir au mieux le client du coin. Ce phénomène de concentration a été vécu dans de nombreux secteurs industriels. Republic Industries, un détaillant automobile de Floride, le fait pour les concessionnaires automobiles ; USA Waste Services le fait pour les déchets solides ; Blockbuster video le fait pour les magasins de bandes vidéo ; Barnes & Noble le fait pour les librairies. Ils tentent de réussir malgré les rapports étroits entre client et détaillant, en offrant une meilleure sélection, des horaires plus adaptés, un service plus attentionné et parfois un meilleur prix.

Le canal peut aussi être compressé ou disparaître, comme on l'a démontré, au début de ce chapitre, par l'exemple de Calyx & Corolla dans l'industrie des fleurs. À l'inverse, un mécanisme d'intermédiation nouvelle se manifeste souvent lorsque le client n'a pas toute l'information dont il a besoin ou trouve difficile d'aller chercher lui-même le produit ou le service désiré. Ainsi, la formation de Creative Artists Agency (CAA) a permis aux studios de Hollywood d'obtenir les services de stars, d'écrivains et de metteurs en scène, sans être obligés de le faire à la pièce. Les artistes y gagnaient aussi quelque chose, puisque leur pouvoir de négociation augmentait. L'ensemble du système gagnait en stabilité et en prévisibilité grâce à ce nouvel intermédiaire.

D. LA GESTION ORIGINALE DES PRODUITS OU SERVICES

Beaucoup d'entreprises mettent un grand accent sur la marque déposée ou essaient de focaliser sur des produits porteurs *(blockbusters)*. Elles créent des situations où les produits peuvent devenir des bases de développement et de multiplication des profits. Elles peuvent aussi créer une sorte de hiérarchie des produits de façon à accaparer tous les profits possibles. Enfin, elles évoluent de l'idée de produit à l'idée de service ou de solution.

Comme le client a trop d'options sur la table, il en ressent de la frustration. La différenciation par la marque pallie ce problème. La marque devient une sorte de garantie pour la qualité, pour la fiabilité, etc. Ainsi, si l'on arrive, comme Coca Cola, Swatch, Evian ou Intel, à imposer sa marque, on en récolte les fruits durant longtemps. Au début des années 1990, deux voitures identiques étaient construites à Nummi, la *joint-venture* entre Toyota et GM établie à Freemont, en Californie. Même si les deux voitures étaient identiques, la voiture qui portait la marque Toyota se vendait plus vite et 400 $ de plus en moyenne que l'autre voiture. Comme Amazon.com l'a démontré, grâce à Internet, les possibilités de développement des marques se sont multipliées, même si c'est un domaine encore mal compris.

Dans beaucoup de secteurs industriels, le profit émigre de tout un portefeuille de produits à quelques porteurs (*blockbusters*). Il faut donc identifier ou mieux créer ces produits porteurs. Cela se fait dans un très grand nombre d'industries : production cinématographique, produits pharmaceutiques, musique, livres, investissement, immobilier, talents sportifs, télévision, etc. Le meilleur modèle de développement de produits porteurs vient de l'industrie pharmaceutique. Ainsi, dès les années 1970, Merck a développé le système, en introduisant par exemple Vasotec (pour la pression sanguine) en 1981 et en continuant le même *pattern* depuis. Aujourd'hui, on peut associer à chaque compagnie ses produits porteurs avec Claritin (Schering Plough), Prozac (Eli Lilly) ou Viagra (Pfizer).

Disney, Bloomberg, Sony, Michael Jordan ou Tom Peters ont en commun d'être des multiplicateurs de profits. Lorsque Disney a créé *Le roi lion,* elle l'a fait suivre de jouets, de vêtements, de livres, d'émissions de télévision, de pièces musicales et de spectacles sur glace, multipliant ainsi considérablement ses profits. De même, Michael Jordan a exploité sa personnalité et ses qualités de basketteur et Tom Peters a exploité ses savoir-faire de motivateur des affaires, pour accroître considérablement ses profits au moyen d'une série d'autres activités.

American Express a fait sensiblement la même chose, mais en structurant ses offres selon une pyramide. Ainsi, elle a introduit une carte Or pour 100 $, puis plus tard une carte Platine pour 300 $. Elle fait la même action pour tous ses autres services. On peut reconnaître, chez Gillette, cette même volonté d'offrir une gamme hiérarchisée de produits de rasage ; chez SMH, une volonté d'offrir, aux côtés de la Swatch, des produits plus chers, comme la Rado, la Longines et la Blancpain. Même dans les microprocesseurs, Intel est en train de se rendre compte que cela peut se faire.

Enfin, on parle de moins en moins de produits et de plus en plus de solutions ou de services. Ainsi, GE a vendu récemment à British Airways un contrat de « motorisation ». BA bénéficie des moteurs qui restent la propriété de GE, qui les entretient et les suit tout le long de leur vie utile. GE est d'ailleurs en train de transformer tous ses produits en «solutions». De même, Honeywell a offert à Boeing, avec succès, de ne pas assembler des sous-systèmes conçus par Boeing, mais de prendre la responsabilité du design et de la fourniture de tout le système de l'avionique. Plus proche de nous, Enron est passée d'un transporteur de gaz à un fournisseur de «systèmes de management d'énergie». Hydro-Québec essaie de faire de même. Cependant, il faut garder à l'esprit que les solutions ne sont jamais définitives et qu'elles évoluent constamment. Donc, les solutions d'aujourd'hui devront laisser la place à une autre idée demain.

E. LES AVANTAGES BASÉS SUR LA GESTION DE LA CONNAISSANCE

La connaissance est au cœur des avantages concurrentiels, mais elle n'est pas toujours utilisée par l'organisation de manière judicieuse. Quelques exemples de choix stratégiques nous permettront de mettre en évidence l'importance de la connaissance et de sa bonne utilisation par l'organisation.

Le produit est une source inestimable de renseignements sur le client. Le détaillant, le supermarché par exemple, est souvent noyé dans la somme considérable d'information que les comportements des clients génèrent, mais le producteur d'un produit a la possibilité de suivre le produit et ses différentes variantes, d'accumuler, grâce à lui, des renseignements précieux sur les comportements des clients et, ainsi, d'atteindre les objectifs suivants:

- Une gestion très efficace des différentes catégories de produits (SKUs, *stock-keeping units*) dans les magasins.
- Un marchandisage de précision: ainsi Wal-Mart a développé une capacité remarquable de comprendre les comportements des consommateurs, permettant d'éviter les stocks trop élevés ou les ruptures; par ailleurs, Coca Cola est en train d'expérimenter des systèmes de télémétrie permettant de suivre le stock de chaque machine de vente, amenant une gestion précise de ces segments.
- Un accroissement du taux de succès des innovations, grâce à une fine connaissance des comportements des consommateurs. GE, par exemple, a développé des modèles sophistiqués de la performance de ses produits en contexte d'utilisation par le client. Cette information est à la source de l'innovation en matière de produits ou de services.

Les opérations dans beaucoup de secteurs, comme les hôtels, les librairies, les aciéries, le transport aérien, etc., ne sont pas toujours génératrices de la profitabilité souhaitée. Cependant, elles comportent beaucoup de connaissances, ce qui incite des entreprises à systématiser cette connaissance pour la vendre avec des marges considérables. Cela a ainsi donné naissance aux sociétés de gestion et à la vente de savoir-faire plutôt que de produits. Ainsi, Marriott a concentré ses efforts sur la fourniture de services de management d'hôtels. Barnes & Noble offre ses services pour gérer les librairies dans les universités et autres lieux communautaires. De même, les Japonais ont vendu systématiquement leur savoir-faire en matière de fabrication d'acier en Amérique latine, en Corée et ailleurs, lorsque l'industrie a commencé à décliner. Nous savons aussi qu'American Airlines a exploité ses capacités opératoires pour développer le formidable instrument concurrentiel qu'est devenu son système de réservation Sabre.

Enfin, l'inverse est aussi vrai. On peut passer de connaissances fines sur un sujet ou un processus à des produits à succès. SAP (systèmes d'intégration divers) ou PeopleSoft (processus et procédures de gestion des ressources humaines) sont aujourd'hui des produits qui ont bénéficié des connaissances spécialisées développées par des travaux sur mesure pour des clients. La connaissance a alors été convertie en un produit qui permettait de faire l'intégration systématique des activités mais de manière beaucoup plus efficace et à un moindre coût. En général, on dit que les grandes entreprises professionnelles peuvent croître de 15 % à 23 %, mais des entreprises qui, comme SAP ou PeopleSoft, arrivent à développer des produits à partir de leurs services professionnels, peuvent croître à des taux pouvant atteindre 90 % pour une longue période (Slywotsky et coll., 1999).

IV. CULTURE ET LEADERSHIP

On a souvent évoqué, dans ce livre, les idées de culture et de leaderhip. Il est normal qu'on reprenne ces notions maintenant pour voir leurseffets comme sources d'avantages ou de désavantages concurrentiels. D'abord, il faut se rendre compte que l'application du concept de culture aux organisations est une application approximative de ce que les anthropologues appellent la culture. En stratégie, on fait souvent appel à l'idée de culture en faisant référence soit à des compétences ou à des habiletés dominantes, soit aux comportements acceptés ou valorisés par la communauté, soit aux valeurs et aux normes de l'organisation ou à celles de la direction supérieure.

Le premier usage du concept de culture est fréquent chez les spécialistes de la stratégie qui cherchent à caractériser l'entreprise en utilisant les habiletés fonctionnelles pour en faire des éléments de la culture. En ce sens, on dira d'une entreprise qu'elle a une culture de vente parce que l'ensemble de l'organisation apparaît comme animé, dominé par les savoir-faire et les compétences de vente. IBM a longtemps été ce genre d'entreprise. De même, on parlera de culture de production ou de comptabilité parce que les habiletés et les compétences dominantes viennent de ces domaines. Parler ainsi d'une entreprise, c'est la caractériser en faisant référence à une compétence. De ce fait, la compétence devient un élément de l'identité, et donc de la culture de l'organisation.

Le deuxième usage se rapporte aux normes et aux valeurs de l'organisation ou de ceux qui la dirigent. Les normes et les valeurs d'une organisation constituent des guides de conduite et des points de référence pour distinguer les comportements désirables de ceux qui ne le sont pas et pour comprendre les attentes de l'organisation à l'égard de ses membres. Une telle approche pour comprendre la culture signifie que l'on prête beaucoup d'attention aux processus, aux façons de faire, et non pas uniquement à ce qui est fait ou à ce qui est décidé. De fait, on cherche à comprendre les actions de l'organisation en la regardant avec un certain recul ; on cherche à retrouver le ou les fils conducteurs derrière les actions ou les comportements observés.

Pour atteindre cet objectif de détermination de la culture de l'organisation, plusieurs spécialistes de la stratégie préconisent de vivre dans l'organisation pendant quelque temps. Cela devrait permettre de se familiariser avec les pratiques et de saisir ce que la vie dans cette organisation implique comme normes et valeurs. D'autres atteignent cet objectif en se mettant à l'écoute de l'organisation, par le biais des perceptions différenciées (ou homogènes) de personnes qui travaillent à plusieurs niveaux et dans plusieurs secteurs. Selon cette approche, on cherchera à voir comment tout le personnel, à savoir les ouvriers, les cadres, le personnel de soutien, le personnel qui travaille au siège social et celui qui travaille sur le terrain, analyse et comprend les attentes de l'organisation. C'est par ces visions convergentes et divergentes que le spécialiste de la stratégie découvre les normes et les valeurs de l'organisation.

Le thème de la culture prend une importance considérable depuis une quinzaine d'années. La très grande majorité des entreprises qui se sont donné des énoncés de mission, ont exprimé dans ces énoncés des éléments qu'elles ont appelés valeurs ou culture. Pour comprendre la culture d'une organisation, il faut noter ses énoncés et s'assurer qu'ils décrivent bien l'organisation.

L'expert en stratégie qui arriverait à la conclusion que les énoncés ne décrivent pas l'entreprise se trouverait devant la nécessité d'expliquer pourquoi les dirigeants de l'organisation énoncent une culture qui n'est pas partagée par ceux qui y vivent.

Chaque fois que des dirigeants énoncent la culture de l'organisation, chaque fois qu'ils indiquent quelles en sont ses valeurs, le spécialiste de la stratégie doit s'assurer que celles-ci sont partagées. Autrement, on ne peut pas vraiment dire que l'organisation a une culture. La culture, les normes, les valeurs d'un groupe ou d'une organisation n'existent que si elles sont actives, c'est-à-dire partagées. En d'autres termes, il ne suffit pas que les valeurs et la vision d'une personne (du président notamment) soient énoncées pour être considérées comme actives, sauf si l'on est dans la situation où le président est le fondateur et seul actionnaire de l'organisation et si la taille de l'organisation permet des interactions directes et régulières entre le président-fondateur et les personnes clés de l'organisation.

Faire l'analyse interne à partir du concept de valeurs ou de culture prend une importance plus grande, voire décisive, dans certains types d'organisations. Ainsi, il est extrêmement difficile de comprendre une université si l'on néglige d'analyser son fonctionnement interne à la lumière de ces concepts. Les professeurs sont des acteurs ; ils travaillent dans plusieurs disciplines et ils font face à des réalités très différentes. Ce qui les unit, ce sont les valeurs, la culture de l'université ou de leur discipline. L'université comme organisation arrive difficilement à mettre tous les professeurs dans le même moule. Les meilleures d'entre elles s'assurent cependant que tous partagent un même schème de référence et qu'il y a internalisation des valeurs de l'université par chaque professeur. Les organisations de professionnels se trouvent sensiblement dans la même situation. Chacun des professionnels agit en entrepreneur indépendant, mais l'organisation désire qu'il y ait un minimum de cohérence. Pour réaliser cela, le meilleur outil semble être la culture, les normes et les valeurs de l'organisation. Concrètement, ces commentaires signifient que, pour faire l'analyse interne d'un cabinet d'avocats, de comptables ou de médecins, il est essentiel de chercher à en comprendre la culture.

En général, la culture est très associée au leadership. Ce sont les leaders qui infusent les valeurs au sein de l'organisation et qui veillent à les protéger (Selznick, 1957). Leaders et culture sont très importants pour comprendre le comportement d'une organisation. L'avantage concurrentiel tient souvent à la capacité particulière de converger et de fonctionner ensemble. Il vient d'une volonté générale de coopération de la part des individus, ce qui fait

que chacun apporte une contribution unique et c
réalisé par les ressources seules, du moins pas les seu
et sûrement pas de manière économique. On doit donc
Barnard appelait la persuasion. La persuasion est l'instrumt
génération d'une capacité concurrentielle difficile à copier. La
leadership étant les mécanismes par lesquels la persuasion se ma
nature de cette dernière est un moyen de prévoir la performance fu
l'organisation. C'est pourquoi les techniques d'analyse interne que nt
avons mentionnées dans les sections précédentes, bien qu'elles soient très utiles, ne doivent pas faire oublier les facteurs qui sont souvent peu visibles
mais qui sont, au fond, déterminants.

LES SOUBASSEMENTS THÉORIQUES DU MODÈLE DE STRATÉGIE EN SCIENCES ÉCONOMIQUES MODERNES [1]

par Taïeb Hafsi

À la fin des années 1970, Chandler, un historien qui a apporté une contribution importante à la compréhension du processus de management stratégique de la firme, auteur du best-seller *Stratégie et structure,* et Caves, un économiste respecté pour ses écrits en économie industrielle, auteur du livre abondamment utilisé dans les universités américaines *Structure, conduite, performance,* ont écrit un article qui constatait une convergence intéressante entre les travaux sur la *gestion stratégique des entreprises* et ceux sur *le comportement économique de la firme.* Depuis la parution de cet article, les progrès en matière de formalisation de la théorie stratégique ont été dominés par la contribution de l'économie industrielle. À titre d'exemple, on peut mentionner les travaux de Porter sur la structure de l'industrie, les études sur les coûts de transaction, sujet moins connu des gestionnaires mais que les travaux de Williamson ont mis en lumière, et, de façon générale, les travaux sur la nouvelle économie institutionnelle. Cette note, par la description qu'elle fait des principaux éléments de cette nouvelle économie institutionnelle, a pour objectif d'en révéler l'importance et la contribution.

La théorie libérale de l'entreprise est basée sur le « modèle contractualiste » (Gomez, 1996), dont les éléments constitutifs sont trois théories interreliées : celle des *droits de propriété,* celle des *coûts de transaction* et celle de *l'agence.* Ces trois théories permettent notamment d'expliquer pourquoi des entreprises plutôt que des travailleurs indépendants négocient directement sur le marché, pourquoi certaines formes organisationnelles stables dominent

---

1. Cette note est largement inspirée par l'excellente synthèse proposée par Gomez (1996).

le fonctionnement des entreprises et, enfin, comment la séparation entre la gestion et la propriété est acceptable et souvent, même, nécessaire pour un fonctionnement efficace de l'entreprise.

Il est d'abord utile de rappeler les axiomes[2] sous-jacents au modèle contractualiste.

- L'individu est autonome : en d'autres termes, il n'est ni programmé, ni contraint pour agir, mais il est mû par des désirs, des besoins ou une utilité, plutôt que par l'appartenance à un groupe économique, social ou religieux.
- L'individu est rationnel : typique de l'humanisme moderne, cette hypothèse s'oppose aux modes archaïques de rationalisation tels que le code de l'honneur, le devoir aristocratique, l'élitisme racial, etc., et affirme une capacité uniforme de penser, de calculer et de décider.
- L'individu est informé : c'est sur la base de ces hypothèses qu'on peut affirmer que la meilleure coordination des activités des individus est assurée par le marché, comme espace d'échange optimal. Laisser faire des acteurs autonomes, raisonnables et informés est à la source de l'efficacité de l'activité économique.

LES LIMITES DE L'AUTONOMIE : LES DROITS DE PROPRIÉTÉ

Pour donner corps à l'axiome d'autonomie, il fallait trouver un mécanisme qui permette de sauvegarder la liberté, à l'origine d'une « dynamique économique favorable à tous », tout en se protégeant des excès, notamment du gaspillage, que pourraient entraîner des désirs débridés. C'est ce que permettent les droits de propriété.

Quand on parle de propriété, on parle d'abord de ce qui nous appartient en général, *property* en anglais, ou des biens spécifiques sur lesquels on a un droit reconnu, *ownership* en anglais. Pour les êtres humains, le droit de propriété, *property right,* comprend « leur vie, leur liberté, leurs biens[3] ». Le droit de propriété est essentiel parce qu'il permet de contraindre les désirs de chacun à ce qui lui appartient en propre. Il est le fondement de l'accord social et, par extension, des comportements « civilisés ».

Il y eut beaucoup de débats pour déterminer si ce droit est *naturel*, selon l'affirmation de Locke, ou s'il est simplement, comme le voulait Rousseau, une *convention* entre les hommes. La Déclaration universelle des

---

2. Les axiomes sont des principes, des hypothèses non démontrées mais admises pour des raisons idéologiques ou religieuses ou autres valeurs fondamentales.
3. Selon Locke, Second traité sur le gouvernement civil.

droits de l'homme affirme (article 1) que « les hommes naissent libres et égaux en droits », que (article 2) les « droits naturels et imprescriptibles de l'homme [sont] la propriété, la sûreté et la résistance à l'oppression » et que (article 17) « la propriété est un droit inviolable et sacré ».

La propriété est aussi liée à la rareté. Que les droits de propriété créent la rareté, comme le supposait Rousseau ou l'affirmait Proudhon, ou qu'ils soient nécessaires à cause de la rareté, comme le veulent les libéraux, ces droits sont à la base du libéralisme économique moderne. En fait, on a conçu les droits de propriété comme *outil d'analyse* seulement à partir de la deuxième moitié du XXe siècle. C'est, semble-t-il, à l'université de Chicago que le mouvement fut lancé. Les grandes contributions académiques, notamment celle du prix Nobel Coase, suivirent dans les années 1960 et 1970. Sous l'impulsion du conservatisme thatcherien et reaganien, l'Europe a également suivi un peu plus tard.

Les droits de propriété, qui situent l'individu dans l'espace, ont trois attributs essentiels.

1. Ils sont subjectifs : « Seule une personne peut se voir investir du droit sacré à la pleine propriété » (Lepage, 1985).
2. Ils sont exclusifs : deux individus ne peuvent posséder simultanément un même bien.
3. Ils sont librement cessibles.

Depuis le droit romain, on considère que la propriété est un droit à l'utilisation du bien possédé (*usus*), un droit de bénéficier des fruits qu'il peut produire (*fructus*) et le droit de le transmettre à d'autres, de le vendre et de le détruire (*abusus*). Les droits de propriété obéissent à une logique de marché et sont régulés par elle. Bien entendu, il faut énoncer une bonne définition de ces droits et accorder un rôle essentiel à l'État. Les droits de propriété sont donc des régulateurs fondamentaux du fonctionnement du marché. Gomez (1996) affirme les notions suivantes :

- La propriété est un vecteur de marquage des individus... elle assigne à chacun un capital matériel à partir duquel il peut agir dans le marché. « Désirer ou non » se traduit par « posséder ou non des objets d'échange ». Le vouloir s'assagit en un avoir.
- La propriété est un vecteur de découpage de l'espace social. Le marché réunit en permanence ce que la propriété sépare. Seule cette séparation permet l'échange et, par conséquent, la réallocation des ressources par le marché.

L'entreprise peut aussi être conceptualisée par le biais des droits de propriété, puisque l'on peut considérer que cette collection de droits échangés est aussi une réponse à la défaillance du marché, notamment dans les situations où le marché ne peut distinguer les contributions individuelles de l'effort collectif.

Ainsi, les droits de propriété rendent possible le fonctionnement du marché. Mais, alors, dans quel cas est-il préférable de choisir l'organisation plutôt que le marché ? C'est ce que la théorie des coûts de transaction permet de dire.

LES COÛTS DE TRANSACTION : PRENDRE EN COMPTE LE TEMPS DES ÉCHANGES

Comme les échanges ne sont pas « instantanés », le marché ne peut pas réguler toute l'activité économique. Il nous faut donc parler plutôt de transactions. « Les coûts des transactions posent le problème de l'organisation économique comme un problème de contractualisation » (Williamson, 1994, p. 39). Les organisations qui peuvent se substituer au marché, comme l'a montré Coase, apparaissent, alors, comme des nœuds de contrats.

Les droits de propriété adoucissent quelque peu l'hypothèse d'autonomie des individus. La théorie des coûts de transaction est basée sur un assouplissement de la théorie de la rationalité, devenue la théorie de la rationalité limitée grâce à Simon. En raison de la durée des échanges, l'ambition cognitive des décideurs est forcément réduite. Ils ne peuvent prendre en compte tout ce qui peut se passer dans l'avenir et ils sont obligés de se satisfaire de solutions approximatives.

À cause de cette imperfection dans le traitement de l'information, provoquée par la durée des échanges, il peut y avoir « opportunisme » de la part des acteurs dans le processus de décision. Opportunisme signifie « recherche d'intérêt personnel qui comporte la notion de tromperie » (Williamson, 1994, p. 70). On distingue deux sortes d'opportunisme selon les actions des individus touchés :

1. Si l'individu omet de révéler des renseignements qui lui seraient défavorables au moment de conclure un contrat, il s'agit d'opportunisme *ex-ante*, selon Williamson, ou d'information cachée (*adverse selection*).

2. Si l'individu se comporte de manière négligente dans la réalisation du contrat, il s'agit d'opportunisme ex-post, selon Williamson, ou encore de risque caché (*moral hazard*).

Ainsi, la théorie des coûts de transaction introduit le soupçon comme un des moteurs de l'économie. Elle entraîne aussi un relâchement de l'axiomatique traditionnelle. La durée des transactions apporte à la fois des incertitudes et des irréversibilités. De plus, il nous faut tenir compte de la spécificité des actifs, qui implique une inertie supplémentaire, forçant une relation contractuelle plus durable. La théorie des coûts de transaction nous amène ainsi progressivement à des outils qui permettent de déterminer comment choisir entre le marché et la contractualisation durable, ou d'expliquer les choix qui sont faits.

L'incertitude de la transaction dépend à la fois de la fréquence des contacts et de la spécificité des actifs. Plus le nombre de contacts nécessaires à la transaction est élevé, plus il y a de dépendance et de risque d'une conséquence négative en cas de défaillance de l'autre, notamment par opportunisme. Par ailleurs, plus les actifs sont spécifiques, c'est-à-dire plus leur usage est confiné, sous peine de perte de valeur, à des circonstances ou à des espaces déterminés, plus les parties ont besoin les unes des autres.

Les coûts de transaction fournissent ainsi un outil d'analyse pour prévoir quelles institutions seront les moins coûteuses (en coûts de transaction), compte tenu des caractéristiques des actifs et de la nature de l'environnement. À titre d'exemple, l'étude contractualiste basée sur les coûts de transaction explique les choix qui peuvent être faits entre faire soi-même, sous-traiter ou acheter dans le marché. L'analyse des firmes devient normative. ⇒ Le choix des transactions au sein de la firme ou avec une autre firme permet de réduire les coûts de transaction, notamment lorsque les actifs sont spécifiques et que le besoin pour le produit ou le service (donc pour le contrat) est récurrent. Inversement, le marché est plus approprié lorsque les actifs sont peu spécialisés, puisqu'il s'agit de produits ou d'équipements standards, et que les relations commerciales sont occasionnelles. L'arbitrage entre le marché et l'entreprise se fait aussi en prenant en considération les coûts d'organisation qui, bien entendu, sont croissants pour l'entreprise lorsque la fréquence des relations avec l'externe s'accroît. En fait, on peut dire que les coûts d'organisation sont des coûts de transaction internes. On doit, en effet, toujours déterminer si l'on fait soi-même, avec son personnel, ou si l'on fait faire, en achetant à l'extérieur des heures de travail temporaire.

Gomez donne des exemples intéressants des choix de contrats de travail qui peuvent être faits. Si les spécialités des travailleurs sont faibles, le marché peut être la meilleure solution de contractualisation. Dans ce cas, on a recours au travail temporaire, comme dans l'agriculture ou le bâtiment. Lorsque les travailleurs possèdent un savoir-faire spécialisé dont l'utilisation est rare, on est plutôt dirigé vers des contrats de mission, comme lorsque l'on recrute un consultant. Lorsque l'utilisation de la force de travail est récurrente, mais que l'actif est moyennement spécifique, on peut avoir recours à une contractualisation bilatérale, comme dans le travail à façon ou la sous-traitance. Finalement, le salariat s'impose lorsque la spécialisation des travailleurs est forte et l'activité récurrente.

Ce raisonnement est aussi utilisé pour discuter des structures les moins coûteuses : c'est sur ce point que les travaux de Chandler et de Caves se rejoignent. Lorsque la taille de l'organisation augmente, la quantité d'information à transmettre entre travailleurs augmente de manière exponentielle et les coûts d'organisation excèdent rapidement les coûts de transaction, lorsque la circulation de l'information est réalisée par ajustements mutuels. La hiérarchie apparaît alors comme une forme d'organisation efficace. À la lumière de l'observation de Chandler, Williamson démontre que les structures les plus populaires s'expliquent facilement en considérant les coûts de transaction et les coûts d'organisation.

Ainsi, la structure en U (unifiée), la structure fonctionnelle centralisée de Chandler, est très efficace tant que la taille de l'entreprise reste modeste et que les activités sont standardisées. La centralisation engendre l'inefficacité lorsque la taille augmente, ce qui favorise l'opportunisme à des niveaux hiérarchiques inférieurs. La nécessité du contrôle augmente de manière indue les coûts d'organisation. Cette situation peut faire évoluer l'entreprise vers une structure en H (*holding*). Le centre ne garde que les choix stratégiques et financiers, laissant les choix opérationnels aux filiales. Cependant, dans ce cas aussi, certains comportements autonomes de la part des filiales peuvent être dommageables pour l'ensemble, ce qui facilite l'émergence de la structure en M (multidivisionnelle), qui est une structure décentralisée sauf pour les activités de coordination.

En guise de conclusion à cette partie, on peut dire que la théorie des droits de propriété démontre que la forme de propriété idéale et la plus efficace est la propriété privée. L'entreprise s'explique par la rémunération du propriétaire, de façon à ce qu'il soit tenté d'organiser efficacement la production. La séparation de la propriété et de la gestion s'explique par les coûts de transaction. « La capacité de gestion nécessite une accumulation d'expérience, de savoir-faire ou de connaissance... un *actif spécifique* que l'on peut acheter sur le marché... le propriétaire a intérêt à faire faire lorsque la complexité de l'activité, les techniques nécessaires à la gestion deviennent si spécifiques qu'il lui serait trop coûteux de les pratiquer lui-même. Il est plus efficace de se lier contractuellement à des salariés spécialistes qui gèrent au nom du propriétaire. Celui-ci minimise alors ses coûts en ne contrôlant que les résultats présentés par les gestionnaires » (Gomez, 1996, p. 97). Les conséquences de cette séparation nous mènent à la théorie de l'agence.

CONTRÔLE ET TRANSPARENCE : LA THÉORIE DE L'AGENCE

« On dira qu'une relation d'agence s'est créée entre deux ou plusieurs parties lorsqu'une de ces parties, désignée comme l'agent, agit comme représentant de l'autre, désignée comme le principal, dans un domaine décisionnel particulier » (Ross, 1973, p. 134). Selon Jensen et Meckling (1976, p. 308), peu importe qui est agent ou principal, la relation est consécutive à tout contrat. Chaque acteur peut être à la fois agent et principal.

Au cœur de la relation d'agence se trouvent les questions d'opportunisme. L'opportunisme est rendu possible du fait de l'asymétrie d'information, c'est-à-dire possibilité d'information cachée (*adverse selection*) ou de risque caché (*moral hazard*). Comme on n'est jamais sûr que le mandataire saura gérer le bien du mandant au mieux des intérêts de ce dernier, il faut mettre en place un système de contrôle. Tout agent tient à préserver ses intérêts propres. C'est pourquoi le problème du principal est de construire autour de son agent un contexte qui permette à celui-ci de protéger ses intérêts tout en travaillant au mieux dans l'intérêt du principal. De manière symétrique à la théorie des coûts de transaction, qui déduisait à partir des possibilités d'opportunisme les différentes formes de contrats, la théorie de l'agence part des contrats et examine les possibilités d'opportunisme dans leur exécution, le but étant d'arriver à gérer ses possibilités d'opportunisme.

L'entreprise est par nature un nœud de contrats entre un grand nombre d'associés (*stakeholders*), notamment les salariés, les dirigeants, les propriétaires, les prêteurs, les clients, les fournisseurs et l'État. Elle est donc potentiellement un foyer très actif d'opportunisme. En particulier, on peut assister à des divergences entre propriétaires et gestionnaires et à des divergences entre gestionnaires. Pour coordonner les intérêts, donc pour contrer l'opportunisme, on peut utiliser le marché comme moyen de révélation de l'information ou utiliser un mécanisme *ad hoc* comme le conseil d'administration.

Il en résulte des coûts d'agence. Ces coûts peuvent s'interpréter comme des coûts d'organisation ou de transaction internes. Ils sont engendrés par les difficultés de contrôle du transfert de l'information entre les associés. Les coûts d'agence que doivent se partager les deux parties peuvent être résumés comme suit :

- Des coûts de surveillance (*monitoring expenditures*) soutenus par le principal pour la gestion de l'information, la surveillance et l'incitation pour la bonne exécution du contrat.
- Des coûts d'obligation (*bonding expenditures*) soutenus par l'agent pour signaler la bonne exécution du contrat. Cela n'exclut pas l'opportunisme mais le contraint.
- La perte résiduelle (*residual loss*), constituée par ce qu'aurait gagné chaque partie à ne pas conclure de contrat avec l'autre.

On peut optimiser le coût de l'agence en considérant que le principal subit deux coûts : celui de la surveillance et de la perte résiduelle due à la gestion par l'agent, tandis que l'agent, qui subit des coûts d'obligation, reçoit une rémunération et peut bénéficier d'une partie des pertes résiduelles du principal. Le marché, en particulier le marché financier, permet de porter un jugement sur l'état des divergences d'intérêts et de trouver un équilibre acceptable. Le marché de l'emploi, parce qu'il exerce des jugements sur les dirigeants, permet d'accroître la compétition et ainsi de réduire l'importance des coûts d'agence. Pour contrer les effets du marché, les dirigeants peuvent pratiquer ce qu'on appelle l'enracinement, c'est-à-dire l'accroissement du degré de nécessité de leur intervention (savoir-faire et capacités managériales) par le développement d'actifs spécifiques. Cela peut se faire à la fois par des moyens organisationnels (influence sur les membres clés de l'organisation) ou par des moyens marchands (influence sur des partenaires externes clés).

Le conseil d'administration est un autre mécanisme pour l'échange entre les *stakeholders*. Voici ce qu'il permet :
- Un contrôle et une ratification des décisions.
- Une communication de l'information à tous les partenaires représentés.

La participation au conseil d'administration a une valeur politique importante dans le gouvernement de l'entreprise.

La théorie de l'agence est la troisième composante de la construction libérale : l'entreprise contractualiste est un lieu d'extraction d'information, de contrôle et de surveillance, et est en cohérence avec les deux autres éléments du modèle, les droits de propriété et les coûts de transaction. Terminons toutefois sur cet avertissement de Gomez (1996, p. 136) :

Cette dernière étape du modèle contractualiste est... partiellement inquiétante. Elle fonde en effet le principe d'une société de la suspicion. La question semble se répéter de problème d'agence en problème d'agence : qui contrôle qui ? C'est-à-dire : comment se pratique la révélation de l'information cachée ? L'interrogation est sans fin, parce qu'elle rebondit toujours sur un nouveau problème d'opportunisme, inscrit dans la logique individualiste et libérale du modèle.

L'APPROCHE DES RESSOURCES : UN NOUVEAU PARADIGME POUR LA RÉFLEXION STRATÉGIQUE

par Martine Vézina

Dominant le champ de la stratégie depuis les travaux d'Andrews (1971), le modèle d'analyse stratégique de l'école de Harvard définit la stratégie comme le choix d'un couple produit-marché favorisant la meilleure intégration entre les ressources internes de l'organisation d'une part, et les occasions et les risques que présente l'environnement externe dans lequel elle évolue, d'autre part. Au cours des années 1980, toutefois, sous l'influence importante des travaux de Porter, la réflexion stratégique a été dirigée vers la compréhension et la gestion des liens entre la stratégie et l'environnement concurrentiel. Le traitement des dimensions internes dans le processus stratégique n'était que périphérique, celles-ci se voulant exclusivement des éléments de mise en œuvre de la stratégie. Or, depuis une dizaine d'années, et principalement sous l'impact de l'éclosion de secteurs dits de la nouvelle économie, s'est développée une approche nouvelle, l'approche des ressources (*resource-based analysis*).

La popularité récente de l'approche des ressources a été largement alimentée par les travaux de Hamel et Prahalad (1989, 1994) à propos du concept de compétences fondamentales (*core competencies*). Toutefois, les fondements de cette approche remontent aux travaux de Penrose qui, en 1959, publiait l'ouvrage *The Theory of the Growth of the Firm*. L'auteure définissait la firme comme un agrégat de ressources et proposait l'hypothèse que la croissance de l'entreprise est à la fois encouragée et limitée par le processus de recherche que mènent les dirigeants pour trouver la meilleure utilisation possible des ressources disponibles. Penrose soulignait ainsi que les dirigeants, au moment de définir les choix de croissance de leur entreprise, privilégiaient l'exploitation des potentialités internes plutôt que celle des occasions externes. En 1984, Wernerfelt étendait les prémisses théoriques de Penrose à la réflexion stratégique en proposant une analyse par le filtre des ressources de l'entreprise plutôt que par celui de ses produits. À sa suite, et principalement depuis la fin des années 1980, de nombreux travaux ont porté sur la réinterprétation de certains concepts en stratégie, issus de l'économie industrielle, sous l'angle des ressources et des compétences de l'organisation.

L'adhésion récente de nombreux universitaires et praticiens à cette approche n'est pas étrangère au fait qu'elle soit considérée comme davantage ancrée dans la réalité contemporaine de l'entreprise. L'approche des ressources est effectivement née du constat que le rythme effréné des dernières années dans le développement de services et de produits, s'appuyant notamment sur des technologies novatrices, n'en finit plus de transformer la vie économique. On pourrait ajouter aux développements technologiques la mondialisation de l'économie, qui n'est pas sans entraîner des mouvements concurrentiels à répétition comme on n'en avait encore jamais vu, et ce, tous secteurs économiques confondus. Un environnement d'affaires à ce point turbulent et dynamique commande, selon les tenants de l'approche des ressources, un renouvellement du paradigme stratégique. L'attention ne doit plus porter en premier lieu sur les forces concurrentielles, trop volatiles, mais davantage sur les forces intrinsèques de l'organisation, qui offrent une plus grande stabilité. Or, la contribution originale de l'approche des ressources consiste à recentrer le management stratégique sur la firme en ayant pour objet « l'identification, la protection, l'exploitation et la création des ressources rares de l'entreprise permettant de créer des avantages concurrentiels sur des marchés[1] ».

L'approche des ressources cherche à comprendre les raisons de la variété des stratégies mises en œuvre dans un secteur donné. La prémisse de l'approche stipule que l'hétérogénéité des ressources utilisées par les entreprises sont à l'origine de ces différences, et que des forces d'inertie contribuent à maintenir celles-ci (Arrègle, 1996). Par conséquent, c'est de l'intérieur de l'organisation que se construit l'avantage concurrentiel, et non pas sous l'impulsion de facteurs exogènes, en l'occurrence des forces concurrentielles.

DEUX NOTIONS CENTRALES : LES RESSOURCES ET LES COMPÉTENCES

L'approche des ressources déplaçant l'analyse stratégique des facteurs exogènes vers des éléments endogènes, les travaux qui s'en inspirent adop-

---

1. Arrègle, J.-L. (1996), « Analyse Resource-based et identification des actifs stratégiques », *Revue française de gestion*, p. 25

tent une lunette singulière. Aux concepts de secteur, de structure concurrentielle, de segment et de groupe stratégique se substituent les notions de ressources et de compétences (Grant, 1991), de compétences cardinales (Tywoniak, 1998), de compétences fondamentales (Prahalad & Hamel, 1990), d'actifs stratégiques (Arrègle, 1996), etc. Quel que soit le vocabulaire adopté, les notions de ressources et de compétences demeurent toujours au centre de la réflexion.

Il existe, dans l'approche des ressources, une différence fondamentale entre une ressource et une compétence. La première est constituée des *inputs* au processus de production (Grant, 1991). Elle est tangible ou intangible et peut prendre diverses formes : équipements, habiletés des salariés, brevets, marques de commerce, ressources financières, etc. Toutefois, en soi, peu de ressources sont productives. Leur potentiel dépend de leur mise en relation et de l'exploitation que l'on en fait à travers des routines organisationnelles. Ce sont ces dernières qui forment les compétences organisationnelles. La notion de compétence est donc systémique, résultant de « l'interaction entre une technologie, un apprentissage collectif et des processus organisationnels ». Les compétences stratégiques sont celles qui combinent de façon originale les ressources. Ainsi, alors que les ressources sont à l'origine des compétences, ce sont ces dernières qui sont la source principale de l'avantage concurrentiel pour l'entreprise.

DES RESSOURCES ET COMPÉTENCES À L'AVANTAGE CONCURRENTIEL

L'angle d'analyse de la stratégie que privilégie l'approche des ressources conduit à une redéfinition de la notion d'avantage concurrentiel.

Le modèle *portérien* concevant la stratégie comme le choix d'un couple produit-marché, l'avantage concurrentiel réside dans l'exploitation d'une position dominante dans l'arène concurrentielle correspondant à la stratégie de l'entreprise. L'approche des ressources définissant la stratégie à partir des ressources et des compétences de l'organisation, l'avantage concurrentiel réside dans la valorisation supérieure de ses ressources (Tywoniak, 1998). Il s'inscrit d'abord dans un processus d'introspection visant à définir les actifs stratégiques de l'organisation, c'est-à-dire ses compétences fondamentales (Prahalad & Hamel, 1990). La compétence fondamentale est définie comme l'apprentissage collectif de l'organisation, en particulier la façon originale selon laquelle les habiletés de production sont coordonnées et les technologies, intégrées. Ainsi, la compétence fondamentale de l'entreprise Canon qui est à la source de son succès dans le domaine des caméras, des imprimantes, des photocopieurs et des télécopieurs est sa capacité d'intégrer de multiples technologies (optique fine, microélectronique, imagerie électronique et mécanique de précision). Plusieurs travaux visent à définir les conditions par lesquelles une ressource ou une compétence atteint le statut d'avantage concurrentiel.

Tywoniak (1998) résume les six caractéristiques, définies à ce jour, d'un actif (ressource ou compétence) pouvant être considéré à titre d'avantage concurrentiel pour l'entreprise. Il faut qu'il ait de la valeur pour l'entreprise, qu'il soit rare, qu'il soit durable, qu'il soit non substituable, qu'il soit non imitable et que l'entreprise se le soit approprié. Une ressource ou une compétence n'a de valeur que si elle permet d'exploiter une occasion dans l'environnement ou, encore, de neutraliser une menace en provenance de ce dernier. La valeur n'est donc pas intrinsèque, mais relative à l'environnement externe de la firme.

La rareté de l'actif, c'est-à-dire le fait qu'un nombre limité d'entreprises puissent y avoir accès, est une caractéristique fondamentale de l'avantage concurrentiel. Moins il sera facilement échangeable dans le marché, plus rare il sera. C'est pourquoi une ressource sous forme d'*input* a peu de chances de générer un avantage concurrentiel, à moins de ne pas être accessible aux concurrents. Par ailleurs, la transférabilité incertaine d'une ressource ou d'une compétence accessible à plus d'une entreprise peut permettre d'accroître sa rareté. Le degré de transférabilité d'un actif est donc à son plus faible lorsqu'il est inarticulé, complexe, difficile à enseigner, qu'il ne forme qu'un élément d'un système plus large et que son usage est non observable.

La longévité permet à l'organisation de maintenir un avantage concurrentiel dans le temps. Ainsi, étant transversales et systémiques, les compétences ont, plus que les ressources, le potentiel de soutenir un avantage concurrentiel prolongé. La longévité dépend de plusieurs facteurs tels le cycle de vie de l'innovation technologique, les barrières à l'entrée et le potentiel de substitution.

L'appropriation signifie que l'entreprise doit, pour que la ressource ou la compétence devienne un avantage concurrentiel, configurer ses processus et ses structures en conséquence. Il ne suffit pas de détenir un actif stratégique, encore faut-il en favoriser le déploiement en créant les conditions organisationnelles appropriées. C'est ce que fait Sony en encourageant, par divers incitatifs, les mouvements latéraux de personnel de recherche entre ses différentes divisions. En favorisant le métissage des technologies, cette politique organisationnelle est au centre du développement de l'imposant portefeuille de technologies avant-gardistes de l'entreprise.

Dernière caractéristique de l'avantage concurrentiel, la ressource ou la compétence doit être inimitable. Le potentiel d'imitation est à son plus faible lorsque les facteurs permettant d'obtenir une performance supérieure sont difficilement observables et discernables en raison d'une ambiguïté causale[2]. Outre l'ambiguïté causale, quatre autres mécanismes peuvent influer sur le pouvoir d'imitation (Arrègle, 1996). *L'avantage de la masse critique* («On ne prête qu'aux riches») veut qu'il soit plus facile d'augmenter un stock d'actifs si l'on en possède déjà une grande quantité. Par exemple, plus la clientèle de l'entreprise est étendue, plus le bouche à oreille en facilite l'accroissement à moindres frais, ce qui n'est pas possible pour un concurrent qui en est à ses débuts. *Les déséconomies liées au temps* («On ne peut pas aller plus vite que la musique») influent également sur le pouvoir d'imitation. Ce mécanisme a pour effet que, même si une organisation imitatrice investit autant que l'entreprise innovatrice, elle ne peut atteindre les mêmes résultats en moins de temps. Arrègle le dit en ces termes : «Toutes les tentatives pour «comprimer» la durée de création entraînent des résultats inférieurs[3].» Les ressources et les compétences en R-D répondent de façon particulièrement juste à ce mécanisme. Étant donc peu sensible à l'imitation, la R-D est fréquemment citée comme un élément qui contribue de façon importante à l'avantage concurrentiel des entreprises. Troisième mécanisme limitant potentiellement le pouvoir d'imitation d'un actif, *les interconnexions entre actifs* obligent une organisation imitatrice à détenir un ensemble d'actifs complémentaires qui, globalement, forment l'avantage concurrentiel. Ainsi, l'exploitation d'un réseau de distribution, ou d'un service après-vente, adéquat peut s'avérer une condition nécessaire pour réaliser un actif stratégique, telle une technologie. Arrègle (1996) en veut pour preuve le lancement du mini-disque, par Sony, et de la cassette DCC, par Philips : «[...] les bibliothèques de titres parus dans chaque standard jouent un rôle important dans ce bras de fer.[4]» Enfin, *l'érosion des actifs* est un mécanisme contre lequel il faut se prémunir. Il est important, en effet, d'entretenir l'effort d'investissement dans une compétence ou une ressource afin d'en empêcher la dépréciation, car une compétence ou une ressource qui se banalise risque de devenir plus immédiatement imitable.

---

2. Il y a ambiguïté causale lorsqu'il est difficile d'établir un lien de cause à effet. L'ambiguïté rend difficile la compréhension des raisons qui sont à l'origine de l'avantage concurrentiel et, par conséquent, rend difficile aussi l'imitation des ressources et des compétences qui en sont à la source (Arrègle, 1996).
3. Arrègle, J.-L. (1996), *op. cit.*, p. 29
4. *Idem*, p. 30

Pour qu'une ressource ou une compétence soit qualifiée d'avantage concurrentiel, elle doit donc obligatoirement posséder l'ensemble de ces caractéristiques. Le modèle des ressources souligne ainsi l'importance d'examiner l'entreprise sous l'angle de la dotation en facteurs, et ce, à la lumière des éléments fondamentaux de l'avantage concurrentiel cités précédemment. En d'autres termes, l'avantage concurrentiel se construit sur la base de l'évaluation et de la configuration des ressources et des compétences afin qu'elles répondent aux critères qui précèdent. Le choix des produits à développer et du positionnement dans le marché, ultimes étapes du choix stratégique, se font *a posteriori*, sur la base de l'exploitation de l'avantage concurrentiel, ou des compétences fondamentales (*core comptecencies*) de l'entreprise (Prahalad & Hamel, 1990). Ce n'est plus la stratégie conçue comme choix de produit qui doit être inimitable et durable, mais bien les ressources et les compétences qui en ont permis le développement.

De même, alors que la notion de secteur devient secondaire, celle de groupe stratégique se voit redéfinie. Les entreprises au sein d'un même groupe stratégique, et qui sont donc susceptibles d'entrer directement en concurrence les unes avec les autres, ne sont plus celles au sein des mêmes couples produits-marchés, mais celles qui ont développé des avantages concurrentiels, des actifs stratégiques, des compétences fondamentales similaires. Du coup, le champ de la concurrence change de nature et devient plus vaste.

L'APPROCHE DES RESSOURCES ET LE CHOIX STRATÉGIQUE

L'*output* de la réflexion stratégique est l'orientation prise par l'organisation, son axe privilégié de développement, sa direction future. Si l'angle d'analyse stratégique adopté, c'est-à-dire le filtre à travers lequel est conduite la réflexion stratégique, diffère, on devrait s'attendre à un *output*, la stratégie, qui soit différent.

Bien que l'approche des ressources soit encore peu normative, en raison même de son ambition de concevoir la stratégie de façon idiosyncratique, elle énonce malgré tout certaines règles en matière d'axes de développement stratégique des organisations. Comme l'avantage concurrentiel s'appuie sur la mise en valeur des ressources stratégiques de l'entreprise, cette dernière devrait déployer sa stratégie de croissance autour de l'exploitation pleine et entière de ses actifs stratégiques, c'est-à-dire de ses compétences fondamentales. Ce faisant, « la croissance et le développement de la firme sont donc naturellement liés à son activité originelle, et l'apparition de nouvelles activités se fait de manière concentrique, autour d'un noyau d'activités[5] ». L'entreprise doit ainsi favoriser un développement sur la base de son métier, celui-ci étant circonscrit par les compétences et les ressources stratégiques qu'elle met en œuvre. Le pas à franchir pour affirmer la supériorité de la stratégie de diversification concentrique est modeste. Cependant, la recherche de synergies n'est pas, dans l'approche des ressources, centrée sur les similarités de marchés ou de produits, mais bien sur l'exploitation de l'intégralité des compétences stratégiques développées par l'organisation.

La multinationale 3M est, à cet égard, un exemple éloquent. En exploitant son expertise dans les adhésifs et les enduits, elle en est arrivée à développer une gamme étendue et très variée de 3000 produits recouvrant des secteurs d'activité extrêmement hétérogènes (peinture, fournitures de bureau, produits pharmaceutiques et de santé, etc.). Le développement, par 3M, du feuillet autoadhésif amovible de marque Post-it est, sans doute, l'exemple le plus probant de cette orientation stratégique basée sur l'exploitation des compétences. Le choix de pénétrer le marché des fournitures de bureau n'a pas été motivé par le souhait de répondre aux besoins d'un type de clientèle ou d'exploiter une niche, mais plutôt par la volonté de mettre en valeur une compétence de l'entreprise, celle relative aux adhésifs. Cette stratégie de diversification concentrique basée sur une compétence donnée (adhésifs et enduits) a incité l'entreprise à se développer dans des secteurs qui ne présentaient a priori aucune synergie fonctionnelle.

Au même titre que la stratégie de croissance doit s'inscrire dans une vision de l'entreprise comme portefeuille de compétences (Prahalad & Hamel, 1990), cette perspective doit être à la base des décisions de retrait de certaines activités. Lorsqu'une entreprise songe à se départir d'un produit ou d'une division, elle ne doit pas s'en tenir qu'à ces deux éléments ; elle doit aussi prendre en compte les compétences qui sont associées à ces éléments. L'exemple de GE est à cet égard révélateur. En vendant sa division des petits appareils électriques, elle s'est privée, sans trop s'en rendre compte, de deux compétences transversales fondamentales, soit l'expertise dans les petits moteurs et dans la microélectronique, qui auraient pu être exploitées à d'autres fins (activités ou secteurs) (Prahalad & Hamel, 1990).

Les implications stratégiques liées à l'approche des ressources font actuellement l'objet de plusieurs travaux, notamment des études sur des problématiques telles que la diversification (Markides et Williamson, 1996), la globalisation de la stratégie (Collins, 1991), la stratégie de retrait (Bergh,

---

5. Tywoniak, S. A., (1998), *Le modèle des ressources et des compétences : un nouveau paradigme pour le management stratégique ?*, p. 166

1995) et les alliances stratégiques (Eisenhardt & Bird Schoonhoven, 1996). Ces derniers auteurs soulignent que la question du choix d'un partenaire pour une alliance stratégique se pose différemment selon que l'entreprise perçoit son avantage concurrentiel sous l'angle d'un couple produit-marché ou, comme le veut l'approche des ressources, comme une compétence fonda-mentale. L'entreprise accepte plus difficilement de conclure une alliance stra-tégique sur la base d'une compétence fondamentale qu'elle ne souhaite pas partager avec n'importe quel partenaire.

L'approche des ressources est donc résolument intentionnelle. L'inten-tion stratégique est d'ailleurs au cœur des propos de Prahalad et Hamel (1989). Cette orientation volontariste, selon laquelle la principale qualité d'une stratégie est d'être unique, est toutefois également à l'origine de la plus importante critique dont elle fait l'objet, celle d'être trop peu normative (Tywoniak, 1998).

Chapitre VI

LES CHOIX STRATÉGIQUES [1]

Barnard, dans *The Functions of the Executive* (1938), élabore à partir de son expérience de praticien une conception de l'organisation dans laquelle la prise de décision occupe une place importante. Mais c'est grâce à Simon et à son livre *Administrative Behavior* (1947) que se développera une véritable théorie administrative de la décision. Pour Simon, administrer c'est décider. C'est la prise de décision qui donne cohérence et consistance à l'organisation. Cela le mènera à s'intéresser à l'anatomie de la prise de décision, à savoir la distribution des fonctions de décision dans l'organisation entre les niveaux supérieurs (décisions de politiques générales) et les niveaux inférieurs (décisions opérationnelles). Il s'intéressera aussi à la physiologie de la prise de décision, à savoir les différentes phases dans le processus de décision. Le modèle de prise de décision de Simon distingue les trois phases suivantes :

- La phase d'intelligence ou d'identification des problèmes.
- La phase de modélisation ou de conception des solutions.
- La phase de choix ou de sélection de la meilleure solution, à la suite de l'application d'un « critère de choix », d'une « fonction de valeur d'usage » ou d'un « ordre de préférence ».

Simon tenait pour acquise l'existence d'une information suffisante sur les possibilités de choix et leurs conséquences, et sur l'ordre des préférences. Plusieurs des travaux qui vont suivre, incluant ceux de Simon lui-même, remettent en cause ce modèle canonique de prise de décision. D'une part, on considère que le processus de décision se développe à l'intérieur d'un système de contraintes liées aux capacités cognitives des décideurs qui sont toujours limitées. Cette idée est au cœur du modèle de rationalité limitée de March et Simon (1958), du modèle incrémentaliste de Lindbloom (1959), du modèle du comportement de décision dans l'entreprise de Cyert et March (1963) et du modèle de la boîte à ordures (*garbage can model*) de March et Olsen (1989). D'autre part, on stipule que le processus de décision ne s'appuie pas sur un ordre de préférences qui soit clair et cohérent ou qui donne lieu à des préférences collectives par-

1. Ce chapitre s'inspire de la note de Marcel Côté intitulée « Les options stratégiques génériques », publiée dans la première édition de ce livre. Nous tenons à le remercier.

tagées. Pour March (1978), les préférences sont ambiguës, contradictoires et elles ne sont pas cohérentes entre elles. De plus, chacun traduit ses préférences en termes d'objectifs particuliers, en fonction de la situation qui lui est faite. Il y a donc existence d'objectifs individuels antagonistes et concurrents par rapport aux ressources, et chacun cherche à faire prévaloir ses objectifs propres sur ceux des autres et à maintenir son influence relative.

C'est dans ce contexte de rationalité limitée des acteurs et de jeux politiques que des décisions doivent être prises. Pour certains, ces contraintes sont si importantes qu'elles empêchent toute prise de décision rationnelle s'appuyant sur un diagnostic adéquat de l'environnement et de l'organisation. Pour d'autres, comme Mintzberg et Waters (1985), elles conduisent à s'intéresser, non pas aux stratégies délibérées élaborées avant l'action par les dirigeants au sommet, mais aux stratégies qui émergent en cours d'action et qui tiennent compte d'une pluralité d'acteurs. Pour d'autres, enfin, ces contraintes obligent à un certain réalisme. C'est dans ce courant que nous nous situons. L'organisation est un lieu de décision et des décisions de toutes sortes y sont constamment prises. Il arrive que les dirigeants au sommet soient les seuls à prendre les décisions stratégiques importantes pour l'organisation. C'est souvent le cas des entrepreneurs, quand l'entreprise est petite et jeune. Mais la prise de décision par un acteur unique devient plus difficile lorsque la taille et la complexité de l'organisation augmentent. Les choix stratégiques qui sont alors faits sont souvent le résultat d'une interaction complexe et multiforme entre les dirigeants au sommet, les cadres opérationnels et le conseil d'administration.

Parmi l'ensemble des décisions que les dirigeants d'une entreprise prennent, quatre sont d'une importance capitale pour l'avenir de cette dernière. Hamermesh (1986) s'intéresse à trois d'entre elles, qui correspondent à trois niveaux de stratégie :

1. Les décisions concernant la mission de l'organisation : c'est la stratégie institutionnelle.
2. Les décisions concernant la façon dont on entend concurrencer dans chacun des domaines d'activité de l'entreprise : c'est la stratégie d'affaires.
3. Les décisions concernant les domaines dans lesquels l'entreprise veut se situer : c'est la stratégie directrice.

À ces trois niveaux de stratégie, on peut ajouter celui des stratégies fonctionnelles qui prennent une importance particulière au moment de la mise en œuvre mais dont les dirigeants doivent se préoccuper à l'étape de la formulation de la stratégie.

I. LA STRATÉGIE INSTITUTIONNELLE

La stratégie institutionnelle, c'est la mission de l'entreprise. Elle comprend les grands objectifs que l'entreprise veut atteindre et les valeurs qui animent son action. Elle correspond à ce que l'entreprise veut être et à l'image qu'elle veut projeter auprès de ses *stakeholders*. Il s'agit en quelque sorte de sa personnalité et de son identité. On peut donc penser que, lorsque les dirigeants d'une entreprise ont travaillé à la formulation d'une stratégie institutionnelle, cette dernière ne variera pas au gré des dirigeants qui vont se succéder à la barre de l'entreprise. Cela ne signifie cependant pas que, en période de changement important dans les orientations d'une entreprise, la mission ne puisse être modifiée. L'entreprise voudra, après une crise ou un virage importants, signifier à ses clients et à ses employés qu'elle prend de nouvelles orientations.

La stratégie institutionnelle doit servir de guide et de phare au moment de la formulation de la stratégie corporative et des stratégies d'affaires. Les dirigeants doivent évaluer les stratégies qu'ils envisagent à l'aune des grands principes et des valeurs fondamentales contenus dans la mission de l'entreprise. En un sens, ils doivent accepter que leur action soit contrainte par cette mission. Si la mission de l'entreprise ne constitue jamais un point de référence au moment de faire des choix stratégiques importants pour l'entreprise, elle n'est alors qu'un artefact culturel, un objet inerte, une belle image que l'on projette à l'extérieur, un outil de relations publiques qui n'a pas beaucoup d'intérêt en stratégie.

Le cas du journal *Le Devoir* est intéressant à cet égard. Fondé en 1910 par Henri Bourassa, *Le Devoir* s'est donné comme mission d'être avant tout un journal d'opinion et de réflexion, plutôt qu'un véhicule d'information, et d'être actif dans le débat politique national au Québec. Jusqu'en 1981, les directeurs qui se sont succédé à la tête du journal ont tous, chacun à sa façon, situer leur action dans le respect de cette mission. Avec la venue de Jean-Louis Roy (1981-1986), et surtout celle de Benoît Lauzière (1986-1990), les choses ont changé. *Le Devoir* ne se donnait plus comme mission d'être un journal de débat et d'opinion, mais il se définissait comme un témoin, donc comme un journal d'information principalement, sans engagement politique. Ce faisant, on positionnait le journal dans le même groupe stratégique que celui des grands quotidiens francophones qu'étaient *La Presse* et le *Journal de Montréal*. Les résultats ne se sont pas fait pas attendre. Alors que la situation du journal avait toujours été relativement précaire par rapport à celle des autres quotidiens (en raison, entre autres, de son faible tirage), elle est devenue catastrophique à partir de 1981: le journal a connu des déficits annuels qui ont augmenté d'année en année. En 1990, Benoît Lauzière a dû quitter la direction du journal. Il fut remplacé par Lise Bissonnette, une journaliste qui avait travaillé au *Devoir* et qui avait quitté ce dernier lorsqu'il avait changé d'orientation. En revenant à la mission initiale du journal, tout en travaillant à en faire un journal plus moderne et plus efficace, Lise Bissonnette a réussi à rétablir l'équilibre financier de l'entreprise.

II. LA STRATÉGIE D'AFFAIRES

Pour chacun des domaines d'activité dans lesquels elle est engagée, l'entreprise doit décider comment elle entend se battre contre ses concurrents ou, en d'autres termes, comment elle entend se positionner par rapport à ces derniers. Pour Porter (1980), l'entreprise a deux grandes décisions à prendre quant à son positionnement. D'une part, elle doit découvrir et mettre en place une façon de concurrencer qui soit unique et différente de celles de ses concurrents, et qui ait une certaine pérennité. C'est à ce moment-là que l'entreprise peut avoir un avantage concurrentiel durable. Porter identifie deux façons d'obtenir un avantage concurrentiel : le leadership du coût et la différenciation. D'autre part, l'entreprise doit choisir sa cible stratégique, c'est à dire l'étendue du marché que la firme vise dans une industrie donnée : cette cible peut être large (grande variété de produits et services offerts à tous les segments de clientèle) ou étroite. Le type d'avantage concurrentiel et l'étendue de la cible stratégique définissent ce que Porter appelle les stratégies génériques, à savoir trois moyens fondamentalement différents de se positionner et de concurrencer dans une industrie donnée : la stratégie de leadership du coût, la stratégie de différenciation et la stratégie de focalisation qui peut utiliser le leadership du coût ou la différenciation. Les entreprises peuvent donc avoir du succès en adoptant différents types de positionnement dans une industrie. On peut donc affirmer que, pour Porter, il n'y a pas de *one best way*, c'est-à-dire une seule bonne façon de concurrencer dans une industrie donnée. Il s'éloigne ainsi de certains de ses prédécesseurs qui avaient fait de la courbe d'expérience et des économies d'échelle les seules bases de positionnement rentable dans une industrie. Le tableau qui suit illustre les trois types de stratégies dont nous venons de parler.

Tableau 1 Les stratégies génériques

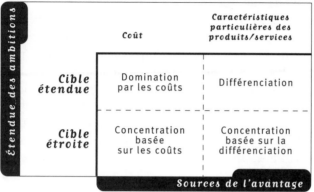

A. LE LEADERSHIP DU COÛT

Le leadership du coût consiste à bâtir une organisation capable d'avoir des coûts plus faibles que ceux de ses compétiteurs. Il s'agit de concevoir, de produire et de mettre en marché un produit ou un service comparable à celui de ses compétiteurs, mais à des coûts inférieurs. Cela permet de vendre le produit ou le service soit à des prix inférieurs à ceux de ses compétiteurs, soit au même prix que ces derniers, en dégageant une marge plus élevée. Cela est possible grâce aux économies d'échelle et d'envergure qui découlent d'un volume de production important, et grâce à un contrôle serré des frais fixes et variables. Cette stratégie peut nécessiter, dans certains secteurs, beaucoup de capital et des ressources d'ingénierie importantes afin de simplifier le design des produits pour les rendre moins coûteux à produire, d'automatiser les procédés de production et d'étendre les canaux de distribution.

Porter fait une différence claire entre le contrôle des coûts et une stratégie de leadership du coût. Toutes les entreprises doivent contrôler leurs coûts afin de dégager la marge la plus élevée possible : la réingénierie ou le juste-à-temps sont des approches et techniques qui peuvent aider une entreprise à redéfinir son processus de production et de mise en marché afin de le rendre plus performant et moins coûteux. Elles contribuent à améliorer l'efficacité opérationnelle de l'entreprise. Mais cela ne signifie nullement que ces entreprises poursuivent une stratégie de leadership du coût. Alors que le contrôle des coûts est une action orientée vers l'interne, le leadership du coût est d'abord une stratégie de positionnement à l'externe.

La stratégie de l'entreprise Multi-Marques est une stratégie de leadership du coût. Multi-Marques est une entreprise qui évolue dans l'industrie de la boulangerie au Québec. Il s'agit d'une industrie fortement concentrée, puisqu'il n'y a que peu de fournisseurs, qu'un petit nombre de concurrents contrôlent la quasi-totalité du marché et que les clients des boulangeries sont principalement quelques grosses entreprises (principalement des supermarchés). Dans cette industrie, Multi-Marques s'était fixé comme objectif d'être le numéro un au Québec. Pour y parvenir, l'entreprise a toujours été consciente qu'elle devait poursuivre une stratégie de leadership du coût, appuyée sur des volumes de production importants. Après une cinquantaine de fusions et d'acquisitions, Multi-Marques a acquis un volume qui lui a permis de réduire ses coûts de façon importante. En centralisant au siège social, entre autres, les décisions d'approvisionnement, les négociations avec les clients et les choix quant à la gamme de produits, l'entreprise a réussi à réduire ses coûts d'approvisionnement en matières premières, ses coûts de production et ses coûts d'espace-tablette dans les magasins. Ce contrôle serré des coûts a permis à Multi-Marques de devenir une entreprise très rentable et la plus importante boulangerie au Québec, loin devant Weston.

B. LA DIFFÉRENCIATION

Une stratégie de différenciation consiste à produire un bien ou un service qui présente un caractère unique pour le client, et pour lequel ce dernier est prêt à payer plus cher. Le caractère unique d'un produit ou d'un service peut découler du type de matières utilisées et de leur qualité, du design du produit, de sa performance ou de l'image qu'il projette. Il peut aussi découler du réseau de distribution utilisé, du service après-vente ou de la garantie qui est rattachée au produit. Le client est prêt à payer plus cher pour un tel produit ou service, tant et aussi longtemps qu'il perçoit que la valeur ajoutée est plus grande que le prix qu'il paierait pour un produit qui n'aurait pas de telles caractéristiques. Une stratégie de différenciation exige habituellement que beaucoup de ressources soient allouées à la création et au développement de produits afin que ces derniers présentent des caractéristiques de qualité, de performance ou de fiabilité plus grandes que celles des produits concurrents. Beaucoup de ressources doivent aussi être consacrées au marketing afin de créer une image de marque pour ces produits.

La stratégie adoptée par Hermès est une stratégie de différenciation. Hermès est une entreprise française, fondée en 1837. Elle a débuté dans la maroquinerie, et plus spécifiquement dans la fabrication de selles de cheval.

Elle touche maintenant à 12 métiers, les principaux étant la maroquinerie, la soie, le prêt-à-porter, les parfums, l'horlogerie, les arts de la table et les bijoux. Dans tous les cas, les produits Hermès se différencient par la très grande qualité des matières premières utilisées et du design, par une confection artisanale, par une publicité et des canaux de distribution très sélectifs et par une très forte image de marque. En d'autres termes, tous les éléments de la chaîne de valeur sont cohérents et contribuent à donner une valeur ajoutée aux produits. La stratégie de différenciation de Hermès s'accompagne de prix élevés, que les clients acceptent de payer. Il s'agit d'une stratégie de différenciation focalisée sur un segment particulier de marché, à savoir les clients recherchant le très haut de gamme. La rentabilité de Hermès est exceptionnelle, et cette rentabilité se maintiendra tant et aussi longtemps que les consommateurs estimeront que la valeur ajoutée aux produits justifie les prix plus élevés exigés par l'entreprise. Un autre exemple de focalisation par différenciation est celui des fabricants automobiles tels que Rolls Royce, Mercedes ou BMW.

À l'inverse de Hermès, l'entreprise Cray Research n'a pas été capable de maintenir, de façon rentable, la stratégie de différenciation qu'elle avait adoptée au moment de la création de l'entreprise, en 1972, par Seymour Cray. Ce dernier était un génie de l'informatique et il avait un grand rêve : construire l'ordinateur le plus puissant du monde. L'excellente réputation du fondateur de Cray Research permit à l'entreprise, même en l'absence d'un produit développé, de bénéficier d'importantes ressources financières. Après avoir développé les superordinateurs Cray 1 et Cray 2, il travailla à la conception du Cray 3. La stratégie de l'entreprise était clairement une stratégie de focalisation (elle s'intéressait principalement aux laboratoires de recherche) par différenciation (la construction d'ordinateurs super rapides). Cray se préoccupa très peu des besoins que pouvaient avoir d'autres types de clientèles, comme les entreprises qui étaient à la recherche d'ordinateurs non seulement rapides mais qui pouvaient aussi être utilisés de façon conviviale. Ce qui n'était pas du tout le cas du Cray 2, déjà en fonction, ni du Cray 3, en développement. Ces clients industriels, qui constituaient un marché de plus en plus important, n'étaient plus prêts à payer pour un produit dont le prix très élevé ne se justifiait pas par des caractéristiques qui présentaient, à leurs yeux, une valeur ajoutée.

C. Deux logiques différentes

Pour Porter, les stratégies de leadership du coût et de différenciation répondent à deux logiques : celle des coûts bas et celle des prix élevés. Une entreprise peut acquérir un avantage concurrentiel en ayant des coûts plus bas que ceux de ses concurrents ; son avantage concurrentiel peut aussi découler de sa capacité à exiger un prix plus élevé pour ses produits et services. Mais une même entreprise peut-elle poursuivre ces deux stratégies simultanément ?

À cette question, Porter répond par la négative. En effet, concevoir, produire et penser un produit unique qui a une importante valeur ajoutée pour le consommateur ne peut se faire qu'avec des coûts additionnels. À l'inverse, devenir un leader sur le plan du coût exige habituellement que la firme accepte de ne pas offrir aux clients tous les ajouts qui excèdent la fonctionnalité désirée. L'entreprise doit donc faire un choix clair en faveur de l'une ou de l'autre de ces stratégies. Ce fut le problème d'une entreprise comme Eaton qui a poursuivi à la fois une stratégie de magasin spécialisé offrant des produits haut de gamme et une stratégie de magasin de grande surface offrant des produits à bas prix.

Par ailleurs, poursuivre une stratégie de leadership du coût ne signifie pas qu'il faille ignorer ce qui pourrait contribuer à se distinguer de ses concurrents ; de la même façon, poursuivre une stratégie de différenciation ne signifie pas que l'on puisse ignorer tout ce qui pourrait contribuer à réduire nos coûts. Selon Porter, toute stratégie doit se préoccuper à la fois des coûts relatifs et d'une différenciation relative. Les champions des bas coûts doivent avoir une qualité de produit acceptable et les champions de la différenciation doivent contrôler de près les coûts des activités qui ne sont pas directement liées à la chaîne de valeur des clients. Il est donc possible de faire des progrès sur ces deux plans simultanément.

Ce n'est pas tout de choisir une stratégie de positionnement, encore faut-il que l'entreprise s'en tienne au choix de stratégie d'affaires qu'elle a fait. Lorsque Porter analyse des entreprises très performantes, comme Wal-Mart, Sony ou Crown Cork and Seal, il conclut que ce qui les caractérise, c'est qu'elles sont très cohérentes dans leurs choix stratégiques de base et qu'elles essaient d'améliorer constamment la façon de mettre ceux-ci en œuvre. Les entreprises qui ont du succès sont capables de profiter des avancées technologiques, d'innover et de s'améliorer afin de diminuer leurs coûts ou de mieux se différencier par rapport à leurs concurrents. Mais elles poursuivent, sans relâche, la voie du choix stratégique qu'elles ont fait.

Changer de stratégie d'affaires est toujours très difficile. Changer son image de marque auprès des canaux de distribution et auprès des consommateurs est assez ardu, mais l'entreprise peut tout de même le faire en fonctionnant sous des marques différentes. Par contre, ce qui est beaucoup plus difficile, c'est de changer l'organisation. Une organisation construit, à travers le temps, des habiletés à mettre en œuvre une stratégie de leadership du coût ou de différenciation. Les habiletés propres à chacune de ces stratégies sont radicalement différentes. Changer de stratégie d'affaires signifie donc qu'il faille renoncer à ses habiletés apprises et développer de nouvelles habiletés.

III. LA STRATÉGIE DIRECTRICE

Les dirigeants réfléchissent constamment au devenir de leur entreprise. Veut-on accroître les activités de l'entreprise? Veut-on rester dans les mêmes domaines d'activité ou veut-on se diriger vers de nouveaux domaines? Veut-on se retirer de certains domaines? Voilà autant de questions qui pavent la vie des dirigeants d'entreprise. Comme nous l'avons vu, pour répondre à ces questions, les dirigeants peuvent avoir recours à un processus formalisé de prise de décision, comme la planification stratégique, ou décider en suivant un processus moins linéaire et moins formalisé. Ils peuvent, par ailleurs, s'aider de schémas classificatoires dont la valeur heuristique réside dans leur capacité à nommer et à classifier des réalités, donc dans leur capacité à mettre de l'ordre dans des réalités complexes.

Jauch et Glueck (1988) définissent trois grandes stratégies directrices: la stratégie de maintien, la stratégie de croissance et la stratégie de retrait. Comme on peut le voir dans le tableau 2, chacune de ces stratégies peut porter soit sur les produits, soit sur les marchés.

Tableau 2 La description de trois stratégies directrices

Objet de l'intervention	Croissance	Maintien	Retrait
Produits	Ajouter produits nouveaux, utiliser produits actuels différemment.	Améliorer la qualité, changer l'emballage des produits actuels.	Diminuer ou arrêter le développement des produits actuels.
Marchés	Ouvrir de nouveaux territoires, pénétrer le marché actuel.	Protéger la part de marché et se concentrer.	Abandonner la distribution et réduire la part de marché.

A. LA STRATÉGIE DE MAINTIEN

La stratégie de maintien vise une stabilité relative des activités de l'entreprise, tant sur le plan de ses produits que sur celui des marchés qu'elle dessert. Cette stratégie est pertinente lorsque l'environnement est relativement stable, que l'entreprise va bien et que les ressources sont plutôt limitées. Une stratégie de maintien ne signifie cependant pas le *statu quo*. Au contraire. Une entreprise qui désire maintenir ses activités dans un marché donné doit souvent déployer beaucoup d'efforts. Pour ce faire, elle devra être préoccupée par le *renouvellement* de ses produits. C'est ainsi qu'elle cherchera à améliorer la qualité de ses produits ou l'attrait de ses emballages. Elle pourra aussi essayer de trouver de nouvelles fonctions à ses produits ou de conclure des ententes afin de les commercialiser sous différentes marques. Cela est fréquent dans le domaine de l'alimentation.

Mais il est des situations où, pour réussir à protéger ses parts de marché, l'entreprise devra non seulement essayer de renouveler ses produits, mais aussi procéder à un *redressement* de certaines ou de plusieurs de ses façons de faire.

La stratégie de maintien semble une stratégie facile à mettre en place, puisque les décideurs connaissent bien les produits et les marchés dans lesquels l'entreprise est engagée. Il n'en est rien. Selon la phase du cycle de vie du produit et la position de l'entreprise dans son marché, les dirigeants ne pourront choisir les mêmes moyens d'action. Ils auront aussi à décider combien de ressources financières et humaines seront nécessaires afin de maintenir les parts de marché de l'entreprise.

C'est ainsi qu'une stratégie de maintien peut être très agressive. En effet, quand l'entreprise doit maintenir une position très favorable dans un marché en déclin, elle se doit d'investir des sommes importantes en recherche et développement et en marketing. C'est le cas des fabricants de cigarettes comme Imperial Tobacco. À cause de la publicité anti-tabac liée aux risques de la cigarette pour la santé des individus, le marché de la cigarette est en déclin en Amérique du Nord. Afin de maintenir sa position très avantageuse dans ce marché, Imperial Tobacco a développé de nouveaux types de cigarettes qu'elle dit moins néfastes pour la santé ; elle utilise aussi abondamment la commandite d'événements et consacre des sommes exorbitantes à la promotion.

Une stratégie de maintien présente toujours certains risques. D'une part, quand l'entreprise réussit à maintenir ses parts de marché et que le retour sur l'investissement est bon, ses dirigeants peuvent avoir la conviction que seuls des changements incrémentaux, et à la marge, sont suffisants. D'autre part, les dirigeants peuvent ne pas être suffisamment à l'écoute des changements profonds qui surviennent dans l'environnement et qui pourront rendre inopérante dans l'avenir une stratégie de maintien. On pourrait peut-être avancer qu'une entreprise qui adopte durant longtemps une stratégie de maintien ne développe pas les compétences et les habiletés nécessaires pour être concurrentiel dans un environnement complexe et turbulent.

B. LA STRATÉGIE DE CROISSANCE

Une stratégie de croissance est pertinente lorsque l'environnement est favorable, que l'entreprise se porte bien et que les dirigeants estiment que le rendement futur de l'entreprise passe par la croissance. Cette stratégie plaît beaucoup aux dirigeants.

Une telle stratégie peut se réaliser de plusieurs façons. La matrice d'Ansoff (1965), que l'on trouvera ci-dessous, relève quatre façons pour une entreprise de croître : l'entreprise peut utiliser ses produits actuels pour pénétrer davantage les marchés dans lesquels elle est déjà présente (pénétration) ; elle peut utiliser ses produits actuels afin d'essayer de pénétrer de nouveaux marchés (expansion géographique) ; elle peut vendre de nouveaux produits dans ses marchés actuels (élargissement de gamme) ; enfin, elle peut choisir de se diversifier dans de nouveaux domaines d'activités, qui sont reliés ou non avec son domaine d'activités initial.

Tableau 3 Les options stratégiques de base

Marché \ Produit	Actuel	Nouveau
Actuel	Pénétration **1**	Développement de gamme **2**
Nouveau	Extension de marché **3**	Diversification Combinaison produits / marchés **4**

L'un des choix stratégiques importants pour une entreprise consiste à décider si elle veut croître dans le domaine d'activité dans lequel elle évolue déjà, ou si elle veut se diriger vers d'autres domaines. Une entreprise qui décide de croître en restant dans son domaine peut le faire, comme on le voit dans la matrice d'Ansoff, par la pénétration de marché, l'expansion géographique ou l'élargissement de gamme de produits.

Une entreprise qui veut croître en choisissant de nouveaux domaines adopte une stratégie de diversification. Les entreprises décident de se diversifier pour différentes raisons, dont la volonté de répartir le risque. La diversification peut être reliée ou non reliée. On dit qu'une diversification est reliée lorsque certaines des compétences acquises par l'entreprise dans un domaine d'activité sont transférables dans les nouveaux domaines dans lesquels elle s'engage. Il y a donc possibilité d'établir une synergie entre les domaines. Une diversification est non reliée lorsque les nouveaux domaines d'activité exigent des compétences totalement différentes de celles que l'entreprise possède, et que peu de synergie peut être établie entre eux. Compte tenu de l'importance des stratégies de diversification dans l'économie moderne, nous leur consacrons le chapitre X.

On peut raffiner la matrice d'Ansoff en parlant de marché actuel, étendu et nouveau, et de produits actuels, améliorés et nouveaux. On trouve, au tableau ci-dessous, une matrice des options de croissance et la liste des actions à entreprendre en fonction des options stratégiques choisies.

Tableau 4   Matrice du vecteur de croissance

Produits / Marchés	Produits actuels	Produits améliorés	Produits nouveaux
Marchés actuels	• Pénétrer le marché • Être efficace et flexible • Maintenir la position • Améliorer la différenciation et la reconnaissance de marque	• Renforcer la R-D • Introduire des variantes • Ajouter des caractéristiques • Promouvoir des utilisations différentes	• Étendre la gamme • Remplacer les produits existants • Diversifier latéralement de manière reliée • Optimiser l'utilisation des ressources
Marchés étendus	• Promotion agressive • Prix défensifs • Recherche de nouveaux utilisateurs • Recherche de nouveaux canaux de distribution	• Segmenter • Différencier • Accroître la publicité • Améliorer qualité et service • Modifier les prix	• Élargir la gamme • Diversifier verticalement • Avoir une flexibilité opérationnelle et des technologies reliées
Marchés nouveaux	• Accroître l'attrait du produit • Accroître l'effort de marketing • Accepter des pertes pendant introduction	• Faire connaître de nouvelles variantes • Utiliser de nouveaux canaux et de nouveaux médias de publicité	• Diversification non reliée • Acquisitions et fusions • Recherche de partenaires complémentaires et de domaines « contre-cycliques »

Source : D'après, Rowe, A. J., Mason, R. O. et Dickel, K., (1982) et Thiétart (1983), *op.cit.*

Toujours selon Rowe, Mason et Dickel (1982), on peut désigner les avantages associés aux différentes stratégies « produit » ou « marché » que nous avons mentionnées au tableau précédent.

Tableau 5 Avantages des différentes stratégies de croissance

A. Stratégies « produit » dans un marché déterminé

Stratégies « produit »	Produit actuel	Produit relié	Produit nouveau
Avantages associés à chaque stratégie	• Compétences distinctives • Économies d'échelle • Clarté et unicité • Utilisation efficace des ressources	• Attrait des produits plus grand • Meilleure utilisation de la force de vente et du réseau de distribution • Motivation dérivée de l'introduction d'un nouveau produit • Flexibilité de la réponse à un marché changeant	• Diminution des pressions concurrentielles • Réduction du risque de saturation du marché • Diminution des fluctuations des ventes

B. Stratégies « marché » pour un produit déterminé

Stratégies « marché »	Marché actuel	Marché relié	Marché nouveau
Avantages associés à chaque stratégie	• Pénétration maximum du marché • Domination possible du marché • Expertise dans un marché ou segment spécifique • Visibilité dans le marché	• Croissance stable • Amélioration dans l'utilisation des capacités, des fonctions • Accroissement de l'expertise technologique	• Extension de la réputation de l'entreprise • Diminution de la pression concurrentielle • Diversification vers des marchés profitables • Synergie possible

Certains risques liés à la croissance

Une stratégie de croissance est toujours très attirante pour les entreprises. Elle présente, par ailleurs, tout comme la stratégie de maintien dont nous avons parlé, les difficultés suivantes :

- La pénétration de marché est probablement la stratégie de croissance la plus facile à mettre en œuvre, puisque le produit et le marché sont bien connus des dirigeants. Mais ce n'est pas toujours le cas. Dans un marché à maturité et saturé, cette stratégie peut s'avérer difficile et coûteuse, puisque l'acquisition de parts de marché additionnelles exige des dépenses pour la publicité et le marketing très importantes. Dans un marché en croissance, l'achat de concurrents peut aussi exiger des investissements importants.

- L'expansion géographique exige des investissements importants, mais elle nécessite surtout des connaissances sur l'état de la concurrence dans les nouveaux marchés visés et des compétences éprouvées en analyse de marché afin de bien connaître les caractéristiques des nouveaux clients. Certaines entreprises québécoises prospères ont éprouvé de grandes difficultés lorsqu'elles ont voulu s'implanter à l'extérieur du Québec. C'est le cas notamment des Pharmacies Jean Coutu. Pour cette entreprise, la pénétration de marché au Québec était devenue très coûteuse, puisqu'elle détenait déjà une part de marché importante. L'expansion géographique, principalement aux États-Unis, apparaissait alors comme une stratégie souhaitable. Les débuts aux États-Unis ont été très difficiles, et ce n'est qu'avec l'achat récent d'une chaîne de pharmacies que Jean Coutu pourra réaliser son expansion géographique.

- L'élargissement de gamme par le développement de nouveaux produits nécessite que des sommes importantes soient consacrées à la recherche et au développement de nouveaux produits, à l'interne ou à l'externe, à l'achat de licences ou de brevets auprès d'entreprises fabriquant ces nouveaux produits ou à l'acquisition de ces entreprises. Les firmes comptables sont un exemple d'entreprises ayant réussi l'élargissement de la gamme des produits offerts à leurs clients. En complément aux activités traditionnelles de vérification, les firmes comptables offrent maintenant divers autres services dont la consultation en gestion et en financement, l'impartition de diverses activités telles que la vérification interne et le service de paie. Il en a été différemment de Birks. Cette entreprise québécoise, spécialisée dans le commerce de détail de la joaillerie et des arts de la table, s'était traditionnellement concentrée sur les produits haut de gamme. Elle a tenté d'assurer sa croissance en élargissant sa gamme de produits en y ajoutant des produits de moyenne gamme. Cette stratégie a été un double échec puisque, non seulement elle n'a pas réussi à attirer une nouvelle clientèle, mais elle a perdu sa clientèle traditionnelle.

• La diversification est la plus risquée des stratégies de croissance. En effet, elle nécessite beaucoup d'efforts de la part de l'entreprise pour arriver à comprendre les facteurs clés de succès dans les nouveaux domaines d'activité dans lesquels elle veut s'engager et pour développer de nouvelles compétences. De plus, elle augmente de façon importante la complexité de gestion, d'où la nécessité de doter l'entreprise d'une structure qui lui permet de gérer cette complexité. Ce sont ces difficultés qui expliquent certains des échecs retentissants qu'ont connus plusieurs entreprises qui ont opté pour une stratégie de diversification.

Une stratégie de croissance n'est donc pas facile à utiliser. Le cas de l'entreprise Harlequin illustre bien certaines des difficultés liées à la croissance. Harlequin évolue dans l'industrie de l'édition de livres. Ses ventes et ses bénéfices annuels ont été en augmentation constante depuis 1970. En 1979, ils étaient respectivement de 180 millions et 20 millions de dollars. Les romans Harlequin étaient publiés en 9 langues et vendus dans plus de 90 pays. De nombreux observateurs considéraient alors cette entreprise comme la maison d'édition la plus rentable d'Amérique du Nord. Comme le marché du roman d'amour commençait à stagner et que Harlequin continuait à avoir des liquidités importantes et n'avait aucune dette, elle se devait d'investir pour assurer sa croissance future. Harlequin décida donc de poursuivre son expansion géographique au Japon, en Scandinavie, au Mexique, au Venezuela et en Grèce. Elle décida aussi d'élargir la gamme de ses produits en créant de nouvelles collections pour son public nord-américain, allemand et hollandais. Elle choisit, enfin, de se diversifier en produisant son premier long métrage, en ouvrant un magasin spécialisé dans la vente de détail de publications destinées à l'enseignement et en achetant une entreprise de vente par courrier de jouets, de jeux et de menus articles de cuisine. Cependant, malgré les ressources financières considérables dont l'entreprise disposait pour mettre en œuvre ces stratégies, ces dernières ne donnèrent pas les résultats escomptés ou furent carrément un échec. En observant le comportement stratégique de cette entreprise, on a l'impression que, ayant beaucoup d'argent, elle se sentait obligée de l'utiliser, parfois même lorsque les opportunités n'étaient pas là ou lorsque ses avantages n'étaient pas clairs. Comme quoi beaucoup d'argent à investir, à la suite d'une croissance très rentable, peut poser un problème !

L'utilisation de différentes manœuvres stratégiques

Les stratégies de croissance se réalisent par l'utilisation de différentes manœuvres stratégiques. Mentionnons les manœuvres stratégiques les plus fréquemment utilisées par les entreprises :

- Une entreprise peut assurer sa croissance dans son domaine d'activité par l'*acquisition* d'entreprises du même domaine : la croissance de l'entreprise Cascades s'explique essentiellement par les nombreuses acquisitions de fabricants de papier qu'elle a faites, la plus importante étant celle de Papiers Rolland. Elle peut aussi procéder à une *fusion* avec une ou des entreprises du même domaine : c'est ce qui s'est passé récemment dans l'industrie automobile avec Daimler et Chrysler, Fiat et General Motors, et BMW et Rover. Dans tous les cas, il s'agit d'*intégration horizontale*.

- Une entreprise peut avoir comme objectif de contrôler le processus en aval et en amont. Il s'agit d'une stratégie d'*intégration verticale*. Elle peut le faire en développant elle-même de nouveaux domaines d'activité qui lui assureront de la fiabilité pour ses approvisionnements ou pour l'écoulement de ses produits. C'est ce qu'on appelle du *développement interne*. Elle peut aussi le faire par l'*acquisition* des entreprises qui lui fournissent ses *inputs* ou écoulent ses *outputs*. Beaucoup d'entreprises font à la fois du développement interne et des acquisitions. L'entreprise Quebecor illustre bien cette situation. Au départ, Quebecor était une entreprise évoluant dans l'industrie de l'imprimerie. Elle s'est ensuite lancée de manière organique dans la publication du *Journal de Montréal*. Puis, progressivement, afin de diminuer sa dépendance par rapport à ses fournisseurs et à ses clients et de continuer à assurer sa croissance, elle a acheté une papetière et d'autres journaux.

- Une entreprise qui a comme objectif de se diversifier le fait, habituellement, par l'*acquisition* d'entreprises actives dans les nouveaux domaines recherchés, même si des développements organiques (c'est-à-dire par développement interne) sont possibles, comme nous l'avons évoqué par l'exemple de Quebecor et comme l'a démontré Chandler à propos de Du Pont.

- Une entreprise peut envisager la croissance par une voie différente, celle des **alliances**. En effet, plutôt que d'assure elle-même du développement, d'acquérir des entreprises ou de fusionner, une firme peut procéder par la voie des alliances afin de se procurer les compétences qu'elle n'a pas. Ces compétences sont de divers types : technologiques, de recherche et de développement, d'approvisionnement, de distribution, de service après-vente, etc. Le fabricant automobile Peugeot, à cause de sa petite taille et de la crainte qu'il a de disparaître dans une fusion avec un autre fabricant, continue à opter pour une stratégie d'alliance. C'est ainsi que Peugeot coopère avec Fiat depuis 20 ans et avec Ford depuis 2 ans, afin de devenir le plus grand producteur mondial de moteurs Diesel.

C. LA STRATÉGIE DE RETRAIT

Une stratégie de retrait signifie la diminution ou même l'arrêt des activités d'une entreprise. Cette stratégie est pertinente lorsque l'environnement est défavorable, que l'entreprise va mal et que de meilleures opportunités existent dans d'autres domaines d'activité. L'entreprise décide alors d'abandonner certains produits ou certaines activités et/ou de se retirer partiellement ou totalement de certains marchés. Comme on l'a vu au tableau 5, la phase du cycle de vie dans laquelle le produit ou le domaine d'activité de l'entreprise se trouve et la position relative de l'entreprise dans le marché jouent un rôle décisif dans les décisions de retrait. En effet, les entreprises adoptent une stratégie de retrait principalement lorsqu'elles ne réussissent pas à avoir une position confortable sur le marché. Cela est d'autant plus vrai que le domaine d'activité n'offre plus de perspectives de croissance intéressantes.

Tout comme les stratégies de maintien et de croissance, la stratégie de retrait peut sembler une stratégie facile à réaliser. Or, il n'en est rien. Comme pour les autres stratégies, elle suppose de bien connaître le cycle de vie des domaines d'activité dans lesquels l'entreprise est engagée ainsi que l'évolution de la concurrence dans ces domaines. Mais le risque spécifique rattaché à la stratégie de retrait est d'un autre ordre. D'une part, en se retirant de certaines activités, l'entreprise fait reposer certains coûts fixes sur un moins grand nombre d'activités. D'autre part, les actions de retrait peuvent avoir des impacts financiers négatifs qui sont plus considérables que les économies réalisées par le retrait de certaines activités. Par exemple, une stratégie de retrait peut nuire à l'image de l'entreprise, ce qui aura des retombées négatives sur les autres activités de l'entreprise. Enfin, une stratégie de retrait peut être démotivante pour le personnel de l'entreprise et affaiblir son portefeuille de compétences, puisque cette stratégie s'accompagne souvent du départ d'employés et de cadres.

Le retrait peut prendre trois formes principales : le retranchement d'activités, la vente d'activités et la liquidation.

Le retranchement d'activités

Le retranchement consiste à éliminer certains produits ou services. Ce fut le cas, par exemple, lorsque le CN, une entreprise ferroviaire canadienne, a décidé d'éliminer un certain nombre de destinations qu'elle offrait précédemment. Ce fut aussi le cas lorsque Eaton a retranché de ses activités de commerce de détail la vente par catalogue et, par la suite, la vente des appareils électroménagers. C'est aussi le cas de la Bourse de Montréal qui a décidé de retrancher de ses activités les actions et les obligations, pour se concentrer sur le marché des options. Les produits et services que l'on retranche sont habituellement des activités jugées peu rentables pour l'entreprise, ou moins rentables que d'autres activités dans lesquelles elle est impliquée. Plus la concurrence est forte dans une industrie, moins l'entreprise peut maintenir des produits et services peu ou pas rentables. Cela n'est pas vrai seulement pour les entreprises qui poursuivent une stratégie de leadership de coût, mais ce l'est également pour celles qui adoptent une stratégie de différenciation.

La vente d'activités

La vente d'activités consiste pour l'entreprise à se retirer complètement ou partiellement d'un domaine dans lequel elle était active jusque-là. L'entreprise a recours à cette manœuvre stratégique dans deux types de circonstances : d'une part, lorsqu'elle estime qu'elle sera incapable de conforter sa position dans un domaine d'activité, compte tenu de la concurrence qui sévit et de la place qu'elle a réussi à occuper dans le marché ; d'autre part, lorsqu'elle veut dégager des ressources, principalement financières, afin de se concentrer davantage dans des domaines où elle est déjà, ou d'aller dans de nouveaux domaines qu'elle juge davantage prometteurs.

Après la vague de diversifications des années 1980, plusieurs entreprises, déçues des résultats financiers obtenus, ont décidé de recentrer leurs activités sur leurs domaines d'origine. Elles ont donc massivement désinvesti. C'est le cas du Groupe Canam Manac. À l'origine, ce groupe n'était actif que dans l'acier. Très rapidement, il s'est diversifié dans un domaine complémentaire à l'acier, celui des semi-remorques. Puis, le groupe s'est diversifié dans le domaine du mobilier de bureau. Les résultats financiers de l'entreprise furent excellents. Sous l'effet de la mode de la diversification, Canam Manac a décidé de prendre une position importante dans Noverco, une entreprise qui était le maître d'œuvre de la politique d'investissement et de diversification de Gaz Métropolitain. Cet investissement important obligea le Groupe Canam Manac à désinvestir des domaines des semi-remorques et du mobilier de bureau. Comprenant que l'obtention du contrôle effectif de Noverco l'obligera à s'endetter de façon importante, Marcel Dutil, le dirigeant du Groupe Canam-Manac, décida de désinvestir du secteur de l'énergie.

La liquidation

La liquidation consiste à se départir totalement d'une entreprise. L'entreprise adopte cette stratégie peu fréquente lorsqu'elle est forcée de le faire. C'est le cas lorsque l'entreprise n'est plus viable et a des difficultés financières importantes. C'est, bien sûr, le cas lorsque les difficultés financières sont telles qu'elles acculent l'entreprise à la faillite. C'est ce qui est arrivé à Eaton et à Birks. La stratégie de redressement que ces deux entreprises ont essayé de mettre en place n'a pas fonctionné et elles se sont retrouvées dans l'obligation de vendre.

D. La stratégie directrice comme combinaison de stratégies

Les entreprises complexes sont habituellement présentes dans plusieurs domaines d'activité. Leur stratégie directrice est donc une stratégie combinée, c'est-à-dire une stratégie qui combine les stratégies poursuivies dans les différents domaines d'activité de l'entreprise. Une entreprise peut poursuivre une stratégie de maintien pour les domaines qui sont à maturité et dans lesquels elle a réussi à se faire une place confortable ; elle peut aussi poursuivre une stratégie de retrait total ou partiel lorsqu'elle juge que certains de ses domaines sont devenus moins intéressants ou que d'autres domaines lui paraissent plus prometteurs ; elle peut enfin poursuivre une stratégie de croissance dans les activités qu'elle juge prometteuses.

Lorsqu'une entreprise est engagée dans plusieurs domaines d'activité, l'analyse de portefeuille s'avère un outil précieux d'aide à la décision. L'engouement des entreprises privées pour les modèles d'analyse de portefeuille s'explique par la capacité de ces derniers à simplifier une réalité de plus en plus complexe et, ainsi, à aider les dirigeants des entreprises diversifiées à faire les choix stratégiques qui s'imposent. Les dirigeants possèdent rarement une connaissance approfondie de tous les domaines d'activité, variés et nombreux, dans lesquels se trouve l'entreprise. Ils doivent, par ailleurs, décider de l'avenir de chacun de ces domaines et de l'ajout de nouveaux domaines d'activité. Les modèles d'analyse de portefeuille les aident alors à clarifier leurs critères de choix. Nous présentons deux de ces modèles qui ont marqué la gestion stratégique, à savoir celui du Boston Consulting Group (BCG) et celui de McKinsey.

Le modèle du Boston Consulting Group

Le *Boston Consulting Group* propose une analyse s'articulant autour de deux axes : 1) le taux de croissance du segment d'activité analysé et 2) la part de marché relative de l'entreprise sur ce segment. La part de marché relative se mesure par le ratio de la part de marché de l'entreprise par rapport à la part de marché du concurrent principal. Ce ratio reflète la position concurrentielle de l'entreprise en ce qui concerne les coûts, les avantages sur le plan des coûts découlant d'un volume d'affaires plus grand que celui des concurrents.

Tableau 6 Le modèle du BCG

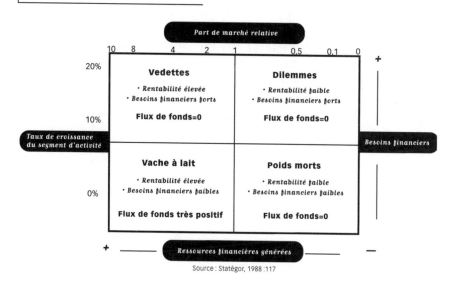

Source : Statégor, 1988 : 117

Le modèle du BCG est quantitatif et relève d'une logique purement financière. L'allocation optimale des ressources financières de l'entreprise se fait en tenant compte de la rentabilité des différents domaines d'activité et de leurs besoins de liquidités. Dans une entreprise diversifiée gérée comme un portefeuille, les stratégies d'affaires s'élaborent à partir de chacun des domaines d'activité, alors que la stratégie corporative s'élabore à partir du siège social. C'est là que les dirigeants utilisent le modèle de portefeuille afin de faire les choix stratégiques qui s'imposent en ce qui concerne le maintien, le développement ou l'abandon de leurs différents domaines d'activité, de même que l'ajout de nouveaux domaines. Les dirigeants s'intéressent d'abord au retour sur l'investissement des différents domaines d'activité et non à la synergie possible entre ces différents domaines.

Le modèle de McKinsey

À la différence du modèle du BCG, le modèle de McKinsey ne repose pas sur la seule logique financière et il tient compte de facteurs qualitatifs. Il s'intéresse au marché, tout comme le BCG, mais aussi à l'entreprise dans son ensemble. Le premier axe du modèle est la valeur d'un domaine d'activité pour l'entreprise, à savoir non seulement le taux de croissance du domaine d'activité mais aussi l'intérêt que représente ce domaine pour l'entreprise. Peut-il y avoir synergie entre ce domaine d'activité et les autres domaines de l'entreprise ? Dans quelle mesure l'entreprise maîtrise-t-elle déjà des facteurs clés pour réussir dans ce domaine d'activité ? Ce domaine d'activité permet-il d'acquérir une expérience transposable éventuellement à d'autres domaines ? La valeur d'un domaine d'activités est donc aussi liée aux capacités de l'entreprise et à son identité : ses compétences distinctives, son savoir-faire, ses intérêts et son vouloir-faire. Le second axe est la position concurrentielle de l'entreprise dans un domaine d'activité, sa position dans le cycle de vie et les risques qu'il implique pour l'entreprise. Il ne s'agit donc plus de limiter l'analyse à la seule part de marché relative, comme dans le cas du modèle BCG.

Tableau 7 Le modèle de McKinsey

Position concurrentielle	Forte	Moyenne	Faible
Forte ───●	Maintenir la position de leader coûte que coûte	Maintenir la position Suivre le développement	Rentabiliser
Moyenne ───●	Améliorer la position	Rentabiliser prudemment	Se retirer sélectivement
Faible ───●	Doubler la mise ou abandonner	Se retirer progressivement et sélectivement	Abandonner Désinvestir

Valeur du domaine d'activité

Source : modèle adapté de Stratégor (1988) p. 123

La recherche de cohérence et l'établissement d'une synergie entre les domaines d'activité sont donc présents dans le modèle de McKinsey. Bien que ce modèle soit qualitatif, il peut être d'une grande utilité pour les dirigeants d'entreprises diversifiées qui ont à faire des choix stratégiques. Il leur permet de faire ces choix en ne se basant pas uniquement sur ive de l'entreprise, mais aussi sur l'ensemble des caractéristiques qui contribuent à forger l'identité d'une entreprise et sa capacité à concurrencer.

Les modèles du BCG et de McKinsey sont repris au chapitre IX alors qu'on examine leur utilisation comme outils de gestion interne en situation de complexité.

IV. LES STRATÉGIES FONCTIONNELLES

Aux trois types de stratégies répertoriés par Hamermesh, on doit ajouter celui des stratégies fonctionnelles. Les stratégies fonctionnelles sont rattachées aux principales fonctions de l'entreprise, à savoir le marketing, la production, les ressources humaines, la finance, la recherche et le développement, l'approvisionnement, le contrôle et l'informatique de gestion.

Il est évident que les stratégies fonctionnelles sont particulièrement importantes au moment de la mise en œuvre des stratégies directrices et des stratégies d'affaires, puisque ce sont souvent les stratégies fonctionnelles qui permettent la mise en place réussie de ces dernières. Cependant, les dirigeants d'une entreprise doivent se préoccuper des stratégies fonctionnelles au moment même où ils formulent les stratégies d'affaires et directrice. Ils s'assurent ainsi qu'elles seront cohérentes avec les choix qu'ils font, qu'elles pourront soutenir ces choix ou, si ce n'est pas le cas, que des compétences nouvelles dans l'une ou l'autre des fonctions pourront être acquises.

La stratégie directrice choisie a un effet sur les stratégies fonctionnelles. Au tableau 8, Jauch et Glueck (1988) précisent les exigences fonctionnelles que posent les stratégies directrices de croissance, de maintien ou de retrait.

Tableau 8 Stratégies directrices et stratégies fonctionnelles

Fonctions	Croissance	Maintien	Retrait
Production	• Accroître la capacité des installations actuelles.	• Accroître la R&D et les achats de brevets. • Efficience accrue des ressources de production	• Rationnaliser les installations actuelles.
Marketing	• Intégration de canaux de distribution.	• Efficience accrue des canaux de distribution.	• Rationnaliser les canaux de distribution actuels.
Recherche et développement	• Accroître la R&D et les achats de brevets.	• Mieux utiliser la R&D existante.	• Réduire la R&D.

V. LES STRATÉGIES DE COMPÉTITION ET DE COOPÉRATION

La littérature en stratégie accorde une importance particulière aux stratégies de compétition. Les choix stratégiques (tant les stratégies institutionnelle, d'affaires, directrice que fonctionnelles) ont pour objectif de permettre à l'entreprise de «battre» ses concurrents. Selon Porter, par exemple, il est si important de maintenir la concurrence qu'il s'oppose à tout ce qui est susceptible d'en diminuer l'intensité. Comme nous l'avons vu au chapitre IV, l'environnement de l'entreprise est de plus en plus complexe et différencié : il est constitué de plusieurs joueurs poursuivant des stratégies différentes, mais étant de plus en plus en situation d'interdépendance et de connexité les uns avec les autres. L'environnement est aussi de plus en plus turbulent et imprévisible : il connaît des changements rapides et souvent difficiles à prévoir. L'entreprise fait alors face à des incertitudes économiques, technologiques et politiques. C'est dans ce contexte d'incertitude, afin d'être capables de mieux faire face à la concurrence, que les entreprises en viennent à élaborer des stratégies de coopération. On parle, dans ce cas, de relations d'échange entre organisations (Thompson, 1967), d'ententes de collaboration (Morris & Hergert, 1987), d'arrangements hybrides (Borys & Jemison, 1989), de stratégies collectives (Astley & Fombrun, 1983 ; Bresser (1988) ; Bresser & Harl, 1986 ; Thorelli, 1986) et d'alliances stratégiques.

La décision pour une entreprise de s'engager dans une alliance stratégique découle de l'analyse que les dirigeants font des opportunités et des menaces présentes dans l'environnement de l'entreprise, et des capacités internes de l'entreprise pour contrer les menaces et profiter des opportunités. Les alliances stratégiques peuvent donc être considérées comme un moyen susceptible d'aider l'entreprise à améliorer sa position concurrentielle (Hamel, Doz & Prahalad, 1989) et à réaliser sa stratégie directrice et sa stratégie d'affaires. Dans le contexte actuel, il s'agit d'une option stratégique importante, qui n'élimine pas la concurrence entre les entreprises mais qui l'encadre d'une façon particulière.

VI. CHOIX STRATÉGIQUES ET PERFORMANCE

Les dirigeants d'entreprise font des choix stratégiques, élaborent des stratégies institutionnelle, directrice, d'affaires et fonctionnelles afin que leur entreprise maintienne sa performance ou soit plus performante. Dans sa note intitulée *La performance et la stratégie*, Louise Côté affirme que, pour les chercheurs, la performance en tant qu'*output* a été principalement associée aux résultats économiques et financiers de l'entreprise, seules quelques études s'intéressant à la performance stratégique de l'entreprise, c'est-à-dire à sa capacité de se transformer et de survivre.

L'étude de Chakravarthy démontre que, pour être performante, l'entreprise doit bien faire relativement à différents critères financiers. Mais si ces derniers sont des conditions nécessaires à la performance, ils ne sont pas suffisants. Une entreprise est performante si, en plus des bons résultats financiers qu'elle obtient, elle a l'habileté de se transformer pour faire face aux changements dans son environnement.

Cette étude de Chakravarthy (1986) présente beaucoup d'intérêt, puisqu'elle tente de définir, à partir de données empiriques, ce qu'est la performance stratégique de l'entreprise. Comme la gestion stratégique est le processus par lequel les gestionnaires s'assurent de l'adaptation à long terme de l'entreprise à son environnement, les seules mesures de performance vraiment utiles sont celles qui permettent d'évaluer la capacité d'adaptation de la firme. En théorie, une entreprise bien adaptée a une stratégie qui est cohérente avec la structure et la dynamique concurrentielle de l'industrie ; elle a une structure organisationnelle qui est cohérente avec l'environnement et avec la stratégie choisie ; elle a des systèmes de gestion qui sont cohérents avec la stratégie et avec la structure organisationnelle ; elle a, enfin, un style de management approprié au contexte stratégique dans lequel se trouve l'entreprise. En définitive, une firme bien adaptée doit être capable de faire coïncider ses forces avec les opportunités de l'environnement et d'aligner ses différents systèmes administratifs avec la stratégie qu'elle a choisie.

En premier lieu, Chakravarthy démontre que les mesures traditionnelles de performance, basées uniquement sur la profitabilité de la firme, sont inadéquates pour évaluer la performance stratégique de l'entreprise. Comme la performance est un phénomène complexe, il faut donc utiliser plusieurs indicateurs pour la définir. Il s'intéresse à deux mesures qui permettent de discriminer les entreprises stratégiquement performantes et celles qui ne le sont pas. La première de ces mesures permet d'évaluer la qualité des transformations qui se produisent dans l'entreprise : d'un côté, il s'agit d'évaluer la capacité de l'entreprise à « exploiter » de façon profitable son environnement et de faire en sorte que les contributions des différents teneurs d'enjeux de l'entreprise excèdent les rétributions qu'elle leur donne pour leur collaboration ; d'un autre côté, il s'agit d'évaluer les investissements que l'entreprise fait, à partir de ses ressources excédentaires (*slack resources*), afin d'améliorer sa capacité de s'adapter à un environnement futur incertain et inconnu. La seconde mesure permet de mesurer le degré de satisfaction de tous les teneurs d'enjeux de l'entreprise (*stakeholders*) et non seulement celui des actionnaires (*stockholders*)

L'étude de Chakravarthy nous plonge au cœur du débat qui continue à avoir cours sur la performance de l'entreprise. Tant dans le secteur privé que dans le secteur public, la performance a souvent été abordée sous l'angle de l'efficacité et de l'efficience. L'évaluation de l'**efficacité** d'une entreprise consiste, pour les dirigeants, à se demander si l'entreprise qu'ils dirigent fait les bonnes choses. Traditionnellement, l'efficacité était évaluée en fonction des attentes des seuls actionnaires. La question que l'on se posait était la suivante : les résultats financiers de l'entreprise satisfont-ils les attentes des actionnaires ? L'évaluation de l'efficacité doit maintenant tenir compte des attentes des autres teneurs d'enjeux. La question consiste alors à se demander si les *résultats financiers et sociaux* correspondent aux attentes des actionnaires et à celles des autres teneurs d'enjeux. Notre mission, telle qu'elle est formulée, reflète-t-elle les grands objectifs que nous poursuivons et les valeurs qui doivent la soutenir ? Est-elle en accord avec les attentes de nos actionnaires (*stockholders*) et avec celles des autres teneurs d'enjeux (*stakeholders*) ? Les domaines d'activité dans lesquels l'entreprise est impliquée, et les choix de maintien, de croissance ou de retrait qui sont faits, correspondent-ils aux attentes des actionnaires et à celles des autres teneurs d'enjeux ? La stratégie d'affaires que nous poursuivons est-elle la plus susceptible de répondre aux attentes de nos clients ?

La question de l'efficacité mène donc inévitablement les dirigeants à évaluer les impacts des stratégies adoptées par leur entreprise. Les critères utilisés pour mesurer ces impacts vont cependant varier, de façon importante, selon qu'ils s'intéressent aux impacts pour les actionnaires ou aux impacts pour les autres teneurs d'enjeux. En effet, les actionnaires, dont la rémunération est fonction du capital investi, sont principalement intéressés par les indicateurs économiques et financiers de l'entreprise, tels que le ROE, le ROS, le ROI et le cours de l'action. Dans certains cas, les attentes des actionnaires peuvent diverger de celles des gestionnaires. En effet, bien que ces derniers soient les représentants des actionnaires à l'intérieur de l'entreprise, et qu'ils doivent mettre en œuvre les orientations privilégiées par ces derniers, ils ont aussi leur propre conception des stratégies que l'entreprise devrait adopter. Ils peuvent donc privilégier une stratégie de croissance, d'accroissement de parts de marché, qui ne se traduira pas par une augmentation de la profitabilité de l'entreprise.

Quant aux autres teneurs d'enjeux, ils sont principalement intéressés par d'autres critères de performance. Considérons les trois types de teneurs d'enjeux suivants : les clients, les employés et les groupes écologiques. Les clients évaluent la performance de l'entreprise en fonction des produits et services que cette dernière leur procure, et à la lumière de leurs attentes quant à la qualité, au coût ou au rapport qualité/coût. L'évaluation qu'ils font de cette performance se traduit en comportements d'achat et de fidélité par rapport à une marque. Quant aux employés, dont la rémunération est fonction du travail fourni, l'évaluation qu'ils font de la performance de l'entreprise tiendra compte de l'équité qu'ils perçoivent dans le rapport entre leur contribution et leur rétribution, compte tenu de la santé financière de l'entreprise et des normes de rémunération dans le secteur d'activité auquel l'entreprise appartient. Enfin, les groupes écologiques sont intéressés par les impacts des activités de l'entreprise sur le plan de l'environnement et du développement durable. Les critères qu'ils retiennent ne sont pas financiers ; ils portent plutôt sur la satisfaction des clients.

L'évaluation de l'**efficience** de l'entreprise consiste, pour les dirigeants, à se demander si l'entreprise fait bien les choses. Plus précisément, la question de l'efficience les mène à s'interroger sur les stratégies fonctionnelles de l'entreprise. Nos systèmes de production nous permettent-ils de produire au meilleur coût possible ? Notre système de distribution est-il adéquat ? Avons-nous le personnel qualifié dont nous avons besoin ? La question de l'efficience est donc inséparable de l'analyse que les dirigeants doivent faire des capacités et des compétences de l'entreprise. Pour s'aider dans cette démarche, les dirigeants peuvent recourir à l'étalonnage concurrentiel (*benchmarking*) qui permet à une entreprise de comparer sa performance avec celle des entreprises appartenant au même secteur d'activité qu'elle, en particulier les entreprises les plus performantes.

L'évaluation de la performance de l'entreprise, en matière d'efficacité et d'efficience, incite les dirigeants à faire des changements stratégiques. Comme nous le verrons au chapitre XIV portant sur la conduite du changement stratégique, les changements qu'ils font peuvent être d'une envergure plus ou moins grande selon qu'il s'agit de changer les croyances et valeurs de l'entreprise, son positionnement ou ses pratiques.

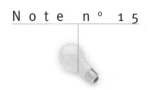

L E   P A R A D O X E   D ' I C A R E [1]

par Danny Miller

On dit qu'Icare, personnage fabuleux de la mythologie grecque, vola si haut, si près du soleil, que la cire de ses ailes artificielles fondit et qu'il tomba dans la mer Égée, y trouvant la mort. Le pouvoir des ailes d'Icare fut à la source de la témérité qui le perdit. Le paradoxe, bien sûr, est que ses atouts les meilleurs l'amenèrent à la mort. Le même paradoxe s'applique à beaucoup de compagnies remarquables : bien souvent, leurs victoires et leurs forces les entraînent dans des excès qui causent leur chute. Le succès mène à la spécialisation et à l'exagération, à la confiance et à la suffisance, aux dogmes et aux rituels. En fait, il semble que ce soient les choses mêmes qui provoquent le succès des entreprises — des stratégies éprouvées, un leadership assuré, une culture d'entreprise mobilisée, et particulièrement l'interaction de tous ces éléments — qui, lorsqu'elles sont poussées à l'excès, entraînent aussi leur déclin.

Certaines des compagnies les plus reconnues se retrouvent prises au piège de ce scénario du roi déchu. Dans nos recherches sur certaines de ces entreprises exceptionnelles, nous avons découvert quatre principales variantes de ce scénario, quatre « trajectoires » très communes de déclin (voir le tableau 1).

LES TRAJECTOIRES

Nos quatre trajectoires sont apparues dans une étude que nous avons menée auprès de compagnies exceptionnelles.

---

1.   Extrait tiré de *Gestion*, Revue internationale de gestion, septembre 1991, p. 33-41.

Tableau 1 Les quatre trajectoires

• **Trajectoire focalisatrice**

Type	Artisan		Puriste
Stratégie	Leadership en qualité	——	Purisme technique
Objectif	Qualité	——	Perfection
Culture	Engineering	——	Technocrate
Structure	Ordonnée	——	Rigide

• **Trajectoire spéculative**

Type	Bâtisseur		Impérialiste
Stratégie	Bâtir	——	Surexpansion
Objectif	Croissance	——	Grandeur
Culture	Entrepreneuriale	——	Opportuniste
Structure	Divisionnaire	——	Fragmentée

• **Trajectoire innovatrice**

Type	Inventeur		Rêveur
Stratégie	Innovation	——	Rêve technologique
Objectif	Science dans un but social	——	Utopie de haute technologie
Culture	R-D	——	THINK TANK
Structure	Organique	——	Chaotique

• **Trajectoire divergente**

Type	Vendeur		Marchand de miracles
Stratégie	Marketing brillant	——	Prolifération sans but
Objectif	Parts de marché	——	Résultats trimestriels
Culture	Organization-man	——	Insipide et politisée
Structure	Modestement décentralisée	——	Oppressivement bureaucratique

D'ARTISAN À PURISTE : LA TRAJECTOIRE FOCALISATRICE

La compagnie Digital Equipment fabriquait les meilleurs ordinateurs au monde. Le fondateur Ken Olsen et sa brillante équipe d'ingénieurs-designers inventèrent le mini-ordinateur, un outil moins cher et plus flexible que son cousin plus imposant. Ils perfectionnèrent leurs mini-ordinateurs jusqu'à ce qu'ils soient absolument imbattables, autant par leur qualité que par leur durabilité. Leur série d'ordinateurs VAX donna naissance à une légende industrielle de fiabilité, et les profits ne se firent pas attendre.

Toutefois, Digital Equipment se transforma en une entreprise où régnait une monoculture de l'ingénierie. Ses ingénieurs devinrent des idoles ; les spécialistes en marketing et les comptables étaient à peine tolérés. Les caractéristiques techniques des composantes et les standards de design étaient la seule préoccupation des gestionnaires. En fait, le perfectionnement technologique devint une obsession si dévorante que les besoins des consommateurs pour des appareils plus petits ou moins coûteux et pour des systèmes plus conviviaux furent ignorés. L'ordinateur personnel DEC, par exemple, connut un échec retentissant parce qu'il ne tenait absolument pas compte des moyens financiers, des préférences et des habitudes d'achat des usagers potentiels. La performance de l'entreprise commença à chuter.

Prob

Beaucoup d'artisans deviennent des parodies d'eux-mêmes en se transformant en puristes. Ils en viennent à être si obnubilés par les menus détails techniques qu'ils oublient que le but de la qualité est d'attirer et de satisfaire les acheteurs. Les produits deviennent sur-performants, mais aussi trop coûteux ; ils deviennent durables, mais sans nouveauté. Le design supérieur du passé cède la place à de sacro-saints anachronismes. La monoculture de l'ingénierie prend un ascendant de plus en plus grand, si absorbée dans les détails du design et de la fabrication qu'elle perd de vue le client. Avant longtemps, le marketing et la recherche et développement deviennent d'ennuyeux parents pauvres, des services que l'on voit mais que l'on n'entend pas. Malheureusement, les structures bureaucratiques qui se sont élaborées pour assurer la qualité finissent par perpétuer ces conditions et par supprimer toute initiative.

parodie : imitation

purisme : respect excessif aux règles

DE BÂTISSEURS À IMPÉRIALISTES : LA TRAJECTOIRE SPÉCULATIVE

Charles « Tex » Thornton était un jeune entrepreneur texan quand il prit une petite compagnie basée sur la technologie des micro-ondes et en fit Litton Industries, l'un des conglomérats de haute technologie les plus prospères des années 1960. Les ventes bondirent de 3 millions à 1,8 milliard de dollars en 12 ans. En effectuant de façon sélective des acquisitions reliées, Litton atteignit un rythme de croissance explosif. Ses excellents résultats aidèrent la firme à amasser les ressources nécessaires à une expansion rapide.

Toutefois, Litton commença à trop s'éloigner des domaines qui lui étaient familiers, achetant des entreprises plus grandes et moins saines dans des secteurs qu'elle comprenait à peine. Les cadres administratifs et les systèmes de contrôle furent bientôt débordés, la dette devint difficile à gérer, et tout un éventail de problèmes surgirent dans les divisions en pleine prolifération. La spirale qui entraîna Litton à sa perte fut tout aussi spectaculaire que celle qui avait provoqué son ascension.

Beaucoup de bâtisseurs deviennent des impérialistes accrochés comme à une drogue à la croissance désordonnée et avides d'acquisitions. Dans leur ruée aveugle vers la croissance, ils prennent des risques à faire dresser les cheveux sur la tête, déciment leurs ressources et s'endettent lourdement. Ils ont les yeux plus grands que la panse, achetant des compagnies malsaines dans des secteurs qu'ils ne comprennent pas. Les structures et les systèmes de contrôle deviennent chroniquement surchargés. Enfin, une culture dominante de spécialistes financiers, juridiques et comptables oriente l'attention de la direction sur l'expansion et la diversification, faisant négliger les questions de production, de marketing et de recherche et développement, qui ont pourtant si instamment besoin d'être examinées.

D'INVENTEURS À RÊVEURS : LA TRAJECTOIRE INNOVATRICE

Au milieu des années 1960, la compagnie Control Data de Minneapolis était devenue le concepteur par excellence de superordinateurs. L'ingénieur en chef Seymour Grey, génie prééminent parmi les maîtres, avait plusieurs fois satisfait son ambition de bâtir l'ordinateur le plus puissant au monde. Il s'isola dans son laboratoire de Chippewa Falls, travaillant en étroite collaboration avec une petite équipe de concepteurs brillants en lesquels il avait confiance. Le superordinateur 6600 qu'il mit au point était si perfectionné qu'il provoqua une vague de mises à pied chez IBM, où les ingénieurs avaient été pris tout à fait au dépourvu par ce minuscule concurrent.

Enhardie par ses premiers succès, Control Data entreprit de nouveaux projets de développement d'ordinateurs qui étaient de plus en plus futuristes, complexes et coûteux. Cela entraîna de longs délais d'exécution, d'importants investissements et la prise de risques considérables. Les systèmes présentaient aussi plusieurs pépins qui durent être résolus. Les délais de livraison s'allongèrent et les coûts bondirent. La science et le désir d'innovation excessif avaient triomphé de la compréhension que l'entreprise avait de ses concurrents, de ses clients et des exigences de la production et du financement.

Malheureusement, bien des inventeurs se laissent emporter par leurs brillantes inventions et deviennent des rêveurs — des firmes cherchant sans relâche à atteindre le nirvana technologique. Elles lancent des produits peu pratiques et futuristes, qui sont trop en avance sur leur temps, trop coûteux à développer et trop chers à l'achat. Elles deviennent aussi leur propre concurrent, rendant prématurément vétustes plusieurs de leurs produits. Pire encore, le marketing et la production en viennent à être vus comme des maux nécessaires, et les clients, comme des gêneurs grossiers et incultes. Il semble que les rêveurs soient les victimes d'une culture de l'utopie forgée de toutes pièces par les enfants prodiges autoritaires de la recherche et du développement. Les objectifs de ces entreprises, qui tendent vers des sommets désespérément élevés, s'expriment dans le champ technologique, et non pas par des préoccupations face au marché ou par des considérations économiques. Si leur structure « adhocratique » peut suffire à organiser le travail de quelques ingénieurs s'affairant dans un sous-sol, elle mène au chaos dans des organisations complexes.

DE VENDEURS À MARCHANDS DE MIRACLES : LA TRAJECTOIRE DIVERGENTE

Lynn Townsend accéda à la présidence de Chrysler au jeune âge de 42 ans. Il était reconnu comme un magicien de la finance et comme un maître du marketing. « On ne fait pas seulement des ventes ; on les provoque », avait-il l'habitude de dire. Durant ses cinq premières années comme président, il doubla la part de marché de Chrysler aux États-Unis et tripla la part internationale de l'entreprise. Il fut aussi à l'origine de la garantie de 5 ans ou 50 000 milles. Mais Townsend fit très peu de changements radicaux dans les produits de Chrysler. Il leur apporta surtout un marketing dynamique, des ventes et une promotion de premier ordre, et des lignes racées.

Le succès de Chrysler, avec cette stratégie où le paraître l'emportait sur l'être, eut pour résultat que l'on négligea de plus en plus l'ingénierie et la production. Cette stratégie entraîna aussi la prolifération de nouveaux modèles qui pouvaient tabler sur le programme de marketing. Mais cela rendit les opérations très complexes et peu économiques. Cela contribua aussi à l'apparition d'une gestion distante et mécanique, d'une bureaucratie de plus en plus lourde et de luttes de pouvoir. Bientôt, les stratégies perdirent leur netteté et leur direction, et la rentabilité se mit à chuter.

Malheureusement, les vendeurs tendent à devenir des marchands de miracles insensibles aux besoins du marché. Ils en viennent à remplacer le design et la fabrication de qualité par le conditionnement, la publicité et une distribution énergique. Les gestionnaires se mettent à croire qu'ils peuvent vendre n'importe quoi et ils concoctent une prolifération délirante de produits sans intérêt et copiés des concurrents. La diversité grandissante des gammes de produits et des divisions fait qu'il devient difficile pour les gestionnaires de maîtriser la substance de toutes leurs activités. Ils comptent donc de plus en plus sur une bureaucratie élaborée pour remplacer la gestion *hands-on* des produits et de la fabrication. Graduellement, les marchands de miracles deviennent des dinosaures lourds et empâtés, déchirés par des luttes de factions et de territoires qui empêchent l'adaptation. Dans un scénario qu'on pourrait croire tiré de Kafka, il faut des mois, et même des années, avant que les plus simples problèmes soient même abordés. Ultimement, le leader diverge de sa compagnie, la compagnie diverge de ses marchés, et les gammes de produits et les divisions divergent les unes des autres.

DIFFÉRENTES CAUSES

En pensant à ces quatre trajectoires, il est important de garder à l'esprit les causes qui sont à l'œuvre en coulisse et qui sont à l'origine de chacune d'entre elles.

Les pièges du leadership

Le succès rend les gestionnaires trop confiants : il les rend plus sujets à l'excès et à la négligence, et plus enclins à formuler des stratégies qui reflètent leurs propres préférences plutôt que celles de leurs clients. Certains leaders peuvent même devenir gâtés par le succès, prenant trop à cœur leur longue suite de conquêtes et les louanges idolâtres de leurs subordonnés.

Les cultures et les habiletés monolithiques

La culture de l'organisation exceptionnelle finit souvent par être dominée par quelques services-vedettes et leur idéologie. La situation est aggravée par le fait que des récompenses séduisantes poussent les gestionnaires vers les services dominants, tandis que les unités les moins imposantes sont privées de leur présence.

LE POUVOIR ET LES INTRIGUES

Les gestionnaires et les services dominants sont très réticents à réviser les stratégies et les politiques qui leur ont donné tant de pouvoir. Un changement, estiment-ils, minerait leur statut, appauvrirait leurs ressources et diminuerait leur influence sur les gestionnaires et les services rivaux.

LA MÉMOIRE STRUCTURELLE

Les organisations, tout comme les gens, ont des souvenirs : elles mettent en œuvre des stratégies gagnantes en utilisant des systèmes, des procédures et des programmes. Plus la stratégie réussit et devient bien établie, plus elle fera profondément partie de tels programmes, et plus elle sera mise en œuvre de façon routinière, automatiquement et sans être remise en question.

LE PARADOXE D'ICARE

Cela nous amène au paradoxe d'Icare, dans lequel se laissent piéger tant de firmes exceptionnelles : les dirigeants, rendus trop confiants en eux-mêmes et complaisants, amplifient les facteurs mêmes qui ont contribué au succès de l'entreprise à un point tel qu'ils en viennent à causer son déclin. Il y a en fait deux aspects à ce paradoxe. Le premier est que le succès peut mener à l'échec. Icare, se voyant voler avec tant d'aisance, est devenu suffisant et trop ambitieux. Le second aspect du paradoxe est que plusieurs des causes de déclin étaient aussi au départ les causes du succès — une culture forte et mobilisée, des procédures et des programmes efficaces, des configurations précisément coordonnées. Ou inversement, les causes mêmes du succès, lorsqu'elles sont amplifiées, peuvent devenir les causes de l'échec.

Paradoxalement, la puissance de l'outil accroît à la fois ses bénéfices potentiels et ses dangers. Icare n'aurait pas pu voler sans les ailes si bien fabriquées par son père Dédale ; mais en même temps, ces ailes plaçaient une terrible responsabilité sur Icare, l'obligeant à la maîtrise et à la discipline. De la même façon, des cultures et des stratégies concentrées et des configurations harmonieuses contribuent à une performance extraordinaire. Mais elles comportent les risques terribles de la rigidité et de l'isolement. Le problème est encore aggravé par le fait qu'il est très difficile de distinguer la concentration nécessaire au succès et l'étroitesse qui mène inévitablement à la perdition. Les gestionnaires des organisations en plein essor doivent donc toujours demeurer en éveil face aux « dangers de l'excellence ».

Note n° 16

LES CHOIX STRATÉGIQUES EN SITUATION DE DÉFAILLANCE CONTINUE

par Linda Rouleau

Dans les économies occidentales, il est d'usage de considérer la performance de l'entreprise et sa survie comme indissociables. Or, lorsqu'on y regarde de près, on est souvent surpris de constater que tel n'est pas nécessairement le cas. En effet, plusieurs entreprises survivent en dépit d'une piètre performance. Il s'agit d'entreprises qui, malgré un rendement économique précaire, arrivent souvent à tenir le coup grâce à un soutien externe (État, banque, siège social, fonds de développement, etc.). Ce sont des entreprises en situation de défaillance continue.

Au Québec, *Le Devoir* et la MIL Davie constituent des cas typiques d'entreprises en défaillance continue. *Le Devoir,* un journal engagé, à faible tirage, connaît depuis sa fondation en 1910 autant de périodes de gloire que de périodes difficiles. Quoique peu profitable, il continue d'être distribué. De même pour la MIL Davie dont l'origine remonte à plus de 160 ans. Maintenant appelée Industries Davie, l'entreprise a connu, dans les dernières décennies, plusieurs crises et plusieurs fermetures temporaires de ses chantiers. L'épisode récent impliquant la Dominion Bridge témoigne de la fragilité de cette entreprise qui, malgré tout, perdure contre vents et marées.

C'est à Meyer et Zucker (1989) que revient le mérite de s'être intéressés à la défaillance continue. Leur raisonnement provient de la confrontation de deux corpus théoriques : l'écologie des populations et l'économie industrielle. En examinant les travaux portant sur la performance et la persistance des organisations, ils font les constats suivants : 1) la mortalité organisationnelle décline avec l'âge et 2) la performance ne s'améliore pas avec le temps. Partant de là, les auteurs remettent en question l'idée largement acceptée qu'un certain degré de performance est nécessaire à la survie organisationnelle.

Cette note vise à comprendre ce qui structure les choix stratégiques dans les entreprises qui survivent de longues périodes alors qu'elles présentent une faible performance. D'abord, je décris les principaux types d'entreprises qui sont susceptibles d'être dans un état de défaillance continue. Ensuite, je mets en évidence les principaux traits de l'environnement caractérisant cette situation. Enfin, je discute des différentes options stratégiques qui s'offrent aux actionnaires ou aux bailleurs de fonds de ces entreprises.

LES TYPES D'ENTREPRISES EN DÉFAILLANCE CONTINUE

Le diagnostic d'une situation de défaillance continue est complexe. D'une part, la défaillance continue peut prendre de multiples visages et il semble difficile d'associer cet état à des caractéristiques spécifiques. Entre autres, le statut juridique et la taille ne sont pas des facteurs déterminants de la défaillance continue. D'autre part, les entreprises en question s'affichent rarement sous cette bannière. Il faut connaître en profondeur le fonctionnement d'une entreprise pour affirmer qu'elle est dans cet état. Néanmoins, la plupart des situations de défaillance continue qui ont été reconnues comme telles se retrouvent dans un des types d'entreprises suivants : les entreprises en déclin, les entreprises subventionnées, les entreprises de développement et les entreprises familiales. Passons en revue ces types d'entreprises.

La défaillance continue a tendance à être l'apanage de plusieurs entreprises des secteurs traditionnels de l'économie, secteurs souvent caractérisés par un contexte de déclin (ex. : imprimerie, meubles, vêtements, etc.). La transformation des conditions économiques de l'environnement entraîne une réduction des débouchés qui, de concert avec le renforcement de la concurrence, mène plusieurs entreprises des secteurs traditionnels dans une situation de décroissance. Ces entreprises ayant déjà été florissantes, elles peuvent, grâce à un bailleur de fonds privilégié, continuer leurs activités en dépit d'une importante baisse de la demande pour leurs produits ou leurs services.

Les organisations qui reçoivent des fonds de l'État ou qui doivent créer des fonds venant de l'externe pour assurer leur survie sont aussi susceptibles de vivre une situation de défaillance continue. En effet, plusieurs établissements gouvernementaux sont déficitaires d'année en année (ex. : établissements de santé, d'éducation, etc.). Par ailleurs, nombre d'organismes à but non lucratif assurent la promotion d'objectifs qui renforcent leur dépendance aux logiques de financement externes. La croissance des activités des entreprises communautaires de service ne mène pas nécessairement à l'autofinancement. Au contraire, la multiplication des activités entraîne parfois le développement de structures plus ou moins lourdes dont le fonctionnement nécessite le recours à de l'aide financière extérieure.

Également, les entreprises publiques ou privées qui sont au centre du développement d'un groupe ou d'une communauté sont susceptibles de faire face à une situation de défaillance continue. Les entreprises publiques situées en régions éloignées et disposant de petits budgets pour assurer des services coûteux en constituent un exemple. À cet égard, le maintien de bureaux de poste ou d'écoles dans des localités dont le nombre d'habitants ne cesse de diminuer relève de cette problématique. Par ailleurs, des entreprises rachetées ou fondées par les travailleurs peuvent aussi survivre une longue période dans une situation de plus ou moins faible performance. Dans ce cas, la situation d'entraide entre les participants et la nécessité de sauver des emplois permettent d'assurer sa survie.

Enfin, les entreprises familiales sont, à leur manière, le creuset de situations de défaillance continue. Par exemple, on hésite à fermer une division non profitable parce qu'elle est dirigée par un membre de la famille. La gestion de Miracle Mart par une des sœurs Steinberg est un exemple connu. Que dire aussi des multiples problèmes de relève et de gestion des conflits qui empêchent la profitabilité de nombreuses petites entreprises familiales. C'est le cas, entre autres, lorsque le capital familial accumulé sert à renflouer les coffres de la petite entreprise en attendant qu'un des membres de la famille puisse prendre la relève.

LES CARACTÉRISTIQUES DE L'ENVIRONNEMENT

L'existence d'entreprises en défaillance continue est en partie tributaire de la conjoncture économique. Ainsi, les années 1970-1980 ont encouragé la persistance de nombreuses organisations plus ou moins profitables. La conjoncture économique favorable faisait en sorte que les ressources disponibles étaient largement suffisantes pour entretenir un état de piètre performance. Le contexte de décroissance et de restructuration des entreprises qui a suivi a, par ailleurs, contribué à enrayer de nombreuses situations de défaillance continue. Dans les années 1990, plusieurs organismes publics se sont départis de leurs « canards boiteux » et les grandes entreprises ont été obligées de fermer les usines les moins rentables.

L'environnement des entreprises en situation de défaillance continue se caractérise généralement par une situation de détérioration de la demande et/ou de détérioration des ressources (Rouleau & Gagnon, 1999).

La détérioration de la demande dépend des changements qui touchent l'environnement. Elle se traduit généralement par la décroissance d'un secteur industriel. Les entreprises évoluant dans un secteur dans lequel la demande est en mutation sont plus susceptibles de connaître une situation de défaillance continue, mais ce n'est pas toujours le cas. Dans ce contexte, la situation de défaillance tient souvent à la volonté des entrepreneurs d'assurer coûte que coûte le maintien des activités plutôt que d'assumer la décroissance. Parmi les facteurs les plus importants qui expliquent la détérioration de la demande, on trouve les mutations démographiques, les changements dans la conjoncture économique et les hausses de coûts dans la chaîne de valeur de l'entreprise.

La détérioration de la demande peut entraîner la mobilisation des acteurs « dépendants » de l'organisation, c'est-à-dire ceux qui ne font pas partie de celle-ci mais qui sont actifs dans son environnement (ex. : syndicat, parti politique, groupe de citoyens, regroupement de cadres, coalition de gens d'affaires, etc.). Il s'agit de groupes dont l'existence tient à des buts et objectifs autres que le maintien de l'organisation. La situation de détérioration les incite à se regrouper autour d'un nouvel enjeu, celui de la survie de l'entreprise. Ainsi, au fur et à mesure que l'environnement se détériore, la motivation de ces acteurs à maintenir l'organisation augmente et, pour de multiples raisons, peut devenir plus importante que celle des actionnaires ou des bailleurs de fonds impliqués.

Quant à la détérioration des ressources, elle a trait aux difficultés internes de fonctionnement. Ce type de détérioration s'applique autant aux ressources humaines et matérielles que financières. Par exemple, il peut s'agir de la désuétude des compétences professionnelles et techniques des personnes, de celle des technologies ou encore de l'absence de fonds d'appoint. Parmi les causes les plus fréquentes de détérioration des ressources, on retrouve l'obsolescence technologique, le traitement erroné de l'information et la présence de conflits à l'intérieur de l'organisation.

La détérioration des ressources entraîne généralement une situation d'inertie organisationnelle. En effet, cet état de détérioration réduit les moyens d'action auxquels l'entreprise peut recourir pour changer. Par conséquent, la situation de défaillance renforce les comportements routiniers de l'entreprise. On trouve donc dans les organisations en défaillance continue un ensemble de dynamiques, de *patterns* d'action qu'il est difficile de modifier. Par exemple, lorsqu'il s'agit de prendre une décision clé pour l'organisation, certains dispositifs de fonctionnement interne se mettent en place : étalement des procédures de réunions, absence de débats, jeux d'alliances et de pouvoir informels, etc. Le mode de cooptation des personnes contribue généralement à la reproduction de ces *patterns* d'action collective. Ainsi, l'inertie résulte de la situation de défaillance continue de l'entreprise, mais elle contribue à son tour à maintenir cette situation. En effet, les gestionnaires ont tendance à répéter les actions et les décisions retenues dans le passé.

LES OPTIONS STRATÉGIQUES DE LA DÉFAILLANCE CONTINUE

La lecture de l'environnement dans les organisations en défaillance continue apparaît souvent comme le résultat de processus politiques très complexes qui rendent la prise de décision ardue. De plus, il est souvent difficile de repérer les acteurs dépendants et de localiser les comportements qui favorisent l'inertie. Ce faisant, les entreprises vivant une situation de défaillance continue sont souvent «paralysées» stratégiquement. De plus, pour «renverser la vapeur», il faut recourir à des options radicales de changement.

UNE GESTION STRATÉGIQUE PLUS OU MOINS PARALYSÉE

Dans un contexte de défaillance continue, le rôle du management se trouve souvent limité. La plupart du temps, ce rôle est celui d'une gestion non risquée, puisqu'au premier abord les occasions stratégiques paraissent peu nombreuses. Pour enrayer la baisse continue de la performance, les gestionnaires en place ont tendance à privilégier les options de redressement. C'est ainsi que les organisations en défaillance continue font régulièrement l'objet de rationalisations sur le plan des dépenses. Les compressions sont le mot d'ordre! Dans les organisations à but non lucratif, de même que dans les petites entreprises familiales, on a même recours à des moyens qui permettent d'utiliser des ressources externes pour faciliter la survie de l'organisme (ex.: rotation des statuts d'emploi).

Si les qualités de stratège et de visionnaire des gestionnaires qui mettent en place ces options ponctuelles de redressement s'avèrent exceptionnelles, celles-ci peuvent avoir des effets positifs. Cependant, ces effets sont généralement de courte durée. C'est, entre autres, ce que l'on a pu observer au cours du règne de Lise Bissonnette à la direction du journal *Le Devoir*. En fait, les options de redressement sont souvent des options «placebo» qui concourent à la reproduction de la défaillance continue. On se trouve à réagir passivement plutôt qu'à enrayer la défaillance continue, entraînant l'entreprise dans une spirale de comportements non performants tant sur le plan humain qu'économique. Cela est d'autant plus vrai lorsque les gestionnaires sont eux-mêmes des acteurs plus ou moins dépendants de l'organisation.

COMMENT RENVERSER LA VAPEUR ?

Dans un contexte de défaillance continue, les stratégies doivent avoir pour but de limiter le pouvoir des acteurs dépendants et d'augmenter le pouvoir des actionnaires ou des bailleurs de fonds. De la sorte, les options stratégiques doivent être considérées comme des actions politiques visant à augmenter les possibilités de choix de ces groupes d'acteurs. C'est à cette condition que l'on pourra restaurer un degré satisfaisant de performance. Quatre options stratégiques peuvent être utilisées : l'innovation organisationnelle, le renouvellement des ressources, l'externalisation de l'emploi et la privatisation.

Pour diminuer le pouvoir des acteurs dépendants, on peut songer à modifier les structures. En effet, les innovations organisationnelles peuvent contribuer à isoler les acteurs dépendants, voire à neutraliser leur influence. Ces innovations peuvent être de deux types : 1) elles peuvent viser à différencier les décisions stratégiques des décisions opérationnelles (ex. : création de postes de gestion intermédiaire dans une structure reposant sur un comité de gestion élargi) et 2) elles peuvent avoir pour but de mettre en place des mécanismes d'intégration pour se rapprocher des acteurs dépendants (ex. : comité de participation incluant direction, travailleurs et actionnaires). Dans les deux cas, ces mesures permettent d'éviter la formation de coalitions ; ainsi, la mobilisation collective des acteurs dépendants risque d'être moins importante.

Dans la mesure où cela est possible, le renouvellement des ressources constitue une option stratégique pertinente. D'abord, celle-ci permet de limiter les contraintes de la détérioration des ressources et, par conséquent, de réduire les conflits internes. Ensuite, elle permet d'embaucher de nouvelles personnes, une nouvelle génération d'acteurs qui auront une volonté de changement. L'introduction de nouveaux acteurs est susceptible, tout au moins à court terme, de réduire l'inertie organisationnelle. Autrement dit, l'option de croissance est une option de déplacement, voire de renouvellement des personnes en place, que ce soit à la direction de l'entreprise ou aux différents postes clés susceptibles de faire augmenter la performance.

L'externalisation de l'emploi constitue également une option stratégique qui permet d'enrayer la défaillance continue. En effet, l'embauche de travailleurs indépendants et le recours à la sous-traitance peuvent être des moyens efficaces pour réduire les coûts d'exploitation. Toutefois, c'est la flexibilité que ces nouveaux liens contractuels procurent qui est attrayante en contexte de défaillance continue. Entre « faire » et « faire faire », les coûts ne sont pas nécessairement très différents, surtout lorsque l'on considère la qualité. Cependant, « faire faire » peut réduire considérablement le pouvoir des acteurs dépendants. Par exemple, l'impartition d'activités de traitement de l'information peut réduire considérablement le pouvoir que les professionnels exercent dans des entreprises de services.

Dans le cas des entreprises publiques, la privatisation peut être une option stratégique envisageable. La gestion d'une entreprise publique est soumise à des contraintes qui n'existent pas dans le secteur privé (procédures de décision, favoritisme, etc.). Les acteurs dépendants sont susceptibles d'utiliser ces contraintes pour augmenter leur capacité d'influence. En réduisant ces contraintes, la privatisation peut constituer une option stratégique permettant de diminuer le pouvoir des acteurs dépendants.

Bien sûr, il s'agit d'options stratégiques qui nécessitent des changements majeurs. Redonner le pouvoir aux actionnaires ou aux bailleurs de fonds ne peut se faire sans heurt. Le véritable défi demeure donc dans la mise en œuvre de ces options stratégiques. L'arrivée de nouvelles personnes, les changements structurels ou la dévolution sont des options stratégiques dont les effets sont plus ou moins contrôlables. Entre autres, la dimension politique liée à l'implantation de ces options fait en sorte que leur mise en œuvre donne lieu à de nombreuses conséquences inattendues. À court terme, les résultats peuvent s'avérer catastrophiques. Et cela risque d'être d'autant plus important que le rapport de dépendance des gestionnaires avec l'organisation est élevé. Dès le début, les gestionnaires mandatés pour faire ces changements doivent avoir carte blanche, faire preuve de sens politique et bien connaître l'industrie.

EN GUISE DE CONCLUSION

Les organisations en défaillance continue sont beaucoup plus nombreuses qu'on ne le croit dans un système de production largement fondé sur la performance économique. Rappelons qu'il s'agit d'organisations qui se caractérisent par un contexte de détérioration, par la présence d'acteurs dépendants et par un haut taux d'inertie organisationnelle. Par conséquent, les choix stratégiques qui s'offrent aux propriétaires ou aux bailleurs de fonds de ces entreprises se trouvent réduits. Comme il en a été fait mention dans les lignes précédentes, il s'agit d'entreprises qui sont plus ou moins paralysées stratégiquement.

Voilà qui remet en question le rôle du management. En effet, on considère souvent les gestionnaires comme des « sauveurs ». Or, il est des situations dans lesquelles les gestionnaires peuvent difficilement enrayer les contraintes économiques et organisationnelles auxquelles ils font face. Même les « virtuoses du redressement » peuvent se retrouver en position difficile. La défaillance continue est un contexte largement structurant de l'action managériale. Les choix stratégiques s'y exercent difficilement et exigent des changements majeurs.

Par ailleurs, l'existence et la reproduction de la défaillance continue invitent à réfléchir autrement sur la place et le rôle des entreprises dans nos sociétés. Certains diront que les entreprises en défaillance continue sont une source de gaspillage des ressources collectives. Toutefois, c'est peut-être le prix à payer pour permettre une forme d'équilibre des forces collectives dans une économie de marché. De plus, il ne faut pas oublier que plusieurs de ces entreprises sont des organisations à forte dominante institutionnelle ou des lieux d'expérimentation de nouvelles pratiques sociales. En ce sens, elles constituent des points de passage obligatoires entre l'existant et le devenir des systèmes sociaux de production économique.

N o t e   n ° 1 7

LA PERFORMANCE ET LA STRATÉGIE

par Louise Côté

Pourquoi certaines entreprises sont-elles plus performantes que d'autres ? Quelle est la stratégie la plus créatrice de valeur ? Voici autant de questions qui intéressent à la fois praticiens et chercheurs et qui placent la performance au cœur de la gestion stratégique des organisations. En théorie, la performance est l'*acid test* de la stratégie (Schendel & Hofer, 1978), et des enseignements peuvent découler de la recherche en stratégie si cette dernière fait un lien avec la performance (White & Hamermesh, 1981). Rumelt, Schendel et Teece (1991) diront même que la stratégie est en soi une réponse pour expliquer les différences de performance entre firmes.

Nous constatons cependant que le concept de performance recoupe ou superpose les concepts d'économie, d'efficience, d'efficacité, de productivité, de rendement, etc. Devant la difficulté de définir et de mesurer ce concept, certains auteurs (Goodman, 1979 ; Hannan & Freeman, 1977) ont même suggéré de l'abandonner. Il n'en demeure pas moins que les gestionnaires ont besoin d'une référence pour évaluer la qualité de leurs décisions stratégiques (Chakravarthy, 1986). Que nous proposent les écrits en stratégie lorsqu'il s'agit de définir et de mesurer la performance stratégique ? Pour aborder cette question, nous examinerons le point de vue des chercheurs et des praticiens ; nous présenterons par la suite les défis à relever.

LE POINT DE VUE DES CHERCHEURS

La performance est bien souvent la variable dépendante des études publiées dans les revues dites « scientifiques[1] » en stratégie. Il est surprenant de constater que peu d'auteurs y consacrent plus de quelques paragraphes pour y présenter avant tout la façon de la mesurer. Peu de chercheurs la défi-

---

1. Nous parlons ici des revues qui s'adressent surtout aux universitaires, car leur lecture exige une connaissance du jargon scientifique. Une revue privilégie en général une école de pensée, une méthodologie pour étudier la réalité. Chaque article soumis est révisé par un comité de pairs triés sur le volet.

nissent et font référence à un modèle organisationnel. Ils se contentent d'emprunter les indicateurs de performance à différentes disciplines, dont la comptabilité, l'économie financière et le comportement organisationnel. Les choix d'indicateurs dépendent le plus souvent de la disponibilité des données et du niveau d'analyse : entité corporative, unité stratégique et stratégie ou projet particulier.

UNE DÉFINITION IMPLICITE DE LA PERFORMANCE

Même si la performance est peu définie, elle est résolument un *output*, un résultat qui s'inscrit dans une perspective fonctionnaliste de l'organisation. De plus, elle est associée avant tout à une performance économique et financière. Les indicateurs de performance ne remettent pas en question l'efficience des marchés, l'importance de créer de la valeur pour l'actionnaire, discours venant de l'économie et de la finance. Comme bon nombre d'études reposent sur des sociétés ouvertes, on dira que l'entreprise a une obligation légale de fournir un rendement économique à ses actionnaires et que toutes les fins non financières auxquelles on s'attend de l'entreprise peuvent être poursuivies dans la mesure où la firme prospère financièrement (Bourgeois, 1980).

En général, les chercheurs en stratégie ont délégué aux autres disciplines la façon de mesurer la performance. Ils ont utilisé principalement des indicateurs comptables et financiers, à l'occasion des rendements boursiers, des indicateurs de positionnement et des mesures perceptuelles. En stratégie, il n'existe pas vraiment de débats de fond sur la performance ; on remarque cependant que les indicateurs choisis font l'objet de certaines critiques. Examinons brièvement les principaux indicateurs.

LES INDICATEURS COMPTABLES ET FINANCIERS

On entend par indicateurs comptables un ensemble de ratios calculés à partir des états financiers d'une entreprise (ROE, ROS, ROI, etc.) pour déterminer le rendement de celle-ci. Ces indicateurs sont calculés à partir de l'entreprise, bien qu'à l'occasion on retrouve de l'information émanant de l'unité stratégique ou du secteur. Les données sont la plupart du temps tirées des rapports annuels ou des documents soumis aux commissions des valeurs mobilières. Selon une étude de Woo et Willard (1983), le rendement sur investissement (ROI) et le rendement sur ventes (ROS) sont les indicateurs les plus utilisés. Même si cette recherche date de plusieurs années, il suffit de feuilleter le *Strategic Management Journal* pour se rendre compte, encore de nos jours, de la popularité de ces indicateurs.

Ces derniers suscitent néanmoins de nombreuses critiques. Il est souvent difficile de comparer les rendements comptables des entreprises étant donné que les données servant à leur calcul s'appuient sur des principes et des normes comptables qui diffèrent d'une entreprise à l'autre (Benson, 1985). On reproche aussi à ces indicateurs leur perspective temporelle. Les données comptables sont essentiellement *ex post,* c'est-à-dire historiques, et fournissent alors des résultats passés. Comme le soulignent Prahalad et Hamel (1996), les indicateurs comptables sont intéressants pour les autopsies mais peu utiles pour diriger. Finalement, ils ne tiennent pas compte du risque qui est une dimension importante de la performance (Jemison, 1987 ; Rappaport, 1987).

LES RENDEMENTS BOURSIERS

Au cours des années 1980, les chercheurs intéressés par la performance des stratégies de diversification par acquisitions (Lubatkin, 1983) ont mesuré celle-ci à l'aide des rendements boursiers calculés selon la méthode de l'événement. Cette dernière utilise « un modèle d'établissement du cours des actions pour discerner la réaction du marché boursier à l'annonce publique d'un événement » (Tarasofsky & Corvari, 1991).

Cette méthode repose avant tout sur l'hypothèse de l'efficience des marchés financiers, qui a de plus en plus de détracteurs (Ravenscraft & Scherer, 1987*a*, 1987*b* ; Scherer, 1988). Comme le notent Montgomery et Wilson (1986), le prix et les rendements anormaux utilisés par les études d'événements demeurent des mesures des attentes et non pas des résultats : ils peuvent ne pas être représentatifs des vrais flux monétaires de l'entreprise.

Mentionnons que, même si les auteurs en stratégie ne remettent pas en question l'hypothèse de l'efficience des marchés, certains jugent sévèrement la méthode de l'événement pour évaluer la performance stratégique. Porter (1987) souligne que la réaction du marché à court terme est une mesure très imparfaite du succès à long terme des stratégies de diversification et qu'un dirigeant qui se respecte ne jugerait pas la stratégie d'une entreprise avec un indicateur comme celui-là.

On retrouve également comme indicateur financier le ratio de la valeur boursière sur la valeur comptable de l'action (*market on book value*). Ce dernier est un indicateur hybride qui combine une donnée du marché avec une information tirée des états financiers. Ce ratio est utilisé par quelques chercheurs, dont Chakravarthy (1986). Il comporte aussi des inconvénients, puisqu'il utilise une donnée comptable (Rappaport, 1987).

LES INDICATEURS DE POSITIONNEMENT

Quelques études ont utilisé des indicateurs de positionnement tels que l'accroissement des parts de marché pour juger du bien-fondé d'une stratégie. Ces indicateurs servent à mesurer la performance de l'unité stratégique (Hopkins, 1987; Pettigrew & Whipp, 1991). Ils ne soulèvent pas véritablement de critiques. Ils sont utilisés par les chercheurs que l'on associe à l'école du positionnement en stratégie et qui s'intéressent à la stratégie concurrentielle. L'utilisation (ou la non-utilisation) de cet indicateur dépend de la disponibilité des données sur les secteurs d'activité. Par ailleurs, les indicateurs de positionnement sont employés conjointement avec d'autres mesures.

LES MESURES DE PERCEPTION

Quelques chercheurs en stratégie ont mesuré la performance à l'aide de mesures de perception pour pallier les problèmes soulevés par les indicateurs comptables. Ils s'appuient en général sur les études de Dess et Robinson (1984) et de Venkatraman et Ramanujam (1985) pour conclure que les mesures perceptuelles ne comportent pas *d'a priori* significatifs. Ces mesures soulèvent néanmoins des critiques, puisqu'elles permettent difficilement de comparer la performance des entreprises. Les indicateurs mesurent bien souvent la satisfaction des acteurs qui est reliée aux attentes initiales, lesquelles varient forcément d'une entreprise à une autre. De plus, ces mesures ne représentent pas nécessairement une perception organisationnelle, car les chercheurs se contentent de mesurer la performance à l'aide d'entretiens ou de questionnaires auprès d'un ou de deux dirigeants de la même entreprise. Malgré tout, les mesures perceptuelles demeurent fréquemment les seules mesures de performance disponibles pour évaluer les sociétés privées dont les états financiers sont tenus confidentiels.

UNE DÉFINITION PLUS EXPLICITE DE LA PERFORMANCE

Au cours de la dernière décennie, Chakravarthy (1982, 1986) ainsi que Pettigrew et Whipp (1991) ont tenté de spécifier la performance stratégique. Pour Chakravarthy (1986), la gestion stratégique est un processus qui permet aux dirigeants d'assurer l'adaptation à long terme de leur entreprise (Chakravarthy, 1981 ; Miles, 1982). Les mesures de la performance stratégique doivent ainsi tenir compte de la qualité de l'adaptation de la firme, c'est-à-dire de sa capacité de transformation. Cette dernière dépend de la spécialisation « adaptive » et de la généralisation « adaptive » (Chakravarthy, 1982) de l'entreprise. Celle-ci réussit sa spécialisation adaptive lorsqu'elle exploite de façon rentable son environnement actuel et engendre alors un surplus net après avoir rétribué ses différents *stakeholders*. La généralisation adaptive concerne plutôt l'investissement que doit faire l'entreprise pour s'adapter à des environnements incertains ou futurs et pour assurer ainsi sa survie à long terme.

Chakravarthy admet toutefois que les actions qu'exigent la spécialisation adaptive et la généralisation adaptive peuvent entrer en conflit, puisque les préoccupations des premières sont par nature à court terme, tandis que celles des secondes relèvent du long terme. Les dirigeants doivent donc jouer sur les deux plans à la fois tout en veillant à ce que l'entreprise maintienne un certain seuil de rentabilité. Chakravarthy suggère ainsi un ensemble d'indicateurs pour mesurer les sources du surplus organisationnel (flux monétaire/investissement ; ventes/nombre d'employés ; ventes/total de l'acif ; M/B ; dette/équité) et les investissements de ce surplus (recherche et développement/ventes ; fonds d'exploitation (de roulement)/ventes et paiement des dividendes). Ces données proviennent, en général, de l'information financière que l'on retrouve dans le rapport annuel des sociétés ouvertes.

Chakravarthy soulève des dimensions importantes de la performance stratégique en plaçant la survie et la capacité de transformation de l'entreprise au cœur de l'évaluation de la performance. Son critère demeure cependant la performance économique financière. Quant aux indicateurs retenus, ils ne sont pas très novateurs, puisqu'ils se limitent aux renseignements contenus dans les états financiers et optent pour une perspective externe. Plusieurs critiques énoncées précédemment demeurent pertinentes. Pour Pettigrew et Whipp (1991), la performance stratégique n'a pas seulement une dimension financière. Ces auteurs utilisent des indicateurs discrets, comme le bénéfice net, la part de marché, les ratios financiers..., et ils évaluent la performance à l'aide : 1) des éléments qui sous-tendent la concurrence entre les firmes (par exemple : le prix, la qualité, la capacité de production et d'efficience et les réseaux de distribution) et 2) des diverses capacités que les entreprises doivent développer pour maîtriser ces éléments (par exemple : le savoir et la capacité d'apprentissage).

Pettigrew et Whipp font ressortir les dimensions finance, marché et concurrence ainsi que cette capacité de transformation proposée par Chakravarthy. Soulignons que, pour eux, la performance est avant tout un processus qui influence les comportements subséquents ; de plus, son évaluation demeure en bonne partie qualitative. Chakravarthy, Pettigrew et Whipp contribuent alors à spécifier la notion de performance stratégique. Ils apportent des dimensions essentielles que les données comptables (ROS et ROI) traduisent mal ou du moins difficilement. Ils considèrent à la fois des indicateurs financiers ainsi que des indicateurs précurseurs mesurant la capacité concurrentielle et la capacité de transformation d'une entreprise. Cependant, rares sont les recherches qui tiennent compte de ces différentes facettes. Comme nous le verrons dans la section suivante, les praticiens semblent avoir adopté plus rapidement une perspective plus large pour évaluer la performance.

LE POINT DE VUE DES PRATICIENS

Les années 1980 et 1990 ont donné lieu à une multitude d'écrits sur la performance des entreprises. En gestion, on a vu apparaître une littérature en finance portant sur la création de valeur pour les actionnaires et mettant l'accent sur le calcul des flux monétaires (Rappaport, 1987), alors que les gens en système d'information et en comptabilité ont mis au point des tableaux de bord pour aider à gérer l'entreprise. Fait intéressant, ce sont souvent les auteurs de ces disciplines qui se sont approprié le terme « stratégique » pour discuter de performance organisationnelle. Les écrits qui nous intéressent à ce moment-ci s'adressent avant tout aux praticiens. Ils rendent compte de la pratique et de la consultation auprès de grandes entreprises. Ces écrits sont souvent critiqués pour leur manque de rigueur et pour privilégier l'anecdote et les recettes en matière de gestion. On y retrouve cependant des éléments de réflexion fort intéressants qui méritent que l'on s'y attarde. Compte tenu du nombre considérable d'articles et de livres qui s'intéressent à la stratégie et à la performance, nous grefferons nos propos autour des tableaux de bord dont le but est de fournir aux dirigeants des indicateurs de performance.

LES TABLEAUX DE BORD

Les années 1990 ont posé un défi de taille aux entreprises en les obligeant à rationaliser leurs activités et à démontrer une plus grande efficacité. Dans un tel contexte, une gestion orientée sur les résultats et la performance exigeait une information plus riche mais aussi mieux ciblée (Voyer, 1994), une information axée sur le passé mais surtout sur l'avenir. En utilisant l'analogie du tableau de bord du véhicule automobile (Saulou, 1982 ; St-Onge & Magnan, 1994) ou celle du cockpit de l'avion (Kaplan & Norton, 1992,

1993, 1996), plusieurs auteurs ont mis au point des indicateurs de performance pour évaluer les actions et les gestes passés, mais aussi pour scruter le futur. Comment définit-on la performance et que retrouve-t-on dans ces tableaux de bord ? Les auteurs ne définissent pas ce qu'est la performance. Ils reconnaissent cependant que la gestion doit être évaluée selon différentes perspectives, différentes dimensions ou composantes.

Ainsi, Kaplan et Norton (1992, 1993, 1996) proposent de compléter les mesures financières avec des indicateurs opérationnels sur la satisfaction des clients, sur les processus internes (capacités technologiques, capacités manufacturières, productivité...) et sur les activités d'innovation et d'amélioration (rythme d'introduction des nouveaux produits ou services), ces indicateurs opérationnels étant les inducteurs de la performance financière future. Ils élaborent une carte de parcours équilibrée (*balanced scorecard*) qui relie les différentes mesures de performance et qui replace la stratégie (plutôt que le contrôle) au cœur de l'évaluation de la performance.

De façon générale, les tableaux de bord (Kaplan & Norton ; Voyer, 1994) tiennent compte de différents niveaux de décisions (stratégiques, opérationnels et tactiques) qui s'enchevêtrent très souvent. Comme le note Voyer (1994), « certains indicateurs de niveau ou de type « stratégique » reprennent et synthétisent les indicateurs opérationnels jugés névralgiques [...] Ces indicateurs correspondent aux attentes fondamentales, aux axes de réussites, aux facteurs de succès [...] ». De plus, d'autres indicateurs stratégiques informent la haute direction sur les dossiers stratégiques qui sont non récurrents et d'envergure (p. 73). Si la plupart des tableaux de bord reposent sur une vision systémique des organisations et s'insèrent dans le discours du libéralisme économique, certains tableaux ou certains indicateurs proposés élargissent le débat, puisqu'il ne s'agit plus de considérer uniquement la performance économique mais aussi la performance sociale. La Société des comptables en management accrédités, dans une de ses politiques émises en 1994, propose d'évaluer le rendement d'une entreprise en utilisant six catégories d'indicateurs : environnementaux, relatifs au marché et à la clientèle, à la concurrence, aux processus internes, aux ressources humaines et financières. Les indicateurs environnementaux prennent en considération les écrits sur le développement durable (Gray, 1992) et sur la responsabilité sociale de l'entreprise, alors que les indicateurs sur les ressources humaines nous ramènent aux premiers jours de la comptabilité sociale dans les années 1960. La question de performance nous renvoie ainsi à des débats sociaux importants au moment où nous devons reconsidérer la place de l'entreprise dans la société. Mis à part l'intérêt que suscite sporadiquement la théorie des *stakeholders* de Hannan et

Freeman (1984), le domaine de la stratégie a en général éludé ces questions. Pourra-t-il les éviter encore longtemps ?

LES DÉFIS

La performance est un concept central en stratégie. À ce stade-ci, les chercheurs comme les praticiens ne proposent pas de cadre intégrateur. Conceptuellement, Chakravarthy propose deux dimensions essentielles de la performance stratégique : la création d'un surplus, la nécessité d'être rentable à court terme[2], ainsi que l'investissement dans la capacité de transformation pour assurer la prospérité à long terme de l'entreprise. Ces dimensions circonscrivent assez bien les grands enjeux. Il faut cependant se rendre compte que la performance stratégique peut se mesurer sur les plans de l'entité sociale, d'un secteur, d'une unité stratégique, d'une grappe ou d'un système stratégique. Il y a en effet différentes façons de découper l'entreprise. Lorsqu'on parle de stratégie d'entreprise dans une entreprise diversifiée, on est intéressé à évaluer la performance de l'entité globale. Par contre, si l'on examine des stratégies concurrentielles, le niveau d'analyse et les indicateurs changent.

Il ne faut toutefois pas oublier que l'évaluation de la performance stratégique est d'abord contextuelle. Il est donc nécessaire de démarquer l'essentiel de l'accessoire et de déterminer pour chaque entreprise les facteurs critiques de succès.

Le lecteur qui consultera les écrits sur les tableaux de bord en particulier constatera que l'on y propose de nombreux indicateurs autres que financiers permettant ainsi d'évaluer différents aspects de la performance, de l'efficience et de la productivité. De plus, il notera qu'on réussit de mieux en mieux à quantifier le qualitatif et à considérer les différents attributs de la mesure. On reconnaît que les mesures dynamiques indiquant des tendances sont plus utiles que les mesures ponctuelles ; que les mesures relatives renseignent mieux que les mesures en valeur absolue.

Le défi est d'élaborer un cadre permettant de juger le passé mais aussi de jauger l'avenir. Il faut, autrement dit, mettre au point des indicateurs qui seront à l'avant-plan des indicateurs financiers[3], d'où l'importance d'évaluer la capacité d'apprentissage et de transformation des entreprises. Jusqu'à présent, les chercheurs ont opté trop souvent pour une vision très réductrice de la performance, alors que les praticiens retiennent une définition beaucoup plus large, embrassant une multitude d'indicateurs.

---

2.   À vrai dire, le mot solvable serait probablement plus adéquat.
3.   Conceptuellement, le débat est intéressant ; en effet, parlons-nous de déterminants ou d'indicateurs de performance ?

Un dialogue constant doit donc s'établir entre la recherche et la pratique. C'est essentiel si l'on ne veut pas se retrouver avec des théories basées sur des entreprises qui sont dites « excellentes » à un moment donné dans le temps et qui, quelques années plus tard, enregistrent des performances médiocres ou moyennes[4]. Par ailleurs, les gestionnaires ne doivent pas oublier qu'un tableau de bord demeure un outil et que les mesures de satisfaction de la clientèle, de l'innovation, à titre d'exemples, sont dérivées de leur interprétation des facteurs de succès. Aucun tableau de bord ne peut garantir une stratégie gagnante. Il ne fait que traduire la stratégie de l'entreprise (Kaplan & Norton, 1992). Même en optant pour une perspective économique traditionnelle, l'évaluation de la performance est en soi une tâche complexe.

Si l'on décide d'élargir le débat en y ajoutant les questions qui dépassent l'efficience économique présentée en gestion et en stratégie, en y insérant, par exemple, les questions environnementales comme dimension stratégique, la complexité de cette tâche en est d'autant plus accrue. Autant les chercheurs que les praticiens auront à se pencher sur ces questions qui sont loin d'être triviales. C'est probablement dans ce débat que réside le plus grand défi. On en est actuellement aux balbutiements des débats de fond concernant la performance économique et sociale de l'entreprise.

En conclusion, soulignons que la performance est une notion construite qui dépend de l'évaluateur ou du groupe concerné, et que chaque évaluateur ou groupe a sa perspective, ses valeurs, ses intérêts et, par le fait même, ses propres critères. La stratégie, comme domaine de savoir, devra sûrement mieux cerner les besoins de ceux et celles à qui elle s'adresse. Même si l'élaboration de critères et d'indicateurs de performance est toujours fastidieuse, la difficulté première consiste à établir et à articuler un cadre intégrateur de la performance qui permette aux dirigeants de naviguer dans des environnements incertains où les frontières entre le social et l'économique tendent à disparaître. Tout compte fait, il n'y a pas de solution facile et instantanée pour déterminer et mesurer la performance stratégique d'une organisation et chaque époque pose de nouveaux défis.

---

4. On avait reproché à Peters et Waterman (1982), dans leur étude *In Search of Excellence*, d'avoir classé comme « excellentes » certaines entreprises qui avaient connu par la suite des revers financiers. L'évaluation de la performance dans cette étude reposait avant tout sur des données financières.

Partie III

RÉALISER LA STRATÉGIE

La mise en œuvre de la stratégie ouvre une porte nouvelle et mystérieuse, celle de la réalité. Jusqu'ici, nous n'avons fait que des études et des analyses. Aussi sophistiquées et élaborées soient-elles, elles restent loin des luttes et des peines de la vie elle-même. Aller vers la réalisation, c'est faire face à l'imperfection des outils. Cette partie examine ces outils et leurs effets tels que nous les connaissons actuellement. La démarche très linéaire qui nous a menés de la formulation de la stratégie à sa mise en œuvre pourrait faire croire qu'il n'y a pas d'interaction entre mise en œuvre et formulation. Tel n'est pas le cas.

Les outils de la mise en œuvre sont souvent aussi des contraintes à la formulation. La connaissance de ces outils et de leurs caractéristiques est un intrant important pour le stratège averti. Mintzberg va jusqu'à dire que la formulation et la mise en œuvre ne peuvent être séparées. C'est une déclaration excessive à notre avis. Dans la réalité des organisations, cette séparation est souvent forcée par la mécanique des actions de formulation et de mise en œuvre, mais les stratèges de qualité s'efforcent constamment de les réconcilier.

Le chapitre VII reprend une relation critique qui a toujours été au cœur de toutes les recherches en stratégie : celle entre les objectifs formulés, les arrangements structurels et la performance. L'importance de cette relation avait été révélée par les travaux du grand historien des affaires, A. D. Chandler, puis est devenue la relation la plus étudiée et la plus débattue du domaine de la stratégie.

Le chapitre VIII est un tour d'horizon sur les instruments de la mise en œuvre et sur leur relation avec l'atteinte des objectifs choisis lors de la formulation. Ce tour d'horizon attire l'attention sur le fait que les instruments ont des effets différenciés dans le temps. La compréhension de la profondeur de l'effet est importante pour le concepteur des outils et pour leurs ajustements lorsque nécessaire. Le chapitre VIII recense aussi tous les outils traditionnellement utilisés par les gestionnaires pour atteindre les objectifs et mentionne en particulier la structure, les systèmes de gestion les plus importants, notamment ceux de recrutement, de mesure et d'évaluation de la performance, de contrôle et de récompense ou de sanction des personnes engagées dans la mise en œuvre. Il insiste aussi sur la place de la culture et du leadership, des facteurs dont les effets sont souvent mal compris et négligés dans la gestion des organisations.

Cinq notes accompagnent et complètent les deux chapitres de cette partie

Les deux premières notes se rattachent au chapitre VII et mettent l'accent sur la cohérence, le *fit* entre la stratégie et les moyens qui sont mis en œuvre pour la réaliser.

La note 18 montre combien la technologie de l'information (TI) a changé de position dans la gestion de l'entreprise. D'une tâche technique et, en fait, plutôt marginale dans la démarche stratégique, elle est devenue l'élément central de la formulation d'une stratégie. Les avantages compétitifs que permet la TI sont tels que celle-ci doit être la clé de la réalisation stratégique. Ainsi, les grandes réalisations en matière de réingénierie, de gestion de la chaîne d'approvisionnement et de commerce électronique n'ont été rendues possibles que grâce à la disponibilité relativement récente de moyens en TI puissants. La TI est aujourd'hui au cœur de la stratégie de l'organisation, comme l'affirme Suzanne Rivard, professeure de systèmes d'information à l'École des HEC et une autorité reconnue dans le domaine.

La note 19 aborde la relation entre la gestion des ressources humaines et la réalisation de la stratégie. Elle traite de l'importance et de la nécessité d'une gestion cohérente pour le succès. À chaque stratégie devrait correspondre un mode approprié de gestion des RH. Cette note est écrite par un expert en la matière, Alain Gosselin, professeur de gestion des ressources humaines à l'École des HEC.

Les trois autres notes se rattachent au chapitre VIII. Elles traitent de trois grands facteurs qui déterminent la réalisation d'une stratégie : la communication, la structure et le leadership.

La note 20 est consacrée à la communication, le nerf de la guerre stratégique moderne. La communication fait la stratégie et peut faire le stratège. Cette note montre l'importance croissante et changeante de la communication, mise à jour par les recherches récentes. Elle fait ressortir les rôles des dirigeants en matière de communication. Rhéteur-narrateur, artisan du dialogue ou récepteur actif, ils sont constamment à la recherche des meilleures voies pour réaliser la stratégie. L'auteure, Nicole Giroux, est professeure au département des communications de l'Université de Montréal.

La note 21 est une réflexion sur ce que sont vraiment les structures. On pense généralement aux organigrammes. En fait, ce sont surtout les comportements des personnes qui ne changent pas beaucoup d'une réorganisation à l'autre. Cela incite l'auteur à affirmer que les vraies structures sont dans l'esprit et qu'il est préférable de gérer en tenant compte de ce fait. La note est écrite par Taïeb Hafsi.

La note 22 aborde la question importante du leadership dans le management stratégique. Elle clarifie les cheminements séparés que les études en stratégie et en leadership ont suivis et propose une réconciliation pour un management stratégique plus équilibré. La note est écrite par Patricia Pitcher, professeure à l'École des HEC et auteure d'un livre à succès sur le leadership.

Chapitre

STRATÉGIE, STRU
PERFORMAN

Le lecteur peut aisément se rendre compte que la stratégie est une théorie de la décision basée sur la résolution de problèmes. Il s'agit de résoudre le problème de la finalité spécifique, c'est-à-dire du choix de domaine, du positionnement, en prenant en considération la situation dans l'environnement, les ressources ou sources d'avantages concurrentiels, les valeurs des dirigeants et les valeurs de la communauté organisationnelle. La stratégie est ainsi une application au monde du fonctionnement des organisations de la logique et de la rationalité scientifiques. La logique et le raisonnement scientifiques impliquent un lien fort entre les différents éléments de la démarche, ce qui se traduit dans le langage de la stratégie des organisations par l'association habituelle entre stratégie et cohérence.

Ainsi, de manière intuitive pendant longtemps, mais plus systématiquement à présent, on s'assure que les choix de finalité sont compatibles avec ce qu'on sait de l'environnement, de la perception qu'on a des compétences et en général des ressources de l'organisation. On s'est aussi rendu compte que les choix devaient être compatibles ou au moins ne devaient pas être incompatibles avec les caractéristiques des dirigeants. Plus récemment, avec le rôle crucial joué par le personnel dans la capacité à concurrencer, les valeurs de la communauté organisationnelle prennent une importance plus grande dans le choix des finalités.

Ces considérations, souvent l'objet de prescriptions par les consultants et les universitaires, ont été révélées de manière empirique par le remarquable travail de l'historien des affaires A. D. Chandler, que nous avons souvent évoqué dans ce livre. Chandler avait noté que, dans les entreprises dominantes qu'il avait étudiées, la finalité était directement associée à ce qui se passait dans l'environnement, plus précisément le marché. Fait plus important encore, Chandler a aussi noté qu'une fois choisie la finalité, la stratégie selon son expression, tous les mécanismes de fonctionnement, en particulier la structure, étaient contraints sinon déterminés. L'étude de Chandler a ouvert la voie à un grand nombre de recherches, qui ont toutes confirmé et précisé la relation marché/stratégie/structure qu'elle avait révélée.

...er lui-même et ses étudiants ont reproduit la même étude qu'il ...duite aux États-Unis dans un grand nombre de pays, dont la France, le ...aume-Uni, l'Allemagne, le Japon, les pays en développement, pour confir-...er la validité de la relation qu'il avait découverte. Les travaux des chercheurs de la théorie de la contingence ont aussi confirmé les conclusions de Chandler, faisant ainsi de ces résultats les résultats les plus fondamentaux du domaine de la stratégie. Aujourd'hui, les recherches se font de plus en plus précises, s'attachant à voir, entre autres choses, quelles stratégies sont vraiment performantes, quels mécanismes de fonctionnement donnent les meilleurs résultats.

On ne peut donc parler de stratégie sans examiner dans le détail ces relations fondamentales et cruciales pour la gestion des organisations. Nous consacrons ce chapitre à ces relations. Nous allons, dans une première section, parler de la ligne de recherche de Chandler pour en connaître les éléments essentiels. La deuxième section s'intéresse en particulier à la relation entre la stratégie et la performance. Nous y aborderons aussi la relation entre la planification, donc la démarche formelle de développement de la stratégie, et la performance. Finalement, nous examinerons la relation entre la nature du couple stratégie-structure et la performance. Notre conclusion reviendra à une perspective plus générale de la mise en œuvre de la stratégie.

I. LA RELATION STRATÉGIE / STRUCTURE

A. LE CAS DE LA SOCIÉTÉ DU PONT

La société Du Pont était, au début du XXe siècle, une entreprise de production d'explosifs, de dynamite et de poudre noire notamment. Elle était dirigée par les cousins Du Pont. Le président était Eugène et le vice-président aux finances était Pierre, tous deux des ingénieurs issus du MIT. Eugène était un entrepreneur, un « bâtisseur d'empire » selon l'expression de Chandler. Il fit l'acquisition de nombreuses petites entreprises et usines d'explosifs, accroissant de manière considérable la taille et l'étendue de la société Du Pont. Eugène n'était pas intéressé par la gestion. Il négligeait cela et ne s'occupait que du développement. Il gérait chaque usine de manière séparée, en nommant personnellement des directeurs en qui il avait une confiance personnelle. Ainsi, l'entreprise était gérée comme une famille, chaque directeur d'usine s'occupant de tout localement, notamment de la production et de la distribution-vente sur un territoire déterminé, et ne rendant compte qu'au président. Aucune coordination d'ensemble n'était faite, au grand désespoir de Pierre Du Pont qui, lui, était plus orienté vers la gestion que son cousin.

Au cours de cette première phase, on répondait aux possibilités de marché en construisant ou en achetant des usines de production d'explosifs. La stratégie était simple et consistait à croître le plus rapidement possible. Les arrangements structurels étaient dominés par une structure simple, avec un chef et une multitude de collaborateurs directs. Tous les systèmes de gestion restaient informels et peu coordonnés. Tant que la concurrence était faible, ce mode de gestion était acceptable, l'entreprise générant les profits nécessaires pour continuer son développement. Mais progressivement, des concurrents sérieux commencèrent à apparaître et ils étaient de taille suffisamment importante pour qu'il ne soit pas possible d'envisager facilement leur acquisition. La société Du Pont apparaissait alors comme handicapée par son incapacité à coordonner ses activités.

C'est alors qu'Eugène dut laisser la place à Pierre, qui s'efforça rapidement de consolider le fonctionnement des usines, en fermant certaines d'entre elles et en en construisant d'autres là où c'était plus approprié. Mais, plus important, il fallait coordonner le fonctionnement de ce grand ensemble pour réduire les coûts et optimiser les stocks et les approvisionnements. Il entreprit alors de mettre en place une structure qui soit adéquate pour répondre à la stratégie de croissance tous azimuts de son cousin. Il en résulta alors la structure aujourd'hui connue comme **la structure fonctionnelle centralisée**.

Ce nouveau type de structure permettait de mettre ensemble les activités de production et donc de les optimiser convenablement pour partager les savoir-faire et réduire les coûts. La même chose fut faite pour la mise en marché. Les marchés étaient pris globalement et leur approvisionnement considéré comme une affaire d'ensemble plutôt qu'une responsabilité partagée régionalement. Finalement, l'administration fut formalisée : on produisit plus d'information sur les coûts, les marges obtenues, le retour sur l'investissement, etc. La mesure des performances et la rémunération des gestionnaires devinrent plus systématiques et liées à des programmations préétablies. On demandait à chaque gestionnaire non pas de fournir des profits, mais d'atteindre des objectifs fonctionnels qui permettraient alors de réaliser des profits pour l'ensemble de l'entreprise. Plus tard, le bureau du président prit plus d'envergure pour permettre de gérer centralement une entreprise devenue beaucoup plus professionnelle dans ses pratiques. Ces arrangements structurels étaient tous orientés vers la centralisation de la gestion et la planification du fonctionnement. Celle-ci était nécessaire du fait que la spécialisation des fonctions ne laissait plus qu'au président la responsabilité de l'ensemble.

Cette nouvelle structure servit remarquablement la société qui connut alors sa plus belle période, avec à la fois une croissance planifiée remarquable et une profitabilité inégalée. L'architecte de cette impressionnante réadaptation, Pierre Du Pont, et ses collaborateurs raffinèrent les mécanismes de gestion de l'entreprise à un point tel que ses réalisations devinrent des classiques enseignés par les écoles de gestion.

Les succès de l'entreprise étaient tellement nombreux que la production atteignit des sommets inégalés. Le déclenchement de la Première Guerre mondiale arriva au moment où l'entreprise était au zénith de sa gloire, contrôlant une grande partie du marché américain et suscitant la suspicion des autorités antitrust du pays. L'entreprise fut d'ailleurs forcée de se scinder en plusieurs entreprises à la suite de l'application du Sherman Act, la loi antitrust.

La très grande production de la période de guerre commença alors à poser d'autres problèmes inconnus auparavant. En particulier, les sous-produits des explosifs, auparavant considérés comme des déchets et vendus ou distribués gratuitement à qui les voulait, étaient à présent en quantité tellement grande qu'il n'y avait plus de marché suffisant ni de système adéquat d'élimination. La société décida alors d'examiner les possibilités d'utilisation de ces sous-produits à des fins commerciales. Ces sous-produits étaient des aromatiques du type benzène, toluène, etc., la base aujourd'hui de la chimie fine et des plastiques. Les dirigeants décidèrent alors de se lancer dans la fabrication de produits de ce genre, notamment les colorants, les nylons, les cuirs synthétiques, etc. Les ressources, aussi bien humaines que financières, dont disposait l'entreprise permettaient d'envisager avec optimisme toutes les voies de développement.

L'entreprise étant solide et son avenir apparemment encore plus prometteur, Pierre décida qu'il était temps pour lui de céder la présidence à son frère Irénée. Il alla lui-même vers d'autres horizons, comme faire l'acquisition et participer à la construction, avec l'aide de Sloan, de la société General Motors. En fait, pour la société Du Pont, les problèmes allaient bientôt commencer.

Le plus important et le plus révélateur dans la théorie de Chandler est qu'en se lançant dans la fabrication de nouveaux produits de chimie fine, l'entreprise venait de changer de stratégie, mais elle ne semblait pas vraiment s'en rendre compte. De ce fait, elle continuait à fonctionner avec l'ancienne structure fonctionnelle centralisée. Voyons un peu ce qui s'est produit. Comme les nouveaux produits étaient totalement différents, ils nécessitaient des procédés de production radicalement différents. Ils étaient, de plus, produits en quantités beaucoup plus faibles, pour des marchés encore mal connus. Les marchés de la chimie fine et des plastiques étaient des marchés complètement différents des marchés d'explosifs. Les clients de ces derniers étaient peu nombreux mais étaient des experts dans la manipulation et l'utilisation des produits. Il suffisait de produire, de distribuer et de fournir une assistance minimale en ce qui avait trait au stockage et à la manipulation des produits pour que les clients soient satisfaits. Dans le cas des nouveaux produits, au contraire, les clients étaient très nombreux, peu sophistiqués, connaissant mal toutes les utilisations possibles, les manipulations, parfois même les caractéristiques des produits. Il fallait littéralement leur donner la main pour qu'ils sachent comment utiliser ces produits.

La société Du Pont était alors dominée par les fonctions, et les dirigeants des différentes fonctions accordaient forcément toute leur attention aux anciens produits, les plus lucratifs, les plus faciles à vendre et représentant la quasi-totalité de leurs revenus et de leurs profits. Ils négligèrent les nouveaux produits et les nouveaux marchés. Du Pont, alors l'entreprise la mieux gérée et la plus admirée, perdait de l'argent avec tous ses nouveaux produits. Les jeunes dirigeants se rendaient bien compte qu'il y avait un problème d'arrangement structurel, mais Irénée, le président, ne voulait pas entendre parler d'un changement de structure. Pourquoi, disait-il, devrions-nous changer ce qui nous a si bien servis dans le passé ? Il a fallu attendre que Du Pont dans son ensemble soit menacée pour qu'Irénée, à son corps défendant, décide d'envisager une nouvelle structure.

Cette structure, la plus grande des innovations selon Chandler, reconnut les différences entre les produits et la nécessité de les gérer de manière séparée. Chaque gamme de produits devint une division avec ses propres fonctions (production, ventes et administration) et était dirigée comme une entreprise séparée, avec toutefois une coordination d'ensemble de l'entreprise pour certaines questions financières et de gestion du personnel. Les systèmes de gestion de la performance et de la rémunération étaient plus liés à la performance de marché qu'à des objectifs planifiés, comme c'était le cas dans la structure précédente. Cette structure fut baptisée du nom de **structure divisionnelle décentralisée**. Grâce à cette nouvelle structure, la société allait dominer le marché américain et le marché mondial des produits chimiques, comme elle avait dominé celui des explosifs.

B. LA THÉORIE DE CHANDLER

L'histoire de la société Du Pont est la plus révélatrice de la théorie que Chandler énonça simplement : « **La stratégie précède la structure.** »

Cela voulait dire que, lorsqu'on adopte une stratégie, on est obligé d'adapter la structure en conséquence. Chandler a développé sa théorie en étudiant dans le détail quatre grandes entreprises : General Motors, Standard Oil of New Jersey (l'ancêtre d'Exxon), Sears Roebuck et bien entendu Du Pont. Cependant, Chandler lui-même avait confirmé ses résultats en étudiant de manière plus statistique un grand nombre d'autres entreprises à succès. Ses résultats furent confirmés par des travaux entrepris par Héau en France, par Channon au Royaume-Uni, par Thanheiser, en Allemagne et par sa propre équipe de recherche au Japon. Beaucoup d'autres recherches ont reproduit les travaux de Chandler un peu partout dans le monde pour affirmer la même loi : « La stratégie précède la structure. »

D'autres chercheurs ont insisté sur le processus de développement de la firme qui résultait d'une telle théorie. Ainsi, Salter puis Scott ont proposé une évolution de l'entreprise en trois phases. Chaque phase associe un type de stratégie à un type de structure, mais ces deux auteurs ont aussi montré que tous les mécanismes de gestion étaient alors touchés. Galbraith et Nathanson en ont fourni une version très convaincante, résumée au tableau 1 (Côté, 1995). Ces trois phases, comportant deux sophistications dénommées **conglomérat** et **structure mondiale**, ont ainsi été considérées comme une sorte de cycle de vie de l'entreprise. Une quatrième phase a aussi été proposée pour tenir compte des situations où à la fois les aspects fonctionnels et les aspects de marchés doivent être combinés. Cette phase introduit notamment la structure dite matricielle, mais n'est pas explicitement incluse au tableau 1.

Le nombre de travaux inspirés par le travail de Chandler a été considérable. Il y a eu ceux qui, comme ceux de Miles et Snow, ont montré que les stratégies des firmes pouvaient être plus précises que celles qu'avait énoncées Chandler. Il y a eu aussi ceux qui, comme ceux de Mintzberg, ont montré que les structures possibles pouvaient être plus nombreuses que celles qu'avait établies Chandler. Le gestionnaire averti devrait simplement noter que cette évolution en cycle ou plutôt en phases est une règle universellement admise et prendre les différentes recherches (voir la bibliographie) comme des sources d'inspiration pour la conception de stratégies et de structures les mieux adaptées à la situation qu'il vit.

Le travail le plus directement lié à celui de Chandler et qui a eu beaucoup d'écho, surtout en matière de diversification par acquisitions et fusions, est celui de Rumelt. Cet auteur a entrepris de démontrer empiriquement la relation entre la stratégie et la structure, puis entre celles-ci et la performance. Son travail, bien que méthodologiquement très controversé, a achevé de convaincre que stratégie et structure sont intimement liées et que la qualité de leur association est un déterminant de la performance. Nous allons à présent nous intéresser à la littérature plus contemporaine pour examiner de plus près la relation entre la stratégie et la performance, puis la relation entre stratégie-structure[1] et performance.

Tableau 1 La stratégie et les arrangements structurels

Caracté-ristiques	Simple S (Stade 1 de Scott)	Fonctionnelle F (Stade 2 de Scott)	Conglomérat C	Multidivi-sionnelle MD (stade 3 de Scott)	Mondiale M
STRATÉGIE	Produit unique.	Produit unique et intégration verticale.	Croissance par acquisitions et diversifications non reliées.	Produits multiples reliés; croissance interne; quelques acquisitions.	Produits multiples dans plusieurs pays.
STRUCTURE	Simple, fonctionnelle.	Centralisée, fonctionnelle.	décentralisée; centre de profit par division; petit état-major.	Décentralisation par produit; centres de profit par secteur d'activité.	Centres de produit décentralisés selon la région ou le secteur d'activité.
MESURES DE RENDEMENT	Par contact personnel; subjectives.	De plus en plus imper-sonnelle; mesures des coûts et de la productivité; subjectives.	Impersonnelles; mesures RSI et profitabilité.	Impersonnelles; mesures RSI; profitabilité et contribution de l'ensemble.	Impersonnelles; mesures RSI; profit par produit, par pays.
CHOIX STRATÉGIQUES	Besoins du propriétaire par oppo-sition aux besoins de l'entreprise.	Degré d'inté-gration; part du marché; étendue de la gamme de produits.	Degré de diversification; types d'activité; entrée et sortie des activités; acquisitions potentielles.	Allocation des ressources par activité; entrée et sortie des activités; taux de croissance.	Allocation des ressources par activité et par entrée et sortie des activités des pays; pourcentage de contrôle des actifs utilisés par pays; engagement dans les pays.

Adapté de Côté, M. (1995).

---

1. En anglais on parle de *fit* entre stratégie et structure.

II. LA RELATION STRATÉGIE/PERFORMANCE

Avant d'aborder les résultats de recherches sur le sujet, il est utile de mentionner que les travaux de Chandler ont aussi rapproché le domaine de la stratégie d'un autre domaine important, celui de l'économie industrielle, entraînant grâce à cela des progrès considérables pour les deux domaines. Les travaux de Porter sur la structure de l'industrie et sur les stratégies génériques sont directement inspirés des travaux de l'historien qu'était Chandler. Ce rapprochement entre stratégie et économie industrielle était inévitable, du fait que l'objet de l'économie industrielle était justement, selon le canevas traditionnel, d'étudier les rapports entre la structure de l'industrie, la conduite des entreprises (donc leurs stratégies) et la performance, mais en utilisant les techniques de la science économique.

Rumelt avait déjà examiné la relation stratégie/performance. Il a trouvé en particulier que les firmes spécialisées étaient les plus profitables. Ensuite, parmi celles qui étaient diversifiées, les plus profitables étaient les firmes dont la diversification était reliée au noyau principal d'activité. Finalement, celles dont la diversification les entraînait dans des secteurs non reliés étaient les moins profitables. De nombreux autres travaux ont été réalisés dans la même veine.

Le travail le plus influent est celui qui est venu du projet PIMS (*Profit Impact of Market Strategy*) du Strategic Planning Institute. Les études sur la banque de données PIMS, centrées sur les données en matière de stratégie d'affaires, ont montré à plusieurs reprises la relation forte qui existe entre la performance des centres d'activité stratégique et la part de marché. En général, une stratégie qui favorise la croissance de la part de marché engendre aussi une plus grande profitabilité. De même, on a trouvé que plus l'intensité du capital (lourdeur de l'investissement en équipement ou des coûts fixes) était grande, plus la profitabilité était faible. Les deux variables se combinent pour donner des effets cumulés spectaculaires.

D'autres études ont confirmé l'importance de la part de marché et de l'intensité du capital, mais lui ont ajouté un autre facteur, le niveau d'endettement, qui semble avoir un effet négatif semblable à celui de l'intensité en capital. Plus l'endettement est grand, plus la profitabilité est faible. En général, ces études montrent que la stratégie d'affaires, comme la stratégie corporative, a un effet important sur la performance. Les différences de stratégie montrent clairement des différences significatives de performance.

Cela a alors mené à la vérification de l'effet de la formalisation de la stratégie sur la performance. Les résultats sont alors totalement convaincants. Étude après étude, on montre que les entreprises qui s'efforcent systématiquement de planifier leur comportement ont une performance meilleure que les autres. Mieux encore, plus la stratégie est cohérente, plus la performance est élevée. Enfin, le niveau de sophistication de la planification (développement de mécanismes évolués de gestion du processus) accroît aussi le niveau de performance. L'étude à consulter en cas de besoin est celle de Robinson & Pierce (1988) qui offre aussi une excellente revue de la littérature sur le sujet. Plus récemment, il est apparu que, même dans un environnement très contrôlé, comme un environnement sous réglementation, les entreprises qui élaboraient des stratégies de recherche de l'efficacité étaient plus performantes. En général, le déploiement de ressources stratégiques sous le contrôle des gestionnaires est le déterminant principal de la performance.

Certaines études se sont voulues plus spécifiques, et l'une d'entre elles (Bracker, Keats & Pearson, 1988) a examiné si ces résultats s'appliquaient aussi à de petites firmes, dans des industries en croissance. Les résultats montrent à peu près la même chose. Les firmes entrepreneuriales qui utilisent des processus de planification stratégique plus structurés sont celles qui réussissent le mieux et s'adaptent le plus facilement aux changements qui touchent l'industrie. En fait, lorsqu'on arrive à combiner la créativité entrepreneuriale avec un minimum de structure stratégique, les résultats sont impressionnants. Plus intéressant encore, il semble que la stratégie, lorsqu'elle intervient tôt dans la vie de l'entreprise, est un important ingrédient du succès des firmes qui ont enregistré une forte croissance dans les industries de haute technologie. Les firmes qui ont une forte croissance semblent avoir fait un meilleur travail de définition de ce qu'elles sont et de ce qu'elles veulent devenir. Elles ont été généralement plutôt guidées par une finalité, une détermination volontariste, que soumises à des décisions incrémentales au fur et à mesure que les choses se clarifiaient dans l'industrie.

Une étude sur l'industrie de la peinture aux États-Unis (Dess & Davis, 1984) a montré que les entreprises qui avaient choisi une stratégie claire parmi les stratégies génériques de Porter (concentration, différenciation et leadership sur les coûts) démontraient une performance supérieure aux entreprises qui semblaient coincées au milieu, sans stratégie claire. Cependant, on ne peut pas vraiment dire que la performance de l'une ou l'autre des stratégies génériques est meilleure si l'on se fie à une étude sur l'industrie pharmaceutique (Cool & Schendel, 1987).

On peut, bien entendu, se demander comment le succès de certaines stratégies est relié aux compétences et aux ressources distinctives d'une firme. L'autre étude de Hitt & Ireland (1985) a suggéré que, selon le type de stratégie, certaines compétences étaient plus importantes que d'autres. Ainsi, si l'on poursuit une stratégie de stabilité, les compétences en production/ opérations et en marketing paraissent associées à une meilleure performance. Dans le cas d'une stratégie de croissance interne, des compétences de production/opérations et de finance sont importantes. Finalement, pour une stratégie de croissance par acquisitions, des compétences en relations publiques et gouvernementales et en activités financières sont utiles au succès, tandis que des compétences en ingénierie et en recherche et développement constitueraient un frein au succès.

Ces résultats varient aussi d'une industrie à l'autre. Ainsi, dans une industrie légère (*non-durable goods*), des compétences de production/opérations, de marketing et de finance influent positivement sur la performance, tandis que les compétences en ingénierie et en recherche et développement nuisent à la performance. Par ailleurs, comme on peut s'y attendre, des compétences en production/opérations sont favorables à la performance surtout dans une industrie de produits de consommation durables ou dans une industrie de fabrication d'équipements. Répétons que ces résultats doivent être interprétés avec précaution. Il vaut mieux les considérer comme les indicatifs d'une tendance plutôt que comme une certitude.

Une autre façon de révéler cette relation entre stratégie et compétences consiste à noter que la stratégie devrait aussi avoir une influence sur les politiques fonctionnelles. Là aussi, de nombreuses propositions ont été faites pour décrire cette influence. Nous mentionnons au tableau 2 (Côté, 1995) une description inspirée de Jauch et Glueck (1990) et basée sur les stratégies génériques d'Andrews (mentionnées au chapitre III).

Ainsi, il apparaît que la stratégie est un déterminant décisif de la performance. Cela ne peut nous surprendre si nous nous rappelons les enseignements de la théorie de la contingence. Si les incertitudes de l'environnement et celles de la technologie déterminent la performance et la survie d'une organisation, il devrait être clair que les efforts pour réduire ou contrôler cette incertitude devraient favoriser une meilleure compréhension de ces incertitudes et donc une capacité plus grande de l'organisation à leur faire face. Nous allons, dans la section qui suit, reprendre les enseignements de la théorie de la contingence, notamment en ce qui concerne les relations entre l'environnement et la structure et, par extension, entre la stratégie et la structure, avant d'examiner les résultats de recherches plus contemporaines.

Tableau 2   La stratégie et les fonctions

Stratégie	Marketing	Production	Ressources humaines	Finance	Timing
RETRAIT	Détermination des gammes de produits à abandonner.	Détermination des usines à fermer sur la base de l'utilisation de la capacité.	Réduction du personnel sur la base des compétences requises ultérieurement et de l'ancienneté.	Élimination ou réduction des dividendes et gestion des liquidités.	Vente des usines et réduction du personnel dès que possible; élimination des dividendes maintenant.
STABILITÉ	Fabrication des produits à marge élevée.	Report des investissements importants en immobilisations et en équipements.	Investissement dans la formation pour améliorer les aptitudes administratives.	Établissement de bonnes relations avec la banque; maintien des dividendes réguliers et consolidation du bilan.	Maintien de cette allure à moins que des tendances ne manifestent une possibilité majeure de croissance.
EXPANSION	Élargissement et amélioration des gammes de produits; volume plus important que les marges.	Augmentation de la capacité des usines.	Recrutement de personnel supplémentaire des ventes, de recherche et de développement, de production et de direction.	Augmentation du ratio d'endettement; évaluation de l'effet de la politique de dividendes sur les besoins de liquidités.	Évaluation de la part de marché relative et des conditions financières à moyen terme.

Adapté de Côté, M. (1995).

III. LA RELATION STRATÉGIE/STRUCTURE/ PERFORMANCE

A. LES ENSEIGNEMENTS DE LA THÉORIE DE LA CONTINGENCE:

Nous avons déjà évoqué la théorie de la contingence à plusieurs reprises. Nous ne reviendrons ici que sur les aspects utiles à la discussion sur la relation stratégie/structure/performance. Les travaux empiriques de Lawrence et Lorsch (1967) portant sur trois industries et surtout le travail conceptuel de Thompson (1967) ont révélé l'importance de la compatibilité, ou du *fit*, entre environnement, technologie et modes de fonctionnement, pour la survie et le succès d'une organisation. Thompson a montré en particulier comment tous les mécanismes de fonctionnement, notamment le design de l'organisation (entendre par là le positionnement stratégique), la structure, les mécanismes d'évaluation et de gestion des personnes, devaient être coalignés avec les exigences et les incertitudes que présente l'environnement. Ce coalignement en est venu à être connu sous le nom de *fit,* ce qui, en français, est difficile à traduire. Retenons que cela signifie compatibilité, cohérence, ajustement.

Ainsi, les théoriciens de la contingence ont effectué de nombreuses recherches pour confirmer l'importance de ce *fit* pour le succès ou simplement pour la performance de l'organisation. Il serait fastidieux ici de revenir à tous les travaux de recherche en question, mais pour donner une idée de l'abondance et de la richesse de cette littérature, le travail de Ginsberg et Vankatraman (1985) est utile. Leur synthèse suggère que les recherches, dans le domaine de la stratégie, qui utilisent la perspective de la théorie de la contingence peuvent être structurées à partir de quatre types de relations :

1. Le premier type s'intéresse à la relation entre la nature de l'environnement et la formulation de la stratégie.
2. Le deuxième type met l'accent sur l'influence des variables organisationnelles sur la formulation de la stratégie.
3. Le troisième type étudie comment la performance influe sur la formulation.
4. Le quatrième type examine la relation entre la formulation et la mise en œuvre de la stratégie.

En général, toutes les recherches prennent la performance comme variable dépendante (celle qu'il faut expliquer) et tentent de l'expliquer en observant la nature de la relation considérée, en particulier le *fit* dans cette relation-là. Il est évident que, lorsqu'on parle d'environnement dans la première relation, on parle aussi des multiples variables qui peuvent intervenir ; mentionnons en particulier la structure de marché, les groupes stratégiques, l'incertitude, le cycle de vie du produit, les barrières à l'entrée ou à la sortie, la croissance du marché et la part de marché, etc., qui sont cités par Ginsberg et Vankatraman. Ces auteurs montrent aussi que tous les travaux, à de rares exceptions près, démontrent qu'une compatibilité entre les facteurs considérés dans la relation est associée à la performance.

Toutes ces recherches présentent encore des difficultés et des problèmes méthodologiques, débattus par les universitaires concernés, mais les améliorations progressives en la matière ne mettent pas en cause la relation entre les *fits* concernés et la performance. En d'autres termes, les travaux qui prennent la théorie de la contingence comme base confirment largement que la démarche logique, qui met l'accent sur la cohérence entre les facteurs de l'analyse et les conclusions atteintes, comme dans le concept de stratégie, entraîne une performance meilleure.

B. LA RELATION STRATÉGIE/STRUCTURE/PERFORMANCE

Les travaux de la théorie de la contingence ont largement confirmé les relations entre ces grandes dimensions que sont la stratégie, la structure et la performance. Les travaux ont confirmé ces relations dans tous les sens, chacune influant sur l'autre et étant influencée par elle. Ainsi, la stratégie contraint la structure, mais la structure, dans les organisations bien établies, contraint aussi la stratégie. On ne peut pas choisir n'importe quelle stratégie. On est obligé de tenir compte des modes de fonctionnement qui existent déjà, ce qui a amené certains auteurs à inverser la relation proposée par Chandler et à dire que la stratégie suit la structure au lieu de la précéder. Aujourd'hui, il est évident qu'on admet que la stratégie puisse à la fois être précédée par les arrangements structurels existants et précéder les ajustements qui sont nécessaires pour la mettre en pratique.

Si l'on prend la performance, c'est un résultat, mais c'est aussi souvent un ingrédient qui vient modifier les choix stratégiques. Les entreprises performantes vont ainsi avoir tendance à poursuivre les stratégies existantes, tandis que les entreprises qui connaissent des problèmes de performance auront tendance à vouloir changer les stratégies existantes. Bien entendu, l'inverse surtout a attiré l'attention, avec la recherche de stratégies gagnantes ou problématiques. Les travaux se rapportant à cette dernière relation sont particulièrement nombreux; nous nous limiterons ici aux travaux sur les stratégies génériques, comme ceux de Miles et Snow (1978) ou ceux plus connus de Porter (1982).

Miles et Snow ont suggéré que les profils stratégiques les plus courants au sein d'un même secteur sont au nombre de quatre: défenseur, analyste, prospecteur et réacteur. Le défenseur trouve et maintient une niche sûre dans un domaine relativement stable. Il met l'accent plus sur la qualité que sur l'innovation ou l'étendue des services. Le prospecteur vise un domaine vaste et étendu. Il valorise le fait d'être le premier à ouvrir un marché. Il est très entrepreneurial et met plus l'accent sur la croissance que sur la rentabilité à court terme. L'analyste surveille soigneusement les actions de ses principaux concurrents et agit de manière flexible pour répondre au mieux. Il n'exclut ni l'innovation, ni des ajustements à la gamme, ni d'autres réponses appropriées, y compris se retirer si nécessaire. Une offre équilibrée et stable dans les domaines existants et la recherche de domaines nouveaux font aussi partie de ses caractéristiques. Finalement, le réacteur ne semble pas posséder d'orientation stable. Il réagit là où les pressions environnementales sont les plus fortes. Il essaie d'éviter les risques.

Tableau 3 Les liens possibles entre stratégie, structure, culture, ressources humaines, style de gestion et performance

Profil stratégique (1)	Base du pouvoir				Culture		Styles de gestion (10)(11)(12)(13)	Activités de personnel	Indicateurs de productivité (14)
	Sortes de structures (2)(3)(4)	Stade de développement (2)(3)(4)	Activités liées aux (5)	Fonction (4)(6)	Identité (7)(8)(9)	Valeurs (10)			
DÉFENSEUR	mécanique fonctionnelle produit unique	maturité	processus de transformation	gestion production génie appliqué finance	aversion pour le risque stabilité spécialisation plutôt que croissance	assiduité persévérance ancienneté respect des règles	technocrate et bureaucrate producteur administrateur	logistique et motivation intrinsèque	finance (1, 2, 5, 7) production (4, 11, 12, 16)
PROSPECTEUR	organique par produit décentralisation	lancement développement	extrants	gestion recherche commerciale produits de R-D génie pur	flexibilité goût du risque ouverture sur l'extérieur charisme croissance	créativité originalité efficacité présent et futur	pionnier et conquérant entrepreneur	motivation intrinsèque	direction générale (3, 6, 8, 17) marketing et vente (10, 13, 18) ressources humaines (14, 15, 19)
ANALYSTE	mixte structure matricielle multidivisions	maturité et lancement	extrants et processus de transformation	gestion production génie appliqué ventes et marketing	stabilité/ flexibilité conservation/ ouverture	mélange de défenseur et de prospecteur selon la gamme de produits	modérateur intégrateur administrateur	mélange des 3	mélange des indicateurs

Source : Côté, M. (1983)

Réacteur: nous formulons l'hypothèse qu'il n'existe pas de portrait dominant pour ce profil stratégique en accord avec Hambrick (1981), Miles et Snow (1978), Snow et Hrebiniak (1980).

(1) Miles et Snow (1978)
(2) Thain (1976)
(3) Osborn, Hunt, Jauch (1980)
(4) Fox (1973)
(5) Hambrick (1981)
(6) Snow et Hrebiniak (1980)
(7) Jauch et Osborn (1981)
(8) Larçon et Reitter (1979)
(9) Khandwella (1976-1978)
(10) Ansoff (1979)
(11) Wissema et autres (1980)
(12) Adizes (1980)
(13) Galbraith et Nathanson (1979)
(14) I.M.F. (1983)

En étudiant la littérature, Côté (1983) a proposé une synthèse sur la relation stratégie/structure/performance, utilisant les profils de Miles et Snow, et qui est résumée au tableau 3. Comme on le voit, l'auteur a enrichi les arrangements structurels en incluant dans la relation : structure, culture, ressources humaines et style de gestion, en plus de stratégie et performance. Ce tableau traduit l'état des recherches sur ces relations. Comme nous l'avons dit, ces recherches confirment aussi l'essence de la relation, c'est-à-dire la relation entre le *fit* et la performance. Cela amène une différence assez nette entre le profil réacteur et les autres. En effet, le réacteur présente généralement une performance moins bonne que celle des autres et semble un cas de mauvais *fit* dans la plupart des situations industrielles.

Jennings et Seaman (1994) ont, comme beaucoup d'autres, conduit une recherche empirique pour préciser ces relations. En étudiant les institutions d'épargne et de crédit du Texas, après la déréglementation, ils ont confirmé les propositions suivantes :

- Les organisations qui semblent les mieux adaptées ont une structure organique.
- Les organisations qui semblent les moins adaptées ont une structure mécaniste.
- Les organisations qui ont un haut niveau d'adaptation et une structure organique ont tendance à utiliser une stratégie de prospecteur (au sens de Miles et Snow).
- Les organisations avec un faible niveau d'adaptation et une structure mécaniste ont tendance à adopter une stratégie de défenseur.
- Il y a des différences de performances, mesurées par la valeur, la profitabilité et le risque, parmi les organisations ayant un haut niveau d'adaptation, lorsqu'elles ont une stratégie de prospecteur et une structure organique. Les entreprises ayant le meilleur *fit* entre cette stratégie et cette structure ont aussi la meilleure performance de ce groupe.
- Il y a également des différences de performances parmi les organisations ayant un faible niveau d'adaptation, avec une stratégie de défenseur et une structure mécaniste. Les entreprises ayant le meilleur *fit* entre cette stratégie et cette structure ont la meilleure performance dans ce groupe.
- On peut aussi proposer que les meilleurs de ces deux groupes peuvent avoir des performances similaires.

Rien n'indique que ces propositions s'appliquent à d'autres industries, et toute généralisation doit être faite avec précaution.

La typologie de Porter a aussi été largement étudiée, et les performances de chacune des stratégies ont été examinées. D'abord, Porter lui-même avait suggéré une relation entre ses stratégies génériques et les ressources, compétences et modes de fonctionnement les plus appropriés. Celle-ci est résumée au tableau 4. Par ailleurs, la typologie « portérienne » apparaît comme particulièrement utile, aussi bien pour les pays développés que pour les pays en transition (Kim & Lim, 1988). Dans une étude très populaire de la population des hôpitaux de Floride, Marlin, Lamont et Hoffman (1994) ont utilisé deux dimensions pour examiner la performance des stratégies portériennes. La première dimension est le degré de déterminisme de l'environnement (mesuré par la population du comté desservi, le revenu par habitant

Tableau 4 La stratégie générique : compétences, ressources et mode d'organisation

Stratégie générique	Compétences et ressources	Mode d'organisation
DOMINATION AU NIVEAU DES COÛTS	• Main-d'œuvre de qualité • Investissements soutenus et accès aux capitaux • Compétences techniques sur le plan des processus • Conception des produits destinée à faciliter la production • Système de distribution peu coûteux	• Contrôle serré des coûts • Organisation bien structurée des responsabilités • Incitations assises sur l'obtention d'objectifs strictement quantitatifs
DIFFÉRENCIATION	• Capacités commerciales importantes • Technologie du produit • Intuition et créativité • Recherche fondamentale • Réputation de la firme en matière de qualité ou d'avance technologique • Longue tradition dans le secteur ou combinaison unique de compétences tirées d'autres secteurs d'activité • Coopération importante des circuits de distribution	• Coordination importante des fonctions de recherche et de développement, développement du produit et commercialisation • Estimations et incitations qualitatives plutôt que quantifiées • Avantages divers pour attirer une main-d'œuvre très qualifiée, des savants, des personnes imaginatives
CONCENTRATION	• Combinaison des mesures précédentes, orientée vers la cible stratégique retenue	• Combinaison des mesures précédentes, orientée vers la cible stratégique retenue

Adapté de Porter, M. (1982).

du comté et le nombre de médecins actifs dans le comté). La deuxième dimension est le degré de choix stratégique disponible pour la firme (mesuré par la taille, le pouvoir de marché et le pouvoir de négociation). Les stratégies considérées sont : la différenciation, le leadership sur les coûts et le coup par coup (une stratégie réactive et incrémentale).

Leurs résultats sont les suivants :

- Lorsque l'environnement est peu contraignant (déterminisme faible) et qu'il y a peu de choix stratégiques, la stratégie la plus fréquente est l'incrémentalisme. C'est dans ce cas que la performance est la moins favorable.

- Lorsque l'environnement est contraignant (déterminisme élevé) et qu'il y a peu de choix stratégiques, on a une situation de choix minimaux, dans laquelle la stratégie la plus utilisée est le leadership sur les coûts. La performance, dans ce cas, est généralement moyenne ou assez bonne.

- Lorsque l'environnement est contraignant et qu'il y a beaucoup d'options stratégiques, on a une situation de choix différenciés. La stratégie dominante est la stratégie de différenciation et elle donne de très bonnes performances.

- Lorsque l'environnement est peu contraignant et qu'il y a beaucoup d'options stratégiques, on a une situation de choix maximaux. Là aussi la stratégie dominante est la stratégie de différenciation et elle donne de très bonnes performances.

Finalement, White (1986) a examiné plus spécifiquement les rapports entre les stratégies génériques, les arrangements structurels et la performance, sur un échantillon de 69 centres d'activités stratégiques (CAS) venant de 12 entreprises multi-industries. Il conclut ceci :

- Les CAS poursuivant une stratégie de coût pure ont une rentabilité sur l'investissement (ROI) plus élevée lorsqu'ils ont moins d'autonomie.

- Les CAS poursuivant une stratégie de différenciation pure ont une croissance des ventes forte, lorsqu'ils bénéficient d'une coordination fonctionnelle forte avec la responsabilité des fonctions clés regroupées sous l'autorité du gestionnaire du CAS.

- Le ROI des stratégies de coûts est plus élevé en moyenne lorsque certaines responsabilités fonctionnelles sont partagées entre le siège et le CAS.

IV. EN GUISE DE CONCLUSION

Les travaux de recherche montrent le plus souvent que la performance la plus élevée est, toutes choses étant égales par ailleurs, associée à :

1. un *fit* plus grand entre environnement et stratégie.
2. un *fit* plus grand entre stratégie et arrangements structurels (modes de fonctionnement).

Les types de *fits* sont souvent l'objet de ces recherches. Il faut cependant prendre ces détails avec plus de précautions. Autant la loi générale ne pose aucun problème et est clairement vérifiée, autant les sophistications, comme celles qui ont été énoncées, doivent être prises avec un grain de sel ; on doit en effet se rappeler que les situations sont souvent très spécifiques et que ce qui est général ne s'applique que de manière imparfaite.

Sachant ces grandes choses sur les rapports entre la stratégie, les arrangements structurels et la performance, on peut entrer dans les détails et examiner comment concrètement on construit l'édifice structurel qui soutient l'action.

Note n° 18

La TI au cœur de la stratégie

par Suzanne Rivard

Ayant dirigé une entreprise qui parvint au cinquième rang des compagnies aériennes et l'ayant pratiquement vue s'évaporer en une fraction de seconde, je peux parler avec ferveur du rôle des technologies de l'information dans l'industrie aérienne [...] Ce qui fit la différence réelle pour notre entreprise fut le système de réservation de billets implanté par American Airlines et United Airlines. L'ordinateur a été, entre les mains de ces firmes, une arme meurtrière.

Donald Burr, ex-CEO, *People Express*

Donald Burr fait ici référence à la compagnie aérienne qu'il avait créée au début des années 1980 et qui offrait à ses passagers des tarifs exceptionnellement avantageux. Le prix d'un billet New York/Londres, par exemple, s'élevait à 99,95 $ et celui d'un billet New York/San Francisco était légèrement plus bas. Tous les passagers d'un même vol de People voyageaient au même tarif. Par contre, le système de réservation d'American Airlines permettait de vendre à 2000 $ un billet New York/Londres au passager pressé et peu influencé par le prix et de proposer un tarif de 99,95 $ au passager disposé à attendre qu'une place se libère. Ainsi, dans un vol d'American Airlines, certains passagers obtenaient leur billet à un prix aussi bas que 100 $, alors que d'autres payaient 600 $, 800 $ et même 3000 $. Quant aux passagers de People Express, qui payaient tous le même tarif, ils devaient, comme le dit Burr, « voyager sans bagages et se contenter, pour tout repas, d'un sandwich et d'une boisson gazeuse ». Les vols de la compagnie American Airlines se sont avérés beaucoup plus rentables et, peu de temps après le lancement de leur système de réservation de billets, People Express déclarait faillite (Rivard, 1996).

Dans une entrevue, Donald Burr ajoute : « Le président d'American Airlines avait bien sûr annoncé quelques mois avant l'implantation du système de réservation que son entreprise deviendrait une entreprise de haute technologie. J'étais, pour ma part, persuadé qu'il faisait erreur. Je ne voyais rien de high-tech dans le transport aérien : il s'agissait tout simplement pour moi de prendre des passagers à un point d'origine et de les amener à destination. »

Depuis l'avènement de l'ordinateur comme outil de traitement de données dans les entreprises, chercheurs et praticiens s'interrogent quant à l'impact de ces technologies sur la performance organisationnelle. Des nombreuses études menées sur ce sujet émerge un message clair : ce ne sont pas les technologies de l'information en soi qui ont un impact sur la performance, mais leur degré de congruence avec la stratégie de l'entreprise. L'une des principales conclusions d'un important projet de recherche mené au MIT (Scott Morton, 1991) est que les entreprises performantes se distinguent par leur habileté à créer un effet de levier dans leur utilisation des technologies de l'information, et à obtenir ainsi de nouvelles sources d'avantages concurrentiels. Dans une étude menée auprès de 165 grandes entreprises nord-américaines, Chan, Huff, Barclay et Copeland (1997) ont trouvé que cette congruence avait non seulement une influence plus grande que celle des technologies de l'information en soi, mais que cette influence était aussi plus grande que celle de la stratégie considérée seule.

Prenant comme cadre de référence le modèle des forces concurrentielles de Porter (1980), Rivard et Talbot (1998) donnent plusieurs exemples de congruence entre la stratégie concurrentielle et l'utilisation des technologies de l'information. Ainsi, les investissements dans les technologies de l'information et les compétences que possède une firme en matière de développement d'applications informatiques peuvent constituer d'importantes barrières à l'entrée, permettant ainsi à la firme de se protéger contre la *menace de nouveaux arrivants*. Ce type de barrière existe dans des secteurs dont les principales activités sont liées au traitement de l'information. L'entrée dans ces secteurs requiert non seulement des investissements massifs en matériel et en logiciels, mais aussi un haut niveau d'expertise en ce qui a trait à l'élaboration de ces logiciels. Le commerce électronique entre entreprises (aussi connu sous le vocable *business to business*) a permis à nombre d'entreprises de contrer la menace que constitue *le pouvoir des fournisseurs*. Une entreprise canadienne du secteur de l'aéronautique a été un précurseur dans ce domaine, en transmettant électroniquement à ses fournisseurs les spécifications pour la fabrication de pièces ou de composants. Les sous-traitants désirant faire des affaires avec cette firme ont donc dû s'équiper de matériel informatique compatible avec celui de leur client. À cause de l'importance relative de l'investissement, la firme aéronautique a su maintenir ses fournisseurs quasi captifs. La firme Baxter Healthcare, l'un des leaders mondiaux dans le domaine de la fabrication et de la distribution de produits et services pour les hôpitaux, est bien connue pour son application informatique ASAP (*Analytical System Automated Purchasing*). Ce système permet non seulement aux hôpitaux de commander directement chez le fournisseur, mais il offre aussi des services à valeur ajoutée, comme la gestion des stocks du client. Comme la section suivante l'illustrera, le commerce électronique a multiplié les possibilités d'utilisation des technologies de l'information en relation avec le *pouvoir du client*. Les technologies de l'information peuvent avoir un effet sur la décision du consommateur en ce qui a trait aux *produits de substitution*, en influant sur le rapport qualité/prix du produit. Cela peut se faire par une diminution de prix, par l'amélioration du service ou par l'offre de nouveaux produits et services. Merryll Lynch a été l'une des premières entreprises à utiliser les technologies de l'information en ce sens, par la création — vers la fin des années 1970 — de son service financier intégré, le «Cash Management Account» (CMA), qui consistait en une combinaison de plusieurs services : obtention de crédit par le biais d'une marge de crédit, retraits à l'aide de chèques ou d'une carte de débit et placements dans des fonds gérés par Merryl Lynch. En 1983, Merryl Lynch gérait plus d'un million de comptes CMA. Bien que les composantes du service CMA aient été offertes séparément par d'autres institutions financières (banques, trusts et firmes de courtage), leur combinaison en un produit unique a donné à Merryl Lynch un avantage important sur les concurrents (Rivard & Talbot, 1998). Bien sûr, aujourd'hui, ce type de produit est courant dans le secteur financier; cependant, comme les autres entreprises du secteur ont mis longtemps à réagir, Merryl Lynch a eu un avantage concurrentiel durable. Enfin, les technologies de l'information peuvent être utilisées pour lutter contre *les entreprises d'un même secteur*. À titre d'illustration de ce type d'utilisation stratégique des technologies de l'information, Henderson et Venkatraman (1992) citent l'exemple d'American Express, qui a consacré d'importantes ressources à des technologies d'imagerie afin d'offrir à ses clients des services à valeur ajoutée (sous la forme de copie de leurs factures), dans le but de se différencier des entreprises concurrentes.

UNE RELATION D'APPRENTISSAGE AVEC UN CLIENT DE PLUS EN PLUS EXIGEANT

Le client avec lequel négocient les entreprises est de plus en plus exigeant et souhaite non pas qu'on lui offre un choix de plus en plus étendu, mais qu'on lui fournisse exactement ce qu'il veut — quand, où et de la façon dont il le veut (Pine, Peppers & Rogers, 1995). En effet, les exigences du client moderne sont multiples : ses exigences en matière de qualité sont élevées, mais le service doit être rapide ; il souhaite obtenir réponse à l'ensemble de ses besoins reliés à une catégorie de produits et services au même endroit (*one-stop shopping*), mais exige aussi d'avoir accès à un spécialiste ; il veut avoir la possibilité d'obtenir les produits et les services dont il a besoin indépendamment du lieu et de l'heure ; il ne veut pas avoir à consulter plusieurs documents au sujet du produit ou du service qu'il souhaite acquérir, mais il veut plus d'information ; et dans tous les cas, il veut payer moins cher (Booth, 1996) ! Le développement d'une relation d'apprentissage avec le client, relation qui comporte des éléments relatifs au « sur-mesure » de masse et au marketing personnalisé (*one to one marketing*), constitue pour certains une stratégie gagnante dans le contexte actuel (Peppers, Rogers & Dorf, 1999).

Le sur-mesure de masse consiste à offrir des biens et services sur mesure, c'est-à-dire en réponse aux besoins particuliers d'un client, à des coûts correspondant à une production de masse. Le cas de la firme Levi Strauss est souvent cité en exemple en raison de son service de jeans sur mesure. En effet, il est possible au consommateur, par le biais d'un site Internet, de fournir ses mensurations à un système qui « commande » la fabrication d'une paire de jeans qui lui ira parfaitement, puisqu'il aura été fabriqué sur mesure ! Hallmark Cards offre un service semblable dans certains de ses magasins, au moyen de bornes électroniques qui permettent aux clients de choisir, parmi une vaste sélection, le modèle de carte de souhaits qu'ils préfèrent, d'en modifier le design, de composer leur propre message ou de choisir parmi une série de messages et d'imprimer leur carte sur-le-champ.

Le marketing personnalisé vise à obtenir d'un client individuel de l'information au sujet de ses besoins relativement à un produit ou à un service, de même que son appréciation de la qualité de ce bien ou de ce service. Les hôtels Ritz Carlton sont reconnus pour leurs pratiques de ce type. Tous les employés de cette chaîne d'hôtels — qu'ils soient au comptoir de réception, à l'entretien ou aux restaurants — sont munis d'un « calepin des préférences des hôtes » dans lequel ils inscrivent les préférences des clients, au fur et à mesure qu'ils en prennent connaissance au cours de leurs conversations avec ces derniers ou lorsqu'ils reçoivent des demandes spéciales. Chaque jour, les données de ces calepins sont saisies dans une base de données à laquelle ont accès l'ensemble des hôtels de la chaîne ; les employés de n'importe quel Ritz Carlton partout dans le monde peuvent consulter le profil de consommation des hôtes. Par exemple, si un client qui séjourne au Ritz de Mexico demande un scotch sans glaçons ou exige des oreillers de duvet, il se verra offrir son scotch sans glaçons et des oreillers de duvet lorsqu'il séjournera dans tout autre hôtel de la chaîne.

Le développement d'une relation d'apprentissage avec le client, tel que le proposent Pine et ses collaborateurs, est une combinaison des deux stratégies précédentes, soutenue par une forte utilisation des technologies de l'information. Ces dernières sont utilisées, d'une part, pour collecter de l'information au sujet des besoins du client et de son appréciation des biens et services qui lui sont offerts et, d'autre part, pour lui offrir des biens et services sur mesure. L'exemple de la firme Peapod illustre bien cette utilisation. Peapod offre des services de supermarché virtuel. Les clients peuvent choisir la façon dont ils se déplaceront dans le « supermarché », que ce soit selon les catégories de produits (viandes et poissons, produits laitiers, etc.) selon les marques ou selon les réductions offertes. Les clients peuvent aussi créer et sauvegarder des listes d'épicerie — produits standard, préférences, etc. Une fois que le client a terminé sa liste, il la transmet à Peapod qui, grâce à des alliances avec un certain nombre de supermarchés, se charge de préparer et de livrer la commande au client. Peapod profite de cette transaction pour en apprendre plus au sujet de ses clients. À la fin de chaque séance, le client est invité à évaluer la qualité générale du service qui lui est offert. Selon Pine (1995), cette approche a permis à Peapod de fidéliser ses clients : après quatre années d'exploitation, le taux de rétention des clients était de 80 %.

LES ENTREPRISES D'AVENIR — LES NOUVELLES FORMES ORGANISATIONNELLES

Depuis les travaux de Chandler, de nombreuses études ont examiné le lien entre la stratégie, la structure et la performance organisationnelle. Les résultats de ces études ont mis en lumière l'importance de la congruence entre stratégie et structure comme antécédents de la performance. L'environnement joue un rôle critique dans la formulation et la mise en œuvre de la stratégie. L'analyse de l'environnement externe, de ses menaces et des occasions qu'il offre, est à la base même de la formulation de la stratégie.

Dire de l'environnement dans lequel sont engagées les entreprises modernes qu'il est complexe et dynamique est presque devenu un euphémisme. Des marchés saturés, la compétitivité croissante des pays à faibles coûts de production, la compétition accrue de la part des firmes multinationales, une plus grande accessibilité au savoir, des clients plus exigeants et moins fidèles et des modifications au tissu démographique sont autant de défis que doivent relever les entreprises modernes. De plus, la complexité et la rapidité des changements, qu'ils soient d'ordre social, économique ou technologique, créent des conditions qui remettent en question les prémisses sur lesquelles la plupart des organisations modernes ont été construites.

Beaucoup sont d'avis que, pour faire face aux défis de la nouvelle économie, les formes organisationnelles que sont les hiérarchies traditionnelles ne sont plus appropriées. La pyramide hiérarchique, emblème de la bureaucratie traditionnelle, n'est plus la structure organisationnelle de certaines entreprises avant-gardistes. Dès la fin des années 1980, nombre d'auteurs ont proposé de nouvelles formes organisationnelles. On parle de structure organisationnelle en réseau (Miles & Snow, 1986; Rockart & Short, 1991) ou de structure horizontale basée sur les processus plutôt que sur les fonctions (Ostroff & Smith, 1992), dans laquelle l'unité de travail est l'équipe plutôt que l'individu. Dans ce type de structure organisationnelle, les employés connaissent et comprennent la stratégie organisationnelle et ses objectifs; ils possèdent aussi une compréhension détaillée des relations entre les processus de production internes, la satisfaction de la clientèle et la performance financière de l'entreprise (Drucker, 1988; Senge, 1990; Quinn, 1992). L'information n'est plus contrôlée par la hiérarchie; elle est partagée par l'ensemble des personnes qui prennent part à un processus.

Le rôle des TI dans les structures organisationnelles traditionnelles est certes important. Par ailleurs, dans les nouvelles formes organisationnelles, le rôle des TI devient celui de catalyseur de la transformation. Selon Tapscott et Caston (1994), le rôle des TI dans les nouvelles formes organisationnelles se joue sur trois plans: le groupe de travail; l'entreprise dans son ensemble; et l'entreprise par rapport à ses partenaires.

En ce qui concerne le groupe de travail, les technologies de l'information permettent, par le biais des collecticiels et des moyens de télécommunication, la mise en place d'équipes de travail de haut niveau. Selon ces auteurs, « si elle est bien conçue et mise en place, l'informatique de groupe peut être au centre de la redéfinition des processus et des rôles. [...] Au lieu d'améliorer l'efficacité d'une tâche telle que la rédaction d'un rapport ou la préparation d'un budget, l'objectif est d'améliorer l'efficacité et les performances du groupe de travail dans son ensemble » (Tapscott & Caston, 1994, p. 33).

Les logiciels de dernière génération, appelés solutions intégrées (*Enterprise Resource Planning Systems*) permettent aussi à l'organisation de fonctionner comme un tout intégré, malgré une grande autonomie de ses unités fonctionnelles. Selon Tapscott et Caston, ce type d'architecture informatique permet à l'entreprise de « dépasser les hiérarchies : les différents niveaux d'encadrement ne sont plus nécessaires puisque l'information est disponible instantanément sur support électronique. Ces architectures devraient permettre à l'entreprise [de créer] de nouvelles applications capables de transcender les nouvelles unités fonctionnelles autonomes » (p. 35). Enfin, par le commerce électronique, les technologies de l'information permettent l'avènement de l'entreprise virtuelle par l'établissement de liens avec des entreprises externes et, jusqu'à un certain point, par l'intégration des chaînes de valeur de différents partenaires.

UNE QUESTION DE CONGRUENCE

Les différents exemples que nous avons donnés illustrent le rôle critique, voire essentiel, que jouent les technologies de l'information par rapport à la performance organisationnelle. Ils démontrent aussi le rôle que joue la prise de conscience, par la haute direction des entreprises, de la nature stratégique des technologies de l'information. L'ex-président de People Express, Donald Burr, l'avoue lui-même : c'est en grande partie une myopie managériale qui a entraîné la faillite de son entreprise. Selon Venkatraman (1991), pour que les technologies de l'information aient un véritable impact stratégique, deux tâches importantes incombent aux dirigeants d'entreprise. La première est de s'assurer de la congruence entre la stratégie et les technologies de l'information. La seconde consiste à redéfinir le rôle des technologies de l'information : d'un rôle de soutien, les technologies doivent passer à un rôle d'élément critique, tant sur le plan de la formulation de la stratégie que de sa mise en œuvre.

R É A L I S E R   L A   S T R A T É G I E : A V A N T   T O U T   U N E   Q U E S T I O N D E   R E S S O U R C E S   H U M A I N E S

p a r   A l a i n   G o s s e l i n

The value decade has already begun, with global price competition like you've never seen. It's going to be brutal...Only the most productive companies are going to win...The only way I see to get more productivity is by getting people involved and excited about their jobs... I am as sure as I've ever been about anything that this is the right road [1].

Jack Welch (1993), PDG de General Electric

Ces commentaires du président de General Electric (GE), l'entreprise considérée par certains observateurs comme la plus compétitive au monde, traduisent très bien les propos de ce texte. Les entreprises qui vont survivre et gagner dans le nouveau contexte économique sont celles qui sauront optimiser la réalisation de leur stratégie d'affaires, et le facteur humain y jouera un rôle prépondérant. Les entreprises qui l'auront compris et auront su développer les capacités de leur personnel, et miser sur ces capacités, devraient en sortir gagnantes.

Ces constats ne sont pas nouveaux. De nombreux livres et rapports de recherche furent écrits au cours des dernières années sur les changements qui redéfinissent notre environnement économique (Beck, 1994 ; Courville, 1994) et le marché du travail (CCMTP, 1988) de même que sur l'urgence de considérer les employés comme une ressource stratégique (Beaulieu, 1992 ; Pfeffer, 1994). Toutefois, il nous semble urgent de revenir sur certains arguments de ce discours. Les propos suivants de consultants travaillant pour la firme Towers Perrin (Takla & Turnbull, 1994, p. 1) nous permettent de comprendre pourquoi :

---

1. Une décennie centrée sur la valeur est déjà commencée, avec une compétition globale sur les prix comme on n'en a jamais vu. Ça va faire mal... Seules les entreprises les plus productives seront gagnantes... Le seul moyen de gagner en productivité consiste à mobiliser les employés face à leur travail... S'il y a une chose dont je sois certain, c'est que c'est la voie à suivre.

Des PDG nous demandent pourquoi leurs stratégies d'affaires, pourtant bien conçues, ne leur permettent pas de devancer la concurrence. Tant que la discussion porte sur les produits, les marchés ou les prix, tout est clair. C'est quand on aborde la question des ressources humaines que les perspectives deviennent plus incertaines.

Du côté de la formulation de la stratégie, les dirigeants ont consacré beaucoup de temps et d'argent à comprendre pourquoi les changements radicaux que nous vivons se produisent, comment ils sont liés et quelles sont les opportunités et les contraintes qui se profilent derrière ces changements. De ces analyses ils en ont tiré des stratégies d'affaires qui sont généralement pertinentes, mais aussi probablement similaires à celles de leurs compétiteurs. En effet, comme les entreprises dans une même industrie partagent les mêmes données et s'observent de très près, il n'est pas étonnant de constater qu'elles décident souvent de poursuivre des stratégies et des tactiques similaires. Donc, comme l'a affirmé Schneier (1990, p. 10) dans un rapport aux chefs d'entreprise de l'*American Management Association*, ce n'est probablement plus la stratégie adoptée mais plutôt sa mise en œuvre qui va déterminer qui seront les gagnants et les perdants.

La véritable question à la base de la réussite à long terme peut dorénavant s'exprimer ainsi: comment réaliser les stratégies d'affaires plus rapidement et de façon plus performante que nos concurrents? C'est sur ce terrain que se situe le véritable champ de bataille. L'objectif de ce texte est de montrer que ce terrain est également celui de la gestion des ressources humaines.

UN NOUVEAU PARADIGME

Nous sommes entrés progressivement dans une nouvelle ère économique qui se caractérise par une transformation radicale de la notion de valeur. Encore au début des années 1990, les actifs financiers et physiques étaient toujours considérés comme les plus critiques pour le succès d'une entreprise. Cependant, tout indique que les avantages financiers ou physiques exerceront un rôle stratégique décroissant dans l'avenir parce que trop faciles à imiter ou à dépasser. Dans la plupart des entreprises, le capital humain est destiné à les remplacer, à devenir la ressource la plus critique.

Ce constat découle directement de la nature des activités dites stratégiques ou à valeur ajoutée pour les entreprises. Mentionnons, entre autres, la recherche et le développement, la capacité de voir venir les besoins des marchés et d'innover, la fiabilité du service, l'amélioration continue de la qualité ou encore la capacité de développer des réseaux de contacts et d'entretenir des relations qui ouvrent la voie à de nouvelles synergies avec les fournisseurs, les clients et même les compétiteurs. Comme ces activités exigent l'acquisition, l'échange et le traitement d'information entre individus sur une base continue et font grandement appel aux capacités d'apprentissage de ces derniers, elles peuvent être considérées comme essentiellement intellectuelles. En conséquence, elles ont la caractéristique d'être grandement dépendantes des connaissances, habiletés et efforts des employés qui travaillent à tous les niveaux au sein de l'entreprise. Par contre, elles ont aussi le net avantage d'être rares et difficilement imitables.

D'après Quinn (1992), l'un des professeurs de stratégie les plus respectés, ce changement radical de la notion de valeur en faveur des activités à forte teneur humaine aura des répercussions majeures sur les orientations stratégiques des entreprises et sur la façon d'entrevoir leur gestion.

> With little fanfare, over the last several decades the development and management of services, service technologies, and human intellect have emerged as the primary determinants of business and national economic success... Now and in the future, effective strategies will depend more on the development and deployment of intellectual resources than on the management of physical and fiscal assets...This reordering has profound implications for the way all managers need to think about their competitive environments, strategic options, leverage opportunities, potential coalition partners, and the very nature of their businesses [2]. (p. 33)

Quand les principaux actifs d'une entreprise sont contenus dans les connaissances et les habiletés des employés plutôt que dans les stocks, les immeubles et la machinerie, les gestionnaires responsables des orientations stratégiques d'une entreprise n'ont pas d'autres choix que de mettre le facteur humain au centre de leurs préoccupations.

UN PARADOXE AUX CONSÉQUENCES DÉTERMINANTES POUR LA RÉALISATION DE LA STRATÉGIE

Malheureusement, la reconnaissance du fait que les entreprises deviennent de plus en plus dépendantes de leurs ressources humaines et une réflexion

---

2. Durant les dernières décennies, le développement et la gestion du secteur des services, les technologies propres à ce secteur et l'intelligence humaine sont apparus, sans crier gare, comme les principaux facteurs de succès en affaires et dans l'économie des pays... Maintenant et à l'avenir, la réalisation de stratégies dépendra plus de l'utilisation des ressources intellectuelles que de la gestion des actifs physiques et financiers... Ce réaménagement a des conséquences importantes sur la manière dont les dirigeants devront aborder leur environnement compétitif, leurs options stratégiques, les occasions d'affaires, les ententes avec leurs partenaires et la nature même des activités de leurs entreprises.

sérieuse sur les façons d'en tenir compte ne font que débuter dans de nombreuses entreprises. Il est vrai que l'importance stratégique des employés est souvent reconnue en parole ou sur papier, particulièrement dans les énoncés de mission et les rapports annuels. Mais cette reconnaissance ne se traduit pas toujours dans les actions et décisions critiques des entreprises. Encore trop souvent, les dirigeants n'accordent de l'attention aux enjeux des ressources humaines que lorsqu'une crise survient. Le sous-investissement chronique dans le développement des compétences et les rationalisations massives des effectifs comme premier geste de redressement d'une entreprise en perte de vitesse sont des exemples éloquents de la place marginale encore occupée par le facteur humain. Le discours traduit davantage un souhait qu'une réalité.

Ce paradoxe entre l'aspect stratégique du facteur humain et l'attention marginale qui lui est portée n'est pas sans avoir des conséquences négatives sur la capacité des entreprises à mettre en œuvre leurs stratégies avec succès. Une première conséquence, pour les entreprises, est le risque de perdre la contribution spontanée de leurs ressources humaines, laquelle constitue en fait une bonne partie de leur capacité à compétitionner. Cette contribution spontanée des individus est fonction de la présence d'un «contrat psychologique ou tacite» entre son employeur et chaque individu. Ce contrat précise ce que l'employé peut attendre de l'entreprise et ce qu'elle attend de lui en retour.

Historiquement, ce contrat était généralement simple: une rémunération équitable et une certaine sécurité d'emploi contre une bonne journée de travail et la loyauté envers son employeur. Or, les événements récents nous ont démontré que de nombreuses entreprises ont brisé ce contrat de façon unilatérale (gel ou baisse de salaire, perte de la sécurité d'emploi, plafonnement de la carrière, etc.) tout en exigeant des contributions toujours plus élevées de la part des employés (performance supérieure, compétences plus élevées, plus grande mobilité, partage de ses idées, etc.). À moins qu'elles ne puissent recréer un nouveau contrat sur d'autres bases, ces entreprises se trouvent actuellement très vulnérables (Rousseau, 1996).

D'autre part, ce paradoxe a aussi comme conséquence de rendre les employés sourds et même cyniques devant les discours de la haute direction. L'absence de considération des ressources humaines amène souvent les dirigeants à ne pas mettre les employés «dans le coup» au moment de la formulation de la stratégie. C'est donc à une main-d'œuvre non sensibilisée à l'urgence de changer et par conséquent résistante face aux solutions qui sont proposées par l'entreprise que les dirigeants s'adresseront au moment du passage de la formulation à la réalisation de la stratégie. Il est alors illusoire de croire que, à la suite d'un discours du PDG ou de la lecture d'un bref document, un nombre important d'individus, qui d'ailleurs devront «payer» le prix des nombreux changements inclus dans la stratégie, deviendront aussi enthousiastes et engagés par rapport au projet qui leur est soumis que les dirigeants qui eux ont cheminé dans leur réflexion pendant des mois, et ce, grâce à l'aide de consultants externes. D'ailleurs, certaines recherches indiquent que les employés sont de plus en plus cyniques en entendant les paroles de dirigeants qui veulent les inciter à participer activement à la réalisation de leurs priorités stratégiques (Mirvis, 1993).

Enfin, d'autres études (Scoka, 1994) démontrent que la très grande majorité des entreprises ont un problème, souvent sérieux, à obtenir la performance attendue. Cette lacune dramatique est probablement une autre conséquence de ce paradoxe, car les entreprises connaissent bien les causes de cette sous-performance, mais elles négligent d'agir sur elles (Lefèvre, 1993).

Par exemple, on attache peu d'importance à des actions aussi essentielles que le partage des valeurs de l'entreprise, le renforcement de l'esprit d'équipe, la communication d'attentes spécifiques à chacun ou encore l'accès à une rétroaction continue sur sa performance ou celle de l'équipe.

RÉUSSIR LA STRATÉGIE

Dans mes séances de formation auprès de dirigeants et de gestionnaires, j'ai pris l'habitude de débuter par une image qui illustre le paradoxe décrit précédemment et ses conséquences. Il s'agit de deux Vikings qui sont placés à l'avant du drakkar qu'ils dirigent. Ils regardent au large, devant eux. La mer est houleuse et de toute évidence le voyage ne sera pas de tout repos. Dans le bateau, huit rameurs leur font dos, quatre de chaque côté du bateau. L'image montre qu'ils ne rament pas à l'unisson et qu'en plus les rameurs ayant de gros bras sont tous du côté gauche, alors que les autres, beaucoup plus chétifs, se trouvent à droite. Dans un tel contexte, il n'est pas étonnant d'entendre un Viking dire à son compagnon : « As-tu aussi cette étrange impression que nous tournons en rond ? »

Cette image illustre parfaitement bien mes propos. Les dirigeants sont souvent seuls en haut de l'entreprise et sont surtout concernés par l'environnement externe afin de déterminer et de comprendre les nombreux changements qui ne cessent de se produire dans un environnement turbulent. Ce faisant, ils tournent le dos à leurs employés qui font de même.

Ils ont souvent les ressources humaines requises pour réaliser le projet qu'ils proposent pour l'entreprise. Cependant, leur manque de considération pour les ressources humaines, particulièrement en ce qui concerne leur contribution à définir ce projet, leurs compétences et la façon dont ils sont organisés les empêchent d'arriver à bon port. Ils n'ont pas encore reconnu qu'ils étaient dépendants des employés pour se rendre où ils veulent aller. Même s'ils décidaient de se retourner et de s'adresser directement au personnel, ils ne seraient probablement pas écoutés, car leurs employés leur feraient toujours dos. Pendant ce temps, ces derniers seraient peu productifs et peu engagés, car ils auraient le sentiment d'être dans une galère qui par surcroît ne ferait que tourner en rond.

Les façons de réussir la mise en œuvre de la stratégie sont maintenant apparentes. Il est nécessaire que tous les membres du personnel, particulièrement ceux qui sont essentiels à la réalisation de la stratégie, donc souvent les employés de la base qui font face au client ou au produit, adhèrent à cette stratégie et y contribuent de façon optimale. Pour cela, ils devront apporter leur contribution à la définition de cette stratégie, connaître les attentes à leur égard, être responsabilisés par rapport à ces attentes, posséder les compétences requises pour accomplir pleinement leur mandat, bénéficier d'une rétroaction continue leur permettant de s'améliorer, être reconnus pour leur contribution, être appuyés par leur superviseur et travailler dans un environnement stimulant.

C'est donc le désir et la capacité des dirigeants et des gestionnaires à gérer stratégiquement les ressources humaines qui détermineront véritablement la compétitivité de l'entreprise au cours des prochaines années. Comme nos deux Vikings, ils n'ont pas d'autres choix que de se tourner vers ceux qui vont leur permettre d'atteindre leurs objectifs, de descendre auprès de leurs employés afin de leur faire face et de leur expliquer la destination du voyage et la façon d'y arriver efficacement.

Chapitre VIII

STRUCTURE, CULTURE ET LEADERSHIP

C'est par la combinaison, parfois rustique, parfois savante, des mécanismes de gestion qu'on donne vie à la stratégie de l'organisation.

Dans ce chapitre, nous allons évoquer quels sont ces mécanismes de gestion et ce que nous savons, de manière générale, à propos de leur utilisation.

Quelles que soient les typologies utilisées, on retrouve toujours trois grands types de mécanismes de gestion:

1. Des mécanismes dont les effets sont à court terme, comme les systèmes de mesure de la performance, de contrôle, de promotion et de rémunération.

2. Des mécanismes dont les effets sont à moyen terme, comme la structure organisationnelle, la formation des cadres, le recrutement du personnel et la planification.

3. Des mécanismes dont les effets sont à long terme, comme le recrutement des cadres, l'idéologie et la culture.

En général, ces mécanismes ont pour objectifs la mise en ordre de l'action et la stimulation, matérielle ou idéelle, des efforts des personnes.

Nous proposons donc une typologie qui utilise ces deux dimensions: temps de réponse (court, moyen et long terme) et objectifs (mise en ordre, stimulation matérielle et stimulation idéelle). Le tableau 1 identifie les mécanismes qui en résultent.

Nous allons reprendre chacun des mécanismes mentionnés et décrire, de manière plus détaillée, leurs effets et la pertinence de leur utilisation. Il faut retenir que ce qui arrive à l'organisation est la résultante de l'ensemble des actions qui sont entreprises et que ces actions sont en interaction, produisant des effets qui ne sont pas toujours aussi simples que ce que l'on prévoit.

Tableau 1   La typologie des mécanismes de mise en pratique de la stratégie

Objectifs	Temps de réponse		
	Court	Moyen	Long
Mise en ordre	Système de mesure de la performance, de rémunération, de promotion.	Structure périphérique, planification, formation des cadres, recrutement général.	Structure profonde, recrutement des cadres.
Stimulation matérielle	Système de rémunération, de sanction.	Système de promotion, de participation aux bénéfices.	
Stimulation idéelle	Prise de position des dirigeants sur les grandes questions de l'heure.	Stratégie formulée; responsabilité vis-à-vis de la communauté.	Idéologie, culture, vision du monde.

I. LES MÉCANISMES DE MISE EN ORDRE

La mise en ordre est absolument essentielle pour l'action collective. Pour que l'œuvre de l'organisation soit supérieure à la somme des actions isolées des individus, il est nécessaire que les actions convergent. Barnard (1938) décrivait cela comme étant la nécessaire coopération. Il ajoutait :

> Organization, simple or complex is always an impersonal system of coordinated human efforts; always there is purpose as the coordinating and unifying principle, always... indispensable ability to communicate, always the necessity for personal willingness and for effectiveness and efficiency in maintaining the integrity of purpose and the continuity of contributions...[1]

Barnard (1938)

1. L'organisation, simple ou complexe, est toujours un système impersonnel d'efforts humains coordonnés. On y retrouve toujours la finalité comme principe unificateur et coordonnateur, toujours... la capacité indispensable à communiquer, toujours la nécessité pour une volonté personnelle (à coopérer) et toujours le besoin d'efficacité et d'efficience pour le maintien de l'intégrité de la finalité et la continuité des contributions.

Les éléments de mise en ordre permettent surtout de préciser comment la tâche globale de l'organisation devra être entreprise pour offrir plus d'efficacité et d'efficience et, en particulier, comment elle sera coordonnée. Un autre élément important est le suivi et l'appréciation des effets des mécanismes utilisés. L'objet, comme l'affirmait Barnard, est de maintenir le cap, d'éviter la dérive en matière de finalité, et de maintenir la continuité des contributions.

La définition de la finalité comprend des aspects durables, qui définissent la personnalité de l'organisation, et d'autres qui sont plus conjoncturels, qui sont ajustés en fonction des circonstances et des actions entreprises par la concurrence. Les premiers sont ceux qui font partie de la structure profonde.

A. LA STRUCTURE PROFONDE OU LA FINALITÉ COMME INSTRUMENT

Dans sa définition du concept de stratégie, Andrews (1987) parle de ces éléments durables et suggère que ce soient les éléments qui permettent de définir la personnalité de l'organisation :

> *Corporate strategy is the pattern of major objectives, purposes or goals and essential policies and plans for achieving those goals, stated in such a way as to define what business the company is in or is to be in and **the kind of company it is or is to be** [2].*

Pour bien souligner le rôle éminemment pratique que ces éléments jouent, il ajoute :

> *From **the point of view of implementation**, the most important function of strategy is to serve as the focus of organizational effort, as the object of commitment and the source of constructive motivation and self-control in the organisation itself [3].*

Les travaux de McKinsey (*Financial Post*, 1981) sur le rôle de la mission d'une organisation vont aussi dans le même sens :

---

2. La stratégie corporative est révélée par les régularités qui apparaissent dans les objectifs, finalités, buts et dans les plans ou politiques essentiels, établis pour atteindre ces buts, exprimés de telle sorte que cela définisse le type d'activité qu'on a ou qu'on veut poursuivre et le type d'entreprise qu'on est ou veut être.
3. Du point de vue de la mise en œuvre, la fonction la plus importante de la stratégie est de servir à focaliser les efforts organisationnels, à servir d'objet d'engagement et de source de motivation et d'autocontrôle constructifs dans l'organisation elle-même.

*Clearly, the excellent company CEO is saying something important and funda-
mental about the business that expresses its identity, character and long-term
sense of direction. These visions are not bromides to be dug out and dusted off
at annual-report time, but rather a life-force that breathes purpose, energy,
and continuity into the company and provides a practical framework for the
day-to-day guidance of its employees [4].*

Prenons quelques exemples.

Si l'on parle d'une entreprise comme Kodak, on pense automatiquement
aux films de photographie et à leur qualité. De même, Polaroid est identifiée
à la photo instantanée. Toutes les grandes entreprises sont ainsi associées, dans
l'esprit des publics interne et externe, à des caractéristiques de leur fonctionnement ou de leurs activités. Fait plus important, ces associations ont une
influence décisive sur le comportement des membres de l'organisation.

Ces caractéristiques sont difficiles à changer mais, lorsque l'organisation
est capable de le justifier, le changement peut se faire sans drame. Ainsi, dans
la société GE, les petits équipements ménagers étaient souvent associés, dans
l'esprit du public et du personnel, au cœur des activités de cette société.
Pourtant, en 1989, cette société a été capable de s'en défaire en les vendant à
Black & Decker. GE, dont les nouveaux objectifs étaient de ne rester que
dans les marchés où elle pouvait maintenir une position favorable, soit la première ou la deuxième, justifia la vente sur la base de son incapacité à faire de
ces activités des activités à succès et de la capacité de B&D à mieux faire
qu'elle. Cependant, GE n'a jamais osé sortir du marché des lampes, son activité d'origine, malgré les hauts et les bas de ce marché.

La structure profonde est donc constituée des facteurs durables de la
stratégie. Cette structure, par sa nature, se rapproche de ce qu'on appelle la
culture. En fait, la différence avec la culture est probablement plus une question de degré que de nature. De manière plus spécifique, les caractéristiques
de la culture peuvent être précisées comme suit (Hafsi & Fabi, 1996):

- son caractère « holistique »
- sa détermination historique
- ses référents théoriques de nature anthropologique
- sa construction sociale
- son caractère « mou » (*soft*)
- la grande difficulté de la modifier

---

4. Les présidents de compagnie excellents disent clairement des choses importantes et fondamentales à propos des activités de l'organisation, qui expriment son identité, son caractère et sa direction à long terme. Ces visions ne sont pas de la
poudre aux yeux qu'on déterre à chaque rapport annuel, mais plutôt une force de vie qui insuffle finalité, énergie et continuité dans la compagnie et fournit le cadre pratique pour guider les actions quotidiennes des employés.

- son caractère unique et idiosyncratique, malgré une certaine universalité de quelques valeurs fondamentales
- son influence potentiellement déterminante sur l'efficacité organisationnelle

Par ailleurs, la définition communément admise a été exprimée comme suit (Schein, 1985) :

> *Un ensemble de postulats de base, de valeurs, de normes et d'artefacts, partagés par les membres d'une organisation afin de leur permettre de donner un sens à cette dernière. Ces points de repère significatifs, s'étant avérés suffisamment efficaces pour être considérés comme valables, indiquent comment le travail doit être fait et évalué, et comment les employés doivent interagir entre eux ainsi qu'avec des interlocuteurs importants tels que les clients, les fournisseurs ou les agences gouvernementales.*

Le mérite et le problème de la structure profonde est qu'on ne peut la changer aisément. Néanmoins, elle contraint l'action ou la facilite, selon le cas. Le gestionnaire doit constamment avoir cela à l'esprit.

B. LA STRUCTURE ORGANISATIONNELLE

C'est probablement le facteur le plus important et le plus discuté dans la littérature de la gestion stratégique. Depuis les travaux de Chandler (1962), la structure est un facteur inséparable des traités de stratégie. Chandler a proposé que la structure organisationnelle évoluait suivant un cycle qui s'apparente au cycle stratégique. De la même manière que la stratégie semble évoluer vers la croissance, la consolidation, puis, plus de croissance mais avec diversification, la structure évolue d'un schéma de fonctionnement simple, à une structure décentralisée par produits ou régions, en passant par une structure fonctionnelle centralisée.

Les études et les écrits empiriques ont été très nombreux sur la relation entre la stratégie et la structure. Quelle que soit l'optique qu'on adopte, déterministe ou volontariste, on ne peut manquer de noter que la structure et la stratégie semblent de toute façon intimement associées et, s'il n'y avait pas de cohérence entre elles, on ne pourrait s'attendre à une performance acceptable.

Une question importante est alors de savoir quel degré de structure on doit avoir pour un fonctionnement satisfaisant. Dans son étude, McKinsey (1981) répond que « la structure ne doit être ni trop lâche ni trop étroite » et rajoute ceci :

Every large and complex enterprise faces a fundamental paradox. On the one hand, senior managers need to be certain that, in a competitive and tough business environment, they are positioned to pull the levers that result in an adequate and timely response to key changes. On the other hand, they must guard zealously against imposing controls so rigid as to choke the life from the organization[5].

On pourrait alors se demander s'il n'existe pas des relations stratégie-structure qui s'imposent selon les situations. C'est la réponse à cette question que Mintzberg (1978) a entrepris de donner en proposant une synthèse de la littérature et en introduisant son idée de configurations structurelles.

Mintzberg a suggéré que les structures se présentent en configurations reconnaissables et il propose des variables pour les identifier. Parmi les variables importantes qu'il avance, on peut en retenir deux importantes: 1) la division du travail (ou encore les différentes parties de l'organisation) et 2) la coordination du travail. Selon cet auteur, ces deux dimensions (et toutes les autres) ne se combinent pas de n'importe quelle manière. On ne retrouve en réalité que cinq combinaisons possibles, donnant ainsi naissance à cinq types de structures.

En matière de division du travail, cinq parties permettent de décrire toutes les organisations:

- Le sommet stratégique (généralement la haute direction et ceux qui l'assistent directement);
- Le noyau opérationnel, composé des personnes qui produisent les services ou les produits qui sont la raison d'être de l'organisation;
- La technostructure, ou l'ensemble des professionnels dont la mission est d'établir les standards (de travail, de résultats, de savoir-faire) pour les autres;
- Le personnel de soutien, qui réalise des activités qui ne sont pas liées à la mission première de l'organisation et qui, à la limite, pourraient être obtenues de l'extérieur;
- La ligne hiérarchique, qui apparaît lorsque l'organisation prend une dimension importante.

De même, on ne retrouve que cinq modes de coordination utilisés par toutes les organisations:

- la supervision directe;
- l'ajustement mutuel;
- la standardisation du travail;

---

5. Toute grande entreprise complexe fait face à un paradoxe fondamental. D'une part, les dirigeants principaux ont besoin de croire que, dans un environnement concurrentiel difficile, ils ont la compréhension et le contrôle des leviers qui permettent une réponse convenable et appropriée dans le temps pour faire face aux changements importants qui se produisent. D'autre part, ils doivent faire très attention à ne pas imposer des contrôles si rigides qu'ils risquent d'étouffer l'organisation.

- la standardisation du savoir-faire ;
- la standardisation des résultats.

Les cinq principaux modes de coordination et les cinq parties de l'organisation qui sont dominantes se combinent « de manière naturelle » pour donner cinq structures génériques qui sont les suivantes :

1. **La structure simple**, lorsque la partie dominante est le sommet stratégique et que le mode de coordination principal est la supervision directe. Généralement, ce genre de structure est très peu formalisé. Il n'y a donc pas de technostructure, ni de ligne hiérarchique, ni souvent de personnel de soutien. Cette structure est très adaptée à des innovations simples et rapides, dans des environnements changeants.

2. **La bureaucratie mécaniste**, lorsque le mode de coordination principal est la standardisation du travail et donc que la partie dominante est la technostructure (qui établit les standards). Dans ce cas, l'organisation est très développée avec une ligne hiérarchique substantielle et un personnel de soutien important. Ce genre de structure convient bien pour la production de masse, dans des environnements stables.

3. **La bureaucratie professionnelle** est une structure dans laquelle la partie importante est le noyau opérationnel, formé des professionnels, et le mode de coordination principal est la standardisation du savoir-faire. Il n'y a généralement pas de technostructure parce que les professionnels résistent à toute tentative de standardisation du travail. Par contre, le personnel de soutien a tendance à être très important. Ce genre de structure convient bien pour des activités qui requièrent un savoir-faire complexe, dans un environnement qui est relativement stable.

4. **L'adhocratie** est une structure où le mode de coordination principal est l'ajustement mutuel et la partie importante est alors le personnel de soutien, parce que c'est la partie la plus permanente de l'organisation. Il n'y a dans cette structure que peu de technostructure, et l'organisation est généralement en flux constant, avec des regroupements provisoires de professionnels pour répondre à des besoins spécifiques temporaires. Ce genre de structure est très adapté à l'accomplissement de tâches uniques et donc à l'innovation.

5. **La structure divisionnalisée** est une structure dont les unités peuvent être des structures de tous les autres types. C'est une forme dans laquelle le mode de coordination principal est la standardisation des résultats et, en conséquence, la partie principale est la ligne hiérarchique. Cette structure est très bien adaptée à des situations où les activités sont multiples et diversifiées. Mintzberg proposait au départ une description légèrement différente de ce qui est proposé ici et pensait que cette configuration était instable. *Nous ne partageons pas cette opinion.*

Il est utile aussi de mentionner les travaux de l'école de la contingence. Les recherches de Woodward (1965) sur des entreprises anglaises au cours des années 1950 ont montré que la structure d'une firme est étroitement liée à son système technique de production. Ainsi, une production de masse allait bien avec une structure formalisée, tandis que les entreprises ayant une production sur mesure ou à processus automatisé avaient tendance à être organisées de manière plus souple.

Lawrence & Lorsch (1967) étudièrent, quant à eux, trois industries : celle des conteneurs, celle de l'alimentation et celle des plastiques. Ils trouvèrent que l'environnement jouait un rôle important dans la détermination de la structure. Ainsi, les entreprises de conteneurs dont l'environnement était simple et stable, avaient une structure basée sur la standardisation et la supervision directe ; en revanche, les entreprises de plastique, faisant face à un environnement plus complexe et plus dynamique, avaient une structure basée sur une coordination par ajustement mutuel. Les firmes de l'alimentation avaient une situation et une structure mitoyennes.

Finalement, c'est Thompson (1967) qui articula de manière élaborée la théorie de la contingence. L'hétérogénéité et le dynamisme de l'environnement, ainsi que la nature de la technologie dans le noyau technologique, modifient les réponses organisationnelles les plus rationnelles. Ces travaux ont été pris en compte par Mintzberg dans sa remarquable synthèse sur la structure (1978).

C. LA PLANIFICATION

La planification est « une prise de décision par anticipation », disait Ackoff (1970). Lorsqu'on planifie, on décide ce qu'il faut faire et comment on va le faire, avant l'action. D'une certaine manière, la planification permet de structurer l'élaboration et la mise en œuvre systématique des éléments de la stratégie.

La planification est nécessaire lorsque le futur désiré implique un ensemble de décisions interdépendantes. La complexité vient justement de l'interdépendance, et la planification permet de réduire la complexité par la décomposition. Ainsi, un ensemble de décisions peut être trop important pour être pris en charge simultanément. On procède alors à une division par étapes qui peuvent être réalisées séquentiellement par un individu ou une organisation ou simultanément par plusieurs individus ou organisations (Ackoff, 1970).

Il arrive aussi qu'on ne puisse pas diviser l'ensemble de décisions en sous-ensembles indépendants. Les décisions à prendre avant ou après doivent être considérées ensemble, d'où l'importance de la planification.

La planification apparaît ainsi comme un processus dont l'objectif est de faciliter l'atteinte d'un but. En planification, on peut normalement toujours réexaminer les décisions déjà prises et en tenir compte pour la compréhension, voire la modélisation, du futur. Finalement, un système de planification doit en principe prendre en considération l'idée que le système observé et son environnement changent constamment.

La planification est largement utilisée par les entreprises. Elle semble parfois à l'origine de beaucoup de problèmes et de rigidités, mais elle peut aussi faciliter l'adaptation et la participation dans des situations de forte ambiguïté et dans des organisations à haut niveau de complexité (Hafsi & Thomas, 1989).

La société GE a apporté une grande contribution au développement de la planification. Elle a notamment, en collaboration avec les grandes sociétés américaines de conseil en stratégie, donné naissance au fameux modèle de portefeuille aujourd'hui très utilisé dans l'analyse stratégique lorsque les activités sont très diversifiées. De manière générale, les outils de la planification sont nombreux, mais parmi les plus utilisés, on peut mentionner (Thiétart, 1983):

- le PIMS (*Profit impact of marketing strategy*);
- la courbe d'expérience;
- le modèle de portefeuille (variante BCG et variante GE);
- le modèle de l'allocation des ressources (Bower, 1970);
- le modèle du cycle de vie du produit (ADL, 1979);
- le modèle du vecteur de croissance d'Ansoff (1965).

De nombreux débats secouent régulièrement la communauté universitaire sur l'utilité de la planification (Mintzberg, 1994; Chakravarthy & Lorange, 1991), mais les résultats empiriques (Frederickson, 1984; Frederickson & Mitchell, 1984; Frederickson & Iaquinto, 1989) semblent suggérer que les démarches systématiques de la planification soient associées aux meilleurs résultats.

D. LE RECRUTEMENT DES CADRES

Les spécialistes du recrutement des cadres (*head hunters*) font des affaires d'or à trouver pour les entreprises les personnes les plus compétentes pour pourvoir aux postes de cadres supérieurs, des personnes capables de relever les défis associés à la stratégie de l'entreprise concernée. C'est pour cela que les mandats de recrutement de dirigeants d'entreprise commencent toujours par la clarification de la stratégie de celle-ci: on peut orienter la recherche vers un dirigeant qui va être capable de réaliser la stratégie ou vers un dirigeant qui devra amener l'entreprise à se donner une stratégie. Dans les deux cas, on suppose qu'il y a un lien étroit entre la personne et la stratégie.

Le recrutement des cadres change la composition de la population des personnes qui sont essentielles au fonctionnement de l'organisation. Dans certaines organisations, comme les universités ou les hôpitaux spécialisés (hôpitaux psychiatriques), la modification du comportement ou un changement important ne peuvent se faire que si l'on change la composition de la population clé, qui est constituée par les professeurs ou les médecins spécialistes.

La nature même de l'organisation est fondamentalement influencée par la nature du noyau central du personnel qui la constitue. Selznick (1957) suggérait que c'était là un élément critique pour la survie de l'organisation. Pour lui, l'une des tâches les plus importantes pour les dirigeants d'une organisation était justement « le recrutement et la protection des élites ».

La qualité du recrutement permet d'aller chercher les personnes qui ont les dispositions d'esprit et les qualités requises pour faciliter la réalisation de la finalité de l'organisation. Dans sa théorie de la coopération, Barnard (1938) insistait sur le fait que des personnes qui approuvent les objectifs de l'organisation ou qui s'y identifient vont coopérer à un coût qui est beaucoup plus faible que celles qui désapprouvent ces objectifs. Le recrutement des cadres, lorsqu'il est bien fait, permet donc d'harmoniser dès le départ les objectifs des personnes les plus cruciales pour l'organisation avec les objectifs de l'organisation.

Cependant, le recrutement des cadres n'a un effet sensible sur l'organisation que lorsque le nombre de cadres recrutés est suffisamment grand pour que la personnalité des personnes change celle de l'organisation. Ceci ne peut se produire qu'à long terme ou lorsqu'une organisation est créée *de novo*.

E. La formation des cadres

Simon (1945) avait déjà, dans ses premiers écrits, montré l'importance de la formation pour accroître la rationalité des personnes dans les organisations. Les cadres jouent un rôle spécial (Hafsi, 1985), surtout dans les organisations à haut niveau de complexité. Les grands dirigeants et les grands constructeurs d'empire ont toujours beaucoup mis l'accent sur cet aspect.

Par exemple, au début de la révolution soviétique, Lénine a tout de suite mis en place tout un programme dans lequel la formation et la consolidation de « l'avant-garde socialiste » étaient la clé. Selznick (1957), dans son étude du leadership dans les organisations, confirme aussi l'importance de ce qu'il appelle la formation, le développement et la protection des élites.

F. Le recrutement général

La composition de l'organisation et sa santé à moyen terme sont directement touchées par le recrutement. En recrutant les personnes aujourd'hui, on achète l'essence du comportement de demain. Selon la nature de l'organisation, l'effet du recrutement peut se manifester à plus ou moins long terme.

Pour une organisation dont les caractéristiques ressemblent à celles d'une « bureaucratie mécaniste » (Mintzberg, 1978), le recrutement a un effet rapide. Malgré tout, le comportement prend un certain temps avant de se stabiliser, sauf lorsque, comme dans l'industrie de l'automobile, la culture de l'industrie est forte et pénètre largement la culture de l'organisation. Dans ce cas, le comportement est quasiment standardisé et transmis par les syndicats ou la pression sociale à l'intérieur de l'organisation.

Pour une organisation dont les caractéristiques ressemblent à celles d'une « bureaucratie professionnelle » ou à celles d'une « adhocratie », c'est par exemple le cas d'une université ou d'un hôpital, le comportement est directement relié à la nature des professionnels recrutés. Dans ce cas, l'effet est à beaucoup plus long terme, surtout parce que les recrutements sont rarement massifs et que les personnes en place dominent la vie organisationnelle.

Ainsi, les entreprises automobiles japonaises ou coréennes qui ont investi en Amérique du Nord (Pascale, 1990) ont démontré qu'il était possible d'engendrer assez rapidement des comportements nouveaux grâce au recrutement et à d'autres initiatives complémentaires (formation, stimulation, notamment). Par contre, l'expérience universitaire (March & Olsen, 1977) a montré que les comportements changeaient très lentement avec le recrutement, mais que c'était là la seule façon de changer.

G. Les systèmes de gestion

Tous les systèmes qui ont des effets sur la rémunération touchent presque immédiatement le comportement des personnes et donc de l'organisation. Ces effets ne sont pas des effets profonds, même si en interaction avec d'autres ils peuvent influer sur l'organisation de manière durable.

Une autre façon de comprendre la raison de l'effet rapide de ces facteurs est de noter leur position dans la satisfaction des besoins des personnes. Les besoins touchés ici sont généralement fondamentaux, selon la pyramide de Maslow. Homans (1961), un grand sociologue, a aussi suggéré la vivacité des effets de ces facteurs avec ses études sur le comportement humain.

Parmi les systèmes importants dans ce cadre, il est utile de mentionner:

a) le système de mesure de la performance;

b) le système de contrôle;

c) le système de rémunération;

d) le système de promotion.

II. LES OUTILS DE STIMULATION MATÉRIELLE

L'idée de Maslow sur la hiérarchie des besoins des personnes est souvent discutée ou critiquée, mais elle n'a jamais été vraiment remplacée. Dans la pratique, les gestionnaires l'appliquent souvent sans s'en rendre compte.

Maslow a divisé les besoins en cinq grands groupes:

- Des besoins physiologiques (nourriture, protection des intempéries, etc.);
- Des besoins de sécurité;
- Des besoins d'appartenance et d'amour (faire partie d'un groupe, s'identifier à lui, aimer et être aimé, etc.);
- Des besoins d'estime (estime de soi, reconnaissance par les autres, etc.);
- Des besoins d'actualisation de soi (réalisations, constructions durables, générativité, etc.).

Il affirmait aussi que les besoins des personnes agissaient selon une séquence prévisible, les besoins fondamentaux (physiologiques et de sécurité) agissant d'abord et, s'ils sont satisfaits, actionnant les besoins d'un ordre supérieur, jusqu'aux besoins d'actualisation de soi.

Cette théorie sous-tend à la fois les efforts de stimulation matérielle, ce que Barnard appelle la méthode d'incitation, et ceux de stimulation idéelle, ce qu'il appelle la méthode de persuasion. Parmi les mécanismes les plus courants de stimulation matérielle, on peut mentionner:

- les systèmes de rémunération et de sanction, dont les effets sont rapides, généralement à court terme;
- les systèmes de promotion et de participation aux bénéfices.

Fondamentalement, le système de rémunération est le système de base sur lequel l'échange entre l'organisation et l'individu est construit. L'individu est censé coopérer, en échange de quoi il reçoit une compensation matérielle (Barnard, 1938). L'effet de la rémunération est cependant perturbé par l'influence des autres facteurs de stimulation. Ainsi, lorsque le système de rémunération est transparent, la stimulation est liée à l'équité du système de rémunération, d'une part à l'intérieur de l'organisation, entre des positions différentes, et d'autre part avec des systèmes d'organisations similaires.

Les mécanismes de sanction ont aussi des effets à très court terme. Les recherches décrites par Homans (1961) montrent combien la réaction à une punition ou à la crainte d'une punition peut être rapide et parfois violente.

Les spécialistes des systèmes de rémunération ont accordé beaucoup d'attention à trois questions fondamentales : le lien entre la tâche et la rémunération, la signification du système de rémunération, particulièrement en ce qui a trait à la justice et à l'équité, les autres composantes de la rémunération telles que la prime de rendement, les récompenses associées à des performances particulières et les avantages financiers, comme une auto, l'abonnement à des clubs ou associations, etc.

Pour leur part, les entreprises rémunèrent leurs cadres supérieurs en utilisant trois éléments : un salaire de base, une prime et des avantages tels que l'utilisation gratuite d'une automobile, des frais d'emploi, etc. Les primes sont souvent divisées en deux parties : la première est accordée si le cadre supérieur a atteint les objectifs visés par sa division, sa fonction ou son groupe ; la deuxième est accordée si l'entreprise a atteint ses objectifs. On voit alors le lien direct qu'on essaie de faire entre les buts de l'entreprise et le système de rémunération. En général, l'action basée sur la rémunération de base donne des effets à court terme, tandis que la récompense attachée à la performance de l'entreprise a des effets à plus long terme.

Dans un volume publié en 1981, Stonich a examiné attentivement cette question. Il suggère d'établir des moyens de mesurer et de suivre les progrès en regard des objectifs stratégiques. Il démontre que la récompense ou la rémunération ainsi que les instruments de mesure du rendement constituent l'épine dorsale qui permet de s'assurer que le comportement des cadres et des employés soit aligné sur la stratégie. En bref, on peut dire que la conception de la stratégie détermine ce qui doit être fait, tandis que le système de récompense par la rémunération nous assure que ce sera fait.

III. LES OUTILS DE STIMULATION IDÉELLE

Un peu comme le suggérait Maslow mais aussi comme nous le savions depuis longtemps (Barnard, 1938), les personnes sont sensibles à des facteurs qui n'ont rien à voir avec l'argent ou les biens matériels. Elles ont besoin d'espérance, d'idéal, d'explication plus vaste du sens de la vie et de la relation aux autres. C'est pour cela que la méthode de persuasion de Barnard est si importante.

Barnard suggérait même que la stimulation matérielle est illusoire et n'arrive jamais à motiver complètement. Les appétits des personnes pour les choses matérielles ne peuvent être satisfaits de manière économique par aucune organisation. Lorsque les besoins essentiels (notamment physiologiques et de sécurité) sont raisonnablement satisfaits, les meilleures organisations sont celles qui sont capables de persuader leurs membres que contribuer à leurs activités a une valeur en soi. Voici comment l'exprimait DePree (1990):

> Les travailleurs sont le cœur et l'âme de tout ce qui compte. Sans eux les dirigeants n'ont pas de raison d'être. Les chefs d'entreprise peuvent décider qu'il est primordial de laisser des actifs à leurs héritiers, mais ils peuvent également aller au-delà et juger opportun de laisser un héritage, un héritage tenant compte de l'aspect le plus difficile de l'existence, l'aspect qualitatif, celui qui procure aux vies de ceux que le chef emploie un supplément de sens, de défi, de joie. (p. 33)

Les éléments de persuasion sont nombreux. Ils peuvent être de nature idéologique ou être simplement liés à la valeur qui est attachée au style de vie qui a cours dans l'organisation. Par ailleurs, à court terme, quels que soient les choix qui sont faits par l'organisation et les mécanismes de persuasion retenus, le comportement du dirigeant principal a une valeur symbolique et d'exemple qui stimule et suscite des désirs d'association ou de rejet. C'est pour cela que les mécanismes qui sont retenus dans cette catégorie sont:

- ceux qui ont un effet à court terme, comme les prises de position des dirigeants sur les grandes questions de l'heure ;
- ceux qui ont un effet à moyen terme, comme la stratégie telle qu'elle est formulée et en particulier les grands engagements qui sont pris pour servir les communautés dans lesquelles l'organisation est active ;
- ceux qui ont un effet à long terme, comme l'idéologie, la culture et la vision du monde qui dominent l'organisation.

V. EN GUISE DE CONCLUSION

Dans les chapitres précédents, nous avons décrit les aspects intellectuels de la stratégie, ceux qui mènent à sa formulation, à la définition de son contenu. Dans ce chapitre, nous avons abordé les mécanismes qui permettent sa mise en application. Pour les aspects intellectuels, nous avons notamment suggéré que la stratégie est une configuration de cinq perspectives. Ces perspectives sont les suivantes:

- la stratégie comme manifestation de la volonté des dirigeants ;
- la stratégie comme l'expression d'une communauté de personnes ;
- la stratégie comme filon conducteur ;
- la stratégie comme construction d'un avantage concurrentiel ;
- la stratégie comme mécanisme de relation à l'environnement.

Ces perspectives sont toutes présentes dans la stratégie d'une organisation et servent de base à la formulation de celle-ci. De plus, elles sont en relation étroite avec les mécanismes de mise en œuvre. Notamment, on ne peut imaginer que la stratégie puisse avoir du succès à moins qu'il y ait une compatibilité entre le choix des objectifs qui résulte de la démarche stratégique intellectuelle et les aspects pratiques que constituent les ajustements, voire la conception, des mécanismes de mise en application.

C'est pour cela que la stratégie ne saurait être conçue comme un cheminement mécanique. Ce n'est que lorsqu'elle devient une seconde nature chez les membres de l'organisation qu'elle devient un instrument puissant de compétitivité et donc de survie.

Note n° 20

LES RÔLES DU DIRIGEANT DANS LA COMMUNICATION DE LA STRATÉGIE

par Nicole Giroux

Mintzberg a démontré dans une étude sur le travail du dirigeant que celui-ci passe beaucoup de temps à communiquer. Il explique ce fait par les rôles de porte-parole, d'informateur et de décideur que le dirigeant doit assumer. Dans ce texte, nous allons explorer la dimension communicationnelle de la tâche du stratège, ses exigences et ses limites. Après avoir décrit la place traditionnellement dévolue à la communication dans le processus stratégique, nous décrirons comment les développements de la recherche la redéfinissent. La tâche du stratège devient plus complexe : d'une vision simple, on passe à une perspective qui fait ressortir la multiplicité des processus de formation et de transformation de la stratégie ainsi que la variété des registres communicationnels. Finalement, nous présenterons trois rôles du stratège comme communicateur : celui du rhéteur-narrateur, celui de l'artisan du dialogue et celui du récepteur actif.

COMMUNICATION ET STRATÉGIE : L'EXHORTATION DU GÉNÉRAL

La communication est une pratique que l'homme a développée et raffinée pour s'aider à nommer et à connaître le monde, s'unir à ses semblables et coordonner les actions faites pour transformer l'environnement. Cette volonté d'action sur le monde, on la retrouve aussi au cœur de la notion de stratégie. La stratégie peut être définie comme la création de sens (*ex ante ou ex post*) dans les activités des membres de l'organisation. Dans une perspective volontariste, ce sens prend la forme d'une signification commune qui rassemble les efforts de tous et les canalise dans une même direction. Communication et stratégie sont donc deux concepts étroitement reliés par les notions de signification, d'action collective et de désir de changement.

C'est pourquoi Barnard, en 1938, dans son célèbre ouvrage sur la tâche du dirigeant, affirmait qu'au fondement même de l'organisation on devait trouver une mission partagée, une volonté de coopérer et une bonne capacité de communiquer.

On découvre un point de vue similaire dans le texte fondateur d'Andrews sur le concept de stratégie. Celui-ci, en 1971, dépeint le dirigeant comme l'architecte de la finalité de l'organisation. Il affirme que les compétences distinctives du gestionnaire au sommet sont sa capacité intellectuelle à concevoir la mission de l'entreprise et sa capacité «dramaturgique» à la rendre attractive. L'image emblématique du stratège, issue de la notion grecque de *strategos*, est donc celle du dirigeant qui, après avoir étudié les cartes du lieu d'affrontement, conçoit son plan avant la bataille, donne ses ordres et exhorte ses troupes. Dans ce modèle traditionnel, la communication est le discours rassembleur qui promulgue la stratégie.

COMPLEXITÉ ET CHANGEMENT : LE LEADERSHIP DANS UN MONDE INCERTAIN

Cette image devait cependant évoluer. D'autres points de vue ont été présentés par les chercheurs qui ont étudié le lien entre la communication et la stratégie[1]. Au cours des dernières années, les études ont dressé un portrait de la stratégie assez étoffé. On a, par exemple, fait ressortir les dimensions cognitives, les aspects historique, politique et institutionnel, de même que les particularités culturelles et interactionnistes de la stratégie. La plus grande évolution à ce sujet s'est toutefois produite à la suite de la constatation répétée, depuis la fin des années 1960, du caractère dynamique de l'environnement. La stratégie, qui jusqu'alors servait de logique de base assurant la cohésion et la continuité dans l'action collective, allait devenir un scénario, un cadre d'action destiné à être fréquemment modifié et même reconstruit en profondeur pour suivre l'évolution d'un environnement de plus en plus complexe et incertain. Dès lors, penser la stratégie voulait souvent dire se préparer au changement. L'image du général s'est conséquemment modifiée pour devenir celle du leader, de l'entraîneur-chef («coach») qui ajuste son «plan de match» pour tenir compte des aléas de la partie. Il est celui qui doit stimuler la motivation et la créativité de ses joueurs qui

---

1. Voir Giroux, N. et Demers, C. (1998), « Communication oganisationnelle et stratégie » *Management International,* vol. 2 (1), 17-32. Cette recension des écrits montre qu'au fil du temps la communication a été présentée successivement non seulement comme un mode de transmission et d'interprétation de la stratégie, mais aussi comme un processus manipulatoire d'endoctrinement et même comme l'instrument privilégié de co-construction de la stratégie par les membres de l'organisation.

vont devoir mettre en acte le plan et le réinterpréter au besoin pour tenir compte des circonstances immédiates rencontrées sur le terrain. La tâche du stratège est donc rendue d'autant plus difficile que les études récentes ont fait ressortir non seulement la dimension compétitive mais aussi la dimension coopérative des liens entre les firmes. Les études ont souligné l'obsolescence accélérée des technologies ainsi que l'importance des savoirs tacites et de la capacité à changer rapidement. En somme, le sol tremble sans cesse sous les pas du stratège. Il n'est donc pas étonnant de constater qu'aujourd'hui praticiens et chercheurs en stratégie portent spécialement leur attention sur la gestion du changement de stratégie et sur la communication de celle-ci.

UNE VARIÉTÉ DE *PATTERNS* STRATÉGIQUES ET DE MODES DE COMMUNICATION POSSIBLES

Les analyses empiriques détaillées ont amené les chercheurs à préciser la nature du processus par lequel la stratégie s'élabore et se transforme. Ils ont souligné la variété des modèles de processus (modèles de la formulation-implantation, de la formation, de l'incrémentalisme, de l'émergence). Cette multiplicité des formes du processus stratégique va de pair avec une variété de processus de changement (changement à la pièce ou radical, modification, apprentissage, évolution, révolution, équilibre ponctué, improvisation, etc.). La stratégie est vue comme un processus marqué d'essais, d'erreurs, de remises en question et de retournements. Il n'y a plus désormais une seule « bonne façon de faire la stratégie et de la mettre en œuvre » mais plutôt une multitude de processus possibles selon le contexte organisationnel, le type de stratégie choisie et les circonstances prévalant dans l'organisation. Le « chef d'équipe » doit reconnaître l'impermanence de la topographie environnementale et la nécessité de s'y ajuster de manière créative. Le dirigeant doit maîtriser tout un éventail de « jeux » possibles parmi lesquels il choisira celui qui paraît le plus approprié au besoin du moment. Cela implique donc à la fois un réservoir plus large de savoir-faire, une vigilance accrue et une grande souplesse intellectuelle pour modifier « chemin faisant » son mode de gestion stratégique.

À cette complexification de la notion de stratégie correspond une égale fragmentation du concept de communication. En effet, bien que la communication soit un domaine d'étude relativement récent (fin des années 1940), la communication comme pratique humaine a des origines fort lointaines. En conséquence, elle a donné lieu dans les sciences humaines et sociales à un grand nombre de théories[2], qui illustrent bien la richesse de la pratique communicationnelle. Loin d'être un désavantage, cette richesse manifeste la plasticité de la communication dont les différentes modalités peuvent être mises à contribution par le leader selon les circonstances et les exigences de la stratégie et du changement. Ainsi, il peut sélectionner le type de communication en fonction de l'étendue du réseau humain qu'il entend mobiliser (communication interpersonnelle, de groupe, d'entreprise). Il peut aussi jouer des différents registres de la communication selon les exigences du processus stratégique : durant la phase de formulation, le registre inquisiteur et herméneutique pour collecter et interpréter des données stratégiques; durant la phase de diffusion, le registre persuasif-rhétorique pour convaincre les partenaires de la justesse et de la légitimité de l'orientation choisie ainsi que le registre didactique-pédagogique pour expliquer les changements à venir; enfin, dans la mise en œuvre, le registre charismatique-narratif pour mobiliser les employés ou, au contraire, le registre impératif-coercitif pour ordonner l'exécution du processus.

On constate donc qu'à la variété des processus stratégiques et des dynamiques de changement potentiels correspond toute une gamme de « jeux de langage » possibles. Plusieurs coups sont ainsi à la disposition de l'entraîneur pour réaliser différents jeux dans le cours de la partie. L'usage de la communication est donc susceptible de varier selon les situations pour tenir compte de la culture communicationnelle de l'organisation, des préférences des dirigeants, des contraintes du contexte (par exemple la disponibilité des médias ou les délais impartis). Néanmoins, certains rôles communicationnels semblent dévolus principalement au stratège : celui du rhéteur-narrateur qui fait la promotion de la stratégie, celui de l'artisan du dialogue qui suscite la collaboration et celui du récepteur actif qui suscite la rétroaction. Bien sûr, il est assisté dans ces rôles par des spécialistes soit de l'interne, soit de l'externe. Cependant, c'est lui qui doit approuver les choix importants concernant les stratégies de communication (quoi diffuser, à quel auditoire, à quel rythme et par quel média).

---

2.   Voir Craig, R. T. (1999), « Communication Theory as a Field », *Communication Theory*, vol. 2, mai, 119-161. Cet auteur fournit une description qui démontre que la communication a tour à tour été présentée comme un art du discours (rhétorique), une médiation entre des sujets au moyen de signes (sémiotique), un dialogue intersubjectif (phénoménologie), un système de traitement et de transmission d'information (cybernétique), un mode interactif d'expression et d'influence (approche sociopsychologique), un instrument discursif de remise en question (approche critique) et, enfin, un mode collectif de production et de reproduction de l'ordre dans une communauté (approche socioculturelle).

LE RHÉTEUR-NARRATEUR, PROMOTEUR DE LA STRATÉGIE

À titre de porte-parole de l'organisation, le dirigeant demeure le responsable ultime de la propagation de la stratégie. C'est lui qui a pour tâche d'annoncer les grandes orientations de la firme et de susciter l'adhésion des principaux partenaires au projet stratégique. C'est lui qui déclenche, en quelque sorte, la cascade de messages informatifs et incitatifs qui va se répandre dans l'organisation. On le compare souvent à un rhéteur qui doit utiliser toutes les ressources de l'art oratoire pour convaincre et susciter l'enthousiasme de son auditoire. On lui assigne alors pour tâche de fournir à ses auditeurs un cadre de référence afin d'évaluer la pertinence et la légitimité de la stratégie. Pour ce faire, on lui conseille d'élaborer un argumentaire logique et percutant s'appuyant sur des données «parlantes». On lui recommande d'utiliser différentes figures de style, comme la métaphore, pour transporter son auditoire. Récemment, les théoriciens en communication et en gestion de même que les chercheurs sur le terrain ont attiré l'attention sur la narration comme outil discursif utile à la promotion de la stratégie. La narration, par son caractère vivant, actif, crédible et proche du vécu des participants, permettrait de rendre concret et imagé le projet stratégique de la direction.

Il est recommandé au dirigeant, lorsque la stratégie implique des changements, d'expliquer clairement dans les messages la nécessité de ces transformations. Le dirigeant doit aussi prendre le temps de démontrer la capacité des employés et de la firme à les accomplir. On lui suggère de bien montrer en quoi ces changements sont dans l'intérêt de l'organisation et des personnes touchées. Finalement, les messages de changement doivent donner aux employés l'assurance que, tout au long du processus de transformation, ils auront l'appui indéfectible de la direction pour réaliser la stratégie. De plus, les recherches ont fait voir l'importance de traiter explicitement dans les messages des préoccupations des employés (en particulier de leur futur rôle dans le cadre de la nouvelle stratégie), des critères de sélection et de l'équité de traitement dans le cas d'éventuelles mises à pied. Le style et le ton du message sont aussi révélateurs. Il semble qu'un trop grand optimisme dans le discours peut miner la crédibilité du projet et de son porte-parole. Au contraire, la reconnaissance de la possibilité de moments difficiles à venir et la description de mesures préventives sont perçues par les employés comme une manifestation du souci de leur bien-être. En somme, il est suggéré d'envoyer un message clair, précisant les attentes et les activités à venir durant la phase de mise en œuvre.

Ces prescriptions, quoique pertinentes, ont donné lieu à de multiples critiques qui les mettent en perspective. Ainsi, Quinn (1977) remet en question la diffusion d'objectifs trop précis, et ce, pour diverses raisons. Il souligne qu'il vaut mieux ne pas divulguer les détails de la stratégie afin de ne pas se rendre vulnérable devant la concurrence. Il déclare que des objectifs trop spécifiques annoncés trop tôt dans le processus enferment le stratège dans un carcan qui nuirait aux adaptations en cours de route. Ces énoncés prématurés pourraient aussi susciter de la résistance et nuire aux négociations à venir (par exemple avec les syndicats en cas de fermeture d'usine). Selon lui, la proclamation de buts précis est toutefois utile quand il s'agit de lancer un défi, d'annoncer une transformation majeure (comme une fusion ou une acquisition qu'il est difficile de passer sous silence). Il propose de produire des énoncés de mission généraux parce que ceux-ci laissent au dirigeant plus de marge de manœuvre quant au choix des moyens et parce qu'ils sont plus susceptibles de favoriser l'accord et la cohésion, de créer de l'enthousiasme et d'encourager l'identification au projet stratégique.

D'autres écueils attendent le stratège comme auteur de messages persuasifs et narratifs. Faute d'espace, dans cette courte note, nous nous contenterons de les énumérer rapidement :

1. L'utilisation, à l'interne, d'arguments pensés pour des auditoires externes et le choix de termes savants et abstraits qui semblent aux employés davantage une « langue de bois » qu'un discours proche de leur réalité et de leurs préoccupations concrètes (emplois, promotions, salaires, retraites).

2. L'absence de répétition de la déclaration du dirigeant, alors que l'on sait qu'un message, surtout s'il est porteur de mauvaises nouvelles, doit être repris fréquemment pour favoriser l'intégration progressive d'une réalité qui peut être traumatisante et qui peut provoquer du déni.

3. L'accent mis sur le discours en oubliant que les comportements du dirigeant ont, pour ses subordonnés, valeur de message et que, en cas de divergence entre les deux, ce sont ses actes qui parlent le plus fort.

4. La croyance magique voulant qu'un message persuasif aura un effet immédiat sur les attitudes des employés envers la nouvelle stratégie, alors que les stratèges ont eux-mêmes mis des mois à la développer.

L'annonce de la stratégie est sans doute l'aspect du rôle du stratège-communicateur qui a été le plus étudié. On oublie cependant que la propagation de la stratégie est un processus continu et souvent délégué. Ainsi, le dirigeant doit non seulement répéter le message inaugural à divers auditoires, mais il doit aussi, en cours de mise en œuvre, faire constamment le lien entre le cadre stratégique global et les exigences de sa mise en œuvre immédiate à l'échelle locale. Il doit aussi fréquemment signaler les activités accomplies, célébrer les réussites et indiquer les difficultés qui restent à surmonter, tout cela afin de conserver l'enthousiasme envers le projet. Le dirigeant est bien sûr le principal propagateur de la stratégie. Toutefois, les études ont démontré que les employés, dans leur quête d'information, accordent beaucoup de crédibilité à leur supérieur immédiat, car il est le plus au fait des exigences du terrain et serait donc le mieux placé pour apprécier les répercussions de la stratégie sur leur travail quotidien. Une partie de la tâche de diffusion repose ainsi sur les épaules des supérieurs immédiats. Voilà pourquoi ils sont de plus en plus désignés comme un groupe cible qu'il faut bien informer. En somme, ce sont eux qui servent à la fois de relais, de traducteur et de conseiller entre le stratège et les employés qui vont réaliser la stratégie.

En élaborant la stratégie, le dirigeant se crée donc une tâche supplémentaire, celle de la propager. C'est là un travail de communicateur pour lequel, souvent, il n'est pas bien préparé. Il doit ainsi posséder des talents dans la « mise en discours » de la stratégie et des habiletés dans la communication devant de grands groupes. Il doit aussi être familier dans les relations avec les médias. C'est pourquoi, de plus en plus, on souligne l'importance de la formation des dirigeants à la communication et la mise en place à l'interne d'équipes possédant une expertise en relations publiques et en communication interne. Malgré toutes les recommandations qui sont faites sur la manière de concevoir les messages, il faut reconnaître qu'il s'agit d'une tâche difficile. En effet, les auditoires varient ainsi que les intérêts et les préoccupations des gens; de plus, le temps de préparation des messages est parfois très limité. En outre, toute l'information n'est pas toujours disponible ni toujours apte à être divulguée, car certains renseignements doivent demeurer confidentiels pour des raisons légales. En ce cas, on suggère au porte-parole de bien expliquer les limites de ce qui peut être révélé sur la stratégie.

L'ARTISAN DU DIALOGUE, CONSTRUCTEUR D'AGORAS

Si le rôle de rhéteur-narrateur met l'accent sur le leadership du porte-parole, le rôle d'artisan du dialogue insiste sur les dimensions collective et délibérative de la stratégie. En fait, d'un point de vue communicationnel, le processus stratégique peut être décrit[3] comme une chaîne de conversations dans des lieux de discussion (agoras) formels ou informels dans lesquels les différentes parties discutent de la stratégie sur le plan tant conceptuel que pratique. Aux fins d'analyse, trois types de conversations ont ainsi été définis: les conversations de conception, où les situations et les tendances externes et internes sont discutées pour en arriver à la définition d'options stratégiques; les conversations de traduction permettant de décliner les objectifs en plans et en programmes et de valider ceux-ci auprès des gens qui devront les réaliser;les conversations de réalisation en cours d'application pour clarifier et corriger au besoin ce qui doit être fait.

Comme artisan du dialogue, le stratège a diverses tâches à effectuer: la construction d'agoras, le lancement de débats constructifs et le soutien à l'élaboration de méthodologies d'interaction. Les agoras étaient dans la démocratie athénienne des lieux de parole où se discutaient les affaires de la cité. Dans l'organisation, ces lieux de discussion peuvent émerger de manière naturelle, mais ils sont le plus souvent mis en place par le dirigeant qui, comme le soulignait Barnard, est l'ultime responsable du système de communication de son organisation. Architecte du design organisationnel, celui-ci peut utiliser diverses formes de regroupement. Ces lieux de discussion peuvent être des comités permanents (comme le groupe de planification stratégique), des comités *ad hoc* (comme le groupe responsable de la transition), des groupes spécialisés (comme des comités direction-syndicat pour la négociation du changement), des groupes collatéraux (réunissant des représentants de différents niveaux ou fonctions de l'organisation), des groupes transversaux (réunissant des représentants de même niveau provenant d'unités dispersées géographiquement). Le dirigeant peut provoquer les échanges par une question, un mot d'ordre, une injonction paradoxale, la description d'une problématique propice à la réflexion ou, encore, l'établissement d'un objectif général à atteindre. Des études empiriques ont démontré qu'il vaut mieux ne pas spécifier trop hâtivement l'ordre du jour des séances de discussion afin de ne pas limiter le nombre d'idées, de suggestions et d'options susceptibles d'émerger. On recommande aussi de laisser une certaine autonomie aux participants quant au fonctionnement opérationnel des groupes (horaire, fréquence, ordre du jour, sélection des participants, délimitation des frontières du groupe) car, souvent, ils connaissent mieux les problématiques et sont

---

3. Voir Giroux, N. (à paraître). Changer l'organisation: l'articulation-traduction dans la chaîne des conversations, dans Pène, S., *Langage et travail,* Paris, l'Harmattan. Cette étude empirique comparative de trois cas de fusion/acquisition montre comment les conversations de conception, de traduction et de réalisation, ainsi que leur articulation, facilitent ou au contraire inhibent l'application de la stratégie.

à même d'identifier les ressources nécessaires aux différentes phases du déroulement de la démarche. Dans ces lieux de délibération sur la stratégie et son application, certaines méthodologies régissant les interactions peuvent faciliter les discussions constructives et l'échange ouvert d'information. On peut citer par exemple la méthode des scénarios, le *brainstorming*, la construction collective de représentation systémique et l'usage de simulations assistées par ordinateur. Il reste cependant encore beaucoup de recherches et d'expérimentations à faire pour développer toute une gamme d'outils appropriés à la délibération stratégique collective. Quoi qu'il en soit, le stratège demeure celui qui doit susciter la communication et stimuler un climat de dialogue. Cela suppose qu'il renonce à être l'unique auteur de la stratégie et qu'il sache déléguer une partie de son autorité à des meneurs de débats crédibles et légitimes pour les parties rassemblées.

Ce rôle d'artisan du dialogue, de constructeur d'agoras est conséquent avec le modèle collaboratif de la stratégie[4]. Cette approche plus participative a des avantages et des limites. Les principaux avantages sont d'enrichir la banque de renseignements stratégiques en multipliant les sources de données, de favoriser l'ancrage au terrain et la compréhension de la logique dominante par ceux qui vont devoir l'actualiser et enfin de susciter ainsi l'appropriation de la stratégie par les exécutants. Sur le plan des limites, on critique cette approche pour le temps qu'elle exige, les points de vue hétérogènes et conflictuels qu'elle peut faire émerger et les désillusions qu'elle peut provoquer quand certaines propositions ne sont pas retenues. À ces critiques, les promoteurs de la démarche répliquent que le temps passé à intégrer la nouvelle stratégie accélère la réalisation de celle-ci, que les conflits peuvent être enrichissants et que les concessions font partie du processus d'apprentissage. Des études démontrent néanmoins qu'il ne suffit pas d'instaurer des lieux de dialogue pour que celui-ci se produise. Encore faut-il que les participants aient reçu de la formation en matière de communication en groupe.

LE RÉCEPTEUR ACTIF

Le premier rôle qu'on attribue au stratège est celui d'émetteur de messages; le deuxième rôle est celui d'organisateur de débats; enfin, le troisième le décrit comme un récepteur actif attentif à ce qui se passe dans son organisation. Cette attitude d'écoute le met en position pour mieux connaître les réactions des membres de son organisation par raport à la nouvelle stratégie

---

4. Voir Bourgeois, L. et Brodwin, J. (1984), « Strategic Implementation : Five approaches to an Elusive Phenomenon », *Strategic Management Journal*, 5, 241-264.

et à ses efforts de changement. Cette vigilance le place aussi en bonne position pour observer l'émergence de stratégies nouvelles qui se forment sous l'influence d'intrapreneurs, stratégies qu'il voudra intégrer dans son projet stratégique.

La dimension de la réceptivité que l'on associe désormais à la tâche du stratège contraste avec la vision traditionnelle du stratège en tant qu'émetteur, car on a tendance à croire qu'un dirigeant doit toujours être actif et que, en matière de communication, seule la parole est agissante. Pourtant, déjà en 1941, Roethlisberger a souligné l'importance pour un dirigeant de posséder des aptitudes à l'écoute, arguant que la capacité de comprendre le récipiendaire des messages est absolument nécessaire pour communiquer adéquatement. En outre, la théorie des systèmes en gestion et la théorie cybernétique en communication ont toutes deux souligné l'importance du « feedback » ou rétroaction, cette information en retour qui permet d'ajuster les comportements et de repenser les buts en fonction des résultats obtenus. Malheureusement, on a surtout retenu de ces théories que les employés devaient être attentifs aux paroles du dirigeant et que celui-ci devait donner du feedback et non en recevoir.

Dans la recherche en stratégie, l'accent est mis sur le travail du dirigeant au sommet. Voilà sans doute pourquoi on s'intéresse surtout à la phase de la formulation de la stratégie, moment où le dirigeant est généralement le plus actif, et ce, au détriment des activités d'évaluation. Celles-ci sont pourtant très importantes, car la mise en œuvre de la stratégie s'étalant sur plusieurs années, le contexte qui lui a donné naissance a évolué, parfois considérablement, en cours de route. De plus, la démarche d'application de la stratégie fait souvent apparaître des difficultés imprévues ou des « conséquences non attendues des actions » posées. Il importe donc, dans les deux cas, de réajuster le tir. Le « coach » doit constamment observer le déroulement de la partie. Cependant, à distance, certains éléments peuvent lui échapper et il a besoin d'obtenir de l'information de ceux qui sont sur le terrain. Pour cela, il doit mettre en place et garder ouverts des canaux de communication qui lui fourniront l'information en retour. Ces canaux peuvent prendre la forme de sondage, de groupes de discussion (*focus groups*), d'une ligne téléphonique ouverte aux questions et commentaires ou d'un site web interactif. Cette position d'écoute, surtout si elle s'accompagne d'un suivi qui tient compte des commentaires, peut influer positivement sur la relation entre les partenaires, puisque cette attitude est en soi un message d'attention et de respect. L'écoute attentive peut révéler les rumeurs mal fondées qui sont si fréquentes en situation de changement et ainsi permettre de les corriger rapidement. Cela peut également assainir le climat de travail et contribuer à l'augmentation de la productivité.

Il est trop tôt pour cerner les limites de ce rôle, puisque peu d'études se sont penchées sur cet aspect du comportement communicationnel du stratège. Les rares études qui l'ont fait ont constaté que le feedback est rarement sollicité de sorte que, lorsqu'il est donné spontanément, il prend souvent la forme de manifestations exacerbées de mécontentement ou de désengagement telles que le départ non souhaité d'employés performants, des grèves sauvages, le sabotage ou, encore, la résistance passive à l'application de la nouvelle stratégie.

CONCLUSION

Dans cette courte note, nous avons montré comment l'image de stratège est passée de celle du général exhortant ses troupes à celle de « coach » qui, avec son équipe, affine et ajuste constamment la stratégie. Dans ce contexte, le processus stratégique, ainsi que les processus de changement et les modes de communication, se complexifie. Trois rôles du stratège ont été décrits : celui de rhéteur-narrateur, celui d'artisan du dialogue et celui du récepteur actif. Ces rôles sont plus ou moins bien connus et développés. Celui de rhéteur paraît adapté à une vision autocratique de la direction dans des entreprises bureaucratiques, particulièrement au moment de la mise en œuvre d'une stratégie délibérée impliquant un changement radical. Les rôles d'artisan du dialogue et de récepteur actif semblent plus conformes à la gestion stratégique dans des contextes plus participatifs où des stratégies d'innovation sont susceptibles d'émerger de la base ou, encore, dans des situations de changement évolutif par apprentissage progressif. Néanmoins, il faut se rappeler que tous ces rôles sont nécessaires à un moment ou l'autre du processus stratégique (formulation et annonce, mise en œuvre et traduction, évaluation-correction) et que le stratège a donc intérêt à développer le plus possible ces différentes compétences de communicateur.

L E S   S T R U C T U R E S   D A N S   L A   T Ê T E [1]

par Taïeb Hafsi

L'homme est né libre et partout il est dans les fers. Tel se croit le maître des autres qui ne laisse pas d'être plus esclave qu'eux. Comment ce changement s'est-il fait ? Je l'ignore. (J. J. Rousseau)

« Nous avons un problème de structure ! », me disait cet ami, dirigeant d'entreprise, qui lors de notre première rencontre de consultation m'avait « appelé sur recommandation d'une personne fiable ». Il voulait une confirmation de son évaluation du problème, comme lorsqu'on attend le diagnostic du médecin après lui avoir décrit quelques symptômes d'une vague maladie. Je le regardais avec scepticisme et, sans m'engager beaucoup, lui « promis d'étudier cela avec soin ». Je découvrais plus tard que l'entreprise en question avait de sérieux problèmes stratégiques. Personne ne savait vraiment où l'organisation allait ni comment elle fonctionnait. Mais au fond, ce gestionnaire n'avait-il pas raison ? N'était-ce pas un problème de structure ?

Quand on parle de structure, on pense toujours aux organigrammes, aux « boîtes » qui symbolisent ou résument la répartition de tâches et responsabilités ainsi que la philosophie de coordination des activités. On finit par oublier que les boîtes n'ont pas de vie en elles-mêmes et qu'elles ne sont qu'appliquées sur la réalité. Ne vivent que les personnes de l'organisation, tentant de réaliser ce pourquoi elles sont ensemble. Il arrive même souvent que des organisations très sophistiquées n'aient aucune boîte qui exprimerait les relations entre les personnes. Le schéma organisationnel, qu'on appelle communément la structure, est d'utilisation récente et on peut facilement s'en passer. Ce n'est donc pas le plus important.

Quand une organisation est créée, c'est la reconnaissance qu'une personne seule ne peut pas réaliser la tâche ou l'objectif envisagés. Ainsi, dans beaucoup

---

1. Texte tiré de *Gestion*, Revue internationale de gestion, septembre 1995, p. 12-13.

de cas, la combinaison des efforts est nécessaire mais, en même temps, elle pose des problèmes particuliers. Il y a deux conditions essentielles pour que la combinaison des efforts soit possible : d'abord que les personnes concernées sachent (et comprennent bien) ce qu'il faut faire ensemble et qu'elles soient disposées à le faire. En d'autres termes, elles doivent accepter de coopérer. Pour que ces conditions soient réalisées, il faut que le système de communication soit au point et que les participants gardent constamment à l'esprit ce pourquoi ils coopèrent et ce qu'ils gagnent en le faisant.

La structure est simplement la systématisation qui permet de réaliser cela. Malheureusement, avec le temps, tout le monde perd de vue ce pourquoi les choses sont faites et l'outil prend une signification nouvelle. Il devient l'objet d'un rituel quasi religieux, qui n'a plus rien à voir avec la fonction prévue. Lorsque cela arrive, on a perdu de vue l'objectif ou on n'est plus capable de l'articuler de manière claire, et on ne sait pas comment le réaliser. La dérive est considérable. Mon dirigeant d'entreprise ne se doutait pas combien il avait raison : le problème est « un problème de structure ».

Plus précisément, il s'est produit un décalage entre le fonctionnement de la structure officielle, l'animation des boîtes d'une part, et la structure que les personnes ont dans leur tête, d'autre part. Le plus souvent, dans la tête des membres de l'organisation, le plus important est l'objectif et, dans une certaine mesure, la discipline qu'ils s'imposent pour que leurs actions soient cumulatives. Lorsque la discipline devient une fin en soi, ils s'insurgent et résistent et, à mon avis, ils ont raison. La structure n'a plus sa raison d'être. Elle a perdu son utilité.

Comme les membres de l'organisation sont vraiment préoccupés non pas par l'appareil mais par les résultats qui doivent être obtenus, ils internalisent avec le temps les *patterns* de fonctionnement qui ont fait leurs preuves et ils modèlent leurs comportements en conséquence. Lorsque les « boîtes » sont recombinées, elles ne touchent que les apparences. Au fond, le comportement des personnes continue à être influencé par leur compréhension de la relation entre leur activité et le résultat attendu. Il en va autrement lorsque le changement de structure est fondamental, comme le suggèrent les systèmes à la mode, du genre réingénierie.

Lorsque la structure est modifiée de manière radicale et qu'elle rend le comportement des personnes inadéquat, alors tout est bloqué. Les personnes ne peuvent agir sans développer une nouvelle compréhension de ce qu'il faut faire et sans une pratique, qui peut être longue, pour apprendre les nouveaux *patterns*.

Pour plus de clarté, prenons un exemple trivial. Imaginez que vous êtes un bon joueur de squash et que soudainement, quelle que soit la raison, on vous oblige à jouer au badminton. D'abord, vous n'allez pas aimer cela. L'inconfort peut être considérable. Les récompenses ou les plaisirs que vous pouviez obtenir auparavant disparaissent parce que l'apprentissage qui vous a demandé tant d'énergie est déclaré sans valeur. De plus, vous ne savez simplement plus jouer. Même si vous surmontiez l'irritation normale que le changement brutal a provoquée, même si vous étiez prêt à continuer à coopérer, il vous faut apprendre lentement les nouveaux gestes pour bien jouer. Imaginez à présent que votre patron vous évalue comme joueur de badminton. Vous serez lamentable, vous serez sanctionné et, sans que vous puissiez vraiment faire quoi que ce soit, vous serez puni et dévalorisé.

C'est pour cela que les grands changements de structure sont si problématiques. Les dirigeants croient souvent que l'adaptation des membres va de soi, que le changement de structure est un exercice technique, alors qu'il s'agit d'un grand bouleversement dans lequel les membres de l'organisation sont souvent déboussolés, perdus. Donc, l'éducation non seulement est nécessaire mais de plus doit être constante et patiente. C'est pour cela que mon ami dirigeant avait raison lorsqu'il parlait d'un problème de structure. Il avait raison parce qu'il percevait que les comportements n'étaient pas appropriés, compte tenu des défis qu'il envisageait, et il se rendait intuitivement compte que, même s'il pouvait concevoir les nouveaux comportements les plus adéquats, tout un défi, encore fallait-il que ses collaborateurs en soient capables.

Je pense qu'on aborde souvent à l'envers le problème des structures. On ne peut pas concevoir une structure et penser que les personnes vont s'y insérer comme si elles étaient neutres et sans passé, comme si elles étaient des objets qu'on déplace à loisir. D'abord, la structure qu'on conçoit n'est pas nécessairement la bonne. Lorsque l'organisation est complexe, les personnes confrontées à la réalité concrète du terrain sont mieux à même d'apprécier quels changements de structure sont possibles et capables d'engendrer les comportements souhaités. Pourquoi ne pas partir de cette constatation ? Pourquoi pensez-vous que les Japonais ont eu tellement de succès ?

Ensuite, le plus important dans la structure n'est pas le grand découpage. C'est plutôt ce travail fin de réinterprétation et de construction qui se fait à partir de la compréhension qu'on a de la façon dont les personnes vont coopérer. Cette phase n'est pas technique ; elle est profondément humaine. Elle implique beaucoup d'engagements, beaucoup d'investissements personnels, beaucoup d'émotions. C'est cela qui explique que les changements de « patrons » sont toujours vécus comme un grand traumatisme de la part des personnes concernées.

En ce sens-là, la structure ne fonctionne jamais comme l'indiquent les règles et les découpages officiels. Elle fonctionne comme l'ont comprise les personnes. C'est pour cela que la structure est plus dans la tête des personnes que dans les textes de procédures. Il faut aussi dire que cette compréhension n'est pas symétrique. Il y a entre les personnes beaucoup de désaccords non résolus sur les règles admises. La négociation est constante. C'est pour cela que la structure n'est jamais vraiment statique. Elle est constamment remise en cause.

Pour changer de structure, il faut «changer la tête» des personnes si l'on ne veut pas «changer leur cœur». Pour changer la tête des personnes, il faut d'abord les amener à comprendre ce qu'on cherche à obtenir comme résultat. Il faut ensuite que le résultat soit légitime, qu'il justifie l'abandon des apprentissages du passé. Si tel est le cas, il faut que le passage des anciens apprentissages aux nouveaux soit compris et perçu comme possible. C'est là où une aide extérieure peut être souhaitable. Les membres de l'organisation ont à ce moment-là besoin du savoir des spécialistes du fonctionnement organisationnel.

Changer la «tête des personnes pour changer de structure» est un acte fondamental, qui transforme l'organisation de manière durable. Il ne peut être conduit avec nonchalance. Il ne peut être fait rapidement. C'est une reconstruction qui nécessite la collaboration de tous, une reconstruction qui est à la source même des avantages concurrentiels futurs de l'organisation. Si la reconstruction n'est perçue que comme un acte technique, elle mènera à une déconstruction qui peut détruire la capacité concurrentielle de l'organisation et mettre en cause sa survie.

Si les structures sont dans la tête, me diriez-vous, ne sommes-nous pas alors prisonniers de la nature même de notre collaboration et donc incapables de changer lorsque cela est nécessaire? Je ne le crois pas. La structure dans la tête est à mon avis une source de grande flexibilité, d'une flexibilité infiniment plus grande que celle des «machines» que beaucoup de dirigeants s'obstinent à construire. Pour que la flexibilité soit possible, il faut que la structure soit prise au sérieux. Notamment, il ne faut pas la dissocier des objectifs, et il faut orienter la tête et l'intelligence des personnes vers la nécessaire et constante adaptation des comportements pour faire face aux défis que l'environnement, la concurrence notamment, ne cesse de générer.

La structure dans la tête, cela suggère que les personnes doivent être constamment sollicitées pour réévaluer leurs comportements et pour les «aligner» avec l'objectif poursuivi. Seul l'objectif a besoin d'être relativement stable. Les personnes peuvent facilement changer si le changement est la nature du jeu.

Soichiro Irimajiri, président de Honda America jusqu'en 1988, donnait un bel exemple de la façon de créer les conditions pour que l'adaptation à l'environnement soit une préoccupation constante de tous. Pour maintenir l'attention sur la concurrence et ses pratiques, à chaque quatrième jeudi du mois, il démontait lui-même, en présence de ses collaborateurs clés, un équipement de la concurrence et posait des questions du genre : « Que font-ils de mieux que nous ? Comment pourrions-nous faire mieux ? » M. Irimajiri, comme beaucoup de ses collègues de cette remarquable entreprise, avait compris que la tâche d'un dirigeant de talent consiste non pas à concevoir de nouvelles boîtes, ni même de nouvelles règles à imposer aux autres, mais simplement à clarifier ce qu'on cherche à faire : travailler sur la « tête » de ses collaborateurs pour obtenir les comportements espérés, avec toutes les imperfections qu'une telle action suppose. Cela nous ramène à Rousseau.

Dans son remarquable essai sur le contrat social, Jean-Jacques Rousseau a exprimé des réalités qui éludent aujourd'hui beaucoup de beaux esprits et de dirigeants ambitieux. Comme au XVIIIᵉ siècle, on peut vraiment dire qu'agir ensemble oblige les êtres humains à mettre en place des règles qui contraignent considérablement leurs aspirations à la liberté. La seule contrainte acceptable, la seule qui soit compatible avec leur désir d'être libres, est celle qu'ils s'imposent librement. La volonté de résoudre ce difficile paradoxe et de persister dans l'effort peut peut-être faire de la structure un instrument d'émancipation, plutôt qu'une geôle infernale. Les dirigeants sauront-ils ou pourront-ils relever le défi ? Je l'espère de tout cœur, sinon... à la grâce de Dieu !

L E A D E R S H I P   E T   S T R A T É G I E

par Patricia Pitcher

À L'ORIGINE : DES CHAMPS SÉPARÉS ET DIVERGENTS

En tant que champs disciplinaires, la stratégie et le leadership ont évolué en vase clos. Alors qu'à ses origines la stratégie était conçue comme un plan développé par la haute direction afin de faire face à la concurrence (Andrews, 1971), elle est devenue une affaire de spécialistes et « d'analystes » (Porter, 1980), laissant peu de place aux leaders. Quant à la conception du leadership, elle s'est longtemps inspirée de la tradition de l'école de relations humaines des années 1940 et 1950 (Mouzelis, 1983) et s'intéressait principalement au comportement des superviseurs de premier niveau. Le centre d'intérêt était la qualité de la relation entre ces superviseurs et leurs subordonnés, et on se préoccupait peu des relations entre l'organisation et le marché. Entre les deux concepts, il y avait donc non seulement une différence d'orientation — marché contre subordonnés, externe contre interne — mais également une différence quant au niveau hiérarchique de l'organisation auquel on s'intéressait, la stratégie jouant un rôle au haut de la hiérarchie, le leadership existant au bas de cette dernière.

À l'origine séparés, les deux concepts ont commencé à se pénétrer. D'une part, la stratégie tend de plus en plus à placer le leadership au cœur de sa démarche, et ce, depuis que Hambrick (1989) a proclamé que le temps était venu de remettre les « *managers back into the strategy picture* ». D'autre part, le leadership, sous l'influence du courant qui favorise le leader charismatique ou visionnaire, se préoccupe de plus en plus de l'extérieur de l'organisation, c'est-à-dire du marché, un champ autrefois réservé à la stratégie (Bennis, 1989).

LES CONCEPTIONS CONTESTÉES
DANS LES DEUX DOMAINES

Disons d'emblée que le leadership est un phénomène controversé tant sur le plan conceptuel que sur le plan pratique. Sur le plan conceptuel, certains affirment que le leadership a lieu avant tout dans la sphère interne de l'organisation et qu'il consiste à motiver et à inspirer les «troupes» par la parole et le geste; plus récemment, on a ajouté à la définition du leadership la notion de «vision» de l'avenir (Bennis, 1989). Le rôle du leader consiste essentiellement à insuffler aux employés un désir de dépassement. Appelons cette version du leadership «le leadership comportemental». Par ses comportements démocratiques et inspirateurs, le leader motive ses subordonnés. D'autres insistent sur le fait que le leadership ne se limite pas à la relation entre supérieur et subordonnés, mais intervient surtout dans la relation entre l'organisation et son environnement ou son marché (Zaleznik, 1989). Dans cette deuxième version, le leadership s'apparente beaucoup à l'entrepreneurship, et le rôle du leader consiste essentiellement à avoir des idées stratégiques qui mèneront l'organisation à bon port. La relation qu'un tel leader entretient avec ses employés est considérée comme secondaire. Appelons cette version du leadership «le leadership stratégique».

Une même confusion conceptuelle existe en ce qui concerne le concept de stratégie. À l'origine très claire, la définition s'est embrouillée depuis deux décennies. Au début, la stratégie était conçue par la direction comme un plan. La doctrine militaire servait de modèle et, comme dans l'armée, la stratégie était l'affaire des généraux et non pas celle des troupes. Le leadership d'un général consiste à concevoir la bonne stratégie; à ses subordonnés revient la tâche de suivre le plan et d'adapter les tactiques sur le terrain, si nécessaire. Dans le secteur privé de l'après-guerre, les entreprises sont devenues de plus en plus grandes et de plus en plus diversifiées (Chandler, 1962). Dans de telles organisations, la stratégie semblait ne pas pouvoir être assumée par un seul individu ou, même, par une équipe de direction. La planification stratégique formelle est alors née et a commencé à dominer notre conception de la stratégie. Dans la foulée des travaux de Porter (1980), elle en est même devenue le synonyme.

Les premières contestations de cette conception de la stratégie apparurent à la fin des années 1970, avec notamment les travaux de Quinn (1978) et de Mintzberg (1987). Pour les tenants de cette école du *learning*, l'organisation est en interaction continue avec un environnement qui change constamment, de sorte qu'il devient irréaliste de planifier, et qu'il peut même être nuisible de codifier et de rigidifier dans un plan les réactions à ce marché changeant. Dans une telle optique, la formulation et la mise en œuvre de la stratégie sont inséparables. Les deux se font ensemble et impliquent, presque par définition, toute l'organisation et peu ou pas le leadership formel au sommet. Le débat, parfois très acrimonieux, entre ces deux visions opposées s'est poursuivi jusqu'à nos jours. Mais que ce soit la version classique de la formulation suivie de la mise en œuvre, ou la version de la formulation/mise en œuvre comme processus simultanés, le rôle du leadership est minimisé. Dans le premier cas, la formulation se fait sur la base d'une analyse poussée du marché effectuée par des spécialistes, le leader ne jouant pas de rôle important dans sa conception : ce n'est pas lui qui produit les idées. Dans le deuxième cas, la stratégie émerge des interactions constantes de l'ensemble de l'organisation avec ses marchés, le rôle du leader au sommet se résumant à encourager les efforts de tous. On voit que cette deuxième conception se prête plus aisément au leadership « comportemental » mais laisse peu de place au leadership « stratégique ».

Cette deuxième approche de la stratégie se reconnaît aujourd'hui sous l'étiquette de *resource perspective* (Barney, 1991). L'idée centrale de cet auteur peut s'exprimer comme suit : dans un marché en mouvance rapide et perpétuelle, la stratégie consiste non pas à élaborer un plan mais à bâtir des ressources internes non imitables — comme la capacité d'innover ou d'attirer puis de garder les meilleurs effectifs — qui permettent à l'entreprise de devancer ses rivaux. Dans un tel scénario, le rôle principal de la haute direction consiste à structurer l'organisation de façon appropriée et à lui inculquer des valeurs attirantes et ne consiste pas du tout à inventer des idées stratégiques en tant que telles. La mise en œuvre et la formulation sont faites en même temps par l'ensemble des employés.

VERS UN RAPPROCHEMENT

On constate la double difficulté qu'il y a à expliciter les liens entre stratégie et leadership, car les deux concepts sont passablement flous. Nous allons quand même tenter l'exercice. Commençons par quelques clarifications. En partie, le débat sur la conception de la stratégie souffre d'un manque de clarté sur le plan de l'analyse. D'un côté, ceux qui insistent sur l'importance de la formulation de la stratégie ont tendance à concevoir cette dernière par rapport à la stratégie corporative. On a donc en tête, non pas une organisation avec un seul produit ou service, mais une entreprise avec une gamme de produits et services appartenant à plusieurs marchés. Dans un tel contexte, la stratégie corporative consiste à choisir, parmi un portefeuille d'alternatives, les produits et marchés les plus prometteurs. De l'autre côté, ceux pour qui la formulation et la mise en œuvre de la stratégie sont en rapport étroit ont davantage en tête la stratégie d'affaires ou de produits (*business strategy* ou *product strategy*). On parle des unités opérationnelles qui sont en contact régulier et soutenu avec les clients, ce qui les rend en mesure de suivre de près l'évolution du marché de manière à s'adapter rapidement à ses mouvements. Dans ce cas, les stratégies d'affaires s'accumulent et orientent l'organisation de façon émergente.

Gardant en tête les deux types de stratégies, corporative et d'affaires, voyons, à l'aide d'un exemple, la place qu'occupe le leadership dans les différentes conceptions de la stratégie.

Internet et les innovations connexes sont en train de reconfigurer les marchés. Les entreprises comme America On-Line (AOL) perfectionnent l'accès au Web. Tout récemment, AOL a acheté Time-Warner, un géant des médias, afin de se doter d'un partenaire possédant «du contenu» (*Time*, 2000). La haute direction d'AOL a évidemment parié que l'avenir appartiendrait aux entreprises qui sauraient marier les expertises propres à ces deux médias différents. En acceptant l'offre d'AOL, Time-Warner semblait faire le même pari. On peut présumer que les deux hautes directions ont conclu qu'une stratégie corporative consistant à bâtir, chacun de son côté, l'expertise manquante serait un exercice trop long ou trop coûteux. Mais à qui revient la décision stratégique? Aux PDG? Aux conseils d'administration? À un employé? S'agit-il d'une stratégie émergente ou d'un plan formulé? Il se peut fort bien que plusieurs employés des niveaux hiérarchiques inférieurs d'AOL aient prôné une telle stratégie corporative, mais ils n'avaient ni le pouvoir ni les ressources pour concrétiser un tel changement de cap. L'initiative est sans doute venue des hauts dirigeants qui, s'ils n'avaient pas bougé, se seraient accusés d'avoir manqué de leadership, c'est-à-dire d'avoir manqué d'idées. Car, ce qui comptait, c'était l'idée, sa formulation — un leadership «stratégique». Dans ce cas-ci, le marché exerçait une pression pour une reformulation de la stratégie corporative. La mise en œuvre ne s'est pas faite en même temps: elle a logiquement suivi la formulation. Évidemment, il se peut fort bien qu'un certain leadership «comportemental», à savoir la capacité d'insuffler à ses troupes le désir de dépassement et de se doter d'une structure d'incitatifs, soit nécessaire pour faciliter une mise en œuvre rapide et efficace. Il se peut donc que le PDG d'AOL ait ce deuxième rôle à jouer. Toutefois, d'autres joueurs, à d'autres niveaux dans l'organisation, exercent de façon plus déterminante un leadership «comportemental» auprès des employés clés pour la mise en œuvre de la nouvelle stratégie corporative.

Voyons un autre cas, celui de la Minnesota Mining and Manufacturing Company, 3M, une compagnie qui possède une longue tradition d'innovations et de réussite financière. Nous ne savons pas si 3M est satisfaite de son positionnement stratégique actuel et de sa stratégie corporative, ou si elle se sent dans l'obligation de se diversifier ou de se départir de certains de ses secteurs d'activité. Si c'est le cas, une réorientation de la stratégie corporative incombe au PDG, qui devra alors avoir des idées et exercer un leadership «stratégique». Il se peut qu'il ait également besoin d'exercer un leadership «comportemental» pour la mise en œuvre de la stratégie.

Quoi qu'il en soit, supposons que la stratégie corporative de 3M soit toujours valable. Quel leadership doit jouer le PDG de 3M dans ce cas? Il rallie les troupes, incarne les valeurs de l'organisation et se préoccupe des structures et systèmes qui encouragent l'innovation ou la bloquent. C'est en quelque sorte un «architecte» organisationnel. La stratégie corporative, dans ce cas, consiste en un ensemble de stratégies d'affaires ou de stratégies de produits émergentes. Elle dépend d'un processus d'interaction constant entre tous les employés de 3M et les marchés dans lesquels cette compagnie fait des affaires. Ce n'est pas le PDG qui a à inventer le «Post-it». Pour que 3M reste un leader mondial de l'innovation, il faut un leadership de la part des individus de tous les niveaux afin que le climat de travail chez 3M surpasse celui de ses concurrents. L'une des façons qu'utilise 3M pour promouvoir un tel climat consiste à accorder à chaque employé 15 % de son temps pour travailler sur des projets qu'il choisit lui-même. Le PDG actuel de 3M a-t-il joué un rôle dans cette décision? Peut-être.

LA CLARIFICATION SUR LE PLAN CONCEPTUEL

Résumons notre argument. Le leadership se définit selon deux axes: l'axe des idées et l'axe des comportements. La stratégie se définit également le long de deux axes: la stratégie corporative et la stratégie d'affaires. Le leadership «stratégique» concerne les marchés auxquels l'entreprise veut participer. Le leadership «comportemental» concerne le type d'organisation du travail pouvant faciliter la capacité émergente de l'organisation, sa capacité à s'adapter. Le leadership «stratégique» peut s'exercer sans que le leadership «comportemental» ne s'exerce. Par exemple, Henry Ford a eu une stratégie corporative qui a révolutionné l'Amérique du Nord, mais il était très loin d'insuffler à l'organisation un désir de surpassement et d'innovation. Les employés faisaient ce qu'il dictait. Mais la compagnie Ford a été une réussite. Avec le temps, la stratégie d'affaires et de produits s'est détériorée, Henry Ford étant resté trop attaché au modèle T. Personne n'était autorisé à y toucher, même pas son fils Edsel. L'organisation a failli en mourir.

Parallèlement, le leadership «comportemental» peut s'exercer indépendamment du leadership «stratégique». On peut très bien imaginer une organisation où le PDG et l'équipe de direction n'inventent rien, ne changent rien au positionnement de l'entreprise dans ses marchés, mais se dévouent à la création d'une organisation entière qui innove sur le plan de ses produits et de ses processus. Certains théoriciens pensent que, à la vitesse où se produisent les changements, seule une entreprise très décentralisée peut prospérer. D'autres prétendent que, sans un leadership «stratégique» de la part de la haute direction — c'est-à-dire de ceux qui ont un point de vue privilégié et global sur l'entreprise, sur ses marchés ainsi que sur ses ressources financières et humaines — les efforts sont trop dispersés et la gamme de produits ou de services est trop étendue pour que la réussite soit possible. La stratégie corporative et le leadership «stratégique» auraient donc toujours leur place.

LA STRATÉGIE ET LE LEADERSHIP PEUVENT COEXISTER CHEZ LE MÊME INDIVIDU

L'idéal serait de pouvoir combiner un leadership «stratégique» qui conçoit une stratégie corporative, mais qui sait aussi encourager l'exercice d'un leadership «comportemental» à tous les niveaux hiérarchiques de l'organisation dans le but de maintenir à jour ses compétences au sein des unités responsables des stratégies d'affaires ou de produits. Parfois cette heureuse combinaison existe. Il suffit de penser à Steve Jobs, le fondateur d'Apple. Depuis son retour en selle en 1997, Apple, qui périclitait dangereusement et dont plusieurs prédisaient une mort imminente, est revenue en force. Steve Jobs est un homme d'idées. C'est un entrepreneur et un leader stratégique. Il a des idées bien arrêtées sur le futur positionnement d'Apple et sur sa stratégie corporative. Mais, en même temps, sa seule présence inspire à l'organisation le sentiment que l'innovation est importante et que les idées les plus farfelues peuvent s'avérer géniales. Il favorise un climat susceptible de maintenir à jour les stratégies d'affaires et de produits d'Apple.

Un tel leadership n'est tout de même pas le seul susceptible de réussir. Dans l'histoire à succès de 3M, nous ne pouvons pas identifier un tel leader. Dans mon livre *Artistes, artisans et technocrates dans nos organisations* (Pitcher,

1997), je décris trois sortes de leaders, chacun présentant une combinaison particulière de leadership « stratégique » et de leadership « comportemental ». L'artiste est un leader « stratégique » très axé sur le marché, donc sur la stratégie corporative, et il excite toute l'organisation par les idées inusitées qu'il veut poursuivre. Au Québec, Pierre Péladeau, le fondateur de Quebecor ou, aux États-Unis, Ted Turner, fondateur de CNN, sont des modèles de ce type de leader. Leur type de leadership peut être qualifié de « stratégique », mais leur réputation d'hommes autoritaires démontre aussi un leadership « comportemental ».

L'artisan fait aussi preuve de leadership « stratégique », mais sa stratégie corporative est étapiste. Très près de l'évolution de l'industrie, qu'il connaît intimement de par ses longues années d'expérience, il est capable de susciter lui-même des idées de produits ou de services qui contribueront à une adaptation continue et à une innovation constante de l'organisation. Il présente aussi un leadership « comportemental » qui s'exerce à l'interne et qui vise à créer un climat de confiance propice à l'innovation. Ce type de combinaison est sensiblement celui de la compagnie 3M.

Enfin, le technocrate exerce un leadership « stratégique », en ce sens qu'il imite la compétition et suit à la lettre la recette inventée ailleurs. Doté d'un esprit rigide et conventionnel, il ne développe ni idées originales en relation avec le marché, ni comportements susceptibles de favoriser l'émergence de telles idées dans le reste de l'organisation. C'est une forme de leadership révolue à une époque de changement radical et rapide où l'organisation bureaucratique privée ou publique, dans sa forme actuelle, est appelée à disparaître.

Le temps semble être venu pour un leadership tant d'idées que de comportements, et ce, à tous les niveaux de l'organisation, tant en haut de l'échelle qu'en bas, tant pour la formulation que pour la mise en œuvre de la stratégie. C'est une époque qui exige des gestionnaires éclairés, forts en analyse, certes, mais aussi forts quant à leurs habiletés interpersonnelles.

Partie IV

LA STRATÉGIE
EN SITUATION
DE COMPLEXITÉ

Cette partie comprend quatre chapitres et huit notes. Le chapitre IX décrit ce que signifie la situation de complexité en mettant l'accent sur la compréhension par les dirigeants des relations de cause à effet, généralement non linéaires, et traite aussi du pouvoir constructif dont disposent ces dirigeants, celui qui permet de mener les personnes dans la direction souhaitée. En situation de complexité, la compréhension des relations de cause à effet et le pouvoir constructif sont tous les deux réduits.

Le chapitre X est consacré à la diversification, notamment par acquisitions et fusions. Il fournit un regard général sur une forme de croissance des entreprises qui est aujourd'hui très populaire. On y aborde les raisons qui incitent les entreprises à diversifier leurs activités, les conditions historiques qui ont présidé aux grandes vagues d'acquisitions et de fusions et l'appréciation de la valeur d'une acquisition.

Le chapitre XI est consacré à la clarification du langage en matière de mondialisation. Notamment, on y propose une définition des différents niveaux ou aspects de la mondialisation: la mondialisation des marchés, la mondialisation des entreprises et la mondialisation des industries. On y discute aussi des modèles d'analyse qui permettent de mieux comprendre la dynamique de la mondialisation dans ces différents cas.

Le chapitre XII poursuit sur la lancée du chapitre XI en examinant comment la gestion change lorsque l'entreprise devient une entreprise mondiale. Les différents défis que pose la gestion stratégique d'une organisation de dimension mondiale sont abordés. En particulier, les différents *patterns* de comportement stratégique sont révélés et discutés. Les outils de la gestion en situation de complexité, introduits principalement au chapitre IX, apparaissent comme particulièrement importants pour la gestion en situation de mondialisation, mais ils prennent des formes propres aux problèmes que pose la dispersion géographique.

HUIT NOTES ACCOMPAGNENT CES CHAPITRES :

Deux notes accompagnent le chapitre IX.

La note 23 discute des problèmes de management que pose la complexité et considère que les entreprises japonaises ont un avantage concurrentiel en situation de complexité, à cause de l'attention qu'elles portent aux personnes et de leur capacité à les faire converger, malgré l'exacerbation causée par la complexité des ambiguïtés et des incertitudes de la gestion. Cette note est tirée d'un article écrit par Taïeb Hafsi et publié par la revue *Gestion*.

La note 24 présente certaines réflexions et études récentes en matière de complexité. Ces études menées un peu partout ont convergé vers la création du Santa Fe Institute, aux États-Unis. Elles ont permis de développer des méthodes et des moyens d'analyse prometteurs, basés sur les théories mathématiques du chaos et utilisant de manière massive les nouvelles possibilités de modélisation offertes par le développement de la technologie de l'information. Cette note est de Taïeb Hafsi.

Le chapitre X sur la diversification par acquisitions et fusions est accompagné de deux notes.

La note 25 propose une synthèse des modèles communément utilisés pour l'évaluation des acquisitions et fusions. Ces modèles (stratégique, financier et de portefeuille) correspondent à la répartition verticale de la tâche de gestion stratégique, parmi les gestionnaires et dirigeants, dont il est question au chapitre IX. Cette note est tirée d'un article écrit par Alain Noël, professeur de politique générale d'administration à l'École des HEC, et qui a été publié par la revue *Gestion*.

La note 26 aborde sous un angle nouveau la question de la relation entre la formulation et la mise en œuvre de la stratégie en matière d'acquisitions et de fusions. Elle montre que formulation et mise en œuvre sont souvent en opposition et en contradiction à cause de leurs dynamiques pratiques différentes. En général, le problème de la cohérence entre la mise en œuvre et la formulation est un problème fondamental en gestion stratégique, et les conclusions de cette note peuvent être généralisées à toutes les situations. La note est tirée d'un article de Taïeb Hafsi et de Jean-Marie Toulouse, professeurs de management stratégique des organisations à l'École des HEC, qui a été publié par la revue *Gestion*.

Deux notes se rattachent au chapitre XI portant sur la dynamique de la mondialisation.

La note 27 aborde une question surprenante et stimulante pour ceux qui s'intéressent à la gestion à l'échelle nationale, à savoir la nature différente des perspectives de gestion, selon que l'accent est mis sur la propriété nationale des entreprises et de l'économie ou sur les dimensions, internes au pays, de l'économie. Cette note est écrite par Jean-Christophe Vessier, à la suite de la recherche qu'il a menée sur le sujet dans son mémoire de maîtrise à l'École des HEC.

La note 28 discute de la pertinence de l'un des modèles les plus utilisés en management stratégique en situation de mondialisation, celui du « diamant national formel » de Porter. En particulier, on montre que ce modèle est tout à fait approprié pour les jeux et les acteurs dominants, mais non pour les jeux et les acteurs périphériques. Un modèle adapté, appelé « diamant virtuel », est proposé. Cette note est tirée d'un article écrit par Taïeb Hafsi et Christiane Demers, professeurs de management stratégique des organisations à l'École des HEC, lequel a été publié à l'origine par la revue *Gestion*.

Deux notes accompagnent le chapitre XII, portant sur le management stratégique d'une entreprise mondiale.

La note 29 discute des manières possibles d'utiliser les alliances stratégiques de façon à accroître leur succès. Cette note est écrite par Francine Séguin, professeure de théorie des organisations et de stratégie à l'École des HEC, et par Jean-Louis Denis, professeur au département d'administration de la santé de l'Université de Montréal.

La note 30 est consacrée aux défis que pose le management des alliances stratégiques. Louis Hébert, professeur à l'École des HEC, propose un modèle pour penser aux problèmes que pose la gestion des différentes phases par lesquelles passent les alliances et il suggère aux praticiens les règles à respecter pour relever les défis qui se dressent sur le chemin de la réussite.

Chapitre IX

STRATÉGIE ET COMPLEXITÉ

I. PROLOGUE

Dans ses études remarquables portant sur l'histoire des affaires en Amérique, Chandler a méthodiquement examiné les raisons qui expliquent la domination de certaines entreprises dans leurs industries respectives. Il a ainsi affirmé que le développement de ces firmes n'avait rien à voir avec la main invisible du marché, mais tout avec la main visible de la gestion. Ce sont, disait-il, les firmes qui ont été capables de résoudre les nouveaux problèmes de gestion que posait l'incroyable croissance des réseaux de production et de distribution, plus complexes et plus difficiles à gérer. Sa devise, constamment martelée, est que l'innovation managériale, plus que les produits ou les finances, est essentielle pour le succès de marché (Chandler, 1986).

> *Whereas the activities of single-unit traditional enterprises were monitored and coordinated by market mechanisms, the producing and distributing units within a modern business enterprise are monitored and coordinated by middle managers. Top managers, in addition to evaluating and coordinating the work of middle managers, took the place of the market in allocating resources for future production and distribution. In order to carry out these functions, the managers had to invent new practices and procedures which in time became standard operating methods in managing American production and distribution [1]. (p. 7)*
>
> *As technology became more sophisticated and as markets expanded, administrative coordination replaced market coordination in an increasingly larger portion of the economy. By the middle of the twentieth century the salaried managers of a relatively small number of large mass producing, large mass retailing, and large mass transporting enterprises coordinated current flows of*

---

1. Alors que les activités des entreprises traditionnelles à simple gamme de produits étaient contrôlées et coordonnées par les mécanismes du marché, les unités de production et de distribution d'une entreprise moderne le sont par des gestionnaires de niveau intermédiaire. Les dirigeants au sommet, en plus d'évaluer et de coordonner les travaux de leurs gestionnaires intermédiaires, remplacèrent le marché en allouant les ressources à la production et à la distribution futures. Pour réaliser ces fonctions, les gestionnaires ont dû inventer des pratiques et des procédures nouvelles, qui devinrent avec le temps des méthodes opératoires standards en Amérique en matière de production et de distribution.

goods through the processes of production and distribution and allocated the resources to be used for future production and distribution in major sectors of the American economy. By then, the managerial revolution in American business had been carried out [2].

Ainsi, l'histoire de la Standard Oil of New Jersey montre combien la multiplication des activités a entraîné des difficultés de plus en plus grandes qui ont nécessité des adaptations originales du fonctionnement de l'organisation. En particulier, pour survivre aux crises multiples résultant de la croissance, l'entreprise a d'abord dû mettre l'accent sur la centralisation facilitée par la structure fonctionnelle, afin d'éviter la dispersion et d'accroître l'efficacité.

Cependant, la centralisation, qui permet plus d'efficacité au début, devient problématique par la suite, lorsque les activités sont tellement nombreuses et diversifiées que l'initiative locale est nécessaire. Elle a alors laissé la place à une décentralisation importante que permet une structure divisionnelle par produit ou par projet. Dans le cas de la Standard Oil, la divisionnalisation s'est ensuite accompagnée d'innovations nombreuses, notamment la création de nombreux comités latéraux pour faciliter la coordination. Un tel fonctionnement laisse de la place à l'initiative des entrepreneurs, tout en permettant la coordination. Chandler (1962) résume ainsi son étude de la Standard Oil :

> *La réorganisation de la Jersey a donc suivi la stratégie. Mais la réaction fut plus lente, plus hésitante, et moins décisive qu'à la General Motors. Cette différence est, en partie, due au fait que la Jersey avait des problèmes plus difficiles à résoudre. En 1925, la Jersey était à la fois un groupement centralisé, avec des départements fonctionnels, comme la Du Pont en 1920, et une association, sans liens précis, et ultra-décentralisée, comme la General Motors d'avant la réorganisation. Et s'il s'agissait de créer des divisions d'exploitation à la Du Pont, et une direction générale à la G.M., il fallait créer les deux à la Jersey, et remanier, en plus, l'organisation de certains départements fonctionnels. Pour effectuer ces réformes, la Jersey devait, en plus, déraciner un plus grand nombre de traditions qu'à la General Motors, et, grâce à Pierre Du Pont, qu'à la société d'explosifs. Faisaient partie de cet héritage le principe de gestion par comité, et une tendance à négliger les problèmes d'organisation.*

---

2. Lorsque la technologie devint plus sophistiquée et que les marchés s'étendirent, la coordination administrative remplaça la coordination par le marché dans une portion croissante de l'économie. Vers le milieu du XXe siècle, les gestionnaires salariés d'un nombre relativement petit de grandes entreprises de production, de distribution et de transport de masse ont coordonné les flux courants de biens à travers les processus de production et de distribution, et ont attribué les ressources à utiliser pour les production et distribution futures de secteurs importants de l'économie américaine. C'est alors que la révolution managériale des affaires américaines fut réalisée.

Teagle et ses collaborateurs attendirent longtemps avant de bouleverser ces tra-
ditions et d'adapter les structures à la stratégie. Il faut imputer ce décalage à la
personnalité, à la formation et aux activités de dirigeants de la Jersey. À
l'exception de Sadler, de Howard et peut-être de Clark, ils pensaient peu en
termes d'organisation... Ils dirigeaient au jour le jour, et négligeaient les problè-
mes à long terme, préférant l'action à l'analyse... C'est pourquoi la réorganisation
de la Jersey s'est faite au jour le jour sans suivre de plan déterminé. Il faut, par
contre, ajouter que peu de sociétés pétrolières, s'il en était, abordaient les pro-
blèmes d'organisation d'une façon plus rationnelle que la Jersey.

La Standard Oil était une entreprise unique parce qu'elle était composée
d'une multitude d'entrepreneurs ombrageux, soucieux de leur indépendance,
et intéressés à la réussite de leur partie de l'entreprise, mais qui avaient tout de
même le souci de maintenir l'intégrité de l'ensemble. La décentralisation pouvait, dans ce cas, être perçue comme naturelle, puisque l'entreprise n'était en
fait que l'association des entrepreneurs qui la constituaient. D'ailleurs,
lorsqu'on demandait à Rockefeller comment il expliquait sa réussite, il répondait par une formule lapidaire qui montrait bien l'importance de tous ces
entrepreneurs : « J'ai réussi parce que j'ai été capable de partager. »

En fait, ce partage des bénéfices s'accompagnait surtout d'un partage
des responsabilités qui laissait beaucoup d'initiative aux responsables sectoriels
ou locaux. Mais plus important, il facilitait la gestion de l'entreprise. Celle-ci
était devenue tellement grande et diversifiée que les dirigeants au sommet ne
pouvaient vraiment la comprendre suffisamment pour agir avec discernement. La décision devait être locale, avec un minimum de coordination globale. Cet arrangement avait ainsi simplifié la gestion générale de l'entreprise
de façon telle que des décisions raisonnables, sinon parfaites, pouvaient être
prises. C'est cela le premier réflexe face à la complexité : simplifier pour pouvoir fonctionner. L'histoire de la Standard Oil n'est à cet égard pas unique.
Avec la multiplication des activités, avec l'importance croissante que prennent les personnes, avec l'énergie et le dynamisme croissants de la concurrence, la seule façon de répondre consiste à s'en remettre aux acteurs qui sont en
contact avec la technologie et avec le marché et à trouver des mécanismes
pour suivre leur action et se donner ainsi une chance de la comprendre.

Dans ses travaux plus récents, Chandler (1987) reconnaît que les difficultés de gestion sont allées croissantes :

Les producteurs d'aliments, de médicaments et d'autres produits de marque
présentés sous emballage, les fabricants d'équipement électrique et

électronique, et toutes sortes d'entreprises de mécanique se montrèrent capables d'utiliser leurs capacités internes afin de surpasser la concurrence en pénétrant sur les marchés de produits connexes des leurs... Néanmoins le succès même de ces stratégies de croissance facilité par la structure multidivisionnelle créa de nouveaux défis...

L'expansion rapide dans des branches en relation lointaine avec celle de l'entreprise ou même sans lien aucun avec elle exerça une énorme pression sur la structure multidivisionnelle. Elle conduisit à une rupture de communication entre les cadres dirigeants de l'état-major central et les cadres supérieurs opérationnels des divisions. Ce dysfonctionnement avait deux causes. D'abord, les dirigeants du siège central n'avaient souvent qu'une faible connaissance des processus techniques et des marchés de beaucoup de sociétés dont ils avaient fait l'acquisition ou bien ils n'en avaient qu'une faible expérience. Ensuite, l'acquisition de plus de divisions créait simplement une surcharge pour la prise de décision au siège central. Avant la Seconde Guerre mondiale les états-majors des grandes firmes diversifiées et multinationales géraient rarement plus de 10 divisions et seules les firmes géantes allaient jusqu'à en gérer 25... En 1969, il y avait des compagnies qui administraient 40 divisions, et certaines même davantage...

Les hauts dirigeants du siège central n'avaient plus, contrairement à leurs prédécesseurs, le temps nécessaire pour établir et maintenir des contacts personnels avec les responsables des divisions opérationnelles. Ils n'avaient pas davantage l'expérience détaillée des produits qui reste nécessaire pour évaluer les propositions des responsables opérationnels comme pour contrôler leurs performances...

La surcharge résultait non d'un quelconque manque d'information, mais de la qualité de l'information et de la capacité des dirigeants les plus haut placés à l'évaluer. Ceux-ci en effet commençaient à perdre la compétence indispensable pour maintenir une entreprise unifiée dont la totalité est davantage que la somme de ses parties.

La compréhension de l'action sur le plan opérationnel reste nécessaire, mais elle se fait ici *a posteriori* et son objet est surtout organisationnel, de façon à faciliter les actions les plus pertinentes et à récompenser les comportements souhaités chez les gestionnaires. Contrairement à ce qu'affirme Chandler, la nature des aspects à comprendre n'est pas non plus la même. On s'intéresse non plus aux actions opérationnelles à entreprendre, mais aux comportements des personnes et aux relations entre ces comportements et les modifications des règles du jeu, notamment la nature et le fonctionnement des mécanismes d'attribution des récompenses et des punitions.

La situation de complexité est justement la situation où la capacité d'action des dirigeants est réduite de manière importante. Sans entrer dans des définitions trop techniques, nous retiendrons qu'une situation est complexe lorsque:

1. Les activités et les technologies sont tellement nombreuses que les dirigeants ne peuvent toutes les comprendre et, en général, ils n'ont qu'une compréhension limitée du système qui en résulte;
2. Le pouvoir est tellement partagé et dispersé que ces dirigeants n'ont que peu de pouvoir constructif pour amener l'organisation dans la direction souhaitée.

La question qui en résulte est alors celle-ci: **Comment peut-on gérer lorsque simultanément on ne comprend pas et on n'a pas tout le pouvoir requis pour agir?**

Dans ce chapitre, nous allons justement apprécier les transformations dans la fonction du gestionnaire des grandes organisations complexes d'une part, en étudiant certains des outils d'analyse qui sont utilisés pour simplifier leurs tâches, notamment la prise de décision pour l'allocation des ressources, et d'autre part, en examinant comment concrètement les organisations complexes prennent leurs décisions importantes. Ce chapitre sera donc consacré, dans une première partie, aux méthodes d'analyse attachées au contenu des décisions à prendre et, dans une seconde partie, aux processus par lesquels les décisions sont prises et comment ces processus peuvent être modifiés de façon à obtenir les résultats souhaités.

II. LES MÉTHODES D'ANALYSE

Nous ne nous intéressons ici qu'aux méthodes qui permettent de simplifier le problème de la prise de décision auquel font face les dirigeants dans les grandes organisations complexes. Pour l'essentiel, ce problème est lié à la répartition des ressources entre les différentes activités de l'organisation. Traditionnellement, la décision de répartition des ressources était dominée par les procédures d'évaluation des investissements recommandées dans les manuels d'analyse financière. Celles-ci peuvent être résumées comme suit:

a) Évaluer les flux de fonds, soit les fonds correspondant aux dépenses nécessaires à la réalisation des investissements envisagés, et les entrées de fonds que l'investissement est censé entraîner dans l'avenir.

b) Calculer la valeur actualisée des entrées et sorties de fonds, en utilisant comme taux d'actualisation le taux de rentabilité exigé de l'entreprise par le marché (Noël, 1989). Faire le bilan entre les entrées actualisées (positives) et les sorties actualisées (négatives). Le résultat est la valeur actualisée nette de l'investissement envisagé.

c) Choisir les investissements qui produisent la valeur actualisée nette la plus élevée ou la rentabilité de l'investissement (rapport entre la valeur actualisée nette et les dépenses totales d'investissement) la plus élevée.

Ce genre d'évaluation, qui domine encore les procédures d'investissement des firmes, est très sensible à la qualité des projections de résultats futurs, mais ne permet pas de porter un jugement éclairé sur ces projections. Les entreprises, comme GE (Aguilar, 1988), étaient alors obligées de maintenir des personnels spécialisés importants, au niveau central, pour contrôler la qualité des évaluations faites par les opérationnels. Fait plus important encore, ces méthodologies ne permettaient pas de comprendre comment la position concurrentielle des activités dont il était question allait être touchée par l'investissement considéré.

C'est ce qui a amené la société de consultants McKinsey à élaborer le modèle de portefeuille de produits, qui répondait au départ aux besoins de la société GE. La plupart des grandes sociétés de consultants en gestion stratégique créèrent par la suite leur propre version du modèle. La plus populaire de ces versions est celle qu'a proposée la société Boston Consulting Group (BCG). Cette version est la plus simplifiée mais aussi la plus quantitative des versions. C'est elle qui nous servira de base. Les éléments de la section qui suit complètent la présentation générale de l'analyse de portefeuille faite au chapitre VI portant sur les choix stratégiques.

A. Le modèle de portefeuille

1. Le concept d'activité stratégique

Un des déterminants de la complexité est justement la diversité des activités. Cependant, les activités ne sont pas toujours aisées à distinguer les unes des autres. La définition des activités est en soi une décision stratégique. Ainsi, dans l'article célèbre de *Marketing Myopia* (Levitt, 1960), il était expliqué comment les entreprises de chemins de fer ont raté une occasion rare de dominer le marché des transports de masse du XXe siècle, notamment par route et par air, en se définissant non pas comme des sociétés de transport de biens et de passagers, mais comme des « sociétés de transport par rail ». Cette définition étroite a été à l'origine du déclin de ces entreprises tout au long de ce siècle. L'inverse est aussi vrai. On peut se définir de manière tellement large qu'on risque de ne pas être capable d'exceller dans toutes les activités que cela implique. Ainsi, aucune entreprise ne se définirait aujourd'hui comme « une entreprise d'informatique », en général, parce que cela ne veut plus dire grand-chose, compte tenu du très grand nombre d'activités possibles dans cette filière.

① Définir les activités stratégiques est alors une étape clé de la démarche stratégique, lorsqu'on est en situation de complexité.

En général, on peut définir une activité stratégique comme une activité (ou ensemble de produits-marchés) suffisamment autonome, pour laquelle on peut définir une stratégie. Cela suppose qu'on puisse déterminer clairement les concurrents et que les ressources utilisées (équipements, personnels, etc.) puissent être clairement séparées de celles des autres activités.

Beaucoup de règles et de guides ont été proposés dans la littérature pour faciliter cette tâche, qu'on appelle généralement « segmentation stratégique » (Nantel, 1989 ; Abell & Hammond, 1979). Nous croyons cependant qu'il est préférable de parler de la segmentation stratégique d'une manière fondamentale et de laisser les règles émerger dans chaque situation spécifique. Il faut cependant insister sur l'importance de la définition des activités pour toutes les analyses qui sont faites en situation de complexité.

2. Le modèle BCG[3]

Comme tous les modèles de portefeuille d'activités stratégiques, le modèle BCG met l'accent sur les forces, exprimées en termes de position de marché et d'attirance du marché, du portefeuille de produits-marchés ou d'activités stratégiques d'une entreprise. La clé du modèle est la relation qui existe entre le *cash flow* d'une activité stratégique et ses caractéristiques en termes de part de marché/croissance du marché. L'objectif est d'arriver au portefeuille qui produira le *cash flow* le plus élevé et le plus stable dans le temps, en prenant en considération les *patterns* de *cash flow* de chacune des activités stratégiques. En utilisant le modèle de portefeuille d'activités, un dirigeant a alors comme objectif de maximiser les forces totales de l'entreprise, en équilibrant la production et l'utilisation des fonds de l'entreprise.

La proposition centrale indique que, dans la plupart des environnements concurrentiels, il y a une relation forte entre la part de marché relative et la croissance du marché d'une part, et les caractéristiques de production et

---

3. Dans cette partie, nous nous sommes inspirés de l'excellente présentation qui a été faite par Slater et Weinhold (1979).

d'utilisation des fonds des activités stratégiques d'autre part. Ainsi, lorsqu'une entreprise réalise, pour une activité donnée, une stratégie qui permet un accroissement du volume d'affaires plus rapide que celui de ses concurrents, des avantages de coût en résultent. Cette relation coût/volume d'affaires est justifiée par ce qui est appelé la courbe d'expérience.

BCG décrit la courbe d'expérience comme une relation prévisible entre le coût unitaire et le volume de production cumulé. S'appuyant sur des travaux précédents, réalisés notamment par l'armée de l'air américaine, et sur la courbe d'apprentissage en matière de production, BCG a proposé que l'effet d'apprentissage s'étendait aussi à tous les facteurs qui participent à la valeur ajoutée, comme le capital, la main-d'œuvre et les coûts fixes. Les raisons qui expliquent

---

Figure 1 *La courbe d'expérience du*
modèle T de Ford

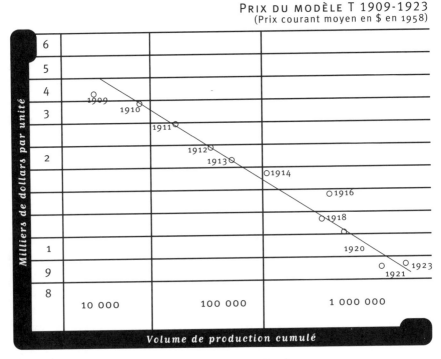

Adaptation par l'auteur des données d'Abernathy & Wayne (1974).

la courbe d'expérience ne sont pas connues avec précision, mais on mentionne plusieurs facteurs explicatifs, notamment :

1. L'amélioration de l'efficacité de la main-d'œuvre ;
2. Les effets des améliorations de méthodes et de l'introduction de nouveaux processus de production ;
3. Les reconceptions ou améliorations de la conception du produit qui permettent des économies de matière première, une meilleure efficacité manufacturière ou l'utilisation de ressources moins onéreuses ;
4. Les effets de la standardisation possible du produit ;
5. Les effets d'échelle.

Les courbes d'expérience sont souvent présentées sur un diagramme logarithmique avec le coût unitaire en ordonnée et le volume de production cumulé en abscisse. Les figures 1 et 2 montrent les courbes d'expérience du modèle T de Ford et des circuits intégrés de Texas Instruments.

> **Figure 2   La courbe d'expérience
> pour les circuits intégrés**

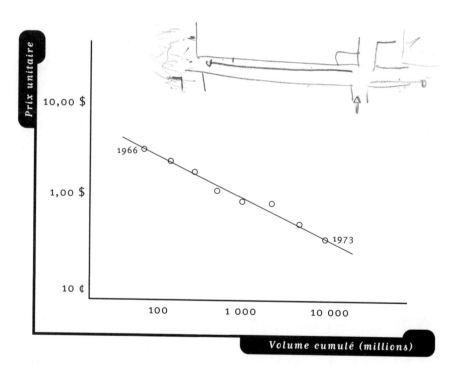

Source : Texas Instruments Inc., First Quarter and Stockholders' Meeting Report, 18 avril 1973.

Du fait de la courbe d'expérience, le concurrent qui a la part de marché relative la plus élevée dans une activité (ou un produit) donnée est celui qui a le volume cumulé le plus important et, par conséquent, le coût unitaire le plus faible. Il va ainsi produire la marge la plus élevée, pour un prix de marché donné.

Si la production de fonds est clairement liée à l'expérience et donc à la part de marché relative, l'utilisation des fonds, notamment pour l'investissement, dépend bien entendu de la croissance du marché. Maintenir ou accroître la part de marché dans un marché en croissance crée des besoins de fonds qui sont d'autant plus grands que le taux de croissance est élevé et que les gains de parts de marché visées sont élevés. La dynamique entre la production et l'utilisation des fonds permet alors de classifier les activités dans le tableau de la figure 3 pour faciliter la prise de décision en matière stratégique, notamment pour faciliter l'allocation des ressources entre différentes activités stratégiques.

La figure 3 illustre les situations possibles :

Figure 3 Le modèle de portefeuille
Modèle de gestion stratégique de portefeuille de cas

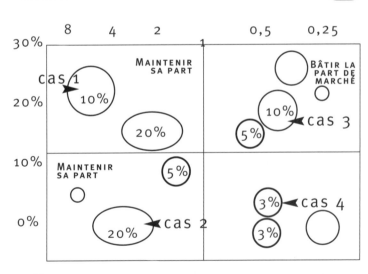

1. Lorsqu'une activité stratégique a une forte part de marché relative, donc produit beaucoup de fonds, et se trouve dans un marché en forte croissance, donc utilise beaucoup de fonds, nous avons une situation idéale. En effet, non seulement nous disposons des possibilités de croissance, mais de plus nous disposons des ressources pour les exploiter. Une activité dans cette situation est appelée *star*.

2. Lorsqu'une activité stratégique a une forte part de marché relative, donc produit beaucoup de fonds, et se trouve dans un marché en faible croissance, donc n'utilise pas beaucoup de fonds, elle devient un fournisseur net de fonds qui deviennent disponibles pour d'autres utilisations. Une activité dans cette situation est souvent appelée *vache à lait*.

3. Lorsqu'une activité stratégique a une faible part de marché relative, donc ne produit pas beaucoup de fonds, et se trouve dans un marché en forte croissance, donc exigeant beaucoup de fonds ne serait-ce que pour se maintenir, elle se trouve en situation délicate. Elle ne peut progresser que si l'on décide d'y injecter des fonds parfois en grande quantité. Une activité dans cette situation est souvent appelée *point d'interrogation*.

4. Finalement, lorsqu'une activité stratégique a une faible part de marché, dans un marché en faible croissance, nous sommes face à une situation que les gens de BCG considèrent comme problématique et ils ont tendance à suggérer qu'on abandonne cette activité. Une activité dans cette situation a été généralement appelée *canard boiteux*, ce qui est regrettable, car il serait plus juste de dire que ces situations sont à examiner de plus près, probablement pour redéfinir son positionnement ou effectuer un redressement. Le désinvestissement devrait être considéré seulement après une analyse plus précise.

Les situations des activités mènent aux recommandations importantes du modèle en matière d'allocation de ressources, et qui sont représentées dans la figure 4.

Il est souhaitable de prendre les fonds produits par les vaches à lait, de les investir dans les points d'interrogation les plus prometteurs, pour en faire des stars qui, avec le temps, deviendront des vaches à lait. Un portefeuille équilibré doit alors comprendre des activités dans les trois cases « vertueuses », la case des « canards boiteux » devant être vide.

Figure 4 Le modèle de portefeuille
Modèle de gestion stratégique de portefeuille de cas

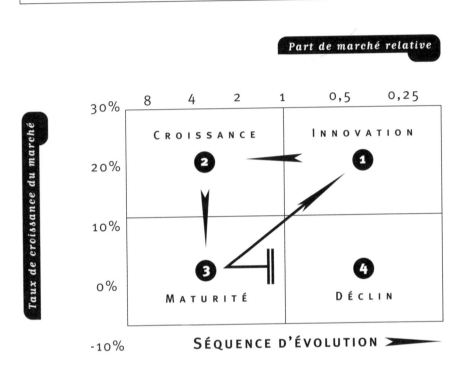

3. Un modèle alternatif : le modèle McKinsey-GE

Lorsque McKinsey fit le diagnostic de GE en 1969, ses consultants recommandèrent une gestion de portefeuille similaire à celle du BCG. Cependant, les dirigeants de GE étaient mal à l'aise avec la nature quantitative et apparemment définitive des décisions qu'impliquait ce modèle. Notamment, ils préféraient porter des jugements plus élaborés sur la position concurrentielle des activités, plutôt que de s'en remettre à la part de marché relative, et sur l'attirance du marché, plutôt que de ne tenir compte que du taux de croissance du marché. Cependant, pour rester systématiques, ils ont décidé que ces jugements seraient guidés par une série de dimensions, comme l'indique le tableau 1.

Tableau 1 L'évaluation de la position concurrentielle et de l'attirance du marché

Facteurs influençant l'attirance de l'industrie	Facteurs influençant la position de l'activité
• Taille du marché	Accent sur la recherche •
• Croissance du marché	Technologie du produit •
• Nombre de concurrents	Qualité du produit •
• Forces/faiblesses des concurrents	Taille de la fabrication •
• Caractéristiques du cycle de vie du produit	Expérience •
• Position dans le cycle de vie	Distribution physique •
• Taux de changement de la technologie	Marketing •
• Profitabilité	Intangibles (brevets, •
• Barrières à l'entrée et à la sortie	marques de commerce, etc.)

Figure 5 La position relative

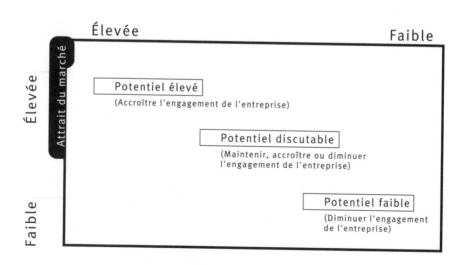

{ 441 }

La position concurrentielle et l'attirance du marché, pour une activité stratégique donnée, sont alors représentées, comme dans le modèle BCG, dans un diagramme matriciel (voir la figure 5). Les recommandations d'allocation de ressources ressemblent alors à celles du BCG, avec une classification des activités stratégiques le long des dimensions retenues.

B. Un modèle d'évaluation comparative : le PIMS

Le Marketing Science Institute a mis au point une banque de données et une méthodologie qui permettent de préciser la position concurrentielle des activités stratégiques telles qu'elles sont décrites dans le modèle de portefeuille. La méthodologie, appelée *Profit Impact of Market Strategy* (PIMS), permet de comparer les performances d'une activité stratégique donnée à celles des quelque 2 700 unités de la banque de données, en substituant les données concernant cette activité dans une des équations de régression dérivées empiriquement à partir des données de la banque. Le PIMS permet alors de produire quatre types de rapports :

a) Un rapport dit de « Par », qui indique comment se situent le rendement sur le capital investi (RCI) et les flux monétaires (*cash flow* ou FM) par comparaison aux RCI et aux FM d'activités similaires.

b) Un rapport dit de « Sensibilité stratégique », qui suggère par des scénarios comment les RCI et FM peuvent évoluer si l'on modifie les caractéristiques des variables du modèle.

c) Un rapport de « Stratégie optimale », dont l'objectif est de déterminer les décisions combinées qui permettent de maximiser les RCI et FM.

d) Un rapport dit « Lim », qui permet une combinaison sélective des résultats de Par et de Sensibilité.

Le modèle est basé sur des équations mathématiques qui sont censées expliquer plus de 80 % de la variabilité de la profitabilité ou du *cash flow*. Les variables considérées peuvent être regroupées en cinq grands groupes :

1. Caractéristiques de l'environnement d'affaires, notamment taux de croissance à long terme, taux de croissance à court terme, taux d'inflation des prix et des coûts, fréquence d'achat, nombre et taille des utilisateurs et des acheteurs.

2. Position concurrentielle de l'activité, notamment part du marché servi, part relative, qualité relative des produits, prix, effort de marketing et activité de nouveaux produits.

3. Structure du processus de production, notamment intensité du capital, degré d'intégration verticale, utilisation de la capacité, productivité des équipements et des personnes.
4. Allocations budgétaires discrétionnaires, notamment budgets de recherche et développement, budgets de marketing.
5. Actions stratégiques, notamment les patterns de changement dans l'une des variables contrôlables mentionnées.

Le PIMS utilise deux types de régression, l'une à 37 variables pour la prédiction du RCI et l'autre à 18 variables pour la prédiction du FM. La caractéristique principale du PIMS est qu'il permet de remplacer une grande partie des évaluations subjectives du modèle McKinsey-GE par des évaluations dérivées de manière empirique. Comme la plupart des variables stratégiques importantes, susceptibles de modifier la performance, ont été introduites dans le modèle PIMS, les différences entre le Par et la performance observée peuvent être attribuées à des variables non stratégiques, comme la gestion opérationnelle.

C. LES MÉRITES ET LES PROBLÈMES DES MODÈLES D'ANALYSE STRATÉGIQUE TRADITIONNELS

1. Les mérites

Les modèles du type BCG et PIMS et tous ceux qui en sont dérivés ont été conçus pour simplifier la prise de décision lorsque le niveau de complexité devient trop élevé et met à l'épreuve les capacités cognitives des dirigeants, plus spécifiquement leurs capacités à comprendre les phénomènes organisationnels et à agir de manière efficace.

La simplification qui est proposée par le modèle de portefeuille de produits est en fait une simplification de l'analyse stratégique. Au lieu d'obliger les dirigeants à prendre d'abord connaissance de sommes considérables d'informations sur la situation stratégique de chacune des activités avant de décider, le modèle digère ces informations : premièrement, en réduisant les deux parties de la formulation stratégique, l'analyse interne et l'analyse externe, à des dimensions qui peuvent être examinées et évaluées de manière systématique par des collaborateurs ; deuxièmement, en proposant des décisions « standardisées » pour maintenir l'équilibre du portefeuille.

Ainsi, l'analyse interne est remplacée par la part de marché relative dans le modèle BCG ou par des dimensions clairement explicitées dans les autres modèles de remplacement. De même, l'analyse externe est réduite à la croissance du marché ou à des dimensions qui peuvent faciliter l'appréciation systématique de la nature de l'environnement.

Le modèle suggère ensuite des comportements ou des décisions qui sont basés sur la logique. Comme les dirigeants ont la main haute sur les ressources financières, on leur suggère qu'ils devraient alors les répartir de façon à ce que le portefeuille d'activités stratégiques soit équilibré. Ils doivent ainsi s'assurer que les activités de l'entreprise comprennent des activités productrices de fonds aujourd'hui (les vaches à lait), des activités aujourd'hui dominantes dans leur marché en forte croissance et productrices de fonds pour l'avenir, lorsque la croissance du marché diminuera suffisamment (les stars), et des activités qui ont besoin d'être soutenues pour compléter la chaîne et produire les stars de l'avenir (les points d'interrogation).

Le dirigeant n'a plus qu'à confirmer le résultat de l'analyse en apposant son sceau à une décision somme toute relativement technique. Il doit peut-être aussi veiller à ce que le portefeuille soit maintenu équilibré de manière dynamique, c'est-à-dire prévoir les problèmes qui pourraient remettre en cause l'équilibre ou, lorsque l'équilibre n'est pas atteint, prendre les décisions qui le réaliseraient. Ainsi, pour la compagnie Harlequin, un leader mondial des romans d'amour grand public (Fry & Killing, 1983), le plus grand des problèmes stratégiques dans les années 1980 a été de trouver des activités, des points d'interrogation, qui permettraient de remplacer progressivement les remarquables succès de ses activités principales. Sur une période d'environ 10 ans et malgré plusieurs acquisitions, dont les résultats ont été plutôt malheureux, elle n'a guère réussi à le faire.

Toujours dans le cadre de l'équilibrage du portefeuille d'activités, un autre type de décisions importantes à prendre par les dirigeants peut être la décision d'abandonner des activités qui, selon l'analyse, n'ont aucune chance d'apporter des contributions à l'équilibre du portefeuille. En général, désinvestir ou faire des acquisitions sont souvent des actions d'équilibrage du portefeuille d'activités.

Il est alors évident que la simplification de la tâche du dirigeant qui résulte du modèle de portefeuille est considérable, ce qui explique d'ailleurs l'engouement que cet instrument a suscité dans les milieux de la consultation en stratégie. Le modèle du PIMS s'est révélé un complément remarquable du modèle de portefeuille. Il permet de documenter de manière plus convaincante la position concurrentielle de l'activité et donc de rendre plus convaincante la classification qui en résulte dans le modèle. Diriger une grande organisation complexe revient en somme à gérer le portefeuille des activités qu'elle rassemble.

2. Les problèmes

La plupart des problèmes viennent de la puissance même du modèle et du confort qu'il apporte aux décideurs. L'analyse est tellement convaincante que les dirigeants ont l'impression que les résultats vont suivre. Il en résulte souvent des décisions et des comportements stéréotypés et dangereux.

D'abord, la terminologie elle-même peut être un problème pour la gestion de l'entreprise. En effet, la classification engendre des comportements qui auront tendance à confirmer la justesse du terme choisi. En particulier, le personnel des activités qui auront été classifiées comme des stars aura des comportements qui exigeront le respect du statut qui va avec la classification. De même, le personnel des activités classées « canards boiteux » sera démobilisé et il confirmera ainsi la « prophétie ». Cette segmentation de l'entreprise en classes peut être catastrophique pour la coordination de son fonctionnement.

Par ailleurs, les dirigeants auront tendance à ne plus utiliser leur jugement ni à encourager le jugement de leurs collaborateurs. Le résultat de l'analyse peut devenir une sorte de dogme que chacun va s'évertuer à respecter. Le modèle devient alors une sorte de magie intellectuelle qui peut servir à éloigner les dirigeants de la réalité de la gestion de l'entreprise. Comme des enfants devant de nouveaux jouets performants, ils peuvent oublier que le modèle n'est qu'un mécanisme de simplification de la réalité. Il ne peut éliminer la sueur et « l'agonie » que la dynamique, souvent non linaire, des actions des personnes suscite pour la gestion. Le modèle simplifie la vie, pour mieux la comprendre, mais il ne l'élimine pas.

De plus, le modèle peut faire oublier les hypothèses et les paris qui sont sous-jacents à l'analyse. Ainsi, le premier grand pari est que la segmentation stratégique, donc la définition actuelle des activités stratégiques, est adéquate et permet de produire un avantage compétitif. Rien n'est moins sûr, parce que la validité de la segmentation est aussi touchée par les actions des concurrents et par les comportements des clients, lesquels sont en évolution constante. Donc, une vigilance de tous les instants s'impose pour s'assurer qu'on travaille sur une représentation suffisamment crédible de la réalité ou, lorsque les paris s'imposent, que les hypothèses qui ont été faites restent confirmées par les éléments de réalité auxquels on a accès.

Finalement, toutes les décisions sont prises sur la base de projections sur les comportements futurs des marchés et des acteurs importants. Ces projections sont souvent des spéculations, parce que le futur est toujours très difficile à prédire. De plus, si l'on tient compte du fait que les enjeux politiques au sein de l'organisation sont considérables, l'accès aux ressources faisant le succès ou l'échec d'un dirigeant, les tentations de déguiser ou de déformer la réalité sont aussi considérables.

Prenons un exemple. Supposons que, dans une entreprise, les ressources ne sont octroyées que si une activité présente les caractéristiques de profit ou de croissance (ou les deux) définies. Supposons de plus qu'en modifiant légèrement les données, un dirigeant d'activité stratégique peut satisfaire ces exigences. Même sans être franchement malhonnête, ce dirigeant sait que l'incertitude est tellement grande et sa volonté tout aussi grande, qu'il peut vraiment satisfaire les exigences. Il va donc « soigner les données » pour satisfaire les exigences. Cela lui permettra en même temps de garder intactes ses chances de réussite personnelle dans l'organisation.

Ainsi, malgré l'utilité des modèles d'analyse mentionnés, les difficultés qu'ils engendrent ont amené les chercheurs à examiner de plus près comment les entreprises font pour faire face à ces difficultés. Ce sont les résultats de ces recherches que nous examinons à présent.

III. LA GESTION DU PROCESSUS : DU MANAGEMENT AU MÉTAMANAGEMENT

C'est Barnard (1938), un grand gestionnaire et théoricien de la gestion, qui le premier a suggéré l'importance du processus par lequel les efforts des membres de l'organisation sont gérés dans les situations de complexité. Simon (1945), un des plus grands théoriciens des organisations et prix Nobel, a suggéré qu'il fallait étudier le processus par lequel les décisions étaient prises. Nombre d'écrits ont été rédigés mais la plupart sont restés très théoriques jusqu'à la publication des travaux de Braybrooke et Lindblom (1970) sur la prise de décision dans un système aussi complexe que celui du gouvernement américain, des travaux d'Allison (1971) sur le processus de prise de décision qui a entouré la crise des missiles de Cuba, et surtout des travaux de Bower (1970) sur l'allocation des ressources dans les grandes entreprises diversifiées aux États-Unis.

Braybrooke et Lindblom ont suggéré que la prise de décision dans des systèmes complexes était tellement difficile à cerner qu'on ne pouvait qu'admettre qu'elle soit incrémentale et donc « moins que parfaite », lorsque comparée aux exigences du modèle rationnel traditionnel. Ils apportaient ainsi une légitimité au fonctionnement des institutions américaines. Allison (1971), quant à lui, a étudié comment, autour de la crise des missiles de Cuba, les décisions du gouvernement Kennedy aux États-Unis, et du gouvernement de Khrouchtchev en Union soviétique, pouvaient être expliquées. Il proposa notamment trois perspectives ou modèles, le modèle rationnel, le modèle organisationnel et le modèle politique, pour montrer comment la décision non seulement impliquait des choix analytiques logiques, mais aussi devait tenir compte des problèmes du fonctionnement des appareils qui servaient à réaliser les politiques et enfin des préférences et des actions des personnes clés qui participaient à la prise de décision.

Finalement, Bower (1970), dans le cadre d'une grande entreprise américaine, confirma l'analyse d'Allison mais, plus important, proposa comment concrètement les modèles rationnel, organisationnel et politique se combinaient pour expliquer les décisions et les actions en situation de grande complexité. Beaucoup d'autres auteurs ont confirmé les travaux de Bower dans toutes sortes de circonstances et d'organisations. Ces travaux ont été synthétisés par Hafsi (1985).

En simplifiant, on peut dire que la prise de décision dans une grande organisation complexe suppose une sorte de « spécialisation verticale » de la tâche de gestion. Les idées d'action au niveau stratégique ne peuvent venir que des personnes qui sont en contact avec les réalités de l'environnement et de l'organisation (par exemple, marché et technologie pour l'entreprise). Leur connaissance du milieu et de l'environnement leur permet alors de faire une analyse stratégique dans le sens défini au chapitre III. Leur tâche est donc de nature essentiellement *stratégique*.

Les gens au sommet n'ont vraiment aucun moyen d'apprécier la validité des propositions qui leur sont faites et ils ne peuvent en particulier refaire les études ni les évaluer sans consacrer à cela tellement de temps et d'énergie que tout peut être paralysé. Ils ne peuvent alors que dire oui ou non à ce qui leur est proposé. Ils le font avec l'aide de gestionnaires intermédiaires qui connaissent mieux qu'eux les réalités du terrain, et mieux que les gestionnaires du terrain les exigences du sommet. Ces gestionnaires font alors une tâche de traduction et de réconciliation entre les autres niveaux, une tâche dont les caractéristiques sont essentiellement *interpersonnelles*.

Les gens au sommet sont cependant les gardiens des règles du jeu. Non seulement peuvent-ils nommer les personnes clés des niveaux « stratégique » et « intermédiaire », mentionnés plus haut, mais ils peuvent modifier les arrangements structurels, y compris les récompenses et punitions, de façon à encourager les comportements désirés, notamment les comportements des gestionnaires au niveau stratégique. Pour faire cela aussi, ils ont besoin de l'aide des gestionnaires intermédiaires, notamment de leur présence auprès des gestionnaires stratégiques et de leur compréhension des relations de cause à effet en matière de gestion. Les gestionnaires intermédiaires ont alors un rôle décisif dans le fonctionnement du système. Comment et pourquoi un tel ensemble arrive-t-il à fonctionner convenablement? Pourquoi, en particulier, n'aurions-nous pas les mêmes dysfonctionnements que ceux qui ont été évoqués lors de la discussion du modèle de portefeuille d'activités?

Les études montrent d'abord que la gestion d'un tel système suppose un suivi et des ajustements constants. Les dirigeants au sommet doivent faire de la gestion en modifiant les règles du jeu par petites touches, avec l'aide des gestionnaires intermédiaires. Ceux-ci ont intérêt à coopérer au mieux, parce que leur crédibilité et leur futur dans l'organisation en dépendent.

En effet, plus la performance passée d'un gestionnaire intermédiaire est bonne, c'est-à-dire plus ses conseils et les projets qu'il a soutenus ont été judicieux, plus son influence sur la décision au sommet est grande et plus ses récompenses vont être grandes. Pour utiliser une métaphore nord-américaine, on dirait que, comme un joueur de base-ball, il est jugé sur sa « moyenne au bâton ». Il va donc s'efforcer de choisir les meilleurs projets et les meilleures décisions, du point de vue de l'organisation dans son ensemble.

De la même manière, les dirigeants au niveau stratégique ont intérêt à ne proposer, au niveau intermédiaire, que les décisions qui vont accroître leur crédibilité auprès de ce niveau. Là aussi, la moyenne au bâton est importante. On ne cherchera généralement pas à jouer des jeux artificiels et à tromper l'organisation, car les risques peuvent être dévastateurs sur le plan personnel.

Ainsi, le système est construit de manière à réduire les risques de jeux politiques dysfonctionnels pour l'organisation dans son ensemble, même si à court terme ils peuvent apparaître. Le talent des dirigeants intermédiaires est justement de reconnaître les propositions qui vont renforcer la capacité de l'organisation à survivre à long terme. C'est à leur niveau que se fait la gestion du portefeuille d'activités. Le talent des dirigeants au sommet est de comprendre suffisamment le fonctionnement des organisations et la psychologie des dirigeants pour construire et adapter sans cesse les structures et les règles du jeu de façon à produire les comportements les plus favorables à la survie de l'organisation.

On voit donc les trois modèles d'Allison en interaction (voir la figure 6). Le modèle rationnel, ou stratégique, domine au niveau opérationnel, celui de la *définition* de la décision. Le modèle organisationnel, préoccupé par la nature et le fonctionnement des appareils, domine au niveau institutionnel, celui de la *gestion du contexte*, le plus élevé. Le modèle politique, ou interpersonnel, domine au niveau intermédiaire, celui de la *gestion de l'impulsion* (ce qui permet à une décision d'arriver à l'attention des dirigeants qui peuvent dire oui ou

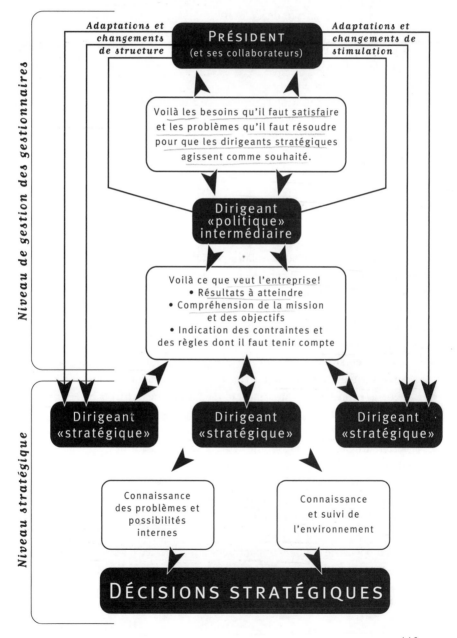

Figure 6   La gestion stratégique dans les organisations complexes

Niveau de gestion des gestionnaires

Adaptations et changements de structure

PRÉSIDENT (et ses collaborateurs)

Adaptations et changements de stimulation

Voilà les besoins qu'il faut satisfaire et les problèmes qu'il faut résoudre pour que les dirigeants stratégiques agissent comme souhaité.

Dirigeant «politique» intermédiaire

Voilà ce que veut l'entreprise!
• Résultats à atteindre
• Compréhension de la mission et des objectifs
• Indication des contraintes et des règles dont il faut tenir compte

Niveau stratégique

Dirigeant «stratégique»

Dirigeant «stratégique»

Dirigeant «stratégique»

Connaissance des problèmes et possibilités internes

Connaissance et suivi de l'environnement

DÉCISIONS STRATÉGIQUES

non). L'interaction de ces trois modèles, lorsque chacun des niveaux joue son rôle, sans interférence importante dans l'action des autres niveaux, a tendance à former des comportements qui sont dans l'ensemble fonctionnels.

La gestion d'une organisation complexe apparaît alors comme la gestion des gestionnaires qui permet à l'organisation de prendre les décisions les plus judicieuses pour la survie de l'ensemble à long terme. Ainsi, avec la complexité, on passe de la gestion normale des personnes et de leurs actions (le management), avec les dirigeants engagés dans toutes les phases de la décision, à une gestion des gestionnaires qui font cela pour chacune des activités (le métamanagement[4]).

Gérer une organisation complexe, ce n'est plus gérer toute l'organisation et les décisions que les personnes prennent. C'est surtout gérer les dirigeants qui prennent les décisions de nature stratégique, types de domaines servis et navigation dans chacun de ces domaines, avec l'aide d'une couche de dirigeants intermédiaires afin de rendre cette tâche réalisable.

IV. CONCLUSION

Gérer en situation de complexité requiert d'abord et avant tout qu'on simplifie la vie de ceux qui ont la responsabilité de la direction de l'organisation dans son ensemble. Dans ces cas, la stratégie, donc la capacité à intégrer les activités de l'ensemble de l'organisation, passe par l'élaboration de modèles de prise de décision qui permettent de mieux apprécier et, de préférence, de mieux contrôler les relations de cause à effet et de mieux signaler aux membres de l'organisation les orientations que la haute direction valorise.

Gérer en situation de complexité consiste donc à faire face aux limites cognitives qui s'imposent aux dirigeants et, en général, à tous ceux qui contribuent à « construire » la stratégie de l'organisation. Il y a deux grandes voies pour faire face à ces limites de compréhension : 1) en élaborant des « modèles de contenu » qui suggèrent des décisions spécifiques — le modèle de portefeuille en est un exemple type ; 2) en élaborant des « modèles de processus » descriptifs du fonctionnement du système qui, sans suggérer les décisions à prendre, révèlent suffisamment les mécanismes par lesquels le comportement global se forme pour que les dirigeants puissent concevoir les décisions qui s'imposent.

Les deux types de modèles sont utiles mais plus la complexité est grande, plus les modèles de contenu apparaissent simplistes et inadéquats. On est alors

---

4. Métamanagement signifie littéralement « management du management ».

obligé de se retourner vers les modèles de processus, malgré leur caractère plus rudimentaire et apparemment moins définitif. Le grand problème des modèles de contenu est que le comportement de l'organisation en situation de complexité est de moins en moins linéaire et qu'il n'y a plus alors de décision qui soit suffisamment générale pour être applicable avec confiance à des situations nouvelles. L'expérimentation est le nerf de la guerre en situation de complexité. Lorsqu'on examine l'histoire des grandes organisations complexes, comme General Electric ou Daewoo (Aguilar, 1988), et les actions entreprises par leurs dirigeants, Jack Welch ou Kim Woo Choong, on ne peut manquer d'être frappé par le caractère original et unique de leur approche. De plus, on ne peut manquer d'être frappé par leur volonté de prendre à bras le corps les problèmes uniques auxquels ils font face, de même que par la nature très situationnelle et spécifique des solutions qu'ils adoptent. C'est peut-être même cela qui explique leur réussite finale.

Pour faciliter l'expérimentation et accumuler l'apprentissage qui en résulte, il faut surtout mettre l'accent sur la construction du système et son adaptation constante. Les modèles de processus mettent l'accent sur la compréhension du fonctionnement de l'organisation et sur ce qui influe sur ce fonctionnement. Ils fournissent les outils, sans proposer une solution spécifique. De ce point de vue là, ils peuvent paraître difficiles à utiliser par des gestionnaires pressés ou frustrés par les épreuves de la vie quotidienne et de l'expérimentation, mais ils sont hélas irremplaçables en situation de complexité.

Les modèles de processus sont aussi rassurants. Ils révèlent combien l'acte de gestion, aussi simple et fondamental qu'il puisse paraître, est la clé du succès des organisations. De ce fait, le gestionnaire est irremplaçable parce qu'il est le seul à devoir faire face à la sueur et à la passion des interactions humaines dans l'organisation, pour engendrer les *patterns* souhaités. Et si ce dernier cherche à éviter cela, parce que trop éprouvant, il est temps de le remplacer.

LES ENTREPRISES JAPONAISES ONT-ELLES UN AVANTAGE COMPÉTITIF EN SITUATION DE COMPLEXITÉ[1] ?

par Taïeb Hafsi

Une organisation complexe n'est supérieure à une organisation simple que lorsque ses divers éléments convergent ou se combinent, au moment opportun, pour permettre des niveaux de performance supérieurs, impossibles à atteindre par l'organisation simple. Si l'organisation complexe n'est qu'un regroupement d'unités ayant des objectifs séparés et souvent irrémédiablement concurrents, alors l'organisation simple peut être plus performante. Elle a même beaucoup de chances de l'être. Par conséquent, ce qui est critique pour le bon fonctionnement de l'organisation complexe, c'est la capacité de ses dirigeants de coopérer pour le bien de l'ensemble.

Les Japonais pensent, et à mon avis ils ont raison, que la compétition entre personnes dans des situations de travail est suffisamment naturelle pour qu'on n'ait pas à l'encourager. Par contre, la coopération nécessite un effort personnel continu qui doit être constamment stimulé pour se maintenir. Ils croient en la puissance du groupe, en toutes circonstances. C'est cependant dans les cas où le fonctionnement en groupe est essentiel qu'ils ont un avantage décisif. Lorsque la coordination des actions peut être assurée au sommet sans trop de difficulté, alors le génie d'individus indépendants peut être suscité sans contrainte comme une source d'avantages supplémentaires.

---

1. Extrait tiré de *Gestion*, Revue internationale de gestion, mai 1989, p. 72-84.

LES DÉFIS DE LA COMPLEXITÉ

L'EXPRESSION GÉNÉRALE

La complexité pose des problèmes de direction très particuliers. En effet, comme nous l'avons démontré ailleurs (Hafsi, 1985), la complexité n'augmente pas seulement le degré de difficulté des problèmes à résoudre, elle change la nature même de ces problèmes, de telle sorte que, si les dirigeants utilisent simplement un peu plus les mêmes outils, ils peuvent aggraver les problèmes au lieu de les résoudre.

La complexité obscurcit graduellement ces relations de cause à effet, de sorte que les dirigeants peuvent avoir à prendre des décisions de gestion sans savoir vraiment ce qu'en seront les effets. Ce phénomène, que connaissent tous les bons gestionnaires, n'est en fait pas surprenant. Lorsque l'organisation est simple, celui qui la dirige peut constamment vérifier les effets produits par ses actions. Lorsque l'entreprise est engagée dans des centaines de produits-marchés, lorsqu'elle utilise une multitude de technologies, les limites cognitives d'une personne sont vite atteintes et la gestion ne peut plus se faire jusqu'au jugé, par approximations successives.

Pis encore, même les objectifs ne peuvent être exprimés que de manière vague et générale. Lorsque l'organisation est simple, les objectifs peuvent être très cristallisés, précis, orientés vers les produits-marchés que sert l'entreprise. Ces objectifs sont des guides clairs pour l'action de chacun. Lorsque l'organisation atteint un haut niveau de complexité, les objectifs de certains secteurs de l'organisation entrent en conflit avec ceux d'autres secteurs. On ne peut plus trancher avec clarté. On est obligé d'exprimer de manière générale et ambiguë ce vers quoi l'organisation veut orienter ses efforts.

L'EXPRESSION CONCEPTUALISÉE

On peut conceptualiser les défis de la gestion en situation de complexité en revenant à des idées fondamentales en gestion. Les dirigeants font face à deux grands types d'objectifs ou de défis :

- maintenir l'équilibre entre les exigences de l'environnement et les pratiques de l'organisation ;
- maintenir l'équilibre interne, c'est-à-dire la capacité des différentes parties de fonctionner comme un tout harmonieux.

Pour faire face à ces défis, les dirigeants utilisent l'idée de stratégie comme concept intégrateur.

Lorsque l'organisation atteint un haut niveau de complexité, l'idée même d'environnement prend des dimensions formidables. Comment tenir compte de tous les environnements auxquels fait face l'organisation pour élaborer la stratégie? Que signifie la stratégie dans une telle situation? Peut-on poursuivre une multitude d'objectifs à la fois sans désorienter les cadres clés de l'organisation?

L'expérience des grandes entreprises diversifiées (Bower, 1970) montre que cela est possible à condition de faire de l'élaboration de la stratégie l'affaire d'un très grand nombre de personnes, celles qui ont la responsabilité des différents produits-marchés. Chacune se comporte alors comme si elle avait la responsabilité d'une petite entreprise, le produit-marché dont elle a la responsabilité, et prend la charge de l'élaboration de la stratégie dans ce secteur d'activité.

Pour que ces différentes stratégies aient la cohérence nécessaire à la justification de l'existence de l'ensemble de l'organisation, on a besoin de mettre en place une sorte de «stratégie des stratégies», une métastratégie (Allaire & Firsirotu, 1986). La métastratégie est le cadre dans lequel s'élaborent les stratégies des différents secteurs de l'organisation. La métastratégie comprendra:

- l'expression des grands objectifs qualitatifs, en des termes suffisamment généraux pour être valables pour tous les secteurs de l'organisation; il s'agit ici de l'expression d'une vision ou d'un énoncé de mission pour l'organisation;
- l'expression des objectifs quantitatifs, là aussi en des termes compréhensibles pour tous; les entreprises utilisent surtout des objectifs financiers du type ratio (rendement sur l'investissement, par exemple);
- le cadre structurel dans lequel doivent travailler tous les secteurs de l'organisation;
- les règles de mesure des performances et de récompenses des managers méritants;
- les règles et procédures générales de fonctionnement.

Une métastratégie vague ne peut jouer son rôle de guide; elle doit donc être aussi précise que possible. Autrement dit, elle doit permettre d'encourager les initiatives souhaitées et de décourager celles qui sont indésirables. Certains aspects de la métastratégie (mission et structure, notamment) doivent être durables pour assurer une stabilité dans l'orientation. D'autres (récompenses, procédures) sont plus fluides pour faciliter les ajustements à mesure que les relations de cause à effet se précisent.

Par ailleurs, les actions de métastratégie entreprises par la haute direction de l'organisation ne peuvent être cohérentes que si cette haute direction n'est pas divisée et partage les valeurs et les visions qui servent de toile de fond aux actions de l'organisation. En fait, dans les organisations complexes, la haute direction est souvent soutenue par une coalition entre les responsables clés de l'organisation, et l'un des critères importants d'appréciation de l'efficacité de la direction est le degré d'unité de cette coalition dirigeante.

La précision de la métastratégie et l'unité de coalition dirigeante vont nous permettre de spécifier un peu mieux les possibilités qui peuvent surgir dans la gestion d'une organisation complexe.

- Lorsque la métastratégie est précise et que la coalition dirigeante est unie, on a une **harmonie**. C'est là une situation hautement rationnelle, avec des protections solides contre les rationalités restreintes des individus ou groupes de l'organisation. L'harmonie est particulièrement instable. Pour se maintenir, elle nécessite un management très délicat et un leadership éclairé. Autrement, elle dégénère facilement en laissant la place à un fonctionnement politisé.
- Lorsque la métastratégie est précise **mais** que la coalition dirigeante est divisée, on a un **fonctionnement politisé**. La métastratégie précise et ses prolongements (règles, procédures, arrangements structurels, pratiques, objectifs, etc.) sont des contraintes pour la négociation qui prend place entre groupes différenciés. Elle joue le rôle de garde-fou au moment de marchandages.
- Lorsque la métastratégie est vague **mais** que la coalition dirigeante est unie, on a un **fonctionnement autocratique**. Les objectifs et l'idéologie de la coalition dirigeante peuvent être clairs, mais les moyens de les réaliser sont élaborés de manière ponctuelle, informelle, vu l'absence de règles ou de pratiques acceptées. Avec le temps, la mise en œuvre perd en cohérence.
- Lorsque la métastratégie est vague **et** que la coalition dirigeante est divisée, on a le **chaos partisan**. Les intérêts des groupes et des individus plutôt que ceux de l'organisation dans son ensemble ont tendance à dominer. Par conséquent, les analyses sont partiales. Rien n'est décidé sans un marchandage difficile et épuisant. De plus, rien n'est considéré comme un précédent. En particulier, même les arrangements structurels sont négociés et, quand un accord est atteint, celui-ci ne couvre que de courtes périodes. Clairement, du point de vue de l'organisation, c'est là une situation de dégénérescence et d'autodestruction.

Les organisations complexes ne peuvent survivre que si elles évitent le chaos partisan. Elles fonctionnent au mieux lorsqu'elles réalisent une harmonie. Cette conclusion simple peut cependant être trompeuse. En fait, si l'on ne gère pas de manière consciente et systématique afin d'arriver à une métastratégie précise et à une coalition dirigeante unie, on aboutit inévitablement au chaos partisan.

En effet, la précision de la métastratégie est quotidiennement remise en cause par l'activité des unités de l'organisation. Des situations nouvelles, qui n'ont pu être prévues, apparaissent régulièrement et mettent à l'épreuve l'aptitude des éléments les plus instables de la stratégie (récompenses, règles et procédures) à les contrôler. De même, une coalition, unie à un moment donné, se divise « naturellement » parce que ses composantes vivent, dans une organisation complexe, des réalités différentes.

L'AVANTAGE DE LA GESTION À LA JAPONAISE

La gestion à la japonaise paraît souvent anachronique pour un gestionnaire occidental. On met l'accent sur la loyauté, l'ancienneté et la coopération. On décourage l'individualisme, même génial, surtout s'il engendre de la concurrence interne. On offre des stimulants basés sur l'effort collectif. On développe des relations de collaboration avec le syndicat, même si cela implique des contraintes supplémentaires pour la gestion. Finalement, on ne prend pas de décision si tous ceux que cette décision concerne ne sont pas d'accord.

Dans une entreprise occidentale, la perspective à court terme prend souvent le dessus et l'entrepreneur a tendance à utiliser des outils de gestion simples et puissants. À court terme, il peut être plus efficace que l'entrepreneur japonais, puisqu'il a moins de contraintes. À long terme, si l'organisation réussit, grandit et se complexifie, il perdra son avantage parce que les comportements passés viendront s'opposer aux changements nécessaires à la gestion plus coopérative que nécessite la complexité.

De manière plus spécifique, parce qu'il met l'accent très tôt sur l'importance de la coopération, parce qu'il favorise l'échange constant pour les grandes décisions à prendre et parce que toutes ses actions de gestion restent cohérentes avec cela, le dirigeant japonais jouit des avantages suivants :

- Il suscite les débats qui aideront à déterminer les faiblesses de la métastratégie et vont permettre son ajustement. Au départ, son rôle est important en matière de contenu, mais progressivement le contenu est laissé aux autres et, en situation de complexité, il devient l'artiste du processus d'organisation de la réflexion et de l'action des autres.

- Il a la possibilité de maintenir la volonté de coopérer de ses cadres à un niveau supérieur. En particulier, les dirigeants acceptent l'ambiguïté et l'imperfection parce qu'ils se font confiance et tolèrent leurs différences. Ils cherchent moins à optimiser qu'à bien faire, tout en restant unis.

On voit clairement que, avec la complexité, l'harmonie de l'ensemble pourra être maintenue sans drame, parce que la coopération sera devenue une seconde nature chez les membres de l'organisation. Ils seront pragmatiques, ils privilégieront leurs relations mutuelles, même si cela signifie abandonner ce qui paraît meilleur maintenant.

La complexité des organisations ne décroît sûrement pas.

Les gestionnaires occidentaux n'ont plus le choix. Ils doivent résoudre le casse-tête de la complexité, comme le font les Japonais ou les Coréens, s'ils veulent avoir des chances de survivre à terme. Ils peuvent le faire à la manière japonaise ou ils peuvent trouver des formules nouvelles, originales. Dans tous les cas, le défi reste le même : maintenir une métastratégie précise et une coalition dirigeante unie.

Note n° 24

LES NOUVELLES APPROCHES DE LA COMPLEXITÉ

par Taïeb Hafsi

La complexité est une caractéristique familière pour ceux qui observent ou gèrent des organisations. Elle se manifeste essentiellement par l'imprévisibilité des relations de cause à effet. On peut entreprendre des actions, mais on ne peut pas vraiment prédire quels seront les effets de ces actions. La complexité existe partout dans la nature. Les relations de cause à effet sont partout obscures. C'est cela qui a amené les sciences physiques traditionnelles à simplifier la vie pour pouvoir l'étudier. Par exemple, les chercheurs en dynamique des fluides ont traditionnellement laissé de côté la turbulence pour pouvoir modéliser l'écoulement des fluides. Cette simplification a permis de grands progrès scientifiques et un niveau de compréhension jamais atteint auparavant ; cependant, les connaissances acquises ne sont applicables que dans des conditions très idéalisées, forçant les ingénieurs et les praticiens à tâtonner pour découvrir les meilleures solutions aux problèmes réels.

Vers le milieu des années 1980, des entreprises et des organismes gouvernementaux américains ont pris l'initiative de la création d'un centre de recherche particulier, The Santa Fe Institute, dont la mission était de « remettre au cœur de la préoccupation scientifique les turbulences qu'on avait évacuées ». On a demandé aux savants réunis pour la création de ce centre de tenter de créer une science nouvelle qui prenne la réalité telle qu'elle est et non telle qu'on la modélise.

L'effort de recherche ne partait pas de zéro. En effet, depuis une vingtaine d'années, les mathématiciens jouaient avec des concepts nouveaux, comme les ensembles flous et, surtout, la théorie du chaos. Cette théorie suggérait que les systèmes adaptatifs complexes, même s'ils ne convergeaient pas vers un état stable, oscillaient vers des états non répétitifs et non prédictibles, mais qui étaient produits par un système non aléatoire. Concrètement, pour des systèmes chaotiques simulés, il y a des « attracteurs étranges », c'est-à-dire des systèmes qui, bien que non prédictibles, sont tout de même compréhensibles. Par exemple, bien que nous ne sachions pas où une tornade ou un ouragan va frapper, nous savons quelles sont les conditions qui mènent à son apparition, les endroits où l'un ou l'autre sont les plus fréquents et leurs circuits habituels. De même, on sait que les industries oligopolistiques ont tendance à alterner entre des périodes de concurrence intense et des périodes de comportements coopératifs, mais on ne sait pas prédire la transition de l'une à l'autre.

La théorie du chaos a attiré notre attention sur un certain nombre de caractéristiques qui sont, en fait, celles des systèmes adaptatifs complexes[1]. Nous n'avons pas l'intention, dans cette brève introduction, d'être exhaustif mais seulement de souligner les aspects qui peuvent être importants pour la gestion des organisations. On s'intéressera aux cinq aspects suivants :

1. Dans les systèmes chaotiques, **des perturbations mineures se multiplient de manière explosive avec le temps,** à cause de relations non linéaires et du caractère dynamique et répétitif de ces systèmes. C'est pour cela que les conditions initiales sont considérées comme essentielles pour comprendre le comportement futur des systèmes adaptatifs complexes. Les météorologistes ont rendu cet aspect populaire en utilisant la métaphore du battement d'aile d'un papillon en Océanie qui provoque un ouragan dans l'Atlantique. En conséquence, la planification à long terme pour les systèmes adaptatifs complexes est non seulement difficile, mais elle est impossible. Se préoccuper d'avoir un certain nombre de scénarios est le comportement le plus judicieux.

2. **Les systèmes chaotiques ne peuvent pas atteindre d'équilibre stable.** En fait, ils ne passent jamais plus d'une fois par le même état. Cela veut dire que, si l'on prend une industrie donnée, en tant que système adaptatif complexe, elle ne peut atteindre d'équilibre, sauf pour une très courte période. Plus intéressante encore est l'idée que les systèmes chaotiques peuvent s'organiser spontanément en structures plus complexes (Allen, 1988). À titre d'exemple, cela correspondrait, dans une industrie, à des relations complexes impliquant des contrats à long terme et des formes d'alliances multiples et créatives.

3. **Un changement spectaculaire peut se produire sans crier gare.** De très grandes variations peuvent être provoquées par des change-

---

1. Nous utiliserons sans les distinguer vraiment les termes système chaotique et système adaptatif complexe.

ments internes dans le système. Les démographes expliquent que certaines explosions de populations sont le produit de la dynamique du système plutôt que de chocs externes (Radzicki, 1990). Ainsi, dans une industrie, on peut dire que les grands changements vont arriver sans s'annoncer et que les gestionnaires ont généralement tendance à sous-estimer la possibilité de changements majeurs. Il faut aussi dire que de petits changements exogènes peuvent provoquer de grands changements dans le système. Levy (1994) suggère que les transformations provoquées par le système de commande électronique de Dell ont bouleversé l'industrie, forçant tous les concurrents à réduire leur prix et à revoir leurs réseaux de vente et de distribution.

4. **Même si la prédiction à long terme est impossible, on peut faire des prédictions à court terme.** En effet, les systèmes adaptatifs complexes procèdent par itération. La situation à l'état 1 est à l'origine de la situation à l'état 2. C'est la multiplication des états qui donne le chaos. En conséquence, une simulation bien construite peut produire des prévisions utiles. C'est ce que font, par exemple, les météorologistes d'aujourd'hui. Si le cycle de décision stratégique était de plusieurs mois, cela voudrait dire qu'on pourrait faire des prévisions utiles pour de longues périodes. En fait, ce qui est stimulant et passionnant à propos des fluctuations des systèmes chaotiques, c'est qu'elles sont indépendantes de l'échelle. En effet, pour prendre l'exemple des comportements du marché boursier, les fluctuations pour une minute, pour une journée ou pour une année semblent avoir des formes semblables. Ces régularités sont appelées des fractals. On est encore à en supputer les conséquences pour notre compréhension du comportement des organisations.

5. **Pour faire face à la complexité et à l'incertitude, on a besoin de règles ou de guides.** Cela permet l'adaptation. Lorsque le président de GE dit qu'il veut être dans des activités numéro 1 ou numéro 2, il offre à ses gestionnaires une façon de décider en situation de complexité. Cela veut dire que le caractère dynamique des systèmes adaptatifs complexes requiert que les stratégies soient aussi adaptatives. En fait, on peut même dire que les meilleures stratégies sont souvent contre-intuitives (Ackoff, 1978).

Les applications de la théorie du chaos aux systèmes organisationnels sont en train de balayer l'ensemble du monde des affaires. La société de consultants Ernst & Young organise chaque année un congrès appelé Embracing complexity qui attire plus de 200 dirigeants payant 1 500 $ chacun. La société Price-Waterhouse Coopers a un groupe, Emergent Solutions Group, dont la tâche consiste à mettre au point des simulations pour des clients qui veulent provoquer un basculement de leur industrie. En fait, ces travaux exploitent l'idée formidable que les comportements les plus complexes sont le résultat de simples interactions de type cycle de feed-back. Cela mène donc à la recherche de « l'ordre caché » derrière le chaos. La plupart des grandes entreprises se sont lancées tête baissée sur ce nouveau territoire. Ainsi, les gestionnaires de Deere & Co., le plus grand fabricant d'équipement pour l'agriculture, utilise des programmes, basés sur les développements de réseau de neurones et inspirés de la théorie du chaos, qui permettent de faire fabriquer « des produits sur mesure pour chaque agriculteur ». En marketing, on est en train de construire des « consommateurs synthétiques » qui permettent de prévoir le comportement des consommateurs en général, dans des circonstances non balisées.

Le plus important cependant, c'est que ces idées offrent une métaphore pour encourager une pensée orientée vers l'innovation. En pensant à l'économie et aux entreprises comme à des entités organiques et vivantes, des dirigeants de talent peuvent éviter les modèles traditionnels de gestion basés sur un contrôle tatillon, pour imaginer des modes de fonctionnement qui laissent de l'initiative et de l'espace aux groupes branchés sur la vie. De même, la complexité suggère qu'on prenne le terrain, plutôt que les feuilles de données historiques, comme source d'inspiration, notamment pour répondre en temps réel aux petits changements. Les partisans de cette idée de complexité comme métaphore suggèrent de garder à l'esprit trois recommandations pratiques :

1. **L'accroissement génère une qualité différente.** Par exemple, l'agrégation de transactions ne donne pas simplement un résultat supérieur à la somme des parties. Elle peut aussi donner une qualité radicalement différente du total combiné.

2. **La dérivée peut être plus importante que l'intégrale.** Il faut, en analysant les données, se méfier des moyennes et regarder les variations elles-mêmes. Ce sont elles qui peuvent suggérer les mouvements qui annoncent les grands changements. Un administrateur d'hôpital cherchant à répartir les salles d'urgence d'un hôpital ne peut pas regarder les moyennes mensuelles de visites. Il doit examiner la variabilité des visites.

3. **Chercher les points de rupture.** En cherchant les points auxquels un système est prêt à basculer, on peut provoquer des transforma-

tions majeures à partir de petites impulsions. Ainsi, on peut penser aux distributeurs de disques qui dépensent juste assez d'argent pour faire passer une chanson du numéro 41 au numéro 40 sur le palmarès, afin de gagner une présence en ondes plus grande auprès des radios qui ne font tourner que les 40 premiers numéros.

Ce qui est important en théorie de la complexité, c'est qu'on admette que la complexité est le produit d'interactions, et souvent d'interactions simples. On peut donc travailler à comprendre ces interactions, à les suivre et à déterminer les états futurs par simulation. Par exemple, on travaille déjà à imaginer des simulations qui suggéreraient quels pourraient être les effets de changements majeurs, comme les changements de structure, sur le comportement des personnes. Ces efforts, stimulés par l'utilisation des réseaux de neurones ou plus généralement d'algorithmes génétiques, pourraient révolutionner la pratique de la gestion stratégique en alimentant de manière pertinente l'intuition des dirigeants, tout en leur donnant une métaphore puissante et convaincante. Les progrès en matière de simulation sont considérables, mais il ne faut pas en attendre des miracles. Le plus important est la compréhension des phénomènes et de leur dynamique.

Pour ceux qui veulent en apprendre plus, trois textes pourraient être utiles :

John H. Holland (1996), *Hidden Order : How Adaptation Builds Complexity,* Perseus Books, 208 p.

M. Mitchell Waldrop (1993), *Complexity : The Emerging Science at the Edge of Chaos and Order*, Touchstone, 384 p.

Embracing Complexity : A Summary of the 1998 Colloquium on the Business Application of Complexity Science, Ernst & Young Centre for Business Innovation.

Chapitre X

LA DIVERSIFICATION PAR ACQUISITIONS ET FUSIONS

La diversification est un phénomène courant au sein des entreprises. Beaucoup de raisons militent en sa faveur. Chandler (1962) a démontré dans ses études initiales sur les grandes entreprises américaines que la diversification se produit naturellement dans le cadre de la croissance normale d'une entreprise. Ainsi, la société Du Pont est devenue la grande entreprise chimique que nous connaissons en construisant progressivement sur ses activités de base qu'étaient la fabrication et la commercialisation d'explosifs et, par le fait même, en s'en éloignant. La fabrication d'explosifs au début du XXᵉ siècle générait des sous-produits que l'entreprise essayait de placer dans le marché, sans effort de valorisation. En fait, il s'agissait littéralement de s'en débarrasser.

Avec l'arrivée de la Première Guerre mondiale, la petite société d'explosifs a pris une envergure considérable et l'un des premiers problèmes à résoudre fut de se défaire des sous-produits parce qu'il n'y avait pas de clients viables pour eux. Il s'agissait de produits chimiques dits aromatiques : benzène, toluène, etc., c'est-à-dire les bases de ce que nous connaissons aujourd'hui comme la pétrochimie. Comme la société Du Pont disposait de beaucoup de ressources complémentaires, des gestionnaires talentueux, des scientifiques et des ingénieurs très expérimentés et des fonds excédentaires, elle a pu les mettre au service de la valorisation de ces sous-produits, se lançant ainsi dans la fabrication de colorants, de cuir synthétique, de nylon, etc., commençant le processus qui allait en faire une grande société chimique.

En général, la diversification est souvent stimulée par la présence de ressources excédentaires. Le désir d'utiliser ces ressources de manière efficace pousse l'entreprise dans des directions qui sont plus ou moins différentes de celles qui existaient. Ces efforts d'équilibre dans l'utilisation des ressources sont l'une des raisons importantes pour lesquelles les entreprises diversifient leurs activités. La diversification peut aussi être stimulée par beaucoup d'autres facteurs, comme l'apparition d'occasions ou de menaces inattendues, la dynamique de la concurrence, la pression du marché boursier ou la pression des gouvernements, etc.

En général, la diversification est une stratégie de croissance très courante. Toutes les entreprises qui visent la croissance rencontrent inévitablement les limites de la croissance en raison des limites de leur industrie. Elles doivent alors chercher à prolonger leurs activités ailleurs, dans d'autres industries, soit de manière reliée, soit parfois de manière non reliée ou «conglomérale».

Bien entendu, la diversification suscite les mêmes questions de création de valeur que la croissance dans le même secteur d'activité. On ne serait justifié à diversifier que lorsque la création de valeur pour les partenaires le justifie. Que signifie création de valeur pour les partenaires ? Il faut d'abord identifier les partenaires pertinents. On y inclut généralement en bonne place les actionnaires, mais on considère que la création de valeur pour les actionnaires n'est soutenable que si les autres partenaires cruciaux, comme les employés, parfois les fournisseurs ou les clients, trouvent leur compte dans la diversification prévue, ce qui fait du calcul de valeur créée pour les actionnaires un calcul de valeur résiduelle, lorsque les intérêts de tous les autres partenaires clés ont été raisonnablement pris en compte.

La diversification peut se faire par acquisition ou par développement interne. La diversification par développement interne s'effectue en utilisant les ressources internes de l'entreprise comme base d'activités nouvelles. Ce genre de diversification suppose une stratégie explicite, des activités de recherche et développement dynamiques et fécondes, une capacité organisationnelle à protéger et à développer des activités nouvelles ainsi que beaucoup de temps. Des entreprises comme 3M sont typiques des entreprises qui ont été capables de diversification par développement interne. GE et Du Pont ont aussi été longtemps les prototypes en la matière. Une des rares études sur le sujet, effectuée par Biggadike (1979), a couvert les pratiques de 40 grandes entreprises américaines et a démontré que la durée moyenne pour qu'une nouvelle activité produise un retour sur l'investissement positif est de 8 ans.

Par contraste, une diversification par acquisitions et fusions peut prendre quelques mois pour être profitable. Pour cette raison, la diversification évoque souvent la possibilité d'acquisitions ou de fusions. Parfois, ce type de diversification fait l'objet d'une planification, comme c'est fréquemment le cas dans les grandes entreprises traditionnelles, mais, souvent, ce n'est pas le cas. Des candidats à l'acquisition se présentent sans crier gare, les conditions du marché deviennent favorables ou défavorables sans avertissement, des offres concurrentes bouleversent complètement la logique de l'acquisition et mettent une pression accrue sur les stratèges. De ce fait, saisir l'occasion avec détermination peut être perçu comme essentiel. La diversification par acquisitions et fusions peut faire gagner du temps à une entreprise ou, encore, elle peut réduire le coût d'entrée dans une nouvelle industrie. La croissance interne ne peut être la solution préférée que lorsque la situation est stable et qu'il n'existe pas dans le marché des voies de rechange qui permettent d'accéder rapidement à la croissance désirée dans les domaines désirés. Les économistes ont souvent traité ce sujet, à savoir « faire ou acheter », comme un problème d'optimisation dans l'utilisation des ressources (Gomez, 1996). C'est pourquoi on ne dissociera que rarement dans ce chapitre les acquisitions-fusions et la diversification.

Compte tenu de l'activité considérable qu'il y a eu au cours des dernières années sur le plan des acquisitions-fusions, il est temps de jeter un regard neuf sur la diversification en général et sur la diversification par acquisitions-fusions en particulier. Notre perspective est d'aider les managers à la mise au point d'un programme dans ce domaine qui serve les intérêts à terme de l'entreprise et de ses associés, notamment ses actionnaires. Notre orientation est cependant essentiellement stratégique, même si les acquisitions et fusions sont souvent abordées du point de vue strictement financier.

Nous discuterons d'abord des raisons qui mènent à la diversification. Nous traiterons ensuite de l'évolution historique des acquisitions-fusions comme phénomène associé. La troisième section traitera des stratégies de diversification. La quatrième section sera consacrée à la justification d'une diversification par acquisitions et fusions, notamment par la nécessité de créer de la valeur. Enfin, dans la dernière section, nous proposerons une démarche pour apprécier la valeur d'un programme de diversification par acquisitions et fusions.

I. POURQUOI SE DIVERSIFIER ?

Le terme diversification est souvent utilisé pour désigner beaucoup de choses. Ralph Cordiner, qui fut président de General Electric jusqu'en 1970, parlait de « diversification développementale (R-D) », de « diversification fonctionnelle », de « diversification de produits », de « diversification de la clientèle », de « diversification géographique (internationale) » et de « diversification des moyens de financement » (Baughman, 1974). Une définition restrictive de ce concept se limite à la diversification de produits et de marchés, ce que nous retiendrons généralement ici.

Nombre de raisons fondent la décision de diversifier. Ces raisons peuvent être toutes reliées à cinq grands ensembles :

- Le besoin de croissance ;
- Le besoin d'équilibrer l'utilisation de ressources ;
- Le besoin d'acquérir de nouvelles ressources ou de maintenir celles qui existent ;
- La dynamique concurrentielle ;
- L'intervention de pouvoirs externes (réglementation, politique gouvernementale, *benchmarking* et contrôles professionnels, etc.).

Nous allons décrire les raisons les plus courantes, tout en sachant que les dirigeants trouvent régulièrement de nouvelles raisons pour justifier leurs actions en la matière.

1. La raison la plus courante est celle qui a été proposée par Ansoff dans son fameux livre *Corporate strategy* (1965). Il suggérait, dans cet ouvrage, que la firme **est constamment poussée vers la croissance** et que son « vecteur de croissance » est prévisible. Elle croîtra en développant son produit ou son marché actuel ou elle ira vers des produits ou des marchés nouveaux, comme l'indique le tableau 1 et comme nous l'avons vu au chapitre VI.

Tableau 1 *La poussée vers la croissance*

Ces quatre possibilités peuvent être considérées comme des diversifications, sauf, peut-être, la croissance dans les marchés actuels utilisant les produits actuels, que l'on pourrait aussi définir comme une pénétration plus grande dans ce que l'entreprise fait déjà. Cependant, dès qu'on effectue cette pénétration par acquisitions et fusions, comme la Banque Royale l'a fait par l'acquisition du Trust Royal, on se retrouve dans des nuances de marchés, parfois dans des nuances de produits, que certains pourraient considérer comme nouvelles, ce qui justifie de parler de diversification. Dans ce cas, la méthode fait la diversification. La croissance est la raison la plus courante de la diversification.

Ansoff a également proposé que la diversification proprement dite, c'est-à-dire lorsque l'on s'oriente vers de nouveaux produits et de nouveaux marchés, s'effectue dans les situations suivantes :

- Lorsque les objectifs ne peuvent plus être atteints par l'expansion (pénétration de marché, développement de produit ou de marché) ;
- Lorsque les fonds excèdent les besoins de l'expansion ;
- Lorsque les promesses de profit par diversification sont plus grandes que celles par expansion ;
- Lorsque l'information ne permet pas de comparer, en toute confiance, entre la profitabilité de la diversification et celle de l'expansion.

2. Une raison apparentée à la précédente est la pression exercée par la **baisse de croissance dans son domaine d'origine**. Par exemple, Alcan a commencé à diversifier ses activités dans les années 1980 dans les applications de l'aluminium, parce que la demande en aluminium commençait à donner des signes d'essoufflement. De même, dans les années 1980 et 1990, les sociétés de boissons comme Coke Cola ou Pepsi Cola ont commencé à entrer dans les marchés de boissons autres que leur produit d'origine. En général, cette situation prévaut pour toutes les entreprises qui ont une activité importante, voire dominante, dans un secteur et qui considèrent que cette activité a atteint un cycle de maturation.

3. Une autre pression vient parfois des efforts de R-D. **Le dynamisme technologique** d'une firme et le développement de nouveaux produits est une source importante de diversification d'une société. Ainsi, Sony se diversifie dans les produits électroniques ; Du Pont, dans la chimie et ses applications ; 3M, dans des produits de consommation ; et la plupart des sociétés pharmaceutiques multinationales, dans de nouvelles applications de leur savoir-faire. En fait, toute une documentation s'est constituée pour examiner le processus par lequel on peut dynamiser la création de nouveaux produits et, ce faisant, le déplacement « naturel » de l'entreprise hors de ses activités actuelles.

4. Certaines entreprises ont **des avantages ou des ressources insuffisamment utilisés**, comme le contrôle d'un système de distribution, et souhaitent les rentabiliser davantage. Ce fut le cas de Gillette lorsqu'elle a introduit, dans son réseau de distribution de lames, de nouveaux produits tels que

des produits complémentaires au rasage, des briquets, stylos, et autres produits de consommation. Beaucoup de sociétés de pétrole ont aussi développé des réseaux de supermarchés attachés à leurs réseaux de distribution d'essence. Ces avantages peuvent consister aussi en une capacité de gestion qui sort de l'ordinaire. La société General Electric considère que cet avantage a fait son succès, car il l'a menée à diversifier ses activités vers de nouveaux secteurs de haute technologie et de nouveaux services. C'est pour cette raison qu'aujourd'hui, dans certains secteurs, notamment GE Capital, la compagnie fait des acquisitions multiples qu'elle est capable d'intégrer et de gérer mieux que les autres sociétés. Dans les années 1980, le président de Daewoo (Aguilar, 1988) a aussi utilisé le savoir-faire interne en matière de redressement de gestion comme un levier et une cause d'acquisition. Il a souvent repris des entreprises en situation difficile et les a vigoureusement redressées, et l'entreprise est ainsi devenue un véritable conglomérat.

5. Comme l'indique encore Ansoff, la **ressource financière** est également souvent une cause de diversification. La disponibilité de fonds excédentaires par rapport aux besoins conduit souvent l'entreprise à envisager la diversification, notamment par acquisitions ou fusions. Cela est arrivé à la plupart des entreprises, mais mentionnons un cas récent. La société Harlequin, qui s'est heurtée au problème d'un excédent de fonds provenant de ses activités principales de production et de vente de romans d'amour, a effectué de nombreuses acquisitions et tenté de se diversifier vers d'autres secteurs.

6. Parfois, la **pression concurrentielle** peut pousser à des diversifications inattendues. Par exemple, si les concurrents vont vers des domaines inattendus, on a tendance à les copier. Cela est particulièrement vrai en ce qui concerne la diversification géographique ; mais on trouve aussi cette situation sur le plan de la diversification des produits. Ainsi, lorsque BP a commencé, à la suite de la crise du pétrole, à diversifier ses activités vers d'autres sources d'énergie, elle a été suivie progressivement par Shell, Exxon et toutes les autres multinationales. Lorsque la compagnie Continental Can a commencé, dans les années 1970, à se diversifier dans des produits autres que les cannettes de métal, tous ses concurrents immédiats l'ont suivie[1]. Plus près de nous, à la fin des années 1990, la diversification, par acquisitions, d'Hydro-Québec est aussi justifiée par les actions des grands concurrents nord-américains.

7. **L'action des concurrents** peut aussi provoquer des actions de représailles qui expliquent la diversification. Ainsi, l'intérêt de Xerox pour

---

1. Sauf Crown Cork and Seal, dont le cas est étudié dans un autre chapitre de l'ouvrage.

les machines à écrire électriques a incité IBM à envisager la fabrication de photocopieurs. Dans l'électronique grand public, ce type de guerre est constant, Sony, Matsushita et les autres se suivant et se copiant systématiquement. La constitution de multinationales américaines dans le marché de l'automobile, avant la mondialisation de celui-ci, fut souvent motivée par le désir des sociétés de tenir à distance ses concurrents en se mettant en position favorable pour perturber leur marché principal.

8. La **mondialisation des marchés et des industries** a engendré une dynamique concurrentielle nouvelle, où les économies d'échelle et d'envergure prennent de plus en plus de place. Beaucoup d'acquisitions majeures, notamment dans les secteurs de l'automobile, des télécommunications et d'Internet, et à l'échelle régionale pour beaucoup d'autres secteurs (chemins de fer, imprimerie, distribution alimentaire, etc.) semblent avoir pour justification l'émergence de logiques de marché nouvelles et englobant des espaces plus grands.

9. La mondialisation s'est souvent accompagnée d'une convergence surprenante dans beaucoup de secteurs considérés auparavant comme relativement étanches. Ainsi, dans la téléphonie, le logiciel informatique a rejoint les échangeurs classiques. Cela a engendré tellement de **risques** pour les entreprises de ces deux secteurs qu'on a vu des acquisitions croisées d'entreprises d'envergure dans les deux secteurs. Ainsi, Microsoft acquiert des entreprises de téléphonie et les sociétés de téléphone se positionnent dans le marché du logiciel informatique.

10. Certaines entreprises se diversifient **pour éviter des prises de contrôle**. Cela arrive surtout à des entreprises qui ont des ressources inutilisées, mal appréciées par le marché boursier et qui pourraient susciter l'envie de « requins de la finance », à la recherche d'occasions de faire de l'argent rapidement. Ce faisant, elles prennent plus de risques et deviennent moins attrayantes pour les spéculateurs.

11. Il arrive aussi que des questions de **personnel** prennent une si grande importance qu'elles justifient la diversification. Notamment, lorsqu'on veut attirer ou retenir des talents de premier plan, on peut être incité à aller vers des secteurs nouveaux et attirants. Les entreprises du Japon ont souvent connu cette situation au cours des années 1980, au cours de la récession de l'économie japonaise. De nombreux *spin-off,* parfois stimulés par des gestionnaires excédentaires, ont été soutenus par les grandes entreprises qui y ont vu non seulement des occasions de garder près d'eux des cadres de valeur, mais aussi des occasions d'affaires intéressantes. En général, beaucoup d'entreprises pensent que, pour attirer et retenir des managers de premier

plan, il faut leur offrir les occasions de développement que permet la diversification. General Electric, même si cela ne la pousse pas nécessairement à diversifier, est souvent cité comme un exemple d'entreprise qui attire des talents exceptionnels à cause de cela.

12. Le désir de **réduire les effets du cycle économique et les variations de *cash-flow*** qui peuvent en résulter ont poussé de nombreuses entreprises à concevoir des portefeuilles d'activités équilibrés en la matière, ce qui les a menées dans des secteurs d'activité nouveaux. L'exemple précédent de Harlequin pourrait être complété par l'exemple de Bombardier, qui a délibérément, au cours des années 1980 et 1990, construit un portefeuille d'activités qui permettait d'équilibrer les flux de *cash in* et de *cash out*, en allant vers différents segments de la construction aéronautique, vers différents segments du transport en commun et vers le financement.

13. Les **actions des gouvernements**, notamment la déréglementation, peuvent également stimuler la diversification. Ainsi, aux États-Unis et au Canada, la modification des lois bancaires a mené toutes les banques vers une diversité d'activités financières (gestion de portefeuille, investissement national et international, courtage, assurances, conseils financiers, à côté des activités de dépôt et de prêts). On peut dire la même chose des activités des sociétés de transport par chemin de fer et aérien qui ont pris une envergure internationale et, parfois, une diversification de produits beaucoup plus grandes. Le Canadien National est maintenant une entreprise de transport qui couvre toute l'Amérique du Nord. De même, la SNCF ou la RATP[2] compagnies françaises spécialisées en transport, fournissent de la consultation et vendent, partout dans le monde, savoir-faire et technologies, comme le ferait une société-conseil en la matière. Les entreprises d'État ont aussi gagné en agilité et en liberté de mouvement dans ce processus. Dans les pays nouvellement industrialisés, la politique économique gouvernementale a également été un facteur important de diversification des entreprises. Les Chaebols coréens sont un produit des politiques gouvernementales de la Corée du Sud. Au Québec, nous avons vu récemment la Caisse de dépôt et placement, la Société générale de financement ou Investissement Québec forcer des acquisitions pour des raisons qui sont probablement plus liées au développement socio-économique du Québec qu'à la logique traditionnelle des affaires.

14. Aux États-Unis, les **lois antitrusts** ont aussi poussé beaucoup d'entreprises, dans des secteurs à faible croissance, à aller chercher avec agressivité et par acquisitions des occasions de croître à l'extérieur de leur domaine

---

2 . Respectivement la Société nationale des chemins de fer et la Régie autonome du transport parisien.

d'origine. Un grand nombre d'entreprises dominantes dans les secteurs traditionnels ont été impliquées dans ce genre de tentatives. Ainsi, dans les années 1970 et 1980, Exxon a tenté avec peu de succès de se diversifier vers le marché des systèmes de bureautique. Toutes les entreprises chimiques ont tenté de sortir de leurs marchés traditionnels. Il en a résulté des interpénétrations majeures des domaines des biotechnologies, de « l'agro-business » et de la pharmacie.

Ces raisons sont la justification logique des acquisitions et fusions qui sont faites partout dans le monde, mais il ne faut pas négliger les raisons émotives, comme les préférences des dirigeants et leurs désirs de construire des empires plus grands, de laisser leur marque dans l'industrie, l'excitation du pari, etc. Ces raisons émotives sont souvent combinées aux raisons mentionnées auparavant, mais elles peuvent aussi jouer un rôle central. Les gouvernements interviennent également selon une logique qui n'est pas celle du monde des affaires, lorsque les intérêts nationaux ou simplement partisans sont en cause. Le rejet par la Caisse de dépôt et placement d'une intéressante (du point de vue des actionnaires) offre d'achat des Sobeys, américains, pour Provigo, au début des années 1990, à la demande du chef de l'opposition, M. Parizeau, fut approuvée par le gouvernement provincial de M. Bourassa pour ne pas donner à l'opposition une cause qui ranimerait le débat nationaliste.

II. LES ACQUISITIONS ET LES FUSIONS : UN REGARD HISTORIQUE

A. DES VAGUES D'ACQUISITIONS ET DE FUSIONS

Les acquisitions et fusions sont un phénomène qui est presque aussi vieux que les entreprises elles-mêmes. Cependant, les recensements systématiques d'acquisitions-fusions n'ont commencé aux États-Unis qu'à la fin du XIXᵉ siècle ; au Canada, les données sont un peu plus récentes. À partir des chiffres existants, Salter et Weinhold (1979) ont démontré que l'activité aux États-Unis s'est manifestée de manière cyclique. Ils ont recensé trois vagues qui apparaissent au début de la courbe sur la figure 1. Nous avons complété le travail de ces auteurs en faisant la proposition suivante : il y a, depuis les années 1980, une autre vague (Christiansen, 1987) qui montre une certaine stabilisation de l'activité à un haut niveau d'acquisitions (voir tableau 2 et figure 1). Au Canada, il y a une situation similaire, mais avec un léger décalage. Ce décalage se résorbe à mesure que l'on avance dans le temps. Les données sur l'Europe semblent indiquer un *pattern* semblable à celui du Canada.

Aujourd'hui, on a l'impression que le phénomène est mondial et qu'il présente des *patterns* semblables un peu partout.

La première vague en matière d'acquisitions et fusions aurait duré de 1895 à 1904, avec un pic en 1900. Cette vague a été caractérisée par Stigler (1950) de «fusions monopolistiques». En effet, y ont émergé une grande partie des grandes entreprises d'aujourd'hui, notamment les descendants de la Standard Oil du New Jersey, US Steel, General Electric, United Fruit, Eastman Kodak, American Can, American Tobacco, US Rubber, Du Pont, PPG, International Harvester, etc. Cette vague a été stimulée par le développement des chemins de fer qui ouvraient pour la première fois le marché américain comme un marché unique. Les économies d'échelle étaient, comme l'est aujourd'hui la mondialisation, un facteur dominant dans la décision d'acquisition-fusion. La fin de cette vague a eu lieu vers 1903-1904 et a coïncidé avec une récession économique d'envergure.

Figure 1 Vagues d'aquisitions et fusions aux États-Unis

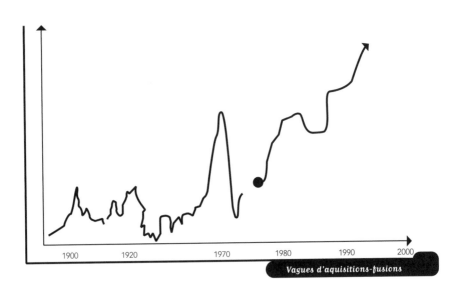

Tableau 2 Acquisitions et fusions aux États-Unis

Année	Nombre de transactions	Valeur des transactions $	Année	Nombre de transactions	Valeur des transactions $
1980	1558	32,8 milliards	1990	4324	206,5 milliards
1981	2328	69,5	1991	3621	140,6
1982	2298	60,7	1992	3778	125,1
1983	2393	52,7	1993	4193	177,6
1984	3175	126,1	1994	5060	277,9
1985	3484	146,0	1995	6427	388,5
1986	4446	205,8	1996	7333	562,6
1987	4015	178,3	1997	8525	778,9
1988	4000	236,4	1998	10092	1342,8
1989	3415	231,4	1999	8695	1393,9

Source : Données compilées à partir de l'information publiée par la revue *Mergers & Acquisitions*

La deuxième vague en matière d'acquisitions et fusions s'est produite dans les années 1920, commençant vers 1922 et se terminant en 1929, avec le fameux krach du marché boursier et la dépression mondiale qui a suivi de 1930 à 1933. Stigler a qualifié cette vague de « fusions oligopolistiques ». En effet, cette vague a donné naissance à des « numéros 2 » forts, par consolidations dans la plupart des industries manufacturières. Ainsi, on vit apparaître les Bethlehem Steel, Allied Chemical, Continental Can, etc. Au cours de cette vague sont aussi apparus les grands *holdings* dans les domaines de la fabrication et de la distribution de l'électricité, du gaz et de l'eau. Cette vague a été stimulée par le développement des autoroutes et de l'automobile, qui offraient une alternative et une compétition viables au transport ferroviaire.

La troisième vague a commencé après la Deuxième Guerre mondiale pour atteindre son sommet vers la fin des années 1960. Cette vague n'a pas touché les grandes entreprises traditionnelles. Les compagnies acquéreuses étaient souvent de tailles moyenne ou petite et faisaient aussi des acquisitions souvent éloignées de leurs domaines d'origine. Cela a engendré des entreprises d'un type particulier qu'on a appelé des **conglomérats**, ayant des activités dans des domaines non reliés. Les acquisitions furent clairement associées à de la diversification. Cette vague a été stimulée par la haute technologie et beaucoup des nouvelles entreprises qui y ont vu le jour en portaient la marque. Ont ainsi fleuri des entreprises comme Litton, Raytheon, Teledyne, Textron, United Technologies et, au Canada, Genstar ou Trilon. La spéculation a atteint au cours de cette vague des sommets inégalés. Dans son fameux livre *A random walk down Wall Street,* Malkiel appelle cette période *The Tronics boom,* parce que beaucoup d'entreprises n'ayant aucune valeur se vendaient facilement sur le marché pour peu qu'elles aient eu « Tronics » dans leur nom. À partir de 1973, l'Amérique du Nord a connu la plus sévère des récessions depuis la grande dépression des années 1930.

Depuis 1976, on a assisté à l'émergence d'une autre vague (Christiansen, 1987). Cette vague a été marquée par des stratégies diversifiées de la part des firmes impliquées. Selon la recherche de Christiansen, il y eut trois grands types de motivation : croissance, focalisation et création de barrières. Sous l'effet d'un besoin de croissance, il y eut des consolidations d'industries nouvelles fragmentées (logiciels, aliments de santé, etc.) ou l'application de nouvelles technologies à des industries anciennes (automatisation d'usines, utilisation de l'informatique dans des entreprises comme Xerox, par exemple). La focalisation s'est justifiée pour accroître les marges et l'efficacité (Renault en Amérique a essayé de faire cela pour atteindre une taille de marché requise dans la petite voiture), pour recouvrer une identité et une position dans le marché, lorsque la diversification de la période précédente avait entraîné trop de diversion (ex. : GE), ou pour assurer stabilité et rendement. Le troisième grand type de stratégie a suscité des intégrations verticales et horizontales classiques, afin d'obtenir des d'économies d'échelle ou d'envergure ou, encore, pour rétablir un leadership technologique qui s'était affaissé (ex. : Du Pont). On peut dire que cette vague est une « vague stratégique ». Elle est dominée par la recherche d'un positionnement stratégique favorable et par l'influence quasi révolutionnaire de la technologie de l'information sur toutes les industries. Cette vague n'a pas reculé vraiment. Le mouvement d'acquisitions-fusions a diminué vers la fin des années 1980, mais il s'est maintenu à un niveau relativement élevé.

Les années 1990 ont apporté une autre flambée d'acquisitions et fusions, qu'on a tendance à rattacher à la mondialisation et à l'effet révolutionnaire de la convergence entre l'informatique et les technologies de la communication. Cette nouvelle vague semble nous ramener à une combinaison entre le désir de réaliser des économies d'échelle du fait de la mondialisation de nombreuses industries, le désir de re-focaliser sur des segments mondiaux, le désir de se protéger de turbulences majeures dans certaines industries et une spéculation dont les dimensions ont dépassé celles des années 1960. Il est encore trop tôt pour caractériser cette nouvelle vague, mais on peut d'ores et déjà dire que le nombre de transactions et les montants impliqués sont considérablement plus élevés que lors des vagues précédentes. Ainsi, en 1998, aux États-Unis (tableau 2) il y eut 8 695 transactions de plus de 5 millions de dollars, pour un total de 1 340 milliards de dollars. En 1999, les chiffres étaient de 10 092 transactions pour un total de 1 400 milliards; parmi ses transactions, 1 223, chaque année, étaient de plus de 100 millions de dollars. Au Canada, 1998 et 1999 étaient aussi relativement proches, ayant donné lieu à environ 1 200 transactions d'une valeur de l'ordre de 160 milliards de dollars. Dans le cas des Canadiens, les transactions impliquant des étrangers (achats ou ventes) représentaient la moitié du nombre et de la valeur de ces AF.

B. LE PROFIL DU TOURNANT DU SIÈCLE

> *To a great degree, the m&a market at the dawn of the 21st Century represents a synthesis of the myriad forces impacting business and the expeditious way managements are dealing with them. The fallout should include more combinations of giant competitors, escalating price thresholds for mega-transactions, increasing incidences of hostile bids and contested bids, an obsession among corporate survivors to seek first-mover advantages and beat competitors to the punch for the most desirable targets, and, perhaps, less worry about strategic niceties like pure synergies.*

M. Sikora (M & A, vol. 35 n° 2)

Ce commentaire traduit parfaitement l'état d'esprit de ce début de siècle. La course au positionnement le plus favorable s'accompagne de mouvements, quasi militaires, napoléoniens, plutôt que de réflexions et d'intégrations stratégiques. Toute la décennie a été hyperactive. Aux États-Unis, après une période de stabilisation des acquisitions des années 1980 et un léger déclin en 1991 et 1992, le rythme des acquisitions et des fusions a augmenté de manière spectaculaire, passant de 3 600 en 1991-1992 à 10 000 en 1999-2000. Si l'on parle de montants globaux, les chiffres sont encore plus spectaculaires, passant de 125 milliards de dollars en 1992 à près de 1 400 milliards en 1999. Au Canada, l'évolution est approximativement la même, avec 500 annonces de transactions ayant une valeur d'environ 25 milliards de dollars, en 1992, et 1 300 annonces en 1999, pour une valeur totale de 180 milliards. En Europe également on observe la même tendance avec 3 100 annonces d'une valeur de 200 milliards de dollars en 1990 et 10 000 annonces d'une valeur de 970 milliards de dollars en 1999. Dans le cadre de la mise en place de l'Union européenne, les entreprises de ce continent ont été très actives pour se positionner ou atteindre une taille compatible avec l'émergence d'un marché commun plus grand. Les observateurs spécialisés s'attendent à un accroissement de l'activité dans cette région.

Aux États-Unis, les 10 secteurs industriels les plus impliqués au cours de la décennie ont été les industries de services d'affaires (7 900 transactions), les banques commerciales (2 660), les industries de biens durables (2 550), l'immobilier (2 550), les services de santé (2 540), le logiciel informatique (2 350), les équipements de mesure, médicaux et photographiques (1 950), le pétrole et le gaz (1940), les équipements (1 820) et les assurances (1790). Au Canada, les statistiques diffèrent un peu, mais les industries les plus actives sont dans l'ordre du nombre des transactions : les produits industriels (395), les produits de consommation (135), le pétrole et le gaz (131), les services financiers (123), la mise en marché (97), les communications et médias (89), les utilités publiques (54), le transport et l'environnement (51). En Europe, il n'y a pas d'information pour toute la décennie, mais, pour 1999, les secteurs les plus actifs étaient les services d'affaires (1 380), l'immobilier (560), les firmes d'investissement et de produits de base (450), l'alimentation (430), les biens durables (410), le logiciel informatique (380), le transport et le *shipping* (380), les métaux et produits métalliques (360), les équipements (330) ainsi que les imprimeries et publications (300).

Il faut noter que les transactions deviennent de plus en plus importantes, aux États-Unis notamment. En 1999, les transactions dont la valeur dépassait 100 millions de dollars représentaient plus de 95 % de toutes les transactions. Les acquisitions internationales ont augmenté en importance de manière régulière. Ainsi, les acquisitions étrangères aux États-Unis sont passées de 394 pour un montant de 15 milliards en 1992 à 1 030 pour 250 milliards en 1999. De même, les entreprises américaines ont fait 500 acquisitions-fusions pour une valeur de 15 milliards en 1992 et 1 500 acquisitions pour 150 milliards en 1999.

Sur le plan de l'activité spécifique, General Electric émerge comme l'entreprise qui fait le plus d'acquisitions. Elle en a fait 47 en 1998 et 43 en 1999. Cela se compare, en 1999, à 22 pour Ford, 19 pour Via Net.works, un fournisseur de service Internet, 18 pour General Motors, Microsoft ou Textron, 14 pour Intel, 13 pour Lucent ou Cisco, 11 pour IBM, 10 pour Amazon.com, Coca Cola ou Hertz. Les plus grosses transactions de 1999 ont été l'acquisition de Mobil par Exxon (78,9 milliards de dollars), celle de Ameritech par SBC Communications (62,6 milliards), la fusion de Vodafone avec AirTouch (60,3 milliards) et l'acquisition de Tele-Communications par AT&T pour 53,6 milliards. Et nous savons que, au début de 2000, America Online a acquis Time Warner pour 160 milliards de dollars, que Glaxo Wellcome et SmithKline Beecham ont fusionné pour 76 milliards et qu'American Home Products négociait avec Pfizer pour une transaction qui dépasserait les 70 milliards. Ces activités ont généré plus de 3 milliards de dollars en honoraires versés aux conseillers internationaux et des montants semblables aux cabinets d'avocats internationaux.

Un marché boursier brûlant, des réglementations en évolution rapide, la mondialisation et la régionalisation, la convergence de nombreuses industries et le rôle spécialement spéculatif des industries d'Internet ont contribué à une décennie de grande activité en matière d'acquisitions et fusions. Ce niveau d'activité a de fortes chances de continuer pendant plusieurs années pour plusieurs raisons. D'une part, les restructurations et convergences d'industries vont continuer à être stimulées par les mêmes facteurs. D'autre part, les opérateurs principaux, notamment les conseillers, les avocats et les gestionnaires de fonds, ont tout intérêt à ce que l'activité soit forte et vont travailler à maintenir la stimulation en révélant les occasions de bonnes affaires et en mobilisant les fonds requis pour cela (voir note 26 de Hafsi et Toulouse).

Même si les relations de cause à effet sont difficiles à établir, toutes les grandes vagues d'acquisitions et de fusions ont été associées à leur nadir à un krach du marché boursier et à une grande récession ou à une dépression. Peut-on s'attendre à la même chose ici ? C'est peu probable. La vague des années 1980 a été « gérée » de façon à « atterrir » sans dommage. Il y a actuellement un effort concerté de tous les acteurs, politiques et économiques, pour que ce soit le cas aussi pour la vague actuelle. De plus, une transformation fondamentale de l'industrie des services financiers semble se produire avec l'élimination progressive des petits acteurs amateurs, laissant le champ à des professionnels qui n'ont pas la propriété des fonds et qui traitent avec d'autres professionnels qui leur ressemblent, ce qui permet de réduire les réactions émotives et les paniques typiques des surchauffes du marché boursier. De plus, le marché est inondé de liquidités. En conséquence, sans faire de grand pari, il est permis de penser que la croissance du marché va se maintenir avec des variations qui vont probablement demeurer dans des limites acceptables pour l'investisseur moyen (voir Hafsi & Nadeau, 1998 pour plus de détails).

III. LA DIVERSIFICATION PAR ACQUISITIONS-FUSIONS : STRATÉGIE ET PERFORMANCE

La diversification est en soi une stratégie d'entreprise. C'est une décision qui mène une entreprise au-delà de ses activités actuelles. Cette extension des activités peut se faire de manière proche et compatible avec les activités actuelles ou vers des secteurs complètement différents, n'ayant aucun lien avec les activités actuelles. Nous avons vu, dans notre tour d'horizon historique, que les vagues d'acquisitions et de fusions ont, en fait, été dominées par une stratégie de diversification sous-jacente. La première vague, dont le zénith se situait en 1900, était animée par une stratégie de contrôle de marché, avec un accent sur les économies d'échelle et sur l'achat des concurrents, ce que Stigler avait appelé une « vague monopoliste ». La deuxième vague des années 1920 a été rendue possible par les décisions antitrusts aux États-Unis. Elle ressemblait à la première, avec un accent sur l'acquisition de petits concurrents pour créer des entreprises capables de concurrencer ce qui restait des grandes entreprises nées de la première vague. La troisième vague des années 1960 à été une vague de diversification conglomérale, hors des territoires dans lesquels se trouvaient les entreprises acquéreuses. Au cours des vagues des années 1980 et 1990, la stratégie a été plus explicite et plus diversifiée, apportant toutes les possibilités, de la tentation monopolistique, avec l'acquisition de concurrents ou de quasi-concurrents, à la diversification non reliée.

Rumelt (1991) a offert une typologie, aujourd'hui très utilisée, sur les stratégies des entreprises en général et qui s'applique particulièrement bien aux stratégies en matière de diversification par acquisitions et fusions. Il a proposé quatre grands types de stratégies :

1. Entreprises à activité simple (*single-business company*) qui, comme le nom l'indique, sont des entreprises ayant une stratégie de focalisation sur une seule activité dans un seul domaine d'activité.

2. Entreprises à activité dominante (*dominant-business company*), au sein desquelles le domaine principal d'activité (activité simple ou activités intégrées verticalement) représente de 70 % à 95 % des ventes. General Motors, Texaco, IBM, Scott paper, Alcan étaient des entreprises typiques de cette catégorie jusqu'au début des années 1980.

3. Entreprises à activités reliées (*related-business company*), qui ont diversifié en ajoutant des activités qui sont reliées de manière tangible à la collection de leurs forces et de leur savoir-faire. Dans ce cas, aucune activité ne compte pour plus de 70 % des ventes de la compa-

gnie. La société Du Pont, General Electric et General Foods aux États-Unis, Bombardier au Canada et BSN ou Rhone-Poulenc en France sont, au début de 2000, typiques de cette catégorie.

4. Entreprises à activités non reliées (*unrelated-business company*), appelées aussi conglomérats, qui ont diversifié sans se préoccuper des liens entre les activités. Également, on admet qu'aucune des activités ne compte pour plus de 70 % du chiffre d'affaires. Parmi les entreprises représentatives des conglomérats, on pourrait citer Rockwell international et Textron aux États-Unis, Onex au Canada et Vivendi en France.

Cette catégorisation est généralement bien acceptée partout et dans toutes les disciplines. Les liens entre les nouvelles activités et les activités de base sont un élément essentiel pour la définition de la stratégie de diversification. Ces liens sont aussi apparus, dans le travail de Rumelt (1977), comme un prédicteur fiable de la performance des entreprises en question. Ainsi, les entreprises dont la diversification est reliée semblent à terme générer une performance meilleure en matière de profitabilité, les conglomérats ayant la profitabilité la moins bonne. Par contre, comme on peut s'y attendre, les conglomérats suscitent la croissance des ventes et la croissance du cours des actions les plus élevées. Ces travaux ont été faits sur un échantillon qui était centré sur la vague de diversification par acquisitions et fusions des années 1960, mais tous les travaux qui ont été faits depuis cette date ont tendance à confirmer ces résultats. L'un des plus récents (Palich, Cardinal & Miller, 2000) fait une synthèse de 55 études sur le sujet et conclut ainsi :

We provide support for the curvilinear model; that is, performance increases as firms shift from single-business strategies to related diversification, but performance decreases as firms change from related diversification to unrelated diversification[3] (155).

Ces résultats ne sont pas surprenants. Le concept de stratégie suggère que l'entreprise ne devrait pas s'éloigner de ce qu'elle fait le mieux. En conséquence, la stratégie la plus intéressante est celle de la diversification reliée. Elle est génératrice de synergie, donc de possibilités réelles de création de valeur. Elle suppose que l'entreprise tente de trouver et de réaliser un lien entre les nouvelles activités et soit ses produits-marchés en place, soit les

---

3. Nous apportons un soutien au modèle curvilinéaire. En effet, la performance augmente à mesure que les firmes évoluent d'une stratégie d'activités simples à de la diversification reliée, mais la performance diminue lorsque les firmes vont de la diversification reliée à de la diversification non reliée.

compétences ou capacités qui ont été accumulées. Si l'on pense que les capacités de management sont des éléments critiques pour le succès, il est alors approprié de classifier les stratégies de diversification reliée en les utilisant comme critères, ce que nous proposons plus loin. Par contraste, un conglomérat ne cherche normalement pas à exploiter des capacités existantes. Il s'attend à peu de transfert de savoir-faire entre activités.

Les entreprises qui diversifient de manière reliée peuvent être divisées en deux groupes. Il y a celles qui vont vers des produits-marchés qui requièrent des habiletés fonctionnelles similaires à celles disponibles, comme l'utilisation des mêmes réseaux de distribution, des mêmes installations ou savoir-faire de production, des mêmes habiletés de marketing, etc. Cette stratégie de diversification peut être appelée **reliée supplémentaire**. La forme pure de cette stratégie est l'intégration horizontale, lorsque l'on acquiert des concurrents. Le deuxième groupe d'entreprises est représenté par celles qui diversifient en ajoutant des savoir-faire et activités fonctionnelles (marketing, distribution, production, etc.) à leur base actuelle. Cette stratégie peut être appelée **reliée complémentaire**. La forme pure de cette stratégie est l'intégration verticale, comme lorsqu'un producteur de pétrole brut achète des raffineries et des stations-services. La figure 2, inspirée par Salter et Weinhold (1979), illustre les différentes stratégies de diversification reliée que les entreprises peuvent entreprendre. L'axe horizontal mesure l'addition de produits-marchés, tandis que l'axe vertical mesure l'addition d'activités fonctionnelles. Les acquisitions-fusions peuvent bien entendu impliquer à la fois des additions d'activités fonctionnelles et des extensions en matière de produits-marchés, mais si la dominante est fonctionnelle on parlera de reliée complémentaire, si la dominante est produits-marchés, on parlera de reliée supplémentaire.

Figure 2 Stratégies de diversification reliée

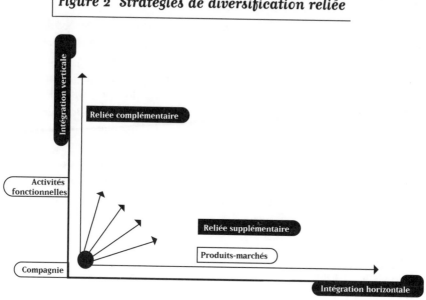

Une question importante est d'apprécier si une stratégie de diversification permet de créer de la valeur. La création de valeur suppose qu'on détermine pour qui la valeur est créée. Sans entrer dans le débat de l'importance relative des sociétaires (*stakeholders*), nous faisons l'hypothèse heuristique que le groupe cible ultime à satisfaire, une fois que tous les autres groupes ont été pris en compte, est représenté par les actionnaires. Nous parlerons donc de création de valeur pour les actionnaires.

La création de valeur peut venir de n'importe laquelle des stratégies énoncées par Rumelt. Elle implique l'une ou l'autre ou les deux possibilités suivantes :

- On augmente les rendements, c'est-à-dire les flux de revenus, pour l'entreprise diversifiée (après acquisition ou fusion) au-delà de ce qui peut être réalisé par les entreprises séparées (avant acquisition ou fusion).
- On diminue le risque de l'entreprise combinée en deçà de celui des éléments séparés.

C'est ce que nous allons à présent examiner.

IV. LA STRATÉGIE ET LA CRÉATION DE VALEUR

Une stratégie de diversification n'a de sens que si elle permet de générer de la valeur pour les sociétaires de l'entreprise. La création de valeur suppose notamment un positionnement favorable de l'entreprise par rapport à ses concurrents et le maintien de cet avantage de façon durable. Un positionnement favorable durable s'appuie généralement (Andrews, 1987 ; Prahalad & Hamel, 1990) sur des ressources de qualité[4] et sur un fonctionnement interne équilibré et dynamique. Cela devrait se traduire par un profil risque-rendement favorable.

Salter et Weinhold (1979) ont proposé une démarche systématique pour articuler le contenu de la création de valeur. Ils suggèrent que la réduction de risque et l'accroissement des rendements, au-delà de ce que permet une simple diversification financière de portefeuille, peut se faire en effectuant les actions suivantes :

A. ACCROÎTRE LES RENDEMENTS PAR LA DIVERSIFICATION PAR ACQUISITIONS-FUSIONS

Il y a six chemins qui permettent à des entreprises, qui diversifient par acquisitions et fusions, de générer des rendements qui excèdent ceux qu'obtiendrait un investisseur qui diversifierait son portefeuille d'actions. Les trois premiers chemins sont plus pertinents pour une diversification reliée et les trois autres pour une diversification non reliée ou conglomérale.

1. Les bénéfices des diversifications reliées

Pour mieux apprécier les bénéfices des diversifications, reliées ou non, il est utile de faire appel aux modèles qui influent sur le fonctionnement des entreprises et sur leur évaluation par les investisseurs, notamment les modèles de stratégie, de portefeuille de produits-marchés et financier. Tous ces modèles en fait suggèrent que *plus une acquisition est reliée aux savoir-faire et ressources de l'acquéreur, plus les bénéfices potentiels aux actionnaires de l'entreprise combinée sont grands.* En particulier, le concept de stratégie suggère que les bénéfices ne viennent que lorsqu'existent des possibilités de transfert de ressources ou d'habiletés entre les partenaires d'une fusion ou d'une acquisition. C'est cela qui normalement accroît la productivité d'un investissement dans

---

4. C'est-à-dire rares, difficiles à copier et difficiles à substituer.

l'entreprise combinée et qui, par conséquent, crée de la valeur pour les actionnaires. Ce transfert créateur de valeur est ce qu'on appelle habituellement « synergie ». Concrètement, cela se manifeste comme suit :

- Une acquisition-fusion de diversification peut augmenter la productivité du capital lorsque les savoir-faire particuliers et la connaissance fine de l'industrie de l'un des partenaires peuvent être utilisés pour renforcer les ressources et capacités de l'autre partenaire (et, par conséquent, permettre de mieux profiter des occasions ou de mieux faire face aux menaces qui se présentent à lui). Ainsi, le savoir-faire traditionnel de Bombardier en matière de relations avec les gouvernements a été très utile au développement de Canadair, puis plus tard à toutes les acquisitions et activités aéronautiques de l'entreprise. De même, la Banque Royale espérait, au moment de l'acquisition du Trust Royal, des bénéfices croisés en matière de liens avec les clients et de partage des savoir-faire. En France, le succès de la fusion de la BNP et de Paribas en 1999 était basé sur les mêmes espoirs.

- L'investissement dans des marchés qui sont proches ou liés aux opérations actuelles peut amener une réduction des coûts moyens à long terme. Ces réductions peuvent venir des effets d'échelle et de la rationalisation des coûts de production ou d'autres activités managériales. Ainsi, l'acquisition par le Groupe Transcontinental de l'Imprimerie Gagné en 1998 devait permettre une importante rationalisation en marketing, en gestion des ressources humaines, en gestion financière, en gestion des approvisionnements et des effets d'échelle substantiels, tous réduisant les coûts moyens à long terme de manière substantielle. On peut redire la même chose de la fusion BNP-Paribas ou de l'acquisition du Canada Trust par la Banque Toronto-Dominion.

- L'extension dans des domaines de compétence peut aussi engendrer une masse critique de ressources nécessaires pour faire mieux que les concurrents. Lorsqu'une petite entreprise fait une acquisition ou fusionne dans un domaine proche, elle peut avoir accès à des ressources additionnelles (argent, personnel de talent, compétences, etc.) qui peuvent alors être utilisées pour développer des compétences égales ou supérieures à celles de concurrents bien établis. Les fusions et acquisitions de « la vague des oligopoles », mentionnée auparavant, étaient toutes destinées à faire cela. Le formidable développement de GE Capital depuis 1980 a permis de faire cela aussi, devant l'armada des institutions financières traditionnelles.

2. Les bénéfices des acquisitions non reliées

L'un des arguments les plus souvent mentionnés pour parler des bénéfices des acquisitions non reliées est celui de la stabilisation des flux financiers. L'argument suggère que l'entreprise diversifiée peut ainsi être dans des activités contra-cycliques, ce qui permet à une activité d'être au sommet lorsqu'une autre est au creux, avec une moyenne relativement stable. Cet argument est évidemment très superficiel. D'abord, il est difficile de trouver des activités parfaitement contra-cycliques, mais, plus important encore, les bénéfices de la stabilisation des flux peuvent être obtenus par l'investisseur seul en utilisant les instruments accessibles dans les marchés financiers. Mais, même si les bénéfices directs sont surévalués, il y a des bénéfices indirects qui peuvent être substantiels, comme l'accroissement d'efficacité du capital, en particulier par la gestion centralisée des liquidités ainsi que la gestion de l'endettement et de la capacité d'endettement.

Il reste un autre bénéfice direct souvent mentionné. Il s'agit des possibilités de développement d'une certaine capacité d'autofinancement, notamment pour des entreprises à forte croissance ou intensive en capital. Cela pourrait permettre d'éviter la double taxation (corporative et personnelle) de l'investisseur individuellement, tout en arrivant aux mêmes résultats, si les décisions de la société et de l'investisseur individuel étaient identiques ou similaires. D'une certaine manière, en faisant cela « on achète des liquidités » avec certaines acquisitions. Bien entendu, si l'on voulait être sophistiqué, il faudrait faire attention au coût réel de ce cash et à sa disponibilité réelle dans le temps. Liée à cette idée d'acheter des liquidités est l'idée plus contemporaine de recyclage de liquidités en excès des activités matures vers les activités nouvelles et prometteuses. Ces arguments peuvent ainsi être résumés comme suit :

- L'entreprise diversifiée peut fonctionner comme une banque prenant les fonds générés par les unités ayant un surplus et les dirigeant vers celles qui ont un déficit, réduisant ainsi le besoin de faire appel au marché financier pour les besoins de fonds de roulement. Ce bénéfice est bien entendu opératoire et n'a rien à voir avec les allocations de ressources pour l'investissement, telles qu'on les a décrites dans la présentation du modèle de portefeuille de produits.
- Les entreprises diversifiées peuvent aussi, en vertu du modèle de portefeuille, utiliser les ressources générées par les unités qui ont des cash-flows net élevés pour fournir des fonds d'investissement aux unités qui ont actuellement des cash-flows négatifs ou nuls, mais

dont les perspectives sont prometteuses. Cela peut améliorer la profitabilité à long terme de l'ensemble de l'entreprise. C'est cela le principe même du modèle de portefeuille de produits. C'est un facteur d'autant plus déterminant que l'entreprise diversifiée se comporte à l'interne comme un marché dans lequel elle aurait des informations privilégiées non accessibles à l'investisseur sur le marché financier. Elle a accès non seulement à un plus grand nombre d'occasions d'investissement, mais aussi à une meilleure appréciation des coûts et des bénéfices qui devrait normalement lui permettre de faire des choix d'investissement plus judicieux. Le processus d'allocation des ressources de l'entreprise est alors plus « efficace » que ne peut l'être le marché.

- En agrégeant les risques de ses différentes activités, l'entreprise diversifiée peut aussi les réduire et réaliser un coût de l'endettement plus bas que ne le peuvent les activités séparées. Cela peut lui permettre aussi d'avoir un niveau de levier financier plus grand. En général, le coût du capital diminue et les rendements augmentent.

B. RÉDUIRE LE RISQUE DES ACTIVITÉS PAR ACQUISITIONS ET FUSIONS

La réduction du risque par diversification est étroitement liée à l'accroissement des rendements. En effet, le risque est souvent l'expression de la variabilité des flux de liquidités générés. Tout ce qui permet de réduire cette variabilité est perçu comme une réduction du risque. Ainsi, en particulier, l'agrégation des risques (*risk pooling*) permet de faire cela en réduisant à la fois les besoins en liquidité et les variations des flux. Le risque total des entreprises diversifiées peut ainsi apparaître comme plus bas. Mais ce n'est pas toujours le cas. En effet, la perception du risque des investisseurs professionnels est aussi liée à la qualité et à la transparence de l'information disponible sur une entreprise. Les entreprises très diversifiées peuvent aussi être perçues comme plus risquées parce que moins transparentes. De plus, le fait d'avoir plus de dettes, un avantage possible pour l'entreprise diversifiée, peut aussi être considéré, par l'investisseur, comme un risque financier plus grand.

Quoi qu'il en soit, on admet que l'entreprise diversifiée est souvent en mesure d'obtenir des flux plus stables que ne peut le faire un investisseur sur le marché en diversifiant son portefeuille financier, notamment grâce aux six grandes actions dont il a été question.

C. Apprécier la valeur d'une acquisition

Une diversification par acquisitions et fusions crée une valeur économique si la valeur actualisée des rendements espérés est plus grande que le coût de l'acquisition. Quand le prix d'un actif change, cela reflète une réévaluation par les acteurs sur le marché de la taille, de la durée de vie et du délai d'obtention des cash-flows futurs. Cela peut aussi traduire une capacité plus grande à prédire les caractéristiques des flux en question. Si la prévisibilité augmente (donc si la variabilité des flux diminue), alors le risque diminue et la valeur des actifs sous-jacents augmente. Les gestionnaires savent que la valeur de leurs actifs augmentent lorsqu'ils arrivent à réduire l'incertitude, perçue par le marché, des rendements espérés. Salter et Weinhold (1979) suggèrent que pour apprécier cette création de valeur il faut utiliser trois modèles : le modèle de stratégie, le modèle de portefeuille et le modèle financier. L'utilisation de ces trois modèles est décrite à la note 25 écrite par Alain Noël. Chacun de ces modèles traduit le besoin de faire face au risque et à l'incertitude des affaires, mais chaque modèle approche ce besoin de manière différente, comme le montre le tableau 3.

Tableau 3 Le risque selon les trois modèles

	Niveau d'analyse	Mesure de risque principale
Modèle stratégique	Niveau opératoire	Risque total (environnemental, managérial, financier)
Modèle de portefeuille	Niveau corporatif	Risque du portefeuille d'activités
Modèle risque-rendement	Niveau du marché financier	Risque de marché ou risque systématique

Le **modèle stratégique** met l'accent surtout sur les entreprises à activité unique ou sur les unités des entreprises multiproduits et multimarchés. Ce niveau peut être appelé « opératoire ». Le risque à ce niveau est généralement apprécié de deux manières :

- Par le jugement des gestionnaires sur la variabilité des rendements de leur activité. Ce jugement s'exerce en répondant à des questions comme : Quels facteurs peuvent influer négativement sur cette activité et quelles sont les chances pour qu'ils le fassent ?
- Par leur capacité à apprécier la performance financière future de l'activité grâce au processus de budgétisation et d'allocation des ressources. Cette méthode est essentiellement une méthode de prévision basée sur les relations entre le budget et les résultats réels. Cela permet de révéler les activités dont les performances sont les plus aisées à prédire.

Le rôle du dirigeant est alors de gagner un certain contrôle sur le risque en agissant sur les facteurs qui paraissent le déterminer.

Le modèle de portefeuille de produits-marchés met l'accent sur la gestion du portefeuille de produits et de marché de l'entreprise. Le niveau auquel cette gestion est faite est le niveau corporatif, assumé par un VP de groupe. Évidemment, là on s'intéresse aussi aux flux de fonds, mais pour l'ensemble du portefeuille. On tente de réduire le risque en stabilisant ces flux. On a alors tendance à choisir un portefeuille qui comprend des activités à différentes phases de leur cycle de vie, de sorte que les activités les plus matures puissent financer les activités en émergence, à la fois pour leur fonctionnement quotidien (c'est-à-dire le fonds de roulement) et pour leur développement (c'est-à-dire les investissements requis pour atteindre une part de marché dominante). Ce faisant, on réduit la perception du risque par l'investisseur dans l'entreprise.

Le **modèle risque-rendement** adopte la perspective d'un investisseur rationnel, bien informé et agissant dans un marché raisonnablement efficace. Le niveau d'analyse est celui du marché financier. Les mesures de risque ont ici fait l'objet d'énoncés statistiques sophistiqués. Mais, fondamentalement, on mesure la volatilité des rendements d'un titre pour apprécier son risque. Comme l'investisseur peut diversifier le risque spécifique à un titre en construisant un portefeuille équivalent à celui du marché, les analystes considèrent que le seul risque pertinent est « le risque de marché » ou, si l'on préfère, la partie du risque d'un titre qui est liée à l'ensemble du marché. Dans le jargon financier, on appelle cela *le risque systématique* ou *le risque de marché.* Le risque systématique est alors mesuré par la déviation standard d'un titre relatif à la déviation d'un portefeuille représentant le marché.

À partir de ces appréciations du risque, on peut parler de la valeur d'une activité comme étant sa valeur au marché. C'est la meilleure façon d'apprécier de manière relativement objective, ou la moins subjective, ce que vaut un actif ou un flux de revenus. La valeur au marché est ce qu'un acheteur informé et motivé est prêt à payer à un vendeur pour un titre ou un actif. Acheteur et vendeur confrontent leurs opinions sur ce que le titre ou l'actif va générer comme flux de revenus et s'entendent sur un prix qui représente un compromis entre ces opinions. Les études en finance démontrent, et on l'admet généralement, que la valeur de marché d'un actif financier peut être calculée en utilisant la formule classique de l'actualisation comme suit :

$$VM = S_{t=1-n}\ D_t\ /\ (1+R)^t$$

Où VM est la valeur de marché, Dt est le flux de revenus, R est le taux de rentabilité exigé, compatible avec le risque des flux de revenus. Bien entendu, l'investissement ou, dans ce cas-ci, l'acquisition-fusion ne doit être fait que si la valeur de marché, donc la valeur attendue, excède le coût de l'investissement ou de l'acquisition-fusion.

Ces trois modèles sont complémentaires. Le modèle risque-rendement suggère de prêter attention à la relation entre les rendements d'un actif et ceux de l'économie dans son ensemble. Il suggère que les gestionnaires doivent développer des stratégies dont l'objectif est d'avoir un meilleur contrôle des *cash-flows* et rendements futurs de leurs actifs. Or, les modèles de stratégie et de portefeuille de produits-marchés fournissent au gestionnaire une méthodologie pour faire cela.

V. EN CONCLUSION… UNE MÉTHODOLOGIE PRATIQUE POUR DIVERSIFIER

Des dirigeants qui choisissent de diversifier doivent d'abord décider s'ils veulent le faire de manière liée ou non liée, en gardant à l'esprit les repères qui ont été fournis tout au long de ce chapitre.

Il faut notamment se rappeler que la diversification liée, surtout par acquisitions-fusions, doit permettre une certaine synergie entre l'utilisation des ressources chez les deux partenaires concernés. Cependant, la définition même de ce qui est la source de liens est créative et en un sens elle est une décision éminemment stratégique. On a généralement eu tendance à considérer comme relié ce qui implique des produits ou des marchés similaires, des technologies ou des recherches scientifiques similaires, ou des activités qui se complètent le long d'une même chaîne commerciale.

La diversification conglomérale ne recherche aucun de ces liens. Mais les défis de gestion, notamment sur les plans stratégique et financier, d'acti-

Tableau 4 Grille simplifiée d'évaluation des acquisitions et fusions

| Échelle | Industrie A | Industrie B | Industrie C |
| | Compagnie A | Compagnie B | Compagnie C |

I. Caractéristiques du risque

A. Marché financier
1. Risque financier
2. Risque systématique
3. Risque non systématique

B. Mesures microéconomiques
1. Vulnérabilité à des changements exogènes de la demande et de l'offre
2. Facilité d'entrée et de sortie du marché
3. Potentiel de capacité de production excédentaire
4. Stabilité de la marge brute
5. Force de la position concurrentielle

C. Mesures légales et politiques
1. Degré d'intervention du gouvernement
2. Passif sociétal
3. Risques antitrust

Sous-total Risque

II. Caractéristiques des rendements

A. Nature de l'investissement
1. Taille de l'investissement
2. Période de l'investissement
3. Liquidité de l'investissement
4. Investissements stratégiques non capitalisés

B. Nature des rendements
1. Taille des rendements
2. Période des rendements
3. Rendements dus à des caractéristiques uniques à l'entreprise

Sous-total Caractéristique des rendements

III. Potentiel d'intégration
1. Ressources / savoir-faire supplémentaires
2. Ressources / savoir-faire complémentaires
3. Fit financier / bénéfices d'agrégation du risque
4. Disponibilité d'habiletés de management général
5. Compatibilité organisationnelle

Sous-total Potentiel d'intégration

Total général

vités différentes sont tels que la diversification conglomérale n'a de chance de réussite que si l'entreprise possède des talents de management reconnus et excédentaires.

On peut alors dire que la méthodologie appropriée pour des acquisitions reliées est différente de celle appropriée pour des acquisitions non reliées. La première doit reconnaître que la création de valeur suppose que les savoir-faire particuliers de l'un des partenaires doivent pouvoir être appliqués aux problèmes et possibilités de l'autre. Tandis que, pour la deuxième, on cherche surtout à améliorer le profil de risque-rendement de l'ensemble en faisant un management plus efficace des fonds ou des actifs. Ce qui nous amène à une grille d'évaluation comme celle du tableau 4[5]. Cette grille doit être utilisée en prenant en compte les caractéristiques particulières de chaque entreprise. Ainsi, une entreprise riche en liquidités et qui s'attend à des rentrées de fonds régulières pour les cinq prochaines années ne peut pas développer les mêmes objectifs (donc ne peut pas remplir de la même manière la grille d'évaluation) qu'une entreprise qui manque de liquidités et qui s'attend à des demandes importantes en la matière étant donné ses activités.

---

5. Cette grille est inspirée de Salter & Weinhold (1979).

L E S   M O D È L E S   D E   D É C I S I O N   E T   L E U R   A P P L I C A T I O N   À   L A   D I V E R S I F I C A T I O N   P A R   A C Q U I S I T I O N S   O U   F U S I O N S [1]

par Alain Noël

Les études sur la diversification traitent différemment les acquisitions dites reliées et celles qu'on qualifie de non reliées. Dans les pages qui suivent, nous considérons la fusion comme une forme particulière d'acquisition reliée. Nous nous pencherons cependant au départ sur les acquisitions non reliées, c'est-à-dire celles qu'on qualifie de non concentriques ou de conglomérales. Nous pourrons ainsi traiter de la forme de diversification la plus pure (voir l'encart A). Nous présenterons les trois catégories classiques de décisions d'acquisitions :

- Diversifier en fonction des compétences, c'est-à-dire appliquer un modèle stratégique pur.
- Diversifier parce que la rentabilité de l'investissement est en soi très positive, soit selon un modèle financier.
- Diversifier parce que l'entreprise permet à celle qui l'acquiert de se donner un portefeuille d'opérations qui seront regroupées en centres d'activités stratégiques (CAS) mieux équilibrés dans le temps.

Présentons donc maintenant ces trois modèles que nous qualifierons respectivement de stratégique, de financier et de portefeuille[2].

LE MODÈLE STRATÉGIQUE

L'approche stratégique classique propose d'améliorer la prise de décision en augmentant la cohérence des actions menées par les gestionnaires pour assurer la croissance de l'entreprise. Elle repose sur une analyse détaillée

---

1. Extrait tiré de *Gestion*, Revue internationale de gestion, septembre 1987, p. 40-50.
2. Ceux qui voudraient un traitement complet de ce sujet sont invités à consulter l'excellent texte de Malcolm Slater et Wolf Weinhold, publié chez Macmillan en 1979. Le lecteur y trouvera un développement conceptuel similaire à celui qui est présenté dans cet article.

Encart A

Le concept de CAS, soit de centre d'activités stratégiques, est important à retenir pour notre réflexion. Techniquement, on définit un CAS comme une combinaison d'un produit donné et d'un marché bien défini. Deux marchés seront différents si l'élasticité de la demande est faible entre les deux. Des produits seront différents si les ressources utilisées pour l'un ne peuvent pas facilement être transférées aux autres. Dans les faits, deux CAS seront différents si l'entreprise doit poursuivre deux stratégies différentes.

Une fois cette précision donnée, nous pouvons utiliser Richard Rumelt qui est sans doute l'auteur auquel on se réfère le plus souvent pour classer les entreprises diversifiées : on obtient alors trois grandes catégories de base, CAS dominants, CAS reliés et CAS non reliés, qu'on peut rediviser de la façon suivante :

- entreprises à CAS unique;
- entreprises à CAS complémentaires avec domination;
- entreprises à CAS reliés mais complémentaires;
- entreprises à CAS reliés mais supplémentaires;
- entreprises à CAS non reliés ou conglomérales pures.

Les termes complémentaires et supplémentaires font référence aux notions d'intégration verticale des opérations fonctionnelles (complémentaire) et d'intégration horizontale des produits et marchés (supplémentaire).

des facteurs que peuvent contrôler les gestionnaires, sur une appréciation d'autres facteurs qu'ils ne peuvent contrôler, sur une prise de conscience des valeurs qui guident leurs choix et décisions et sur leur volonté d'assumer les obligations de l'entreprise envers la société.

Les relations à établir entre les ressources redéployables et contrôlables, et les caractéristiques d'un environnement changeant sont au cœur de ce modèle. Les règles prescriptives de base qui en découlent sont simples à concevoir : l'entreprise utilise ses forces pour exploiter les opportunités ou bien elle colmate ses faiblesses devant les menaces que présente son environnement. En les appliquant, les gestionnaires sont mieux à même de donner une direction précise à la croissance de l'entreprise. Vue sous l'angle de ce modèle, une bonne acquisition devrait augmenter la cohérence des actions prises par l'entreprise, tandis qu'un mauvais appariement des compétences distinctives et des opportunités et menaces serait une erreur stratégique.

Cette approche stratégique propose une logique décisionnelle relativement précise. Il y a des étapes analytiques à suivre avant d'arriver à formuler une stratégie optimale que l'on cherchera ensuite à implanter grâce à une séquence d'objectifs, de plans et de programmes. Le gestionnaire est présumé savoir où il s'en va ; en principe, il dispose des pouvoirs requis pour implanter les stratégies formulées.

En suivant la démarche décrite au chapitre III de ce livre, les dirigeants peuvent formuler une stratégie. C'est ainsi qu'ils auront, en combinant les divers éléments de l'analyse, à préciser la finalité, la raison d'être et la mission de l'entreprise, puis à élaborer des politiques cohérentes qui permettront de favoriser l'atteinte des objectifs ainsi fixés. Des programmes et des échéanciers de mise en œuvre permettront généralement d'avancer de manière systématique vers des objectifs. La stratégie ainsi élaborée servira ensuite de guide à l'ensemble des décisions importantes qui doivent être prises dans l'entreprise.

Dans le contexte du modèle stratégique, une bonne décision de diversification renforce la posture stratégique de l'entreprise qui en acquiert une autre. Elle augmente la cohérence des actions, compense certaines faiblesses et permet d'exploiter les opportunités de croissance qui lui offrent plus de chances de réussir que ses concurrents. Les gestionnaires doivent alors se poser les grandes questions de la démarche stratégique pour évaluer le potentiel de la compagnie à acquérir :

- Quelles possibilités et quels risques présente l'entreprise que nous désirons acquérir ?
- Quels sont les règles du jeu, les bases de concurrence, les facteurs clés de succès dans l'industrie de l'entreprise désirée ? Quelles compétences doit-elle avoir pour réussir ?
- Pouvons-nous renforcer l'entreprise en question grâce à nos ressources ou à nos compétences ? Y a-t-il suffisamment de compatibilité entre les deux pour produire une synergie positive ?
- Comprenons-nous suffisamment bien la logique stratégique de l'entreprise acquise pour allouer de façon optimale les ressources dont nous disposons et prendre pour elle les bonnes décisions stratégiques ?
- L'entreprise acquise vient-elle renforcer ce que nous sommes ? Nous aide-t-elle à obtenir une meilleure performance dans les affaires où nous sommes ?

L'utilisation du modèle stratégique pour diversifier conduit l'entreprise à favoriser des acquisitions reliées. D'abord, des acquisitions reliées complémentaires, c'est-à-dire celles qui permettent une expansion des affaires en renforçant ses habiletés ou en ajoutant de nouvelles activités fonctionnelles sans modifier substantiellement le choix des produits-marchés traditionnels. Puis, des acquisitions reliées supplémentaires qui, au contraire des premières, exigent que l'on élargisse les choix de produits-marchés, mais en utilisant des habiletés fonctionnelles transférables.

LE MODÈLE FINANCIER

Le terme financier peut prêter à confusion : le plus souvent, ce qu'on entend par cette expression, c'est la relation que les financiers établissent entre le rendement et le risque attaché à des titres : il serait sans doute plus juste de parler du modèle risque-rendement. Nous nous en tiendrons cependant à notre premier choix pour mieux marquer que, utilisant cette approche, les gestionnaires considèrent les décisions de diversifications comme des décisions financières. Ils sont alors préoccupés par la performance de l'entreprise sur les marchés boursiers avant et après la diversification. C'est en ce sens que toute acquisition doit être évaluée comme une décision d'investissement.

Trois dimensions sont importantes pour appliquer le modèle financier. La première stipule qu'il existe une relation entre le niveau de risque que porte un titre et le rendement qui sera offert par ce titre. La deuxième précise qu'un investisseur peut modifier ses niveaux de risque et de rendement en diversifiant ses investissements. Enfin, la troisième est celle de la valeur actuelle nette (VAN) des flux monétaires, soit une méthode de calcul dont se servent les investisseurs pour déterminer le prix d'un titre ou d'un investissement. Cette méthode permet d'escompter à une valeur actuelle une série de flux monétaires futurs[3].

La relation entre le risque et le rendement est basée sur le principe que ce dernier est un paiement effectué pour compenser le niveau de risque assumé par un investisseur. Entre deux investissements offrant la même espérance de gain ($E(R) = X$), celui dont la dispersion des probabilités de rendement sera la plus grande sera considéré comme plus risqué. Le risque est donc associé, dans le modèle financier, aux variations des flux monétaires nets que touchera l'investisseur dans le futur, d'où le calcul de la VAN.

Le principe de la diversification est un peu plus difficile à expliquer. Sur un marché donné, la performance de plusieurs titres n'est jamais parfaitement

---

3. La formule classique pour calculer la valeur actuelle d'un investissement est la suivante :

$$PV = \sum_{t=1}^{n} D_t / (1+R)^t$$

Ou
PV = Valeur actuelle des flux monétaires
D_t = La liquidité touchée à chaque période t
R = Taux de rendement annuel

corrélée, de sorte que la relation qui s'établit entre les risques et les rendements de plusieurs titres combinés dans un portefeuille n'est pas linéaire. Il est donc possible d'améliorer le rapport risque-rendement en variant la composition du portefeuille. Un analyste financier peut théoriquement trouver des combinaisons optimales et obtenir par là ce que l'on appelle un portefeuille efficient. En ajoutant au portefeuille des titres sans risque, comme des bons du Trésor, il pourrait augmenter encore la performance du portefeuille et trouver des combinaisons encore plus efficientes, ce qui est représenté par la ligne $R_f P^*$ dans le graphique de l'encart B. Cette ligne représente le portefeuille du marché, soit la façon la plus efficiente par laquelle un investisseur peut obtenir des rendements marginaux supérieurs en augmentant le risque de ses investissements. Tout portefeuille situé sur $R_f P^*$ est techniquement parfaitement diversifié.

Le risque d'un titre peut être divisé en deux parties : le risque dit systématique ou de marché et le risque non systématique, propre au titre en question. Quand on fait varier la composition d'un portefeuille pour améliorer le rapport risque-rendement, seul le risque non systématique peut être diversifié. Les financiers utilisent la lettre grecque ß pour le mesurer. Le bêta d'un titre donné établit une corrélation entre son rendement et celui du marché total. Un bêta inférieur à 1,0 indique que le rendement du titre est moins volatil que celui du marché et vice versa. C'est en fonction de cette relation au risque du marché, le ß, que l'on évalue le risque d'un titre donné dans un portefeuille par le biais du modèle d'équilibre des actifs financiers (MEDAF) présenté à l'encart B.

Le MEDAF s'exprime algébriquement de la façon suivante :
$$E(R_i) = E(R_f) + \beta_i \, [E(R_m) - E(R_f)]$$

Dans cette équation, $E(R_i)$ représente l'espérance de gain associée à l'investissement en tenant compte des diverses composantes du risque total. β_i est le niveau de risque systématique, c'est-à-dire de marché, du titre. L'expression $[E(R_m) - E(R_f)]$ mesure la prime de risque du marché. Si l'on pondère cette valeur par le bêta propre au titre, on obtient $\beta_i [E(R_m) - E(R_f)]$, soit la prime de risque associée au titre en question. Le rendement total exigé par l'investisseur sera donc composé du rendement sans risque $E(R_f)$, plus cette prime de risque associée au titre. C'est ainsi que l'on obtient le taux de rendement exigé par le marché pour acheter les flux monétaires futurs attachés au titre. C'est ce taux qu'on utilise dans le calcul de la VAN présenté un peu plus tôt.

Cette digression technique un peu aride, qui paraîtra incomplète et simplificatrice aux financiers aguerris, est cependant importante, car elle permet de comprendre les bases décisionnelles de l'approche financière à la diversification par acquisitions. Toute la décision consistera à évaluer les flux monétaires nets et le risque de marché de l'entreprise candidate ainsi que son impact sur le rapport risque-rendement de l'acquéreur. Les gestionnaires seront donc amenés à se poser les questions suivantes :

- Quels sont le risque systématique (ou de marché) et le taux de rendement de la candidate sur son marché ?
- Le prix demandé pour l'acquisition est-il compatible avec les flux monétaires anticipés et actualisés en fonction du taux de rendement de la candidate ?
- Si l'on acquiert la candidate, quel effet cela aura-t-il sur les flux monétaires et le risque de marché de l'acquéreur ?
- Finalement, quel sera l'effet net de l'acquisition sur la valeur au marché de l'acquéreur ?

Encart B

MEDAF : Modèle d'équilibre des actifs financiers
Rendement (%)

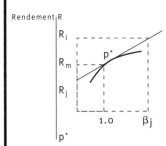

R_i = Taux de rendement du titre i
P^* = Portefeuille de marché
R_m = Taux de rendement du portefeuille de marché
R_f = Taux de rendement sans risque
β_i = Bêta du titre i

On peut exprimer de façon algébrique le MEDAF par la formule suivante :
$$E(R_i) = E(R_f) + \beta i \, [E(R_m) - E(R_f)]$$

Le modèle ne dit donc pas si un niveau de risque donné est préférable à un autre, mais il permet aux gestionnaires d'anticiper l'évaluation que les marchés feront de leur décision. L'objectif évident qu'ils doivent poursuivre selon ce modèle, c'est d'améliorer les rapports entre le risque et le rendement pour leurs actionnaires, le tout afin d'augmenter leur bien-être. Ainsi, une décision de diversification ne devrait être prise que si l'une ou l'autre des conditions suivantes est présente :

- La décision permet de réduire le risque de marché au-dessous de celui d'un portefeuille de titres comparable sans réduire pour autant le rendement.
- À l'inverse, la décision augmente le rendement à un niveau supérieur à celui d'un portefeuille comparable sans augmenter le risque systématique.

En conséquence, les gestionnaires doivent acquérir des entreprises qui auraient pour leurs actionnaires une valeur plus grande que le prix payé pour procéder à l'acquisition.

LE MODÈLE DE PORTEFEUILLE

En stratégie, nous utilisons la notion de portefeuille, déjà familière aux investisseurs, pour regrouper les CAS que gère l'entreprise. Parler de diversification avec une approche de portefeuille consiste à s'interroger sur la composition du portefeuille, sur l'ajout ou bien le retrait de CAS pour arriver à un ensemble plus équilibré. Elle repose à la fois sur les concepts de stratégie présentés dans le premier modèle pour bien définir les CAS et sur celui des flux monétaires utilisé dans le modèle financier.

Plusieurs firmes de conseillers en gestion ont popularisé cette approche dans les années 1970 en proposant diverses grilles d'analyse. Le Boston Consulting Group a diffusé ce qui est devenu la grille du BCG connue pour ses représentations symboliques : la star, le point d'interrogation, la vache à lait et le canard boiteux. Leurs principaux concurrents, le groupe McKinsey and Company et la compagnie General Electric, ont élaboré une grille : « Posture stratégique/Attrait de l'industrie » qui a ensuite inspiré plusieurs variantes à de nombreux conseillers en gestion et consultants.

Les grilles qui résultent du BCG tendent à utiliser des données surtout financières et plus « quantitatives » pour évaluer le positionnement d'un CAS. Celles qui sont inspirées de McKinsey ont habituellement recours à des données plus souples, plus subjectives, plus « qualitatives » pour évaluer tant l'attrait de l'industrie que la posture du CAS en question. Dans tous les cas, les grilles veulent présenter une image globale des CAS de l'entreprise, afin que les gestionnaires puissent équilibrer ce portefeuille, c'est-à-dire des CAS qui engendrent les liquidités nécessaires pour financer de futurs CAS stars, les points d'interrogation d'aujourd'hui, et soutenir au besoin les stars actuelles dans leur lutte pour les parts de marché qui en feront d'éventuelles sources de liquidités pour l'entreprise, de nouvelles vaches à lait dans la terminologie de BCG, lorsque la croissance ralentira avec la maturation du marché.

Le modèle de portefeuille est donc totalement centré sur les caractéristiques des flux monétaires d'un secteur d'affaires.

Cette nouvelle recherche d'un portefeuille équilibré de CAS suggère les questions qui peuvent guider les gestionnaires qui font face à des décisions de diversification. La question centrale à l'étude sera l'analyse des caractéristiques des flux monétaires de la candidate et de l'acquéreur pour vérifier si les entreprises sont complémentaires. Les gestionnaires se poseront donc des questions du type suivant :

- Quelles sont les caractéristiques des flux monétaires anticipés de la candidate?
- Comment ces flux monétaires fluctueront-ils compte tenu de l'évolution de la situation compétitive dans ce secteur?
- Quels investissements pourra-t-on y injecter pour permettre à ce CAS de connaître le succès?
- Le *pattern* de flux monétaires résultant est-il compatible avec le portefeuille actuel de CAS?

Bien que l'analyse de portefeuille conduise naturellement à la diversification non reliée, elle pourrait aussi, dans certaines circonstances, favoriser des acquisitions reliées. Ce serait le cas par exemple si les courbes d'expérience de l'acquéreur et de la candidate étaient similaires et transférables, favorisant ainsi une diminution des coûts qui changerait rapidement le positionnement d'un cas actuel.

Ainsi, des acquisitions reliées seront d'excellentes décisions de diversification si elles améliorent la posture compétitive d'un CAS soit en réduisant par l'effet d'expérience sa structure de coûts, soit en augmentant de façon significative sa part de marché relative. Dans les deux cas, la décision devrait produire de meilleurs flux monétaires et augmenter le RCI du CAS en question.

À l'inverse, des acquisitions non reliées seront d'excellentes décisions de diversification lorsqu'elles contribueront à améliorer l'équilibre à court, moyen et long terme des flux monétaires produits et déboursés par l'entreprise, ce qui améliorera autant sa posture financière que stratégique. L'entreprise mieux équilibrée traversera plus facilement les phases de croissance, de maturité et de déclin de ses CAS, et sera en mesure d'assurer à long terme un meilleur roulement de ses actifs et de ses activités.

TROIS APPROCHES, TROIS SÉRIES DE QUESTIONS, TROIS MODÈLES COMPLÉMENTAIRES

Les trois modèles s'imbriquent naturellement l'un dans l'autre, l'un étant centré sur les activités elles-mêmes, le deuxième sur les actionnaires et le dernier sur l'obligation pour les dirigeants de gérer l'équilibre à long terme des activités de l'entreprise. Les trois approches contribuent à créer le maximum de valeur.

Lorsqu'on les utilise de façon complémentaire, on est amené à constater que la diversification par acquisitions reliées est en règle générale préférable à la diversification non reliée ou conglomérale pure. En effet, le modèle stratégique recommande de faire des acquisitions qui soutiennent la compétence distinctive de l'entreprise. La synergie est alors produite par un transfert de ressources et d'habiletés entre deux entreprises, transfert souvent central aux cas de fusions.

Le modèle financier nous encourage aussi à procéder à des diversifications liées : lorsque les opérations de deux entreprises peuvent être intégrées, le rendement peut souvent connaître une hausse sans que le risque de marché ou systématique n'augmente en contrepartie.

Enfin, et bien que le modèle de portefeuille soit surtout utilisé pour gérer des entreprises diversifiées de façon conglomérale, les leçons qu'on tire de la courbe d'expérience suggèrent qu'il est souvent très profitable d'améliorer sa posture stratégique et ses parts de marché pour produire de meilleurs rendements.

LES ACQUISITIONS ET LES FUSIONS : LES CHOIX STRATÉGIQUES EN CONFLIT AVEC LEUR MISE EN ŒUVRE [1]

par Taïeb Hafsi et Jean-Marie Toulouse

Les deux plus grands problèmes auxquels font face les gestionnaires en matière d'acquisitions-fusions sont ceux de la réalisation de la transaction, puis de l'intégration des activités résultantes (Haspeslagh & Jemison, 1991) de manière à obtenir les bénéfices que l'acquisition ou la fusion est censée apporter, c'est-à-dire créer de la valeur pour l'entreprise. La réalisation de la transaction pose un problème relativement technique, dont la solution exige l'aide de partenaires spécialisés en la matière : les comptables, les avocats et les courtiers. L'intégration est une question beaucoup plus complexe mais cruciale pour le succès des acquisitions-fusions (Haspeslagh & Jemison, 1991) et elle s'inscrit davantage dans la dynamique du changement (Hafsi & Demers, 1989), du renouvellement de la stratégie (Haspeslagh & Jemison, 1991) ou, plus fondamentalement, du transfert de capacités en vue de développer, de bonifier ou de protéger une compétence distinctive (Jemison, 1987). Les deux opérations ne peuvent cependant être séparées facilement. En réalité, la réalisation de la transaction fait partie intégrante de ce qui va se passer par la suite.

La séparation entre la formulation et la mise en œuvre d'une stratégie (acquisitions et fusions, notamment), quoique techniquement possible, est très rarement acceptée par les responsables principaux d'une organisation. L'appropriation de la stratégie, donc le succès de la mise en œuvre, n'est possible que si ceux qui doivent implanter cette stratégie participent de manière importante à sa formulation.

Malheureusement, en pratique, tout semble concourir à ce que formulation et mise en œuvre soient séparées. Elles font souvent appel à des acteurs

---

1. Extrait tiré de *Gestion*, Revue internationale de gestion, février 1994, p. 75-86.

différents. De plus, la formulation domine et reçoit l'attention des dirigeants, des consultants et parfois même des législateurs, tandis que la mise en œuvre est laissée à elle-même et fait figure de parent pauvre du processus (Haspeslagh & Jemison, 1991). Il ne s'agit pas d'un effort délibéré pour négliger les questions de mise en œuvre, mais plutôt du résultat naturel des modèles utilisés pour soutenir la formulation. C'est aussi le résultat de l'action structurante des partenaires qu'on se choisit habituellement pour préciser la formulation. Sur le plan conceptuel, cela tient à la séparation un peu contre nature, quoique commode, de la formulation et de la mise en œuvre.

L'INSUPPORTABLE SÉPARATION DE LA FORMULATION ET DE LA MISE EN ŒUVRE D'UNE STRATÉGIE

Logiquement, la mise en œuvre suit la formulation. Bien que cela soit généralement admis, l'intervention des personnes et la complexité des organisations suggèrent que les gestionnaires ne soient pas toujours capables de comprendre toutes les relations de cause à effet. Ils ne sont pas toujours en mesure d'exprimer sans ambiguïté leurs désirs. De ce fait, il arrive qu'ils apprennent ou découvrent ce qu'il faut faire en agissant (Mintzberg & Waters, 1985). De là découle l'argument répandu que formulation et mise en œuvre non seulement ne peuvent mais ne doivent pas être séparées.

Pourtant, dans le monde des affaires, la séparation va pour ainsi dire de soi. En effet, il n'est pas d'entreprise d'envergure où les mécanismes de réflexion stratégique et de planification à long terme ne soient distincts des mécanismes de réalisation opérationnelle.

Les outils de formulation ont connu, au cours des 20 dernières années, une progression spectaculaire. Parmi les modèles les plus puissants, mentionnons :
- le concept de courbe d'expérience (BCG, 1972 ; Hax & Majluf, 1982) ;
- le modèle PIMS (Buzzell, Gale & Sultan, 1974 ; Gale, Bradley & Branch, 1987) ;
- le modèle de portefeuille (Slatter, 1980 ; Lubatkin & Pitts, 1983 ; Hamermesh, 1986) ;
- le modèle d'analyse de la structure et de la dynamique de l'industrie (Porter, 1980) ;
- le modèle de la chaîne de valeur (Porter, 1986) ;
- le modèle de stratégie (Andrews, 1987 ; Ansoff, 1965).

L'utilisation de ces modèles pose néanmoins des problèmes lorsque la formulation et la mise en œuvre sont séparées. Ceux qui formulent, étant éloignés de la réalité, ont souvent tendance à faire des choix sans nuance, des choix qui par exemple ne tiennent pas compte des liens entre les produits et les services. Parallèlement, ceux qui sont chargés de la mise en œuvre ont du mal à comprendre la logique des orientations qu'on leur donne. Ils ont alors tendance à mettre en cause les choix par toutes sortes de moyens, souvent destructifs pour l'organisation.

L'EFFET DES MODÈLES DE RÉFÉRENCE DOMINANTS

Examinons brièvement les modèles aujourd'hui très utilisés dans les grandes entreprises, soit la courbe d'expérience (Hax & Majluf, 1983), le modèle de portefeuille (Hamermesh, 1986) et le modèle de Porter (1980) sur la structure de l'industrie.

Souvent, les acquisitions-fusions sont justifiées par l'existence de courbes d'expérience compatibles (Salter & Weinhold, 1979). Cela est bien séduisant, mais souvent trompeur. Entre le moment où l'on envisage la possibilité d'accroître des parts de marché et celui où l'on réussit à produire les gains de coûts grâce à des volumes cumulatifs plus importants, le marché, la concurrence ou la technologie peuvent changer. Il ne faut donc pas oublier que cela n'a rien d'automatique.

Le modèle de portefeuille a aussi des effets pernicieux (Hax & Majluf, 1982 ; Hamermesh & White, 1984 ; Haspeslagh, 1982 ; Bettis & Hall, 1981). Il trouve sa justification dans la très grande complexité de répartition des ressources, lorsque le nombre d'activités stratégiques est important. Pour simplifier la tâche des dirigeants, il faut leur offrir un cadre qui permet la réflexion et facilite la prise de décision. Malheureusement, là aussi l'outil peut facilement devenir une finalité. Cela est particulièrement vrai lorsque le modèle de portefeuille vient compléter ou soutenir les conclusions du modèle des forces concurrentielles de Porter (1980). Ainsi, l'analyse pourrait révéler que certaines activités ont des effets défavorables par rapport à la concurrence et s'avérer tellement convaincante qu'une seule conclusion s'impose : se désintéresser de ces activités et en privilégier d'autres. La décision paraît claire, compréhensible par tout le monde, ce qui est séduisant pour les dirigeants et pour leurs collaborateurs, mais elle ne tient pas compte notamment des possibilités et des défis associés à une redéfinition ou à une amélioration du produit ou du service. La redéfinition du marché ou de l'industrie peut conduire à des conclusions complètement opposées.

Des conclusions hâtives ou simplistes peuvent mener à des décisions susceptibles de nuire à la position stratégique de l'entreprise. De même, les modèles pourraient suggérer que la position d'un concurrent est imprenable et décourager toute tentative de délogement là où il serait néanmoins possible de contourner sa position. En général, en accordant une attention particulière à la clientèle, il est possible de lui fournir des services liés au produit qui peuvent la fidéliser en accroissant pour elle les coûts de changement ou en augmentant la valeur fournie.

Les modèles ne sont pas en soi le problème, mais leur logique est parfois tellement puissante qu'on oublie qu'il s'agit là d'une simple construction destinée à aider la réflexion, et non à la remplacer. Ils servent aussi souvent d'arme pour les dirigeants en panne d'idées quant à la direction à prendre ou à la gestion du fonctionnement (et donc de la coopération) interne. Les modèles sont des instruments de formulation de la stratégie ; ils ne sont pas eux-mêmes la stratégie. Celle-ci est une résultante du comportement cohérent de l'organisation, donc une résultante de la formulation d'objectifs et de leur mise en œuvre (Mintzberg, 1987).

C'est dans les acquisitions-fusions et dans leur image symétrique, les désinvestissements, que l'on observe les utilisations les plus abusives des modèles. Cela tient à la fois à l'urgence, réelle ou simulée, des transactions à conclure, à la nécessité, réelle ou simulée, de maintenir la confiance, et à l'enthousiasme, réel ou simulé, que les perspectives offertes par les objectifs formulés suscitent chez les dirigeants et chez les actionnaires.

Ainsi, les modèles ont tendance à forcer la main aux gestionnaires en faisant du choix stratégique un choix intellectuel seulement et en simplifiant ce choix de manière parfois outrancière. En matière d'acquisitions-fusions, les incertitudes sont tellement grandes et les angoisses des dirigeants parfois si paralysantes que les modèles apparaissent comme des bouées de sauvetage pour des gestionnaires incapables de discernement. Pire, les modèles ne sont pas les seuls coupables des comportements déraisonnables ou irréfléchis dans les entreprises. Les partenaires auxquels on s'associe pour concevoir ou réaliser l'acquisition-fusion introduisent des rigidités et des engagements progressifs difficiles à briser et menant souvent à des décisions qu'on ne prendrait pas en d'autres circonstances.

L'EFFET DES PARTENAIRES STRUCTURANTS

Les partenaires les plus courants sont les comptables, les avocats et les courtiers. Naturellement, chacun de ces partenaires contribue à accroître la formalisation. La préoccupation des comptables est de s'assurer que les documents utilisés sont conformes aux normes de la profession. Les avocats n'ont pas l'impression d'avoir accompli grand-chose tant que les contrats ne sont pas rédigés et signés. Finalement, les courtiers sont surtout préoccupés par la réalisation de la transaction, sans laquelle leur contribution ne peut être reconnue.

Les phases d'élaboration de la transaction sont cumulatives ; elles engagent de plus en plus le client au fur et à mesure que les études sont terminées, les formules inventées et les accords partiels obtenus. Il est alors évident que la transaction, et par extension la « formulation de la stratégie », domine les actions d'intégration de l'acquisition et de réalisation des bénéfices souhaités, c'est-à-dire la mise en œuvre. Comment peut-on alors penser à la mise en œuvre d'une ou de plusieurs acquisitions ? Comment peut-on réduire les effets dévastateurs d'une formulation détachée de la mise en œuvre ?

L'INTÉGRATION COMME CHANGEMENT STRATÉGIQUE

L'acquisition-fusion est une mesure dont les effets sur les parties intéressées, les entreprises acquéreurs et acquises ou celles qui fusionnent, sont profonds et souvent déstabilisateurs. C'est un changement majeur, mais qui est souvent traité comme s'il s'agissait d'une opération routinière. La mise en œuvre d'une acquisition en particulier présente sans doute des similitudes avec celle d'autres acquisitions, mais les aspects importants sont souvent différents parce qu'ils dépendent de la situation propre à l'entreprise et de la transaction envisagée. Cependant, nous suggérons qu'il est possible d'approfondir notre compréhension du phénomène en utilisant les éléments de réflexion qui ont été proposés pour les changements stratégiques.

On propose, pour mieux parler du changement stratégique, de ne plus s'occuper de la vieille dichotomie formulation/implantation, mais plutôt de décomposer l'idée de stratégie en quatre grandes composantes (mécanismes) (Hafsi & Demers, 1989) :
- les croyances ;
- les valeurs ;
- la stratégie concurrentielle ;
- les arrangements structurels.

Vue sous cet angle, l'intégration qui suit une acquisition apparaît comme un processus complexe qui modifie en profondeur les organisations concernées. Ultimement, les recherches sur le changement stratégique montrent que des changements dans l'un des mécanismes entraînent à plus ou moins long terme des changements dans les autres, de sorte que l'ensemble reste en cohérence. Grâce à ces définitions, nous pouvons à présent proposer une façon de classifier les types d'intégration qui permet d'en comprendre les difficultés. Cette classification nous permettra de faire ressortir les difficultés inhérentes à la nature de l'intégration envisagée et d'en déduire les modes de gestion les plus appropriés.

Changer la façon de voir le monde en changeant rapidement tous les mécanismes (croyances, valeurs, stratégie et structure) de l'une ou l'autre des organisations, ou des deux. Les croyances sont le moteur de ce type de changement, qui est le plus radical et le plus total. Les prises de contrôle se trouvent souvent dans cette catégorie.

Dans une transaction en 1992, Socal proposait de faire l'acquisition de Gulf et de mettre fin aux dépenses de cette entreprise en prospection pétrolière, lesquelles s'élevaient à 1,5 milliard de dollars par an. Cette opération permettait de récupérer environ 10 milliards de dollars (valeur actualisée nette) par rapport au scénario de continuation des activités de forage. Cela correspondait cependant, aux yeux des dirigeants de Gulf, à une liquidation de l'entreprise. Comment, disaient-ils, être une entreprise active dans l'industrie pétrolière et ne pas faire de prospection?

Socal a réussi à faire l'acquisition. Elle entreprit alors de changer la façon de voir le monde des gestionnaires et de tous les membres de Gulf (et en fait de ceux de Socal aussi), un changement radical par rapport aux pratiques passées. Le changement supposait un changement de croyances : « On peut être dans l'industrie du pétrole sans faire de prospection. » ; un changement de valeurs : « La rentabilité est plus importante que la qualité des opérations de l'entreprise et sa survie à long terme. De plus, une société pétrolière n'est pas nécessairement engagée en amont. » ; un changement de stratégie : « Gulf exploite ses réserves actuelles et devient progressivement un acheteur majeur sur le marché pétrolier. Les approvisionnements et la recherche des opérations les plus payantes deviennent la raison d'être de l'entreprise. » ; un changement de structure qui met l'accent sur des opérations simplifiées concentrées sur l'aval de l'industrie pétrolière, avec un renforcement des capacités d'approvisionnement.

Revitaliser en changeant les pratiques des organisations qui fusionnent. Les valeurs sont ici le moteur de ce type de changement. Ainsi, lorsque Culinar fit l'acquisition d'Aliments Imasco en 1984, elle a imposé à cette dernière une philosophie de gestion et une vision du monde où l'on accordait une attention particulière aux ressources humaines. Les valeurs d'Aliments Imasco étaient plutôt traditionnelles, mettant l'accent sur la productivité de la main-d'œuvre et la rentabilité.

Réorienter en changeant le domaine d'activité ou le positionnement, donc la stratégie des deux partenaires. Cela entraîne automatiquement un changement des arrangements structurels. Lorsqu'elle a acquis Genstar, Imasco en a bouleversé la stratégie, qui était basée sur le maintien d'un portefeuille très diversifié et laissait beaucoup d'autonomie aux différentes compagnies constituantes. Elle a aussi entrepris une restructuration majeure comportant la liquidation des entités qui ne cadraient pas avec la stratégie nouvellement énoncée de pénétration de l'industrie du financement individuel et corporatif. Les dirigeants d'Imasco ont vécu l'ensemble de l'opération comme un chemin de croix. Vivement critiqués, ils ont dû trouver une nouvelle identité, mettant plus l'accent sur les aspects financiers. Imasco était désormais une entreprise préoccupée par une juste rémunération des investissements de ses actionnaires. Elle ne pouvait plus être identifiée seulement à un domaine d'activité, comme le tabac ou la restauration rapide. Pourtant, tous les domaines qu'elle possédait pouvaient être reliés à sa dernière acquisition, puisque c'était là une entreprise dont la mission pouvait justement être au cœur de la nouvelle entreprise, mission qui consistait à trouver des utilisations rentables aux fonds fournis par ses activités génératrices de fonds (vaches à lait), comme le tabac et la restauration rapide.

Restructurer pour la survie à court terme en modifiant, de manière fondamentale, le fonctionnement de l'entreprise résultante et donc de ses composantes. Le cas le plus spectaculaire est probablement celui de l'acquisition de Texaco par Imperial. On n'a pas changé les croyances ni les valeurs. Même la stratégie restait essentiellement la même. On voulait surtout renforcer la stratégie de l'une et de l'autre, qui était de dominer le marché de vente au détail de produits pétroliers et de réduire les coûts grâce à des économies d'échelle et d'envergure.

LES DÉFIS DE L'INTÉGRATION

Tout changement organisationnel d'envergure requiert une certaine légitimité. Les dirigeants ne peuvent vraiment accomplir le changement que s'ils sont perçus comme ayant la légitimité pour le faire. La nécessité de la légitimité est facile à comprendre. En effet, comme le changement cause des « souffrances » à de nombreuses personnes, en particulier aux cadres, il produit aussi beaucoup de contestation, ce qui peut à la limite le remettre en cause. Haspeslagh et Jemison (1991) attribuaient les difficultés de l'intégration à un vide dans le leadership, caractéristique fréquente des situations d'acquisitions-fusions.

En conséquence, **le premier défi** pour mener à bien une acquisition-fusion, et l'intégration qui lui est liée, **est de nature conceptuelle**. Il faut trouver les formulations les plus convaincantes pour expliquer et justifier le changement.

Le deuxième défi est de construire l'organisation de sorte qu'elle puisse prendre en charge le changement. Le système organisationnel doit encourager les comportements souhaitables pour le changement. Malheureusement, exception faite des organisations très simples, nos connaissances en la matière sont très embryonnaires. Les mesures concernant le contexte organisationnel sont donc souvent de nature expérimentale. Pierre Macdonald, ancien ministre de l'Industrie et du Commerce et responsable chez Bombardier de la commercialisation du TGV en Amérique du Nord, explique le comportement organisationnel de Bombardier (Tremblay, 1994) :

> La petitesse du siège social entraîne une grande autonomie pour les six groupes ; en même temps, le processus de planification stratégique demande une analyse en profondeur et une justification serrée des gestes à venir. Ça balise beaucoup l'autonomie et évite les mauvaises surprises.

Chaque entreprise invente ses propres mécanismes pour relever le défi structurel. Le **troisième défi** est celui **du changement de culture.** Pour les personnes concernées, changer de culture signifie partir à l'aventure. Les résistances les plus fortes se trouvent à ce niveau.

Le quatrième défi, humain, se pose chez les personnes sensibles aux souffrances associées au changement. Il fait appel au courage et à la créativité des dirigeants. Les gestionnaires doivent envisager avec courage les difficultés de leurs choix stratégiques. Le défi humain consiste donc à trouver des solutions de changement qui peuvent réduire les traumatismes et, d'une certaine manière, préparer l'avenir. Les standardisations et les solutions nettes sont souvent plus expéditives, mais néfastes à long terme (Scheiger & Walsh, 1990).

Finalement, **le défi de leadership** consiste souvent à aller à contre-courant pour amorcer et mener à bien le changement. Nul n'accepte la souffrance s'il peut l'éloigner dans l'espoir qu'elle disparaîtra. Il faut à celui ou celle qui guide beaucoup de courage et de détermination pour se battre parfois seul ou seule contre tous, surtout si la situation de l'entreprise n'est pas catastrophique. Un autre défi de leadership consiste à donner l'exemple.

« CELUI QUI COMPTE SEUL TROUVE TOUJOURS DE L'ARGENT EN TROP »

L'intégration d'une acquisition ou la réalisation d'une fusion crée une situation complexe sur le plan de la gestion. En l'occurrence, contrairement aux situations de gestion simple, la mise en œuvre est souvent bien plus importante que la formulation des objectifs. Il faut en avoir conscience et agir en conséquence. Sinon, on ferait comme celui qui, dans le dicton oriental, compte ses richesses sans prendre en considération les autres, et on s'apercevrait comme lui que « celui qui compte seul trouve toujours de l'argent en trop ».

Chapitre XI

LA DYNAMIQUE DE LA MONDIALISATION

I. INTRODUCTION

Le phénomène de mondialisation des marchés n'est pas nouveau. Pour les entreprises modernes, l'internationalisation des activités est une étape naturelle de leur développement (Chandler, 1977, 1990 ; Vernon & Wells, 1976). Dans le passé (Chandler, 1962), une entreprise comme Exxon (auparavant la Standard Oil of New Jersey) ne pouvait considérer le marché du pétrole autrement que comme mondial. La stratégie de l'entreprise, comme celle de ses concurrents, était donc construite sur une vision du monde qui ressemble étrangement à l'idée actuelle de village global.

Le marché auquel la plupart des entreprises pensent est un vaste marché, même lorsque délibérément elles décident de mettre l'accent sur une partie seulement de celui-ci. La mondialisation ne correspond donc plus à la volonté d'une entreprise spécifique d'aller ailleurs, elle découle de la volonté de toutes les entreprises de le faire. En conséquence, même lorsqu'une entreprise n'envisage pas d'internationaliser ses activités, elle doit tout de même s'attendre à ce que d'autres, venant d'ailleurs, de partout, viennent la défier sur son propre territoire. En d'autres termes, la mondialisation, qui était une stratégie spécifique à une entreprise, est devenue un élément structurel qui a changé la nature de la dynamique concurrentielle pour toutes les entreprises.

La concurrence engendrée par la mondialisation, tout comme la concurrence dans un territoire déterminé, pose des problèmes importants aux gouvernements. Il faut « gérer » la concurrence à l'intérieur d'un pays pour éviter les abus de la domination par les plus forts. Cette gestion est alors formelle et s'impose aux entreprises du pays. Elle se fait généralement selon des règles qui sont « négociées » entre les parties concernées, clients, fournisseurs, concurrents, etc. Lorsque la concurrence est globale, la logique d'ensemble n'est plus sous le contrôle direct d'un seul gouvernement. Elle touche plusieurs gouvernements à la fois, et chacun est tenté d'agir sans se préoccuper des intérêts des autres.

Malheureusement, agir unilatéralement, sans tenir compte de la logique globale d'une industrie, peut entraîner des résultats plus défavorables pour le pays. Si, par ailleurs, le gouvernement ne faisait qu'accepter la logique économique de la mondialisation, il abandonnerait du même coup ses prérogatives de régulateur de la vie socio-économique nationale. En général, le pays perdrait son autonomie de décision au profit d'entreprises qui n'auraient plus de nationalité.

C'est pour sortir de ce dilemme que l'idée de compétitivité nationale est venue se superposer à celle de concurrence globale. En effet, si un gouvernement ne peut plus agir de manière directe sur les décisions économiques des firmes, il peut s'efforcer de le faire de manière indirecte. Cela suggère qu'un gouvernement doit tenter de comprendre puis d'infléchir la logique des firmes dans le sens des intérêts de la nation, d'où l'idée de compétitivité nationale.

Dans ce chapitre, nous tentons de clarifier un peu plus toutes ces idées qui vont devenir des lieux communs pour le gestionnaire. Nous commençons par une discussion de ce qu'est la mondialisation, discussion qui s'achève avec une série de définitions. Nous abordons ensuite un ensemble de questions spécifiques que suscite la mondialisation, notamment : 1) les stratégies dominantes en situation de mondialisation ; 2) la place des petits dans la mondialisation : jeux dominants et jeux périphériques ; 3) les interactions entre nations et entreprises : la triade et la rivalité entre nations ; 4) les grappes stratégiques ; 5) l'investissement direct étranger en situation de mondialisation ; 6) les alliances et la mondialisation. Nous concluons sur une réflexion d'ensemble concernant l'évolution vers un village planétaire.

II. LA MONDIALISATION DES MARCHÉS : MANIFESTATIONS ET DÉFINITIONS

L'idée de mondialisation est entrée si vite dans le langage courant qu'on peut avoir l'impression que c'est devenu une réalité très claire pour tous les acteurs concernés. Pourtant, l'idée de mondialisation recouvre des réalités très diverses. Ainsi, on parle de mondialisation des marchés comme si c'était une réalité indépendante de la volonté des acteurs (Porter, 1986). Le marché de l'électronique, ou celui des pianos, est souvent présenté comme un marché global. On parle aussi de mondialisation de l'entreprise et de sa stratégie (Doz, 1986 ; Porter, 1986). IBM ou Ford sont présentées comme des entreprises à l'échelle mondiale, mais que dire d'une petite entreprise canadienne qui exporte de 70 % à 100 % de sa production de biens et de services ?

A. LES THÉORIES DE L'ÉCONOMIE INTERNATIONALE

Depuis longtemps, les économistes étudient le phénomène de l'internationalisation des activités, surtout du commerce, en le reliant au paradigme économique fondamental (Caves & Jones, 1977). La théorie de Ricardo est à la fois la plus simple et la plus ancienne. Il proposait que les *patterns* commerciaux étaient dictés par l'offre. Ainsi, un pays doit exporter des aliments et importer des vêtements si la productivité en matière de production alimentaire est relativement supérieure à celle des autres. Dans ce cas, les pays en question devraient se spécialiser complètement dans les activités qui les avantagent. Ricardo met aussi l'accent, sans autre précision, sur les différences technologiques des pays qui seraient à la source des différences de productivité. Il faut insister sur le fait que le modèle de Ricardo est un modèle de production, et non de productivité du travail. Il agrège de manière globale tous les produits d'un pays.

Le modèle de Ricardo a été la base à partir de laquelle des raffinements ont été aménagés. Notamment, les économistes suédois Heckscher (1919) et Ohlin (1933) ont proposé ce qui suit :

- Les pays exportent des commodités dont la production requiert l'utilisation relativement intensive des facteurs (main-d'œuvre, capital, matières premières, etc.) les plus abondants localement.
- Le commerce des commodités a alors tendance à éliminer les différences internationales dans la rémunération des facteurs.

Ces grandes théories et toutes les sophistications qui leur ont été apportées (Caves & Jones, 1977) n'expliquent cependant pas l'internationalisation des firmes, même si elles apportent des éclairages intéressants sur l'internationalisation du commerce. Il faut aller vers des théories plus générales et plus managériales pour trouver des réponses qui se rapprochent de nos préoccupations.

B. LA THÉORIE DU CYCLE DE VIE DE VERNON

La grande étude sur les multinationales menée à Harvard dans les années 1970 a abouti notamment à une théorie de l'internationalisation de la firme qui explique pourquoi et comment les entreprises américaines principales sont devenues des multinationales. Selon Vernon et Wells (1976), les données sur l'internationalisation des activités des firmes américaines montrent que celle-ci a suivi un cycle, qui est lié au cycle de vie du produit, avec trois phases : 1) l'exportation, 2) la production à l'étranger et 3) l'importation.

Lorsque le produit vient d'être lancé, généralement à la suite d'une innovation, la firme a une sorte de monopole sur celui-ci et il lui suffit alors de le vendre sur autant de marchés que possible. Pour cela, l'exportation est la démarche la plus facile et la plus évidente. Cette exportation se fera vers des pays plus ou moins éloignés, selon l'expérience et les moyens dont dispose la firme.

Lorsque le produit atteint le début de la phase de maturité, la technologie est généralement déjà disponible pour des concurrents dans les pays d'exportation. Ceux-ci commencent alors des activités concurrentes. Jusqu'à ce que leur courbe d'expérience soit suffisante, l'exportation peut continuer à se faire à partir du pays de lancement du produit, mais il arrive un moment où la concurrence devient trop forte et les désavantages de la localisation, trop importants ; il est alors nécessaire de s'établir dans les marchés en question, pour bénéficier de conditions de production similaires.

Finalement, lorsque le produit est mature ou même en déclin, il peut arriver que les avantages comparatifs de certains pays rendent plus économique le fait d'importer les produits dans le pays d'origine plutôt que de les produire sur place.

Ainsi, le cycle du produit engendre un processus d'internationalisation de la firme qui est prévisible. C'est ce cycle qui semble expliquer la domination des grandes entreprises américaines partout au monde jusqu'au début des années 1970.

C. LES THÉORIES PLUS CONTEMPORAINES

Dans les travaux plus récents, notamment ceux portant sur la gestion des entreprises multinationales (Doz, 1986 ; Porter, 1986 ; Prahalad & Doz, 1987 ; Bartlett, Goshal & Doz, 1991, 1992 ; Rugman, 1990), la « globalisation[1] » apparaît comme le résultat de l'évolution de l'environnement, notamment de la structure de l'industrie et de l'action des gouvernements d'une part, et de l'action des entreprises d'autre part.

I. LE GOUVERNEMENT ET LA STRUCTURE DE L'INDUSTRIE

Les forces principales qui influent sur le développement d'une industrie sont :

---

1. Le terme globalisation est un anglicisme, mais il est pour l'instant nécessaire. Il recouvre une réalité plus nuancée que les termes mondialisation ou internationalisation, qui ont été consacrés par la littérature traditionnelle pour exprimer soit l'extension des activités à travers les frontières (mondialisation du commerce par exemple) quelle que soit la situation de la firme, soit l'internationalisation des activités de la firme, quels que soient l'état (ouvert ou contraint) et l'extension (locale ou mondiale) du marché. Globalisation va être défini de manière plus précise à la fin de cette section.

- la volonté et le fonctionnement du gouvernement des pays concernés ;
- les tendances en matière de structure de l'industrie.

Ainsi, dans l'industrie automobile, considérée par Doz (1986) comme étant une industrie à l'échelle mondiale, le cheminement vers la globalisation a été provoqué ou facilité par trois séries de facteurs dont :

- la formation de la CEE, qui a accru de manière sensible le commerce entre les pays européens ;
- les efforts et les succès de pénétration des Japonais grâce à des avantages substantiels en matière de productivité et de qualité ;
- la réduction des différences entre les préférences des consommateurs sur les marchés américains, européens et japonais. La crise de l'énergie de 1973 et le nivellement du bien-être ont facilité l'évolution vers des technologies de pointe et des produits similaires.

À cela s'ajoutent les caractéristiques fondamentales de l'industrie automobile : les économies d'échelle en production, en distribution et en marketing ; les différences de productivité entre pays à l'échelle internationale et l'évolution vers le libre-échange, qui ont tendance à pousser vers la consolidation des marchés ou vers des liens entre eux.

Pendant longtemps, les gouvernements ont résisté à l'évolution vers la globalisation de marchés comme celui de l'automobile, mais le mouvement était tellement fort que certains d'entre eux ont décidé de jouer le jeu d'une ouverture plus grande à condition que les situations sociales, notamment l'emploi, soient prises en considération par les entreprises touchées. Les autres gouvernements ont été obligés de suivre, tout en continuant à essayer d'imposer des règles qui permettent de sauvegarder les intérêts économiques nationaux. Le résultat est non pas une globalisation complète mais une globalisation « administrée », un peu comme tout marché national est « administré ».

II. L'ACTION DES ENTREPRISES

La globalisation est aussi le résultat de l'action des entreprises. Porter (1986) va jusqu'à donner une définition de la globalisation des marchés basée sur la stratégie des firmes. Il soutient « qu'un marché devient global lorsqu'une firme trouve un moyen de lier ses activités dans plusieurs pays de manière à obtenir un avantage concurrentiel » qui serait insupportable pour ses concurrents, notamment dans le marché intérieur.

Dans ce même livre, Porter (1986) propose une autre façon de penser à la globalisation. Il propose d'utiliser la chaîne de valeur comme élément d'appréciation. Les entreprises sont, d'après lui, constamment en train de déterminer où il est préférable de localiser les différents éléments de la chaîne de valeur. Il peut alors s'ensuivre que l'un ou l'autre ou plusieurs des éléments de la chaîne de valeur soient localisés dans différents pays, pour tirer parti des différences de productivité des facteurs dans ces pays. Cette localisation est ce qu'il appelle une configuration.

Cependant, les options de configuration sont contraintes par les difficultés de coordination qu'une dispersion trop grande pourrait poser. Il y a alors un choix stratégique à faire pour trouver la meilleure combinaison de configuration et de coordination. Cette combinaison peut alors être appelée une stratégie globale.

Doz (1986) va un peu plus loin et suggère que, selon la nature de l'industrie, les stratégies poursuivies seront différentes. Trois grandes stratégies semblent être fréquemment utilisées : la stratégie d'intégration, la stratégie de sensibilité nationale et la stratégie multifocale, un mélange spécial des deux précédentes. Lorsque l'industrie est vraiment à l'échelle mondiale avec peu de contraintes externes, la stratégie qui est adoptée par les entreprises est une stratégie d'intégration globale. C'est le cas de l'industrie automobile où, sujettes à des contraintes nationales considérées comme minimes, les entreprises localisent leurs activités en n'obéissant qu'à la loi de l'optimum économique. La seule contrainte sur la stratégie d'intégration est une contrainte de coordination physique des flux.

Lorsque l'industrie est contrôlée par le gouvernement, comme c'est généralement le cas de l'industrie des télécommunications, la stratégie la plus appropriée est une stratégie de sensibilité nationale, dans laquelle chaque partie nationale de l'entreprise se comporte comme une petite entreprise autonome sensible à la dynamique concurrentielle nationale.

Finalement, lorsque l'industrie est mixte, c'est-à-dire sujette à la fois à une dynamique structurelle qui la pousse à l'intégration, et à une intervention gouvernementale importante, comme c'est généralement le cas des ordinateurs et de la micro-électronique en Europe, la stratégie la plus appropriée semble la stratégie qui essaie de combiner les aspects les plus favorables de l'intégration et de la sensibilité nationale. La combinaison appropriée peut changer d'une industrie à l'autre et peut varier d'une région à l'autre ou d'une entreprise à l'autre.

D. Vers une définition de la globalisation

Il faut distinguer au moins trois concepts qui se recouvrent partiellement :
- la globalisation des marchés nationaux ;
- la globalisation de l'industrie ou de la concurrence ;
- la globalisation de l'entreprise.

La globalisation d'un marché national est directement liée à la baisse des barrières douanières et non douanières. Plus les barrières sont basses et plus les chances de voir les grands acteurs internationaux se concurrencer sur ce marché sont grandes.

Un marché national peut être dit global lorsque l'ouverture de ce marché à la présence de concurrents internationaux est suffisante pour que rien ne s'oppose à ce que, pour toutes les industries importantes du pays, la plupart des grands concurrents mondiaux y soient actifs et rivalisent les uns avec les autres.

Ainsi, on peut dire que le marché américain est global ; par contre, le marché japonais, à cause des multiples barrières non tarifaires, ne l'est pas vraiment. Il est approprié de parler de degré de globalisation. Pour porter le jugement nécessaire, on peut utiliser le tableau 1 ci-dessous.

Tableau 1 Globalisation des marchés nationaux

	CONDITIONS CONCURRENTIELLES			
DEGRÉ DE GLOBALISATION	*Barrières douanières*	*Barrières non douanières*	*Concurrence (caractéristiques)*	*Exemples*
ÉLEVÉ	zéro	zéro ou faibles	concurrents nombreux dans les industries principales	États-Unis, Canada
MOYENNE	faibles	moyennes mais peu visibles	quelques concurrents dans les industries principales	France et en général Communauté européenne
FAIBLE	moyennes à élevées	moyennes à élevées	peu de concurrents et faible rivalité	la plupart des pays en transition

La globalisation de l'industrie ou de la concurrence se produit lorsque la situation concurrentielle dans un pays est liée à celle de nombreux autres pays. Cela se produit généralement à la suite de l'action d'une ou de plusieurs entreprises qui essaient de relier leurs activités d'un pays à l'autre de façon à bénéficier d'un avantage concurrentiel global. Par exemple, si une entreprise automobile est capable de vendre la même voiture dans plusieurs pays, en produisant dans un seul d'entre eux (ce fut le cas de Toyota jusqu'au milieu des années 1980), elle bénéficie d'un avantage-coût qui est difficile à contrer par les autres.

Dans ce cas, la seule façon de répondre, de la part des concurrents, est de trouver des solutions similaires, donc de tenter de vendre partout en produisant là où il y a avantage à produire (c'est ce qui s'est produit dans l'industrie automobile aux États-Unis mais aussi en général sur tous les grands marchés de la triade Europe, États-Unis, Japon). La concurrence et l'industrie se globalisent ainsi. La mondialisation est aussi facilitée par une série de facteurs, notamment l'uniformisation de l'enseignement, l'accès à la technologie, l'accès général à l'information, enfin et surtout la convergence des goûts et des

Tableau 2 La globalisation de l'industrie ou de la concurrence

CONDITIONS	Élevée	Moyenne	Faible
LIENS INTERMARCHÉS	Nombreux	Plusieurs	Faibles
INTÉGRATION DE LA PRODUCTION	Importante	Partielle	Faible
GOÛTS DES CLIENTS	Similaires	Proches	Divergents
FORMATION TECHNIQUE PERTINENTE	Similaire	Proche	Différente
ACCÈS À LA TECHNOLOGIE	Facile	Par licence	Technologie interne
ACCÈS À L'INFORMATION	Total	Important	Moyen
EXEMPLES	Automobiles; Électronique grand public	Logiciels; Vêtements griffés	Médicaments de prescription; Services bancaires

besoins des consommateurs (Cvar, 1986). Là aussi, on doit penser à des degrés dans la globalisation des industries et de la concurrence. Pour opérationnaliser le continuum, on peut utiliser le tableau 2.

Finalement, la **globalisation de l'entreprise** est liée à l'éclatement de sa chaîne de valeur. Plus les activités de la chaîne de valeur sont éparpillées dans le monde, plus l'entreprise est globale. On peut suggérer ici un continuum simple comme il est décrit au tableau 3.

Tableau 3 Le degré de globalisation de l'entreprise

CONDITIONS	Faible	Moyenne	Élevée
ACTIVITÉS PRINCIPALES (contribuant directement à la production de biens et services)	Concentrées	Dispersées (certaines)	Dispersées (toutes)
ACTIVITÉS DE SOUTIEN EN APPROVISIONNEMENT	Concentrées	Dispersées	Dispersées
ACTIVITÉS DE SOUTIEN TECHNOLOGIQUE	Concentrées	Dispersées partiellement	Dispersées
ACTIVITÉS DE SOUTIEN EN GRH	Concentrées	Concentrées	Dispersées
ACTIVITÉS DE SUPERSTRUCTURE DE DIRECTION	Concentrées	Concentrées	Dispersées partiellement ou totalement
EXEMPLES	Culinar; Spar; Aerospace; Cinéplex Odéon	GE; GM; Sulzer; Bombardier	IBM; Nestlé; McDonald's

III. LES STRATÉGIES DOMINANTES EN SITUATION DE GLOBALISATION

La globalisation crée un champ d'action plus ouvert et plus étendu, partout. Dans son marché traditionnel, on risque de voir venir de nouveaux acteurs. À l'extérieur, on risque de rencontrer de plus en plus d'acteurs nouveaux attirés par la baisse des barrières traditionnelles. En général, la globalisation accroît le niveau de turbulence et l'hétérogénéité, et donc l'incertitude, pour l'ensemble des organisations concernées. Il ne faut cependant pas croire que les transformations modifient de manière sensible les rapports de force. Comme groupe, les entreprises dominantes auparavant restent souvent dominantes en situation de globalisation, bien qu'entre elles il puisse y avoir des modifications de position.

Les stratégies des entreprises en situation de globalisation ne sont pas différentes des stratégies mentionnées au chapitre VI. Pourtant, la globalisation des industries et de la concurrence réduit, peut-être provisoirement, la taille relative de chacun des acteurs. De ce fait, elle rend les stratégies de domination par les coûts plutôt aléatoires et difficiles à maintenir. C'est pour cela que les stratégies de différenciation et de concentration sont plus fréquentes et souvent plus aisées à soutenir.

La différenciation en particulier est tout à fait favorisée par la globalisation parce que souvent elle est mue par les mêmes facteurs. Par exemple, l'uniformisation des goûts crée, dans un même marché, des segments qui s'adressent à des populations semblables partout dans les grands marchés du monde. Ainsi, pour les automobiles, les segments sont à peu près les mêmes partout, même s'ils n'ont pas nécessairement la même importance partout. Cela est aussi vrai pour les équipements électroniques et aujourd'hui de plus en plus pour les vêtements et les cosmétiques griffés.

La globalisation crée aussi beaucoup d'opportunités de concentration. Ainsi, l'entreprise canadienne Peerless Clothing a mis l'accent sur la production de costumes pour hommes de haute qualité pour le marché des États-Unis. La concentration est aussi la seule stratégie possible pour les petits acteurs, mais elle n'est viable que si elle met l'entreprise à l'abri des concurrents les plus forts.

Doz (1986) nous rappelle cependant que la globalisation n'élimine pas le gouvernement ni ses interventions. En fait, il n'y a pas de concurrence globale complètement libre. Pour les petits acteurs, cela n'a pas beaucoup

Tableau 4 Stratégies et globalisation

Degré de globalisation de la concurrence

Degré d'intervention	Faible	Moyenne	Forte
Faible	Opportunisme	Différenciation ou intégration	Intégration ou différenciation
Fort	Sensibilité nationale	Concentration ou mixte (dont alliances)	Mixte (dont alliances) ou concentration

d'importance, mais pour les grands acteurs, cela suppose une finesse dans l'appréciation de la situation et dans la formulation de la stratégie qui peut donner au succès des caractéristiques reconnaissables. Ces acteurs doivent constamment jongler avec les exigences de l'industrie, son degré de globalisation et les exigences des gouvernements. On peut ainsi avoir les possibilités révélées au tableau 4.

Faire participer le gouvernement à la réflexion enrichit les possibilités. Ainsi, si l'on considère que la globalisation peut être faible, moyenne ou forte, selon les discussions de la section précédente, et si l'on considère que le gouvernement est interventionniste ou libéral, on peut suggérer les situations dans lesquelles les stratégies mentionnées auparavant sont plus ou moins pertinentes. Ainsi :

1. Lorsque le gouvernement laisse faire et que la concurrence est locale, les acteurs principaux sont dans des situations opportunistes. Ils essaient de tirer parti de leur position locale pour renforcer leur position globale, mais ils doivent le faire avec précaution pour ne pas déclencher des réactions qui accroîtraient la concurrence globale.

2. Lorsque le gouvernement laisse faire alors que la concurrence est en train de se globaliser, les stratégies les plus fréquentes sont celles qui permettent de tirer parti de la dynamique concurrentielle vers plus d'ouverture. Doz a mentionné notamment l'intégration ou la localisation des installations de production de manière à bénéficier au maximum des économies d'échelle. Cela suppose souvent une spécialisation des installations et une intégration transnationales. Tant que la globalisation n'est pas complète, l'intégration doit être prudente, parce qu'elle entraîne des engagements et une rigidité très importants, qui ne peuvent être défaits aisément. Il est probable que la meilleure des stratégies dans ce cas soit la différenciation. Elle ne requiert pas d'intégration et laisse donc un peu plus de flexibilité. L'exemple intéressant est celui de Becton-Dickinson, le leader des seringues jetables (Cvar, 1986).

3. Lorsque le gouvernement intervient peu et que la globalisation de la concurrence est forte, on a une accentuation des tendances précisées précédemment. La globalisation généralisée justifie cependant plus l'intégration et elle la rend plus possible. En effet, la globalisation généralisée redonne la place à la dynamique des coûts et notamment à l'importance des économies d'échelle. Réduire les coûts peut alors prendre une dimension régionale ou mondiale. Sur tous les segments possibles, on peut se limiter à des segments spécifiques lorsque ces segments sont suffisamment étanches sur le plan des coûts et de l'image auprès des clients.

L'exemple souvent mentionné, pour ces deux derniers types de situation stratégique, est celui de l'industrie automobile. Dans cette industrie, les échelles économiques pour beaucoup de composantes importantes, comme les moteurs (plus de deux millions d'unités) et les boîtes de vitesse (plus de deux millions), sont tellement grandes qu'aucun marché national n'est suffisant pour justifier les capacités de production qui s'imposent. Il faut donc construire des usines pour servir plusieurs, voire tous les marchés sur lesquels l'entreprise est active. C'est pour cela que, dans les années 1980, Ford avait une usine de boîtes de vitesse à Bordeaux, une usine de moteurs en Allemagne, une usine de petites pièces à Elmusafes en Espagne, et des usines de montage un peu partout.

Les entreprises d'automobiles, bien que répondant à une dynamique industrielle qui impose l'intégration, doivent cependant tenir compte, autant que faire se peut, des besoins nationaux exprimés par les gouvernements et des moyens de pression ou d'échange dont ceux-ci disposent. Dans certains cas cependant, comme dans certains segments du luxe où la différenciation est la stratégie dominante, les entreprises produisent généralement en un seul endroit et servent un marché mondial. Les entreprises allemandes et japonaises ont utilisé cette stratégie au cours des années 1980. La globalisation croissante du marché de l'automobile entraîne des combinaisons différentes d'intégration et de différenciation, qui sont à la source de l'avantage concurrentiel de chaque entreprise

4. Lorsque le gouvernement exerce des pressions importantes sur les entreprises pour qu'elles prennent en considération les besoins locaux, la stratégie qui s'impose est la stratégie dite de « sensibilité nationale ». Cela se produit dans des industries où les enjeux pour le pays sont considérés comme importants, alors que la concurrence internationale est faible, les entreprises ayant des comportements d'accommodement mutuel. C'était notamment le cas des entreprises engagées dans les différentes étapes de l'industrie du pétrole ou dans l'industrie du tabac (le segment des cigarettes surtout) jusqu'au milieu des années 1980.

5. Lorsque le gouvernement exerce des pressions fortes sur les entreprises, mais que la concurrence est fébrile, en voie de globalisation, comme ce fut le cas de l'industrie des équipements informatiques ou des équipements de télécommunication jusqu'au milieu des années 1980, le type de stratégie qui s'impose est souvent une stratégie de concentration ou une stratégie mixte de différenciation et d'intégration. Doz (1986) a décrit les comportements stratégiques multifocaux (stratégie mixte) de l'industrie des télécommunications en Europe avec un effort simultané de réponse aux besoins nationaux exprimés par les gouverne-

ments, mais aussi avec un œil sur les développements technologiques (nouveaux produits et nouveaux marchés) qu'impose la concurrence. Les stratégies mixtes comprennent notamment des alliances sur des aspects spécifiques, comme la production de moteurs dans l'industrie automobile (accord entre Renault et Volvo, par exemple) ou la conduite de recherches en commun, comme la création de nouveaux commutateurs digitaux dans les télécommunications.

6. Lorsque les enjeux pour les gouvernements sont importants d'une part, et que la concurrence est globale et forte d'autre part, les stratégies possibles sont soit des stratégies de louvoiement, donc mixtes par nécessité, avec alliances de toutes sortes, ou des stratégies dont les ambitions sont de réduire le champ de bataille par la concentration. L'industrie du vêtement, notamment dans les pays d'Europe, est de ce point de vue typique. Les entreprises sont constamment en train de cultiver des alliances avec les gouvernements et avec des acteurs importants de l'industrie (voir la note 27, de J. C. Vessier). De même, dans l'industrie aéronautique, les deux acteurs principaux dans le monde (Airbus Industries et Boeing Corporation) sont en fait, de plus en plus, des regroupements d'entreprises grâce à des alliances permanentes, comme c'est le cas d'Airbus, ou moins permanentes, comme c'est le cas de Boeing avec certaines entreprises de pays importants (par exemple le Japon).

IV. LE DIAMANT FORMEL ET LE DIAMANT VIRTUEL : JEUX DOMINANTS ET JEUX PÉRIPHÉRIQUES

La mondialisation des marchés, des industries et des entreprises a considérablement réduit la capacité des gouvernements à agir de manière directe pour influer sur le comportement des entreprises. Ils sont alors obligés d'agir de manière indirecte en créant les conditions qui mènent à des décisions d'entreprises favorable à la politique gouvernementale (par exemple, de la création d'emplois, le développement technologique local, etc.). Ce faisant, les entreprises deviennent alors les clients des États et la concurrence entre nations pour leurs « faveurs » est exacerbée. La capacité compétitive des nations devient un concept utile à considérer.

Pour mesurer la capacité concurrentielle des nations, Porter (1990) propose de le faire industrie par industrie et d'utiliser un modèle simple, le **diamant de la compétitivité nationale**. Le diamant définit la capacité concurrentielle d'une nation, dans une industrie donnée, comme sa capacité à inciter les entreprises à faire du pays une plate-forme d'action dans leur compétition internationale. Le diamant décrit les facteurs qui influent sur les décisions des entreprises en faveur ou en défaveur du pays.

Les quatre constituantes du diamant sont les suivantes :

1. Les caractéristiques de la demande pour les produits de l'industrie. Porter suggère que plus la demande est exigeante et sophistiquée, plus les entreprises devraient être attirées, puisque cela devrait les inciter à développer des capacités concurrentielles (produits et technologie) qui les maintiendraient dans le peloton de tête.

2. Les caractéristiques des facteurs de production, notamment la main-d'œuvre, le capital et la technologie. Plus la main-d'œuvre est de qualité, plus le capital est disponible à un coût et à des conditions concurrentiels, plus la technologie dans le pays est avancée pour le secteur industriel considéré, et plus le pays est attirant pour les entreprises importantes du secteur.

3. Les caractéristiques de la structure du secteur et donc de la concurrence dans le secteur industriel considéré. Ainsi, contrairement à ce qu'on pourrait supposer, un secteur industriel dynamique, où la concurrence est robuste, toutefois sans être sauvage ou féroce, est préféré par les entreprises importantes parce qu'il maintient une tension saine, à la source de la santé et de la vigueur des entreprises engagées. Donc, lorsque les institutions de l'État protègent les entreprises de la concurrence, elles les condamnent à terme en leur faisant perdre leur capacité à se battre.

4. La qualité des industries de soutien. Un pays attirant pour une entreprise d'un secteur industriel donné est un pays dans lequel on trouve des industries complémentaires et de soutien qui sont dynamiques et innovatrices. En effet, lorsque c'est le cas, on pourrait s'attendre à ce qu'augmentent la capacité à innover de l'ensemble du système industriel, la capacité à répondre aux besoins du secteur industriel et la synergie possible entre les éléments du système. Lorsque les industries de soutien sont faibles, elles peuvent constituer des goulots d'étranglement au développement et à la capacité concurrentielle des entreprises du secteur considéré.

Ce diamant, que nous appellerons formel, est représenté à la figure 1. Il faut aussi noter que l'idée du diamant nous suggère qu'un pays qui n'a pas un diamant fort a tout intérêt à abandonner la partie dans le secteur industriel considéré. Certains pays ont d'ailleurs réagi exactement comme cela. Au Canada, par exemple, on a considéré que l'industrie du vêtement était une industrie probablement mourante, dans laquelle le pays n'avait aucun avantage compétitif. Jusqu'à très récemment, le gouvernement canadien n'était plus préoccupé que par l'organisation de la retraite. Heureusement, la réalité est moins linéaire que cela. En fait, dans l'industrie du vêtement au Canada, il y a des entreprises, relativement petites, qui arrivent à être très compétitives devant les concurrents asiatiques, malgré des désavantages importants de coûts de main-d'œuvre notamment. Ainsi, la société Paris Star obtient régulièrement des contrats de grands designers américains qui allaient auparavant vers des sous-traitants de l'Asie du Sud-Est. De même, la société Peerless Clothing est le plus grand exportateur vers les États-Unis de costumes de qualité pour hommes, soutenant avantageusement la concurrence contre de grandes entreprises européennes.

Figure 1 Les déterminants de l'avantage national

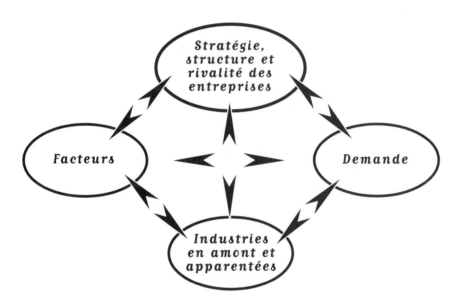

Le diamant de Porter est une approche valable pour les entreprises ou les pays qui sont en situation dominante dans une industrie donnée. Toutes les entreprises qui se retrouvent en situation périphérique ou marginale sont alors obligées de concevoir le monde différemment. En particulier, on pourrait dire que, pour les entreprises qui ne sont pas en situation de domination dans leur industrie, il est préférable de parler d'une sorte de **diamant virtuel**, dont les pointes peuvent être dispersées partout à travers le monde à la recherche d'avantages concurrentiels pour la firme. Ainsi, il est possible qu'une firme canadienne de vêtements considère que le Canada est un pays avantageux pour certains facteurs (capital, technologie et main-d'œuvre par exemple), mais que la demande, américaine ou nord-américaine, la dynamique concurrentielle et les industries de soutien soient internationales. En quelque sorte, le diamant virtuel serait une construction de la firme plutôt qu'une caractéristique du pays.

En poussant plus loin la logique du diamant virtuel, on pourrait même dire que, pour une industrie donnée, c'est la logique du diamant virtuel qui est la plus convaincante, le diamant formel n'étant qu'un cas particulier, plutôt extrême, difficile à maintenir et donc instable. Les stratèges à l'échelle nationale ou régionale peuvent alors adopter une attitude plus pragmatique

Figure 2 La grappe stratégique des produits pharmaceutiques

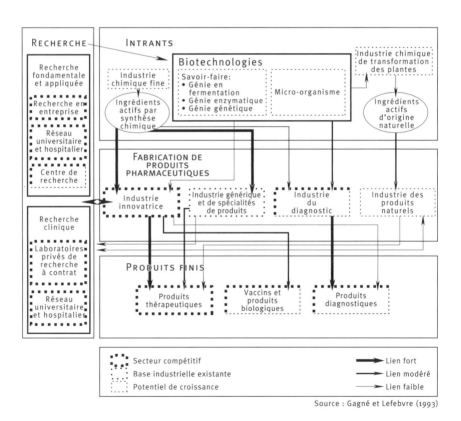

Source : Gagné et Lefebvre (1993)

en examinant les conditions internationales et les domaines dans lesquels le pays peut jouer un rôle, même si celui-ci n'est pas dominant, et ceux que les entreprises nationales devraient éviter. Le cas du vêtement au Canada est, de ce point de vue, typique. Il est clair que le Canada dispose d'avantages intéressants quant à la disponibilité et au coût du capital, à l'ensemble technologie-design compétitif et à la main-d'œuvre de très haute qualité. Par contre, il serait aberrant de ne pas reconnaître que, pour les industries de soutien, surtout les fabricants d'équipements, il est préférable de se tourner vers les grands producteurs internationaux que sont les entreprises allemandes et suisses, par exemple. De même, le marché des États-Unis, accessible et puissant, est une référence incontournable. C'est d'ailleurs ce dernier facteur qui a amené Rugman (1993) à proposer, pour compléter le diamant formel, le principe d'un « double diamant », englobant les États-Unis et le Canada, qui serait plus représentatif de la situation des entreprises canadiennes.

L'idée de diamant national reste une idée intéressante et utile pour l'analyse de la situation concurrentielle mondiale. Le diamant formel ne devrait cependant être considéré que comme un cas particulier de l'idée plus générale de diamant virtuel. Dans ce cas alors, on revient à l'idée d'un diamant qui serait la construction d'une firme, ou d'un groupe de firmes, l'État s'efforçant de comprendre ces diamants pour mieux influer sur eux, de façon à favoriser l'atteinte des objectifs dont il est le gardien.

V. LA TRIADE, LES GRAPPES STRATÉGIQUES ET LES NOUVELLES FORMES DE CONFRONTATION ÉCONOMIQUE ENTRE LES NATIONS

L'ouverture considérable du commerce international et l'intensification de la concurrence entre les firmes à l'échelle mondiale ont engendré chez ces dernières des comportements économiques qui ont vite été en conflit, au moins dans le court terme, avec les objectifs et les problèmes politiques des gouvernements. En particulier, trois grands centres se sont progressivement retrouvés en compétition directe, pour l'influence et les marchés : le Japon, associé à toute l'Asie du Sud-Est, l'Europe, notamment la Communauté européenne, et les États-Unis, associés au Canada et à certains pays d'Amérique latine dans le cadre de l'ALENA[2].

Les débats qui ont eu lieu sur la triade comme champ de confrontation économique ont remis à l'ordre du jour la question du rôle de l'État. Curieusement,

---

2. ALENA : Accord de libre-échange nord-américain.

au moment où l'État est attaqué de toute part, au moment où l'idéologie dominante suggère que le meilleur État est celui qui gouverne le moins, il y a des forces qui poussent à une vision de l'État stratège (Blanc, 1993), capable d'attirer et
de canaliser les efforts des entreprises qui ont une importance et un intérêt potentiel pour les « marchés intérieurs » du pays. Même aux États-Unis, le débat a
cours et les actions du gouvernement américain, même si elles se réclament du
libéralisme, sont clairement au service de l'action et des intérêts des entreprises
américaines ou de celles qui se comportent en « citoyens américains ». Les confrontations entre le gouvernement américain et le gouvernement japonais tournent généralement autour de cela (Ohmae, 1985).

La confrontation entre l'Europe et les États-Unis, notamment au cours
de la dernière ronde de négociations du GATT, en Uruguay, a révélé d'une
part l'importance des enjeux, et d'autre part, les difficultés qu'il y a à les
réconcilier sans faire intervenir la diplomatie et donc les relations traditionnelles entre nations. Le bien-être économique à court et à long terme est perçu
comme devant passer par une domination économique des uns sur les autres.
L'ouverture des marchés étant apparemment irréversible, les gouvernements
sont obligés d'élaborer des stratégies qui permettent de bien faire dans ce
nouvel environnement. Ces stratégies visent à encourager les entreprises
dominantes à localiser leurs activités, de production et de développement en
particulier, de manière à favoriser les politiques des pays concernés tout en
réussissant à les positionner favorablement dans la concurrence internationale.
Pour mettre de l'ordre et voir plus clair dans la dynamique ainsi créée, les
gouvernements ont utilisé abondamment les concepts portériens. Ainsi, sur la
base de l'idée de diamant s'est greffée l'idée de grappe stratégique.

Le concept de diamant, nous l'avons vu, suggère que la réussite passe
par le renforcement d'une série de facteurs et de conditions, dans une industrie donnée. En particulier, la situation dans toute industrie dépend d'industries, clientes ou fournisseurs, qui sont en amont et en aval de celle-ci. Il est
alors utile de penser non plus seulement à une industrie en particulier, mais à
des groupes d'industries qui sont liées les unes aux autres. L'idée de grappe
d'industries vient ainsi compléter la vieille dénomination de « filière », longtemps utilisée par les économistes, surtout en France.

Une grappe est un ensemble de secteurs industriels qui sont liés.
Implicitement, on admet que la santé des uns dépend de la santé des autres.
C'est alors que les gouvernements se sont mis à s'intéresser non plus seulement à un secteur industriel dans le cadre du diamant formel mais à un
ensemble de secteurs, essayant ainsi d'encourager le développement des grappes les plus prometteuses pour le pays. G. Tremblay, qui a été ministre de

l'Industrie et du Commerce dans le gouvernement du Québec, s'est fait le champion de l'idée et a contribué à son articulation (Gagné & Lefèvre, 1990). L'idée de grappe aggrave encore plus l'idée préconçue vers la dominance des concepts du diamant formel. Elle suggère qu'un pays doit renforcer ou abandonner des pans entiers de l'économie s'il veut devenir attirant pour les entreprises dynamiques du domaine. La figure 2 représente une grappe suggérée dans le cadre d'une étude de compétitivité pour le gouvernement du Québec (Gagné & Lefèvre, 1993).

La plupart des pays ont entrepris de penser en termes de grappes stratégiques, renforçant ainsi leurs secteurs forts, pour battre les autres dans la compétition internationale, en abandonnant ou en organisant la retraite pour les secteurs considérés comme faibles. Les formes que prennent les efforts de concentration en grappes sont variées. Ainsi, Ohmae, qui a été l'un des promoteurs de la réflexion en ce qui concerne la concurrence entre les pays de la triade, suggérait récemment que la nouvelle forme de renforcement de la capacité concurrentielle est celle qui est explorée ou exploitée par le gouvernement chinois avec des développements par ville ou par région. Il suggérait, en particulier, qu'à l'avenir il faudrait concevoir la stratégie nationale à ce niveau plutôt qu'au niveau national, considéré comme trop diffus.

Toutes ces idées démontrent que la fièvre concurrentielle a effectivement gagné les dirigeants des grandes nations, et peut-être aussi des nations plus petites, préoccupées par leur équilibre socio-politico-économique. Les expérimentations ne nous paraissent pas avoir valeur d'exemple universel, bien qu'elles puissent alimenter la réflexion stratégique des entreprises et des gouvernements. Plus important encore, il faut considérer que les conceptualisations actuelles les plus fortes, comme celles du diamant et des grappes stratégiques, sont plutôt utiles pour les entreprises et les pays dominants ; elles ne sont utiles pour les entreprises et les pays périphériques que par leur capacité à révéler les jeux dominants, pour ceux qui veulent s'en prémunir ou exploiter les interstices qu'ils engendrent inévitablement.

VI. L'INVESTISSEMENT DIRECT ÉTRANGER EN SITUATION DE GLOBALISATION

L'investissement direct étranger (IDE) est l'un des enjeux clés dans la compétition internationale actuelle. L'objet même de la compétition est d'attirer ces investissements. Comme on peut s'y attendre, le volume des investissements directs entre les pays de la triade, recensés par l'OCDE, est de loin supérieur à tous les flux avec les autres groupes de pays. Plus spécifiquement, à la fin de l'année 1993, les actifs américains à l'étranger, environ 550 milliards de dollars, dépassaient les actifs étrangers aux États-Unis, environ 450 milliards de dollars (Scholl, 1994). Le flux total d'investissement direct étranger dans le monde était estimé en 1994 (Unctad, 1995) à 226 milliards de dollars.

Les investissements dans les pays en développement représentent une faible proportion de ce chiffre, mais ils sont en forte croissance. En 1988, ils représentaient 17,5 %, tandis qu'en 1994 ils étaient à 37,4 % de tous les IDE dans le monde, soit environ 84,5 milliards de dollars. Ces investissements sont cependant concentrés en Asie de l'Est et plus spécifiquement en Chine. L'Asie de l'Est a représenté entre 60 % et 80 % de tous les flux d'IDE vers les pays en développement. Il faut aussi noter que les pays en développement, mais surtout les pays nouvellement industrialisés, sont des investisseurs substantiels et que leur part est croissante. Ils représentaient 7 % du total en 1989, et ce chiffre est de 15 % en 1994, soit environ 34 milliards de dollars.

La reconnaissance de l'effet décisif de l'investissement direct étranger, en matière de développement économique et technologique, a eu un effet remarquable sur la volonté des pays de s'ouvrir au commerce et à l'investissement étranger. La volonté d'ouverture est tellement forte que la concurrence entre nations pour attirer ces investissements est devenue presque sauvage. Cependant, pendant longtemps, un peu sous l'influence des anciennes théories sur l'IDE, on a privilégié les efforts des gouvernements pour créer les conditions les plus attirantes pour les firmes en général. Plus récemment, on s'est rendu compte que la relation entre les efforts traditionnels des gouvernements et les investissements n'était pas chose facile, les pays qui attirent le plus d'IDE n'étant pas nécessairement les pays qui offrent les conditions globalement les plus favorables et vice versa.

Une étude récente (Faucher & Hafsi, 1995) portant sur un grand nombre de pays, dont la Malaysia, l'Indonésie, la Turquie, le Maroc, la Tunisie, l'Égypte et le Portugal, a révélé que les pays qui réussissaient à attirer le plus d'IDE étaient ceux qui arrivaient à créer une complémentarité entre les actions du gouvernement et la stratégie des firmes ciblées, c'est-à-dire lorsque les «triangles de la compétitivité de la firme et de la gouvernabilité de l'État» étaient en cohérence.

Le triangle de la compétitivité décrit les déterminants de la compétitivité de la firme et donc les facteurs auxquels ses dirigeants seront les plus sensibles. Il comprend trois groupes de facteurs :

1. Des facteurs économiques, tels que la structure de l'industrie et l'évolution de la demande pour les produits de l'industrie.

2. Des facteurs stratégiques, notamment organisationnels avec un accent sur l'interaction entre les stratégies au niveau du centre d'activité stratégique, au niveau institutionnel et au niveau de l'intégration.

3. des facteurs de leadership, en particulier les caractéristiques du groupe de dirigeants qui participent aux décisions stratégiques et la dynamique de leurs relations.

En somme, la compétitivité est le résultat de l'interaction entre les contraintes et les opportunités que présente le contexte économique dans lequel se trouve le pays, la dynamique des choix stratégiques qu'engendre le fonctionnement de l'organisation (notamment la clarté des règles du jeu) et les caractéristiques des dirigeants et de leurs relations (notamment leur degré d'unité).

Le triangle de la gouvernabilité de l'État décrit les déterminants de l'équilibre social, économique, politique et national. Il comprend aussi trois groupes de facteurs :

1. Des facteurs liés à la stratégie nationale ou encore au processus de formulation de politiques sectorielles raisonnablement cohérentes.

2. Des facteurs liés aux groupes qui détiennent le pouvoir, ceux qui peuvent miner la gouvernabilité en perturbant l'économie ou l'ordre public.

3. Des facteurs liés au fonctionnement des institutions qui servent à gouverner le pays.

On pourrait dire que la gouvernabilité est associée à une cohérence raisonnable de l'intervention publique telle que la définit la stratégie nationale, avec une polarisation minimale de la société civile, combinée à la compétence administrative des institutions gouvernementales.

Seule la rencontre ou la cohérence entre ces deux groupes de facteurs, représentés par les triangles de la compétitivité et de la gouvernabilité, permet d'attirer l'IDE. Cela veut dire concrètement que les actions générales des États ne sont pas utiles. Les États doivent cibler des entreprises qui sont importantes dans le cadre de la stratégie nationale et créer les conditions qui leur sont favorables compte tenu de leur stratégie et des conditions dans lesquelles elles les mettent en œuvre.

C'est ainsi que la Malaysia a fait et continue de faire un démarchage systématique auprès des entreprises de haute technologie électrique et élec-tronique, ce qui lui a permis de devenir le centre mondial de production de composants électroniques, avec une évolution favorable vers la production d'équipements destinés au grand public, comme les équipements individuels de climatisation, les équipements de haute-fidélité, les équipements de production vidéo, les appareils photographiques et les caméras.

VII. EN GUISE DE CONCLUSION

La globalisation des marchés force certes les entreprises à se repenser et à repenser le monde de manière différente. Nous allons, au chapitre suivant, voir comment, dans l'action, les réponses stratégiques se sont déployées. Cependant, dans ce chapitre, nous avons suggéré que la théorie stratégique elle-même doit se redéfinir. Les définitions ne sont plus triviales et le champ a besoin d'être balisé.

Nous avons tenté justement de clarifier les questions qui sont les plus remises en cause par l'évolution rapide des économies mondiales. Les définitions de ce que peut signifier la globalisation ont été d'abord proposées. Ensuite, quelques grandes questions ont été abordées. Bien que peu de réponses aient été apportées, nous croyons qu'ici les questions sont elles-mêmes importantes pour le praticien.

Parmi les questions qu'on pourrait retenir, mentionnons les suivantes : Peut-on affirmer que la globalisation favorise les entreprises dominantes ou devrions-nous y voir une occasion rare pour des acteurs traditionnellement considérés comme marginaux ? Par ailleurs, que penser des méthodes qui nous sont proposées ? Sont-elles appropriées pour les acteurs périphériques ou sont-elles plutôt conçues pour les acteurs dominants ? Finalement, comment comprendre la concurrence entre nations pour attirer l'investissement direct étranger ? Nous avons brièvement abordé les réponses à ces questions pour donner une perspective aussi complète que possible au lecteur des effets de la mondialisation ; elles sont aussi traitées un peu plus en détail dans les notes qui accompagnent les chapitres de cette partie du livre.

Note n° 27

L'ÉCONOMIE INTERNE ET L'ÉCONOMIE NATIONALE

par Jean-Christophe Veissier

Historiquement, la performance économique d'un État-nation se mesure d'après la richesse produite à l'intérieur et à l'extérieur des frontières. Les pouvoirs publics se sont donné des instruments théoriques susceptibles de traduire cette dualité géographique de la performance économique. Le produit intérieur brut (PIB) représente la valeur ajoutée des firmes implantées sur le territoire national et ce, quelle que soit leur nationalité. Le produit national brut (PNB) représente le PIB ainsi que le solde des revenus de facteurs de production en direction ou en provenance de l'étranger. Théoriquement, le PNB traduit mieux la puissance d'un État-nation, puisqu'il prend en considération les richesses tirées de l'étranger. Pour autant, ces mesures théoriques s'avèrent inadéquates pour mesurer la performance d'un État-nation dans la compétition internationale de l'après-guerre[1] (Flouzat, 1990). Elles n'ont, *a fortiori,* que peu d'utilité pour mesurer celle-ci par rapport au phénomène de mondialisation intensive des années 1980 et encore moins pour comprendre la place qu'elle y tient.

La mondialisation semble marquer le triomphe du marché sur l'État[2] (Berry, Conkling & Ray, 1993). L'activité économique prime ainsi les frontières politiques pour délimiter non plus les États-nations mais, selon la formule d'Ohmae (1995), des « États-régions[3] ». Par ailleurs, à l'échelle mondiale, les États-nations doivent être désormais aussi compétitifs que les firmes[4] (Van Houten, 1994). Au-delà d'une reconsidération de l'intérêt économique de la nation, la mondialisation change radicalement les rapports entre firmes et États-nations. La confusion quant à la nationalité des firmes internationalisées rend difficile la mesure des contributions économiques réelles.

---

1. Flouzat, D. « Économie contemporaine. Les fonctions économiques », Paris, PUF, T. 1, 1990, p. 73.
2. Berry, B. J. L,. Conkling, E. C., Ray, D. M. *The Global Economy. Ressource Use, Locational Choice and International Trade*, Englewood Cliffs, Prentice Hall, 1993, 465 p.
3. Traduction littérale de « region-states », défini par Ohmae, K. « Putting Global Logic First », *Harvard Business Review*, vol. 73, janvier-février 1995, p. 119-125.
4. Van Houten, S. « Manufacturing : Getting Government on Side », *P.E.M.,* hiver-printemps 1994, p. 38.

Malgré tout, l'approche duale de la performance des États-nations demeure intéressante pour saisir les enjeux de la création de richesses en contexte de mondialisation. Les États-nations sont ainsi amenés à penser l'intérêt national sur un double mode : celui de l'économie interne et celui de l'économie nationale.

L'économie interne recouvre toutes les opérations, menées par des nationaux ou des étrangers, qui favorisent l'intérêt économique des résidants à l'intérieur des frontières de l'État-nation (emploi, consommation, implantation de firmes étrangères). À l'inverse, l'économie nationale concerne tout ce qui est réalisé par des citoyens (firmes et individus) à l'intérieur et à l'extérieur des frontières (exportations, investissements à l'étranger, internationalisation des firmes nationales). Économie interne et économie nationale sont les deux extrêmes d'un continuum relatif à la politique économique. En situation de mondialisation cependant, l'État-nation ne choisit pas de privilégier son économie interne ou son économie externe. L'orientation vers l'une ou l'autre des deux options est déterminée en grande partie par l'avantage compétitif économique dont bénéficie l'État-nation.

L'avantage compétitif interne repose sur des éléments inaliénables au territoire, comme le sol, le sous-sol, les réseaux de communication et de transport et la main-d'œuvre. Au contraire, **l'avantage compétitif national** s'appuie sur des éléments mobilisables, à l'intérieur mais surtout hors du territoire, comme les capitaux, la technologie, la connaissance, la formation, les ressources étatiques (soutien politique et administratif aux firmes, poids politique international). Les États-nations qui cumulent les avantages compétitifs nationaux tendent à privilégier l'économie nationale et favorisent ainsi l'implantation de leurs firmes dans d'autres États-nations[5]. Ces États-nations peuvent être considérés comme des **sites de départ**. À l'inverse, les États-nations qui cumulent les avantages compétitifs internes tendent à privilégier l'économie interne et favorisent ainsi l'implantation de firmes étrangères. Ils peuvent être considérés comme des **sites d'accueil**.

Même si menace et opportunité ne sont que les faces opposées d'une même pièce, les États-nations qui privilégient l'économie interne perçoivent généralement la mondialisation comme une menace économique et adoptent en conséquence une logique de dissuasion (protectionnisme, réglementation limitant les implantations étrangères, etc.). Par ailleurs, les États-nations qui privilégient l'économie nationale voient généralement dans la mon-

---

5.   Les organisations internationales et supranationales sont un soutien essentiel de l'action des firmes internationalisées des « sites de départ » en compétition.

dialisation une opportunité d'ordre économique et adoptent une logique d'attraction des investissements étrangers (défiscalisation, zones franches, etc.). La mondialisation ne constitue pas, cependant, un phénomène qui touche uniformément tous les États-nations. Dans ces conditions, la perception d'une menace ou d'une opportunité varie également en fonction de l'histoire de chaque État-nation. Ainsi, certains États-nations du Nord, tels les États-Unis ou la France, qui se sont traditionnellement perçus comme des sites de départ, tendent à devenir partiellement des sites d'accueil du fait de la récession. En revanche, des États-nations du Sud, telle la Corée-du-Sud, qui ont été généralement perçus comme des sites d'accueil, tendent à devenir des sites de départ, dont les firmes s'implantent dans des économies en voie de développement.

Au-delà de la diversité des situations, il importe néanmoins de poser la question du rôle de l'État relativement aux firmes en contexte de mondialisation. Celui-ci doit-il se contenter d'attirer les investissements étrangers dans l'économie interne au risque de voir son autonomie décisionnelle menacée? Doit-il, au contraire, limiter la pénétration économique étrangère et soutenir les stratégies internationales de ses firmes au nom du prestige de l'économie nationale? Deux tendances s'affrontent sur cette question. L'une privilégie l'économie interne au risque de transformer l'État-nation en site d'accueil, l'autre privilégie l'économie nationale en maintenant l'État-nation comme site de départ.

Par rapport à la mondialisation, l'État-nation n'a d'autres choix que de céder le terrain au marché en privilégiant l'économie interne. La mondialisation actualise le paradoxe de David et Goliath dans les rapports de force entre États-nations[6] ainsi qu'entre firmes et États-nations. Les firmes bénéficient d'un pouvoir de pression croissant à l'égard de leur État-nation d'origine, tandis que ce dernier voit sa liberté de manœuvre se restreindre à l'égard de l'ensemble des firmes.

Ainsi, en dépit des théories « keynésiennes », l'État n'est plus capable d'assurer simultanément des priorités économiques internes et externes par des ajustements automatiques de plus en plus risqués[7]. L'insertion croissante des États-nations dans des entités économiques supranationales augmente le nombre d'objectifs à atteindre et diminue les instruments disponibles. Au sein de la CEE, la France doit, par exemple, ajuster en permanence sa politique monétaire sur celle de l'Allemagne pour éviter des transferts de capitaux

---

6. La mondialisation permet aux petits États-nations de devenir plus puissants que les grands États-nations, selon Naisbitt, J. *Global Paradox*, New York, W. Morrow and Company, 1994, 304 p.
7. Par exemple, si la demande intérieure est sensible au prix des produits importés, une relance de la consommation par le déficit budgétaire peut profiter davantage aux producteurs étrangers qu'aux producteurs nationaux.

flottants en faveur des marchés financiers allemands. Les politiques économiques sont ainsi sanctionnées par l'engagement ou le désengagement des acteurs financiers. Un désengagement massif à l'égard d'un déficit public peut entraîner une baisse de la valeur relative de la monnaie nationale, voire une rumeur de démissions au sein du pouvoir politique.

Par ailleurs, l'État connaît plus difficilement la nature de ses échanges, du fait de l'augmentation de l'échange intrafirmes[8], réalisé hors des conditions du marché, et d'un échange intrabranches qui repose de plus en plus sur des biens dont le processus de fabrication a été décomposé entre plusieurs États-nations. Enfin, la hausse du stock de capital détenu par les firmes étrangères dans les industries nationales[9] (de 7 % environ en 1980 à 20 % en 1991) contribue à diluer la nationalité officielle des firmes et à souligner l'importance croissante de l'étranger dans les pouvoirs décisionnels au sein des économies internes[10]. De même, du fait de la division internationale des processus de production, la nationalité des produits est, à l'image de celle des firmes, difficile à définir[11]. Les stratégies des firmes semblent s'opposer au rôle traditionnel de l'État en matière économique.

En période de récession cependant, la mondialisation peut être perçue par les États-nations comme une opportunité qui compense la perte d'autonomie nationale par l'importance d'investissements étrangers considérés, par ailleurs, comme inéluctables. Selon Reich (1990), la compétitivité de l'État-nation est déterminée par la puissance des activités économiques qui s'opèrent à l'intérieur des frontières du territoire, et ce, quelle que soit la nationalité des investisseurs[12]. Nombre d'États-nations, dont le Japon[13], cherchent ainsi à attirer les firmes étrangères par une libéralisation et une déréglementation de leur économie interne. Des études statistiques[14] montrent d'ailleurs que les filiales de firmes étrangères contribuent pour beaucoup à l'économie interne du site d'accueil. Pour ce qui est de l'emploi, les filiales de firmes étrangères représentent environ 45 % des emplois manufacturiers en Irlande et aux États-Unis. Pour ces pays, la rémunération est supérieure d'environ 20 % dans les filiales étrangères. D'autre part, les

---

8.   L'échange intrafirmes représentaient 40 % du commerce mondial en 1991.
9.   Source : Salomon Brohers et Baring Securities.
10.   Les critères juridiques qui définissent la nationalité des firmes (lieu d'enregistrement et d'emplacement du siège social, nationalité des personnes qui détiennent le capital, exercent le contrôle de décision ou effectuent des opérations sur le marché) apparaissent aujourd'hui insuffisants.
11.   La Pontiac Le Mans de GM est assemblée en Corée-du-Sud, son moteur et ses composants électroniques proviennent du Japon, le stylisme et la conception mécanique sont réalisés en Allemagne, les petits composants proviennent de Taïwan et de Singapour, la publicité et le marketing ont été conçus en Grande-Bretagne, l'informatique a été réalisée en Irlande et à la Barbade. Le reste, soit moins de 4 000 $/unité, revient à GM pour la couverture de différents frais et le versement de différents frais aux actionnaires de la société.
12.   Reich, R. B. « Who is us ? », *Harvard Business Review*, janvier-février 1990.
13.   Développement d'un programme de prêts à taux d'intérêt réduits accordés par la Banque de développement japonaise aux firmes et aux filiales détenues au moins à 50 % par des intérêts étrangers.
14.   OCDE, *Politique industrielle dans les pays de l'OCDE, Tour d'horizon annuel 1990*, Paris, 1991.

firmes à capitaux étrangers investissent plus en biens d'équipements que la moyenne des firmes du site d'accueil. C'est le cas aux États-Unis[15], où les filiales étrangères ont par ailleurs enregistré une hausse de productivité de 42 % entre 1980 et 1987 contre seulement 32 % pour les firmes américaines. La valeur ajoutée des filiales étrangères est souvent similaire à celle des firmes nationales (États-Unis), parfois supérieure (Grande-Bretagne[16]) ou, plus rarement, comme dans le cas de l'Irlande, trois à quatre fois supérieure à celle-ci[17]. Si l'écart d'investissement en recherche et développement est faible[18], les transferts de technologies étrangères permettent d'accéder à celle-ci à moindre coût.

Une économie interne dominée par des intérêts étrangers n'est cependant pas sans risque. Les investissements étrangers obligent ainsi les États à des réformes, car les firmes évitent les sites trop réglementés ou trop fiscalisés. Ainsi, certains États-nations, telle la Finlande, n'hésitent pas à lever la frontière entre économie interne et économie nationale en autorisant les investissements étrangers dans les entreprises nationalisées, prétextant que l'ouverture remet en cause les monopoles et les rentes de situations de firmes nationales. Pour certains, les États-nations ont ainsi favorisé la constitution de monopoles nationaux en voulant se doter de **champions nationaux internationalisés**.

En marge du *dumping* aux exonérations, certains États-nations visent à attirer les investissements étrangers vers des secteurs à forte valeur ajoutée, qui renforcent l'économie locale ou, comme dans le cas de l'Irlande, qui offrent le plus grand potentiel à long terme[19]. Au sein de l'OCDE, les États-nations appliquent le principe du **traitement national**[20], c'est-à-dire un traitement aussi favorable aux firmes étrangères qu'aux firmes nationales. Le Portugal suit cette logique **donnant-donnant** en accordant des exonérations selon un système de points prenant en considération la contribution à la balance des paiements, l'introduction de nouvelles technologies, la création d'emplois et la valeur ajoutée. Aux États-Unis, l'*Advanced Technology Program* accorde un financement aux firmes étrangères dont le pays d'origine offre un traitement réciproque aux entreprises américaines.

---

15. Département du commerce des États-Unis, « Foreign Direct Investment in the United States », *Review and Analysis of Current Developments*, août 1991.
16. Davies, S. W., Lyons, B. R. « Characterising Relative Performance : The Productivity Advantage of Foreign Owned Firms in the UK », *Oxford Economic Papers*, vol. 4, p. 584-595.
17. Il faut cependant souligner que les firmes irlandaises sont présentes dans des secteurs traditionnels (alimentation, vêtement), alors que les firmes étrangères se spécialisent dans des secteurs à haute valeur ajoutée (chimie, mécanique). Réf. : Central Statistics Office d'Irlande, *Census of Industrial Production 1988*, juin 1991.
18. Graham, E. M. « Foreign Direct Investment in the United States and US interests », *Science*, vol. 254, déc. 1991.
19. OCDE, 1991. *op. cit.*
20. « Les pays membres, compte tenu de la nécessité [...] de protéger les intérêts essentiels de leur sécurité [...] devraient accorder aux entreprises opérant sur leur territoire et qui appartiennent à, ou sont contrôlées directement ou indirectement par des ressortissants d'un autre pays membre, un régime résultant de leurs lois, réglementations et pratiques administratives qui, en harmonie avec le droit international, ne sera pas moins favorable que celui dont bénéficient dans les mêmes circonstances les entreprises nationales. » Réf. : OCDE, *Publication relative au traitement national*, document gratuit, Paris, 1992.

Un courant de pensée différent considère que, dans un contexte de mondialisation, l'État-nation doit protéger l'économie nationale et conserver son rôle de soutien aux firmes internationalisées. La santé de l'économie nationale tient, en effet, au développement des firmes « enracinées dans le marché national[21] » (Tyson, 1991). Qu'elles soient d'ailleurs internationalisées ou non, les firmes nationales sont, en contexte de mondialisation, inéluctablement confrontées à la concurrence étrangère[22] (Porter, 1987). Le développement des firmes et de l'économie nationale étant déterminé par l'avantage compétitif national en matière de compétences et de technologies[23] (Porter, 1990), les écarts qualitatifs entre les modes d'intervention nationaux[24] (Delmas, 1991) expliquent ainsi les performances des économies nationales. Le bénéfice de l'avantage compétitif national du site de départ doit donc être réservé aux seules firmes nationales.

Cette conception se fonde, par ailleurs, sur le postulat d'une faible contribution économique des firmes à l'économie interne des sites d'accueil. Les filiales étrangères seraient ainsi davantage intégrées à l'économie nationale de leur site de départ qu'à l'économie interne de leurs sites d'accueil. Elles tendent, notamment, à rapatrier leurs bénéfices vers leur pays d'origine plutôt qu'à les investir dans le pays d'accueil, où ils sont pourtant produits. En Irlande, le rapatriement des bénéfices a représenté 10,1 % du PNB en 1988 et 11,2 % en 1989[25]. D'autre part, en dépit des variations importantes d'un pays et d'un secteur à l'autre, les filiales étrangères importent statistiquement plus en moyenne que les firmes nationales. En Irlande, par exemple, les firmes à capitaux étrangers importent environ 70 % de leurs moyens de production contre 30 % pour les firmes nationales[26]. La propension à importer des firmes étrangères diminue cependant avec leur intégration au tissu économique national. Aux États-Unis, les filiales étrangères importent ainsi moins de 25 % des biens intermédiaires dont elles ont besoin. À long terme enfin, Tyson (1991) craint que les firmes étrangères implantées aux États-Unis évincent des concurrents internes ou limitent le développement de firmes américaines au profit d'unités implantées dans d'autres sites d'accueil.

L'évolution de certains États-nations tend enfin à confirmer le peu d'intérêt d'une économie strictement interne. Le renoncement de certains

21.   Tyson, L. « They are not us. Why American Ownership Still Matters », *The American Prospect*, hiver 1991.
22.   Porter, M. *Competition in Global Industries*, Boston, Harvard Business School Press, 1987.
23.   Porter, M. *The Competitive Advantage of Nations*, Londres, Macmillan, 1990.
24.   Delmas, Ph. *Le Maître des horloges. Modernité de l'action publique*, Paris, Odile Jacob, février 1991.
25.   O'Doherty, D. P. « Mondialisation and the Smaller European Firm : Some Lessons from the Experience of Ireland and other Small Community Countries », *Conference on « Europeans Firms and Industries Coping with Mondialisation »*, Saint-Malo, France, 25-26 juin 1990.
26.   Department of Industry and Commerce, *Review of Industrial Performance*, Irlande, 1990.

États-nations au principe du traitement national lorsque leurs intérêts nationaux sont menacés (transports, médias, télécommunications) ainsi que la faible part des marchés publics accordée à des firmes étrangères au sein de la CEE (environ 2 %) montrent que la nationalité économique demeure essentielle pour les États. Ainsi, loin de distendre les liens État/firme, la mondialisation semble imposer le soutien des États-nations à leurs firmes nationales dans leur stratégie de conquête des marchés étrangers. Arguant de pratiques anticoncurrentielles, les États-Unis tentent, par exemple, d'adopter des mesures de rétorsion à l'égard du Japon lorsque les produits américains voient leur compétitivité diminuée par des barrières élevées à l'entrée du marché japonais et ce, alors que les produits japonais concurrents ont librement accès au marché américain (automobile, transport aérien, pellicule photographique). Toutefois, selon Brainard (1993), les politiques protectionnistes peuvent autant entraver les menaces de la mondialisation que favoriser celle-ci en incitant à la formation de *champions nationaux* qui finissent par adopter une stratégie mondiale.

L'approche duale économie interne/économie nationale permet de clarifier un débat aussi complexe que récent. Si les arguments des tenants de l'économie interne comme de l'économie nationale comportent des failles, les deux tendances s'accordent à reconnaître la révolution des pouvoirs imposée par le phénomène de mondialisation. Au-delà de l'analyse économique, le débat appelle à une véritable réflexion politique sur le futur rôle de l'État-nation dans l'économie mondiale. Si l'on pousse à fond la logique de l'économie interne, il est juste de considérer que le critère de la nationalité ne sera, à terme, d'aucune utilité pour caractériser les firmes mondiales. Celles-ci seront désignées par leur fonction dans un réseau mondial d'industries supranationales présentes sur tous les marchés. À l'échelle planétaire coexisteront dès lors les producteurs, les concepteurs ou les distributeurs. Si l'on poursuit la logique de l'économie nationale, chaque État-nation se considérera, à terme, comme une forteresse économique assiégée, pratiquant un protectionnisme négocié avec les autres États-nations, tout en essayant d'ouvrir une brèche dans les barrières douanières ennemies. À l'échelle planétaire, la confrontation des économies nationales aura alors remplacé la guerre militaire.

La compétitivité et la nation : jeux dominants et jeux périphériques [1]

par Christiane Demers et Taïeb Hafsi

La concurrence globale ne signifie pas qu'un seul jeu soit possible pour survivre dans une industrie donnée. Il y a bien sûr les jeux des acteurs principaux, comme les entreprises multinationales, mais il y a aussi des jeux moins centraux, à la portée des acteurs secondaires. Évidemment, seuls ceux qui en ont les capacités peuvent participer aux jeux dominants. Les entreprises nationales dont les capacités sont plus limitées doivent donc inventer des jeux distincts, où elles ont des chances de marquer des points contre les plus puissants. C'est à celles-là que nous nous intéressons dans ce texte.

Des études récentes (D'Cruz & Rugman, 1992, 1993 ; Porter, 1990 ; Doz, 1986) ont tendance à ne mettre l'accent que sur les **jeux dominants**, ceux des entreprises qui luttent pour le leadership dans une industrie.

Dans ces conditions, les principales possibilités qui s'offrent aux entreprises d'un secteur industriel donné sont directement liées d'une part à la dynamique de ce secteur et, d'autre part, à la dynamique nationale. Lorsque la dynamique de l'industrie est dominée par la recherche d'économies d'échelle, d'expérience et de localisation, elle impose la réduction des coûts comme stratégie de base. En situation de globalisation des marchés, cela tend à se traduire par des stratégies d'intégration globale ou régionale, c'est-à-dire la spécialisation des usines afin de réaliser des économies en produisant des quantités beaucoup plus grandes pour un marché plus vaste. Lorsque la dynamique nationale est dominée par le souci de préserver le contrôle national des décisions importantes, elle force les entreprises à donner plus d'importance aux réponses stratégiques qui ménagent suffisamment la sensibilité nationale. Ces deux dynamiques sont alors souvent en conflit, ce qui

---

1. Extrait tiré de *Gestion*, Revue internationale de gestion, septembre 1993, p. 48-56.

rend particulièrement délicats les choix stratégiques des entreprises et les choix politiques nationaux.

Dans les jeux dominants, se démarquer des concurrents est particulièrement ardu. On ne peut servir un marché différent de manière différente sans être imité par les concurrents. En conséquence, les stratégies de coûts sont inévitables. Dans ce jeu, les gouvernements se retrouvent souvent en situation délicate : ils doivent agir en tenant compte de la rigidité des lois concurrentielles et ne peuvent forcer une entreprise à se mettre en situation défavorable sans que cela soit nuisible pour le pays à plus ou moins court terme. Cependant, laisser toute liberté aux entreprises risque d'entraîner des coûts sociaux et politiques. En conséquence, la négociation devient la règle. Elle est directe, constante et, pour la mener intelligemment, les gouvernements sont forcés de bien comprendre la situation concurrentielle.

En fait, le jeu dominant est le plus aisé à suivre et à comprendre parce que, d'une part, les centres de recherche universitaires lui consacrent beaucoup d'énergie et de ressources et que, d'autre part, la visibilité des actions des entreprises est très grande. La définition des **jeux périphériques** présente un défi bien plus grand.

Ce sont principalement les jeux périphériques, surtout en situation de globalisation des marchés, et leur gestion indirecte qui justifient l'intérêt pour la compétitivité à l'échelle de la nation. C'est pourquoi un pays a beaucoup plus de difficulté à exercer une influence sur l'industrie du vêtement, par exemple, que sur celle du pétrole ou des télécommunications. La première n'implique souvent que des acteurs relativement peu puissants, dotés chacun d'une logique différente, alors que dans les secondes les acteurs jouent un rôle important à l'échelle mondiale et semblent avoir un comportement relativement aisé à comprendre (Porter, 1980, 1986).

LA COMPÉTITIVITÉ NATIONALE ET LE DIAMANT FORMEL

Les gouvernements ont toujours beaucoup de mal à trouver les formules les plus appropriées pour jouer leur rôle de gardien et de dynamiseur de la compétitivité nationale. C'est ce qui explique le succès phénoménal des schémas portériens (Porter, 1990) qui suggèrent des relations de cause à effet stables, et donc des méthodes d'intervention simples et faciles à justifier. Selon Porter, le maintien d'un avantage compétitif international exige de constantes améliorations et innovations qui dépendent de quatre grands facteurs constituant une configuration appelée le « diamant de la compétitivité nationale ». Ces facteurs sont les suivants :

- La structure de l'industrie et les stratégies des entreprises concernées.
- La santé et le dynamisme des entreprises des industries de soutien ou reliées, celles qui agissent notamment à titre de fournisseurs (produits, savoir-faire, technologie) pour l'industrie considérée.
- La situation relative (à celle des pays considérés comme concurrents) de ces facteurs : main-d'œuvre, capital, technologie, etc.
- La nature et le niveau de la demande pour les produits de l'industrie.

Le gouvernement, tout comme la chance, peut modifier ces forces, mais ce sont ces forces qui expliquent, par exemple, pourquoi les entreprises dominantes dans l'industrie de la chaussure sont italiennes et, dans l'industrie automobile, japonaises.

UN MODÈLE QUI TIENT COMPTE DES JEUX PÉRIPHÉRIQUES

L'idée du diamant de la compétitivité nationale doit être reconceptualisée. D'abord, on devrait examiner le diamant du point de vue de l'entreprise, et non seulement de celui de l'ensemble d'un secteur industriel. La théorie du diamant est une conceptualisation du processus de décision des entreprises. Elle suppose plutôt implicitement que, pour prendre leurs décisions d'implantation ou plus généralement d'investissement, celles-ci tiennent compte du diamant de la compétitivité nationale. Or, rien ne le prouve vraiment. Nous croyons qu'à l'exception de quelques multinationales, déjà habituées à décider pays par pays (celles qui, d'après Doz [1986], auraient des stratégies de «sensibilité nationale»), la plupart des entreprises évaluent de manière plus parcellaire l'apport d'un pays à leur compétitivité. Ainsi, certains pays seront privilégiés par la nature et le niveau de la demande, d'autres par la qualité et la sophistication de certaines industries reliées et de soutien, d'autres encore par la qualité de certains de leurs facteurs et d'autres enfin par la structure et la sophistication de la concurrence dans l'industrie considérée.

Au sujet de la situation des entreprises au Canada, D'Cruz et Rugman (1992) avaient déjà une intuition en parlant du «double diamant». À leur avis, les entreprises canadiennes sont obligées de tenir compte des diamants américain et canadien, à cause de l'effet des échanges importants entre les deux pays et du renforcement de ces échanges par le traité de libre-échange. La théorie de ces auteurs n'est cependant pas différente de celle de Porter. Ils mettent surtout l'accent sur le jeu des acteurs principaux (les multinationales) et suggèrent que le monde est structuré non par l'action des gouvernements mais par celle des multinationales qui, en quelque sorte, deviennent les constructeurs du diamant le plus important. Cette idée de création d'un réseau, quasi-diamant, est intéressante et riche, mais elle nous paraît incomplète parce qu'elle n'intègre pas les acteurs « périphériques ».

Selon nos recherches, notamment dans les industries de l'ingénierie, des télécommunications et du vêtement, les entreprises ne se préoccupent que très peu du diamant national, mais elles travaillent à constituer le « diamant international » qui correspond le mieux à leurs propres compétences. C'est ainsi qu'une entreprise peut avoir son siège social à Montréal, parce que cela lui permet d'attirer des gestionnaires de réputation et de bénéficier de services financiers de qualité exceptionnelle, mais une usine d'extraction de matière première en Guyane, une usine de transformation de haute technologie aux États-Unis, des centres de recherche en France et en Inde, au Canada et aux États-Unis et dans certains pays en développement.

Northern Telecom est un bon exemple. Cette entreprise a son siège social à Montréal, mais l'essentiel de ses activités de recherche ont lieu aux États-Unis et en Europe et ses marchés sont situés dans les pays de la triade et les pays en voie de développement. À l'autre extrême, les petites sociétés textiles du Québec vont chercher le design pour leur produit un peu partout dans le monde, produisent là où c'est le plus profitable, souvent en Asie du Sud, et vendent là où les marchés sont les plus prometteurs, comme aux États-Unis.

VERS UN DIAMANT VIRTUEL

Un principe directeur du diamant de Porter est l'intégration : l'avantage concurrentiel vient d'une coordination serrée (*tight coupling*) entre toutes les composantes du diamant, le postulat étant que cette coordination est favorable par la proximité géographique. Du point de vue de l'entreprise, la stratégie la plus efficace est donc celle qui permet de tirer profit de tous les facteurs à l'intérieur de son pays ou, mieux encore, de sa région, pour accroître son expansion internationale.

Pour Porter, la base nationale doit rester le moteur de la globalisation. C'est donc dire que, même si celle-ci exige l'adoption d'une stratégie de coordination internationale qui détermine la localisation des approvisionnements, de la production et de la recherche et développement, afin de bénéficier des avantages différentiels entre facteurs nationaux, la base nationale doit rester dominante.

Derrière l'idée d'intégration, il y a celle de contrôle. Selon Porter (1990), une entreprise qui veut maintenir un avantage concurrentiel doit contrôler étroitement ses activités. Cela l'amène à privilégier le développement interne et à se méfier fortement des alliances internationales qu'il considère comme des pis-aller voués à l'échec. Doz, Prahalad et Hamel (1987) parlent également de ce qu'ils appellent « le dilemme de la collaboration transnationale » et expriment de fortes réserves quant au potentiel des partenariats pour développer un avantage concurrentiel à long terme.

Or, au même moment, dans la presse populaire, on parle de plus en plus des organisations modulaires ou virtuelles (les *hollow organizations*) qui ne gardent dans leur pays d'origine que les quelques activités jugées essentielles à l'avantage concurrentiel, les autres étant déménagées et confiées à des sous-traitants. Par analogie avec le diamant de Porter, on peut dire que ces organisations « virtuelles » élaborent un « diamant virtuel ». Elles créent leur propre diamant pour servir des besoins précis. Le principe sous-jacent à une telle approche est celui de la flexibilité ; l'avantage concurrentiel vient d'une coordination souple (*loose coupling*) entre les composantes du diamant.

Il appert donc que diamant formel et diamant virtuel correspondent à des situations différentes mais réelles. Dans le cas de certaines entreprises, notamment les multinationales japonaises ou américaines, le diamant formel offre une explication convaincante pour leur positionnement concurrentiel. Par contre, dans le cas d'entreprises plus petites, plus entrepreneuriales, n'occupant pas une position centrale dans une industrie donnée, le diamant virtuel, soit la construction d'un avantage concurrentiel en s'accrochant littéralement à plusieurs diamants (Porter, 1990) ou réseaux (D'Cruz & Rugman, 1992), apporte une explication plus convaincante des succès observés.

Cette observation n'a rien de surprenant. Elle remet en selle l'idée même de stratégie. En effet, comment admettre un déterminisme aussi absolu que celui qui indique que le succès ou l'échec national dépend uniquement de l'articulation serrée proposée par le diamant de Porter ? Cela ne correspond pas à la réalité et ne laisse à peu près aucune place à la créativité stratégique des entreprises. Par contre, admettre que le contexte national (le diamant formel) et le contexte international (le diamant virtuel) font partie de l'environnement et que leur compréhension et leur exploitation sont au cœur de la démarche stratégique des entreprises concorde davantage avec nos observations de la dynamique concurrentielle dans le monde (Francis, 1992).

Par exemple, le succès du secteur du génie conseil n'est que partiellement expliqué par le modèle dominant puisque, par définition, il nécessite une intégration plus lâche que ce que l'on retrouve dans d'autres domaines, c'est-à-dire le lien entre maître d'œuvre et sous-traitants plutôt que l'intégration verticale. Or, cette caractéristique est particulière à l'industrie québécoise, où les entreprises de génie conseil autonomes sont plus présentes. De plus, l'industrie du génie évolue vers une répartition encore plus grande du contrôle entre différents intervenants. De nos jours, toutes les entreprises, même les plus grandes, créent des alliances pour pouvoir offrir une gamme complète de services et, en ce sens, la familiarité des entreprises québécoises avec la formule des partenaires peut s'avérer un atout.

Le secteur québécois du génie conseil, qui doit son succès à un diamant régional relativement bien intégré, maintient sa position grâce au diamant virtuel que chaque entreprise construit dans le monde. Ce secteur peut donc aussi être une illustration du modèle de remplacement.

EN GUISE DE CONCLUSION

Pour les petits pays, qui ne peuvent avoir que peu d'avantages concurrentiels décisifs à l'échelle internationale, l'idée du diamant virtuel est une réalité incontournable. Les entreprises locales doivent comprendre la logique concurrentielle internationale de leur secteur d'activité et, notamment, découvrir les diamants formels les plus forts, puis développer la capacité d'acquérir par alliance, par segmentation plus fine, par différenciation judicieuse, des avantages basés sur ces diamants nationaux.

La vie du diamant virtuel n'est cependant pas de tout repos. Les entreprises vivant en mode de diamant virtuel doivent supporter un flux constant dans leur environnement. Il leur faut non seulement comprendre toutes les facettes des dynamiques nationales de l'industrie à l'échelle internationale mais aussi constamment s'y adapter. Elles y parviennent en ajustant leurs activités pour les rendre plus pertinentes, plus adaptées aux besoins des clients, et aussi en constituant des réseaux, tantôt locaux, tantôt internationaux, qui créent ou renforcent les avantages concurrentiels nécessaires à leur survie.

La vie du diamant virtuel requiert beaucoup de dynamisme et une grande capacité à changer rapidement. Les entreprises doivent fonctionner de manière organique et décentralisée, sacrifiant les besoins du contrôle aux exigences de souplesse. Les entreprises « en situation de diamant virtuel » sont capables de développer des capacités concurrentielles exceptionnelles. Elles sont porteuses d'avenir.

Bref, le gouvernement fait face à des réalités qui ne peuvent être comprises à l'aide de modèles simples à la Porter, même si ceux-ci sont utiles pour la simplification de cette réalité. Il est donc obligé de reconnaître la dualité de la nature de la compétitivité nationale. D'une part, il existe des situations avantageuses pour le pays qui permettent la création de diamants nationaux forts ; c'est le cas notamment du génie conseil, de l'aérospatiale et de l'industrie pharmaceutique au Québec. D'autre part, il y a des situations où la compétitivité d'entreprises échappe au diamant national ou plutôt est soumise à d'autres diamants nationaux. Dans ce cas, le gouvernement ne peut qu'essayer de comprendre les jeux des entreprises « nationales » et aider celles-ci à se positionner dans des diamants virtuels qui chevauchent plusieurs pays et exploitent leurs avantages. C'est en quelque sorte le cas des entreprises performantes de l'industrie du vêtement et de celle de l'informatique au Québec.

En encourageant la constitution d'entreprises « nationales » et leur positionnement favorable dans des diamants virtuels judicieux, le gouvernement construit l'avenir. En effet, nous soutenons que les diamants nationaux forts sont plus représentatifs de la compétitivité passée que de la compétitivité future. Le défi pour les gouvernements est encore plus grand lorsqu'il s'agit d'aider les entreprises « en situation de diamant virtuel ». Cela suppose des comportements de partenariat et de flexibilité qui sont souvent en contradiction avec les caractéristiques habituelles du fonctionnement des appareils politiques et des bureaucraties gouvernementales. En un sens, l'aide à la constitution des diamants virtuels et à leur consolidation n'apporte pas vraiment d'avantages spectaculaires à court terme. Donc, elle n'est pas facilement justifiable sur le plan politique. Par ailleurs, elle suppose une révolution structurelle pour que le fonctionnement des appareils gouvernementaux ne vienne pas étouffer ce qui est le germe de l'avenir.

Chapitre XII

LA GESTION STRATÉGIQUE D'UNE ENTREPRISE MONDIALE

Laurent Beaudoin doit parfois avoir le vertige lorsqu'il pense à ce qui est arrivé à Bombardier. Hier seulement une entreprise locale, qui fabriquait des motoneiges à Valcourt, « un endroit perdu des Cantons de l'Est » du Québec, est devenue une entreprise mondiale (Tremblay, 1994) :

> L'entreprise a vendu plus de deux millions de Ski-Doo, mais en 1992, les motoneiges ne génèrent plus que 6,5 % du chiffre d'affaires de 4,4 milliards de dollars CAN et une fraction encore plus modeste de son bénéfice net de 132,8 millions. La gamme des véhicules sportifs s'est étendue à la motomarine Sea-Doo ; dans les ateliers de Valcourt, les ouvriers continuent de fabriquer un nombre limité de véhicules utilitaires à chenilles, notamment des surfaceuses pour damer les pentes de ski. Le Groupe des produits de consommation motorisés comprend également l'usine de moteurs Rotax, à Gunskirchen, en Autriche, et l'usine de motoneige Scanhold Oy, à Rovaniemi, en Finlande.
>
> Bombardier brasse maintenant 50 % de ses affaires dans l'aéronautique. Dans ses usines de Canadair à Montréal, de Haviland à Toronto, de Short Brothers à Belfast en Irlande du Nord, et de Learjet à Wichita au Kansas, la compagnie fabrique des avions d'affaires, des avions de transport régionaux à réaction et à turbopropulseur, des avions amphibies pour lutter contre les incendies et, en sous-traitance, des composants d'avions pour Boeing, Airbus, Mcdonnell Douglas et Fokker, ainsi que des composants de réservoir de la navette spatiale américaine pour le compte de Martin Marietta. Une petite division militaire (8,2 % du chiffre d'affaires) produit également des missiles et des appareils téléguidés de reconnaissance, en plus d'assurer l'entretien (d'avions de chasse) et de former des pilotes.
>
> Le deuxième secteur en importance est celui du matériel de transport en commun, avec 28 % des ventes. Dans ses usines de La Pocatière au Québec, de UDTC à Kingston et Thunder Bay en Ontario, de Barre au Vermont, de Concarril au Mexique, de BN en Belgique, d'ANF-Industrie en France, de Prorail au Royaume-

Uni et de Bombardier-Wien Schienenfahrzeuge en Autriche, l'entreprise fabrique des voitures de train (dont le TGV), des voitures de métro, des tramways et d'autres types de véhicules légers et lourds sur rail.

Enfin, les filiales Crédit Bombardier, Bombardier Capital et Financière Bombardier offrent des services de financement d'avions, de stocks de concessionnaires et d'équipements industriels dans une variété de secteurs... Au total, Bombardier compte 34 300 employés répartis également entre l'Europe et l'Amérique du Nord. Plus de 90 % de ses ventes se font dans des marchés situés à l'extérieur du Canada, dans plus de cinquante pays. Au début de 1993, le carnet de commandes dépassait les huit milliards de dollars.

Cette description n'est que partielle. Depuis 1993, l'entreprise a presque doublé de volume et ses activités se sont étendues à de nombreux autres pays, notamment aux marchés bouillonnants de l'Asie. La gestion stratégique d'une telle entreprise pose des problèmes différents. La première partie du chapitre est consacrée aux stratégies des entreprises mondiales. La seconde partie traite de la gestion proprement dite d'une entreprise confrontée à la diversité géographique et culturelle.

I. LES STRATÉGIES DES ENTREPRISES MONDIALES

En situation de mondialisation, les deux forces externes principales qui donnent forme à la stratégie des entreprises sont : 1) la dynamique de l'industrie et 2) le pouvoir de négociation des États. Une stratégie mondiale judicieuse ne peut ignorer ni l'une ni l'autre. Une stratégie judicieuse doit aussi prendre en considération les capacités et les ressources de l'entreprise, comme l'origine des avantages concurrentiels.

A. LA DYNAMIQUE DE L'INDUSTRIE ET LA MONDIALISATION

La dynamique d'une industrie mondiale est décrite avec beaucoup de détails par les théories qui traitent des avantages compétitifs oligopolistiques et par celles qui traitent de l'investissement étranger (Dunning & Pierce, 1985 ; Helleiner, 1989 ; Rugman, 1990). Nous ne reprendrons ici que ce qui servira notre objet, qui est de montrer comment la dynamique de l'industrie force des comportements stratégiques reconnaissables.

La dynamique de la concurrence dans une industrie est généralement déterminée par les facteurs principaux suivants (Doz, 1986) :

- Les économies d'échelle
- Les économies d'expérience
- Les économies de localisation
- Les bases de la différenciation
- La nature de la technologie
- Les canaux de distribution et d'exportation
- L'accès au capital

1. Les économies d'échelle

Il y a plusieurs types d'économies d'échelle, les plus importantes étant souvent celles qui sont liées à la production et celles qui sont liées à la distribution et au service à la clientèle. Il peut y en avoir aussi dans le développement technologique, mais nous aborderons cela plus loin.

Les économies d'échelle en matière de production sont en interaction avec les développements technologiques. Elles peuvent être facilitées mais aussi remises en cause par le développement technologique. En général, il y a suffisamment de stabilité dans les développements des équipements manufacturiers pour que les économies d'échelle, même si elles sont ultimement susceptibles d'être reconsidérées, puissent d'abord jouer un rôle décisif et favoriser de manière définitive les entreprises qui en bénéficient les premières.

Prenons à titre d'exemple l'industrie pétrochimique. Dans les fourchettes de capacités les plus courantes, lorsqu'on construit des usines de production, une usine de capacité 2X ne coûterait que de 20 % à 50 % de plus qu'une usine de capacité X. Ainsi, en 1990, une raffinerie de pétrole simple d'une capacité de 90 000 barils par jour coûtait 400 millions de dollars, tandis que le même type d'usine, pour une capacité deux fois plus grande, ne coûtait pas plus de 600 millions. Ces économies d'échelle considérables existent dans toutes les grandes industries manufacturières, comme la construction automobile, les pâtes et papiers, la sidérurgie, etc.

Il faut cependant d'ores et déjà mentionner que plus les échelles sont grandes, plus les rigidités et les inerties du système sont grandes, ce qui peut entraîner des coûts de gestion et de transaction importants qui viennent annuler les bénéfices de l'échelle. C'est cela qui explique l'émergence de concurrents petits mais solides dans des industries traditionnellement dominées par les effets d'échelle, comme l'industrie sidérurgique. L'effet d'échelle peut aussi être annulé ou considérablement touché par les possibilités de différenciation.

Les économies d'échelle, lorsque les problèmes de gestion et de transaction sont maîtrisés, forcent cependant des décisions qui peuvent transcender les frontières d'un seul pays. Ainsi, dans l'industrie automobile (Abernathy & Ginsburg, 1980), la convergence des goûts et des besoins entre les pays de la triade (États-Unis, Europe, Japon), ainsi que la rationalisation et la compatibilité entre les modèles introduits par les entreprises, a mis à l'ordre du jour l'idée de *taille efficace des modules de production*. Par exemple, au milieu des années 1980, General Motors avait mis au point une taille standard, pour les modules de production qui contribuent à la fabrication d'un véhicule, qui pouvait aller de 300 000 unités par an pour l'assemblage à un million pour certains équipements moulés. Comme peu de marchés nationaux peuvent soutenir des capacités aussi grandes, il faut alors que ces modules soient construits pour plusieurs pays à la fois. De plus, il est évident que l'utilisation optimale de ces capacités requiert une coordination entre les différentes filiales nationales pour le développement des produits, l'ingénierie, les dates d'introduction de produits et les extensions d'usines.

La spécialisation est alors inévitable, mais elle ne peut se faire que si les États ne perturbent pas la coordination nécessaire pour relier les modules spécialisés. Il faut donc en pratique trouver un compromis entre les exigences des États en matière d'emplois et de recherche et développement d'une part, et les exigences de la production spécialisée à très grande échelle d'autre part. C'est ainsi que la Fiesta, première voiture mondiale de Ford, était fabriquée à 2 650 unités par jour en Europe. Cette fabrication était partagée entre plusieurs pays européens :

a) En Espagne (à Almusafes) :
- assemblage de 1 100 véhicules par jour ;
- production de feuilles de métal (grandes pièces) pour 1 100 véhicules par jour ;
- production de feuilles de métal (petites pièces) pour 1 550 véhicules par jour ;
- production de moteurs pour 2 350 véhicules par jour.

L'assemblage s'expliquait à la fois par le coût de la main-d'œuvre plus faible que dans les autres pays européens, mais aussi parce que c'était là la condition que le gouvernement espagnol avait négociée pour fournir à Ford un espace relativement protégé pour quelques années, avec l'accord de la CEE. Le respect de la réglementation espagnole pour le contenu local, qui était fixé à 60 %, justifiait par ailleurs la production des moteurs et des autres composantes.

b) En France (à Bordeaux) :
- fabrication des essieux pour 2 650 véhicules par jour ;

- fabrication de boîtes de vitesse pour 2 650 véhicules par jour ;
- montage d'essieux et de boîtes de vitesse pour 1 100 véhicules par jour.

L'usine de Bordeaux existait déjà, mais elle a dû être étendue sous la pression du gouvernement français, compte tenu des ventes substantielles dans ce pays. De plus, des considérations de coûts rendaient la France plus attirante que l'Allemagne.

c) Au Royaume-Uni (à Dagenham) :
- assemblage de 450 véhicules par jour ;
- fabrication de moteurs de 1,6 litre pour 300 véhicules par jour ;
- fabrication de feuilles de métal (grandes pièces) pour 450 véhicules par jour ;
- fabrication de moteurs de 1 117 cc pour 150 véhicules par jour ;
- petites pièces pour 450 véhicules par jour ;
- montage d'essieux et de boîtes de vitesse pour 450 véhicules par jour.

d) En Allemagne (à Saarelouis) :
- assemblage de 1 100 véhicules par jour ;
- fabrication de feuilles de métal (petites et grandes pièces) pour 1 100 véhicules par jour ;
- montage d'essieux et de boîtes de vitesse pour 1 100 véhicules par jour ;
- fabrication de moteurs pour 1 100 véhicules par jour.

Ainsi, **les économies d'échelle en production forcent la spécialisation des usines et l'intégration multinationale.**

Les économies d'échelle en distribution peuvent aussi forcer des comportements spécifiques. Prenons encore l'exemple de l'industrie automobile. Il faut considérer que, pour une marque donnée, une part de marché de 4 % à 5 % est requise pour qu'un réseau de distribution et de service suffisamment dense soit maintenu. En conséquence, les économies d'échelle en distribution vont permettre des stratégies de couverture large ou plus restreinte (plus concentrée) du marché. Il est probable que ce soit les économies d'échelle en matière de distribution qui aient contrecarré les efforts de Renault France de s'implanter solidement en Amérique du Nord.

Dans le cas de l'industrie automobile, les économies d'échelle en production et en distribution peuvent avoir des effets contradictoires, comme l'explique Doz (1986) :

*Les économies d'échelle en distribution créent des pressions pour la proliféra-
tion de modèles et leur remplacement rapide (pour maintenir l'intérêt des consommateurs), les économies d'échelle en fabrication encouragent au contraire
des volumes élevés pour chaque modèle sur plusieurs années. Les coûts de R-D
aussi poussent les fabricants vers de grands volumes par modèle.*

2. Les économies d'expérience

L'effet d'expérience peut être décrit techniquement comme étant le
pourcentage constant de diminution des coûts à chaque doublement de la
production. Ce pourcentage est généralement connu pour chaque type
d'industrie ou de produit et varie habituellement entre 15 % et 25 %. Les
économies d'expérience peuvent être spécifiques à une localisation (par exemple, la Malaysia pour les composantes électroniques) ou à une firme.

Ces économies s'expliquent par le savoir-faire accru des employés (à tous
les niveaux), qui vient de la production renouvelée du même produit. Certaines
de ces économies sont attribuables à l'amélioration progressive du design et de
la conception, applicable à toutes les installations. Cependant, une bonne partie de ces économies est liée à la localisation. En d'autres termes, on ne pourrait
pas en bénéficier si l'on construisait une nouvelle usine ailleurs. Cet effet vient
donc encourager la spécialisation et renforcer l'effet d'échelle.

3. Les économies de localisation

Les différences dans les coûts de facteurs sont des sources d'avantages et
d'économies pour les entreprises qui peuvent en profiter. En particulier, cela
est vrai lorsqu'on est capable de localiser les activités intensives dans un facteur dans les pays qui ont un avantage dans ce facteur.

Ainsi, les pays de l'Asie du Sud-Est ont été capables, grâce à une main-
d'œuvre de qualité à bas salaire, d'attirer les assemblages et le conditionnement
de semi-conducteurs. En fait, les transferts internes de multinationales représentaient 70 % des exportations de Singapour en 1970. Pour les autres pays, ce
chiffre est plus faible, mais il se situe toujours entre 10 % et 20 %. Cela vient
du fait que ces pays ont aussi mis en place différents mécanismes permettant
d'attirer des multinationales. On peut notamment mentionner les *free trading
zones*[1]. Il est évident cependant que, si tous les pays offrent les mêmes avantages, les économies de localisation peuvent être plus faibles. De même, la

---

1. Zone de commerce libre, sans intervention douanière.

technologie, notamment l'automatisation, a tendance à réduire l'importance de l'avantage du « coût de la main-d'œuvre » de certaines localisations.

4. Les bases de la différenciation

La différenciation peut sembler aux antipodes de la mondialisation. En fait, elle est fréquente à l'échelle internationale. Elle peut être basée notamment sur les types de clientèle, sur le type de produits et sur les goûts locaux. Par exemple, dans le ski, il y a un marché homogène à travers le monde ; la différenciation se fait donc selon l'habileté et la taille du skieur, donnant une série de segments mondiaux, qui sont souvent exploités par des concurrents différents.

La différenciation peut aussi être le résultat d'un marketing habile, notamment pour certains produits de grande consommation, surtout lorsque les approches peuvent être transférées d'un marché à l'autre. Cela se produit par exemple dans les céréales, où Kellogs arrive à se distinguer dans l'esprit des consommateurs, et dans les bières où Heineken réussit à attirer une clientèle de partout au monde sur la base de l'exclusivité, de la qualité et de l'exotisme. Aux États-Unis, par exemple, Heineken insiste sur le fait que la bière est importée afin d'attirer l'attention sur l'aspect luxueux et exclusif de son offre, même si cela lui coûte très cher de transporter la bière à partir de l'Europe.

La différenciation peut aussi être basée sur des caractéristiques locales ou régionales très fortes, ce qui réduit ses possibilités d'application à l'échelle mondiale. Ainsi, dans l'alimentation en général, les goûts locaux sont habituellement très spécifiques et forcent une distinction entre les différents marchés. Pourtant certaines entreprises arrivent à se démarquer à l'échelle mondiale grâce à des publicités massives, mais aussi à des adaptations locales ; c'est le cas de Nestlé pour le Nescafé.

La différenciation, lorsqu'elle favorise le contenu local, s'oppose à des intégrations multinationales, notamment en production, bien qu'elle ne soit pas nécessairement contradictoire avec une harmonisation mondiale des dépenses de marketing, de recherche et développement et de superstructure générale.

La segmentation internationale a cependant des avantages considérables et les firmes consacrent une bonne partie de leur créativité à reconnaître et à exploiter les possibilités de segmentation applicables à plusieurs pays. Tous les jours, des convergences nouvelles ou une publicité habile permettent de réussir là où tout paraissait très local. Personne n'aurait par exemple cru que Kellogs ou McDonald's puissent s'implanter aussi facilement en France et partout à travers le monde, de Montréal à Casablanca, et à Moscou, en passant par les Champs-Élysées.

5. La nature de la technologie

En général, dans les industries intensives en haute technologie (ratio des ventes alloué aux dépenses en recherche et développement), les entreprises qui peuvent répartir les coûts sur des volumes de production plus grands ont un avantage certain. Il est évident aussi que la technologie interne est plus susceptible de produire un avantage sur ceux qui n'y ont pas accès, ce qui montre l'importance des dépenses en recherche et développement.

La technologie, en interaction avec les économies d'échelle, peut favoriser une spécialisation plus grande et une intégration des activités. D'une part, les volumes que permet la spécialisation peuvent favoriser l'adoption de technologies plus avancées et plus efficaces. D'autre part, des changements technologiques ont souvent augmenté la taille économique des installations. Doz (1986) mentionne comment l'introduction de la technologie nucléaire dans l'industrie de l'électricité a bouleversé non seulement l'industrie de la génération, mais aussi celle des équipements de génération en augmentant considérablement la taille des usines de 600 MW à plus de 1 000 MW.

6. Les canaux de distribution et d'exportation

Les canaux de distribution deviennent importants dans au moins quatre cas : 1) lorsqu'il faut avoir des canaux propres ; 2) lorsque la flexibilité des approvisionnements est importante ; 3) lorsque les canaux sont dominés par un petit groupe d'entreprises ; et 4) lorsque les tâches de service et de vente sont intenses.

Les canaux d'exportation sont souvent coûteux. Les entreprises les plus puissantes, notamment les multinationales, sont plus capables d'assumer ces coûts et de développer leurs propres canaux, tandis que les petites sociétés nationales sont obligées de faire appel à des agents ou à des importateurs. Cependant, les entreprises nationales peuvent parfois bénéficier plus facilement du soutien gouvernemental.

La nature de la vente peut aussi favoriser certaines stratégies. Lorsque les canaux de distribution sont faciles à pénétrer, ils peuvent favoriser une stratégie de domination qui relie plusieurs marchés nationaux ; par contre, si les canaux sont contrôlés par des fabricants, des stratégies plus locales sont favorisées. Lorsqu'il n'y a pas de canaux permanents, comme dans la vente d'avions ou la vente d'usines de génération électrique aux pays en développement, les entreprises nationales peuvent avoir du succès dans la concurrence contre les multinationales.

Lorsque la vente implique des interactions intensives avec une clientèle fragmentée ou lorsqu'elle nécessite des services plus intensifs, elle favorise les entreprises locales plus familières avec le milieu et capables de répondre à ses besoins.

7. L'accès au capital

La présence dans beaucoup de marchés peut faciliter l'accès aux capitaux et peut même réduire le coût de ce capital. En effet, les investisseurs souvent préfèrent des dettes en devises étrangères pour diversifier leurs portefeuilles.

En conclusion, ces éléments de dynamique semblent favoriser trois types de stratégies: 1) des stratégies qui mettent l'accent sur les liens entre les pays, notamment en matière de production; 2) les stratégies qui exploitent le caractère distinct de chaque marché national; et 3) les stratégies qui essaient de tirer parti de l'homogénéisation des goûts et des besoins à travers le monde.

B. LES RESSOURCES ET L'AVANTAGE CONCURRENTIEL : CONCENTRATION OU DISPERSION DE LA CHAÎNE DE VALEUR

L'avantage concurrentiel d'une entreprise dans un monde en globalisation vient de sa capacité à disposer de ressources compatibles avec la dynamique de l'industrie. En particulier, une entreprise mondiale est confrontée à la nécessité de répondre soit à des dynamiques locales, soit à des dynamiques plus globales et générales pour toute une industrie, soit à des dynamiques globales mais portant sur un besoin précis à l'intérieur d'un secteur industriel.

Elle y répond en utilisant des ressources fonctionnelles (administration générale, production, marketing, finance, recherche et développement, etc.) qui sont concentrées dans un seul pays ou qui sont dispersées à travers plusieurs pays. Il est cependant utile de préciser ces ressources fonctionnelles en les reliant à la chaîne de valeur, telle qu'elle est décrite au chapitre V.

La concentration ou la dispersion des éléments de la chaîne de valeur donne des combinaisons nombreuses et intéressantes. D'abord, non seulement les éléments peuvent être réalisés dans des régions ou pays différents, avec la production dans un pays, la recherche et le développement dans un autre, etc., mais chacun des éléments de la chaîne de valeur peut aussi être éclaté et dispersé ou concentré. Ainsi, Toyota a pendant longtemps concentré sa production et la plupart de ses fonctions au Japon, ne dispersant que la fonction marketing pour assurer la vente de ses produits dans les marchés internationaux.

On peut aussi, comme c'est le cas pour des entreprises comme Corning Glass Works, un spécialiste des produits technologiques du verre, répartir la plupart des activités de la chaîne de valeur, avec des usines de production partout à travers le monde, des systèmes de vente et de marketing dispersés et spécifiques à chaque région ou à chaque pays, des administrations dispersées, mais des activités de développement technologique et d'infrastructure administrative concentrées.

Lorsque le degré de mondialisation de l'entreprise est très grand, chacune des activités de la chaîne de valeur est généralement dispersée. Ainsi, si nous prenons la société IBM, les activités de la chaîne qui participent directement à la création de valeur sont réparties, mais toutes les activités de soutien, y compris les activités d'infrastructure administrative, sont aussi dispersées. Par exemple, la recherche et le développement sont confiés à une série de centres localisés partout à travers le monde, notamment en France, en Allemagne, en Italie, au Royaume-Uni, au Japon, en Inde, au Canada et bien entendu aux États-Unis. De même, chaque région procède à sa propre gestion financière, ne laissant au centre que la gestion internationale des mouvements de fonds. En général, le centre s'occupe surtout de la coordination internationale.

Ainsi, les possibilités de concentration ou de dispersion permettent de répondre de manière unique à la dynamique de la concurrence. Par exemple, une industrie dans laquelle les économies d'échelle sont grandes, en matière de production surtout, aura tendance à favoriser une concentration des activités de production ou une dispersion de ces activités avec une forte coordination centrale. De même, dans une industrie où les possibilités de différenciation globale sont grandes, la concentration des activités de production peut s'imposer. Par ailleurs, si la nature du produit exige des relations intensives avec les clients, alors on est obligé de disperser les activités de marketing.

Il est utile de mentionner la terminologie proposée par Prahalad et Doz (1987), car elle rejoint largement celle que nous avons adoptée jusqu'ici. Ces auteurs utilisent deux dimensions : le degré de nécessité de l'intégration et le degré de nécessité de la sensibilité locale (*responsiveness*). Ces deux dimensions servent alors, comme nous le faisons aussi, à nommer, spécifier et apprécier les différentes situations stratégiques qui peuvent se présenter, comme le montre la figure 1.

Figure 1   Situations stratégiques

Cette matrice permet d'aborder toutes les questions de stratégie des entreprises engagées dans une gestion mondiale.

La définition stratégique, que nous proposons ici et dans les sections qui suivent, ne constitue que la première étape du développement de la capacité concurrentielle dans une industrie en mondialisation. Une ressource critique dans la gestion des ressources est la capacité de gestion générale, notamment la capacité à orienter et à coordonner des activités à travers le monde. La différence entre les entreprises se fait souvent à ce niveau-là. Nous y reviendrons à la fin de ce chapitre.

C. LES STRATÉGIES GÉNÉRIQUES EN CONTEXTE DE MONDIALISATION

La matrice de Prahalad et Doz, en liant intégration et sensibilité locale, nous suggère certaines stratégies de base. Ces stratégies sont plutôt des repères que de vraies stratégies. En pratique, les stratégies utilisées seront une combinaison unique d'intégration et de sensibilité locale. Cela nous indique cependant que, même si les possibilités de combinaison sont très nombreuses, voire en nombre infini, il y a des *patterns* qui ont souvent été retenus dans la littérature. En ce qui nous concerne, nous utiliserons les deux dimensions de *dynamique de l'industrie* et de *dispersion de la chaîne de valeur* pour exprimer quelques combinaisons fréquentes qui permettent une cohérence entre la dynamique de l'industrie et les caractéristiques de la chaîne de valeur. Ces deux dimensions sont combinées dans la matrice de la figure 2.

1. La stratégie d'intégration

Lorsque la dynamique de l'industrie est globale, cela signifie souvent que les économies d'échelle et d'expérience sont importantes. De même, les économies de localisation, ainsi que les possibilités d'accès au capital, peuvent être nombreuses et faciles à exploiter par les grands acteurs, comme les multinationales. Une dynamique globale est souvent un stimulant à des

---

Figure 2 Les stratégies en contexte de mondialisation

Degré de mondialisation de l'industrie

		Élevé	Faible
CHAÎNE DE VALEUR	Dispersée	Stratégie d'intégration mondiale avec ou sans différenciation	Stratégie de sensibilité nationale
	Concentrée	Stratégie d'exportation	Stratégie multidomestique et stratégie de concentration

développements technologiques qui vont la faciliter et parfois même la stimuler. Bien entendu, une intégration globale n'est possible que si les acteurs concernés ont un contrôle minimal sur les canaux de distribution.

Si, de plus, la chaîne de valeur peut être facilement dispersée, parce que l'entreprise a les ressources et notamment les capacités managériales pour le faire, alors on est dans une situation où les conditions sont favorables à une stratégie où le système est orienté vers une réduction maximale des coûts et donc vers une *intégration globale*. L'exemple typique est celui des grandes entreprises automobiles japonaises et américaines, mais aussi des grandes entreprises informatiques, comme IBM, Digital ou plus récemment Microsoft.

2. La stratégie d'exportation

Dans les mêmes conditions de mondialisation de l'industrie, mais lorsque la chaîne de valeur ne peut être dispersée soit parce que l'entreprise n'a ni les ressources ni les capacités managériales suffisantes, soit parce que la technologie est sensible et doit être concentrée et protégée, alors la seule stratégie possible devient une stratégie *d'exportation*. Cela est souvent le cas pour des entreprises encore en voie de mondialisation ou n'ayant pas encore développé une confiance suffisante à l'échelle internationale. À titre d'exemple, on peut mentionner les entreprises de textile-habillement, comme l'était Daewoo à sa création (Aguilar, 1990), ou comme l'est la société de costumes Peerless Clothing (Bonneau, 1995). L'industrie de la construction aéronautique est un autre cas d'espèce. Les marchés sont mondiaux, mais la technologie est sensible et contraignante. La concurrence sur les différents segments est mondiale, et les acteurs sont puissants ; pourtant, pour l'essentiel, l'exportation est dominante, même si, pour la faciliter, les entreprises dominantes acceptent des conditions qui favorisent la sous-traitance locale.

3. La stratégie de sensibilité nationale

Lorsque les conditions de mondialisation de l'industrie ne sont pas encore réunies, notamment avec des économies d'échelle, d'expérience et de localisation qui ne défavorisent pas les acteurs nationaux seulement, avec des bases de différenciation plus locales, avec un accès au capital peu différencié à l'échelle mondiale, avec des développements technologiques qui favorisent les petits acteurs, enfin avec des canaux de distribution plutôt contrôlés localement, alors les stratégies appropriées demandent aux entreprises de se comporter comme une entreprise locale et de démontrer parfois une sensibilité nationale réelle pour bénéficier des avantages que les acteurs nationaux peuvent retirer de leur citoyenneté. La sensibilité nationale est aussi encouragée par les pressions qu'exercent les gouvernements, et donc par les relations qui se développent entre les firmes concurrentes, une dynamique de l'industrie, et par les incitatifs ou les pénalités que les gouvernements mettent en place.

Dans ce cas, lorsque les ressources et les capacités de l'entreprise sont suffisamment grandes pour permettre la dispersion, souvent partielle, de la chaîne de valeur, on pourrait penser que la *sensibilité nationale* est la stratégie la plus appropriée. Les décisions de localisation peuvent être négociées en fonction des avantages que l'entreprise peut retirer de la relation avec les gouvernements locaux.

4. La stratégie multidomestique et la stratégie de concentration

Lorsque la dynamique n'est pas encore mondiale et que la chaîne de valeur ne peut être dispersée, bien que parfois elle puisse être reproduite dans divers endroits, on peut parler de stratégie multidomestique et de stratégie de concentration. La stratégie est **multidomestique** lorsque l'entreprise se reproduit localement sans qu'il soit possible de relier les activités à l'échelle internationale ; cela survient pour certains produits technologiquement et géopolitiquement sensibles, comme les télécommunications, les produits dangereux pour la santé ou les produits taxés comme la cigarette.

On parlera de **stratégie de concentration** lorsque les capacités et les ressources de l'entreprise ne permettent pas une couverture mondiale. Les entreprises d'État de cigarettes ou d'alcool, notamment la Seita en France ou la SAQ au Québec, sont dans ce cas.

D. UN EXEMPLE : CORNING GLASS WORKS

Reprenons en le précisant le cas de Corning Glass Works (CGW), que nous avons évoqué précédemment. CGW était, au début des années 1980, active dans six grands groupes de produits : 1) les produits de télévision (notamment les tubes), des produits généralement matures et à dynamique mondiale, mais dans lesquels l'entreprise avait pris un tel avantage qu'elle dominait le marché mondial ; 2) les produits électroniques, généralement de base, une industrie mature, avec une dynamique mondiale, où CGW n'était présente que dans les segments où elle dominait ; 3) les produits de consommation comme les produits de la gamme Corning Ware, des produits généralement sujets à innovation, mais une industrie tout de même mature, avec une dynamique souvent locale ou régionale, même si les mêmes produits sont commercialisés à travers le monde ; 4) les produits médicaux, généralement des instruments scientifiques, surtout ceux à haute valeur ajoutée, fabriqués en petites quantités avec des procédés hautement techniques et montrant des cycles de vie relativement courts et des caractéristiques locales fortes, forçant une dynamique plus locale ; 5) des produits scientifiques, notamment les équipements en verre pour les labos, une industrie mature et, à cause de la variété requise et des spécifications locales, à dynamique locale ; et 6) les produits techniques, surtout les produits ophtalmologiques, comme les verres correcteurs. Là aussi, la variété et les besoins locaux forçaient une dynamique plutôt locale, mais pouvant se mondialiser. Dans tous ces secteurs, CGW était en position de leadership. Le tableau 1, tiré de Prahalad et Doz (1987), précise les implantations des usines et la part du marché en dehors des États-Unis pour chacun de ces secteurs en 1974, une situation qui était encore la même dans les années 1980.

Tableau 1 Corning Glass Work dans le monde

PRODUITS		Localisation des usines hors des États-Unis	Ratio des ventes internationales sur ventes totales
1	DE TÉLÉVISION	France, Brésil, Mexique, Taïwan, Canada et des licences en Europe et au Japon	30 %
2	ÉLECTRONIQUES	France, Royaume-Uni	35 %
3	DE CONSOMMATION	France, Royaume-Uni, Argentine, Australie, Hollande	35 %
4	MÉDICAUX	Royaume-Uni	25 %
5	SCIENTIFIQUES	France, Royaume-Uni, Argentine, Mexique, Brésil, Inde, Australie	40 %
6	TECHNIQUES ET CHIMIQUES	France, Royaume-Uni, Brésil	35 % - 65 %

Si l'on examine les éléments de dynamique des secteurs importants de CGW, on obtient les résultats du tableau 2.

Tableau 2   La dynamique de quelques secteurs de CGW

	Électronique	Télé	Corning Ware
PRESSIONS POUR L'INTÉGRATION	Élevées	Moyennes	Faibles
INTENSITÉ TECHNOLOGIQUE	Moyenne	Moyenne	Faible
COÛTS (PRESSION)	Élevés	Élevés	Faibles
UNIFORMITÉ DES BESOINS	Élevée	Moyenne	Faible
PRESSIONS POUR UNE DISPERSION DES ACTIVITÉS	Faibles	Moyennes	Élevées
DIFFÉRENCES DES BESOINS	Faibles	Moyennes	Élevées
DIFFÉRENCES DE DISTRIBUTION	Faibles	Faibles	Élevées
BESOINS D'ADAPTATION	Faibles	Faibles	Élevés
STRUCTURE DU MARCHÉ	Concentrée	Concentrée	Fragmentée

Ces deux tableaux suggèrent que la stratégie de CGW doit d'abord être différente selon le secteur d'activité. Dans les cas mentionnés, on peut dire que les stratégies les plus appropriées seraient les suivantes :

- Pour les produits électroniques, les pressions à l'intégration sont élevées et celles à la dispersion des activités, faibles. Selon notre discussion à la section précédente, la stratégie la plus appropriée devrait être dominée par l'exportation. Le tableau 1 suggère que c'est ce que CGW semble faire.

- Pour les produits de la télévision, les pressions à l'intégration et à la dispersion sont moyennes. On devrait s'attendre à une stratégie qui va vers « l'intégration mondiale avec ou sans différenciation », dans ce cas-ci avec différenciation. Là aussi, le tableau 1 suggère que c'est le cas.

- Pour les produits Corning Ware, les pressions à l'intégration sont faibles, tandis que les pressions à la dispersion sont fortes. On devrait alors s'attendre à une stratégie d'internationalisation multidomestique, avec sensibilité nationale. L'histoire de CGW, telle qu'elle ressort du cas de Yoshino et Bartlett (1981), associée aux indications du tableau 1, montre que l'entreprise est effectivement sensible aux marchés les plus importants, exportant à partir de ces marchés vers les zones proches.

II. LA GESTION D'UNE ENTREPRISE MONDIALE

Le défi de la gestion d'une entreprise mondiale est directement lié à la stratégie qu'elle se donne. Il est clair que les difficultés à gérer la concentration ou la dispersion de la chaîne de valeur sont au cœur de la capacité concurrentielle de l'entreprise. Ces difficultés ont été passablement discutées au chapitre portant sur la gestion d'une organisation complexe (chapitre IX). Nous n'aborderons ici que les questions spécifiques à la complexité qu'engendre l'éclatement à travers le monde.

On peut dire que la complexité internationale pose trois grands types de problèmes :

1. Un problème classique et permanent de mise en œuvre efficace de la stratégie choisie, qui assure généralement la convergence des efforts des différentes filiales.

2. Un problème occasionnel de changement des rapports entre les filiales et la haute direction pour répondre aux besoins de changement de direction.

3. Un problème de maintien de flexibilité pour pouvoir tirer parti des opportunités qui peuvent apparaître ou pour répondre à des difficultés inattendues dans la mise en œuvre de la direction choisie.

Ces problèmes ne se posent cependant pas de la même manière dans toutes les organisations. Les choix stratégiques, tels qu'ils ont été discutés précédemment, déterminent largement la nature de la gestion qui est requise pour la mise en œuvre. En général cependant, la gestion d'une organisation internationale complexe est toujours une sorte de métagestion (Hafsi, 1985). Cette métagestion est conduite à partir d'outils qui restent semblables, quelle que soit la stratégie choisie. C'est la combinaison de ces outils qui changera selon la stratégie.

Pour analyser ces outils, il est utile de les relier aux grands défis auxquels font face les entreprises mondiales. Ils sont au nombre de trois :

1. Les outils destinés à gérer le système d'information et de données qui influence le comportement des gestionnaires (Barnard, 1938).

2. Les outils destinés à résoudre les confrontations et les conflits qui naissent de la nécessité de faire converger des acteurs qui ont des perspectives différentes et qui sont exposés à des réalités différentes.

3. Les outils destinés à gérer directement le comportement des gestionnaires.

Le tableau 3 résume ces principaux outils.

Tableau 3   Répertoire traditionnel des outils de gestion d'une organisation complexe

Gestion de l'information et des données	Gestion des conflits	Gestion des gestionnaires	
1 Système de mesure	Attribution des responsabilités de décision	Choix des gestionnaires	1
2 Système de contrôle	Nomination de responsables d'intégration	Gestion des carrières	2
3 Planification stratégique	Équipes d'affaires Innovation	Systèmes de récompenses et punitions	3
4 Programmation budgétaire	Comités de coordination	Système de formation et de développement	4
5 Système d'allocation des ressources	Task forces	Socialisation	5
6 Système d'information générale	Processus spécifiques	Idéologie, mission	6

Comme nous l'avions évoqué au chapitre VIII portant sur la mise en œuvre, l'effet de ces outils peut être à court ou à long terme. Ainsi, tout ce qui touche la rémunération et la situation des gestionnaires, y compris leurs pouvoirs et responsabilités, a un effet à court terme. Ces outils sont généralement plus concrets. Tout ce qui touche la situation future des gestionnaires et leur intégration à la philosophie, au mode de comportement et aux traditions de l'organisation aura des effets à plus long terme. Ces outils ont un caractère cognitif et symbolique plus marqué. Par ailleurs, il devrait être clair que les outils et les actions de gestion de l'information et des données ont un caractère plus technique et ne nécessitent pas une participation de tous les instants de la haute direction. Par contre, la gestion directe des gestionnaires et la résolution des conflits requièrent une attention et un engagement de tous les instants. C'est d'ailleurs la tâche principale de la haute direction des organisations ayant des activités internationales importantes.

L'utilisation de ces outils, nous le disions et le lecteur peut à présent facilement l'apprécier, n'est pas la même selon qu'on a besoin d'intégrer le système ou d'être sensible aux réalités et aux pressions locales. Sans aborder toutes les situations, nous évoquons, pour ces deux extrêmes, les défis les plus importants et les moyens généralement utilisés pour y faire face.

A. LA GESTION DE L'INTÉGRATION MULTINATIONALE

L'intégration multinationale force une attention plus grande à la réduction des coûts et donc à l'optimisation du système de production et de logistique, tout en ne négligeant pas l'attention à porter aux besoins des clients et à l'évolution du marché. Elle pose aussi des problèmes importants de relations entre le siège social et les filiales et de relations entre les autorités locales et l'entreprise.

1. La production et la logistique

Une production intégrée signifie notamment que la production des usines est étroitement interreliée. Ainsi, dans le cas de Ford dont nous avons déjà parlé, toutes les composantes doivent être produites à temps pour que le montage puisse se faire. De plus, la production doit être harmonisée aux exigences du marché. Cela requiert une sophistication appréciable du système ainsi qu'une gestion logistique internationale complexe et d'une grande précision ; mais de plus, il doit y avoir de la place pour la flexibilité, puisque le système est ouvert à des perturbations exogènes, venant notamment du marché.

Comme nous l'avions noté, Ford avait accepté une certaine réduction dans l'efficience du système, à cause des duplications admises ; l'entreprise pouvait ainsi accroître sa capacité de réponse au marché et montrer une certaine sensibilité locale pour satisfaire aux préoccupations des gouvernements et, dans une certaine mesure, de celles des gestionnaires locaux. IBM, qui a un système au moins aussi complexe que celui de Ford, avait aussi introduit beaucoup de flexibilité pour réduire sa vulnérabilité et éviter d'étouffer le fonctionnement de l'ensemble en cas de perturbation le long du système. Le plan de production d'IBM était, dans les années 1980, établi pour 18 mois mais reconfirmé et réajusté tous les 6 mois.

Les questions d'extension ou de contraction du système sont encore plus complexes. Il faut d'abord apprécier les effets sur l'ensemble du système, ce qui n'est déjà pas une sinécure, mais il faut aussi réconcilier les besoins d'efficacité et d'efficience avec les exigences des gouvernements les plus importants pour l'entreprise. Finalement, il faut se rappeler que les investissements internationaux introduisent encore plus de risques et d'incertitude en raison des problèmes de change et d'évolution de la situation relative des facteurs d'un pays à l'autre. C'est sans doute cela qui explique que les décisions d'investissement majeur soient centralisées. Les entreprises les mieux gérées semblent, malgré cela, laisser une place à l'initiative locale des dirigeants de filiales.

2. La recherche et le développement

Dans le cas d'une entreprise intégrée, la nature de la recherche et du développement peut aussi rendre la gestion problématique. La globalisation de la production peut, sous la pression des gouvernements, forcer la globalisation de la recherche et du développement, ce qui n'est pas nécessairement favorable au développement technologique. On se retrouve alors souvent dans des situations où le système de recherche et développement doit nécessiter une coordination aussi importante que celle du système de production-logistique, avec tous les problèmes que cela peut entraîner.

C'est ainsi qu'IBM maintient de nombreux centres de recherche et développement à travers le monde. Cela avait été une source de problèmes majeurs, notamment lors du développement et du lancement de sa première grande gamme de produits, l'IBM 360. Les traumatismes de cette expérience ont incité IBM à relier les activités de ses centres et à mettre en place une intégration de ses activités qui maintient la capacité à innover. Notamment, IBM a décidé de confier des « missions » (conception et innovation de départ) et des « contrôles » (développement pour la mise en marché) permanents à ses centres les plus importants. Ainsi, il y a, en dehors des États-Unis, quatre grands centres de recherche et développement, en Allemagne, en France, au Japon et au Royaume-Uni, et chacun a une responsabilité particulière (en France : unités de semi-conducteurs logiques ; en Allemagne : imprimantes, etc.).

De même, on se rappellera que Ford avait lancé la Ford Fiesta comme une « voiture mondiale », conçue de manière conjointe par plusieurs filiales. Le concept fut d'abord élaboré aux États-Unis, puis confié à Ford-Europe. Les tensions dans ces cas sont inévitables. En effet, trop de sensibilité aux réalités locales peut mettre en cause les besoins d'efficacité de l'intégration, tandis que trop d'intégration peut nuire à la pénétration des marchés.

3. Les relations avec les autorités nationales

L'intégration est vue avec beaucoup de méfiance par les gouvernements nationaux, qui voient là une atteinte à l'autonomie de décision de la nation. Ils n'y souscrivent que lorsqu'ils comprennent les nécessités de la dynamique de l'industrie et lorsqu'ils ont développé des relations confiantes et détendues avec les entreprises concernées. C'est cela qui explique les efforts diplomatiques que les multinationales intégrées ont tendance à faire. Par exemple, Ford a créé, dans les années 1980, un conseil consultatif européen, composé de personnalités ayant une influence sur la politique européenne. Ainsi, Senior Lopez de Letona, le ministre espagnol de l'Industrie qui avait négocié avec Ford en 1972-1973, y fut invité lorsqu'il quitta le gouvernement. Il semble, en général, qu'IBM a eu plus de succès que la plupart des entreprises à construire une bonne crédibilité locale en Europe et en Amérique du Nord.

L'autre problème est celui des relations avec les syndicats, qui se sont détériorées en raison du système éclaté des entreprises intégrées. Les syndicats se retrouvent souvent en conflit les uns avec les autres pour soutenir ou combattre les décisions de production et d'investissement de ces entreprises. Les gouvernements sont alors fréquemment obligés d'intervenir sur le plan diplomatique pour résoudre les conflits, mais ils le font de manière différente. Le gouvernement espagnol a, par exemple, une influence directe plus grande, le gouvernement français joue plutôt le rôle d'arbitre, tandis que le gouvernement n'intervient que très peu au Royaume-Uni, où le système de relations industrielles est très fragmenté.

4. La gestion des gestionnaires de filiales

Le plus grand des problèmes reste la capacité à mesurer et à apprécier la performance des filiales. Cela est perturbé lorsque les interdépendances sont nombreuses et mettent en cause la transparence des contributions. Le système de comptabilité doit alors permettre d'accroître la visibilité des conséquences des actions locales et d'éviter que des préjugés locaux viennent perturber la stratégie globale. Doz (1986, p. 180) a décrit quelques solutions mises en œuvre par de grandes multinationales.

B. La gestion de la sensibilité nationale

La sensibilité nationale est la manifestation du caractère multinational traditionnel. Les problèmes qu'elle pose sont généralement mieux connus.

On peut mentionner ceux-ci :
- La nécessité de mettre ensemble les risques et de répartir les ressources parmi les filiales.
- La nécessité d'éviter les duplications en matière de R-D et de répartir les coûts de celle-ci sur un volume plus grand d'activités.
- La coordination des exportations des filiales qui produisent les mêmes équipements ou produits.
- Le transfert de technologie et, en général, de savoir-faire dans tous les domaines.

L'allocation des ressources est perturbée surtout à cause de standards de comptabilité différents, de réglementations d'investissement et de taxation différentes, de taux d'inflation différents d'un pays à l'autre, ce qui force beaucoup d'entreprises à accepter une coordination moins que parfaite. Corning Glass Works a ainsi généralement accepté beaucoup d'imperfections dans les systèmes de l'entreprise où la sensibilité nationale était requise. Ses interventions pour coordonner davantage (voir le cas Corning Glass Works, 1987) n'ont en général pas été couronnées de succès.

Il demeure que les dirigeants des multinationales en situation de sensibilité nationale se servent des instruments que nous avons mentionnés pour assurer une certaine uniformité dans le comportement. En particulier, ils utilisent les instruments suivants :
- Une certaine uniformité des systèmes d'information, surtout ceux de la planification, du budget et du contrôle. Il arrive souvent que le contrôle soit centralisé et devienne un instrument de surveillance, comme ce fut le cas à ITT au cours des années 1970 et 1980. Mais ultimement, l'allocation des ressources demeure un acte de confiance dans les capacités et le jugement des dirigeants de filiales, ce qui souligne l'importance des personnalités dans la gestion de ce genre de stratégie.
- L'encouragement des comportements d'entreprise par des systèmes de mesure et de récompenses et punitions. Pour cela, on a tendance à mesurer la performance sur la base des objectifs que se fixent les filiales elles-mêmes plutôt que sur des instruments de mesure standard, moins nécessaires ici que lorsqu'il y a intégration. La gestion des carrières a aussi tendance à être concentrée nationalement, avec une influence et un pouvoir réels pour les dirigeants nationaux performants et un pouvoir plus limité pour le personnel central.
- Le contrôle par les pairs, qui peut se faire lorsque les pairs participent à la fois à la conception, avec des responsabilités collectives, et

à l'évaluation des plans et des demandes de fonds et d'autres ressources. Cela se fait par la création « d'équipes d'affaires ou de produits » pour la coordination et la responsabilité des profits. Il faut cependant bien combiner les responsabilités, notamment pour les profits, de manière cohérente avec les pouvoirs disponibles dans le groupe. Cela demande donc un suivi minutieux par la haute direction.

- L'engagement direct de la haute direction. Celle-ci peut agir de manière précise dans les opérations, comme le faisait Geneen (1984), ou de manière plus vague sur les comportements, comme le faisait le président de Schlumberger, Riboud (Christiansen, 1982).

III. ÉPILOGUE

Après ce tour d'horizon, on peut imaginer ce qu'il faut faire pour qu'il n'y ait aucun problème dans la gestion d'une grande entreprise mondiale. Il faut sans doute faire preuve d'un grand génie en matière de conception stratégique et de développement des instruments de gestion requis et ne pas oublier que même si tout le monde essaie, peu réussissent.

Cela veut probablement dire que les outils et les analyses dont nous avons parlé jusqu'ici ne sont pas suffisants. Ce ne sont que les ingrédients d'une construction de nature réellement artistique. Cette construction suppose des artistes de qualité, mais aussi des mécanismes de concentration qui permettent à tous d'aller dans la bonne direction. Ces mécanismes sont de nature symbolique et idéologique ou culturelle. Nous n'avons pas insisté beaucoup sur ces aspects, surtout parce qu'ils sont inévitables, et non parce qu'ils ne sont pas importants. Ce sont aussi des mécanismes qui sont une partie intégrante des valeurs de la communauté constituée par les personnes clés de l'organisation et donc spécifiques à chaque organisation.

Pour revenir à Bombardier, les dirigeants eux-mêmes et les observateurs (Tremblay, 1994) reconnaissent que les éléments culturels sont plus convaincants, pour expliquer la remarquable convergence qui fait le succès de l'entreprise, que tous les mécanismes de gestion formelle qui sont dans les livres. Il s'agit là de notre dernier avertissement au lecteur trop excité par l'apparente sophistication des instruments proposés.

LES ALLIANCES STRATÉGIQUES : QUAND ET COMMENT Y RECOURIR [1]

par Jean-Louis Denis
et Francine Séguin

Dans le contexte de mondialisation des échanges et de concurrence accrue dans les marchés, les alliances stratégiques sont souvent présentées comme un moyen pour réduire les incertitudes auxquelles les entreprises sont confrontées, pour les éliminer ou pour mieux les contrôler. Quand on examine les écrits récents sur les alliances stratégiques, on remarque qu'ils se préoccupent principalement du processus de formulation et marginalement des problèmes ayant trait au processus d'implantation de ces alliances. D'une certaine façon, cette situation ressemble à celle qu'on retrouve dans les écrits sur la diversification. Mettre l'accent sur la formulation mène à surestimer la capacité des alliances stratégiques à réduire les incertitudes et représente ainsi un obstacle au développement de pratiques managériales susceptibles d'accroître leur succès.

LE PROCESSUS DE FORMULATION

La décision pour une organisation de s'engager dans une alliance stratégique découle d'une analyse des menaces et des contraintes présentes dans l'environnement de la firme, et de la capacité d'un tel arrangement de les éliminer. Dans cette section, nous aborderons certains facteurs économiques, technologiques et politiques pouvant conduire aux alliances stratégiques et permettre à la firme d'améliorer sa position concurrentielle (Hamel, Doz & Prahalad, 1989).

Les **incertitudes économiques** proviennent de la complexité croissante des processus d'acquisition des ressources nécessaires aux activités d'une firme, de l'organisation du travail et de la dynamique des marchés. Dans un contexte de mondialisation de l'économie et de stagnation de plu-

---

1. Extrait tiré de *Gestion*, Revue internationale de gestion, novembre 1992, p. 22-27.

sieurs marchés locaux, l'accès aux marchés étrangers devient un élément crucial pour la croissance de nombreuses firmes. Ainsi, pour étendre leur emprise à des marchés éloignés sur le plan géographique ou culturel, plusieurs opteront pour une alliance stratégique (Porter, 1990) qui, en facilitant l'accès à de nouveaux marchés, peut permettre d'écouler une capacité excédentaire de production (Morris & Hergert, 1987). La conquête de marchés étrangers est alors facilitée, non seulement par les informations et les connaissances que possède le partenaire local (Contractor & Lorange, 1988), mais aussi par la convergence des préférences des consommateurs dans un contexte de mondialisation (Ohmae, 1989). Certaines alliances stratégiques se fondent donc sur la recherche d'un réseau de distribution des produits pour entrer dans un nouveau marché, et ne visent pas nécessairement le développement d'un produit qui répondrait à des préférences locales.

Outre la volonté de pénétrer de nouveaux marchés, la structure économique de plusieurs secteurs industriels représente un incitatif très fort pour recourir aux alliances stratégiques. L'automatisation accrue de la production industrielle et la nécessité de défendre, par des campagnes publicitaires importantes, le marché de nombreux produits ont pour conséquence d'accroître les coûts fixes liés aux activités économiques. L'alliance stratégique devient alors le moyen privilégié par plusieurs firmes pour faciliter le financement des équipements de production et le marketing soutenu des produits (Morris & Hergert, 1987 ; Ohmae, 1989). De plus, en donnant accès à un marché plus vaste, elle permet l'amortissement des coûts fixes sur une période plus courte, et elle peut, en outre, générer certains bénéfices financiers associés aux économies d'échelle (Morris & Hergert, 1987 ; Contractor & Lorange, 1988).

L'alliance stratégique semble aussi un moyen intéressant pour diminuer les barrières à l'entrée dans un secteur d'activité (Porter, 1980). En s'associant à une firme concurrente déjà bien implantée et ayant une emprise géographique et la connaissance d'un marché, une entreprise élimine ainsi un obstacle majeur à son entrée. Faire alliance avec une autre firme permet donc de réduire la concurrence dans un secteur.

L'alliance stratégique peut aussi contribuer à une rationalisation de la production. Plusieurs firmes peuvent, en appliquant des procédés de design et de fabrication modulaires, se partager différentes étapes de la production d'un produit en vue d'accroître l'efficience du processus (Morris & Hergert, 1987 ; Hamel, Doz & Prahalad, 1989). L'utilité d'une alliance stratégique repose alors sur une complémentarité des actifs tangibles et intangibles des firmes participantes (Contractor & Lorange, 1988 ; Jorde & Teece, 1989).

L'alliance devient motivée par un souci de formaliser les relations ou échanges entre les chaînes de valeur de firmes différentes (Porter, 1985). Elle peut permettre d'accroître le contrôle de la qualité des produits en misant sur une spécialisation accrue des différentes étapes de la production (Hamel, Doz & Prahalad, 1989).

D'autres motifs d'ordre économique peuvent inciter les firmes à s'engager dans des alliances stratégiques. L'alliance avec d'autres organisations peut augmenter la capacité d'une firme de négocier sur les marchés financiers (Harrigan, 1987). Les avantages concurrentiels générés par des systèmes d'information efficaces (supervision des stocks, gestion de l'approvisionnement, etc.) sont probablement plus accessibles pour une firme qui partage avec d'autres le financement de ces infrastructures (Harrigan, 1987 ; Kohn, 1990). Enfin, la participation à une alliance stratégique est, dans certains cas, motivée par la recherche d'une diminution des coûts de transaction (Williamson, 1979 ; Jarillo, 1988). En développant des relations privilégiées avec d'autres firmes, ce qui favorise un climat de confiance, une organisation peut faciliter la négociation d'ententes (contrat d'approvisionnement ou de distribution, contrat d'entretien d'équipements, etc.) et diminuer ainsi la complexité des échanges économiques.

En somme, d'un point de vue économique, la conclusion d'alliances stratégiques est un choix fait par des firmes pour fonctiooner dans un contexte de mondialisation et de maturation des marchés. Les alliances peuvent avoir des retombées positives sur l'ensemble des activités d'une firme lorsqu'elles visent une amélioration des procédés de production et donnent lieu à des échanges d'expertises transférables à d'autres secteurs. Elles représentent aussi un moyen de réduire la concurrence en s'associant à une firme dont la position sur un marché est déjà solidement établie.

L'incertitude technologique entourant les activités économiques de la firme découle autant de la complexité accrue des expertises nécessaires à l'élaboration des procédés de production et des produits que de la cadence rapide des innovations scientifiques et technologiques. L'alliance stratégique est un moyen de contrôler les investissements d'une firme en matière de technologie (Harrigan, 1987 ; Porter, 1986). Elle permet de freiner les dépenses dans ce domaine en faisant supporter par d'autres firmes les coûts de recherche et développement. Elle réduit aussi le risque de perdre un avantage concurrentiel en sous-investissant dans le développement technologique (Jorde & Teece, 1989). Les risques de sous-investissement technologique sont importants étant donné la rapidité avec laquelle d'autres firmes imitent les innovations. Dans un contexte de diffusion accélérée des technologies, le partage des coûts de développement s'avère donc une stratégie pour continuer à investir dans les technologies sans mettre en péril la rentabilité de la firme.

L'incertitude technologique est aussi causée par une dispersion importante des foyers d'innovation. Pour accéder à des compétences spécifiques, certaines firmes choisiront l'alliance stratégique (Ohmae, 1989). L'objectif visé par cette stratégie est similaire à celui visé par la conquête de marchés extérieurs. En faisant alliance avec d'autres firmes, il devient possible de bénéficier d'une maîtrise technologique particulière dont le développement relève d'une dynamique concurrentielle locale forte (Porter, 1990). L'alliance stratégique est donc un moyen de négocier avec l'incertitude technologique, en élargissant le financement des efforts de recherche et de développement ou en donnant accès à une expertise difficile à développer dans l'environnement immédiat de la firme.

Outre les incertitudes de nature économique et technologique, les alliances stratégiques peuvent diminuer **les incertitudes politiques** entourant les activités de la firme. Par «politiques», on entend les incertitudes générées 1) par les interventions des autorités législatives ou réglementaires ; 2) par la présence de firmes suffisamment puissantes pour influer sur la dynamique d'un secteur d'activité, soit par le contrôle des associations d'entreprises, soit par l'efficacité de leur représentation auprès de l'État ; et 3) par la mobilité d'acteurs organisationnels possédant des expertises spécifiques ou des informations privilégiées qui peuvent ainsi être transférées à d'autres firmes en éliminant du même coup des avantages concurrentiels. La tendance actuelle à la déréglementation de nombreux secteurs favorise la conclusion d'alliances stratégiques, car ces dernières peuvent permettre de mieux résister aux nouvelles pressions concurrentielles en augmentant les ressources disponibles pour le développement de produits ou services ou en contrôlant une part de marché plus importante (Harrigan, 1987 ; Bowersox, 1990). Les alliances stratégiques sont aussi utilisées pour contourner les lois antitrusts (Gupta & Lad, 1983 ; Bowersox, 1990 ; Porter, 1990), car elles favorisent l'établissement de liens de coopération sans aboutir à une concentration trop forte d'un secteur d'activité. Enfin, certaines organisations s'allieront à d'autres firmes pour bénéficier du soutien que l'État accorde à ces dernières (Harrigan, 1987). L'alliance vise alors à bénéficier de certaines des retombées positives que peut conférer le soutien étatique (marché protégé, marge de manœuvre financière plus importante), tout en permettant la collaboration avec une firme qui pourrait mener une forte concurrence, à court terme du moins, étant donné sa structure économique moins sensible au marché.

Dans l'ensemble, la littérature sur les alliances stratégiques projette une image plutôt favorable de ces initiatives de gestion. Elles y sont perçues comme un outil efficace de gestion des incertitudes économiques, technologiques et politiques générées par la mondialisation et la maturation de nombreux marchés. Cette littérature témoigne d'une confiance dans la collaboration entre les organisations à vocation économique. Par contre, en ne mettant l'accent que sur les facteurs qui poussent les entreprises à s'engager sur la voie des alliances stratégiques, elle tend à sous-estimer les problèmes d'implantation de ces alliances.

LE PROCESSUS D'IMPLANTATION

En stratégie, beaucoup de réflexions ont été consacrées à la formulation, alors que la mise en œuvre des stratégies est peu abordée (Mintzberg, 1990 ; Skivington & Daft, 1991). La littérature sur les alliances stratégiques ne fait pas exception. Or, malgré le soin apporté à la planification d'une alliance stratégique (depuis l'évaluation des besoins de l'entreprise et le choix des partenaires, jusqu'à la négociation et au démarrage de l'alliance), la **mise en œuvre** demeure toujours problématique : « Many organizations pay too little attention to operations planning, clarity of goals, personnel selection, resource allocation, reporting systems, costs controls and desired results. » (Lynch, 1990, p. 8).

Différents types de problèmes sont liés à la mise en œuvre des alliances stratégiques. Contractor et Lorange (1988) estiment que tout arrangement interorganisationnel engendre des **coûts de transaction** à la fois directs (par exemple, les coûts de transfert de la technologie et de l'expertise et les coûts pour la coordination) et indirects (par exemple, l'augmentation de nombre de gestionnaires et de conseillers juridiques au siège social). Les entreprises doivent donc évaluer soigneusement ces coûts avant de conclure une alliance stratégique. Une mauvaise estimation de ces coûts peut les amener à ne pas consacrer les sommes suffisantes au fonctionnement de l'alliance et ainsi compromettre sa mise en œuvre.

Pour Ohmae (1990), la principale source d'incertitude ne réside pas dans les coûts financiers inhérents au fonctionnement des alliances stratégiques, mais dans l'**attitude des entreprises et de leurs gestionnaires qui veulent tout faire seuls.** Par tradition et par formation, les entreprises préfèrent adopter des comportements strictement concurrentiels. Il est certain que les gestionnaires au sommet ont reçu une formation qui les amène à concevoir que leur entreprise est en compétition avec toutes les autres dans le marché, et qu'elle doit se donner des stratégies pour vaincre ses concurrents. Faire alliance et coopérer apparaissent souvent comme un *second best choice*, que l'on espère délaisser dès que l'environnement se fera moins menaçant ou que la firme aura développé des compétences additionnelles lui permettant de mieux se situer dans le jeu de la concurrence. Il arrive alors que les gestionnaires ne consacrent pas au fonctionnement d'une alliance stratégique l'énergie nécessaire à son succès, ce qui rend difficile sa mise en œuvre.

Une alliance stratégique entre deux entreprises peut aussi impliquer un **choc entre deux cultures organisationnelles**. Pour Ohmae (1990), les mélanges réussis sont l'exception et non la règle. Pour diminuer les incertitudes reliées à ce phénomène, les organisations doivent accorder de l'importance à la sélection des personnes directement impliquées dans le fonctionnement d'une alliance, et à leur formation. La mise en œuvre d'une alliance stratégique sera réussie si les gestionnaires impliqués acquièrent une connaissance de la culture organisationnelle et du mode de gestion des partenaires avec lesquels leur entreprise fait alliance. Comme plusieurs alliances stratégiques se font entre partenaires situés dans des pays dont les cultures sont fort différentes, il est aussi important que les gestionnaires acquièrent une connaissance des traits culturels de ces pays susceptibles d'influer sur la mise en œuvre d'une alliance. En un sens, ils doivent devenir ce que Kets de Vries (1989) appelle des « gestionnaires mondiaux ».

La participation à une alliance stratégique pose aussi la difficulté, à la fois politique et culturelle, de gérer la **transformation du système d'interprétation dominant** dans une firme. Greenwood et Hinnings (1988) ont souligné la tendance des organisations à une certaine inertie fondée sur une cohérence entre leurs structures et leurs modes d'interprétation. Le changement de l'une ou l'autre de ces composantes exige des mutations d'envergure et parfois risquées pour la survie de l'organisation. En raison de l'engouement pour les alliances stratégiques, on a négligé de considérer la nature configurationnelle des changements organisationnels, et négligé aussi de voir jusqu'à quel point certaines collaborations doivent s'accompagner d'une transformation de la gestion, de son rôle dans l'organisation et de la représentation la plus importanta de la firme. L'alliance stratégique ne se limite pas à une action strictement instrumentale soumise à une rationalité économique ; elle met en relief la nécessité de comportements et d'habiletés de gestion spécifiques, affirmant ainsi la dimension essentiellement contextuelle des pratiques administratives (Whitley, 1988).

Certains auteurs en analyse des organisations, dont Thorelli (1986), soulignent l'importance des **facteurs politiques** dans les échanges interorganisationnels. À la suite des travaux de Benson (1975), ils insistent sur le caractère asymétrique des échanges inter-organisationnels. La mise en œuvre d'une alliance stratégique suppose que des partenaires entrent en relation et collaborent. Or, ces partenaires ont des compétences et des forces différentes et inégales, ce qui peut donner lieu à des **relations de pouvoir et de dépendance** (Aldrich, 1979 ; Cook, 1977 ; Pfeffer & Salancik, 1978 ; Skinner et coll., 1987). Une relation de dépendance, pour un aspect crucial des activités de la firme, peut s'avérer difficile à supporter pour l'entreprise dépendante. De plus, au cours de la mise en œuvre d'une alliance stratégique, des événements non prévus peuvent se produire, que l'un ou l'autre des partenaires tentera d'utiliser à ses propres fins. Se développent alors des relations de méfiance qui ne favorisent pas le succès de l'alliance stratégique et peuvent conduire à une renégociation de l'entente (Harrigan & Newman, 1990).

Enfin, la mise en œuvre d'une alliance stratégique peut devenir difficile lorsque l'un ou l'autre des partenaires entretient des **attentes irréalistes** quant aux bénéfices qu'il peut en retirer. Les résultats concrets qui en découlent peuvent susciter de la frustration et rendre difficile le maintien de l'entente de collaboration.

Alors que la littérature tend à sous-estimer l'importance des incertitudes reliées à l'implantation des alliances stratégiques, certains auteurs reconnaissent que ces alliances génèrent de nouvelles incertitudes ; ils en ont une vision apocalyptique. Pour Porter (1990), les alliances stratégiques ne constituent pas un arrangement stable, mais plutôt une forme temporaire appelée à disparaître, car elles peuvent conduire à une mauvaise performance de l'entreprise et empêcher celle-ci d'atteindre un véritable leadership dans un secteur industriel donné. Une alliance stratégique peut **réduire la capacité concurrentielle d'une entreprise** en diminuant l'intensité de la concurrence et en rendant l'entreprise dépendante par rapport à son ou ses partenaires. Dans un tel contexte, la firme « apprend » à ne plus compter sur elle seule pour réussir et désapprend à lutter et à compétitionner. C'est une vision darwinienne, selon laquelle les entreprises qui survivent sont celles qui ont développé et continuent à utiliser certaines forces et habiletés leur permettant de s'imposer par rapport à leurs concurrents.

C'est selon une telle logique que le partage de l'information entre firmes est souvent considéré problématique. Pour fonctionner, une alliance stratégique doit reposer sur un partage de l'information qui rend le comportement des organisations plus prévisible, ce qui crée un environnement plus stable et contribue ainsi à réduire l'incertitude dans le processus de prise de décision (Astley & Fombrun, 1983). Mais cet avantage des stratégies collectives peut devenir un désavantage, puisque l'entreprise sacrifie à court terme un atout concurrentiel important et handicape ainsi à plus long terme sa compétitivité (Bresser, 1988).

C'est cette même logique qui incite certains auteurs à affirmer que les alliances stratégiques, à l'échelle mondiale, empêchent les entreprises de développer une capacité à répondre aux besoins locaux. Comme l'alliance stratégique empêche la firme d'apprendre à partir des conditions et des forces concurrentielles d'un marché local, cela diminue alors ses propres capacités concurrentielles à plus long terme.

La gestion des alliances stratégiques : défis et occasions

par Louis Hébert

Alliance stratégique : (aljãs strate'ik). n.f. Entente formelle ou informelle où deux entreprises ou plus (les parents) décident de regrouper des ressources et compétences dans la poursuite d'objectifs communs."Ce concept couvre une large gamme d'activités de coopération, allant de la coopération en distribution et à la R-D en commun, à la création d'une nouvelle entité distincte, une coentreprise (ou «joint venture»).

Devant la mondialisation des économies et l'accélération du changement technologique, les alliances stratégiques sont devenues des éléments importants de la stratégie internationale de plusieurs entreprises. Le phénomène des alliances n'est pas nouveau ; elles existent depuis des décennies, sinon des siècles. Toutefois, ce qui est nouveau, c'est le caractère stratégique de ces ententes de coopération interentreprises. Les alliances ne touchent plus seulement des activités, des produits ou des marchés considérés comme périphériques. Au contraire. Elles se retrouvent au cœur de la stratégie et des compétences distinctives de l'entreprise puisqu'elles touchent des activités, des produits et des marchés centraux et stratégiques. Les alliances stratégiques sont des véhicules de concurrence de premier choix, tant sur les marchés globaux que multilocaux, et leur nombre et fréquence augmentent de manière géométrique.

Malgré leurs promesses et leurs avantages indéniables, les alliances stratégiques ne sont pas sans difficultés ou défis. La présence de plusieurs entreprises ayant des cultures nationales et organisationnelles différentes, ainsi que des stratégies concurrentielles et des structures différentes, engendre des situations complexes difficiles à gérer. Plusieurs alliances regroupent aussi des entreprises potentiellement, indirectement ou même directement, en concurrence. La cohabitation de concurrents augmente d'autant plus la complexité des alliances. Il n'est donc pas étonnant que, pour beaucoup d'entreprises, les alliances stratégiques soient considérées comme difficiles à gérer et l'occasion de nombreux conflits. Les problèmes de performance sont fréquents et les taux d'échec peuvent aller de 30 % à 70 %, selon les études. Beaucoup d'entreprises ne réussissent donc, à tirer parti de leurs alliances. Par le fait même, la gestion efficace des alliances devient une compétence primordiale pour la survie et le développement à long terme d'une majorité d'entreprises.

Dans les prochaines pages, nous discuterons des défis de gestion posés par les alliances stratégiques. Notre objectif est d'aider les entreprises et les managers à améliorer leur gestion des alliances. Pour y arriver, nous présentons un modèle où les alliances sont conceptualisées comme un processus débutant avec la décision de former un alliance et de rechercher un partenaire et se terminant avec la dissolution ou la continuation de l'alliance. En proposant une vue globale du processus, ce modèle nous permet de définir les défis importants à relever aux différentes phases du cycle de vie d'une alliance.

LES ALLIANCES STRATÉGIQUES : LE PROCESSUS

Les alliances stratégiques peuvent être considérées comme un processus comprenant des étapes bien précises. Chaque étape de cycle de vie présente des défis qui lui sont propres. Ceux-ci peuvent avoir une répercussion considérable sur le succès de l'alliance et sur la capacité des parents à atteindre leurs objectifs.

LES OBJECTIFS

Grâce à une alliance, une entreprise peut poursuivre une grande variété d'objectifs, à la fois stratégiques et économiques. Comparativement aux objectifs économiques ou financiers, les objectifs stratégiques peuvent être vagues et difficiles à mesurer. C'est pourquoi une définition claire de l'intention stratégique de l'alliance est la pierre d'assise de tout le processus. Le succès d'une alliance dépend en premier lieu de la capacité d'une entreprise à définir clairement l'intention stratégique de l'alliance. Sans cette intention, une entreprise ne peut se donner des objectifs réalistes et cohérents. Que désirons-nous obtenir de l'alliance ? Comment un partenaire nous aidera-t-il à l'obtenir ? Comment définissons-nous le succès de l'alliance ? En particulier, comment cette alliance nous permettra-t-elle d'atteindre nos objectifs ?

Trop souvent, on rencontre des incohérences entre les objectifs poursuivis et la forme de l'alliance. Les entreprises négligent le caractère stratégique de ces organisations. Elles cherchent à résoudre des difficultés à court terme par des solutions à long terme, comme la création d'une coentreprise.

Par ailleurs, ces considérations stratégiques se doivent d'avoir un soutien économique : quels sont les bénéfices que nous espérons en tirer ? On s'assure ainsi que les ressources investies dans une alliance contribueront à la santé économique de l'entreprise. Définir les objectifs de l'alliance en facilite aussi la gestion. Les problèmes de performance peuvent être repérés plus tôt, et les correctifs requis peuvent être mis en œuvre plus rapidement.

Enfin, un consensus au sein de la direction générale sur les motivations stratégiques est essentiel. Coopérer avec une entreprise étrangère ou un concurrent actuel ou potentiel peut devenir une aventure désastreuse si la direction ne s'entend pas sur les objectifs de l'alliance ou ne les comprend pas. L'absence d'engagement et de soutien solide au sein de la direction peut réduire la capacité d'une entreprise, et de son leadership, de gérer efficacement le processus de création de l'alliance. Une telle situation peut aussi nuire à la résolution des inévitables conflits pouvant survenir avec le partenaire et à la mobilisation des ressources requises pour que l'alliance fonctionne.

LA SÉLECTION D'UN PARTENAIRE

Le succès d'une alliance dépend aussi du fait que l'on trouve le « bon » partenaire. La sélection d'un partenaire peut se faire selon deux grandes catégories de critères : les ressources et compétences du partenaire (dispose-t-il des ressources et compétences nécessaires ?) et sa compatibilité (peut-on travailler ensemble ? Nos objectifs sont-ils compatibles ?). L'identification de ces critères ainsi que l'évaluation d'un partenaire potentiel sont d'autant plus faciles que l'entreprise dispose d'une idée claire de ses objectifs et, par extension, de ses besoins. Au contraire, trouver le « bon partenaire » peut s'avérer une tâche quasi impossible si les besoins, objectifs et, par conséquent, les critères de sélection sont mal définis, mal compris ou mal communiqués. De plus, le partenaire idéal et parfait est rarement disponible. Un compromis entre ces deux dimensions est inévitable. Mais sur quelle(s) dimension(s) doit-on faire ce compromis ? Encore une fois, des objectifs clairs et bien définis pourront faciliter la prise de décision.

La sélection d'un partenaire soulève aussi des questions de temps et de coûts alloués à cette étape de la formation d'une alliance. Un processus de sélection méthodique et exhaustif pourra sans doute permettre de reconnaître les meilleurs candidats, d'accumuler plus d'information et d'arriver à une évaluation plus précise. Toutefois, le temps et les ressources consacrés par la direction à un tel processus peuvent représenter des dépenses considérables. Les concurrents peuvent profiter de ce délai pour réagir, former leur propre alliance et être les premiers à en saisir les bénéfices. L'occasion offerte par une alliance peut aussi être trop étroite ou trop brève pour justifier un long processus de sélection. Par ailleurs, un processus trop rapide peut mener à choisir un candidat de second ordre ou dont les compétences seront rapidement désuètes, compte tenu des changements rapides dans l'environnement.

Une fois le partenaire choisi, les négociations formelles peuvent débuter. Le résultat espéré de ces négociations ne se limite pas à un accord de principe liant les parties. Cette étape du processus est une occasion pour tous les partenaires de clarifier et de communiquer leurs attentes et objectifs et, dès lors, de réduire les risques de conflits majeurs plus tard dans la vie de l'alliance. Cette période de « fréquentation » peut aussi permettre aux partenaires de mieux se connaître et d'apprendre à travailler ensemble. Finalement, ces négociations peuvent contribuer à établir un climat de confiance entre les entreprises et leurs gestionnaires. La confiance est un élément primordial d'une alliance à succès. Son rôle, son importance et son développement doivent donc être une priorité très tôt dans la formation d'une alliance.

LA STRUCTURE DE L'ALLIANCE

Dans le processus de formation, il est habituel de consacrer une attention particulière à la structure de l'alliance. Cette structure comprend les activités exécutées par l'alliance. Elle touche aussi aux responsabilités et prérogatives des partenaires ainsi qu'à l'autonomie de l'alliance par rapport à ses parents. Les partenaires doivent comprendre que l'exercice d'un degré élevé de contrôle sur une large gamme d'activités et de décisions est rarement nécessaire ou même utile pour le succès d'une alliance. En fait, le contrôle entraîne lui-même des coûts importants : il occasionne à la direction des responsabilités supplémentaires et il oblige celle-ci à y consacrer des ressources et du temps. Ces frais peuvent s'avérer suffisamment élevés pour annuler les bénéfices qu'une entreprise entend retirer d'une alliance.

Les gestionnaires doivent donc éviter de se limiter à une perspective globale et sommaire du contrôle de leur alliance. Un gestionnaire peut souhaiter avoir un contrôle total et absolu d'une alliance, cette tendance pouvant être motivée par la nécessité de protéger les intérêts ou le capital intellectuel de l'entreprise. On peut aussi vouloir diminuer l'incertitude inhérente aux activités de l'alliance. Néanmoins, l'objectif est d'arriver à un exercice parcimonieux du contrôle. Il s'agit de contrôler les activités et les décisions qui sont d'une importance capitale pour la mise en œuvre de la stratégie de l'entreprise et de l'alliance, et de mettre de côté les activités qui pourraient entraîner des coûts qui annuleraient les bénéfices de l'alliance.

La question du contrôle et de sa répartition entre les partenaires est particulièrement pertinente dans le cas d'une coentreprise, c'est-à-dire d'une alliance menant à la création d'une entité distincte dont la propriété est partagée entre les partenaires. Dans ce cas, la recherche démontre qu'une coentreprise où la propriété est divisée également, à 50/50, est généralement plus stable que celle où la propriété est divisée inégalement. Une division 50/50 de la propriété se veut en effet le reflet du besoin mutuel des partenaires plutôt que de leur expertise en négociation.

Le personnel de l'alliance est un autre élément clé de sa structure. Compte tenu de la complexité et du haut taux d'échec des alliances, celles-ci doivent pouvoir compter sur les meilleures compétences managériales disponibles. Ces gestionnaires ne sont pas nécessairement ceux qui ont le plus d'ancienneté ou qui sont les plus expérimentés, mais ils se doivent surtout d'être efficaces, flexibles et motivés, même dans les situations délicates et ambiguës. Le rôle du directeur général ou du leader de l'alliance est particulièrement important. Par conséquent, il doit disposer de l'autonomie nécessaire pour bâtir son équipe de direction.

GÉRER LA RELATION AVEC LE PARTENAIRE

La bibliographie sur les alliances est presque unanime quant à l'importance, pour la stabilité et la performance des alliances, de la qualité de la relation et de la présence de la confiance entre les partenaires. La présence de la confiance n'est pas en soi un facteur automatique de succès. Toutefois, c'est un élément primordial pour résoudre les désaccords et les conflits qui sont inévitables dans ce contexte.

La confiance se construit avec le temps, mais elle peut aussi se gérer. Une confiance mutuelle, une communication efficace et des gestes concrets d'engagement sont très importants, particulièrement en ce qui concerne les alliances internationales, où les différences culturelles peuvent engendrer une tension dans la relation entre les partenaires. Ainsi, la volonté de prendre des décisions sans dissimulation, de partager l'information, de rechercher le point de vue du partenaire et de s'assurer qu'il participe pleinement aux décisions importantes ou le concernant sont parmi les gestes les plus souvent cités comme étant un soutien important pour le développement d'un climat de confiance mutuelle et de coopération. La participation des partenaires aux décisions stratégiques peut servir à consolider leur soutien aux orientations et aux activités de l'alliance. La confiance relève aussi de la communication ; plus celle-ci est efficace, plus elle contribue au climat de coopération.

La confiance se développe avant tout entre les individus. Les occasions pour les gestionnaires et les employés d'entretenir des relations personnelles avec des membres de l'organisation du partenaire peuvent jouer un rôle important à cet égard. Plusieurs entreprises expérimentées en matière d'alliances vont souvent encourager de telles relations, entre autres en organisant des activités sociales et des visites.

Enfin, le climat de confiance entre managers et entreprises peut aussi contribuer à la création de nouvelles ocasions de coopération entre les partenaires. Alors qu'une alliance arrive à la fin de son cycle de vie et que ses objectifs sont atteints, les partenaires peuvent chercher à poursuivre leur coopération et, même, à l'étendre afin de faire fructifier la confiance et la compatibilité qui les caractérisent. Si l'on travaille bien ensemble, pourquoi s'arrêter ici ?

CONCLUSION

Nous avons tenté de souligner quelques-uns des défis importants que les alliances stratégiques présentent aux entreprises et à leurs gestionnaires. Nous l'avons fait en observant ce que l'on pourrait qualifier de « paradoxe des alliances ». D'une part, les gestionnaires se plaignent fréquemment de la complexité, des problèmes de performance et des taux élevés d'échec des alliances. D'autre part, malgré ces difficultés, ces mêmes gestionnaires prévoient que leur entreprise formera un nombre encore plus grand d'alliances dans un avenir prochain. La capacité d'une entreprise à maximiser les bénéfices retirés de ses alliances constitue une source d'avantage concurrentiel durable et significatif. Les entreprises peuvent arriver à développer cet avantage concurrentiel en considérant l'alliance comme un processus et en s'assurant que chacune des étapes de ce processus soit gérée efficacement.

Partie V

CHANGER LA STRATÉGIE

Cette partie comprend deux chapitres et trois notes.

Le chapitre XIII définit les éléments importants pour la compréhension de ce qu'est le changement stratégique. D'abord, une série d'exemples de changement stratégique sont présentés et servent de base à une réflexion sur la nature du changement. En particulier, une définition claire est construite, puis les caractéristiques habituelles du changement sont examinées et discutées : sa profondeur, son ampleur ou son envergure, sa vitesse ou sa durée et le contexte dans lequel il est entrepris.

Le chapitre XIV discute de la conduite du changement stratégique. On y fait d'abord un tour d'horizon des connaissances sur les comportements fondamentaux des personnes. Puis, on y aborde la conduite du changement, divers types de changements requerrant des modes de gestion différents. Pour montrer cela, des *patterns* en matière de changement stratégique sont proposés et décrits et les défis de la réalisation d'un changement sont analysés et discutés.

TROIS NOTES ACCOMPAGNENT CES CHAPITRES :

La première se rattache au chapitre XIII et les deux autres au chapitre XIV.

La note 31 est la traduction d'un petit article très stimulant, dont le titre est évocateur : « Faire des changements : la seule façon de rester le même ». Cet article a été écrit par un grand journaliste, Brendan Gill, qui est décédé en 1998. Le texte a été publié, dans sa version anglaise, par le magazine américain *The New Yorker*.

La note 32 est consacrée à une discussion des questions de légitimité et de leurs rapports au management stratégique. Qu'est-ce que la légitimité ? Quelle est son importance pour le fonctionnement des organisations et pour le changement stratégique ? Comment peut-on la construire et l'utiliser pour faciliter le changement ? Jacob Atangana Abé, étudiant au doctorat à l'École des HEC.

La note 33 est une réflexion sur les dangers que présente le changement radical. Elle affirme qu'il est préférable d'éviter les changements majeurs, discontinus, si l'on veut survivre à long terme. Toutes les recherches le montrent et le bon sens le confirme : on peut concevoir un changement de manière radicale, mais il vaut mieux l'implanter de manière progressive. Cette réflexion est de Taïeb Hafsi.

Chapitre XIII

LE CHANGEMENT ET LA STRATÉGIE : UN TOUR D'HORIZON

The individual-selectionist would admit that groups do indeed die out, and that whether or not a group goes extinct may be influenced by the behavior of the individuals in that group. He might even admit that if only the individuals in a group had the gift of insight they could see that in the long run their own best interests lay in restraining their selfish greed, to prevent the destruction of the whole group... But group extinction is a slow process compared with the rapid cut and thrust of individual competition. Even while the group is going slowly and inexorably downhill, selfish individuals prosper in the short term at the expense of altruists [1]...*

R. Dawkins, 1987, *The Selfish Gene*

On peut se demander pourquoi, malgré la nécessité de rester ensemble, les groupes se défont sous la pression des plus « égoïstes » (au sens biologique du terme) d'entre eux. Cela n'est peut-être pas étranger à la capacité de changer.

Les dirigeants de la plupart de ces entreprises sont surconscients et surinformés des analyses qui justifient le changement. Ils sont suralimentés des conséquences attendues du changement, et notamment de la relation entre le changement désiré et les performances de l'organisation qu'ils dirigent. Souvent même, le changement n'est exprimé qu'en résultat ou sous l'angle de la performance qui vont en résulter. Au même moment, les dirigeants sont largement sous-familiarisés avec les problèmes que pose la réalisation du changement.

Lorsqu'on les interroge, beaucoup de dirigeants font de grands discours sur la nécessité du changement, une lapalissade, mais ils ignorent complètement l'obligation d'impliquer les membres de l'organisation pour réaliser le

---

1. L'individu sélectionniste admettra que les groupes meurent et que le fait qu'un groupe disparaisse ou non est influencé par le comportement des individus dans ce groupe. Il pourrait même admettre que, si seulement les individus du groupe avaient le don de clairvoyance, ils pourraient voir qu'à long terme leurs intérêts dicteraient qu'ils réduisent leur avidité égoïste pour éviter la destruction de l'ensemble du groupe... Mais l'extinction du groupe est un processus lent comparé à la rapidité des actions qu'implique la compétition entre individus. Même lorsque le groupe est doucement et inexorablement détruit, les individus égoïstes prospèrent à court terme aux détriments des altruistes...

changement et ultimement survivre collectivement. Au fond, souvent, ils ne comprennent pas vraiment ce qu'est le changement majeur. Ils confondent le changement réel avec l'exercice intellectuel qui consiste à en comprendre la logique et la nécessité. De ce fait, ils encouragent l'égoïsme chez toutes les personnes de l'organisation et, peut-être sans s'en rendre compte, ils contribuent à la destruction à terme du groupe, et donc de leur organisation.

Les chances de destruction sont présentes en permanence dans la vie de tout groupe, de toute entreprise, parce que le changement est une situation permanente dans la vie d'une organisation. Mais la destruction n'est pas inéluctable. Elle ne domine que lorsque les personnes de l'organisation ne comprennent pas le changement, et donc le perçoivent comme une menace à leur existence. Nous allons commencer ce chapitre par la présentation de trois cas de changements stratégiques. Nous aborderons ensuite différentes définitions du changement stratégique et certaines dimensions importantes. Nous terminerons par les défis que chacun d'entre eux pose aux dirigeants et à l'organisation.

I. LE CHANGEMENT STRATÉGIQUE ET SES MANIFESTATIONS

A. LA FLEXIBILITÉ ET LA RIGIDITÉ DES PARTIS COMMUNISTES D'EUROPE OCCIDENTALE

Dans un remarquable travail qu'il a réalisé pour la Rand Corporation dans les années 1950, Selznick, un grand sociologue américain, s'était enthousiasmé pour la capacité de survie des partis communistes d'Europe occidentale. Ces partis, avait-il observé, ont une formidable capacité à s'adapter pour faire face à l'adversité. En effet, après la guerre, la relation difficile entre les pays d'Europe occidentale et les pays socialistes avait mis en position particulièrement défavorable les partis communistes dans les premiers. Ils semblaient illégitimes et étaient souvent soupçonnés d'association illicite avec le Parti communiste de l'Union soviétique. On a ainsi souvent considéré et présenté le Parti communiste français comme un parti stalinien.

La situation déséquilibrée de ces partis les exposait, selon Selznick, à des situations souvent inattendues. Ils devaient donc constamment s'adapter pour survivre. Jusqu'à une période très récente, ils ont fait preuve d'une capacité d'adaptation tout à fait remarquable. Selznick suggère que cela vient du fait que ces organisations sont infusées de valeurs et deviennent de ce fait des institutions :

The limits of organization engineering become apparent when we must create a structure uniquely adapted to the mission and role of the enterprise. His adaptation goes beyond a tailored combination of uniform elements ; it is an adaptation in depth, affecting the nature of the parts themselves. This is really a very familiar process, brought home to us most clearly when we recognize that certain firms or agencies are stamped by distinctive ways of making decisions or by peculiar commitments to aims, methods, or clienteles. On this way the organization as a technical instrument takes on values. As a vehicle of group integrity it becomes in some degree an end in itself. This process of becoming infused with value is part of what we mean by institutionalization [2].

Ces partis ont ainsi été capables non seulement de faire face à l'adversité mais également de jouer un rôle politique parfois dominant, comme en France ou en Italie. Dans ces pays, l'attachement des membres au parti est légendaire. Le Parti communiste français a même été le parti des intellectuels pendant toute une génération.

Pourtant, depuis cette remarquable description et analyse de Selznick, les partis communistes européens ont tous vécu des situations catastrophiques qui ont présidé à la disparition de beaucoup d'entre eux et à l'affaiblissement définitif de la plupart. Ils ont démontré, collectivement, une incapacité étonnante à se transformer pour s'intégrer à des sociétés démocratiques, dont les valeurs rejoignent les leurs par beaucoup d'aspects. Pour toutes sortes de raisons, cette transformation a été perçue par les membres de ces partis et par leur environnement comme un reniement total. Cela suggère que ces organisations étaient sans doute très flexibles pour des adaptations de combat, de structure et même de stratégie, qui apparemment ne mettaient pas en cause leur identité, mais lorsque le changement leur est apparu plus fondamental, touchant ce à quoi les membres croyaient profondément, la résistance au changement est devenue considérable.

---

2. Les limites de l'ingénierie organisationnelle sont révélées lorsqu'on doit créer une structure adaptée de manière unique à la mission et au rôle de l'entreprise. Cette adaptation va au-delà de l'ajustement, à la manière du tailleur, d'éléments uniformes ; c'est une adaptation en profondeur, qui touche la nature même des composantes. En fait, ce processus est familier, lorsqu'on se rend compte que certaines firmes ou administrations publiques sont reconnaissables à leur façon distinctive de prendre des décisions et à leur engagement particulier à atteindre des objectifs, à suivre des méthodes ou à servir des clientèles. C'est ainsi que l'organisation, instrument technique, s'imprègne de valeurs. Comme véhicule de l'intégrité d'un groupe, elle devient en quelque sorte une fin en soi. Ce processus par lequel on est infusé de valeurs est une partie de ce qu'on appelle institutionnalisation.

B. Les difficultés d'adaptation de General Motors

General Motors (GM) a été longtemps la plus prestigieuse des entreprises américaines. Elle a réussi à s'imposer devant son formidable concurrent, Ford, en faisant preuve d'une grande créativité, d'une grande sensibilité à la clientèle et d'une capacité d'adaptation hors du commun (Sloan, 1964). Elle est ainsi devenue presque un symbole de l'ingénuité et de la capacité d'évolution de la société américaine.

Sloan raconte que GM a, d'une part, complètement réinventé l'automobile : l'invention du système de transmission moderne et du système de ventilation du bloc-moteur, l'amélioration du freinage quatre roues et hydraulique, le perfectionnement de l'assistance au freinage et à la direction, la mise au point de la climatisation, etc. Cela avait pour but de répondre aux besoins de la clientèle et de fabriquer une voiture de plus en plus sûre, de plus en plus confortable et de plus en plus abordable pour le grand public. D'autre part, le système de distribution a aussi été complètement réinventé, avec la mise en place de mécanismes de consultation et de règlement des conflits tout à fait révolutionnaires.

Les changements chez GM ont été constants, parce que GM est elle-même née d'un changement majeur qui a déséquilibré Ford. Sloan raconte (p. 438) ceci :

> The circumstances of the ever changing market and ever-changing product are capable of breaking any business organization if that organization is unprepared for change [3]...

Ainsi, entre 1923 et la fin de la guerre, les changements ont été constants, la demande balançant entre un accent sur le prix ou un accent sur le confort, avec des tailles de voitures variant des compactes jusqu'aux grosses cylindrées. Mais GM a toujours été capable de voir les choses venir et de prévoir les changements. C'est sans doute cela qui en a fait la plus puissante entreprise au monde.

Pourtant, depuis la crise du pétrole de 1973, tout s'est passé comme si GM n'était plus capable de comprendre le marché et de faire face à la concurrence. En fait, les changements qui eurent lieu jusqu'à la crise du pétrole du début des années 1970 étaient somme toute plutôt techniques, pour lesquels

---

3. Les circonstances d'un marché et d'un produit en changement constant sont capables de détruire n'importe quelle organisation économique si celle-ci n'est pas préparée au changement...

il fallait seulement modifier la technologie ou, à la limite, la structure, ce que GM fit remarquablement (Chandler, 1962). À partir de 1973, non seulement les besoins du marché se sont transformés de manière radicale, avec à la fois un renouveau technologique fondamental et des pratiques commerciales nouvelles, mais le fonctionnement même de l'entreprise a dû se modifier en profondeur.

Les solutions technologiques aux problèmes de GM n'avaient jamais nécessité une attention très grande à l'endroit du personnel. D'ailleurs, dans ses mémoires, Sloan (1964) n'en parle que tangentiellement et il le fait seulement pour se plaindre de l'agressivité des syndicats (p. 406) :

> What made the prospect especially grim in those early years was the persistent union attempt to invade basic management prerogatives. Our rights to determine production schedules, to set work standards, and to discipline workers were all suddenly called into question... It seemed, to some corporate officials, as though the union might one day be virtually in control of our operations... In the end, we were fairly successful in combating these invasions of management rights... The issue of unionism at General Motors is long since settled [4].

La réponse que GM n'a cessé d'apporter était une réponse « technologique », alors qu'il était clair que les problèmes étaient liés aux personnes. Mais s'occuper des personnes n'est pas facile, comme le rappelle un responsable de cette entreprise (Pascale, 1990) :

> When you look at GM as an outsider, it seems that some of the things we're doing are crazy. But if you look closely you discover that everyone here is in a lifeboat, and no one is courageous enough to jump out. You have to realize that the system we've got today has been good to everybody... Hourlies double their salaries with overtime... When you truly empower employees, and initiate from the bottom up, it takes away the legitimacy of privileges... Managers have mahogany offices not bullpens. They park in heated garages in the winter. They have separate cafeterias with catered services. And they have large bonuses... Those are the very things which are at stake, and which would have to be relin-

---

4. Ce qui nous rendait particulièrement sceptiques en ces débuts, c'était la tentative persistante des syndicats d'envahir les prérogatives managérielles fondamentales. Nos droits à déterminer les programmes de production, à établir les normes de travail et à discipliner les travailleurs étaient soudain tous remis en cause... Il apparaissait, à certains représentants de l'entreprise, que le syndicat pourrait un jour prendre le contrôle de nos opérations... En fin de compte, nous avons réussi à combattre ces invasions... Le problème du syndicalisme à General Motors est réglé depuis longtemps.

quished if we were to adopt a system analogous to those which we see at Toyota or Honda [5].

En 1994, le magazine *Fortune* et tous les milieux d'affaires américains exprimaient de l'inquiétude à propos du fait que GM pourrait déclarer faillite. Elle avait, au cours des années 1980, perdu 15 points de part de marché et le leadership en ce qui concerne le style des véhicules ; le nombre de brevets avait sensiblement décliné et il y avait eu un exode des meilleurs talents. La transformation que GM ne semblait pas en mesure de faire était une transformation dans les pratiques de gestion internes, dans les rapports entre les dirigeants et les dirigés, dans la conception du rôle des personnes dans l'organisation. En 1999, GM est encore en train de se battre avec l'idée de ce changement, et il n'est pas sûr qu'elle réussira à prendre le virage.

C. GENERAL ELECTRIC : D'UNE TRANSFORMATION À L'AUTRE

Par contraste, GE est une organisation tout à fait impressionnante. La petite entreprise d'équipements électriques créée par Edison a connu de très nombreuses transformations. Elle a failli sombrer à plusieurs reprises, notamment dans les années 1950, lorsqu'elle fut impliquée dans le développement simultané de plusieurs secteurs à forte croissance, comme l'informatique, les grosses turbines, les usines nucléaires, etc., mais chaque fois ses dirigeants ont été en mesure de trouver la formule pour la renouveler et l'amener à développer sa capacité à affronter de nouveaux défis.

Dans les années 1950, le président d'alors, Ralph Cordiner, entreprit une diversification et une décentralisation massives. L'objectif était la croissance. Chaque service était encouragé à se développer par lui-même et à accroître le « numérateur » de l'entreprise. Il a créé un esprit volontaire chez les personnes clés, avec comme mot d'ordre « faire plutôt qu'acheter » (Baughman, 1974) :

He built a company unmatched in American business history in the capacity to pursue (growth) objectives. In the sense of home-grown know-how, GE could do

---

5. Si vous regardez GM de l'extérieur, vous aurez l'impression d'une organisation complètement débile. Mais si vous observez de plus près, vous découvrirez que chacun ici est dans un radeau de sauvetage, sans oser le quitter. Il faut que vous vous rendiez compte que ce système a été bon pour tout un chacun... Les ouvriers à l'heure doublent leur salaire avec les heures supplémentaires... Quand on responsabilise vraiment les employés, on enlève en même temps toute légitimité aux privilèges... Les gestionnaires ont des bureaux en acajou, et non des enclos pour stimuler l'action. Ils stationnent leur voiture dans des garages chauffés en hiver. Ils mangent dans des cafétérias séparées avec un service aux tables. Et ils ont de gros bonis... Ce sont là les choses qui sont en jeu et qui devraient être abandonnées si nous devions adopter des systèmes similaires à ceux de Toyota ou de Honda.

almost anything; and, in the sense of in-house capacity, GE could do a lot of things simultaneously [6].

Cependant, l'évangélisme de Cordiner mena l'entreprise au bord du gouffre. Bien que tout à fait impressionnante par ses capacités technologiques et de marché, elle était devenue une entreprise impossible à gérer, faisant trop de choses à la fois et d'une lourdeur considérable. À cette époque, personne ne la croyait capable de se renouveler. Pourtant, le successeur de Cordiner, Fred Borch, alla complètement à contre-courant. Il fit appel à la société de consultants McKinsey pour l'aider à déterminer quoi faire.

Les consultants de McKinsey exprimèrent une certaine stupéfaction devant le manque de gestion ordonnée de l'entreprise. Ils ne comprenaient pas comment, sans aucune planification, une telle entreprise pouvait encore fonctionner. Ils furent alors les déclencheurs de l'élaboration de ce qui est devenu le meilleur système de planification jamais construit. Comme elle avait décidé de se diversifier, l'entreprise développa des capacités de planification stratégique impressionnantes. Contrairement à ce qui s'était produit au temps de Cordiner, l'entreprise était à présent vraiment sous contrôle. Le seul problème est qu'elle a fini par trop l'être.

Le niveau de bureaucratisation de l'entreprise, engendré par une planification systématique mais rigide, atteignit des niveaux inimaginables et cette fois aussi, cela faillit emporter l'entreprise. Cette deuxième crise était différente. Le problème n'était pas financier, l'entreprise étant encore largement profitable. Le vrai problème en était un de croissance entrepreneuriale. Dans une entreprise aussi grande, on ne pouvait plus croître sans faire de grands sauts, ce qui n'était que rarement recommandé par une planification tatillonne.

L'arrivée de Reginal Jones en 1972 changea les choses. Il ne transforma pas complètement l'entreprise, mais il força les gestionnaires à jongler avec les paradoxes. Il fallait, leur soufflait-il, continuer à planifier, tout en étant entrepreneurs. Les structures introduites par GE étaient un anathème, même pour les consultants qui conseillaient les dirigeants. Alors que les consultants recommandaient de changer la structure en donnant l'initiative aux gestionnaires stratégiques, les dirigeants de GE décidèrent de superposer la structure stratégique et la structure opérationnelle. Dans toute autre entreprise, la confusion aurait été considérable. Dans GE, ce fut l'occasion de réconcilier,

---

6. Il a construit une entreprise unique dans l'histoire des affaires américaines, en raison de sa capacité à atteindre des objectifs (de croissance). Pour ce qui était du savoir-faire élaboré à l'intérieur, GE pouvait presque tout faire ; et pour ce qui était des capacités maison, GE pouvait faire beaucoup de choses à la fois.

bien qu'au début par la confrontation, les besoins de planification et d'initiative entrepreneuriale avec les besoins opérationnels. GE fut amenée encore une fois à réussir au-delà de toute espérance. À la fin du règne de Jones, en 1981, c'était un modèle de gestion que toutes les grandes entreprises voulaient égaler. Les entreprises japonaises, comme le département de la défense américain, apprirent beaucoup de la capacité de planification de l'entreprise. Les résultats étaient remarquables donnant un chiffre d'affaires de 25 milliards de dollars et un profit net de 1,5 milliard de dollars.

En 1981, le nouveau président, Jack Welch, était apparemment devant un défi difficile à décrire. L'entreprise était florissante, mais pour maintenir sa croissance et sa profitabilité, il lui fallait ajouter chaque année de 6 à 7 milliards de dollars à son chiffre d'affaires ! Il devient vite clair que, si dans les années 1950, il fallait libérer raisonnablement l'entrepreneurship, là il fallait le libérer au-delà de tout ce qu'on avait imaginé.

Welch s'est alors mis à transformer son entreprise en « l'entreprise la plus dynamique et la plus entrepreneuriale au monde », une entreprise sans frontières. D'après tous les observateurs, il a réussi remarquablement, insufflant une fois de plus à cette entreprise une capacité à se dépasser absolument incroyable compte tenu de sa taille. Il a d'abord été capable de la concentrer uniquement sur les activités où elle pouvait être numéro un ou numéro deux, des activités prometteuses, à haut niveau technologique et potentiellement transformables en domaines complètement nouveaux. En 1984, l'entreprise avait un chiffre d'affaires sensiblement similaire à celui de 1981, mais elle avait doublé son bénéfice net. Au début des années 1990, le chiffre d'affaires et le bénéfice avaient tous les deux doublé de nouveau, par rapport à 1984. La nature de la gestion de l'entreprise était complètement transformée. On y trouvait non seulement une capacité unique à produire des résultats, mais aussi un climat de vie et de travail qui attirait les meilleurs.

GE n'a pas cessé de se modifier. Elle a réussi des transformations fondamentales, là où d'autres auraient hésité même à y penser. Welch disait pourtant qu'il n'en était qu'à 25 % de ce qu'il espérait réaliser, et cette fois-ci peu de gens doutaient de la capacité de l'entreprise à faire encore plus.

Ces trois cas montrent bien les défis que suscite le changement. Ils ne nous indiquent pas cependant ce qui fait qu'une organisation réussit à changer, ni la nature précise des défis que les grands changements impliquent. Ils ont pourtant le mérite de donner de la chair au phénomène, ce qui nous aidera à mieux comprendre les développements conceptuels qui suivent.

II. LE CHANGEMENT STRATÉGIQUE : VERS UNE DÉFINITION

A. CONSIDÉRATIONS PRÉLIMINAIRES

Nous l'avons montré dans les chapitres précédents, les dirigeants d'organisation font face à deux grands défis stratégiques :

- Maintenir l'équilibre interne de l'organisation, c'est-à-dire la volonté des personnes à coopérer (Barnard, 1938).
- Maintenir l'équilibre entre les besoins et les capacités de l'entreprise et les exigences de l'environnement.

Toute la littérature sur la gestion stratégique ne traite en fait que du changement stratégique. Elle propose des procédures et des démarches, ainsi que des exemples convaincants, qui permettent de concevoir et de réaliser de nouvelles stratégies ou des adaptations à celles existantes, de manière à assurer le maintien des équilibres de base et par conséquent la pérennité de l'organisation (Drucker, 1952 ; Andrews, 1987).

La littérature distingue, pour des raisons pédagogiques, la conception et la mise en œuvre de la stratégie. La conception de la stratégie vise à déterminer une direction claire qui permettra de faire converger les efforts (de positionnement, de gestion fonctionnelle, de recherche et développement, etc.) et, ainsi, de réaliser une domination concurrentielle durable. La mise en œuvre de la stratégie vise à faire converger les efforts grâce l'utilisation judicieuse et cohérente des outils de gestion (structure, culture, systèmes, attribution des ressources, etc.).

La distinction n'est vraiment utile que lorsqu'on veut étudier le changement dans une petite organisation. Dans ce cas, en effet, le dirigeant principal est généralement le seul concepteur et il veille directement à la mise en œuvre. Lorsque l'organisation est plus complexe, il est alors plus utile de déterminer des facteurs clés qui révèlent la stratégie et lui donnent forme. Il est aussi souhaitable que ces facteurs puissent être influencés par l'action du gestionnaire.

Ce sont généralement ces facteurs de « caractérisation des organisations » qui ont été étudiés intensivement par le milieu universitaire et qui ont été notamment résumés par Côté et Miller (1992) :

- la structure
- la culture et le leadership
- le processus de décision
- le contexte

Hafsi et Demers (1989) ont suggéré que, pour les besoins de l'étude du changement en situation de complexité, il était utile de considérer les quatre dimensions suivantes :

- les croyances
- les valeurs
- la stratégie (positionnement et configuration de la chaîne de valeur)
- les arrangements structurels (comprenant notamment la structure, les systèmes, le choix des gestionnaires)

Une autre classification a été proposée par Pascale et Athos (1984) dans le cadre de la recherche considérable qui avait été commanditée par McKinsey à la fin des années 1970 et au début des années 1980 sur la gestion stratégique des organisations. Cette classification est connue sous le nom des « sept S ».

TROIS S DITS « DURS » :

- stratégie (positionnement)
- structure
- systèmes

QUATRE S DITS « MOUS » :

- système de valeurs ou d'objectifs supérieurs (*Superordinate goals, shared values*)
- staff (la qualité de la sélection et de la gestion du personnel clé)
- style (de leadership notamment, donc de fonctionnement de l'organisation)
- savoir-faire (*skills*) accumulé qui distingue l'organisation de ses concurrents

Ces éléments ou dimensions sont très semblables et sont en fait les composantes principales de l'analyse stratégique traditionnelle (Andrews, 1987). La littérature a ainsi examiné la relation qui existait entre chacune de ces composantes et la performance de l'organisation. Côté et Miller (1992) rappellent cependant que ce qui est important pour la performance de l'organisation (donc peut-être aussi pour sa capacité à changer), ce sont les interactions entre ces variables. Ils soulignent en particulier que la littérature affirme la nécessité de la cohérence de ces dimensions pour que la performance soit adéquate. Cette cohérence se produit alors selon des configurations spécifiques (Miller & Friesen, 1984). La typologie des structures décrite par Mintzberg (1978) et évoquée au chapitre sur la mise en œuvre (chap. VIII) est en fait aussi un exemple de configurations au sens où nous l'utilisons ici.

B. QU'EST-CE QUE LE CHANGEMENT STRATÉGIQUE ?

Si nous voulons aller plus loin que de dire que le changement stratégique est un changement de stratégie ou de configuration stratégique, il nous faut disséquer les éléments de la stratégie qui sont touchés par le changement. D'abord, il y a le **contenu de la stratégie**, tel qu'il ressort du processus de formulation. Le contenu de la stratégie est l'expression des objectifs. Il prend en considération la nature de l'environnement et les ressources particulières de l'organisation, celles qui lui permettent de se démarquer et de réussir dans son environnement. En particulier, les ressources sont à l'origine de l'avantage qu'on peut avoir sur les concurrents.

La perception qu'on peut avoir de l'environnement et des avantages que permettent les ressources et le savoir-faire est influencée par toutes sortes de facteurs, notamment l'histoire de l'organisation et sa culture. Par ailleurs, ces éléments s'expriment à travers les acteurs clés en matière de développement stratégique, à savoir les dirigeants principaux. La nature du leadership est un élément crucial du changement. Dans certains cas, le changement de dirigeant peut-être considéré comme un changement stratégique.

Les ressources et le savoir-faire, et leur transformation, notamment leur dégradation ou leur développement, constituent un élément crucial de changement de la capacité de survie de l'organisation. Dans certains cas, ces ressources sont contrôlées par des segments importants de l'environnement institutionnel. Parfois, elles sont contrôlées par des acteurs internes. Dans les deux cas, la production et la protection de ces ressources sont des éléments essentiels de la stratégie de l'organisation (Selznick, 1957). Cela nous conduit à la première définition.

> **DÉFINITION 1** : Un changement stratégique est un changement dont les manifestations peuvent être de quatre types : un changement de leadership, une modification de la perception que l'organisation a de son environnement, une modification de la nature et de la qualité des ressources dont elle dispose ou une modification des objectifs à long terme.

Le deuxième élément de l'analyse stratégique qui est important est le **processus de mise en œuvre de la stratégie**. Comme nous l'avons mentionné, la stratégie est actualisée par la mise en œuvre de mécanismes de gestion importants comme : la structure, les systèmes de gestion (mesure, contrôle, récompense ou punition, recrutement du personnel clé, formation, etc.), la culture ou les valeurs qui sous-tendent les relations à l'intérieur et avec l'extérieur de l'organisation. Comme l'ont suggéré Chandler (1962) et de nombreux auteurs, ces mécanismes changent de concert. En conséquence, toute modification délibérée de l'équilibre entre ces mécanismes a tendance à vouloir changer le comportement de l'organisation et donc sa stratégie. D'où la deuxième définition.

> DÉFINITION 2 : Un changement stratégique est un changement dont les manifestations sont les modifications de l'un ou l'autre des principaux mécanismes de gestion (structures, systèmes et culture ou valeurs), permettant de rompre l'équilibre qui prévalait auparavant et de le remplacer par un équilibre nouveau.

Snow & Hambrick (1980) suggèrent qu'il est très important pour le développement de théories sur le changement stratégique de **distinguer entre ajustement et changement**, le premier étant peu significatif et le second plus profond. Cependant, il est évident qu'une telle distinction est très difficile à opérationnaliser. Ainsi, dans sa recension des écrits, Ginsberg (1988) indique que les changements incrémentaux, les ajustements de Snow et Hambrick, peuvent aussi engendrer des réorientations fondamentales, ce qu'affirmait aussi Bower (1970). En conséquence, ce qui est stratégique est en fait un jugement situationnel (Mintzberg, 1987). Cela nous mène à une définition encore plus large.

> DÉFINITION 3 : On peut dire qu'un changement est stratégique lorsqu'il touche soit le contenu (objectifs, appréciation de l'environnement, nature et disponibilité des ressources et du savoir-faire), soit le processus (structure, systèmes, culture et valeurs) et qu'il est perçu comme une rupture par les personnes clés de l'organisation.

Cette dernière définition correspond aux résultats de la réflexion qu'un groupe d'universitaires a menée récemment (Ledford et autres, 1989). Ils avaient défini un changement de grande envergure comme étant un changement durable de la personnalité d'une organisation (*character of an organization*), au point d'altérer la performance de cette dernière.

Ils soulignent que les changements de grande envergure ne sont pas de simples changements continus et plus habituels. Pour imager, on pourrait opposer les changements constants des flots d'une rivière à l'érection d'un barrage ou à la modification de son cours. Un changement organisationnel de grande envergure nécessite donc des modifications dans le design et les processus de l'organisation. Le design organisationnel comprend dans leur esprit les stratégies, les structures, les configurations technologiques, les systèmes formels d'information et de prise de décision ainsi que les systèmes de ressources humaines. Les processus organisationnels désignent quant à eux les flux d'information, d'énergie et de comportements, ce qui inclut la communication, la participation, la coopération, les conflits et les jeux politiques. Pour eux, des changements de design organisationnel qui n'impliqueraient pas des changements de processus ne peuvent être considérés comme des changements organisationnels d'ordre stratégique. Ainsi, une organisation peut motiver temporairement des gens par l'intermédiaire d'une campagne sur la qualité totale par exemple, mais si les nouveaux comportements désirés ne sont pas appuyés par des modifications du design organisationnel, il y a de faibles probabilités que ces nouveaux comportements s'avèrent permanents. Jusqu'ici notre définition est compatible avec la leur.

Ces auteurs s'intéressent aussi à la performance organisationnelle. La **performance**, utilisée ici au sens générique, se rapporte à l'efficience et à l'efficacité (*efficiency* et *effectiveness*) du système organisationnel telles qu'elles sont mesurées par la capacité de ce dernier à survivre. Dans la mesure où une organisation modifie ses interactions avec son environnement, ses modes de transformation des intrants en extrants, la nature de ces derniers, de même que son design et ses processus, on peut s'attendre à des changements plus ou moins inévitables dans sa capacité à survivre. Elle peut, par exemple, passer d'un statut de compétiteur régional à celui de compétiteur international. Elle peut aussi commencer à produire des systèmes intégrés plutôt que des produits uniques. Cette performance peut donner un poids variable aux dimensions traditionnelles. Ainsi, la proportion du marché international peut devenir plus importante que les profits à court terme. La participation des employés au travail et dans la gestion peut prendre une place plus grande que la loyauté organisationnelle et le paternalisme. Les relations à long terme avec la clientèle peuvent devenir plus importantes que les marges de profit. En bref, ces auteurs considèrent qu'un changement organisationnel de grande envergure altère inévitablement la performance organisationnelle telle qu'elle est mesurée par divers indicateurs économiques. Cela nous conduit à la dernière et à la plus complète de nos définitions.

DÉFINITION 4 : On peut dire qu'un changement est stratégique lorsqu'il modifie la performance de l'organisation en modifiant soit le contenu (objectifs, appréciation de l'environnement de même que nature et disponibilité des ressources et du savoir-faire), soit le processus (structure, systèmes, culture et valeurs) et qu'il est perçu comme une rupture par les personnes clés de l'organisation.

À moins de préciser le contraire, dans les chapitres qui suivent, nous parlerons du changement en nous reportant à cette définition.

III. CARACTÉRISER LE CHANGEMENT STRATÉGIQUE

Ces définitions ne nous permettent cependant pas de spécifier la nature de tous les changements stratégiques qui peuvent être entrepris par des organisations. Par exemple, peut-on parler de la même manière d'un changement qui concerne le positionnement de l'organisation et de celui qui touche à sa culture ? Peut-on assimiler un changement qui touche l'organisation dans son ensemble à celui qui ne touche qu'une partie de celle-ci ? Que dire d'un changement qui est entrepris vite, sans préparation, et de celui qui est précédé d'une longue préparation ? Que dire aussi d'un changement qui, par nature, peut se faire relativement rapidement et de celui qui nécessite de nombreuses années ? En fait, pour compléter nos définitions, il nous faut développer une caractérisation plus systématique, qui fasse référence à des dimensions qui ont du sens pour ceux qui gèrent le changement stratégique.

Nous adopterons deux groupes de caractéristiques : 1) les caractéristiques propres au changement ; nous parlerons alors de la profondeur du changement, de l'ampleur ou de l'envergure du changement, de la vitesse du changement et donc de sa durée ; et 2) les conditions dans lesquelles le changement prend place. Ces conditions sont des contraintes ou des contingences, au sens où l'entendait le père de la théorie de la contingence, Thompson (1967), et comprennent notamment le degré d'homogénéité et de turbulence de l'environnement, qui est pour l'essentiel lié à la structure et à la dynamique de l'industrie touchée (Porter, 1980), mais aussi les caractéristiques de l'organisation, sa taille, son âge, sa technologie, sa diversité (de produits et de marchés). Nous allons reprendre chacune de ces caractéristiques et examiner leur importance et leurs effets sur le changement stratégique.

A. LA PROFONDEUR DU CHANGEMENT STRATÉGIQUE

Pour une personne comme pour une organisation, le changement n'a pas le même effet s'il touche des valeurs essentielles ou des comportements plus superficiels. Lorsque le changement altère les fondations sur lesquelles a été initialement construite l'organisation, on assiste à des déchirements plus grands que s'il modifie les comportements qui se sont développés par la suite. L'exemple des partis communistes montre bien que ceux-ci ont été capables de s'adapter aisément lorsque le changement impliquait des modifications du comportement, sans toucher à la doctrine. Ils sont presque disparus lorsque la doctrine a été mise en cause et qu'il fallait la remplacer.

Dans les entreprises, on aurait tendance à penser qu'il n'y a pas à proprement parler de doctrine inaltérable. L'entreprise est censée être pragmatique, essayant de survivre à l'adversité et à la concurrence en changeant chaque fois que nécessaire. Cela n'est le cas que des entreprises les plus jeunes ou les plus insignifiantes, celles que Selznick appellerait des « instruments », en fait des organisations sans âme. Mais les entreprises qui finissent par s'imposer dans leur environnement prennent souvent un caractère et une personnalité tissés de valeurs fortes. Ford ou GM ne sont pas n'importe quelle entreprise de production automobile. Elles ont été forgées par une longue histoire faite de construction lente et difficile, marquée par de grands succès mais aussi par des échecs retentissants. Cette histoire façonne le comportement et la personnalité d'une entreprise aussi sûrement qu'elle le fait pour une personne.

On pourrait aussi parler dans ces cas-là de paradigme dominant. Kuhn (1970) avait suggéré que les schèmes de pensée se changeaient à la fois par des modifications à la marge, à l'intérieur d'un même paradigme ou vision du monde et, occasionnellement, par des transformations fondamentales qui n'étaient rien de moins que l'abandon de l'ancien schème de pensée et son remplacement par un nouveau. Les transformations qui déséquilibrèrent les partis communistes par exemple étaient celles qui nécessitaient un changement de paradigme, alors que les changements d'adaptation à la marge ne leur avaient posé aucun problème. Il en est de même pour GM : si les problèmes sont si difficiles à résoudre, c'est qu'ils impliquent une véritable révolution, une transformation paradigmatique.

Selon Kuhn (1970), les paradigmes présentent trois caractéristiques principales. Une première concerne la matrice sociale constituée de l'ensemble des individus partageant une conception du monde et des façons de faire compatibles avec cette dernière. Deuxièmement, le paradigme inclut une façon de concevoir le monde, c'est-à-dire les approches cognitives et les réponses affectives de cette matrice sociale. En contexte organisationnel, cela inclut les images que les membres ont de leur organisation, leurs croyances à l'égard du fonctionnement de cette dernière, de même que les valeurs relatives aux organisations et à leur mode de fonctionnement. La troisième caractéristique du paradigme concerne la façon de faire les choses, des méthodes et des exemples qui guident les actions.

En général, on peut dire que plus la personnalité d'une entreprise est forte, plus elle est imprégnée de valeurs fortes et plus elle est capable de réagir de manière décisive à l'adversité, lorsque cela ne suppose pas la remise en cause des valeurs. Si le changement requis implique les valeurs, en particulier si c'est un changement de paradigme, alors cela signifie souvent mettre un terme à l'organisation existante pour lui substituer une autre organisation, une opération qui ouvre la voie à toutes les aventures et éventuellement à la disparition de l'organisation. Pour exprimer l'effet sur les valeurs fondamentales, on parlera alors de profondeur du changement. Si l'on ramène le fonctionnement de l'organisation aux mécanismes de gestion mentionnés au chapitre VIII, on peut parler de niveau de profondeur (faible, moyen ou élevé) en s'aidant du tableau 1.

Le concept de profondeur suggère que plusieurs acteurs organisationnels résistent au changement lorsque ce dernier menace leur façon de concevoir le monde, remet en question leurs valeurs, voire leur équilibre mental.

B. L'ampleur ou l'envergure du changement stratégique

Le changement peut toucher l'ensemble de l'organisation ou seulement une partie de celle-ci. Il peut atteindre tous les mécanismes ou seulement une partie d'entre eux. Il peut en particulier toucher certains ou tous les éléments de contenu, et certains ou tous les éléments du processus et, selon le cas, il présente alors une ampleur plus ou moins grande. On peut ainsi évaluer l'envergure du changement en mesurant littéralement le nombre d'unités ou d'activités concernées ou touchées par le changement ainsi que le nombre ou l'importance des changements de contenu ou de processus qui leur sont appliqués.

Peut-on parler d'un changement stratégique qui aurait une envergure limitée ? Dans la littérature, il n'y a pas de consensus là-dessus. Nous pensons cependant qu'on peut le prétendre dans le court terme mais, comme nous en discuterons au chapitre suivant, à long terme tout changement stratégique implique des changements dont l'envergure couvre toutes les unités et tous les aspects du fonctionnement de l'organisation. Pourtant, le long terme dont il est question ici, qui peut couvrir des décennies, ne fait pas vraiment partie de l'échelle d'intervention de la plupart des gestionnaires. C'est

Tableau 1 Profondeur du changement

		Faible	Moyen	Élevé
1	CHANGEMENT DE VALEURS	non	ajustements mineurs	mise en cause réelle
2	CHANGEMENTS D'OBJECTIFS			
	À long terme	non	faible	oui
	À court terme	oui	possible	oui
3	CHANGEMENT DE STRUCTURE	ajustements opératoires	modifications du mode de gouvernement	remise en cause totale des mécanismes de fonctionnement et d'évaluation
4	CHANGEMENT DE LEADERSHIP	à des niveaux opératoires	à un niveau moyen surtout	à des niveaux moyens et élevés

pour cela que, de manière opérationnelle, on peut retenir cette dimension comme une caractérisation utile.

L'envergure est une dimension particulièrement répandue dans la documentation en développement organisationnel (D.O.). Différents auteurs y font référence lorsqu'ils utilisent des expressions telles que *multifaceted* ou *comprehensive interventions* (French & Bell, 1978), *large-scale multiple systems change* (Goodman & Kurke, 1982) ou *system-wide change* (Cummings & Huse, 1989). Cette dimension du changement stratégique a évidemment des répercussions importantes sur la gestion d'un tel changement.

Un changement stratégique nécessite de la coopération et de la coordination entre les groupes concernés. C'est ainsi que le changement survient souvent dans des unités qui fonctionnaient séparément dans l'ancienne structure organisationnelle. Les mécanismes de changement risquent donc d'engager des unités organisationnelles qui avaient historiquement une conception différente du monde, des critères d'évaluation différents ainsi que des objectifs différents. Le processus de changement doit donc impliquer la construction d'un consensus, la dissémination d'idées et de techniques de même que la constitution d'équipes multifonctionnelles pour procéder à l'implantation.

L'étude adéquate d'un changement stratégique de grande envergure appelle la constitution d'équipes de recherche multidisciplinaires. De telles équipes semblent s'imposer autant pour comprendre l'ensemble des interventions touchées que pour recueillir et mesurer correctement les indicateurs inhérents à de tels changements. Cela suggère aussi la futilité des études trop spécialisées ou ayant des schèmes de référence trop restreints.

C. LA VITESSE DU CHANGEMENT STRATÉGIQUE

On ne parle ici que de la vitesse avec laquelle le changement est introduit dans l'organisation. L'idée de vitesse est clairement relative. Ses effets dépendent à la fois de la technologie de l'organisation, de la nature de l'industrie et de sa dynamique ainsi que des pratiques managériales de l'organisation. La même vitesse d'introduction du changement peut paraître raisonnable dans certaines organisations et dans certaines circonstances et peut être vécue comme insupportable dans d'autres organisations ou circonstances.

La vitesse du changement est en particulier importante parce qu'elle touche le degré de préparation du changement. Un changement bien préparé permet de réduire les aspérités et les sources de frictions pour les personnes. En revanche, un changement moins bien préparé, par exemple à cause de la vitesse avec laquelle il est conduit, accroît la résistance au changement de la part des membres de l'organisation.

La vitesse du changement nuit aussi à la capacité des personnes à s'adapter et à abandonner les anciennes pratiques pour apprendre les nouvelles. Plus les personnes clés de l'organisation perçoivent les changements comme trop rapides, plus elles ont du mal à les suivre et plus elles résistent. La période que vivent la plupart des entreprises, par l'introduction des pratiques de réingénierie, est typique de cette situation. La résistance au changement se généralise, malgré les apparences et malgré les risques.

La vitesse avec laquelle le changement est conduit produit la durée du changement. Celle-ci n'est pas seulement le produit de la vitesse. Elle est aussi touchée par la profondeur et l'envergure du changement. Cependant, la durée a des effets qui lui sont propres. Plus le changement dure et plus l'incertitude perçue par les personnes est grande, plus le sentiment d'instabilité est grand et plus la mobilisation d'énergie requise de chacun pour vivre la transition est grande. On recommande souvent qu'un changement doit durer aussi peu que possible, mais on peut aussi dire que cela dépend de la complexité du changement entrepris, donc de son envergure et de sa profondeur. Trop vite peut être aussi dommageable que pas assez vite.

D. LES CONDITIONS QUI ACCOMPAGNENT LE CHANGEMENT STRATÉGIQUE

L'environnement joue un rôle crucial dans le changement. Les attentes qu'il engendre à la fois chez les membres de l'organisation et chez tous ses sociétaires (*stakeholders*) conditionnent souvent sa conduite et peut-être même son succès. En particulier, l'environnement par son hétérogénéité et par sa turbulence accroît ou diminue les incertitudes qui sont perçues par tous les acteurs. Ainsi, un environnement dans lequel des mutations profondes sont en cours engendre beaucoup d'inquiétude et amène les personnes à réagir de manière plus prudente et plus circonspecte qu'elles ne le feraient habituellement. Cela peut accroître ou diminuer la résistance au changement selon le cas. Ainsi, au Québec, on a vu, depuis le milieu des années 1980, une volonté plus grande des syndicats à collaborer aux changements technologiques. En 1996, les employés du secteur public en Ontario se disent d'accord avec les restructurations proposées par le gouvernement provincial et acceptent même les réductions importantes de postes prévues. Ils veulent seulement rendre les départs moins douloureux pour les personnes.

En général, le contexte dans lequel le changement se fait, c'est-à-dire non seulement l'environnement général mais aussi l'environnement plus particulier de l'organisation, sa structure, ses systèmes de fonctionnement, en particulier les normes de récompenses et punitions, formalisées ou non, affectent de manière sensible la volonté de coopérer des personnes concernées, et donc la résistance au changement. Le contexte est constitué d'éléments sous le contrôle des gestionnaires mais aussi d'éléments qui leur échappent. Ils peuvent tout de même travailler à l'infléchir dans une direction ou dans une autre, sauf que cela ne peut se faire qu'avec le temps, en expérimentant et en accumulant suffisamment d'information sur les réactions du système et donc sur les relations de cause à effet.

Plus l'organisation est grande, plus le changement devra être important, par sa profondeur et son envergure, pour modifier les caractéristiques et la performance organisationnelles. Ainsi, un changement des caractéristiques de General Electric est d'un ordre incomparablement plus important que celui qui est nécessaire à la modification d'une organisation comptant une seule activité ou une seule unité de production.

Même si la pertinence d'une telle dimension semble indiscutable pour comprendre le changement stratégique, il en va autrement pour sa définition. On retrouve en effet différentes façons de mesurer la taille organisationnelle, la plus habituelle étant le nombre d'employés. Mais on pourrait aussi utiliser la capacité physique (par exemple, la capacité de production d'une usine ou le nombre de lits d'un hôpital), le volume des extrants (par exemple, les ventes) ou les actifs. Quoi qu'il en soit, on réussit généralement à camper les extrémités d'un continuum relatif à la taille organisationnelle. Par exemple, on peut postuler qu'il existe des différences entre une méga-entreprise multinationale comme Exxon, avec ses activités intégrées, et une PME minuscule, qui vend de l'essence au détail dans une station-service.

Cependant, plus important, il faudrait pouvoir se demander à quels égards précisément Exxon est-elle différente de sa petite compétitrice ? Comment la nature du changement peut-elle varier dans ces deux types de systèmes organisationnels ? À ces questions, nous ne pouvons qu'offrir des réponses très incomplètes. Étant donné l'état actuel des connaissances, on ne peut que formuler quelques hypothèses relatives à l'effet de la taille organisationnelle sur la nature et la gestion du changement.

Une première leçon concerne la **complexité organisationnelle**. À la suite d'autres universitaires en gestion stratégique (Allaire & Hafsi, 1989), il faut constater l'absence de cadres conceptuels convaincants permettant une compréhension globale et complète de la complexité et de ses effets. Nous en sommes encore à une étape de description et de conceptualisation de situations complexes spécifiques. Toutefois, Ledford et autres (1989) suggèrent que les grandes organisations diffèrent des petites à divers égards. Notamment, il existe une corrélation positive entre la taille de l'organisation et son niveau de différenciation. Il semble donc que plusieurs organisations croissent en créant de nouveaux rôles et de nouvelles sous-unités. Il en résulte une plus grande complexité et la création de nouvelles structures pour répondre aux besoins de coordination et de communication. À cet égard, certains auteurs mentionnent la croissance du niveau de formalisation, de délégation des responsabilités, ainsi que des possibles économies administratives, ces dernières pouvant toutefois être annulées par les problèmes inhérents à la complexité administrative.

Les conséquences pour le changement semblent assez évidentes. D'une part, la stratégie de changement doit être suffisamment complexe pour correspondre au niveau de complexité organisationnelle. Plus l'organisation sera complexe, plus il sera difficile d'implanter un changement profond ou de grande envergure, qui touchera des valeurs critiques et qui atteindra un grand nombre de sous-unités et de sous-systèmes fortement différenciés. D'autre part, on comprendra aussi facilement les forces d'inertie souvent présentes dans les grandes organisations. Cela s'explique par la prolifération de pratiques et de procédures élaborées pour faciliter la coordination et assurer un certain équilibre organisationnel. Or, les habitudes prises avec ces pratiques et ces procédures constituent souvent d'importantes sources de résistance au changement.

Dans le même ordre d'idées, la croissance de la taille organisationnelle peut être reliée à son **stade de développement**. C'est ainsi que, comme le décrivait Chandler, la plupart des organisations modifient leur structure à mesure qu'elles évoluent, passant de simples petites structures fonctionnelles à des structures plus complexes, comme celles qu'on retrouve dans des entreprises fortement diversifiées (*holding*) ou multidivisionnelles. Ces caractéristiques organisationnelles auront évidemment un effet important sur la stratégie de changement. À titre d'exemple, une organisation diversifiée dans des secteurs d'activité fort différents aura avantage à privilégier une stratégie de changement décentralisée qui respectera l'autonomie de fonctionnement des diverses unités. À l'inverse, une stratégie de changement plus centralisée pourra s'avérer fructueuse auprès d'une équipe de direction responsable d'une grande entreprise ayant maintenu une structure fonctionnelle centralisée qui coordonnerait des opérations plus fortement intégrées.

Les recherches récentes révèlent également que les grandes organisations ayant un certain **âge** ont souvent développé des habitudes et créé des procédures standardisées, renforcées par le succès dans leur environnement respectif (Hambrick & Finkelstein, 1987). Dans de telles situations, un changement stratégique nécessite des interventions suffisamment puissantes pour amener les membres de l'organisation à remettre en question leurs connaissances et leur mode de fonctionnement. L'implantation de changements profonds risque de s'avérer difficile, puisque les postulats sous-jacents à ces pratiques organisationnelles risquent d'avoir graduellement sombré dans l'inconscient des membres de l'organisation.

De la même façon, comme cela a été évoqué précédemment, les grandes organisations, particulièrement celles qui ont connu du succès pendant des périodes prolongées, risquent d'avoir progressivement développé de **fortes cultures organisationnelles** (Peters & Waterman, 1983). Étant donné que ces fortes cultures reposent sur un ensemble partagé de normes, de critères décisionnels et de modes de fonctionnement, elles risquent par le fait même d'entraver les approches innovatrices ne s'intégrant pas dans ces cultures organisationnelles.

On observe également une relation positive entre la taille organisationnelle et son **niveau de liberté stratégique**, c'est-à-dire sa capacité à s'introduire dans de nouveaux marchés avec de nouveaux produits. Bien que cette liberté stratégique ne puisse jamais être totale même pour les très grandes entreprises (barrières à l'entrée, réglementations), on peut postuler que ces dernières auront tendance à s'ajuster aux modifications de l'environnement externe en changeant d'abord leur stratégie de marché plutôt que des caractéristiques de l'organisation elle-même.

Le même raisonnement pourrait s'appliquer lorsque l'on considère la **capacité des organisations à modifier leur environnement**. En effet, selon certaines théories relatives à la dépendance à l'égard des ressources, les organisations ne se contentent pas toujours de réagir passivement à leur environnement pour assurer leur survie (Pfeffer & Salancik, 1978). On observe au contraire certaines actions plus proactives visant à gérer cet environnement : acquisitions ou fusions avec des compétiteurs, des fournisseurs ou des clients (intégrations verticales ou horizontales), collaborations avec des compétiteurs (*joint ventures*) et même échanges de personnel clé entre organisations. Encore ici, il s'avère que ces possibilités s'offrent davantage aux grandes organisations ayant les ressources nécessaires (Aldrich, 1979). Pour illustrer ce principe, on observe par exemple que les grandes organisations américaines possèdent un pouvoir politique démesuré par rapport à leur contribution au PNB américain, ce pouvoir politique étant en grande partie basé sur leurs capacités de financer des activités de *lobbying* et des campagnes politiques. On peut donc postuler que la taille organisationnelle tend à augmenter la capacité à modifier l'environnement externe. Par conséquent, la taille risque de diminuer la tendance des organisations à apporter de profonds changements dans leurs caractéristiques organisationnelles.

Il faut mentionner aussi le rôle actif et fondamental que doivent assumer les membres de la haute direction ainsi que les cadres linéaires en ce qui concerne l'implantation d'un tel changement. Plus spécifiquement, on convient généralement qu'ils devraient non seulement être les principaux initiateurs du changement stratégique, mais qu'ils devraient également préciser la nature de ce dernier, son mode d'implantation ainsi que la répartition des responsabilités relatives à cette implantation. Étant donné que les cadres en place peuvent ne pas avoir les habiletés, l'énergie ou l'engagement nécessaires à une telle opération, on se retrouve parfois dans des situations où le recrutement externe s'impose. À cet égard, certaines études suggèrent que des cadres supérieurs recrutés à l'externe ont une propension trois fois plus grande que l'équipe en place pour procéder à des changements de grande envergure.

IV. EN GUISE DE CONCLUSION

Dans ce chapitre, nous avons proposé un tour d'horizon général sur les questions relatives au changement stratégique. En particulier, nous avons proposé une série de définitions pour aboutir à l'idée qu'un changement est dit stratégique lorsqu'il modifie la performance de l'organisation en touchant soit le contenu (objectifs, appréciation de l'environnement et disponibilité des ressources et du savoir-faire), soit le processus (structure, systèmes, culture et valeurs), et qu'il est perçu comme une rupture par les personnes clés de l'organisation. Par ailleurs, nous avons suggéré que, pour caractériser le changement stratégique, il serait utile de considérer deux types de caractéristiques : 1) les caractéristiques propres au changement, notamment sa profondeur, son ampleur ou envergure, sa vitesse, donc sa durée ; et 2) les conditions dans lesquelles le changement prend place.

Note n° 31

FAIRE DES CHANGEMENTS : « C'EST LE SEUL MOYEN DE RESTER LE MÊME[1] »

par Brendan Gill

Au cours de la longue carrière de William Shawn comme rédacteur en chef du *New Yorker* (1952-1987), il lui arrivait parfois de hocher la tête d'incrédulité devant ce qui lui paraissait comme une incroyable erreur de perception de la part de beaucoup de lecteurs — ils considéraient que l'une des qualités les plus admirables du magazine était sa capacité à rester toujours le même dans un monde qui changeait sans arrêt. Les abonnés écrivaient pour féliciter Shawn de préserver ce que lui-même croyait, avec véhémence, ne pas avoir préservé : une identité *New Yorker* inaltérable. Selon lui, le magazine évoluait constamment, et toute impression qu'il ne faisait que se reproduire semaine après semaine n'était qu'une illusion d'optique — un produit des attributs physiques (typographie, arrangements et autres) qui avait fait que le magazine était une commodité reconnaissable sur les étalages des vendeurs et qui, compte tenu du succès du magazine, ne justifiait aucune modification d'un numéro à l'autre, voire d'une décennie à l'autre.

Shawn attirait aussi l'attention sur une autre illusion, non optique celle-là, qui nourrissait l'erreur qu'il déplorait : le refus humain de reconnaître le changement. Superstitieusement, les gens sont prompts à suspecter que même un brin d'innovation peut se révéler de la magie noire. Un membre du personnel se rappelle que, lorsqu'il eut dit à Shawn qu'il avait lu quelque part (c'était faux mais qu'importe) que le mot chinois pour « changement » était le même que celui pour « opportunité », Shawn avait répondu : « Chez nous, l'équivalent serait "peur". » Et par « nous », il semblait entendre non seulement les rédacteurs du magazine mais aussi les lecteurs. D'une part, ils étaient lents à accepter les nouveautés qu'ils souhaitaient : le magazine a été souvent couvert de louanges pour la publication d'œuvres de

---

1. Tiré de « Making change : it's the only way to stay the same », *New Yorker*, 70th anniversary issue, 1995. Reproduit avec permission.

« nouveaux » écrivains ou dessinateurs dont le travail faisait pourtant l'objet de publications régulières depuis des semaines, voire des mois. D'autre part, certains changements cosmétiques — par exemple la décision d'utiliser une vraie table des matières après s'en être passé pendant 40 ans — paraissaient plus dérangeants à certains lecteurs qu'à Shawn. Lorsque l'écrivain du *Race Track* prit sa retraite et que Shawn supprima la section, les lecteurs qui n'avaient jamais vu un terrain de course de chevaux de leur vie écrivirent pour protester ; ce n'était pas l'information sur les chevaux dont ils faisaient le deuil, mais la perte d'une relation bien établie.

Shawn prenait constamment des risques, mais sa façon de faire était constamment douce et prudente. Harold Ross, le rédacteur fondateur, était mélodramatique, réagissant à tout changement que lui imposaient les crises extérieures — la Dépression, la Deuxième Guerre mondiale — avec un air de panique qui était un élément de son propre théâtre de l'absurde. Shawn, à la fois comme le second qui avait la confiance de Ross et son illustre successeur, répondait à la crise, globale ou locale, en disant à voix basse : « Nous devons nous en éloigner. » S'il était fâché, il baissait le ton de sa voix, il ne l'élevait pas ; la plus violente imprécation qu'il aurait chuchotée était : « Mon Dieu. » Si les changements dans le contenu du magazine qui furent introduits par Shawn (de même que par son successeur, Robert Gottlieb) furent majeurs, ils étaient souvent le produit d'un camouflage qui les faisait apparaître mineurs. Shawn prenait plaisir au camouflage et avait très tôt maîtrisé l'art d'écouter les problèmes des autres tout en les gardant secrets.

Sous Shawn, le magazine a élargi son champ d'action, élevé son regard, approfondi ses éclairages : toute métamorphose était acceptable à condition de ne pas attirer une attention indue sur elle-même, le processus étant obscur par dessein. Certaines pièces majeures — *Hiroshima* de John Hersey, *Silent Spring* de Rachel Carson et *The Fire Next Time* de James Baldwin, sont des exemples proéminents — causèrent toute une commotion, non seulement parce que ce qu'on y disait était surprenant, mais aussi parce que c'était publié dans le *New Yorker*. Les lecteurs n'avaient aucune raison d'exprimer de la surprise, mais beaucoup le firent. Longtemps avant que le *New Yorker* devienne la voix d'opposition passionnée à la guerre du Viêt-nam et aux péripéties politiques de l'ère du Watergate, les hautes finalités morales de Shawn avaient été infusées à tous les niveaux du magazine, dans les petites comme les grandes contributions, ce qui parfois le rapprochait périlleusement de l'intransigeance. Mais l'intransigeance est un risque implicite dans les mots mêmes de « hautes finalités morales » et on peut apprécier le fait que la modération ait été une seconde nature de Shawn. Il était du genre à dire à un chauffeur de taxi qui allait trop vite à son goût, « je vous donnerai un pourboire deux fois plus grand si vous conduisez deux fois moins vite », et il suivait le même principe dans la transformation continuelle du magazine.

Récemment, les transformations sont devenues plus visibles — elles avaient même un certain air exubérant qui rappelle l'attitude que le pionnier Ross avait, alors que, se disant coincé, il était en réalité très optimiste. Le magazine a vieilli, mais il tente de rester irrémédiablement jeune dans sa réponse à la vie et, comme le père William de Lewis Carroll, il peut marcher sur les mains et s'emporter de temps en temps, peut-être au désespoir de certains de ses lecteurs, en essayant un saut périlleux. C'est ainsi que les choses se passent à la Quarante-troisième Rue Ouest. Il se trouve qu'en cette journée au milieu de l'hiver, un soleil méditerranéen brille — New York est au fond sur la même latitude que Rome, Athènes et Istanbul — et le ciel au-dessus de nos fenêtres est d'un bleu intense immaculé. Nous avons raison de traiter le beau temps comme un cadeau bien à propos pour notre anniversaire. Soixante-dix ans ! Mais il est possible que soixante-dix bougies soient trop pour n'importe quel gâteau ; et dans ce cas, le traditionnel « un seul pour faire grandir » suffirait.

Chapitre XIV

LA CONDUITE DU CHANGEMENT STRATÉGIQUE

It has been said that we live life forward but understand it backward. Looking back over years of discussion teaching, I see how intensely its process has intrigued, baffled, and intellectually nourished this practitioner — and the fascination shows no signs of abating. At its core lies a fundamental insight: teaching and learning are inseparable... All teach and all learn.

C. R. Christensen (1991)[1]

Ce que nous dit ce grand pédagogue qu'est Christensen s'applique à la gestion du changement, et peut-être même à la gestion en général. Gérer le changement, le conduire, c'est souvent découvrir le chemin à mesure qu'on s'y aventure. On apprend du terrain lui-même mais aussi, dans le cas de l'organisation, de tous ceux qui l'occupent actuellement. Si les praticiens qui dirigent le changement sont capables de faire partager leur fascination aux personnes qui, avec anxiété ou angoisse, regardent dans leur direction, le miracle de la transformation n'est pas loin.

Mais, comme dans l'enseignement, la transformation ne peut être forcée. Elle se produit d'elle-même ou elle ne se produit pas. Kazantzakis (1952), dans *Zorba le Grec*, le suggère admirablement :

Je me souviens du matin où je découvris un cocon dans l'écorce d'un arbre, juste au moment où un papillon ayant fait un trou dans son enveloppe se préparait à sortir. J'ai attendu un petit instant, mais il mit du temps à apparaître et j'étais impatient. Je me suis penché et j'ai soufflé dessus pour le chauffer. Je l'ai réchauffé aussi vite que j'ai pu et le miracle commença à se produire devant mes yeux, plus rapide que la vie. L'enveloppe s'ouvrit, le papillon commença lentement à se sortir et je n'oublierai jamais l'horreur que je ressentis

---

1. On a dit qu'on vit notre vie à l'endroit (en regardant vers l'avant) mais qu'on la comprend à l'envers (en regardant vers l'arrière). En retournant à toutes ces années d'enseignement par la discussion, je me rends compte combien son processus a intrigué, stupéfait et nourri intellectuellement le praticien (que je suis) - et la fascination n'a pas l'air de vouloir diminuer. Au cœur (de tout cela) il y a une révélation fondamentale : enseigner et apprendre sont inséparables... Chacun enseigne et chacun apprend.

lorsque je vis que ses ailes étaient repliées et brisées ; le papillon déformé, tout son corps tremblotant, essaya de les ouvrir. Penché dessus, j'essayai de l'aider à respirer, mais en vain.

La transformation ne se fait pas sans la volonté de celui qui doit se transformer et même là, il faut le temps ! Dans la conduite des changements stratégiques, les dirigeants disent souvent leur foi dans les personnes qui changent, mais comme le petit enfant de Kazantzakis qui souffle sur le cocon du papillon, ils sont souvent pressés. Est-ce à dire que les dirigeants doivent simplement veiller le processus et ne rien faire ? Loin de là !

Le dirigeant n'est pas seulement un enseignant au sens figuré. Il est réellement un enseignant ! Plus que cela, c'est un enseignant à la manière Christensen, un enseignant par la discussion, voire par la méthode des cas, un enseignant qui espère la transformation parce qu'il fait participer ses élèves au processus de la découverte, un enseignant qui ne connaît que partiellement le chemin et qui a suffisamment de cœur et de nerfs pour accepter de découvrir lui aussi, en même temps que ses élèves, une bonne partie de ce chemin.

On raconte ainsi la remarquable réussite de la prise en charge par Toyota de l'usine GM de Fairmount, en Californie, dans le cadre d'une coentreprise dont elle avait la charge de gestion (Pascale, 1990). GM considérait cette usine comme la plus difficile à gérer. La confrontation avec les syndicats était constante, et l'entreprise n'était même pas capable de procéder aux rénovations technologiques tant la résistance était grande. L'usine fut fermée, les employés licenciés et les installations confiées à Toyota.

Toyota recruta les mêmes ouvriers, les forma, leur donna plus de responsabilités et les laissa contribuer dans un cadre clairement spécifié. Le miracle se produisit. Alors que la résistance avait été grande avec GM, la collaboration et le plaisir de contribuer l'avaient remplacée avec Toyota. Plus impressionnant pour les puristes de la gestion traditionnelle, la performance fut inégalée dans les usines de GM. La productivité de l'usine de Fairmount était trois fois supérieure à celle de la meilleure des usines de GM. En d'autres termes, chaque employé de Fairmount produisait trois fois plus de véhicules que la moyenne des employés dans l'usine Buick City, l'usine-phare de GM. Quand on prend note que l'usine de Fairmount était *low-tech*[2], selon les standards de l'industrie, on comprend alors combien le changement est une question de personnes et de gestion des personnes, d'abord et avant tout.

---

2. De niveau technologique peu élevé.

On pourrait mentionner aussi l'histoire de ce remarquable gestionnaire brésilien qu'était Semler (1993). Il avait réussi une véritable révolution en admettant qu'il ne savait pas tout et que ses employés allaient avoir à découvrir eux-mêmes le chemin. À l'intérieur de balises raisonnables, on a alors réellement assisté à un miracle de la vie organisationnelle, au déploiement d'une formidable énergie par des personnes stimulées et relativement libres d'agir. Au Québec, l'histoire de la société Cascades et des frères Lemaire est similaire (Aktouf & Chrétien, 1987).

Dans ce chapitre, nous proposons une perspective d'ensemble de la conduite du changement stratégique. Nous suggérons que le plus important est la personne et sa réaction aux transformations qu'on impose à son univers habituel. Nous commencerons donc par un rappel de choses importantes concernant le comportement des personnes. Par la suite, nous mettrons l'accent sur les types de changements et sur les défis qu'ils présentent aux gestionnaires.

I. LES FONDEMENTS DU COMPORTEMENT HUMAIN

En 1911, dans un livre et une recherche célèbres sur l'intelligence et le comportement animal, Thorndike a proposé la loi de l'effet qui simplement déclare que les organismes vivants ont tendance à répéter les actions dont les résultats leur donnent du plaisir et à éviter celles qui sont associées à des résultats désagréables. Cette loi de l'hédonisme a exercé une grande influence sur les recherches qui ont été menées pour expliquer les comportements des personnes.

On peut diviser les recherches les plus marquantes dans le domaine en deux grandes catégories : celles, appelons-les cognitives, qui considèrent que le comportement des personnes est le résultat d'une réflexion ou d'une pensée consciente, actionnées par les stimuli auxquels elles sont exposées, et celles, appelons-les acognitives, qui considèrent que le comportement peut être expliqué sans référence aux processus de pensée des personnes.

A. LES THÉORIES ACOGNITIVES : SKINNER ET LE COMPORTEMENT CONDITIONNÉ

Le champion des explications acognitives est sans nul doute B. F. Skinner, dont la théorie est basée sur l'idée que « le comportement est déterminé par ses conséquences ». En fait, Skinner disait plus précisément ceci :

- L'organisme est passif. Il ne prend pas vraiment l'initiative des actions. Il ne fait que répondre aux stimuli.
- On n'a pas besoin de postuler qu'un besoin ou une finalité est à la base du comportement. Pour lui, tout peut s'expliquer par la relation «conséquences/comportement» ou encore par le fait qu'un organisme se comporte de manière à maximiser les plaisirs en tenant compte des conséquences qui *ont suivi* des comportements similaires dans le passé.
- Finalement, le conditionnement opératoire explique la plupart des comportements.

Fondé sur la loi de l'effet, le ***conditionnement opératoire*** est basé sur l'idée que, par le conditionnement, on peut augmenter la probabilité qu'un comportement désiré se reproduise et qu'un comportement non désiré soit supprimé.

On a déterminé cinq types fondamentaux de conséquences environnementales ou stimuli : 1) le renforcement positif, qui encourage la répétition du comportement ; 2) l'omission, qui décroît les chances de la répétition du comportement ; 3) la punition, qui a tendance à supprimer le comportement qui la précède ; 4) la fuite, qui accroît la probabilité de répétition du comportement qui la précède ; et 5) le stimulus neutre.

On pourrait ainsi dire que les comportements dans l'organisation sont toujours provoqués par des renforcements, visibles ou non. Des comportements indésirables peuvent être supprimés par l'identification et la suppression des renforcements. De plus, on peut obtenir le changement de comportement souhaité en utilisant un renforcement positif qui encourage les comportements désirés. Skinner a notamment suggéré que les systèmes de récompenses et punitions de l'organisation, pour être efficaces, doivent suivre les principes du conditionnement opératoire.

B. Le comportement comme résultat d'une démarche consciente

L'organisme peut aussi initier son propre comportement. Les hypothèses hédonistes sont aussi à la base de ces approches. Le processus hédoniste comprend quatre étapes :

- *La privation*, qui engendre un besoin à la suite de l'absence d'une condition nécessaire à la survie, au confort ou au plaisir d'une personne.

- *L'éveil*, qui s'exprime par une grande activité, souvent aléatoire, et une sensibilité plus grande aux stimuli susceptibles de satisfaire le besoin produit.

- *La direction*, qui fait que le comportement prend un sens, a une fin ; la personne recherche les incitatifs (choses, personnes, places, conditions ou activités) qui pourraient lui permettre de satisfaire le besoin ressenti et essaie de les obtenir.

- *La satisfaction*, qui se produit lorsque le besoin est satisfait en partie ou en totalité ; la séquence se termine alors.

L'idée qu'à la base du processus il y a un besoin nous amène naturellement à essayer de déterminer les types de besoins qu'on retrouve dans les analyses de **comportement cognitif**, orienté vers un but. Bien qu'elles ne soient pas exhaustives, cinq grandes catégories de besoins font le consensus parmi les spécialistes : le besoin de survivance, le besoin de sécurité, le besoin d'affiliation, le besoin de réalisation et le besoin de maîtrise. Les voici de manière plus détaillée.

1. Le besoin de survivance

On a tendance à inclure dans cette catégorie des besoins *physiogéniques*, comme satisfaire la faim ou la soif, la protection contre un environnement hostile (se vêtir et se loger) et le besoin de régénération, notamment par le sommeil, et des besoins *psychogéniques*, soit la sécurité, l'affiliation, la réalisation et la maîtrise.

2. Le besoin de sécurité

Ce besoin ressemble beaucoup au besoin de survivance, sauf qu'il l'étale sur le long terme. La sécurité physique et la sécurité économique dominent ici.

3. Le besoin d'affiliation

On estime que les êtres humains ont un fort besoin de s'associer et de se faire accepter par les autres. La constitution d'une famille est considérée comme faisant partie de la satisfaction de ce besoin. Certains comportements liés au besoin d'affiliation recoupent aussi la satisfaction d'autres besoins, comme le besoin de sécurité économique.

4. Le besoin de réalisation

Ce besoin est celui d'atteindre soi-même, non par la chance ou par l'effort des autres, des réalisations concrètes et mesurables. Le besoin de réalisation semble très influencé par les expériences de jeunesse. Il y a aussi des différences culturelles et sous-culturelles en matière d'insistance sur la réalisation. Ainsi, la classe moyenne ou moyenne-basse, les petites villes et les origines rurales produisent un ratio plus grand de personnes ayant un besoin de réalisation élevé, alors que la pauvreté a tendance à étouffer le besoin de réalisation.

5. Le besoin de maîtrise

C'est le besoin de manipuler ou de contrôler certains aspects de l'environnement. Lorsque les autres personnes sont concernées, on parle souvent de *besoin de pouvoir*, tandis que lorsque des aspects non humains sont touchés, on parle de *besoin d'affectance*. Le besoin de pouvoir peut mener à l'utilisation et à l'exploitation des autres, mais il peut aussi se révéler utile pour les subordonnés comme pour les supérieurs.

Même si cela peut paraître évident, il faut mentionner que ces besoins sont en interaction constante et s'influencent mutuellement. La hiérarchisation des besoins, comme celle qu'a proposée Maslow, a eu beaucoup de succès. Pour ce chercheur, les besoins sont hiérarchisés chez les personnes de manière à ce que ceux situés le plus bas dans la hiérarchie dominent. Ceux qui se trouvent plus haut dans la pyramide ne deviennent actifs que lorsque les besoins plus fondamentaux sont raisonnablement satisfaits. Ainsi, pour Maslow, les besoins, ordonnés du plus au moins dominant, sont :

1. Les besoins physiologiques ;

2. Les besoins de sûreté ;

3. Les besoins d'amour ;

4. Les besoins d'estime ;

5. Les besoins d'autoactualisation.

Même si cela est peu connu, Maslow a émis beaucoup d'avertissements et de correctifs. Notamment, il suggère qu'il n'y a pas de frontières très claires entre les différents besoins.

C. La motivation et le comportement des personnes au travail

Les théories fondamentales que nous venons de voir ne disent pas vraiment quel comportement est susceptible d'apparaître au travail. Il est nécessaire de les relier à l'action. C'est pour cela que des théories sur la motivation au travail, la satisfaction et la performance sont apparues. Au travail, la personne trouve des satisfactions qui peuvent lui venir de son salaire, de bénéfices divers ainsi que de l'environnement physique, social et organisationnel qui l'entoure. Cela l'amène à avoir des sentiments et des attitudes positives ou négatives à l'égard du travail qui influencent le degré d'effort qu'elle va fournir et vont déterminer l'ardeur et la persistance avec lesquelles elle va se consacrer à son travail ; ces dernières sont associées à sa contribution à la performance de l'organisation.

Les relations de causalité entre satisfaction, effort et performance ne sont pas clairement établies par la recherche. Les livres de comportement organisationnel ont cependant retenu une synthèse importante offerte par Porter & Lawler (1968). Cette synthèse est résumée dans le modèle présenté à la figure 1. Ce modèle nous dit que l'effort (case 3) est déterminé par la perception qu'a l'acteur de la relation qui existe entre l'effort et la récompense (case 2) et par la valeur qu'il accorde à cette récompense (case 1). L'effort, ainsi que les « capacités et traits » (case 4), qui sont les « caractéristiques stables et à long terme de la personne », et les perceptions sur le rôle (case 5), ou comportements que la personne considère comme essentiels pour réaliser la tâche, déterminent les réalisations et donc la performance (case 6). Celle-ci, à son tour, détermine les récompenses qui peuvent être de deux types : intrinsèque et extrinsèque. La récompense intrinsèque (case 7A) est celle qui est reliée aux besoins supérieurs et dépend donc de l'employé lui-même, tandis que la récompense extrinsèque (case 7B) est reliée aux besoins inférieurs et est administrée par l'organisation. La performance change aussi la perception de ce que sont des récompenses équitables (case 8) et a un effet de feed-back sur la perception de la relation entre

Figure 1   Le modèle Porter/Lawler

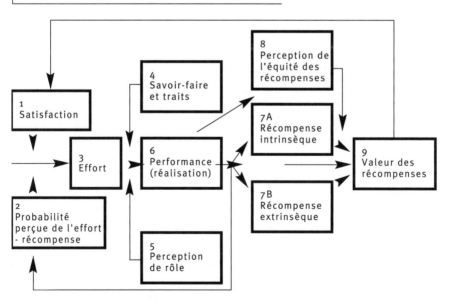

Adapté de Porter & Lawler (1968)

l'effort et la récompense (case 2). Finalement, les récompenses déterminent la satisfaction (case 9), laquelle a un effet de feed-back sur la valeur des récompenses. Bien que fonctionnant comme un « système fermé », ce modèle est bien accepté par les experts.

D. La frustration et le comportement

On a aussi observé des comportements qui, loin d'être guidés par la recherche de satisfaction, semblent s'en éloigner, ce qui a mené à des théories sur les comportements provoqués par la frustration. La frustration est ici conçue comme une construction théorique qui fait le lien entre des conditions qui freinent ou empêchent la satisfaction d'un désir ou d'un besoin et les comportements qui leur sont associés. Les spécialistes utilisent aussi les termes de *blocage et conflit* pour parler des sources de frustration, d'*anxiété* pour parler de la conscience de la frustration et d'*induit par la frustration* pour parler des comportements qui sont la conséquence de la frustration.

La frustration n'est pas toujours le résultat d'un blocage. Elle peut aussi résulter de conflits entre besoins.

Les *patterns* de comportements induits par la frustration sont au nombre de quatre : l'agression, la régression, la fixation et la résignation (Maier, 1965). L'agression peut avoir trois types de cibles. Elle peut être directe (contre la personne ou l'objet bloquant la satisfaction) ou déplacée (contre des boucs émissaires) ; ou, dans certains cas compliqués, elle peut être tournée vers l'intérieur, vers la personne elle-même, sous forme de sentiments de honte, de déception, et peut conduire à des comportements extrêmes. Dans les organisations, les *patterns* d'agression sont souvent déterminés par la hiérarchie (Zaleznik, 1970). Les luttes intestines en sont une forme, comme peuvent l'être une obéissance à la lettre ou un excès de zèle.

La régression est un phénomène bien décrit par les psychologues et les psychanalystes (Lapierre, 1993). Chez les adultes, on attache à ces comportements ceux qui consistent à « vouloir retourner au bon vieux temps », à s'attacher anormalement à des symboles d'enfance ou du passé, à accepter facilement des recommandations ou des suggestions d'autres personnes sans esprit critique, à développer des loyautés aveugles à des groupes ou à des individus.

Parfois, la frustration engendre des actions répétitives, bien qu'elles ne donnent aucun résultat ni aucun sentiment de progrès vers l'objectif ; parfois même, elles peuvent causer de la douleur ou de l'inconfort. C'est une situation de fixation. On a trop tendance à punir pour corriger ce comportement, ce qui ne peut que l'aggraver. Les dirigeants sont souvent eux-mêmes victimes de fixation, surtout lorsqu'ils ont du mal à maîtriser de nouvelles responsabilités.

Finalement, la résignation se manifeste par la passivité, l'inaction, le manque d'intérêt, voire l'apathie. Ce ne sont pas, comme pour les autres *patterns,* des réponses à des blocages immédiats ou temporaires ; c'est plutôt une réponse à des barrières répétées et dominantes, à la réalisation d'objectifs. Les comportements d'échec sont souvent associés à la résignation.

E. LE CHANGEMENT ET LA PERSONNE

On peut à présent comprendre les problèmes que le changement pose à la personne. Il la met dans une situation où elle doit repenser le monde et ses relations avec les autres personnes de l'organisation. Elle doit aussi réexaminer la relation qui existera entre effort, performance et récompense. Le changement peut alors engendrer beaucoup de frustration. Le gestionnaire préoccupé par la gestion du changement devra donc garder ces enseignements constamment à l'esprit. Par ailleurs, il est important de rappeler que la compréhension des comportements fondamentaux n'est utile que si on la replace dans le contexte que représente une situation spécifique. C'est pour cela que nous proposons une typologie des changements stratégiques, ce qui nous amènera à apprécier les défis auxquels le gestionnaire du changement aura inévitablement à faire face.

II. UNE TYPOLOGIE DES TRANSFORMATIONS STRATÉGIQUES

Pour les besoins de l'étude des organisations dont le niveau de complexité est élevé, nous proposons de décomposer et de simplifier l'idée de stratégie en quatre grandes composantes :

a) L'ensemble des croyances partagées par les responsables clés de l'organisation et portant sur :
- l'environnement ; par exemple, comment est-il structuré ? Quelles sont les opportunités et menaces qu'il contient ? Quelle est la nature de la concurrence ? Quel est le rôle du gouvernement ?
- les personnes ; par exemple, que savons-nous de leurs capacités et de leurs comportements (faits et théories) ?

- l'état de nos connaissances et de notre compréhension du monde (physique) qui nous entoure ; notamment, quels sont les niveaux de la compréhension et de la connaissance technologique et managériale ?

b) L'ensemble des valeurs partagées par les responsables clés de l'organisation, et donc des pratiques couvrant :

- les activités de l'organisation, comme son orientation technologique, la qualité de ses produits/services, l'importance de l'efficience, etc. ;
- la définition du rôle et de la contribution des individus, y compris le degré de participation aux décisions ;
- les relations de l'organisation avec la société en général.

c) La stratégie concurrentielle, ou positionnement, qui comprend essentiellement la définition ou la modification du domaine d'activité. Le domaine peut être étendu en relation avec les activités et les produits actuels de l'organisation ; c'est notamment le cas des décisions d'internationalisation des activités. Il peut aussi être redéfini, sans relation avec les activités ou les produits de l'organisation ; c'est le cas d'une acquisition dans des domaines non reliés, par exemple. Dans les deux cas, le processus d'allocation des ressources doit être redéfini et la chaîne de valeur doit être reconfigurée. Cela implique une reconceptualisation des éléments d'activité et de leur soutien pour mieux servir la clientèle actuelle ou une nouvelle clientèle.

d) Les arrangements structurels qui comprennent les éléments mentionnés plus haut et définissent en particulier le mode de gouvernement choisi pour l'organisation et la distribution du pouvoir entre les forces et acteurs de l'organisation. D'abord, le mode de gouvernement est défini lorsqu'on clarifie la structure du processus d'attribution des ressources. En particulier, est-elle formellement (ou informellement) définie ? Son fonctionnement et le contrôle de ses résultats sont-ils systématiques ou spéciaux ? Ensuite, quel est l'espace de décision disponible pour les membres clés de l'organisation ? En particulier, combien de contrôle (ou d'autonomie) y a-t-il sur des décisions simples (ou complexes) ? Finalement, comment sont perçus les systèmes de contrôle et de récompense ? En particulier, le système de récompense est-il vague ou précis et les fréquences de mesure et de contrôle sont-elles élevées ou basses ?

Les dimensions que nous venons de définir n'agissent pas de manière indépendante les unes des autres. Comme nous l'avons évoqué, il y a des regroupements en configurations « naturelles » qui définissent les transformations stratégiques. L'idée de configuration est bâtie sur la croyance que, dans les activités de la nature et dans les activités des personnes, les variables qui caractérisent ces activités ne prennent pas toutes les valeurs qu'elles pourraient prendre. Elles ont plutôt tendance à ne prendre que certaines valeurs compatibles avec celles des autres variables pour former des ensembles harmonieux. Cela permet donc de les regrouper en un nombre relativement faible de configurations et d'ignorer le grand nombre de combinaisons qui pourraient résulter de la considération de toutes les valeurs théoriquement possibles (Miller & Mintzberg, 1983).

Les configurations les plus représentatives sont au nombre de quatre. Chacune de ces configurations est dominée par un des quatre aspects de la stratégie mentionnés précédemment.

La configuration de transformation n° 1 : changer la façon de voir le monde

Le changement ici est total, car les croyances doivent être fondamentalement modifiées. Ce changement de nature idéologique entraîne irrémédiablement des modifications dans les valeurs, dans la nature du domaine d'activité et dans les arrangements structurels. Tout cela se fait généralement en un temps relativement court même si plusieurs années sont nécessaires pour la stabilisation. Dans ce cas, les dimensions se combinent alors comme suit.

Le changement de croyance est généralement perçu comme brutal. Changer la façon de voir le monde requiert souvent des changements organisationnels spectaculaires pour signaler qu'on a réellement l'intention de mener le changement à terme. Notamment, les responsables sont souvent changés de manière brutale, les traditions sont modifiées pour mettre l'accent sur des valeurs nouvelles, de nouveaux symboles apparaissent, des comportements nouveaux sont mis en exergue, etc.

On ne change pas les croyances facilement. Il y a toujours une période de prosélytisme, au cours de laquelle on essaie de développer un consensus autour de la nécessité du changement et de la pertinence des nouvelles croyances ou valeurs.

Par définition, ce type de changement implique des transformations dans toutes les pratiques et les idées qui ont cours dans l'organisation. C'est le type de changement le plus complet. L'apprentissage requis est très important, d'autant plus important que généralement tout est changé à la fois : les croyances et les valeurs, le domaine d'activité et les règles de fonctionnement.

Un exemple typique de ce genre de changement, celui d'Hydro-Québec entre 1981 et 1987, a été décrit par Hafsi & Demers (1989). Ce genre de changement est tellement englobant que peu d'organisations oseraient l'entreprendre si elles en mesuraient toutes les conséquences et toutes les difficultés. Il correspond vraiment à une révolution complète. Rares sont les entreprises qui le tentent.

La configuration de transformation n° 2 : revitaliser en changeant les pratiques de l'organisation

Ici, on n'a pas besoin de changer sa façon de voir le monde (les croyances sont encore bonnes), mais on est convaincu que les valeurs (et donc les pratiques) ne sont plus adaptées au monde. Cela implique en quelque sorte une remise en cause de soi plutôt que de sa vision du monde. Il s'agit ici de découvrir des comportements plus fonctionnels, puis de reconstruire la relation que l'organisation a avec le reste du monde. À terme, en plus du changement de valeurs, il y a aussi souvent un changement du champ d'activité et des arrangements structurels.

Ce changement, même s'il est démarré à toute vitesse pour réduire les résistances, prend beaucoup de temps pour devenir une réalité. Généralement, la performance de l'organisation n'est pas catastrophique, et donc le temps disponible pour aller vers des performances meilleures est suffisant.

Comme le changement ne remet pas en cause, du moins au début, la relation de l'organisation à son environnement, il est moins englobant que dans la configuration n° 1. C'est néanmoins un changement des pratiques qui touche l'ensemble de l'organisation et, de ce fait, il introduit des perturbations dont la digestion peut prendre plusieurs années.

L'apprentissage requis peut être considérable, mais il est généralement plus acceptable parce que les croyances ne sont pas remises en cause. Lorsque sir Marcus Sieff chez Marks & Spencer ou M. McPherson chez Dana ont du jour au lendemain interdit l'utilisation des manuels de procédures et préconisé une « gestion sans papier », la stupeur était générale, mais la mise en application a été remarquable.

Le changement de contexte organisationnel requis est considérable, mais il n'est pas nécessairement aussi fondamental que dans le changement n° 1. Le but du changement est bien sûr de modifier les relations à l'intérieur de l'organisation et donc le fonctionnement actuel de celle-ci, mais il n'y a pas de remise en cause de la nature des relations avec l'environnement.

Le changement stratégique n° 2 n'entraîne pas toujours un changement de leadership. Très souvent, les mêmes dirigeants amorcent le changement. Le style est essentiellement charismatique et démocratique. Mao, lors de la révolution culturelle en Chine, est un cas typique. Dans le monde des affaires, c'est une situation très courante. Allaire & Firsirotu mentionnent General Electric, Pillsbury, Philip Morris, et Johnson & Johnson. Anderson mentionne Con Agra, Hershey Foods, Cabot Corporation, Dana et bien d'autres. Dans la plupart de ces cas, le changement a été lancé et géré par les dirigeants en place.

Ces exemples semblent suggérer que ce type de changement est généralement entrepris dans des organisations matures, dont les pratiques sont devenues désuètes. En général, une concurrence forte ou moyenne mais devenant plus énergique accompagne ou favorise cette configuration. La situation concurrentielle révèle aussi des possibilités importantes dont l'entreprise peut, si elle change de pratiques, tirer parti pour se démarquer et accroître ou améliorer ses avantages concurrentiels.

La configuration de transformation n° 3 : réorienter en changeant le domaine d'activité

Dans cette configuration, les croyances ne sont pas en cause et le fonctionnement interne paraît satisfaisant ; par contre, le domaine d'activité paraît inadéquat soit parce que les ressources de l'entreprise ne sont pas utilisées complètement, soit parce qu'elles pourraient être utilisées plus efficacement. Le changement implique donc de modifier ou d'étendre le champ d'activité. Dans cette configuration, la modification des croyances et des valeurs est lente, progressive et liée à l'évolution normale d'une entreprise dont le champ d'activité change.

Les changements organisationnels peuvent être très importants (Chandler, 1962) pour ajuster les arrangements structurels à la nouvelle stratégie. Ces changements peuvent cependant être progressifs et, dans tous les cas, ils amènent des améliorations sensibles, souvent souhaitées par la plupart des dirigeants et des personnes concernées.

Le changement est souvent de grande envergure, mais comme la possibilité de le mener progressivement existe, il apparaît moins redoutable. L'apprentissage requis peut être important mais il est progressif. De ce fait, les résistances peuvent être beaucoup moins grandes que dans les cas précédents.

Il y a habituellement continuité du leadership. Mais il y a aussi de nombreux cas où le changement a été amorcé par de nouveaux dirigeants. Finalement, là aussi la concurrence stimule le changement. Elle est généralement forte, met en cause la performance de l'entreprise dans le domaine choisi et force la reconsidération des choix faits précédemment.

L'exemple souvent mentionné est celui de la société Du Pont entre sa création et la fin des années 1920. Le changement de domaine entrepris par cette entreprise fut tellement grand que des changements de structure puis plus tard de culture se sont révélés nécessaires.

La configuration de transformation n° 4 : restructurer pour la survie à court terme

Le cas typique est celui de Chrysler à la fin des années 1970. La situation de l'organisation est généralement très difficile, voire désespérée. Les ressources ne sont pas suffisantes pour assurer le fonctionnement normal. Il est nécessaire de procéder à des opérations chirurgicales d'urgence pour sauver l'organisation. On doit notamment réduire l'importance des activités, remettre de l'ordre et imposer une discipline dure pour accroître l'efficacité et l'efficience.

Les arrangements structurels doivent alors être changés de manière spectaculaire et discontinue. Le domaine d'activité, les valeurs et les croyances ne sont pas au départ une préoccupation des dirigeants, et on n'a pas à les changer pour survivre. Elles doivent s'ajuster mais cela peut prendre beaucoup de temps. Ce n'est qu'après avoir assuré la survie de l'organisation que Iacocca s'est préoccupé d'une part de lui redonner de nouvelles croyances et de nouvelles valeurs et d'autre part de modifier son domaine d'activité (J. Hafsi, 1985).

Le changement structurel doit se faire de toute urgence. Il n'est pas nécessaire de consacrer beaucoup de temps à la discussion et à la réflexion. Le changement a souvent été perçu depuis longtemps comme nécessaire, mais les actions de correction n'ayant pas été entreprises, il y a eu aggravation. Celle-ci fait alors du changement une nécessité à court terme pour assurer la survie de l'organisation. L'absence ou la faiblesse de la concurrence est souvent à l'origine d'une telle situation. Cependant, une situation de très forte concurrence peut aussi être associée à cette configuration lorsque cette forte concurrence se perpétue dans le temps et que les organisations concernées n'arrivent pas à trouver le temps de se réajuster de manière adéquate. Cela s'est notamment produit dans l'industrie des machines agricoles depuis les années 1950.

Le changement, même s'il est considérable, apparaît comme légitime et ne suscite que peu de réactions. L'apprentissage est souvent important mais peu coûteux parce qu'il est dans bien des cas souhaité par le plus grand nombre.

Généralement, le leadership qui mène le redressement est nouveau, parce que les responsables en place ne peuvent effacer les stigmates de l'échec qui a entraîné la nécessité du redressement. Le style est essentiellement autoritaire et orienté vers les résultats. Les exemples de Iacocca chez Chrysler et de Rice chez Massey-Ferguson, dans les années 1980, sont typiques.

III. LES DÉFIS DU CHANGEMENT STRATÉGIQUE

Comme cela a été discuté précédemment, c'est surtout à cause de son effet sur les personnes que le changement stratégique est si délicat à mener. L'effet sur les personnes est alors à la source de nombreux grands défis, qu'on peut regrouper en cinq catégories :
- un défi conceptuel
- un défi organisationnel
- un défi culturel
- un défi humain
- un défi de leadership

Chacun de ces défis est généralement présent dans tous les types de changements évoqués, cependant la combinaison est spécifique et différente pour chaque situation.

Un changement stratégique, comme tout changement organisationnel d'envergure, requiert une certaine légitimité. La légitimité est simplement une justification, de nature légale, morale, idéologique ou autre, pour l'action entreprise ou à entreprendre, acceptée par les membres clés de l'organisation. L'idée de la nécessité de la légitimité est relativement facile à comprendre : comme le changement engendre des souffrances pour beaucoup de personnes, il peut aussi entraîner beaucoup de contestation, ce qui peut à la limite remettre en cause le changement lui-même.

La légitimité peut venir de la propriété, du pouvoir physique détenu, de la disponibilité de ressources, notamment financières (pour faire taire la contestation), du soutien de personnes qui ont de la crédibilité au sein de l'organisation, de l'existence d'une idéologie puissante et convaincante pour le plus grand nombre, ou de l'existence d'une organisation adéquate pour canaliser le changement et réduire les risques d'égarement.

En conséquence, le premier défi pour mener le changement est de nature conceptuelle. Il faut en effet trouver les formulations les plus convaincantes pour expliquer et justifier le changement. Il faut pour cela proposer une conceptualisation du changement qui rende celui-ci évident, voire « naturel », pour tous les membres clés de l'organisation. Cela suppose entre autres l'énoncé d'une vision claire et imposante, dans laquelle les membres de l'organisation vont reconnaître leurs aspirations. Selon le type de changement, cette formulation peut venir au tout début ou vers la fin du changement.

Le deuxième défi est organisationnel : il s'agit de construire l'organisation, de sorte qu'elle puisse prendre en charge le changement. Ce défi est lié aussi à la nature des personnes de l'organisation. Le système organisationnel doit encourager les comportements qui sont souhaités par le changement. Malheureusement, sauf dans le cas d'organisations très simples, nos connaissances sont très embryonnaires. Les relations de cause à effet en matière organisationnelle sont très mal connues, et nos désirs ou objectifs deviennent très difficiles à exprimer de manière claire pour tous. De plus, les phénomènes organisationnels sont très souvent spécifiques et localisés, alors qu'on souhaite souvent entreprendre des actions générales parce que plus économiques. Si l'on ajoute à tout cela l'effet d'assombrissement provoqué par la complexité, il est possible de dire qu'en la matière les dirigeants sont souvent comme des aveugles : ils naviguent au jugé.

Les actions sur le contexte organisationnel sont souvent de nature expérimentale, et cette expérimentation ne donne pas des résultats clairs. En effet, beaucoup de variables ou de facteurs organisationnels ne donnent que des effets à terme, et on ne sait pas quel est ce terme ! C'est pour cela que le dirigeant est obligé de suivre avec attention les effets de ses actions sur les cadres clés de l'organisation et de se tenir prêt à faire les ajustements nécessaires.

Le troisième défi est culturel. La culture est une façon de voir le monde qui agit à un niveau très fondamental chez les personnes (Firsirotu, 1985). C'est elle qui guide nos comportements de base. Elle joue très souvent un rôle fonctionnel important en nous permettant de réagir de manière automatique, et donc économique, aux exigences de notre environnement. Elle apporte des réponses aux questions quotidiennes et facilite les ajustements de nos comportements par rapport aux exigences des autres. De ce fait, elle nous permet de vivre avec les autres avec un minimum de dépenses d'énergie[3].

Changer de culture, ce qui est souvent requis à plus ou moins brève échéance dans les changements stratégiques, c'est partir à l'aventure ! Les résistances les plus fortes se retrouvent à ce niveau. Le changement culturel peut engendrer des comportements agressifs et opposés à l'idée même du changement. Beaucoup de pays et d'organisations en ont fait la douloureuse expérience. Ainsi, une des raisons les plus probables de la grande débâcle qui a emporté la société Béatrice est précisément la remise en cause de la culture quasi spartiate qui y régnait jusqu'à la fin des années 1970 (Hafsi, 1980). De même, les difficultés et les soubresauts connus par beaucoup de pays en développement après leur indépendance peuvent être reliés à la brutalité des changements culturels qui s'y sont produits (Kiggundu, Jorgensen & Hafsi, 1983).

Le défi consiste donc à gérer le changement de culture de sorte que l'adaptation des personnes soit possible. Les changements de culture qui sont en opposition avec la culture de l'industrie ou de l'environnement en général sont très risqués et ne peuvent se faire sans un consensus très large à l'intérieur de l'organisation.

Le quatrième défi est humain : c'est celui auquel on fait face lorsqu'on est conscient des (et sensible aux) souffrances que le changement peut engendrer. L'acceptation de ces souffrances comme le prix à payer pour la bonne santé de l'organisation n'est pas facile pour tous. En effet, en particulier pour le redressement, les dirigeants sont souvent perçus comme des bourreaux tant que l'entreprise n'est pas redressée et que des correctifs plus humanisants n'ont pas été apportés. Beaucoup de dirigeants ont du mal à vivre avec cela.

Par ailleurs, la souffrance des personnes vient souvent du fait que nous avons tous un peu tendance à ne voir les solutions que de façon extrême ou tranchée. Le défi humain consiste aussi à trouver les solutions de changement qui peuvent réduire les traumatismes et, d'une certaine manière, préparer l'avenir. Ces solutions souvent très créatives requièrent beaucoup de temps, d'énergie et d'ingéniosité de la part des dirigeants, ce qui est une ressource rare en période de changement. Les standardisations et les solutions nettes sont souvent plus expéditives, même si « contre-productives » à long terme.

---

3. Il faut noter que la culture qui influence les personnes de l'organisation se situe à trois niveaux : l'organisation elle-même, l'industrie, l'environnement plus général (le pays ou la région) (Jorgensen, 1989).

Finalement, **le défi de leadership** consiste souvent à aller à contre-courant pour amorcer le changement. Nul ne prend la souffrance s'il peut la retarder, dans l'espoir qu'elle va peut-être s'en aller. Il faut toute la résolution et tout le courage de celui qui guide pour se battre parfois seul contre tous. Cela est particulièrement vrai pour les changements dans lesquels la situation de l'entreprise ou de l'organisation n'est pas catastrophique, c'est-à-dire la configuration de changement n° 1 et, à un degré moindre, les configurations n°s 2 et 3.

Un autre défi de leadership consiste à donner l'exemple. Lorsque l'organisation est souffrante, il est important que tous partagent cette souffrance. En particulier, le dirigeant doit montrer par son comportement qu'il prend en charge une partie du fardeau. Iacocca a symboliquement réduit son salaire à un dollar, d'une part pour exprimer sa volonté de montrer le chemin en matière de sacrifice, et d'autre part, pour montrer sa foi en l'avenir et donc dans l'utilité du sacrifice présent pour la santé future. À la même époque, les dirigeants de GM demandaient des réductions de salaires à leurs employés tout en se gratifiant de salaires et de primes particulièrement généreux. Beaucoup d'observateurs suggèrent que leurs problèmes des années 1980 et 1990 sont un peu liés à cela.

V. EN GUISE DE CONCLUSION

La conduite du changement passe par la compréhension des éléments fondamentaux qui conditionnent le comportement des personnes. Dans ce chapitre, nous avons fait quelques rappels importants en insistant sur une loi simple, celle de Thorndike : les personnes se comportent de manière à maximiser les plaisirs et à minimiser les désagréments. Bien entendu, pour porter les jugements sur ce qui va leur donner du plaisir ou des désagréments, ils font généralement confiance à leur expérience ou à leurs connaissances. Mais la compréhension du comportement de base n'est pas suffisante. Il faut aussi avoir une bonne idée des forces qui animent le changement stratégique et qui le caractérisent. Nous avons alors suggéré une typologie des changements qui permet de clarifier cela.

Quatre types de changements ont été décrits. Du plus facile au plus difficile, on les a nommés : 1) restructurer pour la survie à court terme, dont le moteur est la structure ; 2) réorienter en changeant le domaine, dont le moteur est la stratégie au sens de positionnement ; 3) revitaliser en changeant les pratiques, dont le moteur est constitué par les valeurs ; et 4) changer la façon de voir le monde, dont le moteur est constitué par les croyances. Ces types de changements présentent des défis différents, mais qui peuvent être regroupés en cinq grandes catégories : défis de conceptualisation, organisationnel, culturel, humain et de leadership.

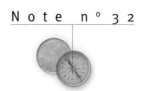

LA LÉGITIMITÉ ET LE CHANGEMENT STRATÉGIQUE

par Jacob Atangana Abé

L'idée de légitimité, très répandue en droit et en sciences politiques, commence à gagner de l'intérêt dans le domaine de la gestion. Cet intérêt, quoique tardif, se trouve en accord avec le contexte actuel des organisations où le changement s'impose désormais comme une donnée permanente. Le changement, surtout lorsqu'il est de nature stratégique, est un moment charnière au cours duquel les dirigeants sont incités à s'interroger sur la légitimité de leur organisation. Par changement stratégique, nous entendons un changement qui implique une mobilisation importante de ressources et qui engage le devenir et l'identité de l'organisation tout entière.

Qu'est ce que la légitimité? Quelle est son importance au sein d'une organisation? Comment peut-on la construire ou la développer? Ces questions constituent la trame de notre analyse dont le but est de démontrer comment la légitimité peut faciliter l'implantation d'un changement stratégique.

QU'EST CE QUE LA LÉGITIMITÉ ?

La légitimité est un terme associé au pouvoir, que celui-ci soit exercé par une personne, un groupe d'invidus ou une organisation. La légitimité s'entend comme un « droit d'agir » concédé au détenteur du pouvoir par ceux qui le subissent. Dans une relation hiérarchique, la légitimité fonde l'autorité et donne à celle-ci la justification de son acceptation (Salleron, 1965). La légitimité est cependant un terme beaucoup plus complexe que ne le laisse paraître la simplicité de sa définition. C'est un concept multidimensionnel, à la confluence de la légalité, de l'efficacité et de l'éthique.

La légalité et la légitimité proviennent d'une même racine latine, *lex*, qui signifie « la loi ». Est donc légitime ce qui est conforme à la loi. La loi fixe les règles du jeu auxquelles chaque organisation doit se conformer. La légalité est une condition essentielle, omniprésente dans le fonctionnement de toute organisation, et dont la non-conformité expose celle-ci à la répression de la puissance publique.

L'efficacité est la capacité d'une organisation à atteindre ses buts ou ses missions. Il s'agit de la dimension instrumentale de la légitimité en ce sens qu'une organisation est, par essence, un moyen pour atteindre une fin. L'incapacité (réelle ou probable) à atteindre cette fin est souvent la principale cause des changements observés dans la plupart des organisations.

La dimension éthique, enfin, se rattache aux valeurs et aux normes de la société en général. C'est une dimension qui ne cesse de prendre de l'importance, car elle conditionne les deux autres. Les valeurs et les normes sont portées par des groupes d'individus ou par des organisations (les *stakeholders*) plus ou moins intéressés à ce que fait l'organisation (clients, fournisseurs, employés, actionnaires, groupes de pression, etc.). Ces groupes sont importants pour l'organisation, car c'est sur leurs perceptions que repose sa légitimité.

Aucune des dimensions ci-dessus ne peut seule suffire à ce qu'une organisation soit reconnue comme légitime. Cependant, il n'est pas rare que, à certains moments ou dans certains contextes, en fonction de l'évolution des idées, une dimension soit prépondérante et tende à occulter les autres.

POURQUOI LES ORGANISATIONS ONT-ELLES BESOIN DE LÉGITIMITÉ ?

Certains auteurs (Dowling & Pfeffer, 1975 ; Pfeffer & Salancik, 1978) assimilent la légitimité à une ressource vitale. Les organisations comme l'Association pour la recherche contre le cancer (ARC) en France, Shell, Union Carbide, Exxon ou, tout près de nous, les compagnies de tabac savent ce qu'il en coûte de perdre sa légitimité ou de la voir remise en question. On sait maintenant, à partir des études en sciences politiques, que la légitimité est très importante dans la mise en œuvre du changement. Elle est, en effet, reconnue comme un facteur de stabilité, d'ordre et d'efficacité ; et elle entraîne obéissance et engagement volontaire de la part de ceux qui doivent actualiser le changement.

LA LÉGITIMITÉ, L'ORDRE ET LA STABILITÉ

L'idée que la légitimité assure ordre et stabilité est partagée par plusieurs auteurs (O'Connor, 1973 ; Stillman, 1974 ; Useem & Useem, 1979 ;

Lipset, 1983 ; Beetham, 1991). La stabilité n'est pas le contraire du changement, mais l'aptitude de l'organisation à surmonter un choc ou un échec en
s'appuyant sur le soutien que lui apportent ses membres, ses partenaires et la
communauté tout entière (Useem & Useem, 1979). La légitimité offre une
double garantie aux dirigeants et aux autres parties prenantes du changement. Aux dirigeants, elle assure l'implication des autres partenaires et
diminue ainsi les risques de contestation, de protestation et de conflit vis-
à-vis de l'initiative du changement. Pour les parties prenantes, la légitimité
est une garantie que leurs valeurs, aspirations et intérêts seront pris en compte et même préservés dans la conduite du changement.

LA LÉGITIMITÉ, L'OBÉISSANCE ET L'EFFICACITÉ

L'obéissance est un acte de soumission du subordonné à un ordre de son
supérieur hiérarchique. La soumission peut être obtenue par la force, et dans ce
cas, elle a un coût et s'estompe une fois que la contrainte cesse. La soumission
peut aussi être le résultat d'un acte légitime. Dans ce cas, elle est volontaire et
se traduit par un engagement et une appropriation de l'ordre par les subordonnés. Un changement stratégique perçu comme légitime crée le consensus
autour de sa réalisation et permet de réduire les coûts que l'organisation aurait
eu à subir si elle avait fait face à une contestation (une grève par exemple).

La légitimité comporte donc des vertus qui peuvent faciliter la mise en
place d'un changement stratégique. C'est pourquoi nous préconisons que les
dirigeants portent attention à une série d'actions qui concourraient à légitimer la décision de changement tant sur le plan de sa conception que sur celui
de sa mise en œuvre.

COMMENT BÂTIR OU DÉVELOPPER SA LÉGITIMITÉ

Les actions à mener par les organisations pour bâtir ou développer leur
légitimité font partie de ce qu'on appelle communément le processus de
légitimation. Malheureusement, beaucoup de dirigeants ont tendance à
réduire ce processus à un simple exercice de justification. Un peu comme
s'il suffisait de *justifier* pour être légitime. Cette façon de procéder peut certes donner des résultats positifs à court terme, mais elle risque de se retourner contre ses instigateurs à plus long terme. En effet, la légitimité se construit d'abord sur les faits, puis par des symboles où le discours joue un rôle
important.

LA CONSTRUCTION FACTUELLE DE LA LÉGITIMITÉ

L'évaluation de la légitimité du changement stratégique s'apprécie en considérant à la fois les initiateurs du changement, c'est-à-dire les dirigeants, et le contenu de la décision de changement.

La perception de la légitimité d'un changement dépend avant tout de la perception que l'on a de ses initiateurs. Ceux-ci doivent être perçus comme légitimes par les autres partenaires. Ce qui suppose qu'ils aient leur confiance et surtout que ceux-ci soient convaincus que les dirigeants ont les moyens, la capacité et la volonté de conduire le changement à bon terme. Un doute sur la détermination ou sur la compétence des dirigeants, et tout le processus peut être hypothéqué. Il est démontré que l'on écoute davantage un dirigeant qui est perçu comme légitime et qu'on lui obéit plus facilement ; par conséquent, celui-ci est davantage capable de mobiliser tout le monde autour du projet de changement. En 1996, l'Association pour la recherche contre le cancer a failli disparaître du paysage caritatif français du fait des réserves émises sur les engagements financiers de son président entre 1990 et 1995. Le choix de la personne désignée pour conduire le changement est donc extrêmement important. Sa crédibilité est une ressource critique lorsque surviennent des difficultés au cours de la mise en place du changement. C'est, en effet, dans cette réserve de crédibilité qu'il faudra puiser, le cas échéant, pour résoudre les conflits et maintenir la cohésion des partenaires internes et externes. La légitimité de la personne désignée pour conduire le changement dépend, enfin, de ses qualités de leader (sociabilité, esprit d'initiative, persévérance, confiance en soi, éloquence, adaptabilité, compétence, etc.).

Sur le plan du contenu du changement, l'évaluation de la légitimité porte sur la finalité de celui-ci, c'est-à-dire sur l'état désiré vers lequel le changement devrait mener l'organisation. C'est sur cet état que les efforts des dirigeants doivent donc se porter. Plus précisément, la légitimation du contenu du changement a pour but d'adapter le mode opératoire, les *outputs*, les objectifs et le domaine d'activité qui résulteront du changement aux valeurs de la société en général et aux attentes des principaux partenaires de l'organisation en particulier.

Les *outputs* (produits ou services) et le mode opératoire (le processus de transformation des ressources) sont intimement liés, quoiqu'il faille les distinguer ici pour des besoins d'analyse. Le type d'*outputs* détermine le choix du mode opératoire, tandis que ce dernier influe sur la qualité des extrants et sur le jugement que le public porte sur les activités de l'organisation. Dans le cas d'un restaurant par exemple, il existe un lien direct entre la qualité des plats servis et le degré de propreté de la cuisine ; dans un centre de formation (université, école, etc.), le degré d'encadrement des apprenants détermine la qualité des diplômés. L'*output* en lui-même est un point central en ce qui concerne la légitimité organisationnelle. C'est le lien vital entre l'organisation et son environnement. Aucune organisation ne peut survivre sans la confiance du public en ses produits ou services. En 1990, la firme Perrier, pour maintenir sa légitimité et effacer tout doute sur la qualité de ses produits, a dû retirer ses bouteilles d'eau du marché américain à la suite d'une rumeur affirmant que celles-ci avaient une forte teneur en benzène. Une opération estimée à l'époque à 200 millions de dollars américains.

La légitimité d'une organisation dépend aussi de l'adaptation constante de ses objectifs, de sa mission ou de son domaine d'activité aux nouvelles valeurs de la société. De tels efforts d'adaptation sont légion dans l'histoire des organisations. Au début du XIXe siècle, Du Pont était surtout une entreprise de fabrication d'explosifs. Au gré de l'évolution des circonstances historiques, cette entreprise a dû changer de domaine d'activité pour devenir aujourd'hui un géant de l'industrie chimique. Selon les vœux de son fondateur Alfred Nobel, l'Académie Nobel avait pour mission de récompenser des femmes et des hommes qui contribuaient au bienfait de l'humanité dans les domaines de la physique, de la chimie, de la littérature, de la médecine et de la paix. Avec le temps et pour s'adapter aux défis de notre époque marquée par la prépondérance de l'économie, cette institution a élargi son champ d'intervention pour inclure les sciences économiques.

Deux mécanismes de légitimation parmi les plus courants méritent d'être soulignés. Il s'agit de la cooptation et des arrangements structurels. Selznick (1953) présente le premier comme le principal mécanisme par lequel l'organisation peut se faire accepter au sein de sa communauté. Par rapport au changement, la cooptation s'entend comme un processus par lequel une organisation intègre les acteurs les plus crédibles de son environnement dans la conception et la réalisation du changement. Ce qui peut se traduire par la nomination de ces acteurs à des postes au sein des conseils d'administration par exemple. La cogestion, qui a été institutionnalisée en Allemagne est une expression de cette volonté. S'agissant des arrangements structurels, l'un des moyens de légitimation est la création, au sein de l'organisation, d'une structure de communication et de relations publiques chargée d'expliquer les activités de l'organisation au public. Cependant, comme nous le relevions précédemment, l'action d'une telle structure ne peut être efficace que si elle se fonde sur des faits et non sur une propagande démagogique qui risque de se retourner contre l'organisation à long terme. Les activités du service de communication relèvent pour une large part du discours, qui lui-même fait partie intégrante du processus de légitimation symbolique.

LA CONSTRUCTION SYMBOLIQUE DE LA LÉGITIMITÉ

La légitimation symbolique suppose une transformation de l'identité ou du sens des activités de l'organisation en vue de les rendre conformes aux valeurs de la communauté. Il s'agit donc, en quelque sorte, d'une construction sociale de la réalité (Berger & Luckmann, 1967). Un symbole est une représentation qui a un sens beaucoup plus grand et beaucoup plus profond que sa simple apparence ou son contenu (Pondy et al., 1983). On ne peut donc saisir sa véritable signification qu'après interprétation. Les activités symboliques peuvent être dirigées tant à l'intérieur qu'à l'extérieur de l'organisation. À l'intérieur, elles sont un facteur de motivation et un catalyseur pour le changement (Peters, 1978) ; à l'extérieur, elles peuvent atténuer certaines réactions de groupes hostiles à l'organisation. La gestion symbolique sert à rehausser l'image de l'organisation, sa réputation et celles de ses dirigeants. C'est pourquoi elle fait beaucoup appel aux techniques discursives telles l'explication, l'argumentation, la rationalisation ou la justification. Évidemment, le discours ne peut suffire seul à garantir la légitimité à long terme.

Lorsque Wal-Mart annonça en 1994 son entrée dans le marché canadien, elle rencontra beaucoup d'hostilité. Le géant américain de la grande distribution était représenté comme un monstre qui tue tous ses concurrents sur son passage, ce que redoutaient par ailleurs les fournisseurs canadiens qui voyaient en l'implantation de Wal-Mart (censée s'approvisionner aux États-Unis) au Canada le début de la mort de leurs activités. Pour changer cette image négative, Wal-Mart entreprit une série d'actions soutenues par une campagne de communication axée sur : les bas prix pour les consommateurs ; la notion d'employé-associé grâce à une politique d'achat d'actions par les employés et de partage des profits ; la notion de partenariat avec les fournisseurs canadiens qui, de ce fait, recevaient l'assurance que Wal-Mart leur donnerait la priorité dans sa politique d'approvisionnement ; et l'engagement communautaire par le soutien aux organismes de charité (Arnold, Handelman & Tigert, 1996).

On raconte que Louis Francis Albert Victor Nicholas Mountbatten fut nommé vice-roi de l'Inde au moment où les négociations entre l'Angleterre et les leaders indiens étaient dans l'impasse et où une guerre civile entre 300 millions d'hindous et 100 millions de musulmans était imminente (Mintzberg & Quinn, 1996). Pour rétablir la confiance avec ses interlocuteurs indiens et assurer la transition de l'Inde vers l'indépendance, Mountbatten engagea une opération de séduction, qui consistait à changer l'image publique du vice-roi et de sa fonction : il supprima sa garde ; multiplia des apparitions publiques à des occasions où, auparavant, on n'aurait jamais vu un vice-roi ; rendit visite à une famille indienne ordinaire n'appartenant pas à une classe privilégiée ; de même le vit-on, à un *garden party* chez Nehru, discuter à bâtons rompus avec la plupart des convives. Mountbatten honora également les deux millions d'Indiens qui combattirent sous son commandement pendant la Deuxième Guerre mondiale en Asie du Sud-Est. Il ordonna enfin que le palais du vice-roi soit accessible à plus d'Indiens. C'est cet ensemble de petits gestes à forte valeur symbolique qui permirent à Mountbatten, en très peu de temps, de regagner la confiance de ses interlocuteurs et d'instaurer un climat propice aux négociations d'indépendance. Deux mois après son installation en Inde, il réussit le tour de force d'établir un dialogue avec les leaders indiens, de poser les bases d'un accord d'indépendance et d'obtenir, en Angleterre, tant le soutien du gouvernement que celui de l'opposition.

EN GUISE DE CONCLUSION

Comme l'illustrent les exemples donnés dans ce texte, la construction de la légitimité demande une bonne connaissance à la fois de la dynamique interne de l'organisation et des partenaires externes. Elle exige des dirigeants de convaincre à la fois par des faits et des gestes. En ce sens, légitimation factuelle et légitimation symbolique se complètent. Les actes peuvent prendre la forme d'une consultation, d'une intégration ou d'une association des *stakeholders* au processus de formulation et de mise en œuvre du changement. Quant aux « petits gestes », ils donnent plus de sens aux actes. Mais tout cela demande, bien sûr, du temps, de l'énergie et, surtout, beaucoup de patience.

En terminant, il convient de faire une mise en garde sur le fait que certains aspects du changement ne peuvent être expliqués au grand jour sans compromettre sa réalisation. L'urgence du changement peut, en effet, inciter les dirigeants à agir vite et, de ce fait, à ne pas avoir le temps néces-saire pour expliquer et convaincre. Mais il faut bien s'assurer que ces cas sont dictés par la nécessité et non pas qu'ils participent d'une volonté de dissimulation gratuite !

Note n° 3 3

POUR SURVIVRE...
RÉSISTEZ À LA TENTATION
DES GRANDS CHANGEMENTS[1] !

par Taïeb Hafsi

De nos jours, chacun y va de sa recommandation. Il y a ceux qui croient que le changement, c'est la vie : « Il n'y a de permanent que le changement. » D'aucuns tiennent non seulement le changement pour un fait naturel et permanent, mais ils le voient comme révolutionnaire, radical : « Il faut brasser la cage ! », affirment-ils. D'autres encore insistent non seulement sur la nécessité de le faire mais aussi sur la nécessité de le faire vite : « Il faut couper dans le vif ! », scandent-ils avec rage. L'unanimité semble tellement grande que personne n'oserait dire : « J'aimerais résister au changement ! » On le pourchasserait, comme l'ennemi de la société, comme celui qui l'empêche de s'adapter, une sorte de handicapé qu'il faut extirper, annihiler !

Pourtant, plus nous observons les organisations en train de changer et plus nous nous disons que nous gagnerions tous à moins de précipitation, à plus de circonspection face au changement. Bien sûr, personne n'affirmera, nous encore moins, qu'il ne faut pas changer. « Il faut faire des changements, ne serait-ce, disait Brenda MGill du *New Yorker*, que pour rester le même. » Nous sommes obligés de changer pour rester « alignés » sur notre environnement. Mais le meilleur des changements est peut-être celui qui est le moins sensible, celui qui se fait à la marge et qui dérange le moins.

Nous regardons avec beaucoup de curiosité, et une certaine tristesse, les comportements des gestionnaires, surtout lorsqu'ils sont mis en cause ou lorsqu'ils arrivent dans une organisation. Il y a chez eux une sorte de furie à vouloir mettre les choses à leur main. Quelques années après, épuisés, ils baissent les bras et refusent tout changement, même celui qui serait judicieux et approprié. Il y a peu de divergence dans la documentation en gestion : le changement est dangereux et il l'est d'autant plus s'il touche le

---

1. Tiré de *Gestion*, Revue internationale de gestion, décembre 1995, p. 16-17.

noyau de l'organisation, c'est-à-dire ses objectifs fondamentaux, sa stratégie, les valeurs et les croyances qui animent ses membres.

Si l'on nous permettait un petit écart technique, nous rappellerions que jusqu'à présent, en matière de comportement organisationnel, nous n'avons réussi qu'à énoncer plus clairement les limites de nos connaissances ou peut-être de notre ignorance. Personne n'est capable de prédire avec confiance comment l'organisation réagira lorsqu'on essaie de l'influencer. Cela est particulièrement vrai lorsque la complexité de l'organisation dépasse les capacités des personnes qui la dirigent, ce qui pour la plupart des organisations arrive vite.

En particulier, Cyert et March (1963), qui ont développé ce qu'on appelle aujourd'hui « la théorie du comportement de la firme », ont montré au-delà de tout doute raisonnable que plus l'organisation est complexe, plus la changer devient une illusion, des vœux pieux, sauf si on le fait à la marge en modifiant progressivement les « routines ». Par ailleurs, Hannan et Freeman (1984), qui ont développé une théorie biologique de la firme du nom d'*écologie des organisations*, affirment que les organisations qui survivent sont celles qui « résistent aux changements inutiles », celles dont les comportements sont les plus prévisibles. Ils concluent que le changement, surtout majeur, lorsqu'il touche à la stratégie, aux croyances et aux valeurs, accroît le taux de mortalité. Cette théorie particulièrement convaincante pour les experts est curieusement confirmée par beaucoup d'observations et de recherches en cours.

Prenons un exemple. Récemment, un grand nombre d'entreprises ont été emportées par ce que nous pourrions appeler une sorte de folie de la restructuration. Elle s'exprime par une réduction massive des emplois, notamment de cadres intermédiaires, et des réductions spectaculaires dans les coûts. Les partisans de ces comportements, pour le moins imprudents, font miroiter des bénéfices irrésistibles : en plus de la réduction des charges, on devrait obtenir moins de bureaucratie, une prise de décision plus rapide, des communications meilleures, plus d'entrepreneurship et une croissance de la productivité. À entendre cela, on a l'impression qu'on a dû être bien « niais » pour ne pas s'être rendu compte plus tôt que la performance des entreprises pouvait être améliorée si facilement. Sans vouloir remettre en cause la nécessité parfois de restructurer pour la survie, nous croyons qu'il s'agit là d'une grave erreur. D'abord, regardons les résultats.

Dans une synthèse des recherches en la matière, présentée à l'Académie du management (Cascio, 1993), des conclusions troublantes ressortent : au moment de restructurations massives, beaucoup de firmes disparaissent, n'atteignant que très rarement les résultats escomptés. Souvent, les entreprises qui font les compressions finissent par réembaucher sous une forme ou une autre les personnes licenciées. Les profits continuent de stagner et souvent les retours attendus par les actionnaires ne se matérialisent pas. Une étude en particulier a montré que les prix des actions réagissent en général de manière positive au moment de l'annonce des mesures de restructuration, mais finissent par glisser insensiblement vers des valeurs de plus en plus faibles.

Tout cela est compréhensible lorsqu'on sait que la restructuration est entreprise souvent avec une nonchalance et un manque de compréhension des phénomènes organisationnels qui sont impressionnants. Même si les employés et les gestionnaires intermédiaires sont l'objet d'une attention fébrile, leurs préoccupations sont souvent au bas de la liste des priorités des directions qui entreprennent les restructurations. Quand on coupe, on a moins de chance de se rendre compte de l'importance de re-former et re-mobiliser ceux qui restent, de sorte qu'il en résulte une démoralisation et une surcharge de travail, qui réduisent de manière considérable la productivité des personnes, leur créativité et donc la capacité concurrentielle de l'organisation.

Si tel est le cas, qu'est-ce qui explique et justifie une telle agitation ? Sommes-nous vraiment dépassés, et il faut alors nous renouveler, ou bien y a-t-il simplement affolement ? Lorsqu'on est confronté aux réalités de la concurrence, il est clair qu'on ne peut répondre à ces questions avec la tranquillité d'esprit qui sied aux grandes décisions. À notre avis, dans les situations de grande agitation, comme la nôtre, il est important de changer de logique. Dans le cas des organisations, la pression pour la performance à court terme doit être réduite. Il faut accepter un profit plus faible, une productivité moins bonne ou des coûts plus élevés pour pouvoir construire la survie à plus long terme.

Notre situation n'est pas tout à fait originale. Il y a eu des périodes de grande agitation, de grands bouleversements au cours des siècles ou même des décennies passés. Imaginez les gestionnaires d'entreprise qui ont eu à vivre des guerres, comme celle de 1939, ou les grandes dépressions, comme celle de 1929. Bien sûr, il y a un environnement technologique nouveau, bien sûr il y a des aspirations sociopolitiques différentes, bien sûr la vie n'est pas vraiment la même. Mais le plus important, c'est que les êtres humains sont sensiblement les mêmes.

Ces êtres humains sont inquiets et ils ont peur de ne pas survivre sur le plan personnel. Ils ont peur de la misère et de la déchéance. Ils ont peur de l'isolement et de la violence des autres. La civilisation a contribué à faire reculer cela, mais chaque fois que nous réveillons ces démons, nous repoussons le comportement rationnel, celui qui nous fait survivre tous collectivement, pour laisser place au comportement sauvage, celui qui, hélas grâce aussi à la technologie, peut nous détruire tous. Le changement, sans discernement, surtout lorsqu'il est dirigé contre les personnes, comme il est actuellement perçu, est la mort de l'âme. Il vaut mieux ne pas changer que de changer pour obtenir ces résultats-là.

Un de nos amis, provocateur, nous rappelait que, parfois, on n'a pas beaucoup de choix. « Que feriez-vous si l'organisation était mourante ? », disait-il. Eh bien, si l'organisation est mourante, tout ce que nous avons dit ne s'applique pas. On doit tout faire dans ce cas-là, parce qu'il est légitime de tout essayer pour sauver le patient. Mais est-ce si courant que cela ? Souvent, la crise est beaucoup dans la tête des dirigeants et l'urgence est un sentiment que l'isolement au sommet exacerbe.

Les meilleurs changements sont ceux qui se font à la marge, qui ne touchent pas au noyau vital de l'organisation. En disant cela, nous ne sommes pas tout à fait honnête. En fait, les changements à la marge finissent par rejoindre le cœur de l'organisation, son noyau vital. Cependant, cela se fait tranquillement, un peu comme dans la nature. C'est ce qui nous fait dire que, même lorsqu'on a le sentiment qu'un grand changement est nécessaire, il faut avoir l'humilité d'admettre qu'il n'est pas possible sans risque majeur de destruction définitive, et qu'il faut simplement accepter une performance moins grande aujourd'hui, tout en bâtissant la performance de demain, patiemment. La meilleure des situations est celle où un changement majeur n'est jamais nécessaire. La révolution doit être un résultat, pas la nature du processus. C'est pour cela que les meilleurs dirigeants nous paraissent ceux qui sont préoccupés constamment par l'adaptation à l'environnement, par l'équilibre interne nécessaire pour y faire face. Mais aussi, ceux qui prennent le temps, comme dit la chanson.

Pour prendre le temps, il faut une grande capacité de vision, une grande confiance dans l'avenir et une grande humilité. Il faut notamment accepter que ce qu'on entreprend, d'autres puissent en bénéficier, accepter que les meilleurs de nos efforts ne soient pas nécessairement visibles, que les applaudissements viennent de l'intérieur de soi, plutôt que des autres. En d'autres termes, les grands dirigeants, ceux qui vont nous amener à changer sans que, dans le processus, on perde notre âme, sont ceux qui, avant de travailler sur le monde, travaillent d'abord sur eux-mêmes et le font sans relâche. Combien sont vraiment capables et préparés à cela ?

Le secret du changement stratégique est un paradoxe. Il est nécessaire mais pas vraiment urgent. Il faut le faire, constamment, à petites doses, pour éviter les grands chambardements. C'est un changement qui non seulement permet l'adaptation constante mais aussi et surtout éduque constamment, titille et énerve les êtres humains qui travaillent dans l'organisation, pour éviter qu'ils ne s'endorment et ne se retrouvent dans des situations où le bouleversement devra être brutal et menacera l'essence même de leur collaboration.

Vous comprendrez que nous regardons les actions actuelles des entreprises comme des drames. Ces actions ne sont ni conformes à la théorie, ni conformes aux données, ni conformes au bon sens. Elles mettent en cause la santé des entreprises qui les entreprennent trop vite, à la recherche de solutions magiques, mais elles remettent aussi en cause la viabilité de notre civilisation. Il n'est pas nécessaire de faire de grands discours pour se rendre compte que les déséquilibres actuels ont un prix que tout le monde paiera, le riche et le pauvre, le scientifique et l'ignorant, le politique et l'économique.

Nous ne voudrions pas tomber dans le piège contre lequel nous essayons d'attirer l'attention mais, s'il y a un changement à entreprendre, c'est celui de nos façons de voir. Adoptons une nouvelle attitude. Faisons le pari que l'avenir appartient à ceux qui construisent patiemment et solidement. Faisons le pari que l'équilibre de notre société nous donnera un avantage difficile à copier. Faisons le pari que demain appartiendra à ceux qui changent prudemment. Faisons le pari que nous serons tous plus heureux ainsi, même si très temporairement moins riches. Peut-être alors saurons-nous résister raisonnablement à la tentation des grands bouleversements.

CONCLUSION

Cette partie comprend un chapitre et deux notes. Le chapitre XV aborde la question difficile de la relation entre l'individu et l'organisation. L'individu a besoin de liberté pour s'exprimer et créer. Mais, en même temps, l'organisation souhaite éviter des comportements anarchiques qui ne prennent pas en considération ses besoins actuels. Ce paradoxe se traduit par des conflits constants, souvent aussi par l'écrasement de l'individu par l'organisation. Ces questions sont discutées pour affirmer que l'individu doit être proactif dans la relation, défendant sa capacité à s'exprimer et à agir, mais aussi reconnaissant l'importance de l'insertion de son action dans l'œuvre collective.

DEUX NOTES ACCOMPAGENT LE CHAPITRE :

La note 34 est une réflexion sur les rapports entre subjectivité, autorité et jugement. L'importance de la subjectivité est affirmée, non en soi mais parce qu'elle colore de manière fondamentale le jugement et l'exercice équilibré de l'autorité. L'auteur, Laurent Lapierre, est professeur de leadership à l'École des HEC. Il est reconnu pour ses applications des théories psychanalytiques à la compréhension de l'importance de l'imaginaire et de la vie intérieure dans la pratique du leadership.

La note 35 est une invitation à l'escalade par Valérie Lehmann, étudiante au doctorat à l'École des HEC.

Chapitre XV

L'INDIVIDU DANS L'ORGANISATION

I. L'HISTOIRE DE JOHN ADAMS [1]

John Adams sortait tout frais émoulu du programme de MBA de la Harvard Business School lorsqu'il fut recruté par Accutronics, une entreprise de haute technologie en plein essor. Accutronics élaborait en particulier des systèmes électromécaniques de pointe destinés à l'industrie aérospatiale :

> *Ce qui m'a le plus impressionné [...], c'était cette extraordinaire volonté de croissance et l'accent mis sur le talent et l'initiative individuels comme critères de promotion [...] On a dû me répéter au moins une douzaine de fois qu'on s'attendait à ce que les recrues fassent preuve d'initiative et qu'elles prennent elles-mêmes la responsabilité de ce qui devait être fait.*
>
> *Je devais travailler au sein d'un groupe de l'état-major du siège social, lequel était soumis à l'autorité du premier vice-président, Mike Butler. C'était un homme direct, agressif même, qui avait l'air du gars qui sait obtenir ce qu'il veut.*
>
> *Personne ne m'a dit précisément ce que j'aurais à faire, tous prétendaient qu'ils étaient plus intéressés à recruter des gens bien qu'à ajuster une personne à une case.*
>
> *Je pensais trouver chez Accutronics un environnement propice à mon avancement, puisque celui-ci serait fondé bien plus sur ma compétence, sur mon effort, sur les résultats que j'obtiendrais, que sur l'ancienneté ou l'intrigue.*

Garçon sérieux et équilibré, John Adams avait bien réussi dans ses études, se situant dans le premier tiers de la classe. Ses commentaires en classe étaient toujours perçus comme raisonnables et constructifs. Il était d'un commerce facile. Il était aussi gros travailleur et compétitif, mais « ne transigeait pas sur les questions de *fair-play* et de respect des autres ».

---

1. Cette histoire est extraite du cas John Adams, originalement écrit en 1972 par Norman Berg, professeur à la Harvard Business School, et traduit en 1981 à l'École des HEC par Marie Thibault, sous la direction du professeur Laurent Lapierre.

Au début, sa vie au sein de l'entreprise fut surtout marquée par beaucoup de travail et de « pression à l'identification » et par l'excitation de la croissance :

> *Ici, les gens éprouvent vraiment une forte « identification à l'entreprise » [...]*
> *Pas de syndicat [...] Même les employés horaires ont l'air convaincus qu'ils*
> *« font partie de l'équipe ».*
> *Ils ne plaisantaient pas quand ils parlaient des heures de travail ! [...] J'ai fait*
> *des semaines de 80 heures pendant plusieurs semaines de suite [...] C'est dur*
> *pour les personnes qui ont une famille, mais je ne me plains pas parce que*
> *cette boîte est tellement dynamique et emballante.*

Après un an, les choses commençaient déjà à être préoccupantes. Les relations entre les différents services ne sont pas vraiment des relations de collaboration mais de grande compétition, comme si les autres faisaient partie d'une autre organisation. Les jeux politiques sont plus nombreux et plus importants qu'on ne l'aurait cru. La « liturgie » prend aussi parfois le pas sur le contenu. Ainsi, travailler beaucoup a plus à faire avec la symbolique de l'attachement ou simplement la politique interne qu'avec les nécessités des activités. John Adams se faisait d'ailleurs rappeler à l'ordre parce qu'il lui arrivait de ne pas aller au bureau tous les samedis. En général, le climat n'est pas vraiment ce qu'il espérait :

> *Il y a tout le temps ce que j'ai fini par appeler des fausses crises. On nous fixe*
> *des échéances inutilement courtes rien que pour nous forcer à travailler*
> *davantage [...] Je ne suis pas du tout certain que cette mentalité me plaise [...]*

La formidable croissance d'Accutronics est pour John Adams l'occasion de multiples apprentissages sur le plan de la gestion. Il se rend compte combien il est difficile pour les dirigeants de changer de comportement à mesure que le niveau de complexité de l'organisation augmente et que les problèmes doivent être traités de manière plus formelle et moins personnalisée.

À l'été de 1970, John Adams avait quitté Accutronics pour une autre entreprise. L'expérience d'Accutronics avait été à la fois stimulante et traumatisante pour lui. Lorsqu'il est parti, l'entreprise avait un chiffre d'affaires qui dépassait les 100 millions de dollars et faisait partie des 500 plus grandes entreprises de *Fortune*. Il se rendait compte combien il avait été chanceux de participer à ce formidable développement et de voir comment ça se passait dans les entreprises à succès. Ses leçons étaient peu encourageantes :

Ce que je pouvais être naïf à ma sortie de Harvard! [...] Maintenant je doute fort que plus du dixième des promotions soit dû à la compétence dans la grande majorité des entreprises. Je suis même tout à fait convaincu du contraire: si on veut échouer totalement dans la plupart des organisations, il suffit de passer son temps à résoudre des problèmes mieux que quiconque. Je pense qu'il est bien plus avantageux de chercher à impressionner les gens qui sont maîtres des promotions.

Après la première année, il y a eu tant de réorganisations qu'il serait impossible de suivre le fil [...] J'ai le frisson quand je pense à ceux, relativement rares, de mes collègues qui sont restés ; sans exagération, je peux dire que ce sont des gens qui se sont résignés [...] Lou Disantis est celui pour qui j'ai le plus de peine [...] Il pensait trouver autre chose ici [...] La dernière fois que nous en avons parlé, il m'a dit qu'il était arrivé à la conclusion suivante: «Le tout est de ne pas se laisser embarquer, de ne pas prendre de position ferme sur quoi que ce soit, et de se contenter d'encaisser son chèque de paie.»

Parmi les exemples de problèmes qu'il a vécus, il y eut « le conflit des chefs ». Profitant de l'absence de leur chef de service George, Fred, le chef du service qui dépendait du même vice-président, a convoqué John et son collègue Andy et leur a demandé de l'aider à « avoir la peau de George ». S'ils refusaient, « il s'occuperait d'eux » dès qu'il aurait mis la main sur le service de George. Outré, John en parle à George. Celui-ci, furieux, crée tout un scandale, dans lequel John et Andy sont regardés par tous avec suspicion et finissent par « avoir le mauvais de toute l'histoire ». Ils venaient d'attirer sur eux l'attention du vice-président qui n'a pas apprécié tout le branle-bas de combat qui s'ensuivit. En fait, John Adams apprit aussi que Fred était « l'informateur » du vice-président. Toutes les actions et tous les efforts qui apparemment étaient destinés à renforcer l'organisation n'étaient en réalité que les comportements politiques de conquête du pouvoir par les multiples responsables de l'entreprise. Qui plus est, John se rappelle que « les gens de l'informatique avaient simulé des résultats d'ordinateurs en se servant de leur ordinateur comme d'une machine à écrire! » :

On leur imposa (de mettre toutes les opérations de l'entreprise sur ordinateur) [...] en leur donnant encore une fois des délais complètement irréalistes. Plutôt que d'avouer que la tâche était irréalisable, ils ont fait semblant de s'en acquitter dans les délais en calculant la plupart des chiffres sur des calculatrices portables et en imprimant les résultats sur l'ordinateur.

Ensuite, John dut faire face à l'organisation lorsqu'elle décida de faire mal à une personne. Pour démissionner, c'était tout un problème, à cause des questions de confidentialité. Il faut dire que certains cadres étaient partis avec des connaissances acquises dans l'entreprise pour lancer des entreprises concurrentes, bien que, selon John Adams, il n'y ait pas eu vraiment de cas d'abus évidents. Lorsque son collègue Andy a démissionné, il a été l'objet d'une véritable inquisition. La lettre donnait un préavis de 30 jours. Le lendemain, directeur, vice-président et conseiller juridique se présentèrent à son bureau et inspectèrent son bureau méthodiquement. On lui permit de garder ses papiers personnels, mais on lui demanda de partir sur-le-champ. John Adams précise :

> Je ne pense pas qu'ils cherchaient à être expressément durs envers les démissionnaires. Leur attitude était sans doute une sorte de sous-produit du puissant esprit d'équipe que la direction essayait d'inculquer à tous les employés et auquel elle croyait tellement elle-même. Elle croyait réellement à l'existence d'une sorte d'homo-accutronicus.

Bien sûr des personnes étaient très à l'aise dans cette ambiance. Frank Nolan était de ceux-là :

> Il attache de l'importance aux plus petites choses, il semble toujours en savoir plus que n'importe qui sur ce qui se passe dans les différentes parties de l'entreprise [...] On m'assure que quand il est arrivé à Accutronics [...] il s'était appliqué à découvrir à quel collège étaient allés les membres de la direction, où ils s'étaient connus, comment ils étaient entrés dans l'entreprise, quels postes ils y avaient tenus, qui ils entraînaient avec eux et qui ils semblaient protéger, à quelles activités ils consacraient leurs loisirs, à quels clubs ils adhéraient, etc. Il m'a souvent parlé avec une franchise totale...

Frank était un vrai animal politique et avait une grande capacité à reconnaître les personnes qui étaient en train de prendre de l'importance et à s'accrocher à elles. Il n'hésitait pas à laisser tomber son supérieur s'il était convaincu qu'il n'était pas assez influent dans la compagnie.

Le jugement global que John Adams porte sur Accutronics et ses dirigeants est très mitigé :

> Le groupe de direction est sans conteste intelligent et travailleur. Il a bâti l'entreprise en affrontant avec acharnement la concurrence des géants de

l'industrie [...] Mais ce n'est pas pour assiéger les fiefs de Lockheed Electronics ou de General Dynamics ou de Litton qu'on vient travailler chez Accutronics, c'est pour rivaliser avec d'autres membres de l'entreprise et il me semble que cela fait une énorme différence.

Je crois que la plupart des comportements que je désapprouve s'expliquent par une forme d'organisation tout à fait pyramidale et une philosophie de gestion voulant que le meilleur soit celui qui monte dans la pyramide, quel que soit l'environnement ou la nature de la compétition [...] On pourrait presque comparer la situation à celle d'un combat de boxe pour lequel on aurait promis une grosse bourse au vainqueur, mais en renvoyant l'arbitre chez lui...

II. L'INDIVIDU DANS L'ORGANISATION

La situation d'Accutronics n'est pas anormale : elle est plutôt typique. La situation de John Adams est elle aussi typique. Depuis que nous enseignons, le nombre d'étudiants qui nous ont fait part, à nos collègues et à nous-mêmes, de situations similaires à celle de John Adams est très élevé. L'une de ces situations a d'ailleurs été décrite dans le cas Paul Bouchard (Côté, 1992). Peut-on alors dire que ces situations sont normales ? L'individu n'est-il pas recevable comme personne dans l'organisation ? Quelles sont les limites de l'espace dont dispose la personne dans l'organisation ? Doit-elle se dépersonnaliser pour vivre dans la communauté qu'est l'organisation ? Devrait-on parler de droits de la personne dans une entreprise ?

Les réponses à ces questions sont difficiles. La doctrine dominante dans notre société est celle de la démocratie. Elle voudrait que les personnes soient libres, même dans leurs organisations, et conservent le droit à leurs opinions, à l'intérieur de limites préétablies. Au cours des dernières années, en raison de la pression concurrentielle, les personnes, et leur capacité créatrice, ont été considérées comme les actifs les plus importants de l'organisation, même s'ils sont souvent intangibles.

La réalité est bien plus nuancée. Si nous adoptons la perspective de la théorie de la contingence et prenons les dimensions de « nature de la technologie » (intensive en personnes par rapport à intensive en équipements) et « nature de l'environnement » (turbulent et hétérogène par rapport à placide et homogène), on pourrait s'attendre à ce que plus la technologie est intensive en personnes dans un environnement turbulent et hétérogène, plus les personnes seront libres et respectées dans les faits. Le « Style Cray », une sorte d'énoncé de mission de la société de superordinateurs Cray, est représentatif de cette situation. Par ailleurs, plus la technologie est intensive en équipements, dans un environnement plutôt placide et homogène, moins l'individu dans l'organisation sera libre et respecté. Les entreprises de pétrole dans les années 1960 et 1970 se trouvaient dans cette situation. Si l'on rajoute la taille à ces deux dimensions, cette dernière aggrave les contraintes pour les personnes. Le tableau 1 résume ces caractéristiques.

La technologie, l'environnement et la taille sont donc des facteurs contraignants, et constituent le contexte dans lequel l'individu agit. Mais il y a un autre élément important, à savoir les grands principes qui régissent la communauté de personnes qui constitue l'organisation. Cette communauté peut décider d'adopter des principes qui favorisent la liberté ou, au contraire, la suppriment.

Tableau 1 La personne et l'organisation

		LA PERSONNE EST PLUS LIBRE LORSQUE	LA PERSONNE EST MOINS LIBRE LORSQUE
1	LA TECHNOLOGIE	est intensive en personnes	est intensive en équipements
2	L'ENVIRONNEMENT	est plus turbulent et plus hétérogène	est plus placide et plus homogène
3	LA TAILLE	est plus petite	est plus grande

La société Honda, telle que la décrit Pascale (1990), a clairement mis l'accent sur la contestation par les personnes, et donc sur leur liberté à dire leur désaccord, en la considérant comme un élément nécessaire à la contribution créatrice des personnes. La société GM, toujours selon Pascale, a au contraire détruit très tôt la volonté ou les désirs des nouveaux venus de contribuer de manière créatrice.

Les exemples qui ressemblent à ceux de GM sont sûrement les plus nombreux ; en tout cas, ce sont ceux dont on entend le plus parler. Ainsi, depuis le début des années 1980 aux États-Unis, et plus récemment au Canada, on a assisté à beaucoup de situations de *whistle blowing* (littéralement « coup de sifflet »). Beaucoup de personnes, considérant que les entreprises ou les organisations dont elles faisaient partie n'étaient pas respectables du point de vue de la société en général, ont dénoncé leurs pratiques à la limite de l'éthique ou carrément malhonnêtes.

La dernière en date concerne un ancien directeur de la recherche de Philip Morris, la grande multinationale du tabac. Ce directeur a révélé que, contrairement à ce qu'affirment l'industrie et son entreprise en particulier, les entreprises du tabac ont délibérément manipulé les contenus en nicotine pour accroître la dépendance des fumeurs. Dans l'émission de PBS (ETV Vermont) du 2 avril 1996, on a aussi appris que, Philip Morris étant un grand actionnaire et aussi un grand client de CBS, les responsables de l'émission d'information à grande écoute *60 Minutes* avaient été l'objet de pressions pour que l'histoire de cette personne ne soit pas diffusée. Cet événement a troublé beaucoup d'intellectuels américains et a révélé le pouvoir considérable des entreprises américaines non seulement sur leurs employés mais aussi sur la vie sociopolitique américaine.

Les valeurs des organisations et leurs objectifs s'imposent durement aux individus qui en font partie. Cela est vrai non seulement des simples employés, mais aussi des dirigeants principaux. Le comportement de personnes comme ce directeur de la recherche de Philip Morris montre cependant qu'une organisation a toujours du mal à imposer aux employés des comportements ou des attitudes incompatibles avec ce qu'ils considèrent comme les valeurs de la société en général.

Un autre exemple montre, par contre, que ces valeurs ne sont pas toujours claires lorsqu'il s'agit d'agir. Au Canada, les forces armées qui avaient été impliquées dans des comportements illégaux et parfois criminels lors d'une mission en Somalie ont tout fait pour étouffer les détails de l'affaire, mais des personnes de plus en plus nombreuses, y compris des soldats, se sont manifestées pour révéler les pratiques qu'elles considéraient honteuses pour les représentants d'un pays démocratique. Cette histoire à tiroirs a révélé ensuite que certains officiers supérieurs de l'armée ont délibérément passé outre ou encouragé la destruction des documents officiels concernant cette affaire, une source encore plus grande d'émoi. Pourtant, les grands officiers de l'État sont déchirés par rapport à cette situation. Certains croient que les dommages que cela peut causer aux forces armées sont tellement grands qu'on devrait empêcher ce déballage de linge sale en public. D'autres, au contraire, pensent que c'est la seule façon d'éliminer la maladie du totalitarisme criminel. La population canadienne, pourtant attachée à la démocratie et à la liberté, est incertaine.

Lorsqu'en classe nous abordons la discussion de la situation de John Adams ou celle de Paul Bouchard, les étudiants sont très mal à l'aise. Ils n'aiment pas beaucoup les deux personnes ou plutôt ont tendance à les trouver naïves et peu adaptées à la situation de l'entreprise et peut-être à la vie en général. Pourtant, à mesure que la discussion avance, ils ont aussi de la sympathie pour eux, parce qu'ils sont à la fois honnêtes et désireux de contribuer. En fin de compte, nous nous retrouvons souvent avec une classe ambivalente et divisée. La seule conclusion raisonnable à laquelle on arrive est que la vie collective ne peut être réglée seulement par des mécanismes de fonctionnement. Elle doit aussi comporter des valeurs humaines élevées. Beaucoup d'entreprises considèrent même que des principes moraux sont essentiels à leur survie. Ces principes n'indiquent pas comment on doit traiter les situations complexes comme celles que nous avons évoquées, mais ils fournissent le cadre dans lequel on peut les examiner.

La vie de l'entreprise est le résultat de multiples « guerres ». Il y a ce qui fait partie du pain et du beurre de la gestion : la compétition et la capacité à lui survivre. Il y a aussi les relations, souvent contraignantes, avec les autres acteurs de l'environnement, notamment les autorités de réglementation et de contrôle de la vie civile. Il y a enfin la vie dans l'organisation. Celle-ci a ses rituels, son organisation, ses standards. Les individus sont le plus souvent traités selon les standards établis. D'une certaine manière, il suffit pour cela de revenir à l'histoire de John Adams : les personnes sont reconnues non pas en tant que telles, mais plutôt pour la contribution qu'elles apportent au bon fonctionnement de l'organisation.

Ainsi, souvent, les actions des personnes ne sont louées ou critiquées que par rapport aux standards de bon fonctionnement de l'organisation. Devrait-on s'attendre à autre chose ? Nous croyons que oui. Les organisations qui ont des ambitions de leadership dans leur domaine d'activité ne peuvent exercer le leadership concurrentiel, auquel elles aspirent, que si elles sont capables de mobiliser leur personnel au-delà de ce qui semble possible par les autres. Cela suppose entre autres qu'elles réussissent à être « vivantes », c'est-à-dire à accepter les paradoxes que la vie implique, notamment les soubresauts que la liberté de contribuer ne peut manquer de produire. Ceux qui contribuent le mieux au succès d'une organisation veulent être appréciés pour ce qu'ils sont autant que pour ce qu'ils font, c'est-à-dire non pas pour le conformisme dont ils font preuve, même si parfois ils en reconnaissent l'utilité, mais pour leur présence et la contribution réelle qu'ils apportent. Ils veulent qu'on les considère et qu'on les traite comme des êtres uniques et précieux, non pas comme des pièces standard qu'on peut abandonner à la moindre anicroche.

Comme dans la société en général, les personnes ont des droits fondamentaux, qui n'ont rien à voir avec la réalisation de la tâche. Elles ont le droit d'être traitées différemment, avec respect et considération. Ce qui fait la civilisation, c'est d'abord et avant tout des comportements de respect mutuel, qui vont au-delà de la tâche immédiate, reconnaissant que les personnes apportent des contributions diverses à différents moments de la vie de l'organisation. On se trompe toujours lorsqu'on juge la valeur d'une personne à la réalisation d'une tâche spécifique. Nous nous rappelons cet ingénieur japonais que sa société nous imposait dans la réalisation d'un contrat qui liait notre entreprise à l'entreprise japonaise. Nous le considérions tous comme totalement incompétent et nous nous étions même plaints à ses responsables. Ils ont arrêté de nous le facturer, mais ils l'ont laissé là, à faire ce qu'il faisait auparavant. Dix ans plus tard, lors d'une visite à cette même entreprise, nous fûmes surpris de rencontrer un dirigeant dynamique, mûr et sûr de lui, admiré par ses collaborateurs et aussi par ses clients, qui n'était autre que ce fameux ingénieur qui nous avait tant irrités.

On nous rétorque toujours que l'entreprise américaine, ou même européenne, ne peut avoir ce genre de patience, car elle est trop coûteuse. Nous n'en croyons rien. Nous croyons que les mythes de la gestion à l'américaine cachent souvent l'absence de volonté de jouer le vrai rôle du dirigeant, qui est d'accepter la difficile tâche quotidienne de la construction et du développement des personnes. Comme les enfants dans une famille, les personnes les plus prometteuses d'une organisation ne se développent qu'après avoir « épuisé » les ressources de leurs « parrains ». Les dirigeants qui pensent s'en sortir en « repoussant plus loin » ce genre de problème faillissent et, ce faisant, contribuent au déclin de leur organisation et peut-être aussi de la civilisation.

Le plus grand des risques pour les entreprises est que les individus diabolisent l'entreprise et qu'ils utilisent leurs talents et leur créativité à contrecarrer les objectifs que les dirigeants s'efforcent de définir et d'atteindre. Historiquement, nous serions ramenés aux tourments du passé, notamment à l'époque de la profonde division en classes antagonistes que les crises économiques ont légitimées et que les théories marxistes ont conceptualisées. Les réactions des populations aux actions de licenciement massif suggèrent que, pour les populations partout au monde, la responsabilité de l'entreprise et de ses dirigeants à l'égard de la société commence avec l'attention et le respect qu'ils accordent aux individus qui vivent dans l'organisation. Toute faillite à ce niveau-là finira par être considérée comme une atteinte à l'intégrité de la société dans son ensemble.

III. L'INDIVIDU ET SA SAUVEGARDE :
« LA CARRIÈRE INTÉRIEURE »

Intellectuels, moralistes et stratèges politiques reconnaissent de plus en plus fréquemment que l'entreprise a certainement une responsabilité fondamentale dans le développement des personnes qui la constituent et dans la protection de leur intégrité physique et psychique. Mais les personnes ne peuvent malheureusement pas attendre que toutes les entreprises aient compris cela et travaillent effectivement à l'appliquer sans faille. Les employés et les dirigeants doivent, comme le suggérait, il y a quelque temps, James McLaughlin, ancien président de Doubleday and Company, compléter ou remplacer la poursuite d'une carrière formelle dans l'entreprise par celle d'une « carrière intérieure ».

Rares seront les entreprises qui répondront à l'appel que nous lancions précédemment. En conséquence, beaucoup de personnes, simples employés ou gestionnaires, seront exposées à la « mal-vie professionnelle ». La survie, voire le plaisir de la vie professionnelle, va venir probablement de la richesse de la vie intérieure de chaque personne. En d'autres termes, la vie n'est pas faite seulement de promotions, d'augmentations de salaire et de matérialité du succès, telle qu'elle est reconnue par l'entreprise. La vie est aussi faite du sens qu'on donne à son action dans l'entreprise et dans la société en général.

Beaucoup de satisfactions peuvent venir de « l'intérieur ». Il faut cependant que chacun reconnaisse l'importance de se prendre en charge et travaille à trouver des satisfactions dans la réalisation même des tâches qui lui sont confiées. Il s'agit en quelque sorte de changer de logique. Le travail peut être perçu comme une source d'aliénation ou comme une source d'épanouissement et en fait le travail peut être l'un ou l'autre, parfois l'un et l'autre. Cependant, si l'aliénation est un produit inévitable du travail, l'épanouissement est une rencontre particulière ou plutôt un regard différent sur la relation qu'on entretient avec le travail.

Au cours de notre carrière d'enseignants, nous avons souvent suggéré aux étudiants que, en plus de leurs aspirations à la réussite formelle dans les organisations et dans la vie, il était utile de penser qu'on était né « sculpteur », avec au fond de soi une petite pierre informe à laquelle on essaie de donner forme et vie, sans relâche, tout au long de sa vie. Nous avons aussi mentionné que les plus grandes satisfactions viennent plutôt de cette sculpture que des appréciations de ceux qui nous subissent. Plus on sculpte et plus on a de chances de modifier ce qu'on est et surtout de modifier l'état d'esprit auquel on arrive. Plus important, plus on sculpte et plus on a de chances d'être satisfait du résultat.

Cette idée de sculpture rejoint une sagesse que les anciens nous ont souvent exprimée en insistant que le plus important était de travailler sur soi. Ce faisant, on a plus de chances de devenir une « bonne personne », mais aussi on a plus de chances de réaliser un équilibre qui permet de contrebalancer les tentations et les appels parfois dévastateurs de la matérialité des choses et de la vie organisationnelle. Curieusement, travailler sur soi est aussi la meilleure façon de contribuer au travail avec les autres, parce que seul l'effort sur soi peut amener l'acceptation de la contribution des autres et faire en sorte que l'action collective soit additive, voire multiplicative, plutôt que soustractive et destructive.

Cela veut dire que, dans la relation entre l'individu et l'organisation, nous sommes à la limite très fine, imperceptible, entre l'humanité et la bestialité. Le comportement de la personne peut être grossier et mal fini ou il peut être fin et tout en nuances. C'est aussi vrai de l'organisation. Son comportement (et donc sa gestion) peut être grossier et sans nuances ou au contraire attentif et attentionné. Tous les cas de figures et toutes les combinaisons sont possibles.

En général, à moins d'en être le dirigeant principal, on n'a pas beaucoup d'emprise sur le comportement de l'organisation. Même pour le dirigeant principal, la complexité rend le comportement organisationnel, surtout à l'égard des personnes individuelles, plutôt aléatoire. En conséquence, du point de vue de la personne, il vaut mieux prendre cela comme un fait. Ceux qui ont lu les chapitres de ce livre comprennent mieux pourquoi et surtout comprennent que ce n'est pas le résultat d'une quelconque malédiction ou de comportements malsains de la part d'autres personnes, mais un fait de la vie organisationnelle. Reconnu, ce fait est un antidote contre le cynisme et peut faire naître la confiance nécessaire aux actions qui vont peut-être changer les choses. Concrètement, cela permettrait aux personnes de ne pas perdre trop d'énergie à se rebeller contre cette situation et de canaliser leurs efforts vers des avenues plus productives.

Des avenues productives sont celles qui, au lieu d'aller seulement chercher la récompense dans l'organisation, travaillent à la découvrir dans le travail lui-même. Si, de plus, l'organisation a la bonne grâce (globalement aussi aléatoire que la vie) de donner à la personne des satisfactions supplémentaires tant mieux, mais fou serait celui qui ne vit que pour cela.

Note n° 3 4

LA SUBJECTIVITÉ, LE JUGEMENT ET LA DIRECTION [1,2]

par Laurent Lapierre [3]

La direction, qui est l'essence même de la gestion, est une pratique. Ce n'est pas une science et ce ne le sera jamais. On peut étudier ce phénomène en utilisant diverses méthodes scientifiques comme on peut éclairer sa pratique de modèles ou de résultats de recherche valables qui permettent d'en mieux connaître certaines facettes. Il n'en demeure pas moins que les gens qui dirigent ne font pas de la science ; ils pratiquent un métier ou une profession.

On pourrait définir la direction comme étant l'ensemble des décisions et des actions prises délibérément ou spontanément par un individu en poste d'autorité sur d'autres personnes, afin de les amener à agir sur une réalité donnée et à atteindre des résultats désirés.

Une pratique, c'est subjectif. Cela s'apprend par l'action et par l'expérience, et cela se connaît par la réflexion qu'on fait par soi-même, en revenant sur sa propre expérience, ou qu'on fait en profitant de l'expérience et de la réflexion des autres. Comme dans le cas de tous les apprentissages et des connaissances pratiques, le rôle de la personne qui apprend est central. On apprend toujours seul — que ce soit dans le cadre d'un programme formel, par compagnonnage ou de façon autodidacte — comme on assume toujours seul la responsabilité d'une direction, même quand on sait s'entourer, qu'on consulte, qu'on écoute ou qu'on délègue.

La subjectivité n'est pas un défaut. Pour les philosophes de la phénoménologie (Kant le premier, Brentano, Husserl et Merleau-Ponty), la subjectivité, c'est le caractère de ce qui appartient au sujet, et spécialement au sujet **seul**. Notre subjectivité est donc ce qui nous est le plus personnel. La

1.   Texte tiré de *Gestion*, Revue internationale de gestion, décembre 1995, p. 14-15.
2.   Quelques-unes des idées exprimées dans cette « position » sont reprises d'un texte publié sous le titre *La subjectivité, l'autorité et la direction. Leçon et contre-leçon inaugurales*, Les cahiers des leçons inaugurales, École des HEC, Montréal, 1995, 52 pages.
3.   L'auteur remercie France Barabé, Jacqueline Cardinal, Christiane Demers, Dominique Dorion, Francine Harel Giasson, Veronika Kisfalvi et Patricia Pitcher pour leurs commentaires et suggestions.

subjectivité n'est pas non plus, comme on le laisse entendre parfois dans les écoles de gestion, l'absence de règles ou de contrôles, l'irrationalité ou la négation de toute approche scientifique. Le *Petit Larousse* (1980) définit ainsi le terme « subjectif » : « Qui varie avec le jugement, les sentiments, les habitudes de chacun. » *Le Robert* (1995) ajoute : « Qui dépend [de l'affectivité] du sujet plutôt que de conditions extérieures, objectives [et observables]. » La **subjectivité**, l'**affectivité** et le **jugement** vont donc de pair.

Réhabiliter la subjectivité, ce n'est pas nier l'importance de l'objectivité ; au contraire même. Un dirigeant ne peut pas ignorer les faits concernant son organisation : les données financières, l'information touchant son marché et l'environnement socio-économique, les théories, les modes ou les modèles existants[4]. Cependant, ce ne sont pas les faits, les données financières, l'information sur le marché, les théories, les modes ou les modèles qui décident. C'est un dirigeant, un **sujet agissant**, qui choisit et agit avec toute la complexité de son être. Si l'objectivité demeure l'aspect le plus important de l'analyse qu'on fait d'une situation donnée, la subjectivité est plus déterminante de la décision et de la direction.

L'action, encore plus que la connaissance, repose sur la subjectivité du sujet. Ce qui sert aux dirigeants dans la pratique, c'est l'intelligence de l'action, c'est-à-dire une compréhension intuitive qui résulte surtout de l'expérience, plus que l'intelligence scolaire, c'est-à-dire une compréhension rationalisée qui s'appuie sur les explications ou les théories[5]. Des gens d'action sont parfois incapables d'analyser en détail ou en profondeur ce qu'ils font. Comme l'auteur qui dit « Lisez mon roman, tout est là », le dirigeant affirmera : « Observez-moi, voyez les résultats et laissez-moi travailler en paix. » Les bons dirigeants comprennent de façon pratique et subjective. Ils ont l'intelligence de l'action. Il se peut très bien qu'une forme d'intelligence scolaire, la capacité de rationaliser leur action, leur échappe. L'action est une synthèse qui dépasse les pensées et les raisonnements. Il arrive qu'on puisse comprendre subjectivement ou inconsciemment des phénomènes qu'on n'est pas encore parvenu, souvent parce qu'on n'en éprouve pas le désir ni le besoin, à expliquer de façon satisfaisante pour soi et pour les autres. On ne peut encore les nommer ni s'en faire une théorie utile ou satisfaisante.

---

4. Toute connaissance est nécessairement subjective et cela ne vaut pas uniquement pour les connaissances abstraites. Des états financiers, des systèmes d'information, des modélisations ou des théories ne sont jamais la réalité d'une organisation. Même si ces représentations sont absolument nécessaires et utiles pour connaître ce qui se passe dans l'organisation, on ne confond pas pour autant « la carte avec le territoire ».

5. Sur les différentes formes d'intelligence, voir « Dossier sur l'intelligence », *Le Nouvel Observateur*, janvier 1995 ; Epstein, S. « Integration of the Cognitive and the Psychodynamic Unconscious », *American Psychologist*, août 1994, 49, 8, p. 709-724 ; Paivo, A. « Dual Coding Theory : Retrospect and Current Status », *Canadian Journal of Psychology*, 1991, 45, p. 255-287 ; Wittrock, M. C. et autres. *The Human Brain*, Prentice Hall, 1977, 214 p.

Il existe pourtant des auteurs et des dirigeants qui ont à la fois l'intelligence de l'action et l'intelligence scolaire. Ils sont tout autant en mesure de comprendre subjectivement et de traduire cette compréhension en action que d'élaborer des explications, même si certains trouvent l'exercice difficile et frustrant. Ils estiment que la réalité de ce qu'ils font est plus complexe que les explications qu'ils en donnent. En pratique, c'est essentiellement sur le jugement que repose la direction, et le jugement se situe à la jonction de l'objectivité et de la subjectivité. Il sert, entre autres, à démarquer, pour mieux les réintégrer, ce qui relève de l'affectif[6] et du cognitif, des désirs et de la réalité, du réaliste et de l'utopique, du subjectif et de l'objectif. Pour un praticien intelligent, l'analyse doit conduire à une meilleure synthèse, à une compréhension plus complète et plus juste, mais aussi plus simple parce qu'il a réussi à dégager ce qui est essentiel.

Le jugement, c'est aussi l'acte de la tête et du cœur[7] par lequel on passe de la pensée à l'action. Le jugement a d'abord une connotation juridique. L'ensemble des jugements rendus constitue la jurisprudence dont les juges s'inspirent pour rendre leurs décisions. Le jugement signifie aussi l'opinion qu'on porte, qu'on exprime sur quelqu'un ou sur quelque chose, particulièrement lorsqu'il s'agit de questions qui ne font pas l'objet d'une connaissance immédiate certaine ni d'une démonstration rigoureuse (*Le Robert*, 1995). On apprend beaucoup de sa propre expérience de dirigeant. De plus, l'expérience des autres devient la jurisprudence dont on s'inspire pour rendre de nouveaux jugements. Soutenir que la direction est une pratique et qu'elle s'apprend par l'expérience, c'est préconiser une connaissance qui se base surtout sur une approche inductive. Quelles leçons ou quelles directions peut-on dégager des succès et des échecs qu'ont connus d'autres gestionnaires dans d'autres contextes ? Quelles connaissances en tirer pour nourrir son imagination et sa capacité de raisonnement afin de guider et d'inspirer la direction à prendre dans une situation nouvelle ? On ne crée pas et on n'invente pas à partir du vide. Soutenir que la direction est une pratique, c'est aller à l'encontre d'une approche déductive qui consisterait à préconiser que les jugements devraient s'appuyer sur un code écrit et normatif de lois ou de théories de la direction.

L'attrait d'une approche déductive, « rationnelle » et généralement normative est très grand pour certains praticiens qui, par manque de confiance

---

6.   Sur l'importance des émotions et de l'affectivité dans la direction, voir Kisfalvi, V. « Laisser nos émotions à la porte », *Gestion*, septembre 1995, vol. 20, n° 3, p. 110-113, et Damasio, A. R. *Descartes' Error: Emotion, Reason and the Human Brain*, Grosset, Putman, 1994.
7.   Michael Maccoby utilise la métaphore de la *tête* et du *cœur* pour rappeler que, dans la direction, les gestionnaires doivent tout autant faire appel au cognitif qu'à l'affectif. Voir Maccoby, M. *The Gamesman: The New Corporate Leaders*, Simon and Schuster, 1976, 285 p.

dans leur jugement, cherchent des lignes directrices codifiées et des réponses précises aux problèmes qui vont se poser. Dans certaines situations standardisées, une telle approche peut être très utile et faire gagner beaucoup de temps. Pourtant, l'essentiel du travail du dirigeant est par nature changeant et complexe. Il nécessite plutôt une approche subjective, une approche où l'on n'écrit pas de codes parce qu'on estime qu'ils seront dépassés avant d'être écrits. Dans ce contexte, chacun a la responsabilité de s'inventer et de se réinventer un code qui lui soit propre, en s'inspirant de son expérience subjective et des multiples expériences des autres, lesquelles constituent la base de sa connaissance.

Peut-on apprendre à diriger ? Peut-on nourrir et enrichir sa subjectivité ? Peut-on développer ses habiletés et son jugement ? Comme dirigeant, est-il nécessaire de trouver son « génie propre » ? Peut-on aller vers une plus grande authenticité dans sa manière d'être et ses façons de faire ?

Au-delà de ce qu'il peut y avoir d'inné dans son talent, on peut le développer par l'apprentissage ; mais il y a une différence entre **avoir des connaissances** sur une pratique et **apprendre**, entre **savoir** et **pouvoir**, comme il y a une différence entre avoir des idées, **pérorer** et **penser**. Alors, comment apprendre le métier de dirigeant basé sur la subjectivité et le jugement ? Il ne viendrait à l'esprit de personne que le métier d'acteur ou de chanteur d'opéra puisse être enseigné par quelqu'un qui n'a pas fait carrière, le métier de boulanger par quelqu'un qui n'a jamais mis la main à la pâte, le métier de chirurgien par quelqu'un qui n'a jamais fait une opération, le métier de professeur par quelqu'un qui n'a jamais enseigné, le métier de thérapeute par quelqu'un qui n'a jamais été en contact avec des patients, ou le métier de potier par quelqu'un qui n'a jamais tourné, jamais touché la terre, jamais fait cuire et jamais commercialisé son produit. Celui qui voudrait prétendre être passé maître dans un métier qu'il n'a pas pratiqué, ou en devenir un gourou, serait qualifié d'apprenti sorcier ou pis, de fumiste. C'est la même chose pour la direction. Pour former les gens à la direction, une pratique où la synthèse et le jugement occupent une large part, le médium utilisé est aussi important que le message lui-même. On n'enseigne pas une pratique uniquement en faisant suivre des cours ou en faisant lire et commenter des textes théoriques.

Apprendre, c'est changer. On apprend un métier de trois façons : par l'expérience de seconde main, par l'expérience de première main et par une réflexion sur ces deux types d'expériences de façon à induire ou à conduire le changement, c'est-à-dire à provoquer l'acquisition d'habiletés nouvelles[8].

---

8. Pour une discussion plus approfondie sur « Apprendre à bien diriger », voir Francine Harel Giasson, *Gestion*, mars 1995, vol. 20, n° 1, p. 69-74.

L'apprentissage (naturel) commence inévitablement par l'expérience de seconde main. Pour toutes les pratiques, on observe d'abord les autres avant de s'exécuter. L'enfant a vu ses parents marcher avant de faire ses premiers pas, l'acteur a vu jouer, l'instrumentiste a entendu et vu plusieurs interprétations, le chirurgien a observé ses « patrons » et le dirigeant a appris des nombreux exemples de personnes en poste d'autorité avant d'apprendre de sa pratique.

L'apprentissage (professionnel) d'un métier se fait nécessairement de première main. C'est la personne elle-même qui s'essaie à la pratique. En situation d'apprentissage, elle prépare un exercice et passe à l'action. Elle s'entraîne d'abord dans des situations pédagogiques (artificielles) et, graduellement, elle sera amenée à se mettre à l'épreuve dans des situations réelles, sous contrôle. Dans les écoles d'art et les conservatoires, par exemple, des exercices pédagogiques de type « classe de maître » et des « exercices publics » mettent l'apprenant dans une situation qui se rapproche de la vie réelle. Tout au long de cet apprentissage, on lui suggère et on lui fait pratiquer des façons de faire différentes qui l'amèneront à découvrir graduellement les savoir-faire qui lui conviennent personnellement et qui sont appropriés à chaque situation. Le rôle du maître est non pas de se reproduire dans ses élèves ou de les robotiser, mais plutôt de les aider à trouver leur « génie propre ». Il n'y a pas beaucoup d'équivalent dans le domaine de la direction. Quelques ateliers d'habiletés de direction, l'apprentissage sur le tas et l'apprentissage formel en entreprise, supervisé par un maître (situation rare[9]), pourraient être considérés comme des équivalents. Dans l'apprentissage d'un métier, l'acquisition des connaissances jugées nécessaires se fait dans la perspective de la pratique. L'étude de l'histoire du métier, par exemple, et des théories qu'on en a développées n'est pas une fin en soi, mais sert plutôt à approfondir et à faciliter les apprentissages.

Enfin, les expériences de seconde main sont généralement confinées dans des documents : des reportages ou des narrations qui prennent la forme de récits de pratique, de biographies et d'autobiographies. Les personnes qui ont une connaissance pratique de la direction s'intéressent à l'expérience des autres dirigeants parce que c'est une façon de se reconnaître, d'infirmer ou de confirmer ce qu'elles font, une façon d'apprendre et de développer leur potentiel en tirant profit de ces expériences. Il s'agit ici d'expériences subjectives qui relatent non seulement les faits objectifs, mais aussi les aspects affectifs qui influencent la décision et le jugement. L'expérience de seconde main dans tous les types d'activités humaines peut enrichir sa pratique de direction. On peut tirer profit de la vie domestique, de la vie publique, des essais

---

9. Voir l'article de Charles Benabou, « Mentors et protégés dans l'entreprise : vers une gestion de la relation », *Gestion*, décembre 1995, vol. 20, n° 4.

philosophiques et théoriques, aussi bien que des œuvres de fiction. Pour la personne motivée à apprendre la direction, ce que font les autres peut servir de révélateur et favoriser la découverte de ce qui est resté latent en elle. Il n'y a pas d'opposition entre les expériences de première main et les expériences de seconde main. Elles s'enrichissent mutuellement. Lorsqu'on est engagé dans des pratiques aussi complexes que celles de la direction, on veut mettre à profit la subjectivité des autres pour apprendre, pour enrichir sa propre subjectivité et développer son jugement.

Note n° 35

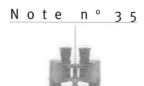

SAISIR LA STRATÉGIE PAR LES PIEDS

par Valérie Lehmann

« Lire sa voie » est une expression couramment employée en escalade de montagne. Il s'agit pour le grimpeur d'inventer, à l'aide des yeux seulement, un trajet qui lui permettra d'accéder au sommet d'un mur intérieur aménagé ou d'un rocher, en se saisissant des « prises » ou aspérités offertes par la paroi. Tous les adeptes de ce sport qui ont un minimum de pratique effectuent cette « lecture à vue » avant de se lancer dans le vide. Ils savent que ce procédé leur économisera temps, énergie, mouvements, angoisse, hésitation, et que leur performance en sera améliorée.

René Caissy, moniteur d'escalade, a l'habitude de dire à ses apprentis grimpeurs : « Le but de cet exercice est de vous aider à planifier des stratégies qui vous aident à grimper de façon fluide et économique. Au terme de cette pratique, vous serez surpris de la différence qui existe entre une ascension projetée et une ascension accomplie. Ce décalage provient de ce que vous ne connaissez pas encore toutes les ressources dont vous disposez ni vos possibilités gestuelles. En conséquence, vous n'avez pas une juste perception de l'espace dans lequel vous évoluez.»

La lecture de voie est un exercice qui fait jongler avec les concepts de gravité, de changement de poids, d'étirements, de placements (de pieds) et de coincements (de doigts), au bout duquel vous formulez une stratégie de grimpe qui vous semblera plausible. Évidemment, plus vous visez une performance élevée, plus votre analyse doit être méticuleuse. Cependant, dès que vous touchez le mur ou le rocher, ce sont vos pieds et vos mains qui s'appliquent à rendre fonctionnelle votre stratégie. Très rapidement, vous comprenez qu'il est très difficile de respecter les choix planifiés. Telle prise se révèle si adhérente au toucher que votre changement de pied devient inutile, telle autre aspérité située plus haut que prévu vous oblige à un étirement désagréable. Tel passage jugé délicat se franchit avec une facilité déconcertante et tel appui promettant un repos en parfait équilibre se révèle d'un inconfort total. Vous comprenez que prévoir exactement l'effet de la gravité sur votre corps à un endroit donné de la verticale s'avère une équation mentale presque impossible à résoudre *a priori*. L'ascension réalisée risque fort d'être très différente de l'ascension souhaitée, comme le fait remarquer René Caissy.

Mais, du même coup, vous aurez tout le loisir de constater, peu de temps après vos premières arabesques, qu'il est nécessaire de vous construire une route dans la tête au fur et à mesure de vos évolutions. Penser en même temps qu'agir vous paraîtra une démarche toute naturelle. Ici, il s'agira de vous stabiliser sur une prise, afin de réfléchir un court instant les yeux rivés vers le sommet, avant de repartir du bon pied la tête à nouveau remplie d'un grand dessein. Là, il faudra considérer l'éventualité de vous lancer dans une traversée imprévue mais devenue nécessaire par la « force des choses ». De peine et de misère parfois, mais soutenue par des arguments de poids toujours, une stratégie se formera, petit à petit, au gré de vos gestes et de vos pensées.

Soudain, vous vous rendrez compte qu'il faut réagir vite, très vite, sinon vos mains vous trahiront et vous connaîtrez la chute. Vous ferez alors un constat que tous les grimpeurs font un jour ou l'autre, à savoir qu'enchaîner une voie, lorsque les mains, les pieds et le nez dirigent l'ascension plutôt que la tête, peut se révéler une excellente stratégie, car l'action guide vos pas avec beaucoup d'« intelligence ».

Arrivé au sommet de la paroi, si vous jetez un coup d'œil en arrière et retracez virtuellement votre parcours sur le mur ou le rocher, peut-être estimerez-vous que ce trajet constitue une stratégie acceptable, même s'il ressemble peu à celui que vous aviez prévu. En effet, à la différence de votre planification prévisionnelle, il correspond à votre personnalité, à vos compétences en escalade et aux ressources que vous êtes capable d'aller chercher chemin faisant. À cet instant, vous vous demanderez si vous n'avez pas toujours fonctionné dans la vie selon ce modèle, tantôt sautant de prise en prise avec beaucoup d'élégance mais sans vélocité, tantôt en saisissant les prises aussi rapidement que possible, sans les regarder, vivant constamment dans l'urgence d'en finir avec un nouveau défi.

Par ailleurs — à moins que vous ne vous fermiez à ce qui se passe dans votre environnement—, vous bénéficiez aussi des conseils de votre compagnon de cordée qui vous « assure » au pied de la paroi, au moyen d'une corde de grande résistance. Cette personne qui tient littéralement votre vie entre ses mains est généralement animée du désir de vous aider dans votre progression, même si elle ne connaît pas exactement votre projet de départ. D'ailleurs, après quelques échanges verbaux seulement, vous déciderez probablement ensemble de la voie à suivre tout au long de l'escalade. Il ne fait presque aucun doute que, grâce à cet apprentissage collectif en parfaite interaction, votre stratégie ainsi que votre expérience vécue s'en trouveront améliorées. Vous remercierez chaudement votre partenaire de cette coopération originale, une fois l'ascension accomplie. Ce moment privilégié vous fournira l'occasion de prendre conscience que votre comparse vous soutient constamment dans votre course, ne serait-ce que parce qu'il vous assure que vous ne chuterez pas en vous retenant au bout de la corde, ce lien qui vous unit le temps d'une expédition.

Plus tard, lorsque vous vous autoriserez un instant de répit au cours de cette ascension, jambes tendues et bras relâchés, il vous viendra certainement à l'esprit que votre compagnon de cordée, aussi patient et agréable qu'il soit, exerce en réalité un pouvoir sur la conduite de vos engagements. Il vous tient quasiment en otage au bout de la corde et détient, de ce fait, une autorité incontestable. Les grimpeurs et grimpeuses connaissent bien cette problématique qui en pousse plus d'un et plus d'une à éviter de pratiquer l'escalade en couple, afin de pouvoir mieux exprimer ses propres choix stratégiques. Fort heureusement, la négociation reste, en général, possible entre les deux partenaires d'escalade, qui ne peuvent, en fait, se passer l'un de l'autre pour pratiquer la grimpe.

Ce curieux voyage au cœur de l'escalade stratégique vous placera certainement dans des situations où il vous faudra faire preuve de détermination. Il vous suffit d'imaginer, au pied du mur, à quel point vous devrez supplier vos pieds et vos mains de ne pas lâcher prise et comment, au plus profond de vos entrailles, vous devrez puiser l'énergie suffisante pour ne pas vous laisser gagner par le syndrome de l'appréhension du vide. Donner un sens nouveau à votre quête pourrait vous procurer à ce moment-là une bouffée d'oxygène.

Mais, méfiez-vous tout de même… L'affectif risque de vous jouer des tours. Et si vous ne connaissez pas le concept de danger subjectif, vous ne tarderez pas à le croiser sur votre route. Tous les grimpeurs ont éprouvé cette sensation de peur hors des limites de la raison qui les pousse à modifier leur stratégie initiale, dès le départ parfois, en contournant ou en rejetant une prise au profit d'une autre aspérité située généralement plus loin, en apparence plus sympathique, mais qui nécessite souvent d'effectuer un mouvement plus exigeant pour le corps. La peur de chuter ne se contrôle pas totalement, même chez les meilleurs grimpeurs, et l'atteinte du sommet se fait parfois au prix de fâcheux battements de cœur.

En prime, au cours de cette expérience de lecture de voie et de pratique de l'escalade, vous aurez droit à cette petite phrase qui vous titillera sans cesse : « Non, tu n'es pas capable de faire ce mouvement, tu vas glisser, c'est évident… » Ah, combien de fois cette diablerie de l'esprit a pu perturber les grimpeurs au point de les détourner de leur projet initial ! Parfois, tout l'exercice de la lecture de voie se trouve imprégné par ce cadre mental et c'est un cerveau emprisonné qui préside aux choix stratégiques et qui empêche de « lire » les occasions dont la paroi regorge.

Si vous persévérez dans votre tentative de grimpe stratégique, vous aurez sans doute également l'occasion de vous confronter à vos propres « problèmes de perception ». En fait, ces phénomènes invisibles se manifestent déjà durant le travail de lecture de voie. Au cours de cette courte période de réflexion — studieuse, souvenez-vous —, vous avez estimé telle prise trop petite pour vos pieds et telle autre plutôt accueillante pour les mains. Vous avez imaginé telle faille inconfortable pour les doigts et telle autre vous a semblé hors de portée… Satisfait de ces remarques constructives, vous les avez consignées, puis vous en avez tenu compte dans le design de votre stratégie initiale. Pourtant, une fois que vous vous êtes trouvé suspendu dans le vide et errant sur le rocher, les choses vous ont paru tout autre. L'environnement n'était pas tel que vous l'aviez évalué ? Vous avez commis un délit d'interprétation ? « Et la paroi déjà verticale se redressa devant lui », écrivait Frison-Roche dans son célèbre livre *Premier de cordée*. C'est dire combien les impressions sont trompeuses…

Finalement, harassé, dépassé par une intense expérimentation de la stratégie et de l'escalade, vous penserez peut-être que le but n'a guère d'importance en soi, et que seule la manière d'y parvenir importe. Ou vous oserez croire que la fin justifie les moyens. Ou encore, la fatigue que vous éprouvez vous grisera ; plus rien ne subsistera en vous et autour de vous que cette sensation de confort ouaté et de sérénité que la douleur, même, exacerbera. Aucun autre accomplissement ne vous aura jamais procuré une telle paix, serez-vous prêt à jurer. « Mais pourquoi m'a-t-on demandé de lire cette damnée voie avant de quitter le sol ? vous offusquerez-vous. J'aurais été si heureux de vivre l'expérience de l'escalade sans cette consigne, si heureux de me confier sans limites à mon corps et à mon âme… »

Rassurez-vous, en situation de complexité, la plupart des stratèges ont déjà éprouvé ce désir d'immatérialité. Certains appellent cet état « jouer à Dieu ». En escalade, ce sentiment étrange est connu sous le nom de « petite mort ».

Au fait, grimper les yeux bandés, l'esprit dans le grand noir, procure un plaisir incommensurable, même lorsque l'on est débutant. Dans cette situation, il n'y a pourtant ni objectif ni moyen ; seuls demeurent les pieds et les mains qui se révèlent, alors, de véritables bâtons d'aveugle.

APPRIVOISER LA STRATÉGIE :
APPRENTISSAGE ET ENSEIGNEMENT

L'apprentissage de la stratégie tout comme son enseignement sont des aventures très spéciales. Le professeur et l'étudiant sont souvent embarqués dans des activités de découvertes et de création qui n'ont que rarement leur pareille dans le monde universitaire. La stratégie a un caractère unique. La construction et la découverte stratégiques sont des créations dont la nature n'est pas différente de celle d'une œuvre d'art. C'est pour cela que les stratégies de qualité sont rares. Plus compliqué encore, contrairement aux œuvres d'art, il est difficile de trouver des experts capables de s'entendre facilement sur ce qu'est une bonne stratégie.

Comme en art, par ailleurs, la découverte et la création dans l'apprentissage de la stratégie nécessitent un minimum de discipline. « L'inspiration ne vient qu'aux esprits préparés », disait Poincaré. C'est particulièrement vrai ici. On ne peut profiter de l'expérience formidable d'apprentissage et de découverte de ce genre de cours que si la préparation a été rigoureuse, à la fois complète et précise. Mais la préparation n'est pas suffisante. Il faut aussi que la discussion en classe soit suffisamment ordonnée pour qu'elle débouche sur des résultats respectables. Quiconque a essayé à la fois de libérer la créativité et d'ordonner les discussions qui peuvent en résulter comprendrait facilement l'importance des défis auxquels il faut faire face.

La découverte en stratégie est une action collective. Elle pose alors des problèmes spéciaux de relations entre les personnes qui y participent. Les valeurs de ces personnes, leurs volontés de collaborer, le respect qu'elles peuvent avoir les unes pour les autres et leur situation personnelle viennent interférer avec le cheminement de la découverte. La classe de stratégie est une occasion d'expérimentation et d'investigation dans tous ces aspects. Nous verrons maintenant comment encourager et faciliter cette expérimentation et cette investigation.

Cette annexe est divisée en trois sections inégales. La première est destinée à révéler ce que le cours de stratégie a de spécial et pourquoi les étudiants, à l'image de leurs professeurs, doivent valoriser l'expérience de classe. La deuxième section est pratique. Si vraiment la classe est tellement importante, nous voulons fournir aux étudiants à la fois quelques guides et quelques conseils pour que l'expérience ne tourne pas au cauchemar. Nous y traitons donc de la vie de la classe et notamment de la discussion et de sa préparation à la fois dans des classes où les participants ont de l'expérience de gestion et dans des classes de jeunes sans expérience personnelle de la gestion des organisations. Notamment, quelques conseils sont fournis pour la préparation des cas. Cette section traite enfin de l'un des résultats importants de l'apprentissage, le travail généralement écrit qui doit couronner le cours, en insistant sur sa signification et la façon de le réaliser. La troisième section conclut en fournissant quelques balises, une sorte d'aide-mémoire pour l'analyse de cas.

I. EN STRATÉGIE, LE TRAVAIL DE CLASSE EST ESSENTIEL

Comme nous l'avons indiqué tout au long de ce livre, la gestion stratégique n'est pas une technique, même si elle s'appuie ici et là sur des analyses et des modèles relativement techniques. Le plus important est tellement mou et insensible que la plupart prennent beaucoup de temps à le percevoir. Le plus important est le changement de comportement, le développement de la capacité de recul, des valeurs qui font que, dans les conditions les plus difficiles, on a le courage de la démarche et des conséquences qu'elle impose.

En d'autres termes, les stratèges ne doivent pas simplement maîtriser les techniques et les modèles que les chapitres de ce livre ont décrits. Ils doivent changer eux-mêmes, d'abord acquérir des réflexes d'analyse qui font le comportement stratégique et ensuite acquérir également les valeurs nécessaires pour la gestion d'ensemble de l'organisation.

En classe, la rencontre autour des sujets de gestion stratégique est une rencontre de découvertes. Les professeurs, sans trahir beaucoup de secrets, disposent d'une carte qui les aide à mettre de l'ordre dans une discussion, mais c'est une carte imparfaite. Ils ne la suivent que rarement à la lettre. Ils tentent souvent, toutefois, d'être attentifs et flexibles, de prêter attention aux découvertes que font les étudiants, pour conduire le voyage et les voyageurs à bon port.

En fait, la réussite d'un cours de stratégie est une tâche qui nécessite la collaboration, la coopération des étudiants et du professeur. Cette coopération doit permettre au professeur de laisser de la place aux étudiants, de leur construire un espace dans lequel ils vont pouvoir exprimer leurs «découvertes », un espace qui permette aussi de révéler et de réconcilier ces découvertes pour éviter le sentiment d'exaspération que les discussions débridées provoquent. Le professeur est ainsi amené à maintenir un minimum d'ordre pour que l'inconfort du désordre ne vienne pas tuer le désir de contribuer.

La découverte par la discussion est la plus formidable de toutes et le plus excitant des chemins d'apprentissage. En effet, tout apprentissage est en fait de l'autoapprentissage. On n'apprend que ce qu'on s'est enseigné soi-même. Tous les grands pédagogues ont découvert et énoncé cette grande vérité. Le corollaire, c'est qu'on n'apprend que ce qu'on veut bien apprendre. D'où l'importance de la vie de la classe. C'est sur cela que sont basées les suggestions qui sont faites ici.

Une bonne classe est d'abord un groupe d'apprentissage, des personnes qui se respectent et qui ont le goût de cheminer ensemble dans cette aventure difficile de l'apprentissage d'un sujet aussi fondamental que la gestion stratégique. Pour que le groupe ne se défasse pas, il est nécessaire de faire attention à quelques petites choses :

1. La compétition entre les étudiants est saine, mais elle est souvent naturellement forte. Les étudiants viennent souvent avec le désir de se mesurer aux voisins, d'apprécier leurs capacités en affrontant les autres. En général, ce comportement est utile à l'effort, mais le cours de gestion stratégique est généralement un cours dont l'objectif est de donner une compréhension d'ensemble, de mettre l'accent sur l'intégration, la survie de l'organisation dans son ensemble, plutôt que sur la performance des personnes individuellement. En conséquence, le professeur peut trouver approprié de réduire le niveau de compétition et d'encourager la coopération. La gestion délicate entre coopération et compétition est l'une des premières conditions du succès.

2. Un groupe ne peut fonctionner de manière harmonieuse que si les règles du jeu sont claires.

3. L'étude de la stratégie d'entreprise est une étude clinique. Cela signifie que la connaissance n'est pas une connaissance très formalisée. L'aspect rustique, artisanal ou artistique est important. En conséquence, on ne peut apprendre qu'à partir de situations concrètes. C'est pour cela que la méthode des cas est tellement importante dans le processus d'apprentissage. Le corollaire, c'est que la préparation et l'engagement dans le cas doivent être substantiels. On n'apprend pas la gestion stratégique seulement par la discussion, mais par une discussion documentée par le ou les cas étudiés et con-

centrée sur ces derniers. Ne pas faire de préparation signifie, presque automatiquement, être exclu de la discussion.

4. L'apprentissage de la stratégie peut prendre des chemins inattendus. Cela peut se traduire alors par une classe qui peut être parfois moins ordonnée, moins nette que celle des autres disciplines de gestion. À l'image de leurs professeurs, les étudiants ne doivent pas avoir peur du désordre. Par ailleurs, il n'y a pas de bonnes et de mauvaises réponses. Il y a simplement des tentatives qui doivent être appréciées par leur contribution à la réflexion du groupe.

5. Le professeur a la responsabilité du questionnement au sein d'une classe, mais il n'en a pas l'exclusivité. La classe peut donc être « aidée » autant par une question d'étudiant que par un commentaire, et généralement le professeur s'en souciera.

6. Le professeur a la responsabilité du climat en classe. Il travaille toujours à encourager, à stimuler, à mettre en confiance les étudiants. Ceux-ci doivent le voir plutôt comme un allié, toujours prêt à les aider à mieux exprimer leurs idées. Nietzsche disait que toutes les choses importantes portent un masque. La difficulté dans un débat de qualité est justement d'aider tout le monde à aller regarder au-delà du masque.

7. Les étudiants sont souvent préoccupés par leur performance. Ils attendent souvent que le professeur leur fournisse des balises, mais comme la gestion stratégique suppose une absorption plus grande d'ambiguïté, il faut admettre que le professeur puisse décider que ses étudiants soient soumis à l'exercice de l'autoévaluation, malgré sa difficulté.

8. Pour profiter d'une discussion, la patience est une vertu essentielle à l'apprentissage. Elle peut faire des miracles, comme l'impatience peut en empêcher beaucoup. Kazantzakis (1952), dans *Zorba le Grec*, nous aide à illustrer cela de manière magnifique (voir le chapitre XIV).

9. Finalement, le succès de l'effort d'apprentissage n'est pas seulement le fait du professeur. C'est aussi le fait des étudiants. Leur enthousiasme et leur attention les uns aux autres et à l'ensemble de la classe sont aussi importants que leur préparation personnelle.

Après ces réflexions un peu philosophiques, mais aussi un peu pratiques, nous allons nous tourner vers l'organisation des cours de gestion stratégique.

II. LA PRÉPARATION DU COURS

Si la discussion en classe est une étape importante de l'apprentissage, elle ne peut se dérouler convenablement sans une préparation soignée du cours par les participants. Le professeur a en général un niveau de préparation plus grand que celui des étudiants. Il a eu le temps de s'informer sur les conditions particulières de l'industrie ou de l'entreprise étudiée. Il a lu plusieurs fois le cas et généralement il l'a enseigné plusieurs fois. Sa préparation consiste aussi à se poser des questions sur le processus de la discussion et sur sa gestion de façon à faire de l'expérience une occasion de stimulation et de plaisirs intellectuels recherchés.

Pour l'étudiant, la règle est que le plaisir commence toujours par le travail patient et systématique. Le cours de stratégie comprend généralement des cas et des documents conceptuels que le professeur juge pertinents pour le thème sur lequel il souhaite voir les étudiants porter leur attention. D'abord, dans cet ensemble, disons tout de suite que le plus important est le ou les cas. Les éléments conceptuels doivent à notre avis être consultés, parce qu'ils peuvent aider à mettre de l'ordre dans le fouillis que représente la vie. Nous recommandons cependant souvent à nos étudiants de ne pas les regarder avant d'avoir fait leur préparation de cas. Autrement, les concepts étant souvent puissants et séduisants, ils seraient amenés inévitablement, dans leurs discussions, vers une récitation de ces concepts. La meilleure des préparations devrait laisser à la toute fin la lecture des concepts. Examinons donc la préparation des cas.

A. LA PRÉPARATION DES CAS POUR LA DISCUSSION EN CLASSE

Un cas est une description souvent très riche d'un morceau ou de quelques morceaux de vie d'une organisation. En gestion stratégique, on ne tente pas de mettre l'accent sur des manipulations très techniques, même si parfois elles peuvent s'imposer pour la compréhension de la situation. On cherche surtout à rassembler renseignements et données, puis à prendre du recul par rapport à ceux-ci afin d'apprécier la situation de l'entreprise, son équilibre général, la clarté de la direction qu'elle poursuit, la cohérence des décisions avec cette direction, etc., toutes les grandes choses qui ont été discutées dans les chapitres qui précèdent. En particulier, on essaie de se mettre dans les souliers de celui qui dirige l'organisation dans son ensemble pour mieux comprendre les problèmes d'intégration des multiples actions entreprises.

Pour faire porter la réflexion sur la situation d'une entreprise, nous avons tendance à recommander à nos étudiants de se poser trois grandes questions générales ; les deux premières sont théoriques et la troisième est pratique :

1. Quelle est la situation de l'organisation ?

2. Comment peut-on expliquer cette situation ?

3. Que devrions-nous faire ? En particulier, si l'organisation fait bien, comment maintenir cela, si elle fait mal, comment améliorer cela ?

La première question est factuelle. Il s'agit de noter dans tous les domaines d'activité de l'organisation l'état des facteurs qui influent sur le fonctionnement de l'organisation, donc son environnement pertinent et sa condition intérieure. La deuxième question est très liée à la précédente, mais reste aussi relativement très objective. Elle tente, par l'analyse (et là les multiples modèles de ce livre et les modèles appris dans d'autres cours peuvent être très utiles), de comprendre comment les différents facteurs interagissent pour expliquer la situation de l'organisation.

Ces deux premières questions constituent une phase essentielle dans la démarche de gestion des organisations. On ne doit pas sauter aux solutions sans prendre le temps de noter et d'analyser systématiquement la situation de l'organisation. Peu de médecins songeraient à faire des ordonnances sans comprendre convenablement ce qui semble arriver à leur malade (malheureusement, certains le font tout de même !). En gestion, c'est la même chose, on ne peut raisonnablement sauter à des conclusions sans avoir systématiquement compris ce qui arrive à l'organisation. En classe, la discussion portera souvent d'abord sur ce diagnostic, sauf s'il est évident, ce qui arrive parfois.

Quand on a développé une compréhension suffisante de ce qui se passe, on peut alors passer à l'étape suivante : décider comment répondre à la situation actuelle. Ni la première étape (les deux premières questions) ni la seconde (la troisième question) ne mènent à des réponses évidentes. D'abord, l'expérience montre que les événements ne sont que très rarement lus de la même manière par des personnes ayant des formations et des préoccupations différentes. Cela est évidemment très bien pour la richesse de la discussion en classe. C'est cela qui va révéler des choses à chacun, quel que soit son niveau de préparation. Mais ensuite, si les résultats de l'analyse ne sont pas évidents, décider quoi faire pour répondre à l'analyse est encore moins évident. On a vu souvent, en pratique, des personnes distinctes faire des analyses semblables de la même situation, prendre des décisions radicalement différentes et pouvoir les réussir ou les échouer toutes. Ce n'est pas un coup du sort. C'est simplement l'indication qu'analyse et décision ne sont qu'un petit aspect de la tâche de gestion. La volonté des personnes engagées, notamment les dirigeants et leurs subordonnés clés, ainsi que les multiples actions de mise en œuvre peuvent remettre en cause les analyses les plus élaborées ou au contraire faire réussir des analyses plus sommaires.

De manière plus concrète, comment faire la préparation du cas ? Il faut peut-être ici faire la différence entre des personnes d'expérience et des jeunes ayant une orientation plus théorique. Il est probable que des étudiants qui viennent de finir leur cycle universitaire ou qui sont en train de le finir soient surtout préoccupés par la maîtrise des outils de gestion nécessaires à l'analyse stratégique, les questions d'intégration n'étant ni claires ni intéressantes à leurs yeux. Par contre, en général, des personnes d'expérience auraient tendance à penser qu'elles ont une bonne intuition sur les questions d'analyse et préféreraient surtout mettre l'accent sur les questions d'intégration. Mais même parmi cette dernière catégorie, il faudrait distinguer celles dont l'expérience a été spécialisée (avec responsabilité de tâches fonctionnelles précises, comme production, finance, etc.) de celles qui ont eu une expérience substantielle de généraliste. Les spécialistes sont souvent dans les mêmes dispositions d'esprit que les jeunes étudiants. À notre sens, la préparation devrait être semblable pour tous, mais l'accent de la préparation devrait aller à l'encontre des tendances naturelles de chacun des groupes. Les étapes qui suivent sont néanmoins des guides utiles pour tous les groupes.

1. D'abord, la familiarité avec le sujet exige que la lecture du cas soit très bonne. Il est donc utile de faire ce qui suit :

- Feuilleter l'ensemble du cas pour voir de quoi il s'agit, puis faire une première lecture rapide pour se familiariser avec les événements et les conditions du cas. Cette première lecture doit aussi permettre de vérifier s'il s'agit d'industries ou de technologies avec lesquelles on est familiarisé ou s'il faut envisager d'aller chercher des renseignements complémentaires là-dessus. Cette première lecture ne doit pas prendre beaucoup de temps, mais doit permettre de répondre à quelques questions utiles pour l'analyse. De quoi s'agit-il ? Ce cas ressemble-t-il à d'autres que nous avons étudiés ? Comment se situe-t-il à l'intérieur du cours ? Que cherche-t-on à faire ? Quelles questions importantes sont abordées ici ? Quel événement ou information attire mon attention ? Pourquoi ?

- Faire une deuxième lecture plus détaillée. Cette lecture doit permettre de prendre des notes sur chacune des préoccupations qui semble ressortir du cas. Par exemple, si le cas porte sur l'analyse de l'environnement d'une entreprise, on serait tenté de clarifier la dynamique de l'industrie en traçant le modèle de Porter et en essayant de le documenter pour mieux comprendre comment les cinq forces influent sur la dynamique. En revanche, si le cas met plutôt l'accent sur la capacité concurrentielle de l'organisation, alors on pourrait passer plus de temps à comprendre ce que l'organisation fait relativement bien, en examinant chacune des fonctions et sa gestion. Cette deuxième lecture permet de prendre beaucoup de notes utiles pour l'analyse qui suit et pour la discussion de classe.

• Recommander aux étudiants d'écrire une page de réflexions que le cas leur inspire. Cette page constitue non pas de l'analyse mais une sorte de « pensée sur le vif » dont l'objet est d'articuler comment on réagit personnellement au cas, aux personnages, aux événements, et comment ce cas vient toucher son propre cheminement. Cette page est parfois exigée par le professeur. À l'École des HEC, on l'appelle Papier de position préliminaire (PPP).

2. On peut à présent passer à l'analyse proprement dite. Pour cela, les différents modèles (du moins ceux qui ont été étudiés jusque-là) qui documentent et éclairent le concept de stratégie peuvent être utilisés. Ainsi, on peut examiner tous les éléments qui constituent le concept de stratégie, tels qu'ils ont été précisés au chapitre III, avec peut-être un accent particulier sur l'aspect qui est le thème du cours. L'analyse a comme objet, toujours, *d'articuler et de préciser ce qui se passe dans un premier temps, puis de l'expliquer dans un second temps.* Cette étape se termine lorsqu'on a le sentiment qu'on comprend bien l'ensemble de la situation de l'entreprise. On est alors prêt à réfléchir à l'étape suivante.

3. À présent, on peut consacrer du temps à examiner les options dont on dispose, peut-être à les inventer et à décider de ce qu'on devrait faire. Simultanément, on doit considérer les questions de mise en œuvre. Le quoi faire doit toujours être accompagné du comment le faire. Le comment souvent détermine si le quoi est raisonnable ou si c'est simplement un exercice pédagogique futile.

4. Dans les cas consacrés en particulier aux questions de mise en œuvre, on pourrait avoir à mettre plus l'accent sur le design des instruments qui permettraient de réaliser la stratégie. Dans ce cas, il est clair qu'on doit passer plus rapidement sur les questions d'analyse et de formulation de ce qu'il faut faire, pour consacrer le plus de temps possible aux caractéristiques de la mise en œuvre.

5. Il arrive souvent que les analystes du cas soient tentés d'apporter un élément d'information complémentaire sur ce qui est arrivé à

l'organisation, depuis la date du cas. Une petite recherche en bibliothèque pourrait ainsi permettre, d'une part, d'enrichir sa propre compréhension de l'organisation étudiée et, d'autre part, d'apporter une
contribution intéressante à la discussion si l'occasion devait se présenter.

6. Pour la préparation de la discussion en classe, on doit garder à
l'esprit qu'une classe, c'est d'abord des personnes qui se sont fait
chacune une opinion à propos des cas qui seront discutés. En
conséquence, avoir effectué l'analyse n'est pas suffisant. Il faut aussi
se poser des questions sur la manière dont on doit faire passer son
opinion dans la classe. Traditionnellement, les étudiants ont toujours fait preuve de beaucoup de savoir-faire et de créativité pour
que leur opinion soit écoutée et respectée par les collègues de la classe. Le professeur est souvent intéressé autant par le contenu des idées
que les étudiants apportent à la discussion des cas que par la manière avec laquelle ils les apportent.

B. LA PRÉPARATION D'UNE ANALYSE DE CAS ÉCRITE

Il y a une différence substantielle entre une analyse de cas pour la discussion en classe et une analyse de cas écrite. Dans l'analyse pour la classe, on
laisse beaucoup de place à la spontanéité, à la dynamique de la discussion en
classe. De plus, on ne se préoccupe pas de la structure de l'argumentation ni
de la qualité de l'écriture. Seules les idées sont importantes. Dans le document écrit, la clé est l'écriture. La structure du texte et sa clarté sont souvent
les éléments principaux pour convaincre. Il y a bien sûr beaucoup de place
encore aux idées, mais les idées seules ne sont plus suffisantes. Dans ce qui
suit, quelques recommandations générales sont faites pour aider à améliorer
la qualité de l'analyse écrite, mais là aussi la créativité et la personnalité de
l'analyste peuvent se manifester de multiples façons.

1. LA LECTURE DU CAS ET LA PRÉPARATION DE L'ANALYSE

Les suggestions faites précédemment restent valables. Il est important
qu'on soit familiarisé avec les données du cas. La phase de lecture est donc
très importante. Dans l'analyse écrite, cette phase est encore plus cruciale,
parce qu'on ne peut pas se permettre de rater une information ou un argument important. Habituellement, la démarche reste cependant la même, et il
s'agit de faire :

I. Une lecture rapide en notant à la fin les questions qui ont attiré
notre attention ;

II. Une lecture plus attentive, avec prise de notes systématique sur les caractéristiques de l'organisation, de son fonctionnement, de sa stratégie, de ses dirigeants, etc.

À ce stade-ci arrivent les différences. Après la lecture attentive, on doit se demander comment on peut aborder le cas. Il arrive que le professeur fournisse quelques questions pour guider l'analyse, mais dans tous les cas on doit procéder de la manière suivante :

- Déterminer ce qu'on a compris de la situation de l'organisation. Là, il ne faut pas oublier que le concept de stratégie peut servir de cadre structurant de l'analyse. En particulier, on peut reprendre les éléments de l'analyse stratégique du chapitre IIII et déterminer la situation de l'organisation pour chacun d'entre eux. Ainsi, on peut étudier la nature de l'environnement, les incertitudes (opportunités et menaces) qui viennent ou pourraient en venir. Ensuite, on pourrait examiner les sources d'avantages (compétences, ressources financières ou humaines, etc.) ou de désavantages (qualité des produits, rigidité du fonctionnement, etc.) concurrentiels de l'organisation, la nature de la communauté qui la compose et les valeurs des dirigeants, en prêtant une attention particulière à l'effet de ces facteurs sur le comportement stratégique actuel et futur de l'organisation.
- Décider de ce qu'on ferait pour répondre aux préoccupations des dirigeants ou aux défis qui se présentent à eux.

On peut alors se demander comment on va présenter ces éléments pour que l'argument soit intéressant et pour qu'il soit convaincant. Ces choix peuvent amener un retour au cas pour des lectures de parties spécifiques et des vérifications des compréhensions ou des interprétations retenues.

2. La présentation et l'écriture

Les étudiants font preuve d'une très grande créativité dans la présentation de leur argumentation et cette créativité est recommandée et encouragée. Une présentation originale, qui facilite la compréhension de l'argumentation ou sa lecture, ajoute beaucoup à l'analyse. En entreprise, dans l'organisation, comme dans le cours de gestion stratégique, c'est un gage de succès. À titre d'exemples, on pourrait mentionner quelques-uns des nombreux choix qui ont été faits dans le passé.

I. Il y a bien sûr l'analyse classique, qui met l'accent sur la compréhension de la situation et se termine par les recommandations.

II. Il y a la lettre qui est adressée au dirigeant qui est mis en cause dans le cas, pour lui parler de la situation.

III. Il y a la présentation à un comité interne ou externe.

IV. Il y a le tribunal, dans lequel on prend la place d'un journaliste qui décrit le déroulement et le verdict d'un procès qui mettait en cause les dirigeants ou l'entreprise.

V. Il y a la présentation à une commission parlementaire.

VI. Il y a la demande de conseils par le dirigeant à un ami ou, l'inverse, des conseils qu'on donnerait à son ami dirigeant.

VII. Il y a la présentation par une société de consultants.

Bien d'autres possibilités existent. Mais dans tous les cas, on retrouve toujours les éléments classiques de l'analyse stratégique tels qu'ils apparaissent au chapitre III. Bien entendu, on peut enrichir ces éléments en utilisant les concepts et modèles appropriés à la situation, tels qu'ils apparaissent dans les chapitres VI à XIV.

L'écriture de l'analyse de cas doit être aussi simple et directe que possible. Il faut bien se rendre compte qu'on écrit non pas une œuvre littéraire mais un rapport d'analyse. Quelques conseils seraient ici appropriés :

I. La structure du texte doit être bien claire. Contrairement à ce qui se produit dans la plupart des œuvres littéraires, le lecteur devrait, en feuilletant rapidement le document, avoir une idée de ce que l'auteur essaie de faire. Les éléments qui ont habituellement du succès dans une présentation écrite sont les suivants :

• Une introduction stimulante, qui présente le cas, la structure du texte d'analyse et les résultats auxquels on est arrivé. L'introduction doit être la partie la plus attirante du texte parce qu'on cherche à encourager le lecteur à poursuivre la lecture. Dans l'introduction, on peut se permettre des affirmations fortes, si elles sont destinées à attirer l'attention. Si l'introduction est bien faite, elle peut facilement servir de « résumé pour la direction » (ou *executive summary*).

• Des schémas, qui résument l'analyse ou l'argumentation, mais attention : un mauvais schéma est pire que l'absence de schémas.

• Des citations appropriées, tirées du texte du cas, mais là aussi attention à la qualité et aux excès.

• Des comparaisons avec des situations d'organisations similaires qui sont bien connues des lecteurs potentiels.

• Une conclusion qui rappelle les résultats et les recommandations, mais qui le fait de manière inhabituelle et stimulante.

II. L'écriture la meilleure est la plus simple et la plus économique. S'efforcer de faire des phrases simples, aussi courtes que possible, de présenter ses idées dans des paragraphes courts et d'utiliser un langage abordable et nettoyé d'un jargon excessif. Les grands écrivains nous rappellent souvent que la lecture est semblable à une aventure sur un territoire inconnu. Plus le chemin est balisé, plus il est ponctué de surprises agréables, plus il est facile de suivre la pensée de l'auteur et plus le lecteur appréciera. Si le lecteur passe plus de temps à comprendre les phrases et les mots, s'il se perd dans des paragraphes longs et sinueux, il ne lira pas le texte jusqu'au bout et, s'il est obligé de le lire, comme c'est le cas du professeur, il le jugera durement.

III. Nous aimons à répéter à nos étudiants les quelques conseils de Maria Montessori, la grande pédagogue italienne :

- Une image vaut mille mots.
- Il vaut mieux montrer que dire.
- Il vaut mieux pas assez que trop.

III. QUELQUES GRANDES BALISES DANS L'ANALYSE DE CAS

Que ce soit pour l'analyse écrite ou pour la préparation d'une discussion en classe, il est utile de se souvenir des quelques recommandations suivantes :

1. En stratégie, on est intéressé par l'ensemble de l'organisation plutôt que par une partie ou un aspect. Veillez à ne pas perdre de vue la perspective d'ensemble.

2. L'approche est toujours la même : on cherche d'abord à comprendre, puis à agir.

3. Un grand principe est qu'il y a plus d'une réponse correcte. L'important est la qualité de l'analyse, de sa présentation et de sa défense.

4. En règle générale :

a) la situation est toujours spécifique ;

b) on étudie l'ensemble de la situation ;

c) il faut rester sensible aux interrelations ;

d) il faut adopter un point de vue multidimensionnel ;

e) il faut se mettre à la place des responsables ;

f) il faut être orienté vers l'action, ce qui signifie entre autres :

- aller de l'imparfait vers le mieux ;
- accepter le conflit au sein de l'organisation ;
- avoir le sens du possible ;
- avoir le sens de ce qui est vital, jugulaire ;

- avoir la volonté de prendre des décisions sur la base de renseignements incomplets et imparfaits ;
- traduire les objectifs en programmes d'action ;
- ne pas oublier que, pour l'essentiel, le contexte est humain et organisationnel.

BIBLIOGRAPHIE
SÉLECTIVE

BIBLIOGRAPHIE SÉLECTIVE

Abell, D. H. (1979). *Strategic market planning.* Englewood Cliffs, NJ: Prentice-Hall.

Abernathy, W. J. & Waynes, K. (1974). Limits of the Learning Curve, *Harvard Business Review,* sept.-oct.

Ackerman, R. W. (1968). *Organization and the Investment Process.* Thèse de doctorat inédite, Harvard Graduate School of Business Administration, Boston.

Ackoff, R. L. (1970). *A Concept of Corporate Planning.* New York: Wiley-InterScience.

Ackoff, R. L. (1978). *The art of problem solving.* New York: Wiley.

Adizes, I. (1980). *L'ère du travail en équipe: méthodes de diagnostic et règles d'action.* Paris: Éditions d'organisation.

Aguilar, F. J. (1988). *General Managers in Action.* Oxford University Press: New York.

Aharoni, Y. (1967). *The Foreign Investment Decision.* Boston: Division of research, GSBA, Harvard.

Aktouf, O. & Chrétien, M. (1987). Le cas Cascades: comment se crée une culture d'entreprise. *Revue française de gestion, 61-66,* 156-166.

Aldrich, H. E. (1979). *Organizations and environment.* Englewood Cliffs, NJ: Prentice-Hall.

Allaire, Y. & Firsirotu, M. (1985). How to implement radical strategies in large organizations. *Sloan Management Review,* 26.

Allaire, Y. & Firsirotu, M. (1986). *La gestion stratégique des organisations complexes* (notes de cours). Éditions Sciences et Culture.

Allaire, Y. & Hafsi, T. (1989). Préface de la collection: La gestion stratégique dans les organisations complexes. Dans T. Hafsi & C. Demers, *Le changement radical dans les organisations complexes.* Boucherville: Gaëtan Morin.

Allen, P. M. (1988). Dynamic models of evolving systems. *System dynamics review, 4,* été.

Allen, P. M. (1988). Evolution, Innovation and Economics. Dans G. Dosi et al. (Dir.), *Technical Change and Economic Theory* (p. 95-119). London: Pinter. Cité par Buchanan & Vanberg.

Allison, G. T. (1971). *The Essence of Decision Explaining the Cuban Missile Crisis.* Boston: Little, Brown.

Amdahl, A. M. (1980). Amdahl-IBM David contre Goliath. *Harvard L'Expansion,* «Stratégie», 64-76.

Anderson, D. (1986). Une démarche pour revitaliser les grandes entreprises. *Revue française de gestion*, mars-avril-mai.

Andrews, K. R. (1971). *The Concept of Corporate Strategy*. Illinois : Richard-Irwin.

Andrews, K. R. (1973). Le concept de stratégie d'entreprise. *Encyclopédie du Management*, 2.11.1-2.11.23.

Andrews K. R. (1980). *The Concept of Corporate Strategy*. Illinois : Richard-Irwin.

Andrews, K. R. (1987). *The Concept of Corporate Strategy*, Homewood, IL : Irwin. (L'ouvrage original a été publié en 1971.)

Ansart, P. (1990). *Les sociologies contemporaines*. Paris : Seuil.

Ansoff, H. I. (1965). *Corporate Strategy An Analytic Approach to Business Policy for Growth and Expansion*. New York : McGraw-Hill.

Ansoff, H. I. (1979). The Changing Shape of the Strategic Problem. *Journal of General Management*, été.

Arnold, S., Handelman, J. & Tigert, D. (1996). Organizational Legitimacy and Retail Store Patronage. *Journal of Business Research*, 35, 229-239.

Arrègle, J.-L. (1996). Analyse Resource Based et identification des actifs stratégiques. *Revue française de gestion*, mars/avril/mai, 25-36.

Astley, W. G. & Fombrun, C. F. (1983). Collective Strategy : the Social Ecology of Organizational Environment. *Academy of Management Review*, 8, 576-586.

Astley, W. G. & Van de Ven, A. H. (1983). Central Perspectives and Debates in Organization Theory. *Administrative Science Quarterly*, 28, 245-273.

Attewell, P. & Rule, J. (1984). Computing and Organizations : What We Know and What We Don't Know. *Communications of the ACM*, 27, 1184-1192.

Avenier, M.-J. (1997). *La stratégie chemin faisant*. Paris : Economica.

Bain, J. S. (1956). *Barriers to New Competition*. Cambridge, MA : Harvard University Press.

Bain, J. S. (1968). *Industrial Organization*. (2ᵉ éd.). New York : Wiley.

Balkin, D. B. & Gomez-Mejia, L. R. (1987). Toward a Contingency Theory of Compensation Strategy. *Strategic Management Journal*.

Balkin, D. B. & Gomez-Mejia, L. R. (1990). Matching Compensation and Organizational Strategies. *Strategic Management Journal*, 11, 153-169.

Baranson, J. (1990). Transnational Strategic Alliances Why, What, Where and How. *Multinational Business*, 2, 54-61.

Barnard, C. I. (1968). *The Functions of the Executive*. (Éd. du 30ᵉ anniversaire). Cambridge, MA: Harvard University Press. (L'ouvrage original a été publié en 1938.)

Barney, J. B. (1986). Types of Competition and the Theory of Strategy Toward an Integrative Framework. *Academy of Management Review, 11*, 491-500.

Barney, J. B. (1991). Firm Resources and Sustained Competitive Advantage. *Journal of Management, 17*, 99-120.

Barrett, S. & Hill, M. (1984). Policy, Bargaining and Structure in Implementation. *Policy and Politics, 12*, 218-239.

Bartlett, C. A. & Ghoshal, S. (1989). *Managing Across Borders; The Transnational Solution*. Boston: Harvard Business School Press.

Bartlett, C. A. & Ghoshal, S. (1991). Global Strategic Management Impact on the New Frontiers of Strategy Research. *Strategic Management Journal, 12*, numéro spécial, été.

Bartlett, C. A. & Ghoshal, S. (1992). What is a Global Manager? *Harvard Business Review*, sept.-oct.

Bates, K. (1997). The Role of Coercive Forces in Organization Design Adoption. *Academy of Management Review, 22*, 849-851.

Bauer, M. (1993). *Les patrons de PME: entre le pouvoir, l'entreprise et la famille*. InterÉditions.

Baughman, J. P. (1974). *Problems and performance of the role of chief executive of the General Electric Company, 1892-1974*. Texte ronéotypé, Harvard Business School.

Beaulieu, P. (1992). *La gestion des ressources humaines sur la scène stratégique*. Sillery: Presses de l'Université du Québec et APRHQ.

Beck, N. (1994). *La Nouvelle économie*. Montréal: Transcontinental.

Beetham, D. (1991). *The Legitimation of Power*. London: MacMillan.

Belcher, D. W. & Atchinson, T. J. (1987). *Compensation Administration*. (2ᵉ éd.). Prentice-Hall.

Bell, J. H. J., Barkema, H. G. & Verbeke, A. (1996, mars). *An Eclectic Model of the Choice Between Wholly Owned Subsidiaries and Joint Ventures as Modes of Foreign Entry*. Communication présentée à la Global Perspectives on Cooperative Strategies, European Conference, Lausanne, Suisse.

Bennis W. (1989). *On Becoming a Leader*. New York: Addison-Wesley.

Benson, J. K. (1975). The Interorganizational Network as a Political Economy. *Administrative Science Quarterly, 20*, 229-249.

Berger, P. & Luckmann, T. (1967). *The social Construction of Reality*. New York: Doubleday.

Bergh, D. D. (1995). Size and Relatedness of Units Sold an Agency Theory and Resource-Based Perspective. *Strategic Management Journal*, 221-239.

Bergsman, J. (1992). Private Communication. *Attracting Private Investment*, 19 octobre, World Bank, Washington, DC.

Bernoux, P. (1985). *La sociologie des organisations*. Paris : Seuil.

Berry, B. J. L., Conkling, E. C. & Ray, D. M. *The Global Economy Resource Use. Locational Choice and International Trade*. Englewood Cliffs, NJ : Prentice Hall.

Bettis, R. A. & Hall, W. K. (1981). Strategic Portfolio Management in the Multibusiness Firm. *California Management Review*, automne, 23-38.

Biggadike, E. R. (1979). *Corporate Diversification : Entry, Strategy and Performance*. Cambridge, MA : Harvard University Press.

Bignetti, L. P. (1999). *Strategic Actions and Innovation Practices in Knowledge-Based Firms*. Thèse de doctorat, HEC, Montréal.

Bird, B. (1988). Implementing entrepreneurial ideas : The case for intention. *Academy of Management Review,13*, 442-453.

Bird, B. & Jelinek, M. (1988). The Operation Of Entrepreneurial Intention. *Entrepreneurship theory and practice, 13*, 21-30.

Blais, R. A. & Toulouse, J. M. (1992). *Entrepreneurs technologiques : 21 cas de PME à succès*. Montréal : Transcontinental.

Blanc, M. (1993). *Pour un État stratège garant de l'intérêt général. Rapport de la commission parlementaire sur le rôle de l'État,* Paris : Documentation française.

Blawatt, K. (1995, octobre). Defining the Entrepreneur A Conceptual Model of Entrepreneurship. *Actes du 12ᵉ colloque annuel du Conseil canadien de la PME et de l'entrepreneurship* (p.13-38). Thunder Bay, Ontario.

Bolman, L. G. & Deal, T. E. (1991). *Reframing Organizations : Artistry, Choice, and Leadership*. San Francisco : Jossey-Bass.

Bonneau, L. (1995). *Peerless Clothing et Paris Stard, cas HEC*. Montréal : Centrale des cas.

Booth, C. (1996, mars). *Utilizing Technology to Improve Service Delivery*. Communication présentée au Colloque l'organisation de demain, Université Laval, Sainte-Foy, Québec.

Booth, P. L. (1987). *Paying for Performance The Growing Use of Incentive and Bonus Plans*. A Conference Board of Canada, Report from Compensation Research Center, Report 22, sept.

Borys, B. & Jemison, D. B. (1989). Hybrid Arrangements as Strategic Alliances Theoretical Issues in Organizational Combinations. *Academy of Management Review, 14*, 234-249.

Bouchiki, H. & Kimberley, J. (1994). *Entrepreneurs et gestionnaires.* Paris : Éditions d'organisation.

Boudon, R. (1982). *The Unintended Consequences of Social Action.* New York : St.Martin's. (Première édition en français publiée en 1977.)

Boulton, W. R. (1984). *Business Policy, the Art of Strategic Management.* New York : MacMillan.

Bourdieu, P. (1972). *Esquisse d'une théorie de la pratique, précédée de trois études d'ethnologie kabyle.* Genève : Droz.

Bourdieu, P. (1980). *Le sens pratique.* Paris : Minuit.

Bourdieu, P. (1997). *Méditations pascaliennes.* Paris : Seuil.

Bourgeois, L. & Brodwin, J. (1984). Strategic Implementation : Five approaches to an Elusive Phenomenon. *Strategic Management Journal, 5,* 241-264.

Bower, J. L. (1970). *Managing the Resource Allocation Process.* Homewood, IL : Irwin.

Bower, J. L. (1983). *The Two Faces of Management : An American Approach to Leadership in Business and Politics.* Boston : Houghton Mifflin.

Bowersox, D. J. (1990). The Strategic Benefits of Logistics Alliances. *Harvard Business Review,* juillet-août, 36-45.

Boyd, N. & Vozikis, G. (1994). The influence of self-efficacy on the development of entreprise. *Entrepreneurship theory and practice, 18,* 63-80.

Bracker, J. S., Keats, B. W. & Pearson, J. N. (1988). Planning And Financial Performance Among Small Firms. *Strategic Management Journal,* nov.-déc.

Bresser, R. K. (1988). Matching Collective and Competitive Strategies. *Strategic Management Journal, 9,* 375-385.

Bresser, R. K. & Harl, J. E. (1998). Collective Strategy : Vice or Virtue. *Academy of Management Review, 11,* 408-427.

Brewer, T. (1991). Foreign Direct Investment in Developing Countries Patterns, Policies, and Prospects. *PRE Working papers,* juin.

Brockauss, R. (1982). The Psychology of the entrepreneur. In K. Sexton, *The Encyclopedia of entrepreneurship* (p. 39-71).

Broderick, R. F. (1985). *Pay Policy and Business Strategy Toward a Measure of «Fit».* Thèse inédite, Cornell University.

Buchanan, J. M. & Vanberg, V. J. (1991). The Market as a Creative Process. *Economics and Philosophy, 7,* 167-186.

Burgelman, R. A. (1996). Intraorganizational Ecology of Strategy Making and Organizational Adaptation Theory and Field Research. *Organization Science, 2,* 239-262.

Buzzell, R. D., Gale B. T. & Sultan, R. G. M. (1975). «Market Share – A Key to Profitability. *Harvard Business Review*, janv.-févr., 97.

Callon, M., Law, J. & Rip, A. (1986). *Mapping the Dynamics of Science and Technology*. London : MacMillan.

Carr, E. H. (1961). *What is History ?* New York : Vintage.

Carroll, S. J. (1987). Business Strategies and Compensation Systems. Dans D. B. Balkin & L. R. Gomez-Mejia (Dir.), *New Perspectives in Compensation*. Englewood Cliffs, NJ : Prentice-Hall.

Carroll, S. J. (1988a). Handling the Need for Consistency and the Need for Contingency in the Management of Compensation. *Human Resources Planning, 11*, 191-196.

Carroll, S. J. (1988b). Business Strategies and Compensation Systems. Dans L. S. Baird, C. E. Schneir & R. W. Beatty (Dir.), *The Strategic Human Resource Management Sourcebook* (p. 199-206). Human Resource Development Press.

Caves, R. E. (1980). Industrial Organization, Corporate Strategy and Structure. *Journal of Economic Literature, 18*, 89-98.

Caves, R. E. & Porter, M. E. (1977). From Entry Barriers to Mobility Barriers Conjectural Decisions and Contrived Deterrence to New Competition. *Quarterly Journal of Economics, 91*, 241-262.

Chaffee, E. E. (1985). Three Models of Strategy. *Academy of Management Review, 10*, 89-98.

Chakravarthy, B. S. (1986). Measuring Strategic Performance. *Strategic Management Journal, 7*, 437-458.

Chakravarthy, B. S. & Lorange, P. (1991). *Managing the strategy process*. Englewood Cliffs, NJ : Prentice-Hall.

Chakravarthy, B. S. & Zajac, E. J. (1984). Tailoring Incentive Systems to a Strategic Context. *Planning Review, 12*, 30-35.

Chamberlin, E. H. (1933). *The Theory of Monopolistic Competition*. Cambridge, MA : Harvard University Press.

Champagne, F. (1982). *L'évolution de la raison d'être d'un centre hospitalier*. Thèse de doctorat, Université de Montréal.

Chan, Y., Huff, S., Barclay, D. W. & Copeland, D. G. (1997). Business Strategic Orientation, Information Systems Strategic Orientation, and Strategic Alignment. *Information Systems Research, 8*, 125-150.

Chandler, A. D. (1962). *Strategy and Structure*. Cambridge, MA : MIT Press.

Chandler, A. D. (1977). *The Visible Hand*. Cambridge, MA : Harvard University Press.

Chandler, A. D. (1986). The Evolution of Modern Global Competition. Dans M. E. Porter (Dir.), *Competition in Global Industries* (p. 405-448). Boston: Harvard Business School Press.

Chandler, A. D. (1990). *Scale and Scope.* Cambridge, MA: Harvard University Press.

Chanlat, J.-F. (1994) Francophone Organizational Analysis (1950-1990): An Overview. *Organizational Analysis, 15,* 47.

Chase, C. D., Kuhle, J. L. & Walther, C. H. (1988). The Relevance of Political Risk in Direct Foreign Investment. *Management International Review, 28,* 31-38.

Chazel, F., Favereau, O. & Friedberg, E. (1994). Symposium sur le pouvoir et la règle. *Sociologie du travail, 1,* 85-111.

Chell, E. (1986). The Entrepreneurial Personality. Dans J. Curran, J. Stanworth & D. Watkins (Dir.), *The Economic of Survival and Entrepreneurship* (p.102-119). Royaume-Uni: Gower.

OCDE. (1989). The Importance of Technological Innovation in the Clothing Industry. *Textile leader,* mai, 103-118.

Chen, C. C. & Meindl, J. R. (1991). The Construction of Leadership Images in the Popular Press, The Case of Donald Burr and People Express. *ASQ, 36,* 521-551.

Christensen, C. R. (1991). Every student teaches and every teacher learns: The reciprocal gift of discussion teaching. Dans C. R. Christensen, D. A. Garvin & A. Sweet (Dir.), *Education for judgment.* Boston: Harvard Business School Press.

Christensen, C. R., Andrews, K. R. & Bower, J. L. (1973). *Business Policy, Text and Cases.* Homewood, IL: Irwin.

Christiansen, L. T. (1987). Les stratégies de diversification dans les vagues de fusions et d'acquisitions des années 1980. *Revue internationale de gestion, 12* (3).

Clarke, C. & Brennan, K. (1992). Global Mobility – The Concept. *Long Range Planning, 25,* 73-80.

Clinch, G. (1991). Employee Compensation and Firms' Research and Development Activity. *Journal of Accounting Research, 29,* 59-78.

Cline, W. R. (1990). *The Future of World Trade in Textiles and Apparel.* (Éd. rév.). Washington: Institute for International Economics.

Collins, D. J. (1991). A Resource-Based Analysis of Global Competition, The Case of the Bearings Industry. *Strategic Management Journal, 12,* 49-68.

Collins, D. J. (1996). *Winners and Losers Industry Structure in the Converging World of Telecommunications, Computing and Entertainment.* Division of Research, Working Paper 96-003. Boston: Harvard Business School.

Contractor, F. J. & Lorange, P. (1988). Competition vs Cooperation: A Benefit/cost Framework for Choosing between Fully-owned Investments and Cooperative Relationships. *MIR,* numéro spécial, 5-19.

Cook, K. (1977). Exchange and Power in Networks of Interorganizational Relations. *The Sociological Quarterly, 18,* 62-82.

Corning Glass Works, Harvard Business School case No. 9-381-160. (1987). (Trad.: Ch. Laplante pour l'École des HEC). Montréal.

Côté, M. (1983). *Périodes stratégiques de 1907 à 1980 et profils stratégiques correspondant.* Montréal: HEC.

Côté, M. (1991). *La gestion stratégique d'entreprise: concepts et cas.* Boucherville: Gaëtan Morin.

Côté, M. (1995). *La gestion stratégique: aspects théoriques.* Montréal: Gaëtan Morin.

Côté, M. & Miller, D. (1992). *Caractérisation des organisations.* Projet CEFRIO, février.

Courville, L. (1994). *Piloter dans la tempête comment faire face aux défis de la nouvelle économie.* Montréal: Québec/Amérique et Presses des HEC.

Couture, M. (1984). *Hydro-Québec: des premiers défis à l'aube de l'an 2000.* Montréal: Libre Expression et Forces.

Covey, S. R. (1989). *The 7 Habits of Highly Effective People.* New York: Simon and Schuster. Version française: (1996). *Les sept habitudes de ceux qui réalisent tout ce qu'ils entreprennent.* Paris: First.

Covey, S. R. (1994). *First Things First to Live, to Love, to Learn and to Leave a Legacy.* New York: Simon and Schuster. Version française: (1995). *Priorité aux priorités.* Paris: First.

Craig, R. T. (1999). Communication Theory as a Field. *Communication Theory, 2,* 119-161.

Crane, T. Y. (1995). Issue Management Closing the Expectation Gap. *Planning Review, 23,* 19-20.

Crozier, M. (1963). *Le phénomène bureaucratique.* Paris: Seuil.

Crozier, M. & Friedberg, E. (1977). *L'acteur et le système. Les contraintes de l'action collective.* Paris: Seuil.

Cummins, T. G. & Huse, E. F. (1989). *Organizational development and change.* St. Paul: West.

Cushman, D. (1985). Real Exchange Rate, Expectations, and the Level of Direct Investment. *Review of Economics and Statistics.*

Cvar, M. (1986). Patterns of Globalization. Dans M. Porter, *Competition in global industry*. New York: Free Press.

Cyert, R. M. & March, J. G. (avec la contribution de Clarkson, G. P. E. et al.), (1963). *A Behavioral Theory of the Firm*. Englewood Cliffs, NJ: Prentice-Hall.

Dacin, M. T. (1997). Isomorphism in Context: The Power and Prescription of Institutional Norms. *Academy of Management Journal, 40,* 46-81.

D'Amboise, G. (1997). *Quelle gestion stratégique pour la PME?* Presses Inter-Universitaires, Éditions 2 continents et Centre d'entrepreneuriat et de PME de l'Université Laval.

D'Aveni, R. A. (1995). Coping with Hypercompetition Utilizing the New 7S's Framework. *Academy of Management Executive, 9,* 45-57.

D'Cruz, J. & Rugman, A. M. (1992). *New Compacts for Canadian Competitiveness*. Toronto: Kodak Canada.

D'Cruz, J. & Rugman, A. M. (1993). Business Networks as Agents of Change for Canadian Competitiveness. *ASAC Proceedings, 14* (6).

D'Cruz, J. & Rugman, A. M. (1993). Developing International Competitiveness The Five Partners Model. *Business Quarterly, 58,* 60-72.

D'Iribarne, P. (1989). *La logique de l'honneur. Gestion des entreprises et traditions nationales*. Paris: Seuil.

Daft, R. L. & Weick, K. E. (1984). Toward a Model of Organizations as Interpretation Systems. *Academy of Management Review, 9,* 284-295.

Dahl, R. A. (1957). The concept of Power. *Behavioral Science, 2,* 201-215.

Daleu-Diabé, M. & Hafsi, T. (1993). *La stratégie nationale de Taiwan de 1895 à 1990*. Monographies en gestion et économie internationales, Cétai, ISBN 2-920296-27-2, 93-01.

Damasio, A. R. (1994). *Descartes' Error Emotion, Reason and the Human Brain*. New York: Grosset et Putnam.

Datta, D. K. (1989). International Joint Ventures a Framework for Analysis. *Journal of General Management, 14,* 78-91.

Dawkins, R. (1987). *The Selfish Gene*. Oxford: Oxford University Press.

De Bruyne, P. (1981). *Modèles de décision*. Louvain-la-Neuve: Centre d'études praxéologiques.

Delahanty, E. L. (1994). HR Strategies, Incentives and Results An Exclusive Interview with Georgia-Pacific Board Chairman T Marshalkl Hahn Jr. *ACA Journautres, 2,* 28-35.

Delmas, P. (1991). *Le Maître des horloges. Modernité de l'action publique*. Paris: Odile Jacob.

Demers, C. (1990). *La diffusion stratégique en situation de complexité. Hydro-Québec, un cas de changement radical*. Thèse de doctorat, HEC, Montréal.

Demers, C. & Hafsi, T. (1993). Compétitivité et nation : jeux dominants et jeux périphériques. *Gestion, 18*, 48-56.

Demers, C. & Prud'homme, J. (1999). *La fusion de SNC et de Lavalin*. Document non publié, 52 p.

DePree, M. (1990). *Diriger est un art*. Paris : Rivages.

DeSanctis, G. & Scott Poole, M. (1994). Capturing the Complexity in Advanced Technology Use adaptive structuration theory. *Organization Science, 5*, 121-147.

Dess, G. G. & Davis, P. S. (1984); Porter (1980). Generic Strategies as Determinants of Strategic Group. *Academy of Management Journal*, sept.

Dewerpe, A. (1996). La «stratégie» chez Pierre Bourdieu. *Enquête, 3*, 191-208.

Di Maggio, P. J. & Powell, W. W. (1983). The Iron Cage Revisited Institutional Isomorphism and Collective Rationality in Organizational Fields. *American Sociological Review, 48*, 147-160.

Dion, S. (1982). Pouvoir et conflits dans l'organisation : grandeur et limites du modèle de Michel Crozier. *Revue canadienne de science politique, 15*, 85-101.

Dion, S. (1993). Ehrard Friedberg et l'analyse stratégique. *Revue française de science politique, 43*, 994-1008.

Dorfman, N. (1983). *Route 128 : The Development of a Regional High Technology Economy*. Research Policy.

Dowling, J. & Pfeffer, J. (1975). Organizational Legitimacy : Social Values and Organizational Behavior. *Pacific Sociological Review, 18*, 122-36.

Doz, Y. L. (1986). *Strategic Management in Multinational Companies*. Oxford : Pergamon.

Doz, Y. L., Prahalad, C. K. & Hamel, G. (1987). Competitive Collaboration. J. Contractor & P. Lorange (Dir.). *op. cit.*

Drucker, P. (1952). *The practice of management*. New York : Harper & Row. Version française : (1957). *La pratique de la direction des entreprises*. Paris : Éditions d'organisation.

Drucker, P. (1988). The Coming of the New Organization. *Harvard Business Review*, janvier-février.

Drucker, P. (1989). *L'entrepreneur*. Paris : Livre de Poche.

Dunning, J. H. (1995). Reappraising the Eclectic Paradigm in an Age of Alliance Capitalism. *Journal of International Business Studies, 26*, 461-491.

Dunning, J. H. & Pierce, R. A. (1985). Profitability and performance of the World's largest industrial companies. London, Angleterre : The Financial Times.

Dussauge, P. & Ramanantsoa, B. (1986). Technologies et stratégie. *Harvard L'expansion*, été.

Dutton, J. E. & Jackson, S. E. (1987). Categorizing Strategic Issues Links to Organizational Action. *Academy of Management Review*, 12 (1).

Edelson, M. (1988). *Psychoanalysis: A Theory in crisis.* Chicago : University of Chicago, Chicago Press.

Eisenhardt, K. M. & Bird Schoonhoven, C. (1996). Resource-based View of Strategic Alliance Formation Strategic and Social Effects in Entrepreneurial Firms. *Organization Science*, 7, 136-150.

Embracing Complexity: A Summary of the 1998 Colloquium on the Business Application of Complexity Science. Ernst and Young Centre for Business Innovation.

Eraly, A. (1988). *La structuration de l'entreprise.* Bruxelles : Éditions de l'Université de Bruxelles.

Erikson, E. H. (1985). *Childhood and Society.* New York : Norton.

Evan, W. M. (1966). The Organization-set : Toward a Theory of Interorganizational Relations. Dans J. G. Maurer, *Readings in Organization Theory : Open-System Approaches.* New York : Random House.

Fahey, L. & Narayanan, V. K. (1986). *Macroenvironment Analysis for Strategic Management.* St. Paul, MN : West.

Fatehi-Sedah, K. & Safizadeh, M. H. (1989). Association Between Political Instability and Flow of Foreign Direct Investment. *Management International Review*, 29, 4-13.

Faucher, P. & Hafsi, T. (1995, mai). Investissement direct étranger et développement : concilier compétitivité et gouvernabilité. *Actes du colloque de l'Association internationale de management stratégique.* Paris.

Faure, P. (1987). *Alexandre.* Paris : Fayard.

Filion, L. J. (1988). *The Strategy of Successful Entrepreneurs in Small Business Vision, Relationships and Anticipatory Learning.* Thèse de doctorat (chap. 6, p. 276-319), University of Lancaster.

Filion, L. J. (1990). *Les entrepreneurs parlent.* Montréal : Éditions de l'entrepreneur.

Filion, L. J. (1991). *Vision et relations : clefs du succès de l'entrepreneur.* Les Éditions de l'entrepreneur et la Fondation de l'Entrepreneurship.

Financial Post. (1981). The excellent canadian companies. Série.

Firsirotu, M. (1985). *Strategic Turnaround as Cultural Revolution.* Thèse de doctorat, Université McGill, Montréal.

Fligstein, N. (1987). The Intraorganizational Power Struggle Rise of Finance Personnel to Top Leadership in Large Corporations, 1919-1979. *American Sociological Review, 52*, 44-58.

Florida, R. & Kenney, M. (1990). *The Breakthrough Illusion: Corporate America's Failure to Move from Innovation to Mass Production*. New York: Basic Books.

Flouzar, D. (1990). *Économie contemporaine: les fonctions économiques*. Paris: PUF.

Fombrun, C. E. & Astley, G. (1983). Beyond Corporate Strategy. *Journal of Business Strategy*, printemps, 47-54.

Foot, D. K. (1990). Demographics The Human Landscape for Public Policy. Dans G. B. Doern & B. B. Purchase (Dir.), *Canada at Risk* (p. 25-45). Toronto: C. D. Howe Institute.

Forrester, J. (1972). Understanding the Counterintuitive Behavior of Social Systems. Dans J. Beishon & G. Peters (Dir.), *Systems Behaviour*. London, Angleterre: Harper & Row.

Fox, H. (1973). A Framework for Functional Coordination. *Atlanta Economic Review*, nov.-déc., 10-11.

Francis, A. (1992). The Process of National Industrial Regeneration and Competitiveness. *Strategic Management Journal, 13*, 61-78.

Franke, R. H., Hofstede, G. & Bond, M. H. (1991). Cultural Roots of Economic Performance A Research Note. *Strategic Management Journal, 12*, numéro spécial, été.

Frederick, W. C., Davis, K. & Post, J. E. (1988). The Stakeholder Concept. Dans *Business and Society* (6ᵉ éd.) (p. 82-90). New York: McGraw-Hill.

Frederickson, J. W. & Iaquinto, A. L. (1989). Inertia and creeping rationality in strategic decision processes. *Academy of management journal, 32*, 516-542.

French, W. L. & Bell, C. H. (1978). *Organization development*. (2ᵉ éd.). Englewood Cliffs, NJ: Prentice-Hall.

Fréry, F. (1998). Les réseaux d'entreprises: une approche transactionnelle. Dans H. Laroche & J.-P. Nioche, *Repenser la stratégie*, Entreprendre, série Vital Roux.

Freud, S. (1975). *The Standard Edition of the Complete Psychological Works of Sigmund Freud*, tr. under the general editorship of James Strachey in collaboration with Anna Freud, assisted by Alix Strachey and Alan Tyson. London: Hogarth Press.

Friar, J. & Horwitch, M. (1986). The Emergence of Technology Strategy, a new Dimension of Strategic Management. *Technology in the Modern Corporation, a Strategic Perspective*, Pergamon Press, 50.

Friedberg, E. (1993). *Le pouvoir et la règle. Dynamiques de l'action collective.* Paris: Seuil.

Friedberg, E. (1996). Sociologie et action managériale. *Gérer et comprendre*, mars, 16-25.

From Quality Circles to TQM (1997). *Government Executive, 29,* 60-62.

Froot, K. A. & Stein, J. C. (1989). Exchange Rates and Foreign Direct Invesment An Imperfect Capital Markets Approach. *NBER Working Paper Series, 2914*, mars.

Fry, J. N. & Killing, J. P. (1983). *Canadian Business Policy: A casebook.* Scarborough, Ontario: Prentice-Hall.

Gagné, P. & Lefèvre, M. (1990). *L'atlas industriel au Québec.* Montréal: Publi-Relais.

Galbraith, J. R. & Nathanson, D. A. (1978). *Strategy implementation: the role of structure and process.* Saint Paul, MN: West Pub.

Galbraith, J. R. (1983). Strategy and Organization Planning. *Human Resource Management*, printemps-été.

Gale, B. T., Bradley, S. & Branch, B. (1987). Allocating Capital More Effectively. *Sloan Management Review,* automne, 21-31.

Gallo, M. (1997). *Napoléon, Tome II.* Paris: Laffont .

Garud, R. & Kumaraswamy, A. (1995). Technological and Organizational Designs for Realizing Economies of Substitution. *Strategic Management Journal, 16,* 93-109.

Garzon, C. & Hafsi, T. (1992). *La stratégie nationale du Mexique de 1910 à 1990.* Montréal: Cétai. ISBN 2-89105-412-1.

Gasse, Y. & D'Amours, A. (1993). *Profession: entrepreneur.* Montréal: Transcontinental.

Gauthier, B. (Dir.), (1995). *Economic Reform and the State of Manufacturing Enterprises in Cameroon.* Montréal: Cétai.

Gauthier, B., Hafsi, T. & M'Basségué, P. (1995). *Enterprise performance during market reforms in Cameroon.* Cahier de recherche des HEC, 15 décembre.

Geertz, C. (1973). *The Interpretation of Cultures.* New York: Basic Books.

Geneen, H. (1984). *Managing.* Garden City, NY: Doubleday.

George, J. F. (1986). *Computers and the Centralization of Decision-making in the US City Governments.* Thèse de doctorat, Université de la Californie.

Geringer, J. M. & Hébert, L. (1989). Control and Performance of International Joint Ventures. *Journal of International Business Studies, 20*, 235-254.

Ghoshal, S. (1987). Global Strategy An Organizing Framework. *Strategic Management Journal, 8*, 425-440.

Ghoshal, S. & Bartlett, C. A. (1988). Creation, Adoption, and Diffusion of Innovations by Subsidiaries of Multinational Corporations. *Journal of International Business Studies, 19*, 365-388.

Giddens, A. (1987). *La constitution de la société. Éléments de la théorie de la structuration.* Paris : PUF.

Gilmour, S. C. (1973). *The Divestment Decision Process.* Thèse de doctorat inédite, Harvard University, Graduate school of business administration, Boston.

Ginsberg, A. (1988). Measuring and modelling changes in strategy : Theoretical foundations and empirical directions. *Strategic management journal, 9*, 559-575.

Giroux, N. (à paraître). Changer l'organisation : l'articulation-traduction dans la chaîne des conversations. Dans S. Pène, *Langage et travail.* Paris : L'Harmattan.

Giroux, N. & Demers, C. (1998). Communication organisationnelle et stratégie. *Management International, 2*, 17-32.

Glueck, F. W., Kaufman, S. P. & Walleck, A. S. (1980). Strategic Management for Competitive Advantage. *Harvard Business Review, 58*, 154-161.

Glueck, W. F. (1980). *Strategic Management and Business Policy.* New York : McGraw-Hill.

Gomez, P.-Y. (1996). *Le gouvernement de l'entreprise.* Paris : InterÉditions.

Goodman, P. S. & Kurke, J. (1982). *Change in organizations.* San Francisco : Jossey-Bass.

Grant, R. (1991). The Resource-Based Theory of Competitive Advantage Implications for Strategy Formulation. *California Management Review*, printemps, 114-135.

Greenwood, R. & Hinnings, C. R. (1988). Organizational Design Types, Tracks and the Dynamics of Strategic Change. *Organization Studies, 9*, 293-316.

Greiner, L. E. & Bhambri, A. (1989). New CEO intervention and dynamics of deliberate strategic change. *Strategic management journal, 10*, 67-86.

Gross, T. & Neuman, J. (1989). Strategic Alliances Vital in Global Marketing. *Marketing News, 23*, 1-2.

Grubert, H. & Mutti, J. (1989). *Financial Flows Versus Capital Spending Alternative Measures of U.S.-Canadian Investment and Trade in the Analysis of Taxes.* Texte ronéotypé.

Gugler, P. (1992). Building Transnational Alliances to Create Competitive Advantage. *Long Range Planning, 25,* 90-99.

Gupta, A. K. & Lad, L. J. (1983). Industry Self-Regulation. An Economic, Organizational and Political Analysis. *Academy of Management Review, 8,* 416-425.

Habib, M. M. & Victor, B. (1991). Strategy, Structure, and Performance of U.S. Manufacturing and Service MNCs A Comparative Analysis. *Strategic Management Journal, 12,* 589-606.

Hafsi, J. (1985). *Iacocca et Chrysler.* Cas HEC.

Hafsi, T. (1980). *Beatrice food.* ICCH case, Harvard Business School.

Hafsi, T. (1981). *The Strategic Decision-Making Process in State-Owned Enterprises.* Thèse de doctorat inédite, Harvard University, Graduate School of Business Administration, Boston.

Hafsi, T. (1982). Les entreprises japonaises ont-elles un avantage compétitif en situation de complexité? *Gestion,* mai, 72-84.

Hafsi, T. (1984). *Entreprise publique et politique industrielle.* Paris: McGraw-Hill.

Hafsi, T. (1989). *Strategic Issues in State-Controlled Enterprises.* Greenwich, CT: JAI.

Hafsi, T. (1998). Environment, resources and the performance of cooperative strategies. Dans S. Urban, *From alliance practices to alliance capitalism.* Wiesbaden: Gabler.

Hafsi, T. & Demers, C. (1989). *Le changement radical dans les organisations complexes: le cas d'Hydro-Québec.* Boucherville: Gaëtan Morin.

Hafsi, T. & Thomas, H. (1989). Managing in ambiguous and uncertain conditions: The case of state-controlled firms in France. Dans T. Hafsi (Dir.), *Strategic issues in state-controlled enterprises.* Greenwich, CT: JAI.

Hafsi, T. & Jorgensen, J. J. (1995). Privatization and National Renaissance Malaysia and Québec. *Strategic management series.* Howard Thomas. New York: Wiley.

Hafsi, T. & Fabi, B. (1996). *Le changement stratégique: fondements.* Montréal: Transcontinental.

Hafsi, T. & Nadeau, B. (avec la collaboration de C. Perreault), (1998). Les investisseurs institutionnels: le nouveau gouvernement pour l'entreprise. *Revue internationale de gestion, 23* (4).

Hall, P. (1986). *Governing the Economy.* New York: Oxford University Press.

Hama, N. (1993). Perspectives. *Harvard Business Review,* sept.-oct., 39-53.

Hambrick, D. C. (1981). Environment, Strategy and Power Within Top Management Teams. *Administrative Science Quarterly,* juin.

Hambrick, D. C. & Mason, P. (1984). Upper echelons : The organization as a reflection of its top managers. *Academy of management Review,* 9, 193-206.

Hambrick, D. C. & Filkenstein, S. (1987). Managerial discretion : A bridge between polar views on organizations. Dans B. Staw & L. L. Cummings (Dir.), *Research in organizational behavior* (vol. 9 p. 369-406). Greenwich, CT : JAI.

Hamel, G., Doz, Y. L. & Prahalad, C. K. (1989). Collaborate with your Competitors – and Win. *Harvard Business Review,* janv.-févr., 133-139.

Hamel, G. & Prahalad, C. K. (1989). Strategic intent. *Harvard Business Review,* mai-juin.

Hamel, G. & Prahalad, C. K. (1994). *Competing for the Future. Breakthrough Strategies for Seizing Control of Your Industry and Creating the Markets of Tomorrow.* Cambridge, MA : Harvard Business School Press. Version française : (1995). *La conquête du futur.* Paris : InterÉditions.

Hamel, G. & Prahalad, C. K. (1995). *La conquête du futur.* Paris : InterÉditions.

Hamermesh, R. G. (1976). *The Corporate Response to Divisional Profit Crises.* Thèse de doctorat inédite, Graduate school of business administration, Harvard, Boston.

Hamermesh, R. G. (1986). *Making Strategy Work – How Senior Managers Produce results.* New York : Wiley.

Hamermesh, R. G., Gordon, K. D. & Reed, J. P. (1977). *Crown Cork and Seal.* Case ICCH 9-378-024.

Hamermesh, R. G. & White, R. E. (1984). Manage Beyong Portfolio Analysis. *Harvard Business Review,* janv.-févr.

Hammes, D. L. (1988). *An Economic Analysis of Canada's Consulting Engineers.* Vancouver : Fraser Institute.

Hammer, M. & Champy, J. (1983). *Reengineering the Corporation : A Manifesto for Business Revolution.* New York : Harper Collins.

Hampden-Turner (1992). *La culture d'entreprise : des cercles vicieux aux cercles vertueux.* Paris : Seuil.

Hannan, M. T. & Freeman, J. (1977). The Population Ecology of Organizations. *American Journal of Sociology,* 82, 929-964.

Hannan, M. T. & Freeman, J. (1984). Structural Inertia and Organizational Change. *American Sociological Review,* 49, 149-164.

Harrigan, K. R. (1985). An Application of Clustering for Strategic Group Analysis. *Strategic Management Journal*, 6, 55-73.

Harrigan, K. R. (1987). Strategic Alliances their Newrote in Global Competition. *Columbia Journal of World Business*, été, 67-69.

Harrigan, K. R. (1988). Joint Ventures and Competitive Strategy. *Strategic Management Journal*, 9, 141-158.

Harrigan, K. R. & Newman, W. H. (1990). Bases of Interorganization Cooperation: Propensity, Power, Persistence. *Journal of Management Studies*, 27, 417-434.

Hart, M. H. (1986). *Le développement économique du Canada et le système de commerce international*. Ministère des approvisionnements et services Canada.

Hartman, D. (1984). Tax Policy and Foreign Direct Investment in the United States. *National Tax Journal*, 27, 475-488.

Hartman, U. (1988). Textile in 2000 – Problems and Perspectives. *Textile Leader*, mai, 46-47.

Haspeslagh, P. (1982). Portfolio Planning: Uses and Limits. *Harvard Business Review*, janv.-févr., 58-73.

Haspeslagh, P. & Jemison, O. (1991). *Managing Acquisitions Creating Value Through Corporate Renewal*. New York: Free Press.

Hatten, K. J. (1978). Quantitative Research Methods in Strategic Management. Dans Schendel & Hofer, *Strategic Management*. Boston: Little, Brown.

Hax, A. C. & Majluf, N. S. (1982). Competitive Cost Dynamics The Experience Curve. *Interfaces*, oct., 50-61.

Hayek, F. A. (1948). The Meaning of Competition. Dans *Individualism and Economic Order* (p. 92-106). Chicago: University of Chicago Press.

Heath, R. L. (Dir.), (1988). *Strategic Issues Management*. San Francisco: Jossey-Bass.

Hedberg, B. & Jonsson, S. (1977). Strategy Formulation as a Discontinuous Process. *International Studies of Management and Organizations*, 7, 88-109.

Helleiner, G. K. (1989). Transnational corporations and direct foreign investment. Dans H. Chenery & T. N. Srinivasan, *Handbook of development economics* (p. 1442-1480). Amsterdam.

Henderson, B. D. (1979). *Henderson on Corporate Strategy*. Cambridge, MA: Abt Books.

Henderson, L. J. (1970). *On the social system: Selected writings*. Chicago: University of Chicago Press.

Henderson, J. C. & Vankatraman, N. (1992). Strategic Alignment: A Model for Organizational Transformation Through Information Technology.

Dans T. A. Kochan & M. Useem (Dir.), *Transforming Organizations*. Oxford: Oxford University Press.

Hirshleifer, J. (1980). *Price Theory and Applications*. (2ᵉ éd.). Englewood Cliffs, NJ: Prentice-Hall.

Hitt, M. A. & Ireland, R. D. (1985). Corporate Distinctive Competence, Strategy, Industry and Performance. *Strategic Management Journal*, juill.-sept.

Hofstede, G. (1980). *Culture's Consequence International differences in work-related values*. Beverly Hills: Sage.

Holland, J. H. (1996). *Hidden Order: How Adaptation Builds Complexity*. Perseus Books.

Homans, G. C. (1961). *Social behavior: its elementary form*. New York: Harcourt, Brace and World.

Hornaday, J. A. (1982). Research About Living Entrepreneurs. Dans Kent et al. (Dir.), *Encyclopedia of Entrepreneurship* (p. 20-34). Englewood Cliffs, NJ: Prentice-Hall.

House, R. J., Spangler, W. D. & Woycke, J. (1991). Personality and Charisma in the U.S. Presidency, A Psychological Theory of Leader Effectiveness. *ASQ, 36*, 364-396.

Hrebeniak, L. G. & Joyce, W. F. (1985). Organizational Adaptation Strategic Choice and Environmental Determinism. *Administrative Science Quarterly*, sept., 336-349.

Hull, F. & Slowinski, E. (1990). Partnering with Technology Entrepreneurs. *Research-Technology Management, 33*, 16-20.

Hunt, J. (1991). Alienation among managers: The new epidemic or a social scientists' invention. *Critique, 20* (3).

Itami, H. & Roehl, T. W. (1987). *Mobilizing Invisible Assets*. Cambridge, MA: Harvard University Press.

Ibghy, R. & Hafsi, T. (1992). *La stratégie nationale de la Corée-du-Sud de 1962 à 1988*. Centre d'études en administration internationale, HEC.

Izard, C. E. (1991). *The Psychology of Emotions*. New York: Plenum.

Jacobson, R. (1992). The Austrian School of Strategy. *Academy of Management Review, 17*, 782-807.

Jacomet, D. (1987). *Le textile-habillement, une industrie de pointe*. Paris: Economica.

James, B. G. (1984). Strategic Planning Under Fire. *Sloan Management Review*, été, 15-22.

Jaoui, H. (1994). L'organisation apprenante, une réponse au défi du changement et de la qualité. *Humanisme et entreprise*, 21-38.

Jardim, A. (1969). *The First Henry Ford A Study on Personality and Business Leadership.* Boston: Harvard College.

Jarillo, J. C. (1988). On Strategic Networks. *Strategic Management Journal, 9,* 31-41.

Jarillo, J. C. & Stevenson, H. H. (1991). Co-operative Strategies – The Payoffs and the Pitfalls. *Long Range Planning, 24,* 64-70.

Jauch, L. R. & Osborn, R. N. (1981). Toward an Integrated Theory of Strategy. *The Academy of Management Review,* juill.

Jauch, L. R. & Kraft, K. L. (1986). Strategic Management of Uncertainty. *Academy of Management Review, 11,* 777-790.

Jauch, L. R. & Glueck, W. F. (1988). *Strategic Management and Business Policy.* New York: McGraw-Hill.

Jauch, L. R. & Glueck, W. F. (1990). *Management stratégique et politique générale.* Montréal: McGraw-Hill.

Jemison, D. B. (1987). *Management Science.* Providence, RI.

Jenkins, M. & Johnson, G. (1997). Entrepreneurial Intentions and Outcomes: A Comparative Causal Mapping. *The Journal of Management Studies, 34,* 895-920.

Jennings, D. F. & Seaman, S. L. (1994). High and Low Level of Organizational Adaptation An Empirical Analysis of Strategy, Structure and Performance. *Strategic Management Journal, 15,* 459-475.

Jensen, M. C. & Meckling, W. (1976). Theory of the firm Managerial behavior, agency costs and capital structure. *Journal of financial economics,* printemps.

Johnson, G. (1988). Rethinking Incrementalism. *Strategic Management Journal, 9,* 75-81.

Jorde, T. M. & Teece, D. J. (1989). Competition and Cooperation: Striking the Right Balance. *California Management Review, 31,* 25-37.

Jørgensen, J. J. (1989). Managing three levels of culture in state-controlled enterprises. Dans T. Hafsi, *Strategic issues in state-controlled enterprises.* Greenwich, CT: JAI.

Jørgensen, J. J. & Lilja, K. (1995). Managerial Agency and its Sectoral Embeddedness A Process Model of Strategic Moves in the Pulp and Paper Industry. *Strategic Management Society of Finland Yearbook,* 18-22. Helsinki Strategic Management Society of Finland.

Julien, P.-A. (1997). *PME: bilan et perspectives.* (2e éd.). Québec: Presses Inter- Universitaires.

Julien, P.-A., Chicha J. & Joyal, A. (1986). *La PME dans un monde en mutation.* Québec: PUQ.

Julien, P.-A. & Marchesnay, M. (1996). *L'entrepreneuriat*. Paris : Economica.

Julien, P.-A. & Morel, B. (1986). *La belle entreprise : la revanche des PME au Québec et en France*. Montréal : Boréal.

Jun, J. (1989). Tax Policy and International Direct Investment. *NBER Working paper series, 3048*, juil.

Kantrow, A. (1980). The Strategy-Technology Connection. *Harvard Business Review*, juil.-août.

Katz, D. & Kahn, R. L. (1966). *Social Psychology of Organizations*. New York : Wiley.

Kaufman, W. (1964). *The Nuclear Strategy*. New York.

Kaynak, E. & Kuan, W. (1993). Environment, Strategy, Structure and Performance in the Context of Export Activities An Empirical Study of Taiwanese Manufacturing Firms. *Journal of Business Research, 27*, 33.

Kazantzakis, N. (1952). *Zorba the greek*. New York : Simon and Shuster.

Keichel, W. (1982). Corporate Strategy Under Fire. *Fortune*, 17 déc., 97-108.

Kets de Vries, M. F. R. & Mead, C. (1989). La nouvelle dimension mondiale du leadership et des organisations. *Gestion, 14*, 36-47.

Kets de Vries, M. F. R. & Miller, D. (1985). *L'entreprise névrosée*. Paris : McGraw-Hill.

Kettani, M. (1996). *La société Sony*. Cas HEC.

Kiggundu, M. N., Jorgensen, J. J. & Hafsi, T. (1983). Administrative Theory and Practice A Synthesis. *Administrative Science Quarterly*.

Kim, D. H. (1993). The Link Between Individual and Organizational Learning. *Sloan Management Review*, 37-50.

Kim, W. C. & Lim, C. (1988). *Academy of Management Journal, 31*, 802-827.

Kirzner, I. M. (1979). *Perception, Opportunity, and Profit*. Chicago : University of Chicago Press.

Kirzner, I. M. (1981). The « Austrian » Perspective. Dans D. Bell & I. Kristol (Dir.), *The Crisis Economic Theory* (p. 111-122). New York : Basic Books.

Kisfalvi, V. (1995). Laisser nos émotions à la porte ? *Gestion, 20*, 110-113.

Kissinger, H. (1961). *The Necessity for Choice*. New York.

Klein, M. (1988/1959a). Our Adult World and its Roots in Infancy. Dans *Envy and Gratitude and Other Works, 1946-1963* (p. 247-263). London : Virago.

Koenig, G. (1994). L'apprentissage organisationnel : repérage des lieux. *Revue française de gestion*, janv.-févr., 76-83.

Kogut, B. (1991). Country Capabilities and the Permeability of Borders. *Strategic Management Journal*, *12*, numéro spécial, été.

Kogut, B. & Harbir, S. (1988). The Effect of National Culture on the Choice of Entry Mode. *Journal of International Business Studies, 19*, 411-432.

Kohn, S. J. (1990). The Benefits and Pitfalls of Joint Ventures. *The Bankers Magazine*, mai-juin, 12-18.

Koontz, H., O'Donnell, C. & Weihrich, H. (1986). *Essentials of Management*. New York : McGraw-Hill.

Krugman, P. & Graham, E. M. (1991). *Foreign Direct Investment in the United States.* Washington, DC : Institute for International Economics.

Kuhn, T. (1970). *The structure of scientific revolution.* Chicago : University of Chicago Press.

Lachmann, L. M. (1976). From Mises to Shackle An Essay an Austrian Economics and the Kaleidic Society. *Journal of Economic Literature, 14*, 54-62.

Lagarrigue, J. C. (1989). Internationalisation. *La filière maille*, sept.-oct., 43-44.

Lalande, S. (1991). *Génie sans frontière.* Montréal : Libre Expression.

Lapierre, L. (1987). Imaginaire, gestion et leadership. *Gestion, 12*, 6-14.

Lapierre, L. (1993, 1994). *Imaginaire et leadership.* Tomes I, II et III. Montréal : Québec/Amérique.

Lapierre, L. & Kisfalvi, V. (1994). *Affectivités, défenses et leadership. Imaginaire et leadership.* Boucherville : Gaëtan Morin.

Larçon, J.-P. & Reitter, R. (1979). *Structures de pouvoir et identité de l'entreprise.* Paris : Nathan.

Laroche, H. & Nioche, J. P. (1994). L'approche cognitive de la stratégie. *Revue française de gestion*, juin-juil.-août.

Lawler, E. E. & Mohrman, S. A. (1985). Quality Circles After the Fad. *Harvard Business Review, 63*, 65-71.

Lawrence, P. & Lorsch, J. (1967). *Organizations and environment.* Homewood, IL : Irwin.

Learned, E. P., Christensen, C. R., Andrews, K. R. & Guth, W. D. (1965). *Business Policy Text and Cases.* Homewood, IL : Irwin.

Ledford et al. (1989). Conference paper. Dans A. E. Mohrman, G. Lawler, S. Ledford et T. Cummings, *Large-Scale Organization Change.* San Francisco : Jossey-Bass.

Lei, D. & Slocum, J. W. Jr. (1991). Global Strategic Alliances Payoffs and Pitfalls. *Organizational Dynamics, 19*, 44-62.

Lejeune, A. (1994). *La technologie de l'information au cœur de l'espace de la stratégie.* Thèse, HEC.

Lenz, R. T. & Engledow, J. L. (1986). Environmental Analysis The Applicability of Current Theory. *Strategic Management Journal,* 7, 329-346.

Lepage, H. (1985). *Pourquoi la propriété.* Paris : Hachette.

Levi, M. (1988). *Of Rule and Revenue.* Berkeley : University of California Press.

Lévi-Strauss, C. (1958). *Anthropologie structurale.* Paris : Plon.

Levitt, T. (1960). Marketing Myopia. *Harvard Business Review,* juil.-août, 45-56.

Levy, D. (1994). Chaos Theory and Strategy : Theory, Application and Managerial Implications. *Strategic Management Journal,15,* numéro spécial, été.

Lewis, D. K. (1969). *Convention: A Philosophical Study.* Cambridge, MA : Harvard University Press.

Lewis, J. D. (1991). Competitive Alliances Redefine Companies. *Management Review,* 80, 14-18.

Lindblom, C. E. (1959). The science of muddling through. *Public Administration Review,* 19, printemps.

Lindblom, C. E. & Braybrooke, D. (1963). *A Strategy of Decision.* New York : Free Press.

Lipset Seymour, M. (1983). *Political Man : The Social Bases of Politics.* London : Heinemann.

Lizando, S. (1990). Foreign Direct Investment. *IMF working papers,* 63, juil.

Lorange, P. & Roos, J. (1991). Why Some Strategic Alliances Succeed and Others Fail. *Journal of Business Strategy,* 12, 25-30.

Lozeau, D. (1997). *Étude critique de la pratique de la gestion de la qualité dans des hôpitaux au Québec.* Thèse de doctorat, Université du Québec à Montréal.

Lubatkin, M. & Pitts, M. (1983). PIMS Fact and Folklore. *The Journal of Business Strategy,* hiver, 38-43.

Luc, D. & Hafsi, T. (1999). *Hydro-Québec.* Cas multimédia, HEC, Montréal.

Lynch, R. P. (1990). Building Alliances to Penetrate European Markets. *The Journal of Business Strategy,* mars-avril, 4-8.

Maccoby, M. (1976). *The gamesman.* New York : Simon and Schuster.

Madhok, A. (1996, mars). *Economizing and Strategizing in Foreign Market Entry.* Communication présentée à la Global Perspectives on Cooperative Strategies, North American Conference, London, Ontario.

Magaziner, I. C. & Patinkin, M. (1989). *The Silent War Inside the Global Business Battles Shaping America's Future*. New York: Random House.

Magnet, M. (1992). Meet the new revolutionaries. *Fortune*, 24 février.

Mahler, M. S., Pine, F. & Bergman, A. (1975). *The Psychological Birth of the Human Infant Symbiosis and Individuation*. New York: Basic Books.

March, J. G. (1978). Bounded Rationality. *The Bell Journal of Economics*, 9 (2).

March, J. G. & Olsen, J. P. (1989). *Rediscovering Institutions The Organizational Basis of Politics*. New York: Free Press.

March, J. G. & Simon, H. A. (1958). *Organizations*. New York: Wiley.

Markides, C. C. & Williamson, P. J. (1996). Corporate Diversification and Organizational Structure : A Resource-Based View. *Academy of Management Journal*, *39*, 340-367.

Markus, M. L. & Robey, D. (1988). Information Technology and Organizational Change Causal Structure in Theory and Research. *Management Science, 34*, 583-598.

Markusen, A. R., Hall, P. & Glasmeier, A. (1986). *High Tech America, the What, How, Where and Why of the Sunrise Industries*. London: Allen & Unwin.

Marlin, D., Lamont, B. & Hoffman, J. J. (1994). Choice situation, strategy and performance : A reexamination. *Strategic Management Journal*, mars.

Martinez, J. I. & Jarillo, J. C. (1989). The Evolution of Research on Coordination Mechanisms in Multinational Corporations. *Journal of International Business Studies, 20*, 489-514.

Mascarenhas, B. (1986). International Strategies of Non-dominant Firms. *Journal of International Business Studies, 17*, 1-25.

Mason, E. S. (1939). Price and Production Policies of Large Scale Enterprises. *American Economic Review, 29*, 61-74.

May, E. R. (1966). *The World War and American Isolation*. Cité par G. T. Allison (1971). *The essence of decision*. Boston: Little, Brown.

Mayer, N. R. F. (1965). *Psychology in Industry*. (3ᵉ éd.). New York: Houghton-Mifflin.

McClelland, D. C. (1961). *The Achieving Society*. New York: Free Press.

McFetridge, D. (1995). *Competitiveness Concepts and measures*. Occasional Paper n° 5. Ottawa: Industrie Canada.

McGahan, A. M. (1993, 1999). Note on Industry and Company Profitability. Note 9-793-139, 10 mai. Boston: Harvard Business School.

McKinsey (1981). Report on the Excellent Canadian Companies. *Financial Post*, 1ᵉʳ sept.

McLelan, K. & Beamish, P. (1995). The New Frontier for Information Technology Out Sourcing International Banking. *European Management Journal, 12*, 210-215.

Meindl, J. R., Ehrlich, S. B. & Dukerich, J. M. (1985). The Romance of Leadership. *ASQ, 30*, 78-102.

Mercer, D. (Dir.), (1992). *Managing the External Environment A Strategic Perspective.* Newbury Park, CA : Sage.

Meyer, L. Z. (1989). *Permanently Failing Organizations.* London : Sage.

Meyer, J. W. & Rowan, B. (1977). Institutionalized Organizations : Formal Structure as Myth and Ceremony. *American Journal of Sociology, 83*, 340-363.

Miles, R. E. & Snow, C. C. (1978). *Organizational Strategy, Structure and Process.* New York : McGraw-Hill.

Miles, R. & Snow, C. (1986). Organizations : New Concepts for new Forms. *California Management Review, 28*, 62-73.

Miles, R. H. (1987). *Managing the Corporate Social Environment.* Englewood Cliffs, NJ : Prentice-Hall.

Miller, D. (1981). Toward a New Contingency Approach The Search for Organizational Gestalts. *Journal of Management Studies, 18*, 1-26.

Miller, D. (1990). Fashion Industry Adapts to New Consumer Power. *Marketing News, 24*, 1-2.

Miller, D. (1990). *The Icarus Paradox.* New York : Harper Business. Version française : (1992). *Le paradoxe d'Icare.* Sainte-Foy, Québec : Presses de l'Université Laval.

Miller, D. & Friesen, P. H. (1984). *Organizations A Quantum View.* Englewood Cliffs, NJ : Prentice-Hall.

Miller, D., Kets de Vries, M. F. R. & Toulouse, J. M. (1982). Top Executive Locus of control and Its Relationship to Strategy-Making, Structure, and Environment. *AMJ, 25*, 237-253.

Miller, D. & Shamsie, J. (1996). The resource-based view of the firm in two environments : The Hollywood film studios from 1936 to 1965. *Academy of management journal, 39* (4).

Miller, D. & Toulouse, J. M. (1986). Chief Executive Personality and Corporate Strategy and Structure in Small Firms. *Management Science, 32*, 1389-1409.

Miner, J. B., Smith, N. R. & Bracker, J. S. (1992). Defining the Inventor-Entrepreneur in the Context of Established Typologies. *Journal of Business Venturing, 7*, 103-113.

Mintzberg, H. (1973). Strategy making in three modes. *California Management Review, XVI*, 44-53.

Mintzberg, H. (1978). Patterns in Strategy Formation. *Management Science, 24*, 934-948.

Mintzberg, H. (1979). Strategy-Making in Three Modes. *California Management Review, XVI*, 2.

Mintzberg, H. (1987). Crafting Strategy. *Harvard Business Review*, août-sept.

Minzberg, H. (1990a). Strategy Formation – School of Thought. Dans J. W. Fredrickson (Dir.), *Perspectives on Strategic Management* (p. 105-235). New York: Harper & Row.

Mintzberg, H. & Lampel, J. (1999). Reflecting on the strategy process. *Sloan Management Review, 40*, 21-30.

Mintzberg, H. & McHugh, A. (1985) Strategy Formation in an Adhocracy. *Administrative Science Quarterly, 30*.

Mintzberg, H. & Quinn, J. B. (1996). *The Strategy Process: Concepts, Contexts, and Cases*. Upper Saddle River, NJ: Simon & Schuster.

Mintzberg, H. & Waters, J. A. (1982). Tracking Strategy in an Entrepreneurial Firm. *Academy of Management Journal, 25*, 465-500.

Mintzberg, H. & Waters, J. (1985). Of Strategies: Deliberate and emergent. *Strategic Management Journal, 6*, 257-272.

Mises, L. (1949). *Human Action A Treatise on Economics*. New Haven, CT: Yale, University Press.

Mody, A. & Srinivasan, K. (1992). Trends and Determinants of Foreign Direct Investment An Empirical Analysis of US Investment Abroad. *World Bank*.

Morgan, K. (1989). *Images de l'organisation*. Sainte-Foy, Québec: Presses de l'Université Laval.

Morin, D. (1998). La fonction publique canadienne à l'aube de l'an 2000 – Canada inc.: fiction ou réalité? *Revue internationale de gestion, 23*, 14-22.

Morris, D. & Hergert, M. (1987). Trends in International Collaborative Agreements. *Columbia Journal of World Business*, été, 15-21.

Mouzelis, N. (1983). L'approche des relations humaines. Dans F. Séguin & J.-F. Chanlat (Dir.), *L'analyse des organisations une anthologie sociologique* (tome 1, chap. 2, p. 149-174). Saint-Jean-sur-Richelieu: Préfontaine.

Murtha, T. & Lenway, S. (1994). Country Capabilities and the Strategic State, How National Political Institutions Affect Multinational Corporations' Strategies. *Strategic Management Journal, 15*, été.

Nadler, D. A. & Tushman, M. L. (1986). *Managing strategic organizational change: Frame bending and frame breaking*. New York: Delta Consulting Group.

Nantel, J. (1989). La segmentation, un concept analytique plutôt que stratégique. *Gestion, 14* (3).

Negandhi, A. R. (1971). American Management Abroad A Comparative Study of Management Practices of American Subsidiaries and Local Firms in Developing Countries. *Management International Review, 11*, 97-107.

Nelson, R. R. & Winter, S. G. (1982). *An Evolutionary Theory of Economic Change.* Harvard, Cambridge, MA : University Press.

Neustadt, R. (1960). *Presidential Power.* New York : Wiley.

Niederkofler, M. (1991). The Evolution of Strategic Alliances Opportunities for Managerial Influence. *Journal of Business Venturing, 6*, 237-257.

Nigh, D. (1985). The Effects of Political Events on United States Direct Foreign Investment A Pooled Time-Series Cross-Sectional Analysis. *Journal of International Business Studies, 16*, 1-17.

Niosi, J. (1990). *La montée de l'ingénierie canadienne.* Montréal : Presses de l'Université de Montréal.

Noël, A. (1987). Les modèles de décision en acquisitions et fusions. *Gestion*, numéro spécial, septembre.

Noël, A. (1989). Strategic Cores and Magnificent Obsessions Discovering Strategy Formation Through Daily Activities of CEOs. *Strategic Management Journal, 10*, 33-49.

Nohria, N. & Garcia-Pont, C. (1991). Global Strategic Linkages and Industry Structure. *Strategic Management Journal, 12*, 105-124.

Norburn, D. (1989). The Chief Executive A Breed Apart. *Strategic management journal, 10*, 1-15.

Normann, R. & Ramirez, R. (1993). From Value Chain to Value Constellation Designing Interactive Strategy. *Harvard Business Review*, juil.-août, 65-77.

Nueno, P. & Oosterweld, J. (1988). Managing Technology Alliances. *Long Range Planning, 21*, 11-17.

Nutt, P. C. (1986). Tactics of Implementation. *Academy of Management Journal, 29*, 239-261.

O'Connor, J. (1973). *The fiscal Crisis of the State.* New York : St Martin's.

Ohmae, K. (1985). *Triad Power The Coming Shape of Global Competition.* New York : Free Press.

Ohmae, K. (1989). The Global Logic of Strategic Alliances. *Harvard Business Review*, mars- avril, 143-154.

Ohmae, K. (1990). Pourquoi les alliances échouent-elles ? *Harvard – L'expansion*, printemps, 25-44.

Ohmae, K. (1995). Putting Global Logic First. *Harvard Business Review*, 73, 119-125.

Olleros, F. J. & Macdonald, R. J. (1988). Strategic Alliances Managing Complementarity to Capitalize on Emerging Technologies. *Technovation*, 7, 155-176.

Olson, M. J. R. (1965). *The Logic of Collective Action: Public Goods and the Theory of Groups*. Cambridge: Havard University Press.

Osborn, R. N., Hunt, J. G. & Jauch, L. R. (1980). *Organization Theory An Integrated Approach*. New York: Wiley.

Osborne, D. & Gaebler, T. (1993). *Reinvinting Government How the Entrepreneurial Spirit is Transforming the Public Sector*. New York: Plume.

Ostroff, F. & Smith, D. (1992). The Horizontal Organization. *McKinsey Quarterly*, 1, 148-168.

Ott, J. S. (1989). *The organization culture perspective*. Pacific Grove, CA: Brooks/Cole.

Palich, L. E., Cardinal, L. B. & Miller, C. C. (2000). Curvilinearity in the Diversification-Performance Linkage: An Examination of Over Three Decades of Research. *Strategic Management Journal, 21* (2).

Parnello, K. W. (1990). Business Planning in the US and South Korean Apparel Industries An Exploratory Study. Thèse de maîtrise, Michigan state university, MI.

Parson, T. (1960). *Structure and Process in Modern Societies*. New York: Free Press.

Pascale, R. T. (1984). Perspectives on Strategy: The Real Story behind Honda's Success. *California Management Review*, 26, 47-72.

Pascale, R. T. (1990). *Managing on the edge*. New York: Touchstone.

Pascale, R. T. & Athos, A. G. (1984). *Le management est-il un art japonais ?* Paris: Éditions d'organisation.

Pasquero, J. (1988). Bilateral Protectionism Lessons from a Cause Célèbre. *California Management Review, 30*, 124-141.

Pasquero, J. (1989). Gérer stratégiquement dans un environnement politisé. *Revue internationale de gestion, 14*, 116-128.

Pasquero, J. (1990). Enjeux sociétaux et mutations organisationnelles dans les sociétés industrielles. Dans R. Tessier & Y. Tellier, *Changement planifié et développement des organisations* (tome 1, p. 73-112). Sillery: Presses de l'Université du Québec.

Pavé, F. (dir.), (1994). *L'analyse stratégique. Sa genèse, ses applications et ses problèmes actuels. Autour de Michel Crozier*. Paris: Seuil.

Penttinen, R. (1994). Summary of the Critique on Porter's Diamond Model. *Helsinki The Research Institute of the Finnish Economy*, Discussion Paper n° 462.

Penrose, E. (1959). *Theory of the Growth of the Firm.* New York : John Wiley.

Peppers, D., Rogers, M. & Dorf, B. (1999). Is your Company Ready for One-to-one Marketing ? *Harvard Business Review,* janv.-févr.

Perrow, C. (1970). *Organizational Analysis : A sociological view.* Belmont, CA : Wadsworth.

Perrow, C. (1986). *Complex Organizations A Critical Essay.* (3ᵉ éd.). New York : Random House.

Peters, T. J. (1978). Symbols, Patterns, and Settings : An Optimistic Case for Getting Things Done. *Organizational Dynamics, 7,* 3-23.

Peters, T. & Waterman, R. (1983). *Le prix de l'excellence.* Paris : Interéditions.

Pettigrew, A. M. (1985). *The Aweakening Giant Continuity and Change in ICI.* Oxford : Basil Blackwell.

Pfeffer, J. (1994). *Competitive Advantage through People.* Boston : Harvard Business School Press.

Pfeffer, J. & Salancik, G. R. (1978). *The External Control of Organizations : A Resource Dependence Perspective.* New York : Harper & Row.

Pine, B. J. II, Peppers, D. & Rogers, M. (1995). Do You Want to keep your Customer Forever ? *Harvard Business Review,* mars-avril, 103-114.

Pinsonneault, A., Bourret, A. & Rivard, S. (1993). L'impact des technologies de l'information sur les tâches des cadres intermédiaires : une étude empirique des bénéfices de l'informatisation. *Technologie de l'information et société, 5,* 301-328.

Pinsonneault, A. & Kraemer, K. L. (1993). The Impact of Information Technology on the Middle Managers. *MIS Quarterly, 17,* 271-292.

Pinsonneault, A. & Kraemer, K. L. (1995). Middle Management Downsizing The Impact of Information Technology. *Management Science.*

Pitcher, P. (1994). *Artistes, artisans et technocrates dans nos organisations : rêves, réalités et illusions du leadership.* Montréal : Québec/Amérique et Presses des HEC.

Pitcher, P. (1997). *Artistes, artisans et technocrates dans nos organisations.* (2ᵉ éd.). Montréal : Québec/Amérique et Presses des HEC.

Polanyi, K. (1944). *The Great Transformation.* Boston : Beacon Press.

Pondy, L. R., Frost, P. J., Morgan, G. & Dandridge, T. C. (1983). *Organizational Symbolism.* Greenwich, CT : JAI.

Popper, K. (1959). *The Logic of Scientific Discovery.* New York : Basic Books.

Porter, M. E. (1976). Industry Structural Change. Note 9-377-051, 1ᵉʳ octobre. Boston: Harvard Business School.

Porter, M. E. (1980). *Competitive Strategy Techniques for Analyzing Industries and Competitors.* Toronto: Free Press.

Porter, M. E. (1981). The Contribution of Industrial Organization to Strategic Management. *Academy of Management Review*, 6, 609-620.

Porter, M. E. (1982). *Choix stratégiques et concurrence.* Paris: Economica.

Porter, M. E. (1985). *Competitive Advantage.* New York: Free Press.

Porter, M. E. (1987). *Competiting in Global Industries.* Boston: Harvard Business School Press.

Porter, M. E. (1990). *The Competitive Advantage of Nations.* Londres: Macmillan.

Porter, M. E. (1991b). *Canada at the Crossroads.* Ottawa: Business Council on National Issues.

Porter, M. E. (1994). Competitive Strategy Revisited: A View from the 1990s. Dans P. Barker Duffy, *The Relevance of a Decade.* Boston: Harvard Business School Press.

Prahalad, C. K. (1975). *The Strategic Process in a Multinational Corporation.* Thèse de doctorat inédite, Graduate school of business administration, Harvard, Boston.

Prahalad, C. K. & Bettis, R. A. (1986). The Dominant Logic A new linkage between diversity and performance. *Strategic Management Journal*, 7, 485-501.

Prahalad, C. K. & Doz, Y. L. (1987). *The Multinational Mission Balancing Local Demands and Global Vision.* New York: Free Press.

Prahalad, C. K. & Hamel, G. (1989). Strategic Intent. *Harvard Business Review*, mai-juin, 63-76.

Prahalad, C. K. & Hamel, G. (1990). The Core Competence of Corporation. *Harvard Business Review*, mai-juin, 79-91.

Prahalad, C. K. & Hamel, G. (1995). *Competing for the future.* Chicago: Success.

Quinn, J. B. (1977, 1978). Social Change Logical Incrementation. *Sloan Management Review,* automne-hiver, printemps.

Quinn J. B. (1978). Strategic Change: Logical Incrementalism. *Sloan Management Review*, automne.

Quinn, J. B. (1980). *Strategies for Change Logical Incrementalism.* Homewood, IL: Irwin.

Quinn, J. B. (1992). *The Intelligent Enterprise, A Knowledge and Service-based Paradigm.* New York: Free Press.

Reich, R. B. (1989). As the World Turns. *The New Republic*, mai, 23-28.

Reich, R. B. (1990). Who is us? *Harvard Business Review*, janv.-févr.

Rieger, F. (1986). *The Influence of National Culture on Organizational Structure, Process and Strategy Decision Making A Study of International Airlines*. Thèse de doctorat, Université McGill.

Rivard, S. (1996). Impact des technologies de l'information sur la performance organisationnelle. *Entreprendre*, mai-juin, 50.

Rivard, S. & Talbot, J. (1998). *Le développement des systèmes d'information : une méthode intégrée à la transformation des processus*. Québec : Presses de l'Université du Québec et Presses des HEC.

Roach, S. S. (1991). Services Under Siege – The Restructuring Imperative. *Harvard Business Review*, sept.-oct., 82-91.

Roberts, E. B. (1991). *Entrepreneurs in High Technology, Lessons from MIT and Beyond*. New York : Oxford University Press.

Roberts, R. (1992). The Do's and Don'ts of Strategic Alliances. *Journal of Business Strategy, 13*, 50-53.

Robinson, J. (1933). *The Economics of Imperfect Competition*. London : MacMillan.

Rockart, J. & Short, J. (1991). The Networked Organization and the Management of Interpedence. *The corporation of the 1990s*. New York : Oxford Press.

Roethlisberger, F. J. (1977). *The Elusive Phenomena*. Cambridge : Harvard University Press.

Rogers, E. & Larsen, J. K. (1984). *Silicon Valley Fever : Growth of High Technology Culture*. New York : Basic Books.

Romanelli, E. (1991). The Evolution of New Organizational Forms. *Annual Review of Sociology, 17*, 79-103.

Root, F. R. & Ahmed, A. A. (1978). The Influence of Policy Instruments on Manufacturing Foreign Investment in Developing Countries. *Journal of International Business Studies, 9*, 81-93.

Rosegger, G. (1991). Diffusion Through Interfirm Cooperation. *Technological Forecasting and Social Change, 39*, 81-101.

Ross, S. (1973). The economic Theory of Agency : The principal Problem. *American Economic Review, LXII*, mai.

Rouleau, L. & Gagnon, S. (1999). *Les organisations en défaillance continue : entre performance et inertie*. Cahier de recherche 99-03, HEC, Montréal.

Rowe, A. J., Mason, R. O. & Dickel, K. (1982). *Strategic management and business policy : A methodological approach*. Reading, MA : Addison Wesley.

Rugman, A. M. (Dir.), (1990). *Research in Global Strategic Management* (vol. 1). Greenwich, CT : JAI.

Rugman, A. M. & D'Cruz, J. R. (1993a). The Double Diamond Model of International Competitiveness The Canadian Experience. *Management International Review, 33*, 17-39.

Rumelt, R. P. (1977). *Diversity and Profitability*. UCLA : Working paper.

Rumelt, R. P. (1991). How much does industry matter ? *Strategic Management Journal, 12* (3).

Rumelt, R. P., Schendel, D. & Teece, D. J. (1991). Strategic Management and Economics. *Strategic Management Journal, 12*.

Sainsaulieu, R. (1987). *Sociologie de l'organisation et de l'entreprise*. Paris : Presses de la FNSP/Dalloz.

Saint-Martin, D. (1999). Les consultants et la réforme managérialiste de l'État en France et en Grande-Bretagne : vers l'émergence d'une «consultocratie» ? *Revue canadienne de science politique, XXXII*, 41-74.

Salleron, L. (1965). *Le gondement du pouvoir dans l'entreprise*. Paris : Entreprise moderne d'édition.

Salter, M. S. & Weinhold, W. A. (1979). *Diversification Through Acquisition*. New York : Free Press.

Salwyn, A. (1996). L'industrie cède à l'inquiétude. *Le Devoir*, 9 avril, B5.4.

Sandberg, W. R. & Hofer, C. W. (1987). Improving New Venture Performance The Role of Strategy, Industry Structure, and the Entrepreneur. *Journal of Business Venturing, 2*, 5-28.

Savage, G. T., Nix, T. W., Whitehead, C. J. & Blair, J. D. (1991). Strategies for Assessing and Managing Organizational Stakeholders. *Academy of Management Executive, 5*, 61-75

Sayer, W. & Kaufman, H. (1960). *Governing New York city*. New York. Cité dans Allison, *op. cit.*

Scheid-Cook, T. L. (1992). Organizational Enactments and Conformity to Environmental Prescriptions. *Human Relations, 45*, 537-554

Scheiger, D. & Walsh, J. (1990). Mergers and Acquisitions An Interdisciplinary View. Dans K. Rombard & G. Ferry, *Research in Personnel and Human Resource Management*. Greenwich, CT : JAI.

Schein, E. (1985). *Organizational culture and leadership*. San Francisco, CA : Jossey-Bass.

Schelling, T. C. (1960). *The Strategy of Conflict*. Oxford : Oxford University Press.

Schelling, T. C. (1978). *Micromotives and Macrobehavior*. New York: Norton.

Schendel, D. E. & Hofer, C. (1978). *Strategic Management A New View of Business Policy and Planning*. Boston: Little, Brown.

Schneider, F. & Frey, B. S. (1985). Economic and Political Determinants of Foreign Direct Investment. *World Development, 13*, 161-175.

Scholl, R. (1994). The international investment position.

Schumpeter, J. A. (1939). *Business cycles: a theoretical, historical and statistical analysis of the capitalist process*. New York: McGraw-Hill.

Schumpeter, J. A. (1942). *Capitalism, Socialism and Democracy*. (3ᵉ éd.: 1950). New York: Harper.

Schwartz, J. J. (1973). *The Decision to Innovate*. Thèse de doctorat inédite, Harvard University, Cambridge, MA.

Schwenk, C. R. (1984). Cognitive Simplification Processes in Strategic Decision-Making. *Strategic Management Journal, 5*, 111-118.

Scott, W. R. (1995). *Institutions and Organizations*. Thousand Oaks, CA: Sage.

Scott, W. R. (1992). The Organization of Environments Network, Cultural and Historical Elements. Dans J. W. Meyer & W. R. Scott, *Organizational Environments Rituals and Rationality* (updated edition) (p. 155-175). Newbury Park: Sage.

Scott Morton, M. C. (Dir.), (1991). *The Corporation of the 1990s*. Oxford: Oxford University Press.

Segal-Horn, S. (1993). The Internationalization of Service Firms. *Advances in Strategic Management*, 31-55.

Selznick, P. (1953). *TVA and the Grass Roots*. Los Angeles, CA: University of California Press.

Selznick, P. (1957). *Leadership in administration*. Los Angeles: University of California Press.

Selznick, P. (1966). *TVA and The Grass Roots*. New York: Harper & Row.

Semler, E. (1993). *À contre-courant, vivre l'entreprise la plus extraordinaire au monde*. Paris: Dunod.

Senge, P. (1990). *The Fifth Discipline*. New York: Doubleday.

Senge, P. (1992). Creating the Learning Organization. *The McKinsey Quarterly*, (1), 58-79.

Shackle, G. L. S. (1979). *Imagination and the Nature of Choice*. Édimbourg: Edinburgh University Press.

Shah, A. & Slemrod, J. (1990). Tax Sensitivity of Foreign Direct Investment An Empirical Assessment. *PRE Working Papers*, juin.

Shamsie, J. (1991). *The Context of Dominance a Cross-sectional Study.* Thèse de doctorat, Université McGill, Montréal.

Shane, S. (1994). The Effect of National Culture on the Choice Between Licensing and Direct Foreign Investment. *Strategic Management Journal, 15* (8).

Sikora, M. (2000). Merger disclosure rules are eased. *Mergers and Acquisitions, 35,* 12.

Simon, H. A. (1945, 1947, 1957, 1973, 1975, 1976). *Administrative Behavior. A Study of Decision-Making Processes in Administrative Organization.* New York: Macmillan.

Simon, H. A. (1982). *Models of Bounded Rationality.* Cambridge, MA: MIT Press.

Simon, H. A. (1983). *Reason in Human Affairs.* Los Angeles: Standford University Press.

Skinner, B. F. (1953). *Science and human behavior.* New York: Macmillan.

Skinner, S. J., Donnelly, Jr., J. H. & Ivancevich, J. M. (1987). Effects of Transactional Form on Environmental Linkages and Power-Dependence Relations. *Academy of Management Journal, 30,* 577-588.

Skivington, J. E. & Daft, R. L. (1991). A Study of Organizational «Framework» and «Process» Modalities for the Implementation of Business-Level Strategic Decisions. *Journal of Management Studies, 28,* 45-68.

Slatter, S. P. (1980). Common Pitfalls in Using the BCG Product Portfolio Matrix. *London School of Business Journal,* hiver.

Slemrod, J. (1989). Tax Effects of Foreign Direct Investment in the U.S. Evidence From Cross-Country Comparison. *NBER Working paper, 3042,* National Bureau of Economic Research, Cambridge, juillet.

Sloan, A. (1964). *My Years at GM.* Garden City, NJ: Doubleday.

Sloan, P. (1999). Placer Dome's Policy on Sustainability. Dans E. K. Hanb, Program Business and the Environment. Toronto: Schulich School of Business – York University.

Slywostzky, A. J., Morrison, D. J., Moser, T., Mundt, K. A. & Quella, J. A. (1999). *Profit Patterns.* Mercer.

Smircich, L. & Stubbart, C. (1985). Strategic Management in an Enacted World. *Academy of Management Review, 10,* 724-736.

Smith, A. (1995). *Going Global The International Expansion of the Seven Regional Bell Operating Companies 1984-1991.* Thèse de doctorat inédite,

Kenan-Flager School of business, University of North Carolina, Chapel Hill, NC.

Smith, J. E., Kenneth, P., Carson, T. & Alexander R. A. (1984). Leadership It Can Make a Difference. *AMJ, 27*, 765-776.

Snow, C. C. & Hambrick, D. C. (1980). Measuring organizational strategies : Some theoretical and methodological problems. *Academy of Management Review, 5*, 527-538.

Snow, C. C. & Hrebiniak, L. G. (1980). Strategy, Distinctive Competence and Organizational Performance. *Administrative Science Quarterly*, juin.

Snyder, G. (1961). *Deterrence and Defense.* Princeton : Princeton University Press.

Sorohan, E. G. (1993). We do Therefore, we learn. *Training and development*, oct., 47-55.

Spence, A. M. (1977). Entry Capacity, Investment, and Oligopolistic Pricing. *Bell Journal of Economics, 8*, 534-544.

Spence, A. M. (1979). The Learning Curve and Competition. *Bell Journal of Economics, 12*, 49-70.

Starbuck, W. H. (1993). *Learning by Knowledge-Intensive Firms* (research paper). New York : New York University.

Steimo, S., Thelen, K. & Longstreth, F. (Dir.), (1992). *Structuring Politics, Historical Institutionalism in Comparative Analysis.* Cambridge : Cambridge University Press.

Steiner, G. A. (1963). *Managerial Long-range Planning.* New York : McGraw-Hill.

Stevenson, H. (1976). Defining corporate strengths and weaknesses. *Sloan management review*, printemps.

Stigler, G. (1950). Capitalism and Monopolistic Competition : I. The Theory of Oligopoly. *American Economic Review, Papers and Proceedings, 40*, mai.

Stillman, P. (1974). *The Concept of Legitimacy.* Polity n° 7.

Strategos (1988). *Stratégie, structure, décision, identité.* Paris : InterÉditions.

Sutherland, J. W. (1973). *A General Systems Philosophy for the Social and Behavioral Sciences.* New York : Brazilier.

Tapscott, D. & Caston, A. (1994). *L'entreprise de la deuxième ère.* Paris : Dunod.

Taylor, W. H. (1983). The nature of policy making in universities. *The Canadian journal of higher education*, 17-32.

Teece, D. J. (1986). Profiting from Technological Innovation. *Research Policy, 15*, 285-305.

The Economist (1991). Jack Welch reinvents General Electric – Again. 30 mars.

Thiétart, R.-A. (1983). *La stratégie d'entreprise.* Paris: McGraw-Hill.

Thomas, A. B. (1988). Does Leadership Make a Difference to Organizational Performance? *ASQ, 33*, 388-400.

Thompson, J. D. (1967). *Organizations in Action.* New York: McGraw-Hill.

Thorelli, H. B. (1986). Networks: between Markets and Hierarchies. *Strategic Management Journal, 7*, 37-51.

Tichy, N. & Charan, R. (1989). Speed, Simplicity, Self-confidence An Interview With Jack Welch. *Harvard Business Review, 67*, 112-120.

Time. 24 janvier 2000.

Timmons, J. A. (1978). Characteristics and Role Demands of Entrepreneurship. *American Journal of Small Business, 3*, 5-17.

Tolbert, P. S. & Zucker, L. B. (1983). Institutional Sources of Change in the Formal Structure of Organizations: The Diffusion of Civil Service Reform, 1880-1935. *Administrative Science Quarterly, 28*, 22-39.

Torrès, O. (1999). *Les PME.* Paris: Flammarion.

Tremblay, M. (1994). *Le sang jaune de Bombardier.* Sainte-Foy et Montréal: PUQ et Presses des HEC.

Truman, D. (1951). *The Governmental Process.* New York. Cité dans Allison, *op. cit.*

Tyson, L. (1991). They are not us. Why American Ownership Still Matters. *The American Prospect*, hiver.

Tywoniak, S. A. (1998). Le modèle des ressources et des compétences: un nouveau paradigme pour le management stratégique? Dans H. Laroche & J.-P. Nioche (Dir.), *Repenser la stratégie* (p. 166-204). Paris: Vuibert.

Ullman, R. H. (1968). *Anglo-Soviet Relations, 1917-1921* (vol. 2). Princeton: University Press.

Useem, B. & Useem, M. (1979). Government Legitimacy and Political Stability. *Social Forces,* 57 (3).

Van Houten, S. (1994). Manufacturing: Getting Government on Side. *P.E.M.,* hiver-printemps, 38.

Vankatraman, N. (1991). IT-induced Business Reconfiguration. Dans M. C. Scott Morton (Dir.), *The Corporation of the 1990s* (p.122-158). Oxford: Oxford University Press.

Vankatraman, N. & Camillus, J. C. (1984). Exploring the Concept of Fit in Strategic Management. *Academy of Management Review, 9*, 513-525.

Vankatraman, N. & Grant, J. H. (1986). Construct Measurement in Organizational Strategy Research A Critique and Proposal. *Academy of Management Review*, *11*, 71-87.

Vankatraman, N. & Prescott, J. (1990). Environment-strategy Coalignment An Empirical Test of its Performance Implications. *Strategic Management Journal*, *11*, 1-23.

Vankatraman, N. & Ramanujam, V. (1986). Measurement of Business Performance in Strategy Research, A Comparison of Approaches. *Academy of Management Review*, *11*, 801-814.

Vernon, R. & Wells, L. (1976). *Economic Environment of International Business*. Englewood Cliffs, NJ : Prentice-Hall.

Verreault, R. & Polèse, M. (1988). *L'exportation de services par les firmes canadiennes de génie-conseil : évolution récente et avantages concurrentiels*. Montréal : INRS.

Von Bertalanffy, L. (1968). *General System Theory*. New York : Braziller.

Waldrop, M. M. (1993). *Complexity : The Emerging Science at the Edge of Chaos and Order*. Touchstone.

Walsh, J. (1989). *Structural Change and Industrial Decline The Case of the British Textiles*. Thèse de doctorat inédite, University of Warwick, Royaume-Uni.

Weick, K. E. (1979). *The Social Psychology of Organizing*. Reading, MA : Addison-Wesley.

Weinberg, A. (1995). À quoi jouent les acteurs ? Les théories de l'action dans les sciences humaines. *Sciences Humaines*, *9*, 6-11.

Welch, E. & Wong, W. (1998). Public Administration in a Global Context : Bridging the Gaps of Theory and Practice Between Western and Non-Western Nations. *Public Administration Review*, *58*, 40-49.

Wernefelt, B. (1984). A Resource Based View of The Firm. *Strategic Management Journal*, *5*, 171-180.

Westley, F. R. & Mintzberg, H. (1988). Profiles of Strategic Vision Levesque and Iacocca. Dans K. Conger et al. (Dir.), *Charismatic Leadership*. San Francisco : Jossey-Bass.

Westphal, J. D., Gulati, R. & Shortell, S. M. (1997). Customization or Conformity : An Institutional and Network Perspective on the Content and Consequence of TQM Adoption. *Administrative Science Quarterly*, *42*, 366-394.

White, R. E. (1986). Generic Business Strategies, Organizational Context and Performance : An Empirical Investigation. *Strategic Management Journal*, *7*.

Whitley, R. (1988). The Management Sciences and Management Skills. *Organization Studies*, 9, 47-68.

Wildavsky, A. (1966). The Budgetary Process. *American Political Science Review*, sept.

Williamson, O. (1979). Transaction-Cost Economics: the Governance of Contractual Relations. *Journal of Law and Economics*, 22, 223-261.

Williamson, O. (1994). *Les institutions du capitalisme*. Paris: InterÉditions.

Williamson, S. R. (1969). *The Politics of Grand Strategy*. Cambridge, MA: Harvard University Press.

Wilson, I. (1983). The Benefits of Environmental Analysis. Dans K. J. Albert, *The strategic Management Handbook* (ch. 9, p. 1-20). New York: McGraw-Hill.

Winnicott, W. D. (1965). *The Maturational Processes and the Facilitating Environment Studies in the Theory of Emotional Development*. New York: International Universities Press.

Wiseman, J. (1989). *Cost, Choice and Political Economy*. Aldershot: Edward Elgar.

Wissema, J. G. & Van Der Pol, H. W. (1980). Strategic Management Archetypes. *Strategic Management Journal*, janv.-mars.

Wright, P. (1984). MNC-Third World Business Unit Performance. *Strategic Management Journal*, 5 (3).

Yoshino, M. Y. & Srinivasa Rangan, U. (1995). *Strategic Alliances*. Boston: Harvard Business School Press.

Zaleznik, A. (1970). Power and Politics in Organizational Life. *Harvard business review*, mai-juin.

Zaleznik, A. (1989). *The Managerial Mystique*. New York: Harper & Row.

Zaleznik, A. (1991). L'absence de leadership et la mystique managériale. *Gestion*, 16, 15-26.

Zucker, L. G. (1987). Institutional Theories of Organization. *Annual Review of Sociology*, 13, 443-464.

Zysman, S. (1973). *Top Management and Decentralized Investment Planning in Diversified Forms*. Thèse de doctorat inédite, Harvard University, Cambridge, MA.

INDEX DES AUTEURS

INDEX DES AUTEURS

INDEX DES SUJETS

INDEX DES SUJETS

Transcontinental
IMPRESSION
IMPRIMERIE GAGNÉ